삼국지

나관중 지음
황석영 옮김

三國志 삼국지 2

창비

| 옮긴이의 말 | 원문의 맛 그대로 느끼는 고전의 재미

'삼국지 이야기꾼'의 전성시대

내가 '삼국지'를 처음 알게 된 것은 초등학교 때인 한국전쟁 시기의 피난지 대구에서였다. 당시에 『학원』이란 청소년 잡지가 나오고 있었는데 거기에 김용환(金龍煥)의 「코주부 삼국지」가 연재되고 있었다. 나중에 알았지만 이것은 일제시대 '삼국지'의 대종을 이루었던 요시까와 에이지(吉川英治)의 번역본을 기본 줄거리로 하고 있었다. 즉 유비가 어머니를 위해 돗자리를 짜가지고 저자에 내다 팔아서 차를 구해 오다가 황건적을 만나는 일화가 첫 장면이었다.

서울수복 후 휴전이 되던 무렵인 초등학교 5학년 여름방학에 두툼한 10권짜리 『삼국지』를 대본소에서 빌렸다. 그무렵의 대본소는 전후 각 가정에서 쏟아져나온 책들을 야시장 노천의 책장에 진열해놓고, 일정한 책값을 맡겨두면 아무 책이든 빌려볼 수 있는 식이었다. 내가 그때까지 닥치는 대로 읽은 책들이란 어린이책에서 어른책에 이르기까지 대개는 이른바 '세계명작'이라고 하여, 시대와 배경이 서양이고 작가도 모두 서양인들이었다. 『삼국지』 이후에 비로소 『임꺽정』이라든가 『수호지』 『서유기』 등등을 읽었다. 그렇게 동양고전을 읽는 맛을 알게 되면서 중학교에 들어가서 『열국지』 『금병매』 『홍루몽』 등을 읽었던 기억이 난다.

나는 『삼국지』를 초등학교·중학교·고등학교 그리고 군대에서 제대하고 나서도 읽었다. 그러니 유년기를 지나 소년, 청년이 되기까지 몇번이고 읽은 셈이다. 전후의 초등학교 시절에는 학교가 거의 파괴되거나 군부대시설로 사용되고 있어서 교실도 변변히 없었다. 선생님들은 결근이 잦았고 아예 부임이 늦어지는 경우도 있었으며, 몇개 학년을 겹치기로 가르치기도 해서 자습시간이 많았다. 이런 때에는 내가 단골로 앞에 나가서 책에서 본 줄거리들을 그럴듯하게 아이들에게 얘기해주는 날이 많았다. 내가 '삼국지 이야기'를 해주던 때가 이를테면 이야기꾼으로서의 전성기였던 셈이다. 나의 '삼국지 이야기'는 대번에 유명해져서 자습중인 다른 반 아이들이 우리 교실로 몰려오기도 했다. 이야기의 묘미는 아슬아슬한 대목이나 슬픈 장면에서 딱 자르고 다음 시간을 기약하는 데 있었다. 아이들이 그 다음 내용을 물으면 절대로 말해주지 않고 시치미를 떼어야 하는 데도 무지무지한 참을성이 필요했다.

번역을 마음먹기까지: 기존 번역본들에 대한 실망

방북과 망명 뒤에 옥살이를 하던 1997년이었는데, 당국에서 집필을 허용하지 않아 괴롭던 때였다. 시인 이시영, 평론가 최원식 등의 후배들이 면회를 왔다가, 7년형을 받고 옥살이를 하면서 글도 쓰지 못하는 사정이 딱했던지 『삼국지』 번역이나 해보는 게 어떻겠냐고 넌지시 권하는 것이었다. 그래 생각이 나서 옛날에 읽은 정음사판 『삼국지』를 구해보라고 했더니 1955년 무렵에 나온 판이 들어왔다. 우리가 어렸을 때 읽던 『삼국지』는 소설가 박태원(朴泰遠)의 것으로, 그가 월북해버린 뒤에 사장의 이름을 붙여서 나온 정음사판이다. 나중에 나온 것을 살펴보니 간략하게 하느라고 그랬는지 일화를 많이 줄이고 시도 빼버려서 역시 옛날의 것 같은 '읽을 맛'이 안 나서 섭섭했다.

나는 이 사람 저 사람이 면회로 오갈 때마다 넣어준 여러가지 번역본을 비교·검토해가면서 읽다가 어딘가 미흡하다는 느낌 때문에 차츰 실망하기 시작했다. 어떤 역본은 너무 원문대로를 고집한 나머지 직역에 그쳐서 은유와 인용이 엉뚱하게 해석된 곳도 보였다. 또는 여러 사람이 나누어 일을 하다보니 앞뒤 인물이나 장소의 이름이 서로 다르기도 하고 문체가 바뀐 경우도 있었다. 아니면 너무 의역을 하여 상황에 맞지 않는 대화나 상하관계가 뒤바뀌는 말투가 되기 십상이었다. 시의 경우는 더욱 심해서, 아예 빼버린 역본도 있고, 실었다 하더라도 번역이 틀린 곳이 많거나 오자·탈자가 많고, 시나 문장에 인용된 고사를 자연스럽게 반영하지 못한 것이 대부분이었다.

유럽 체류시절에 그곳 부모들이 아이들에게 고전을 많이 읽히려고 노력하는 것을 보았고, 중학교·고등학교만 가도 라틴어를 가르치고 '그리스·로마사'라든가 플루타르코스의 『영웅전〔對比列傳〕』 같은 책들을 원문 교재로 쓰는 것도 보았다. 나도 어릴적에 그리고 청년기에도 『플루타크 영웅전』을 읽었다. 이 고전은 이미 15세기에 자끄 아미요(Jacques Amyot)의 불역과 토머스 노스(Thomas North)의 영역이 이루어져서 셰익스피어와 괴테의 작품에도 큰 영향을 주었다. 고전의 번역은 충실하게 원문 그대로 읽는 것이 무엇보다 중요하고, 작가가 자기 나름대로의 해석을 붙이려면 셰익스피어처럼 「씨저와 클레오파트라」를 따로 쓰면 되는 것이다. 그러므로 자신의 어떤 이념대로 평을 한다든가 새로운 해석을 붙이려면 '조조와 제갈량' 식의 새로운 창작을 하면 된다.

기존의 번역본에 불만을 느낀 내가 스스로 원문을 다시 음미하면서 번역을 해보리라 작정한 것은 나름대로 다행스런 일이었다. 한문과 우리말 공부도 다시 할 수 있었고, 글쓰기를 못하게 하던 옥살이의 고독과 답답함을 넘어서서 작가의 필력이며 상상력을 녹슬지 않게 해주었기 때문이다. 나는 세르반떼스가 전쟁에 참전했다가 포로가 되어 터키의 감옥에서 『돈 끼호떼』를 집필했다거나, 단떼가 감옥에서 『신곡』을 썼다든가 하는 일화를 되새기며 번역에 몰두했다.

당대 민중들의 꿈과 소망이 녹아들어 있는 고전 『삼국지』

『삼국지』의 어느 해설에나 나오는 이야기지만 이 책의 원래의 줄거리는 위·촉·오 삼국의 역사를 기록한 진수(陳壽)의 사서에서 출발했다. 이와같은 역사가의 기록에다 여러 시대에 걸친 민중들의 구전설화와 재담, 연희·연극 등의 공연예술, 작가·문인들의 창작이 덧붙여져서 오늘날의 『삼국지』가 이루어진 것이다. 열 중에 일곱이 사실이라면 나머지 셋이 지어낸 이야기라고 한다. 이 나머지 셋이야말로 각 시대를 통해 끈질기게 이어져내려온 민중들의 꿈과 소망이 반영되어 있는 부분이며, 어떤 의미에서는 사실보다 더욱 중요한 역사의식이다.

위(魏)나라를 이어받은 진(晉)나라를 섬긴 진수가 당연히 사서에서 위나라를 정통으로 삼았던 데 비하여, 역사소설 『삼국지〔三國志演義〕』는 촉한(蜀漢)을 정통으로 삼은 점도 의미심장하다. 당대의 관점에서 본다면 환관들과 패권적 제후들의 음모와 민중반란 속에서 기울어져가는 한나라의 정통을 세운다는 것은 역사적으로 분명히 반동이다. 그러나 이것은 당대를 떠나 여러 시대를 거치면서 형성되고 구축된 정통론이라는 것에 우리는 주목해야 한다.

내가 1974년에 대하역사소설 『장길산』을 시작하면서 '역사소설의 의의는 소설에 그려진 시대가 중요한 것이 아니라 작가가 어느 시대에 썼는가 하는 것이 더욱 중요하다. 『임꺽정』이 일제시대에 나왔다면 『장길산』은 분단시대에 나온 것이다'라고 했던 말이 떠오른다. 이는 작가의 글을 읽는 당대 사람들이 무엇을 원하며 어디로 향하고 있는가가 중요하다는 뜻이겠다.

오늘날의 원본이 있기까지 『삼국지』는 수없이 개작·첨삭되었겠지만, 크게 보면 대개 두번에 걸쳐서 집대성되었다고 할 수 있다. 처음에 원말·명초의 나관중(羅貫中)에 의해서 집필되어 전해오다가 청대에 와서 모종강(毛宗崗)이 120회로 정리해 김성탄(金聖嘆)의 서문을 붙여 간행했다. 일설에 의하면 나관중은 이민족 원나라에 항거하는 농민봉기에도 가담했으며, 그들 지도자 중의 한 사람인 장사성(張士誠)과도 관련이 있다고 한다. 그리고 명나라를 세운 주원장과 장사성은 정치적으로 알력관계였다고 하며 종종 주원장을 옛적의 조조에 비유했다고 하니 나관중의 촉한정통설의 근원을 짐작할수가 있겠다. 금(金)과 원(元)이 모두 유목민족으로 중원을 차지한 뒤에 한나라 정통성에 대한 의식은 동진·남북조·남송 대로 이어졌다. 특히 원작자인 나관중의 정치적 입장은 당대 민중의 인의론(仁義論)과 한족 정통성에 근거를 둔 것이기도 했다. 다시 모종강의 작업이 이루어졌을 때에도 중원은 만주족이 점령한 청의 통치였다. 여기서 오히려 천하통일의 기초가 된 위를 세운 조조보다는 유비를 중심으로 줄거리가 서술되고 있는 것은 당연하다

하겠다. 조조는 귀족이었고 손권도 강남 명문제후의 후손이었지만, 촉한의 유비·관우·장비 등은 물론 제갈량까지도 당대 백성들과 거의 같은 몰락한 선비거나 지방 무뢰배에 지나지 않았다.

유비가 극도로 불리한 상황에서도 의리를 지키느라고 여포에게 여러 차례 시달린다든가, 한중 파촉을 대번에 차지할 수 있었는데도 대의명분 때문에 우여곡절을 겪으면서 가까스로 기반을 마련하는 과정을 보면『삼국지』가 당대 민중들과 더불어 추구하려 했던 가치가 무엇인지를 짐작할 수 있다. 관운장이 온갖 영예를 뿌리치고 조조를 떠나 필마단기(匹馬單騎)로 다섯 관문 장수들의 목을 베면서 유비를 찾아가는 과정이나, 선주 유비와의 약속 때문에 어리석은 유선을 보필하다가 위나라 정벌을 떠나기에 앞서 제갈량이 「출사표(出師表)」를 올리는 대목 등에서 우리는 뜨거운 감동과 함께 눈물에 젖는다. 그러나 인덕과 의리를 추구한 유비 삼형제와 제갈량 등의 촉한은 실패한다.

의(義)를 추구했지만 현실에서 실패하고 좌절한 영웅을 기리는 백성들의 풍조는 동서고금이 다 같은데, 잔 다르끄나 엘 시드(El Cid)에 대한 서양의 많은 전설이나 우리나라 무속에서 최영(崔瑩)이나 남이(南怡) 장군을 지방마다 사당을 지어 받들고 있다든가 하는 데서 그 예를 흔히 찾아볼 수 있다.

일본에서는 오히려 조조를 높이 평가하는 경향이 있다. 때로는 그를 중심으로『삼국지』의 기본 줄거리를 전개하는 작품도 있으며, 우리 번역본 중에도 은근히 그런 시도를 하는 경우가 없지 않은데, 이는 패권과 현실에서의 힘을 추구하는 가치관에서 비롯한 것이라고 본다. 나는 저러한 이른바 '현대적 해석'에 대해서 백성들의 보편적인 염원을 훨씬 중요하게 여기는 축이다. 따라서 나는 원본의 관점과 흐름에 적극 찬동했고, 이것이 유년시절부터 지금까지 나의 『삼국지』에 대한 일관된 애정의 원천이기도 하다.

그렇다고 해서 조조나 손권을 폄하할 필요는 없으리라. 모든 등장인물들이 그럴듯한 성격에 걸맞은 언행을 하고 있지만, 특히 조조의 성격은 그가 악역이라는 점을 염두에 두더라도 대단히 매력적이다. 우리는 적벽대전에서 패배한 조조가 죽을둥 살둥 도망치는 대목에서 신이 나지만, 그가 헛것에 시달리다 죽으면서 시녀들에게 향을 나눠주는 장면에서는 인생의 무상함과 함께 엄숙한 느낌을 갖게 된다.

이 책에서 어떤 이는 정의와 의리를 볼 것이며, 어떤 이는 권모와 술수를, 그리고 어떤 이는 경영과 처세를 읽을 것이다. 번역을 위해 『삼국지』를 찬찬히 다시 보면서 나는 읽을 때마다 자신이 처한 사정과 나이에 따라서 느낌이 달라진다는 것을 알았다. 전에는 유비 삼형제가 모두 죽어버리고 나면 신명도 없어지고 어쩐지 허전해져서 대충 읽어치우게 되었는데, 이제는 후반부로 갈수록 인생에 대한 깊은 성찰이 전해지던 것이다. 역시 『삼국지』를 읽는 맛은 가슴이 썰렁해지도록 밀려오는 사람의 일생이 덧없다는 회한과, 그에 비하면 역사는 자기의 흐름을 갖고 있으며 어떤 식으로든 옳고 그름을 판결하게 된다든가, 조금 주어진 생이지만 사람은 최선을 다해 살아야 한다는 반성 등일 것이다.

젊은이들에게 전해주고 싶은 고전의 정신과 역사의식

정음사판 외에 내가 감옥에서 접한 것 중에는 구한말에서 일제시대까지 조선의 광범위한 민중에게 읽혔던 영창서관(永昌書館) 발행의 『현토 삼국지(懸吐 三國志)』가 있는데, 원문 문장에다 읽기 쉽게 '하나니' '이거늘' 식의 토를 단 판본이었다. 이것들을 보면서 대하소설 『장길산』을 쓰던 시절 이래 오랫동안 한문서적을 보지 않아서 잊고 있던 문장독해의 감이 자연스럽게 되살아났다. 감옥에서 내가 손을 댄 것이 2권까지의 분량이다.

석방된 이후에 다른 소설 창작과 연재로 다시 손을 댈 엄두를 못 내다가 지난 99년 겨울부터는 아예 처음부터 꼼꼼히 원문을 살피면서 번역을 조금씩 진행하게 되었다. 이때에는 1999년에 강소고적(江蘇古籍)출판사에서 펴낸 번체자(繁體字) 『수상삼국연의(繡像三國演義)』를 원본으로 했다. 이 판본은 종래 우리나라에서 나온 모든 『삼국지』 번역본의 원본이 된 대만 삼민서국(三民書局)출판사의 『삼국연의』(三國演義)와는 달리, 모종강본의 오자·탈자와 오류를 바로잡은 간체자(簡體字) 텍스트인 중국 인민문학(人民文學)출판사의 『삼국연의』를 근간으로 새롭게 간행한 것이라 무엇보다 믿을 만하다고 생각했기 때문이다.

처음에 손을 대던 때에는 그냥 나 자신을 위하여 시작한 일이었지만 갈수록 고전 그대로의 정신과 역사의식을 후대에게 전해주어야 한다는 책임감이 생겨났다. 내가 수많은 번역본을 보면서 느꼈던 아쉬움을 다른 이들도 공감하고 있으리라 생각했는데, 세상에 나와서 들으니 『삼국지』가 '논술고사 시장'과 만나면서 청소년들이 많이 읽게 되었다는 소문이었다. 앞에서도 밝혔

듯이 고전은 무엇보다도 원문대로 전달이 되어야 한다. 그럼으로써 누구나 그것을 읽고 나름대로의 가치관에 따라 해석하고 비판하고 재창조할 수 있어야 한다. 특히 젊은이들에게는 고전의 정신이야말로 무한한 재생산의 보고이다. 『삼국지』의 형성과정이 그렇듯이, 천여년 동안 여러 시대와 나라를 거치면서 투영된 당대 백성들의 소망이며 꿈은 역사적으로 존중되어야 마땅하다. 또 나는 한편으로 올바르게 고전의 정신을 전달하는 것뿐만 아니라 어느새 사라져버린 동아시아 사람들의 세계관이라든가 인간관을 되새기고 싶다는 생각도 했다. 일방적인 생활방법의 세계화로 자기 문명의 뿌리와 대안을 상실해가고 있는 동아시아에서 오랫동안 문화의 저변에 깔려 있던 가치들을 되돌아볼 필요가 있다고 생각한 것이다. 이러한 교양과 세계관이야말로 근대 이래 우리가 가장 소홀히했던 부분이며, 동양은 이슬람을 포함해서 아직도 도처에서 사회적 실험의 와중에 있지 않은가.

나는 이런 마음가짐으로 서두르지 않고 조금씩이라도 꾸준히 번역을 진행했다. 출판사 측에서도 속으로는 애를 태웠겠지만 '믿어준다'는 태도를 유지하면서 참을성 있게 기다려주었다. 그렇게 7년의 세월이 흘러서야 드디어 책이 나오게 된 것이다.

번역을 해나가면서 나는 『삼국지』의 문체가 간결하고 객관적이며 냉정한 사실적 문체라는 느낌을 받았다. 특히 다큐멘터리를 보는 것 같고 때에 따라서는 광활한 대지의 허공에서 조감하는 것 같은 전투장면의 남성적 사실성은 『삼국지』의 특성이기도 하다. 나는 주요한 전투장면에서는 건조한 원문에다 나름대로의 신명을 얹어서 좀더 박진감있게 표현하려고 덧붙여 묘사하기도 했고, 과거형이 아니라 지금 바로 눈앞에서 진행되고 있는 듯한 느낌을 주려고 현재형 문장으로 다듬기도 했다. 『삼국지』의 또다른 특징으로는 주요한 장면마다 서사시와 고전비극의 코러스나 해설자가 나와서 노래하듯이 주관적인 정서와 감정을 여성적인 시로써 표현하는 것을 들 수 있는데, 이를 내 식대로 말하자면 과연 '문무겸비의 솜씨'라 할 만하다.

무엇보다도 나는 한문실력은 접어두고라도 문장 속에 인용된 고사와 인물들에 대해 너무도 무지하다는 사실을 발견했다. 중국판과 한국판 대자전(大字典)을 붙잡고 씨름하는 사이에 시력이 옥살이할 때보다 더 나빠져서 안경을 두번이나 바꿔야 했다. 애매한 대목에서는 여러 사람들에게 문의하는 메일을 끊임없이 보내기도 했다. 등장인물이 당대보다 옛적의 일을 들어 설명할 때 연원을 몰라서는 문장도 되지 않고 대화가 엉뚱해지게 마련이었다. 그야말로 중국 고전공부를 다시 하게 된 기간이었다.

내가 초고를 넘긴 뒤에 우석대 전홍철(全弘哲) 교수는 인민문학출판사판 『삼국연의』(1953년 초판: 2002년 제3판 9쇄)까지 참조해가며 일일이 대조해 바로잡아주었다. 소설의 문장에 못지않게 중요한 원문의 시는 자신이 없어 외우 임형택(林熒澤) 교수에게서 교정을 받았고, 어떤 것은 그가 새롭게 번역을 하기도 했다. 여기에 현재 중국 화단의 원로인 왕홍시(王宏喜) 화백이 150여장의 본문 삽화와 인물도를 그렸는데, 그는 『홍루몽』을 비롯한 중국 고전문학작품들의 삽화를 그려서 화풍과 고증에서 당대 으뜸이라는 세평을 이미받은 바 있다. 또한 창비사 편집진은 거듭 원문 대조를 하면서 세심하게 바로잡아주었다. 이렇듯 여러분들이 작업에 함께 참여했으니 이 책은 그야말로『삼국지』본연의 정신대로 집단창작의 방식으로 이루어진 것이라 해도 지나친 말이 아니다. 우리는 세월이 흘러도 오랫동안 읽힐 수 있는 당대의 고전으로 만들어내려고 고지식하고 성실하게 이 작업에 임했다. 여기 잘못이 있다면 그것은 모두 나의 책임이며 받아야 할 질책도 나의 것이다.

이제 이 장강 대하와도 같은 장엄한 인간 드라마에서 티끌처럼 일어났다가 스러져간 크고작은 인간들의 삶과 역사를 보면서, 우주의 섭리로 보아 저들과 거의 찰나처럼 가까이 있는 우리들의 현재를 생각해보게 되리라 믿는다.

2003년 6월 25일

황석영

| 차례 |

● ● ● **제3권**

| 일러두기 |

1. 이 책은 중국 인민문학출판사에서 발간한 간체자(簡體字) 『삼국연의
   (三國演義)』(1953년 초판: 2002년 3판 9쇄)와 강소고적(江蘇古籍)출
   판사의 번체자(繁體字) 『수상삼국연의(繡像三國演義)』(전10권, 1999년
   초판)를 저본으로 했다.
2. 원문에 충실하게 번역하는 것을 원칙으로 하되, 원서의 불필요한 상투
   어들(각 회 끝의 "다음 회의 이야기를 들으시길且看下回分解", 본문 중
   의 "이야기는 두 머리로 나뉜다話分兩頭" 등)은 오늘의 독자들에게 맞
   게 현대화했다. 또한 생동감을 살리고 독자들의 이해를 돕기 위해 건조
   한 원문을 대화체로 한 부분이 있고, 주요 전투장면의 박진감을 살리기
   위해 덧붙여 묘사하기도 했다.
3. 본문 중의 옮긴이주는 해당어를 우리말로 풀어옮기고 괄호 안에 그에
   해당하는 한자를 병기한 뒤 이어붙이는 것을 원칙으로 했다.
4. 본문 중의 옮긴이주에서 다 밝히지 못한 전고(典故)는 별권의 고사성어
   에서 자세히 풀었다.
5. 한시의 옮긴이주는 해당 시의 아래에 붙였다.
6. 본문 중의 삽화와 인물도는 원서의 것을 쓰지 않고 현대적 감각에 맞추
   어 왕훙시(王宏喜) 화백에게 의뢰해 새로 그려넣었으며, 삽입 지도는
   원서에 없는 것이지만 주요사건의 이해를 돕기 위해 그려넣었다.

※ 이 책은 나관중 지음, 황석영 옮김의 『삼국지』(전10권, 창비 2003)를 3권으
   로 합본한 책입니다. 본문의 삽화와 지도, 내용은 기존의 책과 동일하나 권두
   화보와 권말부록 등의 자료는 생략했음을 밝힙니다.

41

포위망을 뚫는 조자룡

유비는 백성들과 강을 건너고
조자룡은 필마단기로 어린 주인을 구하다

　장비는 관운장이 상류에서 물을 터놓자, 조인 일당과 맞서기 위해 군사들을 이끌고 곧장 하류로 달려갔다. 한바탕 혼전을 벌이다가 허저와 맞부딪쳐 싸우는데, 이미 전의를 잃은 허저는 길을 찾아 달아나기에 바빴다. 허저의 뒤를 쫓던 장비는 유현덕과 공명을 만나 함께 상류를 향해 올라갔다. 그곳에서는 유봉과 미방이 미리 배를 준비해놓고 기다리고 있었다. 현덕 일행은 일제히 강을 건너 번성으로 향했다. 공명은 군사들에게 명하여 타고 온 배와 뗏목 등을 모두 불태워버리게 했다.

한편 조인은 남은 군사를 수습해 신야에 머물면서, 조홍을 조조에게 보내 패하게 된 경위를 보고했다. 조조는 화가 치밀었다.

"한낱 촌놈인 제갈량이 내게 감히 이럴 수가 있단 말이냐!"

조조가 즉시 삼군을 재촉해 출정하니, 그 군사들로 산과 들이 까맣게 덮일 정도였다. 조조의 대군은 신야에 영채를 세웠다. 조조가 명한다.

"산속을 샅샅이 뒤지는 한편, 백하를 메우고 대군을 팔로(八路)로 나누어 일제히 번성을 공격하라."

이때 유엽이 나서서 말한다.

"승상께서는 양양땅에 처음 오셨으니 무엇보다 먼저 민심을 수습하셔야 합니다. 지금 유비는 신야의 백성들을 모두 데리고 번성으로 들어갔는데, 만일 우리 군사가 지금 번성으로 쳐들어간다면 두 고을 모두 폐허가 되고 말 것입니다. 먼저 사람을 보내 유비를 회유하십시오. 유비가 항복하지 않아도 우리는 이 일로 백성을 아끼는 마음을 충분히 나타낸 것이요, 다행히 유비가 항복해온다면 형주땅을 싸우지 않고도 얻을 것입니다."

조조가 고개를 끄덕이고 나서 묻는다.

"그럼 누구를 보내는 것이 좋겠소?"

유엽이 다시 말한다.

"서서가 유비와 친분이 두텁고 마침 지금 군중에 있으니, 어찌 그를 보내지 않으십니까?"

"그가 현덕에게 갔다가 돌아오지 않을까 걱정이로다."

"돌아오지 않는다면 필시 남의 웃음거리가 될 터이니, 서서가 돌아오지 않을 리가 없습니다. 승상께서는 의심치 마시고 보내소서."

조조가 서서를 불러들여 말한다.

"나는 원래 번성을 짓밟아버릴 작정이었으나 백성들의 목숨이 가여워 차마 그리는 못하겠으니, 공은 유비에게 가서 잘 타일러보도록 하오. 만일 지금이라도 항복해온다면 그 죄를 용서하고 벼슬을 내리겠지만, 내 뜻을 거스르고 계속 항거한다면 군사고 백성이고 가리지 않고 죽임을 당할 것이라 전하시오. 내 공의 충의를 아는 까닭에 특별히 보내니 부디 나의 뜻을 저버리지 않길 바라오."

서서가 조조의 영을 받고 번성으로 가니, 현덕과 공명이 반가이 맞아들여 함께 옛정을 되새겼다. 서서가 말한다.

"조조가 나를 보내 사군에게 항복을 받아내려 하는 것은 민심을 얻으려는 속셈에 지나지 않습니다. 지금 조조는 군사를 팔로로 나누어 백하를 메우고 진군할 작정이니, 아무래도 번성을 지키기 어려울 것입니다. 어서 좋은 계책을 세우도록 하십시오."

현덕은 아무래도 서서를 돌려보내고 싶지 않았다. 그러나 서서가 감사하며 말한다.

"제가 만일 이대로 주저앉는다면 사람들의 비웃음을 면치 못할 것입니다. 조조 때문에 어머니께서 돌아가셔서 골수에까지 그 원한이 사무쳐 있으니, 몸은 비록 그곳에 있어도 맹세코 그를 돕지는 않을 것입니다. 다행히도 공에게는 와룡이 있어 보좌하고 있으니 행여 대업을 이루지 못할까 근심하지 마십시오."

서서가 하직을 고한다. 현덕도 더는 만류하지 못했다.

서서는 돌아가서 조조에게 현덕이 도무지 항복할 의사가 없더라고 전했다. 조조는 대로하여 그날로 진격명령을 내렸다.

조조의 군사가 들이닥칠 것을 걱정한 현덕이 계책을 묻자 공명이 대답한다.

"한시바삐 번성을 버리고 양양을 취하여 그곳에서 잠시 숨을 돌리 도록 하십시오."

"나를 따라 이곳까지 온 백성들을 어찌 버리고 가겠소이까?"

"사람을 시켜 널리 백성들에게 알린 후, 따라나서길 원하는 사람들 은 데려가고, 남아 있겠다는 사람들은 두고 갈 수밖에요."

공명은 먼저 관운장에게 강변으로 나가 배를 정비하라 이르고, 손 건과 간옹에게는 백성들에게 두루 영을 전하도록 했다.

"이제 곧 조조의 군사가 들이닥칠 것이므로 위태로운 성을 지킬 수 없으니, 백성들 가운데 따라가길 원하는 자는 우리와 함께 강을 건널 채비를 하라."

신야와 번성 두 고을 백성들은 이구동성으로 외친다.

"죽는 한이 있더라도 유사군을 따르겠소!"

두 고을 백성들은 그날로 울면서 길을 따라나섰다. 늙은이는 부축 하고 어린것들은 들쳐업고, 남자는 지고 여자는 이고 줄지어 강을 건 너는데, 양쪽 강 언덕에서 통곡소리가 끊이지를 않는다. 유현덕도 배 위에서 이 광경을 바라보며 울음을 참지 못했다.

"나 한 사람으로 인해 이 많은 백성들이 곤경을 치르고 있으니, 내 가 이대로 살아서 무엇하겠느냐!"

비감해진 현덕이 강물 속으로 몸을 던지려 하는 것을 사람들이 급 히 달려와 겨우 만류했다. 이 말을 전해들은 백성들은 더욱더 목놓아 울었다.

배가 남쪽 언덕에 이르렀다. 현덕이 뒤를 돌아보니 아직 강을 건너지 못한 백성들이 건너편 강가에서 남쪽을 바라보며 통곡하고 있었다. 유현덕은 급히 관운장에게 배를 내어 그들을 건네주라고 명하고서야 말에 올랐다.

유현덕은 양양성 동문 앞에 이르렀다. 성위에는 정기(旌旗)가 두루 꽂혀 있고, 해자 가장자리에는 녹각(鹿角, 방어용 울타리)을 빽빽하게 둘러 들어가지 못하게 막아놓았다. 유현덕은 말을 세우고 큰소리로 말했다.

"조카 유종은 듣거라. 나는 오로지 백성을 구하려 할 뿐, 다른 생각은 털끝만큼도 없으니 어서 성문을 열어라!"

유현덕이 왔다는 말을 듣고 유종은 두려워 감히 나서지도 못하고, 채모와 장윤이 성루 위에 올라 군사들을 다그치며 성 아래로 빗발치듯 화살을 쏘아댄다. 너무도 기막힌 정황인지라 현덕을 따라온 백성들은 성루를 바라보며 또다시 통곡했다. 이때 성안에서 난데없이 한 장수가 군사 수백명을 이끌고 성루에 오르더니 큰소리로 꾸짖는다.

"나라를 팔아먹은 채모·장윤 이 놈들아, 유사군은 어질고 덕이 있는 분으로 백성들을 구하기 위해 오셨거늘, 어찌 감히 화살을 쏘느냐!"

사람들이 그 장수를 올려다보니, 키는 8척에다 낯빛은 익은 대춧빛이었다. 그는 의양(義陽) 사람으로 이름은 위연(魏延)이요, 자는 문장(文長)이다. 위연은 칼을 휘둘러 수문장과 군사들을 죽이고, 성문을 열어 조교(弔橋)를 내리고는 소리쳤다.

"유황숙은 어서 군사를 이끌고 들어오셔서 나라를 팔아먹은 도적놈들을 죽이시오."

장비가 급히 말을 몰아 성안으로 달려가려 하자 유현덕이 황망히 손을 들어 말린다.

"그러다가 백성들만 죽일라."

위연이 유현덕의 군마를 성안으로 불러들이려 계속 고함을 지르는데, 문득 성안에서 또다시 한 장수가 군사들을 이끌고 나오며 큰소리로 꾸짖었다.

"위연 이놈아, 한낱 이름없는 졸개가 감히 반역을 하느냐. 대장 문빙(文聘)을 네가 알아보겠느냐!"

위연이 크게 노해 창을 고쳐잡고 달려들었다. 양쪽의 군사들이 어지럽게 맞붙어 싸우니, 함성이 천지를 진동한다. 유현덕이 공명을 향해 말한다.

"백성들을 구하기 위해 왔건만 오히려 백성들을 해치게 되었구려! 나는 양양성에 들어가지 않겠소이다."

공명이 말한다.

"강릉은 형주의 요지입니다. 우선 그리로 가서 근거를 잡는 게 좋겠습니다."

"나도 같은 생각이오."

그래서 현덕은 다시 백성들을 이끌고 양양 대로를 떠나 강릉을 향해 길을 재촉했다. 이것을 보고 양양의 백성들도 성을 빠져나와 현덕의 뒤를 따른다.

그러는 동안에도 위연은 문빙과 사시(巳時, 오전 10시)부터 미시(未時, 오후 2시)에 이르기까지 싸움을 계속하다가 수하들을 모두 잃고 말머리를 돌려 도망치기 시작했다. 위연은 현덕을 찾았지만 결국 만나지 못하고 그 길로 장사(長沙) 태수 한현(韓玄)에게로 가서 의탁하였다.

한편 유현덕을 따르는 군사와 백성들은 합쳐서 10여만 명이요 크고작은 수레가 수천채이며, 어깨와 등에 짐지고 가는 사람은 그 수를 헤아릴 수 없었다. 한참 가다 보니, 마침 유표의 무덤 앞을 지나게 되었다. 유현덕은 수하장수들을 거느리고 묘 앞에서 절하고 엎드려 울며 고했다.

"욕된 아우 유비가 재주도 없고 덕도 없어 형님께서 모처럼 부탁하신 말씀을 저버리게 되었습니다. 이것은 오직 유비 한 사람의 죄요, 백성들의 죄가 아니니, 바라옵건대 영령께서는 형주와 양양의 백성들을 구원해주십시오."

유비의 말이 너무나 애절하여 군사들과 백성들은 하나같이 눈물을 흘렸다. 이때 갑자기 정탐꾼이 달려와, 조조의 대군이 이미 번성에 들어 영채를 세우고 배와 뗏목을 수습해, 그날로 강을 건너 뒤를 쫓고 있다고 보고했다. 모든 장수들이 유현덕에게 말한다.

"강릉은 요지라 그곳에서라면 적을 충분히 막아낼 수 있습니다. 허나 지금처럼 수만명의 백성을 거느리고는 하루에 10여 리 가기조차 어려우니 어느 세월에 강릉에 당도하겠습니까? 게다가 조조의 대군을 만나는 날이면 어떻게 대적하겠습니까? 잠시 백성들을 버려두시고 길을 재촉하는 게 좋겠습니다."

현덕은 울며 대답한다.

"큰일을 도모하는 사람은 모름지기 인(仁)으로써 근본을 삼는 법이오. 저렇듯 백성들이 나를 믿고 따르는데 어찌 차마 버리고 가란 말이오?"

이 말을 전해들은 백성들은 모두 가슴 아파하며 감동의 눈물을 흘렸다.

후세 사람들이 현덕의 마음을 시로써 칭송했다.

어려움에 당해서도 어진 마음으로 백성 보살펴 　　　臨難仁心存百姓
배에 오르며 눈물 뿌리니 삼군이 감동하네 　　　　　登舟揮淚動三軍
지금까지도 양강 어귀 지나노라면 　　　　　　　　至今憑弔襄江口
늙은이들 아직도 유사군을 생각하네 　　　　　　　父老猶然憶使君

현덕은 수많은 백성들을 보호하며 느린 행군을 계속했다. 공명이
말한다.

"곧이어 조조의 군사들이 뒤쫓아올 것입니다. 우선 관운장을 강하
로 보내서 공자 유기에게 원병을 청하여 배를 타고 강릉으로 모이도
록 하십시오."

현덕은 공명의 말대로 편지를 써서 관운장에게 건네주며 손건과 함
께 군사 5백을 거느리고 강하로 떠나게 했다. 또한 장비에게는 뒤처
져오면서 적군을 방비하고, 조자룡에게는 특별히 노인들과 어린아이
들을 보호하도록 했다. 그리고 다른 장수들은 백성들을 돌보며 함께
길을 재촉했다. 그러나 날마다 10리를 겨우 갈 수 있을 뿐이었다.

이때 조조는 번성에 앉아서 사람을 강 건너 양양으로 보내 유종을
불렀다. 유종은 두려운 나머지 감히 갈 생각을 못하는데, 채모와 장윤
이 자기들이 대신 가겠다고 자청하고 나섰다. 이때 왕위(王威)가 은
밀히 유종에게 와서 고한다.

"장군께서 이미 항복하셨고 유현덕 역시 멀리 달아난 터라, 반드시
조조는 마음을 놓고 별다른 방비도 않고 있을 것입니다. 이 기회에 장

군께서 군사를 정비해 험준한 곳에 숨어 있다가 기습공격한다면 조조를 사로잡기 그리 어렵지 않을 것이오. 조조만 사로잡고 나면 장군의 위엄은 천하에 진동할 것이고, 중원이 아무리 넓다 해도 격문(檄文) 한장이면 평정할 수 있습니다. 참으로 만나기 어려운 기회이니, 장군께서는 부디 놓치지 마십시오."

유종은 채모에게 이 일을 의논했다. 채모는 듣자마자 왕위를 꾸짖는다.

"네가 천명을 모르면서 어찌 감히 망령된 말을 하느냐!"

왕위 또한 격노해 채모를 저주한다.

"나라를 팔아먹은 이 도적놈아. 네놈을 산 채로 씹어먹지 못하는 게 한이다!"

채모가 당장 왕위를 죽이려 들었으나 괴월이 겨우 만류했다.

마침내 채모와 장윤은 번성으로 가서 조조를 만났다. 조조를 대하는 두 사람의 아첨하는 태도는 유난했다. 두 사람의 절을 받고, 조조가 묻는다.

"형주의 군마와 전량(錢糧)은 얼마나 되오?"

채모가 대답한다.

"기병이 5만, 보병이 15만, 수군이 8만으로 도합 28만이고, 전량은 태반이 강릉에 있습니다. 하지만 다른 곳에 흩어져 있는 것만으로도 1년은 충분히 버틸 수 있습니다."

"전선은 몇척이나 되고, 누가 맡고 있소?"

채모가 다시 말한다.

"크고작은 전선 7천여 척을 저희 두 사람이 관장하고 있습니다."

조조는 즉시 채모를 진남후(鎭南侯) 수군 대도독으로 삼고, 장윤을 조순후(助順侯) 수군 부도독으로 삼았다. 채모와 장윤은 기쁨을 감추지 못하고 자리에서 일어나 절을 올리며 사례했다. 조조가 말한다.

"유경승은 이미 죽었고 그 아들은 항복했으니, 내 황제께 표문을 올려 길이 형주의 주인으로 삼도록 하겠소."

채모와 장윤이 기뻐하며 물러나자 순유가 조조에게 말한다.

"채모와 장윤은 그저 아첨이나 일삼는 무리인데, 주공께서는 어찌하여 그렇게 높은 직위를 내리시고, 게다가 두 사람에게 수군까지 맡기려 하십니까?"

조조가 웃으며 대답한다.

"내가 아무려면 사람을 제대로 보지 못했겠소? 우리 북쪽 지방의 군사들은 물에서 싸울 줄 모르니, 잠시 저 두 사람을 이용하려는 것뿐이오. 일이 다 끝난 후에는 달리 조처할 생각이오."

조조의 속셈을 알 길 없는 채모와 장윤은 의기양양하게 돌아와서 유종에게 고했다.

"조승상께서 장군으로 하여금 형주와 양양을 길이 다스리도록 황제께 상주하겠다고 언약하셨습니다."

유종은 크게 기뻐하여, 이튿날 어머니 채부인과 함께 인수(印綬)와 병부(兵符, 인수와 함께 기밀사항을 다루는 데 사용하는 신표)를 받들고 강을 건너 조조를 만나러 갔다. 조조는 좋은 말로 위로한 뒤, 수하장수들과 군사들을 거느리고 일단 양양성 밖에 주둔했다. 그동안 채모와 장윤은 양양 백성들로 하여금 모두 나와 향을 피우고 조조를 맞이하게 했다. 조조는 일일이 백성들을 위무하고, 이윽고 성안으로 들어가 부중에 자리를 잡고 앉았다. 그러고는 즉시 괴월을 가까이 불러 말한다.

"형주를 얻은 것보다 이도(異度, 괴월의 자) 그대를 얻은 것이 더 기쁘도다."

조조는 괴월을 강릉 태수 번성후(樊城侯)로 삼고, 부손과 왕찬 등은 관내후(關內侯)로 삼았다. 그리고 유종에게는 청주(靑州) 자사를 제수해 그날로 떠나게 하니, 유종은 놀라 조조에게 호소한다.

"저는 벼슬도 원하지 않고, 오로지 부모의 향토 지키기를 바랄 뿐입니다."

조조가 말한다.

"청주는 황제가 계신 허도에서 가까운 곳이니, 내 장차 그대로 하여금 조정에 들어 벼슬을 얻게 하려는 것일세. 형주와 양양에 남아 있다가 언제 누구의 모해를 받을지 어찌 알겠나?"

유종이 거듭 사양했으나 조조는 끝내 들어주지 않았다. 유종은 행장을 수습해 어머니 채부인과 함께 청주를 향해 떠나갔다. 그 뒤에는 겨우 옛 장수 왕위만 따랐을 뿐 다른 관원들은 모두 강어귀까지만 배웅하고 돌아가버렸다. 조조는 즉시 우금을 불러 영을 내렸다.

"너는 곧 날쌘 기병들을 거느리고 유종 모자를 뒤쫓아가서 죽여 후환을 없애라."

영을 받은 우금은 군사를 거느리고 유종을 뒤쫓아가 큰소리로 외쳤다.

"나는 승상의 명을 받고 너희 모자를 죽이러 왔다. 냉큼 목을 늘여 이 칼을 받아라!"

채부인은 그대로 땅바닥에 주저앉아 유종을 얼싸안고 울음을 터뜨렸다. 뒤따르던 왕위가 곧 칼을 빼들고 달려들었으나 혼자 힘으로는 당해낼 수 없어 결국 칼을 맞고 쓰러지고, 유종과 채부인도 모진 칼 아래 목이 떨어지고 말았다.

우금이 돌아가서 보고하자 조조는 후한 상을 내렸다. 그리고 이번에는 사람을 융중으로 보내 공명의 식구들을 모조리 잡아들이라 명했다.

융중으로 간 사람들이 공명의 식구를 두루 찾아보았으나 간 곳을 알지 못한 채 돌아왔다. 이러한 일이 있을 줄을 미리 짐작한 공명은, 그보다 앞서 식구들을 모두 데려다가 삼강(三江) 깊숙이 숨겨둔 터였다. 이 일로 공명에 대한 조조의 원한은 더욱 커졌다.

양양을 평정한 뒤 순유가 나서서 말한다.

"강릉은 형주와 양양의 요지로 전량이 무척 풍부합니다. 유비가 그곳을 장악하면 그들을 공격하기 쉽지 않을 것입니다."

"내 어찌 그것을 모르겠소."

조조는 즉시 양양의 장수들 중에서 한 사람을 뽑아 길잡이를 삼기로 했다. 그런데 장수들 가운데 문빙이 보이지 않았다. 조조가 사람을 보내 찾자, 문빙은 그제야 조조를 뵈러 왔다.

"그대는 어찌하여 이제야 오는가?"

문빙이 말한다.

"신하된 자로서 주인으로 하여금 영토를 보전하게 하지 못한 것이 너무도 슬프고도 부끄러워서 일찍이 찾아뵙지 못하였습니다."

말을 마치고 문빙은 흐느껴 운다.

"참으로 충신이로다!"

조조는 문빙을 강하(江夏) 태수로 삼아 관내후로 봉한 다음, 그에게 군사를 거느리고 길을 안내할 것을 명했다. 이때 정탐꾼이 와서 고한다.

"유비가 백성들을 데리고 가느라 하루에 겨우 10여 리밖에 움직이

지 못한다 합니다. 지금쯤 많이 가봐야 3백여리밖에는 가지 못했을
것입니다."

조조는 모든 장수에게 영을 내려, 정병 5천을 가려뽑아 밤을 새워
서라도 추격해 유비를 잡으라 일렀다.

"무슨 일이 있어도 하루낮 하룻밤 안에 유비를 따라잡도록 하라.
내가 대군을 거느리고 뒤따라갈 것이다."

유현덕은 10여만 백성과 3천여 군사를 이끌고 가다가 쉬고, 가다가
쉬면서 강릉을 향해 나아갔다. 조자룡은 현덕의 지시대로 노인과 아
이들과 병약한 사람들을 보호하고, 장비는 조조의 군사들이 추격해올
것에 대비하면서 그 뒤를 따랐다. 공명이 말한다.

"관운장이 강하로 간 뒤 소식이 없으니 어찌 된 일인지 모르겠습니
다."

유현덕이 말한다.

"군사께서 번거롭겠지만 몸소 가보는 게 어떻겠소? 유기가 지난날
공의 가르침에 감복했으니, 공이 친히 가서 구원을 청하면 가만히 있
지는 않을 것이오."

공명은 그 명에 따라 유봉과 더불어 군사 5백을 거느리고 원병을
청하러 강하로 떠났다.

공명을 보내고, 유현덕은 간옹·미축·미방 등과 함께 길을 가는데,
홀연히 일진광풍이 일더니 티끌과 흙이 하늘로 치솟아 그대로 해를
가려버렸다. 현덕은 놀라는 한편 괴이한 생각이 들어 좌우를 돌아보
며 물었다.

"이게 대체 무슨 조짐이오?"

간옹은 본래 음양(陰陽)에 밝은 사람으로, 점을 쳐서 한 괘를 얻더니 대경실색하여 대답한다.

"크게 흉한 징조입니다. 이 괘는 바로 오늘밤의 일을 말하는 것이니, 주공께서는 속히 백성들을 버리고 화를 피하셔야 합니다."

현덕이 말한다.

"백성들이 나를 따라 신야에서부터 여기까지 왔는데 어찌 버리고 간단 말이오?"

간옹이 다시 말한다.

"허나 이대로 가다간 주공께서 머지않아 화를 당하실 것입니다."

간옹의 말에 대답하는 대신 유비는 앞을 가리키며 묻는다.

"저기 보이는 곳이 어디냐?"

사람들이 아뢴다.

"여기가 당양현(當陽縣)이니, 저 산은 경산(景山)입니다."

유현덕은 영을 내려 경산에서 밤을 보내기로 했다. 때는 바야흐로 늦가을이라 겨울이 시작되는 무렵이어서 쌀쌀한 바람이 뼛속까지 스며든다. 더구나 황혼녘이 되어 어둠이 깔리기 시작하면서 백성들의 울음소리가 온들에 가득했다.

그날밤, 4경 무렵이다. 서북쪽에서 천지를 뒤흔드는 듯한 함성이 일더니, 점점 더 가까이 들려왔다. 유현덕은 크게 놀라 말에 뛰어올라서 몸소 정병 2천여명을 거느리고 조조의 군사와 맞서싸웠다. 그러나 끝없이 몰려드는 적군의 기세에 도저히 당해낼 도리가 없었다. 현덕이 죽기로써 싸웠으나 위험은 급박해지는데, 다행히 장비가 군사들을 거느리고 와서 싸워 한 줄기 길을 열어주었다.

유현덕이 겨우 위기를 모면하고 동쪽을 향해 달아나고 있는데, 갑자기 한 장수가 앞을 가로막는다. 바로 문빙이었다. 유현덕은 말을 멈추고 큰소리로 꾸짖는다.

"주인을 배반한 역적이 무슨 면목으로 내 앞에 나타났느냐!"

문빙은 얼굴에 부끄러운 기색이 가득하더니, 군사를 이끌고 동북쪽으로 가버렸다.

장비가 유현덕을 보위해 싸우면서 달아나는데, 어느새 날이 밝아왔다. 그와 함께 적의 함성도 점점 멀어져갔다. 유현덕은 비로소 말고삐를 늦추고 좌우를 둘러보았다. 수하에 따르는 사람이라고는 겨우 기병 100여명에 불과했다. 수많은 백성들은 물론이요 가족들과 미축·미방·간옹·조자룡 등 1천여명은 간 곳을 알 수 없었다. 유현덕은 목놓아 울었다.

"10여만 백성들이 오직 나를 따르다 이렇게 험한 꼴을 당하고, 여러 장수들과 식구들도 모두 살았는지 죽었는지 알 수 없으니, 비록 흙이나 나무로 된 사람일지라도 어찌 슬퍼하지 않으랴!"

유현덕이 슬픔에 빠져 경황이 없는 중에, 문득 미방이 얼굴에 여러 대 화살을 맞고 비틀거리며 와서 말한다.

"조자룡이 우리를 배반하고 조조에게로 갔습니다!"

유현덕은 큰소리로 꾸짖는다.

"자룡은 나와 오랫동안 뜻을 같이해왔거늘 나를 버리고 갈 리가 있겠느냐. 그대는 공연한 소리 말라."

곁에 있던 장비가 나선다.

"우리가 이렇게 형세가 궁하고 힘이 다한 것을 보고, 부귀를 얻으려 조조에게로 간 것인지 누가 아오?"

유현덕이 다시 말한다.

"자룡은 내가 어려웠을 때부터 나를 따르는 마음이 철석 같았으니, 부귀로도 그 마음을 움직일 수 없다."

미방이 고집스럽게 말한다.

"자룡이 서북쪽을 향해 말을 몰고 가는 것을 이 눈으로 똑똑히 보았습니다."

그 말에 장비가 눈을 부릅뜬다.

"자룡을 찾아봐서 만일 조조에게 항복한 게 사실이면 이 창으로 단번에 죽여버리겠수."

유현덕은 끝까지 조자룡을 믿으며 장비를 타이른다.

"너는 공연히 남을 의심하지 말아라. 지난날 관운장이 안량과 문추를 죽인 일을 잊었더냐? 자룡이 갔다면 틀림없이 까닭이 있을 게다. 절대로 나를 버리고 떠날 사람이 아니야."

현덕의 말에도 장비는 도무지 수긍하지 못하여 20여 기병을 이끌고 장판교(長坂橋)로 갔다. 장비가 좌우를 살펴보니 다리 동쪽에 나무가 빽빽하게 들어서 있다. 장비는 문득 한 가지 꾀를 생각해냈다. 우선 군사들에게 모두 나뭇가지를 꺾어 말꼬리에 붙들어맨 다음 숲속을 이리저리 달리게 했다. 그러자 흙먼지가 자욱하게 일어 마치 수많은 군사가 몰려오는 것처럼 보였다. 그런 다음 자신은 장팔사모를 고쳐잡고 말을 타고 장판교 위에 서서, 멀리 서쪽을 바라보았다.

한편 조자룡은 4경부터 밀어닥친 조조의 군사와 좌충우돌 맞서싸우다가 날이 훤하게 밝고 나서야 퍼뜩 정신이 들었다. 주위를 둘러보니 현덕이 간 곳을 알 수 없음은 물론, 그 가족들의 행방마저 묘연했다. 조자룡은 생각했다.

'주공께서 감부인·미부인과 더불어 작은주인 아두(阿斗)를 내게 맡기셨는데, 싸우는 데만 정신이 팔려 모두 잃어버렸으니, 대체 무슨 면목으로 주공을 뵙는단 말인가. 목숨을 걸고 싸워서라도 두 부인과 공자를 찾아봐야겠다.'

이렇게 마음을 정하고 주위를 살펴보니 수하에 남은 군사는 겨우 기병 3, 40명에 불과했다. 조자룡은 그 군사들을 이끌고 어지러운 적진 속으로 뛰어들었다. 정신을 가다듬고 말을 달려, 두 분 형수와 아두를 찾아다니다보니, 현덕을 따라 이곳까지 온 신야와 번성 두 고을 백성들의 울부짖는 소리가 천지를 진동했다. 그중에는 화살에 맞고 창에 찔려 죽은 사람, 제 한 목숨 구하느라 가족들마저 내팽개치고 달아나는 사람 등이 헤아릴 수 없이 많았다.

조자룡이 한창 말을 달리는 중에, 문득 길가 풀숲에 한 사람이 쓰러져 있는 게 보였다. 바로 간옹이었다. 조자룡은 급히 다가가 물었다.

"두 부인을 못 보셨소?"

간옹이 대답한다.

"두 부인께서 수레를 버리고 공자를 품에 안은 채 달아나시는 것을 보고 곧장 말을 달려 뒤따라갔는데, 산 고개를 넘어가다가 갑자기 적장을 만나 그만 창에 찔리고 말았소. 적장에게 말도 빼앗기고 몸도 상해 싸울 수가 없어 여기 이렇게 누워 있던 참이오."

조자룡은 즉시 수하군졸이 타고 있던 말을 내주고, 간옹을 보호해 주공께 모셔가라고 군사 두명을 딸려보냈다.

"부디 주공께 말씀 올려주시오. 나는 하늘로 올라가든 땅속으로 들어가든 기필코 두 부인과 공자를 모시고 돌아갈 것이오. 만일 찾지 못하면 그냥 저 모래사장에 파묻혀 죽고 말겠다고 전해주오."

조자룡이 말을 마치고 장판교를 향해 급히 달려가는데, 홀연 길가에서 한 사람이 소리쳐 부른다.

"조장군은 어디로 가십니까?"

조자룡은 말을 멈추고 물었다.

"너는 누구냐?"

그 사람이 대답한다.

"소인은 본래 유사군 휘하의 군사로 두 부인의 수레를 모셨는데, 화살에 맞아 이렇게 쓰러져 있었습니다."

조자룡이 다급히 물었다.

"두 부인은 어찌 되셨느냐?"

군사가 아뢴다.

"아까 보니 감부인께서 맨발로 머리를 풀어헤치신 채, 피난가는 부녀자들 틈에 끼여 남쪽을 향해 달아나시더이다."

조자룡은 어쩔 수 없이 그 군사를 버려둔 채 말머리를 돌려 남쪽을 향해 달렸다. 앞을 바라보니 수백명의 백성들이 서로 부축하며 도망가고 있었다. 조자룡이 소리높여 외친다.

"혹시 여기 감부인 안 계십니까?"

마침 뒤처져가고 있던 감부인은 조자룡을 보는 순간, 목놓아 울기 시작한다. 조자룡은 말에서 뛰어내려 땅에 창을 꽂고, 눈물지으며 말한다.

"부인께서 이토록 고생하시는 것이 모두 저의 죄입니다. 미부인과 공자께서는 어디 계십니까?"

감부인이 울며 대답한다.

"미부인과 함께 가다 조조 군사에게 쫓겨 수레를 버리고 백성들 틈에 끼여서 도망하던 중에, 또다시 한무리의 적병을 만나 모두 흩어져 버렸소. 그때 그만 미부인과 아두와 헤어져 행방을 모른 채, 이렇게 나 혼자 떨어져가던 길이오."

그때 또다시 백성들 속에서 비명이 터져오르더니 한무리의 적병이 몰려온다. 조자룡은 땅에 꽂아두었던 창을 뽑아들고 말에 뛰어올랐다. 바라보니 맨앞에 한 사람이 꽁꽁 묶인 채 말 위에 올라앉아 있는데, 다름아닌 미축이다. 미축 뒤에는 조인의 부장 순우도(淳于導)가 1천여명의 군사를 거느리고 큰 칼을 휘두르고 있었다. 미축을 잡아 전공 세운 것을 보고하러 가는 참이었다.

조자룡은 크게 소리치며 창을 든 채 쏜살같이 말을 몰고 달려가 단번에 순우도를 거꾸러뜨리고 미축을 구해냈다. 곧이어 말 두 필을 빼앗아 감부인을 태운 다음, 적진을 뚫고 장판교로 향했다.

마침 장판교 위에서 창을 비껴들고 서 있던 장비는 조자룡을 보자 소리를 버럭 지른다.

"자룡아, 너는 어찌하여 우리 형님을 배반했느냐!"

조자룡이 말한다.

"두 부인과 공자를 찾지 못해 이렇게 돌아다니고 있는데, 배반이라니 무슨 소리요?"

장비가 껄껄 웃으며 말한다.

"방금 전에 간옹에게 들었으니망정이지, 그게 사실이라면 그대로 두었겠나?"

조자룡이 급히 묻는다.

"주공께서는 지금 어디 계시오?"

"저 앞 멀지 않은 곳에 계시네."

조자룡은 미축을 돌아보며 말한다.

"자중(子仲, 미축의 자)은 감부인을 모시고 먼저 가시오. 나는 다시 미부인과 공자를 찾으러 가겠소."

조자룡은 급히 수하에 기병 4, 5명만을 거느리고 오던 길로 되돌아 달려갔다. 얼마 못 가 적장 하나가 손에 철창을 들고, 등에는 칼을 멘채 군사 10여명을 거느리고 조자룡에게 달려들었다. 조자룡은 말 한마디 없이 그대로 달려들어 단창에 적장을 말 아래로 거꾸러뜨렸다. 그 모습에 적병들은 혼비백산하여 사방으로 달아나기 바빴다.

그 적장은 바로 조조의 칼을 메고 다니던 하후은(夏侯恩)이었다. 본래 조조에게는 보검이 두 자루 있었는데, 하나가 '의천검(倚天劍)'이요, 다른 하나는 '청강검(靑釭劍)'이다. 조조는 의천검은 자기가 차고, 청강검은 하후은이 메고 다니게 했는데, 이 청강검으로 말할 것 같으면 쇠를 마치 진흙처럼 끊어내니, 그 날카로움이 비길 데 없었다. 이날 하후은은 제 용기와 힘만 믿고 청강검을 메고 제멋대로 조조에게서 떨어져나와 군사들을 거느리고 다니면서 함부로 노략질을 일삼던중 생각지도 못한 조자룡을 만나 목숨을 잃은 것이다.

조자룡이 하후은의 등에서 칼을 빼내어 보니, 칼자루에 금으로 '청강(靑釭)'이라는 두 글자가 새겨져 있다. 한눈에 보아도 보검임을 알수 있었다. 조자룡이 그 보검을 허리에 찬 후 창을 손에 들고 다시 적진 속으로 달려들어 좌우를 둘러보니 따르던 군사가 단 한명도 남지 않았다. 하지만 조자룡은 물러날 생각이 털끝만큼도 없었다.

조자룡은 다시 미부인과 공자를 찾아 사방팔방으로 다니며 백성들에게 묻는데, 드디어 한 사람이 손가락을 들어 가리키며 부인과 공자의 행방을 알려주었다.

"부인께서는 왼쪽 다리를 창에 찔려 꼼짝도 못하시고 품에 아기를 안은 채, 저기 저 무너진 토담 안에 앉아 계십니다."

조자룡이 말을 달려 급히 가보니, 불에 타서 무너진 토담 밑 마른 우물가에 미부인이 아두를 품에 안고 홀로 앉아 울고 있었다. 조자룡은 말에서 뛰어내려 땅에 엎드렸다. 미부인이 눈물을 거두고 말한다.

"장군을 만났으니 이제 아두는 살았소. 장군은 부디 주공께서 반평생을 떠돌아다니는 동안 얻은 혈육이라고는 이 공자 하나인 것을 생각하시고, 잘 보호하여 주공을 만나게 해주신다면 나는 죽어도 여한이 없으리다."

북받치는 슬픔을 애써 누르며 조자룡이 말한다.

"부인께서 이렇게 욕을 보신 것은 모두 저의 죄입니다. 여러 말 하실 것 없이 부인께서는 어서 말에 오르시지요. 제가 부인을 모시고 걸어가며 죽기로 싸워서 포위를 뚫고 나가겠습니다."

"말도 안되는 소리요. 장군이 말도 타지 않고 어떻게 싸우시겠소. 이 아이의 목숨은 오로지 장군 손에 달렸고, 나는 이미 상처가 깊어 여기서 죽어도 조금도 원통할 게 없소. 그러니 장군은 어서 공자를 안고 포위를 뚫고 나가시고, 내가 누가 되지 않게 해주시오."

"함성이 점점 가까워옵니다. 추격병이 곧 들이닥칠 모양이니, 부인께서는 어서 서둘러 말에 오르십시오."

조자룡이 재촉하지만 미부인은 들으려 하지 않는다.

"나는 중상을 입어 갈 수가 없으니 이러다가는 공자의 목숨마저 보전키 어렵겠소. 내 생각은 말고, 어서 공자를 안고 떠나시오."

미부인은 아두를 조자룡에게 내밀면서 다시 당부한다.

"이 아이 목숨은 오직 장군 손에 달렸습니다."

조자룡은 거듭거듭 부인에게 말에 오르기를 간청하나 미부인은 끝끝내 거절한다. 그때 별로 멀지 않은 곳에서 또 한 차례 함성이 터졌다. 조자룡은 다시 미부인에게 간청한다.

"부인께서 그리 말씀을 듣지 않으시다가 추격병이 들이닥치면 어쩌시렵니까?"

조자룡의 말이 끝나기도 전에, 미부인은 아두를 땅에 내려놓고 그대로 마른 우물 속으로 몸을 던져 죽고 말았다.

후세 사람이 시를 지어 이 일을 읊었다.

싸움터의 장수 오로지 말힘에 의지하거늘	戰將全憑馬力多
걸어서 어떻게 어린 주인 보호하리	步行怎把幼君扶
미부인 한몸 던져 유씨의 후사 남겼으니	拚將一死存劉嗣
용감한 결단은 참으로 여장부일세	勇決還虧女丈夫

조자룡은 미부인의 죽음을 슬퍼할 사이도 없이 혹시 조조 군사에게 시체를 빼앗길까 두려워, 급히 토담을 무너뜨려 우물을 메워버렸다. 그리고 갑옷을 끄르고 엄심경(掩心鏡, 가슴 보호용 철갑)을 내려 아두를 품에 안았다.

조자룡이 창을 집어들고 막 말 위에 오르는데 적장이 한떼의 보병을 거느리고 앞길을 막았다. 바로 조홍의 부장 안명(晏明)이다. 안명은 조자룡을 향해 삼첨양인도(三尖兩刃刀)를 휘두르며 달려들었다. 조자룡이 아두를 품은 몸으로 안명의 칼을 맞받아친다. 두번, 세번째 조자룡은 말을 몰아 안명에게로 파고들며 한창에 허리를 찌르니 안명은 외마디 비명을 내지르며 말 위에서 거꾸러졌다. 이어 다른 군사들까지 물리친 조자룡은 곧장 길을 뚫고 나갔다.

얼마 못 가서 또다시 한무리의 기병이 몰려든다. 대장의 깃발을 보니 큰 글씨로 '하간 장합(河間 張郃)'이라 씌어 있다. 조자룡은 말 없이 장합을 맞아 10여합을 싸우다가 마음을 바꾸어 더 싸우지 않고 길을 찾아 달리기 시작했다.

장합이 급히 조자룡의 뒤를 추격했다. 조자룡은 말에 채찍질을 더하여 부지런히 달려갔다. 그런데 이게 무슨 변고인가. 갑자기 조자룡이 탄 말이 울부짖더니 그만 실족하여 말과 사람이 모두 흙구덩이 속으로 빠지고 말았다. 조자룡을 뒤쫓던 장합이 얼씨구나 하며 창을 고쳐잡고 달려들었다. 그런데 이건 또 어찌 된 일인가. 난데없이 한 줄기 붉은 빛이 구덩이 속에서 뻗쳐나오더니, 조자룡이 탄 말이 네 굽을 모으고 껑충 구덩이 밖으로 솟구쳐 뛰어나온 것이다.

후세 사람이 이 광경을 두고 시를 지어 읊었다.

곤경에 빠진 용 붉은 빛 두르고 날아	紅光罩體困龍飛
장판파의 포위 뚫고 전마는 달린다	征馬冲開長坡圍
마흔두해*의 명을 타고난 인물이라	四十二年眞命主
장군은 때문에 신위를 드날렸네	將軍因得顯神威

　*유현덕의 재위 2년에 아두의 재위 40년을 합친 햇수

장합은 너무나 놀라 그대로 말머리를 돌려 물러가버렸다.

조자룡이 다시 길을 찾아 달려가는데, 또 두 명의 장수가 급히 뒤쫓아오며 외친다.

"조자룡은 달아나지 말고 게 섰거라!"

그와 동시에 앞에서도 두 장수가 칼과 창을 치켜들고 길을 가로막았다. 조자룡이 보니, 뒤를 쫓는 장수는 마연(馬延)과 장의(張顗)이고, 앞을 막은 장수는 초촉(焦觸)과 장남(張南)으로, 모두 원소 수하에 있다가 조조에게 항복한 자들이다.

조자룡이 네 장수와 한창 싸우고 있는데, 갑자기 함성이 크게 일며 적군이 벌떼처럼 몰려든다. 조자룡은 번개같이 청강검을 빼들어 닥치는 대로 휘두르고 내려쳤다. 칼날이 닿기가 무섭게 적의 갑옷이 그대로 쪼개지며 붉은 피가 샘처럼 솟아올랐다. 조자룡은 마침내 여러 장수와 수많은 병사들을 물리치며 겹겹의 포위를 뚫고 나갔다.

이때 조조는 경산마루 위에서 전세를 관망하고 있었다. 한 장수가 천군만마 속에서 필마단기(匹馬單騎)로 대적하는데 그가 이르는 곳마다 아무도 그 위력을 당해내지 못한다. 조조가 깜짝 놀라 좌우에 물었다.

"저 장수가 대체 누구냐?"

조홍이 곁에 있다가 즉시 산 아래로 내려가 큰소리로 외쳤다.

"군중에서 싸우는 장수는 성명을 밝혀라!"

조자룡이 맞받아 소리쳤다.

"나는 상산(常山) 조자룡이다!"

조홍이 다시 말을 달려 산 위로 가서 조조에게 알렸다.

"참으로 범 같은 장수로구나! 내 기필코 사로잡고야 말겠다."

조조는 군사를 시켜 각처로 말을 달려 영을 전하게 했다.

"조자룡이 오거든 절대로 활을 쏘지 말고 산 채로 잡도록 하라!"

이리하여 조자룡은 다행히 큰 난을 면했으니, 후세 사람들은 이 역시 아두의 타고난 복이라 일렀다.

조자룡은 어린 주인을 구하려 필마단기로 적진을 뚫다

조자룡이 이 싸움에서 아두를 품고 겹겹이 포위한 적군을 뚫고 나오면서, 칼로 쳐서 쓰러뜨린 큰 기(旗)가 둘이요, 빼앗은 창이 세 자루요, 창으로 찌르거나 칼로 쳐죽인 조조 진영의 이름 있는 장수만도 50여명에 이르렀다.

후세 사람이 시를 지어 읊었다.

피에 젖은 전포 갑옷까지 배어 벌겋구나	血染征袍透甲紅
당양싸움에서 누가 감히 그와 대적하랴	當陽誰敢與爭鋒
자고로 적진 뚫고 주군을 구한 사실	古來沖陣扶危主
오직 상산의 조자룡이 있을 뿐이라네	祇有常山趙子龍

조자룡이 닥치는 대로 무찌르며 겹겹의 포위를 뚫고 조조의 진영을 벗어나니, 입고 있는 전포와 갑옷은 온통 피투성이였다. 자룡이 말을 몰아 산 언덕 아래를 지날 때, 또다시 적장이 두 갈래로 나뉘어 앞을 가로막는데, 그들은 하후돈의 부장 종진(鍾縉)과 종신(鍾紳) 형제였다. 종진은 큰도끼를 휘두르고, 종신은 화극(畫戟)을 쳐들고 달려오면서 외친다.

"조자룡은 어서 말에서 내려 항복하라!"

겨우 범의 굴을 벗어나 달아나는데	纔離虎窟逃生去
다시 용의 못 만나 물결이 밀려오네	又遇龍潭鼓浪來

조자룡은 과연 이 어려운 고비를 어떻게 벗어날 것인가?

장판교를 지킨 장비

장비는 장판교에서 한바탕 호령하고
유비는 패하여 한진 어귀로 달아나다

    종진과 종신 두 형제가 다시 앞을 가로막자 조자룡은 숨을 고르고 창을 들어 내달았다. 종진이 큰 도끼를 휘두르며 막아섰다. 서로 어우러져 싸운 지 3합도 되기 전에, 조자룡은 단창에 종진을 찔러 말 아래로 거꾸러뜨리고, 그대로 퇴로를 찾아 달아나기 시작했다.

    이번에는 종신이 화극을 고쳐잡고 뒤쫓는다. 조자룡을 바짝 따라붙은 종신은 드디어 화극을 번쩍 치켜들어 조자룡의 등 한복판을 겨누었다. 순간 조자룡이 번개같이 말머리를 돌리니 두 사람의 가슴과 가슴이 서로 맞부딪힐 뻔했다. 조자룡은 왼손에 든 창으로 종신의 화극을 막고, 오른손으로는 청강검을 뽑아 그대로 종신의 머리를 내려쳤다. 투구를 쓴 머리가 맥없이 두쪽으로 갈라지면서 종신은 말에서 굴러떨어지고 말았다. 두 장수가 연달아 죽는 것을 보고, 적병들은 사방으로 흩어져 달아나버렸다.

조자룡은 다시 급히 말을 몰아 장판교를 향해 치달렸다. 그때 등 뒤에서 천지를 뒤흔드는 함성이 일었다. 문빙이 군사를 이끌고 쫓아오고 있었다. 조자룡은 더욱 세차게 말을 몰아 겨우 다리 근처까지 갔으나, 사람도 말도 모두 지쳐 싸울 기력이 남아 있지 않았다. 그런데 그곳에는 아직도 장비가 장팔사모를 비껴들고 서 있는 것이 아닌가. 조자룡은 장비 앞으로 급하게 달려들며 소리쳤다.

"익덕은 나를 도우시오!"

장비가 대답한다.

"자룡은 어서 가라. 뒤에 오는 군사는 내가 맡겠다."

조자룡이 다리를 건너 20여리를 달리니, 마침내 유현덕이 사람들과 나무 아래 쉬고 있는 모습이 보였다. 조자룡은 현덕의 앞에 이르러 황망히 말에서 뛰어내리더니, 말도 못하고 땅바닥에 엎드려 울기부터 했다. 현덕도 함께 울었다. 잠시 후 조자룡이 목멘 소리로 현덕에게 고한다.

"저는 만번 죽어도 마땅한 죄를 지었습니다. 미부인께서는 중상을 입으셨는데, 제가 아무리 청해도 말에 오르지 않으시더니 그만 우물 속에 몸을 던져 스스로 목숨을 끊으셨습니다. 저는 겨우 토담으로 우물을 메운 다음 공자를 갑옷 속에 품고 간신히 포위를 뚫고 달려왔는데, 이 모두 주공의 홍복(洪福)에 힘입은 것입니다. 조금 전까지도 품속에서 공자의 울음소리가 들렸는데 지금 아무 기척도 없으니, 아마도 공자를 잘 보호해드리지 못한 듯합니다."

말을 마치고 조자룡이 급히 갑옷을 끌러 품안에서 꺼내보니 아두는 쌔근쌔근 숨소리를 내며 잠을 자고 있었다.

"다행히 공자께서는 무사하십니다!"

조자룡은 환하게 웃으며 두 손으로 아두를 받들어 현덕에게 내밀었다. 그런데 어찌 된 일인지 유현덕은 아두를 받아들자마자 땅바닥에 내던지는 것이 아닌가.

"이까짓 어린 자식 하나 때문에 하마터면 내 큰 장수를 잃을 뻔했구나!"

조자룡은 황망히 허리를 굽혀 팽개쳐져 우는 아두를 안아들고 눈물 흘리며 절한다.

"자룡은 이제 간뇌도지(肝腦塗地, 간과 뇌가 땅에 으깨어짐)하더라도 주공의 은혜에 보답할 수 없을 것입니다."

후세 사람들이 시를 지어 이때의 모습을 읊었다.

조조 진중에서 비호처럼 벗어나는데	曹操軍中飛虎出
조자룡의 품속에선 작은 용이 잠들었네	趙雲懷內小龍眠
충신의 뜻 위로할 길 없어	無由撫慰忠臣意
짐짓 친자식 말 앞에 내던지네	故把親兒擲馬前

한편 문빙은 조자룡을 뒤쫓아 장판교에 이르렀다. 그런데 조자룡은 어디로 갔는지 보이지 않고, 다리 위에는 장비가 범 같은 수염을 뻣뻣이 세운 채 고리눈을 부릅뜨고 장팔사모를 비껴들고는 말에 높이 올라 있는 게 아닌가. 뿐만 아니라 다리 건너 동쪽 수풀 속에서는 자욱

이 먼지가 일고 있었다. 문빙은 혹시 복병이 있는 게 아닌가 의심스러워, 말을 멈추고 더 나아가지 못했다.

문빙의 뒤를 따르던 조인·이전·하후돈·하후연·악진·장요·장합·허저 등도 모두 장판교 앞에 이르렀다. 그러나 다른 무리들도 장비가 눈 부릅뜨고 장팔사모를 비껴들고 서 있는 것을 보자, 혹시 또 제갈공명의 계략에 걸려드는 것은 아닐까 두려운 나머지 앞으로 나가지 못한다. 다리 서쪽에 일렬로 진을 벌인 이들은 즉시 사람을 보내 조조에게 상황을 전했다. 조조는 급히 말을 몰아 장판교로 달려왔다.

장비가 눈을 부릅뜨고 바라보니, 조조의 후군에 은은히 푸른 비단 일산이 보이고, 모월(旄鉞)과 정기(旌旗)가 바람에 나부낀다. 필시 조조가 친히 동정을 살피러 나선 게 틀림없었다. 장비는 목청을 돋워 큰 소리로 외쳤다.

"내가 바로 연나라 사람 장익덕이다. 나와 싸울 자 누구냐, 냉큼 나서라!"

장비의 고함소리는 마치 우레소리 같았다. 조조의 군사들은 그 소리를 듣더니 모두 몸서리를 쳤다. 조조 역시 은근히 경계하며 급히 푸른 비단 일산을 걷어치운 다음 좌우에게 말한다.

"일찍이 관운장에게 들으니, 익덕은 백만 군중(軍中)에서도 적장의 머리 베기를 마치 주머니 속에 있는 물건 꺼내듯 한다는데, 이제 보니 과연 호랑이 같은 장수로다. 모두들 경솔히 대적하지 말라."

조조의 말이 끝나기도 전에 장비는 다시 고리눈을 부릅뜨고 벼락같이 외친다.

"연인 장익덕이 여기 있다. 목숨 내놓고 맞서싸울 자 있으면 냉큼 나오너라!"

장비는 장판교에서 호령소리 한번으로 조조군의 기세를 꺾다 조조는 장비의 기개에 놀라 물러날 마음을 품었다. 장비는 멀리서 조조의 후군이 조금씩 이동하는 것을 보고 장팔사모를 고쳐잡으며 또 한번 큰소리로 외쳤다.

"싸울 거냐 말 거냐? 어쩔 작정이냐, 이놈들아!"

벼락치듯 울려대는 장비의 고함소리를 듣고, 조조 곁에 있던 하후걸(夏侯傑)은 얼마나 놀랐던지 간담이 터져 그대로 말에서 굴러떨어져버렸다. 조조는 그대로 말머리를 돌려 달아났다. 그러자 수하 장수와 군졸 들도 일제히 서쪽을 향해 달아나기 시작하니, 그 꼴은 흡사 젖먹이 어린애가 우레소리를 들은 격이요, 병든 나무꾼이 호랑이 울음소리를 들은 격이었다. 그 와중에 창을 내팽개친 자, 투구가 땅에 떨어진 자가 부지기수이고, 사람과 말이 한꺼번에 몰려가는 꼴은 마치 파도가 밀려가듯 산이 무너지듯 하는 판국이라 저희끼리 서로 부딪치고 짓밟혀 죽는 자가 나왔다.

후세 사람들이 시를 지어 이를 찬탄했다.

장판교 머리에서 살기가 등등	長坂橋頭殺氣生
창 비껴들고 말 세우고 고리눈 부릅뜨니	橫槍立馬眼圓睜
호통치는 그 한 소리 천둥과도 같아라	一聲好似轟雷震
혼자서 조조의 백만군사 물리쳤도다	獨退曹家百萬兵

장비의 기세에 눌린 조조가 혼비백산하여 서쪽을 향해 달아나는데, 쓰고 있던 관이 떨어져 머리가 산발이 된데다 어찌나 놀랐던지 완전히 얼이 빠졌다. 장요와 허저가 재빨리 뒤쫓아가 조조의 말고삐를 잡아세우는데도 조조는 어쩔 줄을 모른다.

"승상께서는 고정하십시오. 그까짓 장비 한놈이 무어 그리 두려울 게 있겠습니까? 지금이라도 군사를 돌려 쫓아가면 유비를 사로잡을 수 있을 것입니다."

장요의 말을 듣고 나서야 조조는 겨우 놀란 가슴을 진정하고 낯색을 바로했다. 그러고는 장요와 허저에게 명하여, 장판교로 돌아가 상황을 알아보게 했다.

한편 장비는 조조의 군사가 일제히 달아나는 꼴을 보았으나 감히 뒤쫓지는 못하였다. 그대신에 말꼬리에 나뭇가지를 매달고 먼지를 일으키고 있던 수하 기병 20여명에게 매단 나뭇가지를 버리고 즉시 장판교를 끊어버리게 했다.

장비는 말머리를 돌려 돌아와 유현덕에게 이제까지의 상황을 보고하며, 장판교를 끊어버린 일을 고했다. 장비의 말을 다 듣고 난 현덕은 가만히 한숨을 내쉬며 말한다.

"내 아우가 참으로 용맹했으나 한 가지 실수를 범했구나."

장비가 퉁명스레 묻는다.

"내가 무슨 실수를 했다고 그러우?"

"조조는 꾀가 많은 위인이다. 네가 장판교를 끊어버렸으니 틀림없이 우리를 뒤쫓을 것이다."

"저들이 내가 한번 외친 호통소리에 4, 5리나 달아났는데, 어찌 감히 다시 쫓아오겠수?"

"그건 아우가 몰라서 하는 소리다. 차라리 장판교를 그대로 두고 왔다면 저들은 혹시 우리 복병이 숨어 있을까 두려워 감히 쫓아오지 못했을 것이다. 하지만 이제 다리를 끊어버렸으니, 우리가 세력이 약해 겁내는 걸 짐작하고 반드시 뒤쫓을 게다. 백만대군을 거느린 조조니 강한(江漢, 장강과 한수)이라도 메우고 건널 판인데, 그까짓 다리 하나 끊어졌다고 대수겠느냐?"

말을 마친 유현덕은 급히 몸을 일으켜 군사들을 재촉해 좁은 샛길로 접어들더니 한진(漢津) 어귀를 향해 말을 달렸다.

조조의 명을 받고 장판교의 상황을 보러 간 장요와 허저는 돌아와서 조조에게 아뢴다.

"장비가 이미 다리를 끊고 가버렸습니다."

"장비가 장판교를 끊고 간 걸로 보아, 속으로는 우리를 두려워한 게 틀림없구나!"

조조는 호기에 차서 영을 내린다.

"군사 1만명으로 하여금 세 개의 부교를 만들어, 오늘밤 안으로 다리를 건너 뒤쫓게 하라!"

이전이 나서서 말한다.

"혹시 제갈공명의 계략으로 다리를 끊어놓은 게 아닐는지요? 경솔하게 진군했다가 속임수에 걸려들까 염려됩니다."

"한낱 힘센 장수에 불과한 장비에게 무슨 꾀가 있겠는가?"

조조는 군사들에게 진군을 독촉했다.

유현덕은 군사들을 재촉해 부지런히 길을 달렸다. 거의 한진 가까이에 이르렀을 때다. 갑자기 뒤에서 먼지가 일면서 하늘에 닿을 듯한 북소리와 더불어 군사들의 함성이 땅을 울린다. 유현덕은 소스라치게 놀랐다.

"앞은 큰 강이고 뒤에는 적군이니, 대체 어찌하면 좋을꼬."

급히 조자룡에게 적군과 싸울 채비를 하라고 일렀다.

한편 조조는 유현덕을 급히 뒤쫓으며 군중에 영을 내렸다.

"이제 유비는 솥 안에 든 물고기요, 함정에 빠진 호랑이다. 만약 지금 사로잡지 못하면 물고기를 바다에 풀어놓는 격이요 호랑이를 산으로 돌려보내는 것이나 마찬가지다. 모든 장수는 있는 힘을 다해 진격하라!"

명을 받은 조조의 장수들은 분발하여 서로 용기를 북돋우며 앞다투어 진군했다. 조조의 대군이 채 10리도 못 갔을 때였다. 갑자기 고개 너머에서 북소리가 크게 울리더니 한떼의 기병이 나는 듯이 달려나왔다. 앞선 장수가 큰소리로 외친다.

"여기서 너희들을 기다린 지 오래다!"

손에 청룡도를 들고서 적토마를 타고 있는 장수를 보니 바로 관운장이다. 원래 관운장은 강하에 가서 군사 1만명을 빌려오는 길이었다. 그런데 당양 장판교에서 큰 싸움이 벌어졌다는 말을 듣고 즉시 이곳으로 와서 조조의 군사를 기다리고 있었던 것이다. 조조는 생각지 않은 곳에서 관운장과 맞부딪치자 깜짝 놀랐다.

"또 제갈량의 계략에 빠져들었구나!"

조조는 수하장수들을 돌아보고 한마디 한 다음, 즉시 전군에 퇴각 명령을 내렸다. 관운장은 달아나는 조조의 군사를 10여리쯤 쫓다가 곧 회군하여 현덕에게로 갔다. 그들이 현덕을 비호해 한진에 다다르니, 강변에는 이미 배가 준비되어 있었다. 관운장은 현덕과 감부인, 아두를 배 위에 모시고 나서 묻는다.

"왜 둘째형수님은 보이지 않습니까?"

유현덕은 당양에서 벌어졌던 일을 자세히 이야기해주었다. 관운장은 한숨을 내쉬며 말한다.

"지난날 허전(許田)에서 사냥할 때, 제가 오만방자한 조조를 죽이려는 걸 형님께서 눈짓으로 말리지만 않았어도 이런 환란은 겪지 않았을 터인데……"

현덕도 탄식한다.

"그때는 쥐 한 마리 잡으려다 그릇 깨뜨릴까 두려워서였으니, 모두 하늘이 하는 일인 것을 어찌하겠느냐!"

현덕과 관운장이 이야기를 나누는 중에, 갑자기 남쪽 언덕에서 북소리가 크게 울리더니, 무수히 많은 배가 순풍에 돛을 달고 이편을 향해 오고 있다. 유현덕이 크게 놀라 어쩔 줄 모르는데, 배는 점점 가까이 다가왔다. 자세히 보니, 흰 전포에 은으로 만든 갑옷을 입은 한 사람이 뱃머리에 서서 큰소리로 인사를 하는 게 아닌가.

"숙부님께서는 그간 별고 없으셨습니까? 못난 조카가 숙부님께 큰 죄를 지었습니다."

그는 바로 공자 유기였다. 현덕의 배로 옮겨탄 유기는 울며 절을 한다.

"숙부님께서 조조에게 쫓기고 계시다는 소식을 듣고, 서둘러 온다는 게 이리 늦었습니다."

현덕은 크게 기뻐하며 양쪽 배를 한데 모아 거느리고 항해를 계속했다. 배 안에서 유기와 더불어 지난 일들을 이야기하는데, 이번에는 난데없이 서남쪽에서 전선이 나타나 일자로 열을 지어 바람을 타고 호각을 불며 이쪽으로 달려오는 것이 눈에 띄었다. 유기가 깜짝 놀라 말한다.

"강하의 군사들은 제가 모조리 이끌고 왔는데 저렇게 많은 전선이 앞길을 막으니, 이것은 필시 조조의 군사이거나 강동의 군사일 것입니다. 이 일을 대체 어쩌면 좋습니까?"

유현덕이 뱃머리에 서서 자세히 바라보니, 한 사람이 저편 뱃머리에 윤건과 도복 차림으로 단정히 앉아 있는데, 틀림없이 제갈공명이요 그 뒤에 서 있는 이는 손건이다. 유현덕은 황망히 자기 배를 가까이 대고 묻는다.

"대체 어디서 오시는 길이오?"

공명이 대답한다.

"제가 강하로 가는 길에 우선 관운장으로 하여금 한진으로 가서 주공을 도우라 하였습니다. 그리고 가만히 따져보니, 조조가 추격해온다면 주공께서 틀림없이 강릉으로는 못 가시고 한진으로 가실 듯하여, 공자께 청해 먼저 가서 주공을 돕게 한 후에, 저는 다시 하구로 가서 그곳 군사를 모조리 이끌고 오는 길입니다."

현덕은 크게 기뻐했다. 먼저 군사를 한데 모은 유현덕은 공명과 함께 앞으로 조조를 처부술 계략을 의논했다. 공명이 말한다.

"하구는 성이 험하고 전량이 넉넉해서 오래 머물러 있을 만하니, 주공께서는 우선 하구로 가셔서 주둔하십시오. 그리고 공자는 다시 강하로 돌아가시어 전선을 정돈하고 군기를 수습해 서로 의각지세(犄角之勢, 군사를 둘로 나눠 견제하는 형세. 기각지세.)를 이루면 가히 조조를 막을 수 있을 것입니다. 만약 두 분이 함께 강하로 가신다면 오히려 고립당할지도 모릅니다."

공명의 말을 듣고 유기가 말한다.

"군사의 말씀이 옳습니다. 하지만 저의 어리석은 생각으로는 우선 숙부님께서도 저와 함께 잠시 강하로 가셔서 군사를 정돈한 다음 하구로 돌아가시더라도 늦지 않을 듯합니다."

현덕이 이에 응한다.

"조카의 말도 옳으이."

마침내 관운장에게 군사 5천을 주어 하구를 지키게 하고, 현덕은 공명과 유기와 더불어 강하로 갔다.

조조는 관운장이 군사를 이끌고 앞길을 막아서자 혹시 복병이 있을까 두려워 더는 쫓지 못했다. 또 한편으로는 유현덕이 수로를 타고 강릉을 손에 넣을까 염려하여 밤새 대군을 이끌고 강릉으로 향했다.

강릉에 와보니, 형주를 지키고 있던 치중(治中) 등의(鄧義)와 별가 유선(劉先)은 이미 양양에서 일어난 일을 들어서 알고는 조조를 대적하지 못할 것을 짐작하고 형주의 관리와 백성들을 모조리 이끌고 나와 항복하였다.

조조는 성으로 들어가 백성들을 위무하고 나서, 옥에 갇혀 있던 한숭(韓嵩)을 석방하고 벼슬을 높여 대홍려(大鴻臚, 타국에서 온 사자 등을 접대하는 관리)로 삼았다. 그밖에 다른 관원들에게도 각각 벼슬을 내리고 상을 주었다. 그런 다음 조조는 수하 장수와 모사 들을 불러들여 의논한다.

"이제 유비가 강하로 갔으니, 만일 강동의 손권과 결탁이라도 하면 쉽게 치기 어렵다. 어떤 계책을 써야겠는가?"

순유가 말한다.

"지금 우리의 군세는 실로 막강합니다. 즉시 강동으로 사자를 보내 손권에게 청하기를, 강하에서 만나 사냥하는 체하다가 합세하여 유비를 사로잡고, 형주땅을 서로 나누고 동맹을 맺자고 하면, 손권은 놀라고 의심스러워하면서도 분명 우리 청에 따를 것입니다. 그렇게만 되면 우리의 뜻은 거의 성공한 것이나 다름없습니다."

조조는 순유의 말대로 격문을 써서 사자에게 주어 동오에 보내는 한편, 기병·보병·수병 모두 83만을 일으켜 1백만이라 거짓 소문을 내고는 수로와 육로로 한꺼번에 출병했다. 강물 위에는 전선이 뜨고, 육지에서는 기병과 보병이 강을 끼고 진군하니, 서쪽으로는 형주와 협중(峽中)에서부터 동쪽으로는 기춘(蘄春)과 황주(黃州)에 이르기까지 영채가 3백여리에 뻗쳤다.

여기서 이야기는 둘로 갈라진다.

이때 시상군(柴桑郡)에 주둔해 있던 손권에게는 연이어 놀라운 소식이 전해졌다. 먼저 조조 대군이 양양에 이른 즉시 유종이 항복했다는 소식이 들리더니, 다시 조조가 밤새 진군해 강릉을 손에 넣었다는 것이다. 시시각각 변하는 사태를 태평하게 지켜보고 있을 수만은 없다고 여긴 손권은 즉시 모사들과 수하장수들을 불러들여 대책을 의논했다. 노숙(魯肅)이 말한다.

"형주는 우리와 인접해 있는데다 지형이 험준하고 백성들은 부유하니, 만일 우리가 형주를 손에 넣기만 하면 가히 제왕의 업을 이룰수 있을 것입니다. 지금 유표가 죽은 지 얼마 안되었고, 유비마저 조조에게 패했습니다. 청컨대 명을 내리시면, 제가 강하로 가서 우선 유기를 만나 부친 유표의 문상을 하고 나서, 다시 유비를 만나 유표가거느리던 장수들과 합세하여 조조를 공격하자는 뜻을 전하겠습니다. 만일 유비가 기꺼이 우리의 뜻을 따른다면 가히 대사를 이룬 것이나다름없지 않겠습니까?"

손권은 기뻐하며 즉시 노숙에게 예물을 갖추어 강하로 가서 유표의 문상을 하게 했다.

한편 강하에 이른 유현덕은 공명·유기와 더불어 앞으로의 계책을 의논했다. 공명이 먼저 말한다.

"조조의 형세가 워낙 커서 대적하기 어려우니 동오의 손권에게 도움을 청하시지요. 남쪽 손권과 북쪽의 조조를 서로 싸우게 하여 우리가 중간에서 이익을 취한다면 지금의 이 상황도 어려울 게 없습니다."

"강동에는 인재가 많으니 틀림없이 나름대로 계책을 세울 터인데, 어찌 쉽사리 우리를 용납하겠소?"

현덕이 걱정스러운 듯이 말하자 공명이 웃는다.

"지금 조조가 백만대군을 거느리고 강한에 웅거하고 있는데, 강동 사람들이 가만히 보고만 있겠습니까? 틀림없이 우리에게 사람을 보내 허실을 알아보려 할 것입니다. 저들에게서 사람이 오면, 이 제갈량은 일엽편주(一葉片舟)에 몸을 싣고 바로 강동으로 가서 아직 썩지 않은 세치 혀를 놀려 남쪽과 북쪽의 군사들이 서로 싸우게 만들겠습니다. 만약 남쪽이 이기면 함께 조조를 무찔러서 형주를 차지하고, 반대로 북쪽이 이기거든 우리는 그 틈에 강남을 취하면 됩니다."

"좋은 생각이오마는, 우선 강동에서 사람이 와야 말이지요."

한참 이야기를 나누는 중에 문득 아랫사람이 들어와서 아뢴다.

"강동에서 손권이 문상을 하라고 노숙을 보냈는데, 배가 이미 언덕에 닿았다고 합니다."

공명이 웃으며 말한다.

"이제 대사는 이루어진 거나 다름없습니다!"

그러고는 유기에게 묻는다.

"일전에 손책이 죽었을 때, 양양에서 사람을 보내 문상한 일이 있었나요?"

유기가 대답한다.

"강동의 손씨 집안과 우리는 손견을 죽인 일로 원수지간이 되었는데, 경조(慶弔) 간에 무슨 예를 차려 왕래했겠습니까?"

공명이 자신있게 말한다.

"그렇다면 노숙이 온 것은 문상을 위해서가 아니라, 바로 내막을 탐지하기 위해서입니다."

공명은 유현덕을 향해 말을 잇는다.

"노숙이 와서 조조의 동정을 묻거든 주공께서는 그저 모른다고만 하십시오. 그래도 재차 묻거든 제갈량에게 물어보라고 미루십시오."

이렇게 말을 맞춘 다음, 노숙을 맞아들였다. 노숙은 들어와서 먼저 문상을 하더니 가지고 온 예물을 바쳤다. 유기는 노숙을 청해 유현덕과 만나 인사를 나누게 한 후에, 후당에 술자리를 벌여 대접했다. 몇 순배 잔이 돌고 나서 노숙이 먼저 현덕에게 말을 꺼낸다.

"황숙의 높은 이름을 들은 지 이미 오래건만 인연이 닿지 않아 뵙지 못했는데, 오늘 이렇게 뵙게 되어 기쁘기 한량없습니다. 근래 듣자 하니 황숙께서는 조조와 여러번 전투를 벌이셨다 하니, 저들의 허실을 잘 아실 테지요. 감히 한 말씀 여쭙겠습니다. 대체 조조의 군사가 얼마나 되는지요?"

현덕은 공명이 일러준 대로 대답을 피한다.

"워낙 군세가 미약하고 장수도 몇 되지 않아, 조조의 군사를 대하면 달아나기 바빠 그쪽 허실이 어떤지 알 길이 없소이다."

노숙이 다시 말한다.

"그래도 소문에 들으니 황숙께서는 제갈공명의 계략을 이용해 두번이나 화공을 써서 조조의 간담을 서늘하게 했다고 하던데, 어찌 모른다고만 하십니까?"

현덕이 말한다.

"공명에게 물어보시면 상세히 알 수 있을 것입니다."

노숙이 집요하게 묻는다.

"공명은 어디 계십니까? 한번 만나고 싶습니다."

유현덕은 곧 사람을 보내 공명을 청해왔다. 노숙은 공명과 서로 인사를 나누고는 한마디 한다.

"일찍부터 선생의 재주와 덕망을 흠모해왔소이다. 이제 다행히 만나쁘게 되었기에 감히 여쭈어보거니와, 지금의 정세를 어떻게 보시는 지요?"

공명이 대답한다.

"조조의 간계를 제가 다 알고는 있지만, 힘이 모자라서 잠시 피해 있는 중입니다."

노숙이 다시 묻는다.

"황숙께서는 이곳에 오래 머무를 생각이신지요?"

공명이 대답한다.

"아닙니다. 우리 주공께서는 본래 창오(蒼梧) 태수 오신(吳臣)과 오랜 교분이 있으신 터라, 이제 그리로 가서 의탁하실 생각입니다."

"허나 오신은 전량이 넉넉지 않고 군사도 적어서 스스로도 보전하기 어려운 형편인데 어떻게 남을 거두겠습니까?"

"우리도 알고 있습니다. 그저 잠시 의지해 있다가 달리 좋은 방도를 구하려는 것입니다."

노숙이 말한다.

"우리 손장군께서는 여섯 군을 거느려 호랑이처럼 웅거하고 있으며, 군사는 정예하고 전량도 넉넉하며 현자를 공경하고 선비를 예로써 대우하는 터라 강동의 영웅들이 모두 모여 있습니다. 유사군을 위해 한 말씀 드리자면, 믿을 만한 사람을 동오로 보내어 함께 대사를 논하심이 어떠실지요?"

공명은 짐짓 무심하게 대답한다.

"유사군께서는 손장군과 본래 왕래가 없으니 공연히 가서 의논한 댓자 별로 이로울 게 없을 것 같고, 또한 마땅히 보낼 만한 사람도 없소이다."

노숙이 다시 권한다.

"선생의 형님께서 지금 강동의 모사로 계신데, 날마다 선생을 만나기를 원하고 있으니, 내 비록 재주는 없습니다만 선생을 모시고 가서 손장군과 더불어 대사를 의논했으면 합니다."

잠자코 듣고 있던 현덕이 한마디 한다.

"공명은 나의 스승이니 잠시도 떨어져 있을 수 없소이다. 더구나 멀리 동오까지 가다니 그렇게 할 수는 없지요."

노숙은 거듭 공명과 함께 가기를 청했으나, 현덕은 짐짓 완강한 태도를 보인다. 드디어 공명이 입을 연다.

"지금 상황이 급하니, 명을 내리시면 받들어 한번 다녀오고자 합니다."

공명의 말에 현덕은 그제야 못이기는 체 허락했다. 곧 노숙은 현덕과 유기에게 하직하고, 공명과 더불어 시상군을 향해 떠났다.

제갈량이 조각배 타고 동오로 가니   祇因諸葛扁舟去
조조 군사 하루아침에 무너지리   致使曹兵一旦休

공명은 노숙을 따라 동오로 가서 어쩌려는 것일까?

제갈량의 설득

제갈량은 강동의 모사들과 설전을 벌이고
노숙은 여러 의견을 힘써 물리치다

노숙은 현덕과 유기에게 작별인사를 올리고 제갈공명과 함께 배에 올랐다. 배를 달려 시상군으로 향하는 중에, 노숙은 공명에게 몇번이나 당부한다.

"선생께서 손장군을 뵙거든, 부디 조조에게 군사가 많고 장수가 용맹하다는 말은 하지 마시오."

공명이 웃으며 대답한다.

"자경(子敬, 노숙의 자)이 당부하시지 않더라도 내 드릴 말씀이 따로 있소이다."

배가 강기슭에 닿았다. 노숙은 공명을 역관으로 안내하여 쉬게 하고, 자기는 먼저 들어가 손권을 만났다.

문무백관을 모아놓고 대책을 논의하고 있던 손권은 노숙이 돌아왔다는 말을 듣고 급히 불러들인다.

"조조의 허실이 어떠하다고 합디까?"

노숙이 아뢴다.

"대략 알아왔으니, 천천히 말씀 올리지요."

손권은 그동안 조조가 보내온 격문을 내보이며 말한다.

"어제 조조가 인편에 격문을 보내왔소. 우선 사신을 돌려보내놓고 지금 여럿이 모여 대책을 의논하던 중인데 아직 이렇다 할 결론은 내리지 못했소."

노숙이 격문을 받아서 읽어보니, 그 내용은 다음과 같다.

내가 근래에 황제의 명을 받들어 천하의 죄 있는 자들을 치는데, 정기(旌旗)가 한번 남쪽을 가리키매 유종이 항복했고, 형주와 양양의 백성들이 바람을 따르듯 귀순하였노라. 이제 용맹한 백만대군과 뛰어난 장수 1천명을 거느리고 장군과 더불어 강하에서 만나, 사냥을 하며 함께 유비를 쳐서, 그 땅을 똑같이 나누어 길이 우호동맹을 맺고자 하니, 남의 일처럼 관망하지 말고 속히 회신을 주시라.

격문을 읽고 나서 노숙이 손권에게 묻는다.

"주공의 뜻은 어떠하신지요?"

"아직 결정을 내리지 못했소."

이때 장소가 나서서 말한다.

"조조가 백만대군을 거느리고 황제의 이름을 빌려 천하를 정벌하고 있으니, 이를 거역하는 것은 불경이 됩니다. 또한 주공께서 조조를 막아내시려면 반드시 장강을 이용해야 하는데, 조조가 이미 형주를 차지해 장강의 험준한 지세를 얻었으니 대적하기 어려운 형국입니다. 어리석은 소견으로는 속히 항복하시는 게 가장 안전한 방책이라 사료됩니다."

장소의 말에 모사들은 한결같이 고개를 끄덕인다.

"자포(子布, 장소의 자)의 말이 바로 하늘의 뜻에 합당합니다."

손권은 시종 입을 닫은 채 말이 없다. 장소가 다시 입을 연다.

"주공께서는 추호도 의심하실 게 없습니다. 조조에게 항복한다면 동오의 백성들이 편안할 뿐 아니라, 가히 강동 여섯 군을 온전히 보전하실 수 있을 것입니다."

손권은 여전히 고개를 푹 숙이고 도무지 말이 없더니, 얼마 후 자리에서 일어나 옷을 갈아입으러 들어갔다. 노숙이 곧 그 뒤를 따른다. 손권은 뒤를 따르는 노숙의 뜻을 짐작하고, 그의 손을 덥석 잡으며 가만히 묻는다.

"그대 의견은 어떻소?"

노숙이 대답한다.

"사람들이 하는 말은 모두 장군을 그르치는 것들뿐입니다. 그들이 모두 조조에게 항복한다 하더라도, 주공께서는 절대로 조조에게 항복하셔서는 안됩니다."

"그게 무슨 말이오?"

"우리 같은 사람들이야 만일 조조에게 항복한다 하더라도 돌아갈 고향땅이 있고 그곳에서 말단관직이나마 차지할 수 있습니다만, 장군

께서 항복하신다면 대체 어디로 가시겠습니까? 지위라야 고작 후(侯)
에 봉해질 것이고, 수레 한 대에 말 한 필, 종자 두어 사람에 지나지
않을 것입니다. 그러니 무슨 수로 남면(南面, 임금이 앉는 자리의 방향 혹은
그 자리)하시어 천하를 내려다보시겠습니까? 다른 사람들은 모두 제
한몸을 생각해서 하는 말이니, 결코 들으실 게 못 됩니다. 장군께서는
어서 바삐 큰 계책을 정하도록 하십시오."

듣고 나서 손권은 한숨을 내쉬며 말한다.

"내놓는 의견들이 한결같이 내 뜻을 벗어나더니, 오로지 자경만이
나와 뜻이 같구려. 바로 하늘이 내게 자경을 내리신 것이오. 단지 문
제는 조조가 이미 원소와 형주의 군사들을 수중에 넣어 그 형세가 자
못 큰지라, 도무지 막아내기 어려울 것 같아 걱정이오."

"제가 이번에 강하에 갔다가 제갈근의 아우 제갈량을 데리고 왔습
니다. 주공께서 몸소 그에게 물어보시면 조조의 허실을 환히 알 수 있
을 것입니다."

손권이 눈을 크게 뜨고 말한다.

"그러면 와룡선생이 여기에 오셨단 말씀이오?"

"지금 역관에서 잠시 쉬고 있습니다."

"오늘은 너무 늦었으니 내일 문무백관을 모두 모이게 하여 와룡선
생에게 강동의 영웅준걸들을 보인 후, 당상에 올라 함께 의논해보도
록 합시다."

노숙은 손권의 명을 받들고 물러나왔다.

이튿날, 노숙은 역관으로 공명을 찾아가 다시 한번 당부했다.

"이제 우리 주공을 뵙거든 절대로 조조에게 군사가 많다는 말씀을
해서는 아니 됩니다."

공명은 역시 웃으며 답한다.

"내 기회를 보아가며 대답을 잘 할 터이니 자경은 너무 염려하지 마시오."

노숙은 마침내 제갈공명을 데리고 갔다. 벌써 장소와 고옹 등 문·무관 20여명이 높은 관을 쓰고 넓은 띠를 둘러 의관을 갖춘 채 자리에 앉아 있었다. 공명은 차례로 돌아보며 서로 통성명하고 예를 차린 후, 손님 자리에 가서 앉았다.

장소 등이 유심히 보니, 공명의 용모는 활달하고 깨끗하며, 풍신이 당당하고 기백이 높아 보인다. 사람들은 속으로 이 사람이 필시 유세(遊說)를 하러 온 것이려니 짐작했다. 먼저 장소가 말을 건넨다.

"나는 강동의 보잘것없는 선비외다. 일찍이 선생께서 융중에 있을 때 베개를 높이고 누워 스스로를 관중과 악의에 견주었다는 소문을 들은 적이 있는데, 과연 그렇습니까?"

공명이 대답한다.

"그것은 저의 평생을 작게 비유하여 한 말이지요."

장소는 그 대답을 기다렸다는 듯 다시 입을 연다.

"이즈음 듣기로는, 유예주께서 세번이나 찾아가서 다행히 선생을 얻었다고 하더이다. 이는 그야말로 고기가 물을 만난 격이라, 금세 형주와 양양을 석권할 것 같더니 엉뚱하게도 하루아침에 조조의 손에 들어갔다 하니, 대체 어찌 된 일인지요?"

공명은 속으로 생각한다.

'장소는 손권 수하의 제일 가는 모사이니, 저자를 꺾지 못하고 어찌 손권을 설복하겠는가.'

이윽고 공명은 조용히 대답한다.

"나로서는 한상(漢上, 형주) 일대를 취하기란 손바닥 뒤집듯 쉬운 일이나, 다만 우리 주공께서 몸으로 인의(仁義)를 행하시느라 차마 같은 가문의 터전을 빼앗을 수 없어 사양하신 것이오. 헌데 어린 조카 유종이 간사한 말에 넘어가 은밀히 항복하여 조조로 하여금 날뛰게 만들었소이다. 그러나 이제 주공께서 강하에 주둔하시며 따로 좋은 계책을 가지고 있으니 앞으로 두고볼 일이외다."

장소가 말한다.

"그렇다면 선생의 말과 행동이 일치하지 않는 게 아니오? 선생은 자신을 관중과 악의에 견주었는데, 관중으로 말할 것 같으면 제나라 환공을 도와 패제후(霸諸侯)를 이룩한 뒤 천하를 통일했고, 악의는 미약한 연나라를 도와 제나라의 70여 성을 함락시켰으니, 두 사람은 참으로 세상을 구한 인재라 할 만하오. 선생은 초려에서 풍월이나 즐기며 책상다리를 하고 앉았다가 이제 유예주를 섬기게 되었으니, 마땅히 만백성을 위해 옳은 일을 행하고 난적(亂賊)을 토멸했어야 하는 것 아닙니까? 유예주께서는 선생을 얻기 전에도 천하를 종횡하며 성채를 점령했던 터라, 선생을 얻었다고 하자 사람들이 모두 큰 기대를 가졌지요. 삼척동자까지도 날쌘 호랑이가 날개를 얻은 격이라고, 머지않아 한나라 황실이 다시 일어나고 조씨가 멸망하리라 했소이다. 또한 조정의 신하와 산림의 숨은 선비를 막론하고 모두 눈을 씻고 이르기를, 하늘을 덮은 구름이 걷히고 해와 달이 밝은 빛을 보게 될 것이며, 백성들을 곤경에서 구해 천하태평의 시대가 열릴 것이라 했소이다. 그런데 어찌하여 선생이 유예주를 섬긴 이래로, 조조의 군사가 한번 나오자 갑옷과 무기를 버리고 바람부는 대로 뿔뿔이 흩어져 달아나버린 것이오? 위로는 능히 유표의 뜻에 보답해 백성들을 편안하게 다스리지 못했고, 아래로는 외로운 유표의 아들을 도와 강토를 지키지 못한 채 신야를 버리고 번성으로 달아나더니, 당양에서 패하고 하구로 가서 몸둘 땅조차 없게 되었으니, 오히려 유예주가 선생을 얻은 뒤에 이전만도 못하게 되었소이다. 관중과 악의도 과연 이러했는지요? 선생은 어리석고 고지식한 내 말을 너무 나무라지 마시오."

그 말을 끝까지 듣고 난 공명은 껄껄 소리내어 웃고는 말한다.

"붕새가 만리를 나는데 뭇새가 그 뜻을 어찌 알겠소? 내 비유해서 말할 테니 잘 들어보시오. 사람이 중병에 들면 먼저 미음과 죽을 먹이고 약한 약을 써서, 장부(臟腑)가 조화롭게 되고 몸이 차차 편안해질 때를 기다렸다가, 그뒤에 육식으로 보하고 독한 약으로 다스려 병의 뿌리를 제거해야 목숨을 온전히 구할 수 있는 법이오. 그러나 만약 맥이 고르기를 기다리지 않고 갑자기 독한 약과 고기를 먹인다면 이는 참으로 구하기 어려워지는 것이외다. 우리 주공 유예주께서 지난날 여남에서 패하여 유표에게 몸을 의탁해 계실 때, 군사는 1천여 명에 불과했고 장수라고 해봐야 관우·장비·조자룡에 지나지 않았으니, 이는 바로 병세가 극도로 위중한 경우라 할 것이오. 더구나 신야는 궁벽한 곳이라 백성의 수가 적고 양곡도 넉넉하지 못했지요. 그러니 유예주께서 그저 잠시 몸을 의탁하려던 것이지, 그런 곳에 자리를 잡으려고야 하셨겠습니까? 무기도 제대로 갖추어지지 않고 성곽은 부실하기 짝이 없으며 군사는 제대로 훈련받지 못한데다 며칠 먹을 양식조차 부족한 상황에서도, 박망파에서 적군을 불사르고 백하에서는 물로써 하후돈과 조인 무리의 간담을 서늘하게 했으니, 내 생각에는 관중과 악의도 이보다 용병을 더 잘하지는 못했을 것이오. 또한 조카 유종이 조조에게 항복한 것은 유예주께서는 몰랐던 일입니다. 분명한 것은, 그런 난리를 틈타 같은 종씨의 땅을 빼앗을 수는 없다 하여 한사코 뒤로 물러섰던 것이니, 이보다 어질고 의로운 일이 어디 있겠소이까? 당양에서 패한 일도 굳이 말씀드리자면, 수십만명이나 되는 백성들이 노인을 부축하고 어린아이를 이끌고 따라나서자 예주께서 차마 그들을 버리지 못하여, 하루에 겨우 10리를 가면서 손에 넣을 수 있는 강릉마저 단념하고 온갖 고초를 백성들과 함께 겪으셨으니, 이 또한 참으로 어질고 의로운 일이었소이다. 적은 군사로 많은 군사를 대적할 수 없으며, 이기고 지는 것은 병가의 다반사라, 옛날 고조께서 여러 차례 항우에게 패했으나 해하(垓下) 싸움 한번으로 공을 이루셨으니, 이것은 바로 한신(韓信)의 좋은 계교가 있었기 때문이외다. 그 한신도 고조를 섬긴 지 오래지만 매번 이긴 것은 아니니, 국가의 대계와 사직의 안위는 바로 계책을 잘 세우는 데 달려 있는 것이지, 말만 앞세우는 무리들이 명성이나 얻으려고 사람을 속이는 것과는 다르오. 그런 자들은 앉으나 서나 말로는 못하는 게 없지만, 임기응변으로는 백에 하나도 할 수 있는 일이 없으니 천하의 웃음거리가 될 뿐이외다."

공명의 막힘 없는 언변에 장소는 한마디도 대꾸하지 못하는데, 문득 좌중에서 한 사람이 소리를 높여 묻는다.

"이제 조조가 백만대군을 거느리고 1천명의 장수와 더불어 용처럼 날뛰고 호랑이처럼 노려보면서 강하를 한입에 털어넣으려 하는데, 대체 귀공은 어쩔 요량이오?"

공명이 보니, 그는 바로 우번(虞翻)이다. 공명은 대답한다.

"조조가 원소의 개미떼 같은 군사를 거두고, 유표의 오합지졸을 빼앗아 비록 그 수가 백만이라 하더라도 이 사람은 조금도 두려울 게 없소이다."

우번이 냉소하며 말한다.

"당양에서 패하고 하구에서 계교가 바닥나 구차하게 남에게 구원을 청하는 판국에, 하나도 두렵지 않다고 장담하니 이야말로 사람을 농락하자는 거 아니오?"

공명은 정색하고 말한다.

"유예주께서 수천명에 불과한 인의의 군사로써 어찌 백만이 넘는 잔혹한 무리들을 당해낼 수 있겠소이까? 하구로 물러가 있는 것은 때를 기다리기 위함이외다. 헌데 이곳 강동은 군사가 정예하고 양곡이 풍족할 뿐만 아니라 장강의 험준한 지세를 가지고 있는데도, 오히려 주인에게 도적 앞에 무릎을 꿇고 항복하라 권하니 천하의 비웃음소리가 들리지 않는지요? 그에 비한다면 우리 주공은 참으로 역적 조조를 두려워하지 않는 분이외다."

우번이 선뜻 응대하지 못하자, 또 한 사람이 나서서 묻는다.

"공명은 소진(蘇秦)과 장의(張儀)의 언변을 본받아 우리 동오를 설득하러 온 것이오?"

공명이 보니, 그는 바로 보즐(步騭)이다. 공명이 답한다.

"자산(子山, 보즐의 자)은 소진과 장의가 변사라는 것만 알았지 그들이 호걸이라는 것은 전혀 모르셨던 게로구려. 소진은 일찍이 여섯 나라의 재상을 지냈으며, 장의는 두번이나 진나라 재상이 되어 나라와 백성들을 보살폈소이다. 이들은 모두 나라를 바로잡은 뛰어난 인물로, 강한 자를 두려워하고 약한 자를 업신여기며 칼을 두려워하고 창을 피하는 자들과는 비교할 수 없지요. 그대들은 조조가 함부로 지어낸 거짓 격문 한 장에 그만 두렵고 무서워 항복하기를 청하면서 소진과 장의를 비웃으려 하니, 오히려 소진과 장의가 그대들을 비웃을 것이오."

보즐은 응대할 말을 못 찾아 잠자코 있었다. 그러자 또 한 사람이 나서며 입을 연다.

"공명은 대체 조조를 어떤 사람이라고 생각하시오?"

공명이 보니, 그는 바로 설종(薛綜)이다. 다시 공명이 대답한다.

"조조는 한나라의 역적인데 새삼 물을 게 뭐 있소?"

설종이 말한다.

"공의 말씀이 틀렸소이다. 한나라가 이제 천수(天數)를 다해가는 터라, 조공이 천하의 3분의 2를 차지하여 백성들의 마음이 모두 조조에게 기운 형편이오. 그런데 유예주는 하늘의 뜻을 모르고 억지로 그와 맞서니, 그야말로 계란으로 바위를 치는 격이 아니겠소? 그러니 어찌 패하지 않겠소이까?"

듣고 있던 공명이 버럭 소리를 지른다.

"경문(敬文, 설종의 자)은 어찌하여 아비도 임금도 없는 사람처럼 말을 하시오? 모름지기 사람은 세상에 태어나 충과 효를 입신의 근본으로 삼는 법이오. 그대는 한나라 신하가 되었으니, 신하노릇을 하지 않는 자를 보면 당연히 힘을 모아 그를 없애려 하는 것이 신하된 자의 도리요. 이제 조조가 대대로 한나라의 녹을 먹고도 그 은혜를 갚을 생각은 않고 도리어 반역할 마음을 품어 천하 모든 사람들이 분노하고 있거늘, 그대는 이것을 오히려 천수로 돌리니 참으로 아비도 없고 임금도 없는 사람이구려. 더불어 얘기할 상대가 못 되니 다시는 입을 열지 마시오!"

공명의 꾸지람을 듣고 설종의 얼굴에는 부끄러운 기색이 역력했다.

공명은 유창한 언변으로 강동의 수많은 모사들을 물리치다 그때 좌중에서 또 한 사람이 묻는다.

"조조가 비록 황제를 내세워 제후들을 호령한다고 하지만 그래도 상국(相國) 조참(曹參)의 후예요, 유예주로 말할 것 같으면 비록 중산 정왕(中山靖王)의 후손이라고 하지만 아무 증거도 없고, 우리가 알기로는 그저 돗자리나 짜고 짚신이나 삼던 사람이거늘, 어찌 조조에 맞서 싸울 수 있겠소이까?"

이번에는 육적(陸績)이었다. 공명이 웃으며 말한다.

"공은 원술의 면전에서 귤을 훔치던 육랑(陸郎)이 아닌가?(육적이 6살에 원술을 만났을 때 귤 세개를 몰래 가져나오다 떨어뜨리자 어머니께 드리려 했다 하여 원술을 감탄시킨 일을 말한다.) 그대는 편히 앉아서 내 말을 잘 들어보시오. 조조가 조상국의 자손이라면 저도 한나라 신하가 분명한데, 지금 함부로 권세를 희롱하여 임금을 업신여기니, 이는 임금을 업신여기는 것일 뿐 아니라 제 할아비마저 욕보이는 것이며, 한나라 황실의 난신(亂臣)일 뿐만 아니라 조씨의 적자(賊子)요. 그러나 유예주께서는 당당한 황제의 자손으로 지금 황제께서 족보를 살펴보고 벼슬을 내리셨거늘, 어찌하여 증거가 없다고 하시오? 또한 고조께서는 정장(亭長, 지금의 동장)의 신분으로 마침내 몸을 일으켜 천하를 얻으셨으니, 돗자리 짜고 짚신을 삼은 게 욕될 게 뭐가 있겠소? 육공은 소견이 어린아이 같으니 족히 높은 선비와 더불어 한자리에서 논할 위인이 못 되오."

육적 또한 무참해져서 아무 말도 못하고 물러나 앉는데, 또 한 사람이 나서며 말한다.

"공명의 말씀은 모두가 정론(正論)이 아니요 궤변일 뿐이라 더 말할 것도 없지만, 다만 한가지 물어볼 게 있소. 공명은 대체 어떤 경전으로 공부하셨소?"

그는 바로 엄준(嚴峻)이었다. 공명이 대답한다.

"옛 문장이나 글귀를 따지는 것은 세상의 썩은 선비들의 일이니, 어찌 나라를 일으키고 공을 세울 수 있으리오. 옛날 신야에서 밭을 갈던 이윤(伊尹, 은나라의 재상)과 위수에서 낚시질하던 자아(子牙, 강태공의 자)며, 장량(張良)과 진평(陳平, 둘 다 한나라의 건국공신) 같은 사람이나, 등우(鄧禹)·경감(耿弇, 둘 다 후한 광무제의 창업공신) 등은 모두 우주를 바로잡을 재주를 가졌지만, 그들이 평생 무슨 경전을 공부했다는 말은 들어본 적이 없소이다. 그들이 어찌 일개 서생(書生)으로서 구차스럽게 붓과 벼루를 끼고 앉아 검다느니 누르다느니 붓방아나 찧으며 문장 희롱하기를 능사로 삼았겠소이까?"

엄준은 고개를 숙이고 대답을 못한다. 또 한 사람이 소리높여 한마디 한다.

"공이 큰소리는 치지만 제대로 된 학문이 없으니 선비들의 웃음거리나 되지 않을까 걱정이오."

공명이 보니, 그는 여양 사람 정덕추(程德樞)다. 공명이 대답한다.

"선비 중에도 군자와 소인이 있으니, 군자는 임금에게 충성하고 나라를 사랑하며, 바른 것을 지키고 간사한 것을 싫어하니, 그 덕이 당대에 미치고 그 이름은 후세에 길이 남는 법이오. 소인은 그저 책벌레처럼 글줄이나 파고 문장을 다듬는 데만 교묘하여, 젊은 시절에는 부(賦)나 짓고 늙어서는 경서를 연구하며, 붓을 들면 비록 천 마디를 써내지만 가슴속에는 한 가지 계책도 없는 법이오. 이를테면 양웅(楊雄, 전한의 문장가 겸 유학자) 같은 무리로, 비록 문장으로 세상에 이름이 났으나 몸을 굽혀 왕망을 섬기다가 마침내 높은 누각에서 몸을 던져 죽었으니, 이것이 이른바 소인의 선비라는 것이오. 하루에 만 수(首)의 시를 지어낸들 취할 것이 없으니 무슨 소용 있겠소?"

정덕추도 역시 아무 말도 못하고 그대로 물러나 앉는다.

그 자리에 모인 사람들은 공명의 응대가 물 흐르듯 유창하고 거침없자 하나같이 낯빛이 변하였다. 이때 좌중에 있던 장온(張溫)과 낙통(駱統) 두 사람이 다시 공명에게 말을 걸려 하는데, 갑자기 밖에서 한 사람이 들어오면서 큰소리로 말한다.

"공명은 당대의 기재거늘 그대들이 세치 혀로 겨루려 하니 이는 결코 손님을 공경하는 예의가 아니오. 지금 조조의 대군이 코앞에 이르렀는데, 적군을 물리칠 계책은 생각하지 않고 부질없이 입씨름만 할 작정들이오?"

사람들이 일제히 바라보니, 그는 영릉(零陵) 사람 황개(黃蓋)로, 자는 공복(公覆)이고, 현재 동오에서 양관(糧官, 식량·마초 등을 감독하는 관리)으로 있다. 황개가 공명을 돌아보며 말한다.

"내가 일찍이 듣자니, 말을 많이 하여 이득을 얻는 것이 잠자코 말이 없느니만 못하다 했는데, 선생께서는 어찌하여 그 금석 같은 생각을 우리 주공을 위해 말하지 않고 여러 사람들과 이렇게 논쟁만 일삼고 계신단 말입니까?"

공명이 대답한다.

"여러분들이 세상 일은 모른 채 서로 어려운 논란만 벌이고 있으니, 어디 잠자코 있을 수가 있어야지요."

황개는 노숙과 함께 공명을 손권에게 안내했다. 막 중문을 들어서려는데, 안에서 제갈근이 나온다. 공명이 앞으로 나서서 예를 갖추자, 제갈근이 말한다.

"아우는 동오에 왔으면서 어찌하여 나를 보러 오지 않았느냐?"

공명이 대답한다.

"제가 지금 유예주를 섬기고 있는 터이니, 마땅히 공사를 먼저 마친 후에 사적인 용무를 봐야 하지 않겠습니까? 아직 일이 끝나지 않아서 감히 찾아뵙지 못하고 있었으니 용서해주십시오."

"아우는 우리 주군을 먼저 뵙고 난 뒤에 나를 찾아오너라. 이야기는 그때 나누기로 하자."

공명이 형과 헤어지고 손권에게 가는데, 노숙이 또 한번 공명에게 당부한다.

"여러 차례 말씀드렸지만 부디 부탁드린 말 잊지 말고, 일을 그르치지 않도록 각별히 유념해주시오."

공명은 노숙에게 고개를 끄덕여 보였다. 공명이 노숙을 따라 당상에 오르자, 손권은 친히 섬돌 아래까지 내려와 극진한 예로써 맞이했다. 예의를 갖추어 서로 인사를 나누고 나서 손권은 공명에게 자리를 권했다. 여러 문무 장수들이 두 줄로 늘어서 있고, 노숙은 바로 공명 곁에 섰다. 공명이 현덕의 뜻을 전하며 가만히 손권의 면모를 살피니, 푸른 눈에 수염에는 붉은 빛이 돌며 인품이 당당해 보인다. 공명은 속으로 생각한다.

'저 인상을 보니 보통사람이 아니구나. 이런 사람은 충격을 주어야지 적당한 말로 설득하려 해서는 통하지 않을 터. 묻는 말을 살펴서 어떤 방식으로든 자극하고 볼 일이다.'

차를 마시고 나서 손권이 말한다.

"자경에게 선생의 높은 재주에 대해서는 익히 들은 터요. 이렇게 자리를 같이하게 되었으니, 부디 나를 잘 가르쳐주고 좋은 말씀 아끼지 마시오."

공명이 답한다.

"저야 재주도 배운 것도 없으나 아는 것이 있으면 성의껏 대답해드리겠습니다."

손권이 묻는다.

"선생께서는 근래 신야에서 유예주를 도와 조조와 여러번 싸워보지 않으셨소? 틀림없이 조조의 허실을 잘 아실 터이니 자세히 좀 가르쳐주시오."

"유예주는 수하에 군사도 적고 장수도 많지 않은데다가, 신야는 성이 좁고 양식도 없는 곳이니 어찌 조조와 겨룰 수 있었겠습니까?"

"대체 조조의 군사가 얼마나 되오?"

"기병·보병·수병이 대략 백만이 넘습니다."

"그야 조조가 세를 불려 하는 말 아니오?"

공명이 분명한 어조로 말한다.

"절대 그렇지 않습니다. 조조가 연주를 손에 넣었을 때 이미 청주 군사가 20여만이었고, 다시 원소를 공격해 5, 60만을 얻은데다 중원에서 새로 모은 군사가 3, 40만이요, 이제 또 형주 군사 2, 30만을 얻었으니, 다 따져보면 이것만 해도 150만을 넘습니다. 제가 백만이라 말씀드린 것은 그나마 강동사람들이 놀랄까 염려해서였습니다."

곁에서 이 말을 듣던 노숙은 낯빛이 변했다. 그는 몇번이나 넌지시 공명에게 눈짓을 보냈으나, 공명은 모른 체할 뿐이다. 손권이 다시 묻는다.

"그러면 조조 수하의 장수들은 몇이나 되오?"

"지혜롭고 꾀 많은 모사와 싸움에 능숙한 장수가 줄잡아 1, 2천명은 넘을 것입니다."

"조조가 이미 형(荊)·초(楚)땅을 평정했는데, 무슨 계획이 또 있겠소?"

"지금 조조가 강을 끼고 영채를 세우는 한편 전선을 준비하고 있으니, 강동말고 어디를 도모하겠습니까?"

"만일 조조가 우리를 칠 뜻이 있다면 싸워야 할지 말아야 할지 선생께서 내게 결단을 내려주시오."

"제가 한 말씀 올리기는 하겠지만, 장군께서 선뜻 따라주실지 걱정입니다."

"선생의 고견을 듣고 싶소이다."

이에 공명은 자세를 가다듬고 입을 연다.

"지난날 천하가 크게 어지러울 때 돌아가신 장군(손책)께서는 강동에서 거병하셨고, 유예주께서는 한남을 거두어 조조와 더불어 천하를 다투었소이다. 그러다 조조가 차례로 제후들을 쳐서 거의 천하를 평정하고, 근래에는 새로 형주를 손에 넣어 그 기세가 천하를 뒤흔드니, 설혹 영웅은 있다 해도 무력을 쓸 땅이 없어 유예주께서는 몸을 피해 강하에 머물러 계신 터입니다. 장군께서는 부디 강동의 힘을 헤아리시어 의견을 정하십시오. 만약 오(吳)와 월(越)의 군사로써 능히 중원과 힘을 겨루실 수 있겠거든 속히 조조와 연을 끊어야 할 것이나, 만약 그렇지 못하다면 모사들의 말씀대로 군사를 거두어 무기를 버리고 북면(北面, 왕은 남면하므로 신하로서 왕을 섬김을 뜻함)하여 조조를 섬기는 게 옳을 줄로 압니다."

손권이 미처 대답하기 전에 공명이 다시 한마디 덧붙인다.

"장군께서 만약 겉으로만 복종하는 체하고 속으로는 다른 생각을 품고 끝까지 결단을 내리지 못한다면 화가 목전에 이를 것입니다."

공명이 하는 말을 듣고, 손권은 묻지 않을 수 없었다.

"정세가 선생의 말과 같다면 유예주는 어째서 조조에게 굴복하지 않는 것이오?"

공명이 대답한다.

"지난날 전횡(田横)은 한낱 제나라의 장수에 지나지 않았건만 의리를 지켜 적에게 항복하지 않았습니다. 하물며 유예주는 황실의 후예로, 영특하신 재주가 세상을 덮어 모든 선비들의 추앙을 받는 터가 아닙니까? 일이 이루어지지 않는 것은 오로지 하늘의 뜻이거늘, 어찌 몸을 굽혀 남의 지배를 받을 수 있겠습니까?"

공명의 말을 듣고 있던 손권은 얼굴빛이 붉게 변하더니 소매를 떨치고 자리에서 벌떡 일어나 후당으로 들어가버렸다. 모여 있던 무리들도 하나같이 냉소를 금치 못하고 그대로 자리를 털고 일어나 흩어졌다. 노숙은 어처구니없다는 듯 공명을 나무란다.

"선생은 어째서 그리 말씀하셨소이까. 다행히 주공께서 마음이 넓고 관대하여 면책(面責)당하지는 않았으나, 선생의 말은 주공을 멸시한 거나 다름없지 않소?"

공명은 하늘을 우러러 한차례 크게 웃고 대답한다.

"장군께서 그렇게 도량이 좁을 줄 몰랐소이다. 조조를 격파할 계책이 내게 있는데도 끝내 묻지조차 않는 걸 어쩌겠소?"

노숙이 다시 말한다.

"선생께 정말 좋은 계책이 있다면 이몸이 다시 주공께 말씀을 올려 선생의 가르침을 구하겠소이다."

공명이 자신있는 어조로 말한다.

"나는 조조의 백만대군을 개미떼 정도로밖에 보지 않소. 내가 손만 한번 들면 모두 가루가 되고 말 것이오."

노숙은 급히 후당으로 손권을 찾아갔다. 하지만 아직도 노기가 가라앉지 않은 손권은 노숙이 들어오자 한마디 한다.

"공명이 나를 너무 업신여기는 게 아니오?"

노숙이 말한다.

"신도 공명을 책망했습니다만, 공명은 도리어 주공께서 도량이 좁으시다고 하는군요. 머릿속에 조조를 쳐부술 좋은 계책이 있는 모양인데 먼저 나서서 말하기 싫은 눈치이니, 주공께서는 부디 노여움을 푸시고 다시 한번 그에게 방책을 물어보시는 게 좋을 것 같습니다."

그 말을 듣고서야 손권의 얼굴에 화색이 감돈다.

"공명이 좋은 계책이 있으면서도 짐짓 나를 격하게 한 모양이오. 그걸 몰라보고 하마터면 대사를 그르칠 뻔했구려."

손권은 즉시 노숙과 함께 다시 후당에서 나와 공명을 청했다.

"내 소견이 좁은 탓으로 선생의 맑은 위엄을 욕되게 했으니 부디 책하지 마시오."

공명도 사죄한다.

"저야말로 지나친 말씀을 올려 송구할 따름입니다."

손권은 곧 공명을 후당으로 청하여 술자리를 베풀었다. 술이 두어 순배 돌아가자 손권이 입을 연다.

"조조가 평생 미워하던 자는 여포와 유표·원소·원술, 그리고 유예주와 나였는데, 모든 영웅이 차례로 멸하고 이제 유예주와 나만 남아 있소. 나는 오(吳)땅을 두루 거느리고 있으니, 남의 압제를 받을 수 없다고 이미 굳게 주견을 세워두고 있소이다. 유예주가 아니면 함께 조조를 당해낼 자가 없으나, 유예주마저 조조에게 패한 뒤라 이번 전란을 어찌 막아내야 할지 걱정이 태산이오."

이에 공명이 말한다.

"유예주께서 비록 이번에 패하시기는 했으나 관운장이 아직도 정병 1만명을 거느리고 있고, 유기 수하의 강하 군사가 또한 1만명이 넘습니다. 그러나 조조의 군사들은 먼길을 달려온 터라 지금 몹시 지쳐 있습니다. 일전에 유예주의 뒤를 쫓느라 하루낮 하룻밤에 3백리를 달렸으니, 아무리 강한 활이라도 거리가 멀면 얇은 비단 한겹도 뚫지 못한다 하지 않습니까? 뿐만 아니라 북방 사람들은 수전(水戰)에 능숙하지 못하고, 또 형주 군사들이 조조를 따르는 것은 어쩔 수 없는 상황에 따른 것이지 결코 본심은 아닙니다. 이제 장군께서 유예주와 힘을 합하고 마음을 합한다면 조조를 격파하는 것은 일도 아닙니다. 조조가 패하여 북쪽으로 돌아가면, 형주와 동오의 세력이 강성해져 정족지세(鼎足之勢)를 이룰 것이니, 성패의 기틀은 바로 오늘에 달려 있습니다. 장군께서는 어서 용단을 내리십시오."

손권이 몹시 기뻐하며 말한다.

"선생 말씀을 들으니 답답하던 가슴이 탁 트이는구려. 내 이미 뜻을 정했으니 다시 의심하지 마시오."

손권은 그날로 군사를 일으켜 조조를 대적할 일을 의논하기로 하고, 노숙에게 문무 장수들에게 논의된 바를 그대로 전하게 했다. 그리고 공명을 역관으로 보내 편히 쉬도록 하였다.

장소는 이 소식을 전해듣고 즉시 여러 모사들과 의논했다.

"주공께서 드디어 제갈량의 꾐에 빠지신 게요!"

그러고는 급히 손권을 찾아가 간한다.

"들자오니 주공께서 군사를 일으켜 조조와 싸우려 하신다는데, 주공께서 생각하시기에 스스로 원소와 비교하여 어떠십니까? 조조는 지난번에 장수가 적고 군사가 많지 않을 때도 북소리 한번에 원소를 무찔렀는데, 오늘날에는 백만대군을 거느리고 남쪽을 정벌하려 하고 있습니다. 만약 제갈량의 말만 듣고 함부로 군사를 움직인다면, 이는 곧 섶을 지고 불로 뛰어드는 일이나 다를 바 없습니다."

손권은 고개를 숙이고 말이 없다. 고옹이 다시 입을 연다.

"유비가 조조에게 패하고 우리 강동의 군사를 빌려 설욕을 해보자는 속셈인데, 주공께서는 어찌하여 그 꾐에 빠지려 하십니까? 바라옵건대 자포의 말을 들으소서."

손권은 쉽게 결단을 내리지 못하고 한참동안 침묵한다.

장소의 무리가 물러가고 이번에는 노숙이 들어와서 말한다.

"장소 무리가 주공께 거병하지 말고 항복하라고 권하는 것은 모두 자신들과 처자식의 안전만을 생각해 하는 말이니, 주공께서는 절대 귀담아듣지 마십시오."

손권은 이번에도 아무 말 없이 결단을 내리지 못하고 내실로 들어가버렸다. 노숙은 그곳까지 따라들어가서 고한다.

"주공께서 이렇게 마음이 흔들려 결단을 못 내리시면 반드시 대사를 그르칠 것입니다."

손권은 괴로운 듯 겨우 한마디 한다.

"그대는 잠시 물러가 있소. 내 다시 한번 생각해보리다."

노숙은 물러나왔다.

이때 무장들 중에는 싸우겠다는 무리도 있었지만, 대부분의 문관들은 항복하는 것이 옳다는 등 의견이 분분했다. 손권은 내실로 들어갔으나 좀처럼 결단을 내리지 못한 채 편안히 자지도 먹지도 못했다. 이 모습을 보고 오국태(吳國太, 손권의 작은어머니이며 이모)가 묻는다.

"무슨 일로 자지도 먹지도 못하고 그리 근심이 많으냐?"

손권이 대답한다.

"지금 조조가 강한(江漢)에 주둔하고 강남으로 쳐들어올 기세여서 문무 관원들에게 물으니, 항복하자는 자도 있고 싸우자는 자도 있습니다. 한번 싸워보자 생각하니 우리 군사가 너무 적어 백만대군을 대적할 수 있을까 두렵고, 항복하자니 과연 조조가 받아들여줄까 두려워, 이렇게 주저하고 결정을 내리지 못하는 것입니다."

이 말을 듣고 오국태가 한마디 한다.

"너는 우리 형님(손권의 친어머니이며 오국태의 언니)께서 돌아가실 때 하신 말씀을 잊었느냐?"

손권은 그 말을 듣고는 마치 술에 취했다 깨어나듯, 꿈에서 깨어난 듯 자리를 차고 일어났다.

국모가 임종시 하신 말 떠올리니	追思國母臨終語
주유 불러 큰 공을 세우게 되네	引得周郎立戰功

손권은 이 일을 어찌 처리할 것인가?

손권의 결단

공명은 지혜를 써서 주유를 격분시키고

손권은 조조를 쳐부술 계책을 정하다

손권이 결단을 내리지 못하고 주저하자 오국태가 말한다.

"형님이 유언하시기를, '백부(伯符, 손책의 자)가 임종하시면서 안의 일을 결정하지 못할 때는 장소에게 묻고, 밖의 일을 결정하지 못할 때는 주유에게 물어보라고 하셨다'고 했는데, 너는 왜 주유를 불러다 의논하지 않느냐?"

손권은 크게 기뻐하며 즉시 사람을 파양(鄱陽)으로 보내 주유를 불러오려 했다. 그런데 주유는 파양호에서 수군을 훈련시키던 중 조조의 대군이 한수 상류에 이르렀다는 소식을 들었다. 이 일로 주유는 손권을 만나 대책을 의논하기 위해 밤길을 달려 시상군으로 돌아왔으니, 사람이 파양으로 떠나기도 전에 주유가 먼저 도착했다.

주유와 교분이 두터운 노숙은 다른 사람보다 먼저 주유를 영접해 그간의 일을 상세히 설명해주었다. 주유가 말한다.

"자경은 너무 염려 마오. 내 이미 뜻을 정했으니, 속히 공명이나 청해 만나게 해주시오."

노숙은 곧 말에 올라 공명을 청하러 갔다.

먼길을 급하게 와 피곤한 주유가 잠시 휴식을 취하고 있는데 장소·고옹·장굉·보즐 네 사람이 찾아왔다고 한다. 주유는 그들을 맞이해 앉히고 서로 예의를 갖추어 인사를 나누었다. 먼저 장소가 말한다.

"도독은 강동의 일을 아시는지요?"

"잘 모르오."

"조조가 백만대군을 이끌고 한수 상류 일대에 주둔하고 있는데, 주공께 강하에 와서 함께 사냥을 하자는 격문을 보내왔습니다. 우리를 집어삼킬 생각임에 틀림없으나 아직 그 속내를 드러내지는 않습니다. 우리는 일단 조조에게 항복해 강동의 화를 면하자고 주공께 청하였지요. 그런데 뜻밖에도 노숙이 강하로 가서 유비의 군사 제갈량을 데리고 왔지 뭡니까? 제갈량은 자기네가 조조에게 패한 원한을 씻어보고자 주공을 교묘한 언사로 충동질하여 조조와 싸우도록 권했소이다. 노숙은 공명의 말을 그대로 믿고 정신을 못차리는지라, 우리 모두 도독께서 오시면 결정을 내리려고 기다리던 참입니다."

주유가 묻는다.

"그렇다면 공들의 의견은 모두 같소?"

고옹이 곁에서 대답한다.

"우리는 모두 같은 생각이오."

주유가 말한다.

"나 역시 항복하기로 마음먹은 지 오래요. 그러니 다들 돌아가시오. 내일 일찌감치 주공을 뵙고 결정을 내리도록 합시다."

장소의 무리가 돌아간 지 얼마 안되어, 이번에는 정보·황개·한당 등 장수들이 찾아왔다. 주유가 맞아들여 서로 인사를 마쳤다. 정보가 먼저 입을 열어 묻는다.

"도독께서는 우리 강동이 머지않아 남의 수중으로 들어가게 되었다는 걸 아시오?"

주유가 말한다.

"처음 듣는 소리요."

정보가 설명한다.

"우리는 손장군을 따라 몸을 일으킨 뒤로 창업을 위해 크고작은 싸움을 수백번도 더 치렀습니다. 이제야 겨우 여섯 군의 성지를 얻어 자리를 잡은 터인데, 주공께서 모사들의 말만 듣고 조조에게 항복하려 하시니, 이렇게 부끄럽고 분한 일이 또 어디 있겠소이까? 우리들은 차라리 죽을지언정 이런 치욕을 보지 않을 작정이니, 바라건대 도독은 부디 주공께 권하여 계략을 세우고 군사를 일으켜 싸우도록 권해주시오. 우리들은 죽기로 나가 싸우겠소이다."

주유는 다시 묻는다.

"장군들의 생각은 모두 같으시오?"

정보가 미처 대답하기도 전에 황개가 분연히 자리에서 일어나 손을 들어 이마를 치며 말한다.

"내 목이 잘리면 잘렸지, 맹세코 조조에게 항복하진 않을 것이오."

모여 있던 대장들도 이구동성으로 말한다.

"우리들은 모두 항복하기를 원치 않소이다."

주유가 말한다.

"나 역시 조조와 일전을 겨루리라 마음먹고 있는 터에 어찌 항복하겠소? 그러니 다들 돌아가시오. 내 주공을 뵙고 의논을 정하도록 하리다."

정보의 무리가 돌아가고 난 뒤, 이번에는 제갈근·여범(呂範) 등 문관들이 찾아왔다. 주유가 이들을 맞이하여 자리를 정하고 앉으니, 제갈근이 말한다

"내 아우 제갈량이 한상(漢上)에서 와서 주공을 뵙고, 유예주가 동오와 의를 맺고 함께 조조를 치고자 한다는 말을 전해 지금 문무관원들 사이에 의견이 분분하오. 나는 동생이 사신이 되어서 온 터라 감히 여러 말 못하겠고, 오직 도독께서 이 일을 결단해주기를 기다리는 중이오."

주유가 한마디 묻는다

"공의 생각은 어떻소?"

제갈근이 대답한다.

"항복하면 편안할 것이고, 싸우면 보전하기 어려울 것이외다."

주유가 웃으며 말한다

"내일 함께 부중으로 들어가서 의견을 정하기로 하십시다."

제갈근의 무리가 돌아가고, 얼마 안되어 여몽과 감녕 등이 찾아왔다. 주유가 청해들이자 그들 역시 같은 얘기를 꺼내며, 어떤 사람은 나가서 싸우자 하고 또 어떤 사람은 항복하자 하며 모두 엇갈리는 주

장을 펼쳤다. 주유가 마침내 말한다.

"여기서 길게 다툴 게 아니라, 내일 함께 부중으로 가서 결정을 짓도록 합시다."

이렇게 여러 사람들을 돌려보내고, 주유는 홀로 앉아 씁쓸한 웃음을 지었다. 이윽고 밤이 되어, 아랫사람이 들어와 아뢴다.

"노자경이 공명과 더불어 찾아오셨습니다."

주유는 분주히 중문까지 나가 두 사람을 맞아들였다. 세 사람이 인사를 나누고 자리에 앉자 노숙이 먼저 입을 열어 주유에게 한마디 묻는다.

"지금 조조가 대군을 거느리고 동오로 쳐들어오려 하는데, 화친하느냐 싸우느냐 하는 두 가지 의견을 놓고 주공께서 결단을 내리지 못하고 계시오. 그래 장군의 생각은 어떻소이까?"

주유가 대답한다.

"조조가 황제를 내세워 군사를 일으켰으니 그 형세를 거역하기 어렵고, 또한 군세가 워낙 강성하니 대적하기도 쉽지 않소이다. 그러니 싸우면 반드시 패할 것이요 항복하면 화를 면하고 평안할 것이니, 내일 주공을 뵙거든 어서 조조에게 사자를 보내 항복하시라고 권할 생각이오."

노숙은 주유의 말을 듣고 대경실색한다.

"장군의 말씀은 옳지 않소이다. 강동의 기업이 이미 3대째 내려오고 있는 터에, 어찌 하루아침에 다른 사람에게 내줄 수 있겠소이까? 일찍이 작고하신 백부(伯符)께서, 바깥일은 장군께 물어서 결정하라 유언하셨기에 장군만을 태산같이 믿고 있었는데, 어째서 못난 선비들의 말만 듣고 항복하라 하신단 말씀이오?"

주유가 다시 한번 설명한다.

"하지만 강동 여섯 군의 수많은 목숨들이 전쟁으로 인해 화를 입는 다면, 틀림없이 모두 나 한 사람을 원망할 것이오. 그래서 생각다 못 해 항복을 청하기로 뜻을 세운 것이외다."

노숙이 얼굴빛을 고치고 말한다.

"그렇지 않소. 영웅과 같은 장군과 동오의 험준한 지세 앞에서는 조조도 쉽게 뜻한 바를 얻지 못할 것이오. 그러니 장군은 부디 마음을 돌리시오."

주유와 노숙이 말씨름을 하는 동안, 공명은 손을 소매 속에 넣고 빙 그레 웃으며 말없이 앉아 있다. 주유가 묻는다.

"선생은 어째서 웃고만 계시는지요?"

공명이 답한다.

"자경이 시무(時務)를 모르고 고집 세우는 게 우스워서 그렇소."

노숙이 묻는다.

"선생은 어째서 나더러 시무를 모른다 하시오?"

공명은 두 사람을 번갈아보며 말한다.

"공근(公瑾, 주유의 자)이 조조에게 항복하자고 뜻을 정한 것은 이치 에 합당하다고 생각하오."

주유가 말한다.

"공명은 시무를 아시는 분이라, 반드시 나와 생각이 같으실 줄 믿 었소이다."

노숙은 기가 막힐 노릇이었다.

"아니 공명, 대체 무슨 말씀이오?"

노숙이 시비라도 걸듯 나서는데, 공명은 조용히 말한다.

"조조는 용병에 뛰어나 천하에 당할 자가 없소이다. 지난날 겨우 여포·원소·원술·유표 등이 감히 대적했는데, 모두 조조에게 패하여 지금은 천하에 그와 맞설 사람이 아무도 없는 판국이오. 유예주 혼자 시무를 모르고 억지로 대적하다가 오늘날과 같은 외로운 신세가 되어 강하에 머물며 존망도 보장하지 못하고 있지 않습니까? 이제 장군께서 조조에게 항복하기로 결단하셨으니, 가히 처자를 보전할 것이고 부귀 또한 온전히 지킬 수 있을 것이오. 그까짓 나라의 운명이야 하늘에 달렸으니 우리 같은 사람이 애석해할 일이 뭐가 있겠소?"

공명의 입에서 천만뜻밖의 말이 나오자, 노숙은 더이상 참을 수가 없다.

"공명, 그대는 우리 주공더러 무릎을 꿇고 국적(國賊)에게 항복을 하라는 말인가!"

공명은 들은 체도 않고 계속 주유에게 말한다.

"내게 한가지 계책이 있소. 수고스럽게 양을 끌고 술통을 메고(항복의 의식을 뜻함) 갈 필요도 없고, 땅과 인(印)을 바칠 것도 없고, 또한 장군께서 몸소 강을 건너가실 필요도 없소이다. 그저 사자 한명을 시켜, 일엽편주에 사람 둘만 태워 조조에게 보내면 다 되는 노릇이오. 조조가 만약 이 두 사람을 얻는 날에는 백만대군이 그 자리에서 갑옷을 벗고 깃발을 거둬 둘둘 말고 물러갈 것이오."

주유가 묻는다.

"어떤 두 사람을 보내야 조조를 물리칠 수 있다는 겁니까?"

"강동에서 이 두 사람을 보내는 것은 아름드리 나무에서 나뭇잎 하나 따는 것과 같고, 넓은 창고에서 좁쌀 한 알 집어내는 것과 같소이다. 그러나 조조는 그 두 사람을 얻으면 반드시 크게 기뻐하며 돌아갈 것입니다."

주유는 다시 묻는다.

"도대체 그 두 사람이란 누구를 두고 하는 말씀입니까?"

그제야 공명이 대답한다.

"내가 융중에 있을 때 들은 얘기가 있습니다. 조조가 장하(漳河)에 새로 누대를 짓고, 그 이름을 동작대(銅雀臺)라 했는데, 웅장하고 화려하기가 비할 바 없다고 하더이다. 조조는 원래 여색을 좋아하는 터라, 천하의 미인을 구해 동작대에 두고 놀았답니다. 그런데 조조가 듣자니, 강동의 교공(喬公)이라는 사람에게 두 딸이 있어, 큰딸은 대교(大喬)요 작은딸은 소교(小喬)인데, 하나같이 그 자태가 물속에 노니는 물고기, 모래펄에 내려앉는 기러기와 같다 하고, 그 미색은 구름 속에 숨은 달, 수줍어하는 꽃과 같다는 것이오. 그리하여 조조가 말하기를, '내게 두 가지 소원이 있으니, 하나는 사해를 평정해 제업(帝業)을 이루는 것이요, 또 하나는 강동 이교(二喬)를 얻어 동작대에 두고 만년을 즐기는 것이라. 그리만 되면 죽어도 여한이 없다'고 했다지요. 지금 조조가 백만대군을 이끌고 강남을 넘겨다보고 있지만, 실상은 대교와 소교를 얻기 위함이니, 장군은 속히 교공을 찾아서 천금을 주고라도 두 딸을 사서 조조에게 보내도록 하십시오. 조조가 두 미인을 얻고 나면 더없이 흡족하여 필시 군사를 거두어 돌아갈 게 분명하니, 이것이 바로 범려(范蠡)가 서시(西施)를 오왕 부차(夫差)에게 바친 계교올시다. (춘추시대 월나라의 신하 범려가 절세미인 서시를 오나라 부차에게 바쳐, 부차가 국정을 돌보지 않아 나라를 망친 고사를 빗댄 것임) 장군은 속히 행하시지요."

주유가 묻는다.

"조조가 대교와 소교를 얻고 싶어한다는 공의 말을 무엇으로 증명할 수 있소이까?"

공명이 대답한다.

"조조의 아들 조식(曹植)의 자는 자건(子建)인데, 붓을 들면 문장이 절로 되는 천하의 문장가이지요. 조조가 일찍이 그 아들에게 부(賦)를 한 수 짓게 했는데 그것이 바로 「동작대부(銅雀臺賦)」라. 그 글에 담긴 뜻은 조조가 반드시 황제가 되어 맹세코 이교를 취하겠다는 것이오."

"선생은 그 「동작대부」를 외우고 계십니까?"

"문장이 아름답고 화려하여 외우고 있소이다."

주유가 공명에게 듣기를 청하자 공명은 순순히 조식의 「동작대부」를 읊는다.

영명한 님을 따라 노닒이여	從明后以嬉游兮
누대에 올라 마냥 즐기노라	登層臺以娛情
태부가 넓게 열린 것을 봄이여	見太府之廣開兮
성덕으로 경영하심을 감탄하노라	觀聖德之所營
높은 문루 까마득히 세웠음이여	建高門之嵯峨兮
쌍대궐이 공중에 떠 있도다	浮雙闕乎太清
하늘 가운데 우뚝한 장관이여	立中天之華觀兮
비각이 서쪽 성곽으로 이었네	連飛閣乎西城
하염없이 흐르는 장하에 다다라	臨漳水之長流兮
동산에 과수의 싱그러움 바라보네	望園果之滋榮
한쌍의 누대 좌우에 세웠음이여	立雙臺于左右兮

옥룡과 금봉이로다	有玉龍與金鳳
이교를 동남쪽으로 거느림이여*	攬二喬于東南兮
아침저녁으로 함께 즐기리로다	樂朝夕之與共
황도의 웅장함 굽어봄이여	俯皇都之宏麗兮
구름과 노을 서려 있도다	瞰雲霞之浮動
천하 인재 모여듦을 기뻐함이여	欣群才之來萃兮
그중에 어진 신하 어이 없으랴	協飛熊之吉夢
화창한 봄바람을 마시며	仰春風之和穆兮
뭇새들의 슬피 우는 소리 듣는도다	聽百鳥之悲鳴
하늘의 구름 위로 솟음이여	天雲垣其旣立兮
나라의 운세 크게 트이리라	家願得乎獲逞
천지에 어진 정치 펼침이여	揚仁化於宇宙兮
만백성 서울로 향해 감복하리라	盡肅恭於上京
환공과 문공의 패업이여	惟桓文之爲盛兮
어찌 오늘의 성덕에 견주리오	豈足方乎聖明
아름답고 아름다워라	休矣美矣
은혜로운 혜택 멀리 드날리도다	惠澤遠揚
우리 황실을 보좌함이여	翼佐我皇家兮
천하를 편안케 하리라	寧彼四方
위대한 공덕 하늘과 땅에 견주며	同天地之規量兮
일월도 나란히 빛나리로다	齊日月之輝光
영원히 존귀하여 끝없음이여	永貴尊而無極兮
봄의 신과 같이 영원하리라	等年壽於東皇
용의 깃발 앞세워 기꺼이 노니심이여	御龍旂以遨游兮

봉황수레 타고 세상을 두루 살피도다   回鸞駕而周章
혜택이 사해에 미침이여   恩化及乎四海兮
좋은 물화 넉넉하고 백성 편안하네   嘉物阜而民康
이 동작대 길이 견고할지며   願斯臺之永固兮
그 즐거움 무궁하여 다함없으라   樂終古而未央

* 조조가 조식에게 짓게 한 「동작대부」에서는 원래 '두 다리가 동서쪽으로 연이었으니
마치 하늘에 무지개 선 것 같네'(連二橋東西兮 若長空之蝃蝀)라고 했는데, 공명이 두 다
리[二橋]라 되어 있는 것을 교묘히 음이 같은 두 교녀[二喬]로 바꾸고 동서를 동남으로
바꾸어 외운 것이다.

「동작대부」를 다 듣고 난 주유는 크게 노해 자리를 박차고 일어났
다. 그러고는 손가락으로 북쪽을 가리키며 고함을 지른다.

"늙은 역적놈이 나를 이렇게까지 모욕하는구나!"

공명이 급히 따라 일어나 주유의 소매를 붙들며 말한다.

"그 옛날 선우(單于)가 자주 국경을 범하자, 한나라 황제는 공주를
내주면서까지 화친을 맺었소. 장군께서는 여염집 두 딸을 가지고 그
리 아끼실 게 뭐가 있습니까?"

그 말에도 주유의 노여움은 가라앉지 않는다.

"선생이 몰라서 하시는 말씀이오. 대교는 곧 손책의 부인이고, 소
교는 바로 내 아내요."

공명은 아무것도 모르다가 그제야 알았다는 듯이 짐짓 황공한 낯빛
을 지어 보인다.

"내가 그런 줄도 모르고 함부로 망령된 말을 했으니 정말 죽을 죄
를 지었습니다."

智激周瑜
三國演義…

공명은 지략을 써서 주유를 격분시키다

"내 그 늙은 역적놈과 절대로 같은 하늘 아래 살지 않겠다!"

공명은 여유있는 어조로 주유에게 권한다.

"장군께서는 부디 깊이 생각하고 또 생각하여 후회하는 일이 없도록 하십시오."

주유가 분연히 말한다.

"내 일찍이 손책 장군의 당부를 들은 바 있는데, 어찌 몸을 굽혀 조조에게 항복하겠소이까? 좀전에 한 말은 공명의 속뜻을 떠볼 생각에서 해본 말이오. 나는 파양호를 떠나던 날부터 북쪽을 정벌할 마음을 품었소. 설혹 도끼가 내 머리 위에 떨어지는 한이 있더라도 뜻을 바꾸지 않을 것이니, 바라건대 공명은 내게 한 팔을 빌려주어 함께 역적 조조를 물리치도록 합시다."

공명이 대답한다.

"도독께서 명하시는 일이라면 견마의 수고를 다하리다."

주유가 다시 말한다.

"내일 주공을 찾아뵙고, 곧 군사를 일으키도록 뜻을 정하겠소."

공명은 노숙과 함께 주유에게 하직을 고하고 역관으로 돌아갔다.

이튿날 이른 아침, 손권이 당상에 올랐다. 좌측에는 장소·고옹 등 30여명의 문관이, 우측에는 정보·황개 등 30여명의 무관이 의관을 정제하고 번쩍이는 칼을 차고서 양쪽으로 나누어 늘어섰다. 조금 있으니 주유가 들어와 손권에게 예를 올렸다. 손권은 주유의 안부를 묻고 위로했다. 주유가 아뢴다.

"근자에 듣자니, 조조가 한수 상류에 군사를 주둔하고 우리에게 격문을 보냈다 하던데, 주공의 뜻은 어떠신지요?"

손권은 격문을 가져오게 해 주유에게 보였다. 주유는 격문을 읽고 나서 싸늘하게 미소지으며 말한다.

"늙은 역적놈이 우리 강동에는 사람이 없는 줄 아는 모양입니다. 그렇지 않고서야 이렇듯 함부로 업신여길 수는 없겠지요."

손권이 묻는다.

"그대의 생각은 어떠하오?"

주유가 오히려 되묻는다.

"주공께서는 여러 문무관원들과 이 일을 상의해보셨습니까?"

"날마다 의논했으나, 항복하라고 권하는 사람도 있고 싸워야 한다고 주장하는 사람도 있어서 아직 생각을 정하지 못했소. 그래서 공근에게 물어서 결정하려 하오."

주유는 또 묻는다.

"누가 주공께 항복을 권했습니까?"

손권이 대답한다.

"자포 등이 그런 의견을 가지고 있는 모양이오."

주유는 곧 장소를 돌아보며 묻는다.

"그대가 항복을 주장하는 까닭을 듣고 싶소."

장소가 대답한다.

"조조는 황제를 내세워 사방을 정벌하며, 움직일 때마다 조정을 명분으로 삼고 있소이다. 게다가 근래에는 형주마저 손에 넣어 그 위세가 실로 대단합니다. 우리 강동이 조조를 막을 방도라고는 장강 하나뿐인데, 지금 조조는 수천수백 척에 이르는 전선을 상류에 집결시켜놓고 수륙으로 동시에 진격해올 태세이니, 그를 무슨 수로 막아내겠소이까? 우선 항복하여 화를 면한 뒤에 다시 좋은 계책을 세우느니만 못할 것이라고 생각했소이다."

장소의 긴 말을 주유는 한마디로 잘라버린다.

"그것은 한낱 썩은 선비의 말이오. 우리 강동은 나라를 세운 이래 3 대를 지내왔소이다. 하루아침에 버리다니 될 법이나 한 소리요?"

손권이 묻는다.

"그렇다면 장차 어떤 계책을 써야겠소?"

주유가 대답한다.

"조조 제가 한나라 승상이라 칭하지만 실상은 한나라의 역적입니 다. 장군께서는 신무(神武)를 지닌 영웅으로 부친과 형님의 위업을 물려받아 강동을 다스리시는 터, 군사가 정예하고 곡식도 풍족하니 바야흐로 천하를 종횡하며 나라를 위해 잔혹한 역적을 쳐없애야 하거 늘, 어찌 역적에게 항복하실 수 있습니까? 게다가 조조는 이번에 병 가(兵家)에서 꺼리는 것들을 범하였습니다. 그 첫째는 북방을 아직 평정하지 못해 마등(馬騰)·한수(韓遂)의 무리가 후환으로 남아 있는 데 남쪽을 치는 것이고, 둘째, 북방 군사들은 수전에 어두운데 말을 버리고 돛에 의지해 동오를 치려 하며, 셋째, 지금 엄동설한이라 말을 먹일 꼴이 없고, 넷째는 중원의 군사들을 몰고 멀리 강호를 건너오느 라 기후와 풍토가 맞지 않아 병에 걸리는 군사가 많습니다. 조조 군사 가 이렇듯 여러 면에서 거리낌이 있으니, 비록 군사가 많다 해도 반드 시 패할 것입니다. 장군께서 조조를 사로잡을 기회는 바로 지금입니 다. 이 주유에게 정병 수천만 내주시면, 하구에 주둔하여 주공을 위해 적병을 물리치겠습니다."

주유의 말을 듣고 손권은 자리에서 벌떡 일어선다.

"늙은 역적놈이 한나라를 폐하고 스스로 제위에 오르려 한 지 이미 오래요. 그자가 두려워하는 사람은 원소·원술·여포·유표와 나뿐이었으나 이제 여러 영웅이 모두 사라지고 오직 남은 것은 나 한 사람이오. 내 그 늙은 역적놈과 같은 하늘 아래 살 수 없다고 생각했는데, 경이 조조를 치라고 하니 바로 내 뜻과 같소이다. 이는 하늘이 내게 경을 내리신 것이로다."

주유가 다시 말한다.

"신은 주공을 위해 혈전을 맹세하니 진실로 만번 죽어도 마다하지 않겠습니다. 다만 주공께서 의심하여 결단을 내리시지 못할까 두려울 뿐입니다."

그러자 손권은 허리에 차고 있던 보검을 빼들어 책상 한 모서리를 내리치며 말했다.

"누구든 조조에게 항복하자고 하는 자는 반드시 이 꼴이 될 것이다!"

손권은 곧 주유를 대도독에 봉한 다음 정보를 부도독으로 삼고, 노숙을 찬군교위(贊軍校尉)로 삼았다. 손권이 주유에게 보검을 내리며 말한다.

"만약 문무관원과 장수들 중에서 명령을 따르지 않는 자는 이 칼로 목을 베시오!"

주유는 두 손으로 칼을 받아 허리에 차고 모든 장수에게 말한다.

"내 이제 주공의 명을 받들어 군사들과 더불어 조조를 칠 것이니, 모든 장수와 관원들은 내일 강가의 영채로 모여 영을 받들도록 하라. 만일 늦게 오는 자가 있으면 목을 벨 것이다."

말을 마친 주유가 손권에게 하직인사를 올리고 부중을 물러나니, 문무백관들은 모두 말없이 흩어져 돌아갔다.

거처로 돌아온 주유는 사람을 보내 공명을 청했다.

"오늘 부중에서 공론을 정했으니, 선생은 부디 조조를 물리칠 계책을 말씀해주시오."

그러나 공명이 말한다.

"손장군의 마음이 아직도 흔들리고 있으니, 지금 계책을 정할 수는 없습니다."

"어째서 마음이 흔들린단 말씀이오?"

"손장군께서는 조조의 군사가 많은 것을 은근히 겁내서, 적은 군사로 대군과 싸워 패하지나 않을까 불안해하고 있습니다. 장군이 손장군을 찾아뵙고 의심을 풀어드려야만 비로소 대사를 이룰 수 있을 것입니다."

"선생의 말씀이 옳습니다."

이렇게 말한 주유는 다시 손권을 만나러 갔다. 손권이 묻는다.

"공이 이 밤중에 웬일이시오? 필시 무슨 일이 있는 게로구려."

주유가 말한다.

"내일 출병하려 하는데, 주공께서는 혹시 마음에 걸리는 점이라도 있으십니까?"

"별다른 것은 없으나, 다만 조조의 군사가 너무 많아서 적은 군사로 대군과 싸워 패하지나 않을까 염려되오."

주유가 웃으며 말한다.

"제가 이 밤에 찾아뵌 것은 바로 주공의 걱정을 풀어드릴까 해서입니다. 주공께서는 조조가 격문에 수륙 백만대군이라 한 것을 불안해하시면서도 그 허실이 어떤지 알아보려 하지 않으시니, 제가 실제를 말씀드리겠습니다. 본래 조조는 중원의 군사가 15, 6만 명에 지나지 않고, 그나마 오랜 전투로 지쳐 있습니다. 원소의 군사를 얻었다고 해도 그 역시 7, 8만에 지나지 않는데다, 그들은 아직도 조조에게 진심으로 복종한 것이 아닙니다. 지쳐 있는 군사와 의심 많은 군사들이 아무리 그 수가 많다 한들 무엇이 두렵겠습니까? 이 주유에게 5만의 군사만 주시면 충분히 조조의 군사를 물리칠 수 있으니, 주공께서는 너무 심려 마십시오."

손권은 주유의 등을 어루만지며 말한다.

"공근의 말 한마디가 내 불안을 모두 걷어주었소. 장소는 이렇다 할 계책이 없어서 내 이번에 실망이 컸는데, 그대와 노숙이 나와 뜻이 같소. 부디 그대는 노숙·정보와 더불어 군사를 거느리고 출병하시오. 나는 계속 군사를 보내고, 또 병장기와 군량을 넉넉히 실어 후원할 것이니, 그대의 군사가 만에 하나 여의치 않거든 즉시 돌아오시오. 내 직접 나서서 조적(操賊)과 결전을 벌이리라."

주유는 사례하고 물러나오며 가만히 속으로 생각했다.

'공명이 주공의 마음을 훤히 꿰뚫고 있는 걸 보니 그의 계략이 나보다 한수 위로구나. 공명을 이대로 살려두었다가는 강동의 근심거리가 될 게 분명하니, 늦기 전에 그를 없애야겠다.'

주유는 노숙을 청해들여 이 일을 의논했다. 노숙은 주유의 말을 듣고 깜짝 놀란다.

"안될 말이오. 아직 역적 조조를 물리치기도 전에 현명한 인재를 죽인다는 것은 내 손으로 나를 도울 사람을 없애는 것밖에 안되오."

주유가 설득한다.

"공명이 유비를 도우면 반드시 강동의 큰 우환이 될 것이오."

"제갈근이 그의 형이니, 그를 시켜 공명을 잘 설득해서 함께 동오를 섬기게 하면 어떻겠소?"

주유는 고개를 끄덕인다.

"참으로 좋은 생각이오."

다음날 이른 아침, 주유는 군영에 나가 좌우에 도부수(刀斧手)들의 호위를 받으며 중군(中軍) 막사 높은 자리에 올라앉았다. 그리고 문무관원과 장수 들에게 영을 내리는데, 정보의 모습이 보이지 않았다. 정보가 오지 않은 데는 이유가 있었다. 정보는 주유보다 나이가 위였다. 그런데 주유가 자기보다 높은 직위에 오르자, 불쾌한 나머지 병을 핑계로 나오지 않고 큰아들 정자(程咨)를 대신 내보낸 것이다.

주유가 여러 장수들에게 영을 내린다.

"국법은 가깝고 먼 것이 없으니, 제군들은 각각 맡은 직분을 다하라! 지금 조조가 권력을 쥐고 농락하는 게 동탁에 비할 바가 아니어서, 황제를 허도에 가두어놓다시피 하고는 우리 경계에 사나운 군사를 주둔시켰다. 이제 주공의 명을 받들어 조조를 칠 것이니, 제군들은 있는 힘을 다해 진군하되, 이르는 곳마다 절대 민폐를 끼쳐서는 안 된다. 공을 세운 자에게는 상을 내릴 것이요, 죄를 지은 자에게는 벌을 내리되 추호도 사정을 두지 않을 것이다!"

주유는 영을 내린 즉시, 한당과 황개를 선봉으로 삼아 전선을 이끌고 오늘중으로 출정해 삼강구(三江口)에 영채를 세우고 다음 명령을 기다리라 하였다. 그리고 장흠(蔣欽)과 주태(周泰)를 제2대로 삼고, 능통과 반장(潘璋)을 제3대, 태사자(太史慈)와 여몽을 제4대, 육손(陸遜)과 동습을 제5대, 여범과 주치(朱治)를 사방순경사(四方巡警使)로 삼아서, 6대의 군사가 수륙으로 일제히 진군하여 정한 기일에 모이도록 했다. 드디어 장수들은 각기 전선과 군기를 수습해 출정했다.

한편 정보의 아들 정자는 집으로 돌아와 아버지에게 전한다.

"주유가 장수들에게 영을 내리는 것을 보니 법도에 어긋나는 점이 없었습니다."

정보가 놀란 표정으로 말한다.

"내 일찍이 주유가 나약해 장수로서의 기질이 부족하다고 생각해 왔는데, 네 말대로라면 참으로 뛰어난 장수감이로구나. 내 어찌 그에게 불복하겠느냐?"

정보가 그 즉시 군영으로 나가 주유에게 사죄하니, 주유 역시 좋은 말로 위로했다.

이튿날, 주유는 제갈근을 청하였다.

"그대의 아우는 지략이 뛰어나고 능히 임금을 보필할 만한 인재인데, 어찌하여 유비 같은 이를 섬긴단 말이오? 다행히 아우가 이곳 강동에 와 있으니, 선생께선 수고스럽지만 공명으로 하여금 유비를 버리고 우리 동오를 섬기도록 설득해주시오. 그리 되면 주공은 훌륭한 참모를 얻게 될 것이고, 형제가 함께 있게 되니 이 또한 좋은 일이지요. 선생께서 한번 다녀오시지요."

제갈근이 말한다.

"내가 강동으로 와서 아직 변변한 공을 세우지 못해 부끄러웠는데, 도독께서 분부를 내리시니 어찌 애쓰지 않겠습니까?"

제갈근은 즉시 역관으로 말을 몰고 가 공명을 만났다. 공명은 형님을 맞이하여 울며 절하고 그간의 일을 이야기했다. 제갈근도 눈물을 흘리며 말한다.

"아우는 백이 숙제(伯夷叔齊, 은나라가 망하자 수양산에 은거해 절개를 지키다 굶어죽은 형제)를 아는가?"

그 말에 공명은 속으로 생각한다.

'필시 주유가 형님을 시켜 나를 설득하려는 것이로다.'

공명이 대답한다.

"백이 숙제는 옛 성현입니다."

제갈근이 호소한다.

"백이 숙제는 비록 수양산에서 굶어죽는 처지에 있었지만 끝까지 형제가 한곳에 있었는데, 너와 나는 형제간이면서 서로 섬기는 주인이 달라 아침저녁으로 얼굴을 대할 수 없으니, 백이 숙제를 생각하면 부끄럽지 않으냐?"

공명은 천천히, 하지만 단호한 어조로 말한다.

"형님의 말씀은 인정(人情)이고, 이 아우가 지키려는 것은 의리(義理)입니다. 형님과 저는 다같이 한나라 자손이고 유황숙은 한나라 황실의 후예이니, 만일 형님께서 동오를 버리고 저와 함께 유황숙을 섬긴다면 위로는 한나라 신하가 되니 떳떳하고 아래로는 형제가 한곳에서 살게 되니, 이것이야말로 인정과 의리를 모두 지키는 방도가 아니겠습니까? 형님의 뜻은 어떠신지요?"

공명의 말에 제갈근은 할말을 잃었다.

'아우를 설복하려다가 도리어 내가 설복당하게 생겼구나.'

이렇게 생각하며, 아무 대답도 못하고 앉았다가 결실도 없이 되돌아오고 말았다. 제갈근은 그대로 주유에게 가서 자세히 사정을 고했다.

"그렇다면 공의 뜻은 어떻소?"

제갈근이 대답한다.

"그동안 주공의 은혜를 입었거늘, 어찌 배반할 수 있겠습니까?"

주유가 말한다.

"공이 충성을 다해 주공을 모신다면 더 말할 게 뭐가 있겠소? 공명은 내가 반드시 설득하고 말 테니 두고 보시오."

지혜와 지혜 만나면 반드시 합하고	智與智逢宜必合
재주와 재주 다투면 용납하기 어려워라	才和才角又難容

주유가 공명을 굴복시킬 계교는 과연 무엇일까?

적의 계략을 거꾸로 이용하다

조조의 군사는 삼강구에서 꺾이고
장간은 군영회에서 계략에 넘어가다

제갈근의 이야기를 듣고 더욱 괘씸한 생각이 든 주유는 공명을 기어코 죽여야겠다고 마음먹었다. 다음날, 주유가 장수와 군사 들을 점검한 뒤 작별인사를 하러 가자 손권이 말한다.

"그대가 먼저 떠나면 나도 군사를 일으켜 즉시 뒤따르겠소."

손권에게서 물러나온 주유는 정보·노숙과 더불어 출정하기에 앞서 공명더러 함께 떠나자고 청했다. 공명은 기꺼이 응낙했다.

드디어 돛을 높이 올리고 주유의 군사는 하구를 향해 출발했다. 삼강구에서 5,60리쯤 떨어진 곳에 이르러 주유는 배를 정박하고 언덕

위 한복판에 영채를 세운 다음 서쪽 산에 의지해 둥글게 진을 치도록 명했다. 공명은 작은 배에서 쉬고 있었다. 진영을 정비하고 이런저런 지시를 내린 주유는 계책을 의논하기 위해 공명을 불렀다. 공명이 주유의 장막 안에 들자 주유가 먼저 말한다.

"지난날 조조는 군사가 적고 원소는 군사가 많았는데도 조조가 승리할 수 있었던 것은 허유의 계책 때문이었소. 허유는 먼저 오소(烏巢)를 습격해 그곳에 쌓아둔 곡식을 모조리 불살라버리는 계책을 썼소이다. 지금 조조의 군사는 83만이요, 우리는 겨우 5, 6만에 불과하니 무슨 수로 막아낼 수 있겠소이까? 이번에도 먼저 조조의 군량을 끊어야 할 터인데, 내가 알아본 바로는 조조의 마초와 식량은 취철산(聚鐵山)에 있다 합디다. 선생께서는 오랫동안 한상에 계셨으니 그곳 지리에 밝을 터, 선생이 관우·장비·조자룡과 함께 밤을 새워 취철산에 가서 조조가 곡식을 쌓아둔 곳을 습격하시오. 그러면 내가 군사 1천여명을 보내 도우리다. 이는 각자 주인을 위해 하는 일이니 사양하지 마시오."

잠자코 주유의 말을 듣던 공명은 속으로 생각한다.

'달래도 내가 듣지 않으니 계략을 써서 나를 해칠 작정이로군. 이를 거절하면 남의 웃음거리가 될 테니, 우선 승낙한 후에 따로 계책을 세우는 게 좋으리라.'

공명은 선뜻 응낙했다. 공명의 속마음을 모르는 주유는 자신의 계획대로 일이 되어가자 크게 기뻤다. 공명이 하직하고 물러가자 노숙이 주유에게 가만히 묻는다.

"굳이 공명을 시켜 조조의 군량을 습격하는 것은 무슨 까닭이오?"

주유가 흡족한 표정으로 말한다.

"내 손으로 공명을 죽였다가는 세상의 비웃음을 살 테니, 조조의 손을 빌리자는 것이오. 그래야 후환이 없습니다."

노숙은 주유의 말을 듣고 불안한 마음이 들어 공명을 찾아갔다. 그러나 공명은 주유의 속마음을 아는지 모르는지 별다른 기색 없이 군마를 점검하며 떠날 채비를 하고 있었다. 노숙은 차마 사실을 얘기할 수 없어서 넌지시 묻는다.

"선생은 그 일을 성공시킬 수 있겠습니까?"

공명이 웃으며 대답한다.

"나는 수전(水戰)이든 보전(步戰)이든 마전(馬戰)이든 거전(車戰)이든 어찌해야 하는지 전법을 알고 있으니 성공하지 못할 까닭이 있겠소이까. 귀공과 주유처럼 한가지에만 능한 경우와는 비교할 바가 아닙니다."

노숙은 의아해하며 다시 묻는다.

"나와 주유가 한가지에만 능하다니 그건 무슨 소리요?"

공명이 빙그레 웃으며 대답한다.

"내 이곳에서 강남의 아이들이 부르는 노래를 들었더니, '길 매복해 관문을 지키기는 노숙이 능하고, 강에서 싸우는 데는 주유가 있다네 (伏路把關饒子敬 臨江水戰有周郞)'라고 하더이다. 그러니 공은 길에 매복해서 관(關)을 막을 줄만 알고, 주유는 오로지 수전에만 능하고 육지 싸움에는 자신이 없다는 것입니다."

노숙은 주유에게 가서 공명이 한 말을 그대로 전했다. 주유가 펄쩍 뛴다.

"내가 어째서 육전에 능하지 못하다는 게요? 공명을 보낼 것 없이 내가 군마 1만을 이끌고 취철산으로 가서 조조의 군량을 없앨 테니 두고 보시오."

노숙이 이번에는 주유의 말을 공명에게 전하니, 공명이 웃으며 말한다.

"주유가 내게 조조의 군량을 습격하라 명한 것은 사실 조조의 손을 빌려 나를 죽이려는 처사였소. 그래서 내가 일부러 몇마디 말로 희롱했더니, 주유가 화가 나고 말았구려. 지금은 모든 사람의 힘을 빌려야 하고, 또한 오후(吳侯)와 유예주가 힘을 합해야만 뜻을 이룰 수 있습니다. 그렇지 않고 서로 시기하고 해칠 생각만 한다면 무슨 수로 대사를 이루겠습니까? 조조는 꾀가 많아 평생 남의 군량을 끊는 데 능사인데, 그만한 대비가 없겠습니까? 만일 주유가 취철산으로 조조의 군량을 없애러 간다면 틀림없이 조조에게 사로잡히고 말 것입니다. 우선 수전에서 승리해 북쪽 군사의 예기(銳氣)를 꺾은 다음에 계책을 세워야 할 테니, 청컨대 노숙은 주유에게 가서 좋은 말로 타일러주시오."

노숙은 즉시 주유에게 달려가 공명의 말을 그대로 전했다. 주유는 고개를 내젓고 발을 구르며 격분한다.

"공명의 식견이 나보다 열 배는 위로구나. 지금 당장 그를 없애지 않으면 나중에 반드시 화근이 될 것이다!"

노숙이 간곡히 만류한다.

"지금은 사람들의 지혜를 모아 눈앞의 위기를 면해야 할 때요. 바라건대 나랏일을 먼저 헤아려야 합니다. 공명은 나중에 조조를 물리친 후에 없앤다 해도 늦지 않을 것이오."

주유는 격분을 애써 누르고, 노숙의 말에 따랐다.

한편, 유현덕은 유기에게 강하(江夏)를 지키라 이르고, 자신은 여러 장수들과 함께 하구(夏口)로 돌아갔다. 현덕이 멀리 바라보니 강남쪽 언덕에 깃발이 은은하고 창날과 칼날이 번쩍인다. 동오에서 이미 군사를 일으켰음에 틀림없었다. 유현덕은 강하의 군사를 모조리 번구(樊口)에 주둔시키고, 수하들을 불러놓고 말한다.

"공명이 동오에 가서 종래 소식이 없으니, 일이 어찌 돌아가는지 답답하기만 하오. 누가 그곳에 가서 상황을 알아오겠소?"

미축이 나선다.

"제가 다녀오겠습니다."

유현덕은 예물로 양과 술을 내주며 미축에게 말한다.

"동오에 가서 군사들을 위로하러 왔다고 둘러대고, 그곳의 일이 어찌 돌아가는지 보고 오시오."

현덕의 영을 받은 미축은 작은 배를 타고 강을 건너 주유의 영채로 찾아갔다. 주유는 미축을 반갑게 맞았다. 미축은 주유에게 두번 절하고, 현덕이 얼마나 장군을 공경하는지 전하고 예물을 바쳤다. 주유는 잔치를 열어 미축을 후하게 대접했다. 미축이 말한다.

"공명이 이곳에 온 지 오래라, 함께 돌아갈까 합니다."

주유가 말한다.

"공명은 나와 함께 계책을 세워 조조를 치려는 중인데, 어찌 떠날 수 있겠소? 나는 유예주와도 만나서 함께 일을 의논하고 싶은데, 대군을 이끌고 있는 터라 잠시도 이곳을 떠날 수 없는 형편이오. 만일 유예주께서 이곳에 와주신다면 더없는 기쁨이겠소이다."

미축은 응낙하고 돌아갔다. 노숙이 주유에게 묻는다.

"귀공은 무슨 까닭으로 현덕을 만나려는 것입니까?"

주유가 대답한다.

"유현덕은 천하의 영웅이오. 결국에는 그를 없애지 않을 수 없으니, 이번 기회에 유인해서 죽일 작정이오. 이것은 동오를 위해 화근을 없애는 일이외다."

깜짝 놀란 노숙은 몇번이나 주유를 만류했다. 그러나 주유는 노숙의 말을 듣지 않고 은밀하게 영을 내렸다. 도부수 50명으로 하여금 장막 뒤 벽쪽에 매복해 있다가, 주유가 술잔을 던지는 것을 신호로 일제히 뛰어나와 유현덕의 목을 베라는 것이었다.

한편 미축은 아무것도 모른 채, 현덕에게 주유가 주공을 청해 함께 조조를 칠 계책을 의논하자고 하더라고 전했다. 유현덕은 의심없이 주유의 뜻을 받아들여, 쾌선 한척을 준비하여 즉시 떠나려고 했다. 이때 관운장이 말한다.

"주유는 꾀가 많은 사람입니다. 게다가 공명은 서신 한장 없으니, 형님은 제발 경솔히 떠나지 마십시오."

유현덕이 말한다.

"나는 지금 동오와 결연하여 조조를 치려는 참이다. 그런데 주유가 만나자고 하는데 가지 않는다면 이는 동맹의 본의가 아니요 서로 꺼리는 것밖에 안되니, 그래 가지고서야 무슨 일을 하겠느냐?"

관운장이 말한다.

"형님께서 굳이 가시겠다면, 제가 모시고 가겠소."

잠자코 있던 장비도 앞으로 나선다.

"나도 따라갈 테요."

유현덕이 부드럽게 타이른다.

"이번에는 운장만 따라오너라. 장비는 남아서 조자룡과 영채를 보존하고, 간옹은 악현(鄂縣)을 지켜라. 잠시 주유만 만나고 곧 돌아올 것이다."

유현덕은 관운장과 함께 시종 20여명만을 거느린 채 쾌선에 올라 나는 듯이 강동을 향해 나아갔다. 현덕을 태운 쾌선이 강동 가까이 이르자, 수많은 전선이 즐비하게 강물 위에 떠 있는 게 보였다. 또한 정기가 나부끼는 가운데 군사들이 정연하게 열을 지어 있는 모양이 삼엄했다. 유현덕은 내심 여간 기쁘지 않았다.

군사가 주유에게 달려가 유예주가 도착했다고 알렸다. 주유가 묻는다.

"배를 몇척이나 끌고 왔더냐?"

군사가 대답한다.

"한 척뿐이었습니다. 시종하는 자들은 대략 20명 정도입니다."

주유는 빙긋이 웃는다.

"이제 유비의 목숨도 끝났구나."

주유는 즉시 도부수를 장막 뒤쪽에 매복시켜놓고 현덕을 맞이하러 나갔다. 유현덕은 관운장을 비롯해 20여명을 거느리고 주유를 따라 중군 막사로 들어갔다. 서로 인사를 나눈 다음, 주유는 현덕에게 상석에 앉기를 권했다. 유현덕이 말한다.

"장군께서는 천하에 이름을 떨치고 있거늘, 아무 재주도 없는 내게 어찌 이리 과한 대접을 하십니까?"

주인과 손님이 자리를 잡고 앉자 주유는 잔치를 베풀어 현덕을 대접했다.

한편, 우연히 강변에 나왔던 공명은 현덕이 이곳에 와서 도독을 만나고 있다는 말을 듣고는 깜짝 놀라 장막 안으로 가만히 들어가 동정을 살폈다. 공명이 보니, 주유의 얼굴에는 살기가 등등하고, 양쪽 벽 뒤에는 도부수들이 매복해 있는 것이 아닌가.

'이 일을 어쩌면 좋을꼬!'

공명이 천근같이 무거운 마음으로 현덕을 보니, 현덕은 아무것도 눈치채지 못한 채 담소를 즐기고 있었다. 그 현덕의 등뒤에 한 사람이 칼을 들고 서 있는 데 보니, 다름아닌 관운장이다. 그제야 공명은 한숨을 돌렸다.

'다행히 주공께서 위험하시지는 않겠구나.'

공명은 다시 강변으로 와서 현덕 일행이 나오기를 기다렸다.

주유와 유현덕은 잔치상에 앉아 술을 마시며 이야기를 나누었다. 술이 몇 순배 돌자 드디어 주유가 몸을 일으켰다. 막 잔을 집어들어 던지려던 그는 유현덕의 등뒤에 칼을 짚고 선 장수를 발견하고 멈칫하며 물었다.

"저 장수는 누구요?"

유현덕은 무심히 대답한다.

"내 아우 관운장입니다."

주유는 깜짝 놀랐다.

"지난번에 안량과 문추를 죽인 장수 말입니까?"

"그렇소이다."

주유의 등줄기로 갑자기 식은땀이 주르르 흘러내렸다. 주유는 엉겁결에 쥐고 있던 술잔에 술을 부어 운장에게 권했다. 잠시 후 노숙이 들어왔다.

유현덕이 말한다.

"공명은 지금 어디 있소? 수고스럽지만 자경은 나를 위해 공명을 좀 불러주었으면 합니다."

주유가 끼여들어 말한다.

"공명은 조조를 물리친 다음에 만나도 늦지 않을 것입니다."

유현덕이 더 말을 못하는데, 관운장이 눈짓을 보낸다. 현덕은 그 뜻을 알아채고 일어나 주유에게 하직인사를 했다.

"오늘은 이만 돌아가지요. 조조를 물리치고 난 다음에 다시 와서 치하드리리다."

주유도 현덕을 만류하지 못하고 원문(轅門, 군영軍營의 문) 밖까지 배웅했다.

유현덕과 관운장이 강가에 이르렀을 때, 이미 공명은 배 안에서 현덕 일행을 기다리고 있었다. 현덕은 공명을 보고 몹시 기뻐했다. 공명이 먼저 말한다.

"주공께서는 오늘 큰일 날 뻔한 것을 아시는지요?"

유현덕은 깜짝 놀라며 의아해한다.

"모르는 일이오."

"만일 관운장이 없었더라면, 주공께서는 필시 주유에게 큰 화를 입으셨을 겁니다."

유현덕은 그제서야 비로소 깨닫고 공명에게 말한다.

"이제 나와 함께 번구로 돌아가시지요?"

공명이 대답한다.

"비록 호랑이 아가리 속에 있으나 편안하기가 태산과 같습니다. 주공께서는 그저 전선과 군마를 잘 정비하시고 11월 20일 갑자일을 기다렸다가 조자룡에게 조그만 배 한 척을 주어 남쪽 언덕에서 저를 기다리라고 해주십시오. 이것만은 절대 잊으셔서는 안됩니다."

유현덕이 까닭을 묻자 공명이 말한다.

"동남풍이 불거든 제가 돌아오는 줄로 아십시오."

현덕이 거듭 물었지만 공명은 어서 돌아가기를 재촉하고 자리를 떠났다. 유현덕은 관운장과 시종들을 이끌고 출항했다. 돛을 올려 떠난 지 몇리 되지 않아서였다. 상류 쪽에서 5, 60척의 배가 강동을 향해 다가오는 게 보였다. 현덕이 유심히 보니, 뱃머리에 한 장수가 사모창을 비껴들고 서 있는 모습이 틀림없는 장비다. 장비는 혹시 현덕에게 무슨 일이 생기면 관운장 혼자 당해내기 어려울까 염려하여 뒤쫓아오는 길이었다. 이렇게 해서 현덕과 운장, 장비 세 사람은 함께 영채로 돌아갔다.

현덕을 보내고 온 주유에게 노숙이 묻는다.

"장군께서는 유현덕을 이곳까지 유인해놓고 어째서 그냥 돌려보내셨소?"

주유가 대답한다.

"관운장은 세상이 다 아는 호랑이 같은 장수가 아니오? 만일 내가 현덕을 공격했다면 그가 나를 죽였을 게요."

노숙은 관운장이 왔다는 말을 듣고 깜짝 놀랐다. 이때 갑자기 조조가 서신을 보내왔다는 보고가 들어왔다. 주유는 즉시 사자를 불러들였다. 서신을 받아보니 겉봉에 커다랗게 '한나라 대승상이 주도독에게 보내노라'라고 씌어 있다. 주유는 조조의 교만한 어투에 화가 나서 겉봉도 뜯지 않고 서신을 갈가리 찢어 바닥에 내던지며 큰소리로 호령한다.

"당장 사자를 끌어내 목을 베어라!"

노숙이 다급하게 만류한다.

"두 나라가 전투중일 때는 사자를 베지 않는 법이오."

주유는 듣지 않는다.

"내 이자의 목을 베어 나의 위엄을 보여주겠소!"

주유는 끝내 사자의 목을 베고, 그 머리를 따라온 자에게 주어 조조에게 보냈다. 그러고는 즉시 군사들에게 영을 내린다.

"감녕은 선봉을, 한당은 왼쪽을, 장흠은 오른쪽을 맡는다. 내 친히 장수들을 거느리고 후원하겠다. 내일 4경(새벽 2시)에 밥을 먹고 5경(새벽 4시)에 일제히 배에 올라 북소리에 맞추어 함성을 지르며 출정하라."

한편, 조조는 주유가 서신을 찢어버리고 사자의 목을 베었다는 보고를 받고 분기탱천했다. 즉시 채모와 장윤 등 형주에서 항복한 장수들을 전군으로 삼고 자신은 후군이 되어, 전선을 이끌고 삼강구에 이르렀다.

조조가 삼강구에 이르러 보니, 동오의 전선이 새까맣게 강을 덮으며 몰려온다. 한 장수가 맨앞 뱃머리에 앉아 큰소리로 외친다.

"나는 감녕이다. 나와 맞서싸울 자 누구냐?"

조조의 전선에서는 채모가 아우 채훈(蔡壎)을 앞세웠다. 두 배가 가까이 다가드는데, 감녕이 활을 들어 시위를 당기자 채훈은 그 자리에서 거꾸러지고 말았다. 감녕이 때를 놓치지 않고 배를 몰아 진격하며 일제히 화살을 날렸다. 그 기세를 조조의 군사들은 당해내지 못한다. 이 틈을 타서 오른쪽을 맡은 장흠과 왼쪽을 맡은 한당이 그대로 조조의 진영으로 짓쳐들어갔다.

조조의 군사는 대개 청주(靑州)와 서주(徐州) 출신으로 수전에 능하지 못한 까닭에. 강물 위에서 배가 한번 흔들리자 싸우기는커녕 중심을 잃어 배 위에 서 있기조차 어려웠다. 이에 비해 감녕을 비롯한 장흠과 한당 등이 거느린 동오의 삼로(三路) 전선은 물 위를 종횡으로 누비며 공격한다. 때를 맞춰 주유까지 배를 몰고 와서 세 장수를 도우니, 포와 화살에 맞아 쓰러져간 조조의 군사들은 이루 다 헤아릴 수도 없었다.

사시(巳時. 오전 10시)에 시작한 싸움이 미시(未時. 오후 2시)가 될 때까지 계속되었다. 주유가 크게 이기고는 있었으나 적은 군사로 감당하기에는 적이 너무 많았다. 이윽고 주유는 징을 울려 전선을 거두어 돌아갔다.

한편 대패하고 돌아간 조조군은 육지에 올라 군사를 정비했다. 이어 조조는 채모와 장윤을 불러 문책한다.

"동오의 군사가 적은데도 우리의 많은 군사가 도리어 패했으니, 이는 너희들이 정신을 차리지 않았기 때문이다!"

채모가 조심스럽게 말한다.

"형주의 수군은 오랫동안 훈련을 받지 못했고, 청주와 서주의 군사들은 수전에 능하지 못하니 패할 수밖에 없었습니다. 하오니 물 위에 영채를 세워 청주와 서주 군사는 수채(水寨) 안에서, 형주 군사는 수채 밖에서 날마다 훈련을 시키면 틀림없이 승리할 수 있습니다."

"그대가 수군도독이니 알아서 처리하라!"

그날부터 채모와 장윤 두 사람은 수군을 훈련하기 시작했다. 먼저 강변에 24개의 수문을 세우고, 큰 배는 밖에 늘여두어 성곽으로 삼고, 작은 배는 그 안에서 왕래하게 했다. 또한 배마다 등불을 매달아 어두운 밤 하늘을 비추니, 강물이 온통 붉은빛이었다. 3백리를 연이어 있는 육지 영채에서는 연기와 불빛이 끊이지 않아 그 위세를 자랑했다.

한편 주유는 승리를 거두고 영채로 돌아와 삼군에 상을 내리고, 손권에게 사람을 보내 승전보를 전했다. 그날밤이었다. 주유가 높은 곳에 올라 조조의 진을 살피니 서쪽으로 무수한 불빛들이 하늘에 닿아 있다. 주유가 물으니 좌우에서 고한다.

"모두 조조 군사의 불빛입니다."

주유는 속으로 놀라움을 금치 못했다.

이튿날, 주유는 직접 조조의 수군 영채를 정탐해볼 생각으로 누선(樓船, 망루가 있는 배) 한 척을 준비하도록 영을 내렸다. 건장한 몇몇 장수에게 강한 활과 화살을 지니게 하고 놀잇배로 가장하기 위해 악공을 태운 뒤 곧장 앞으로 나아갔다. 배가 조조의 영채 근처에 이르자, 주유는 닻을 내리고 일제히 풍악을 울리도록 했다. 가만히 조조의 수채를 엿보던 주유는 내심 놀라지 않을 수 없었다.

'수군의 진법을 아는 자의 솜씨로구나!'

감탄한 주유는 좌우에게 물었다.

"조조의 수군도독이 누구냐?"

"채모와 장윤입니다."

'채모와 장윤이라면 강동에 오래 있었으니 수전에 능한 자들이다. 계략을 써서 반드시 두 사람을 먼저 없애지 않고서는 내 조조를 깨뜨릴 수 없겠구나.'

주유가 이런저런 궁리를 하며 계속 엿보는데, 이를 눈치챈 조조의 군사가 달려가 고하였다.

"주유가 우리 수채를 살피고 있습니다."

조조가 급히 명한다.

"냉큼 나아가 모조리 사로잡아라!"

조조의 수채 안에서 깃발이 흔들리고 신호가 오가자 주유는 급히 닻을 올리고 군사들에게 노를 젓게 하여 강동을 향해 내달렸다. 조조의 수채에서 배가 나왔을 때 주유의 누선은 이미 10여 리 이상 달아난 터라 뒤쫓을 수 없었다. 조조의 수군은 그대로 돌아가 보고했다.

조조는 장수들을 불러들여 의논한다.

"어제 우리가 첫 싸움에 패해 예기가 꺾였는데, 또 저들이 우리 수채를 깊이 엿보기까지 했으니, 내 이제 어떤 계책을 써야 강동을 꺾을지 걱정이오."

조조의 말이 끝나기도 전에 장하에서 한 사람이 나서며 말한다.

"저는 어려서부터 주유와 한 스승 밑에서 글공부를 하여 교분이 있습니다. 제가 강동으로 가서 세 치 혀로 주유를 설복하고 항복을 받아올 터이니 허락해주십시오."

조조가 기쁜 마음으로 보니, 그는 구강(九江) 사람으로 성은 장(蔣)이름은 간(干)이요, 자는 자익(子翼)이며, 막빈(幕賓)으로 있는 사람이었다. 조조가 묻는다.

"그대는 정녕 주유와 가까운 사이인가?"

장간이 대답한다.

"승상은 염려 마소서. 제가 강동에 가면 반드시 성공해서 돌아올 것입니다."

"그래, 강동에 무얼 가지고 갈 생각인가?"

"그저 동자 하나와 사공 둘이면 족합니다."

조조는 마음이 한결 가벼워져서 술상을 들여보내라 하여 장간과 더불어 술을 마신 다음, 그를 주유에게 떠나보냈다.

장간은 갈건(葛巾)에 베로 만든 도포를 걸치고서 조그만 배 한척에 몸을 싣고 강동으로 떠났다. 주유의 영채 가까이에 이르자 장간이 소리쳐 말한다.

"옛 친구 장간이 찾아왔다고 전하라."

이때, 장막 안에서 계책을 의논하던 주유는 장간이 왔다는 말을 듣고 여러 장수들에게 웃으며 말한다.

"드디어 세객(說客)이 왔구나!"

주유는 장수들의 귀에 대고 은밀하게 지시를 내렸다. 장수들은 각기 명을 받고 물러갔다. 주유는 의관을 정제하고 시종 수백명의 호위를 받으며 장간을 맞으러 나갔다. 시종들은 모두 비단옷에다 꽃으로 장식한 모자를 쓰고 전후좌우에서 주유를 옹위한다. 한편 장간은 푸른 옷을 입은 동자 하나만 거느리고 오는데 머리를 치켜든 품이 당당하다. 주유가 절하여 맞이하자 장간이 말한다.

"공근은 별고 없었는가?"

주유가 대뜸 대꾸한다.

"장간 그대는 조조의 세객이 되어 멀리 강을 건너 나를 찾아온 것이로군."

장간은 속으로는 깜짝 놀랐지만 태연하게 말한다.

"오랫동안 그대를 만나지 못했기에 회포나 풀자고 왔건만, 어찌하여 나를 세객으로 의심한단 말인가?"

주유는 웃으면서 말한다.

"내 비록 사광(師曠, 춘추시대 진晉나라의 악사. 음악을 듣고 나라의 운명을 예언

함)만큼 귀가 밝지는 못하지만, 그래도 연주와 노래를 들으면 그 뜻을 조금은 안다네."

장간이 노기 띤 어조로 말한다.

"옛 친구를 이렇게 대접하다니, 그만 돌아가려네."

주유가 빙그레 웃고는 장간의 어깨를 감싸안으며 말한다.

"내 자네가 조조의 세객이 아닌가 두려워 그리 말했네만, 그런 마음이 없다면야 뭐하러 바삐 가려 하는가?"

주유는 장간의 손을 잡고 장막 안으로 들어가 자리에 앉혔다. 그리고 즉시 강동의 호걸들을 모두 불러들여 장간과 인사를 나누라고 영을 내렸다.

잠시 후 문관과 장수들은 비단옷을 입고, 수하의 편장과 비장들은 모두 은빛 갑옷을 입고서 두 줄로 나뉘어 들어왔다. 주유는 그들을 일일이 장간에게 인사시킨 다음 양쪽으로 앉히고 크게 잔치를 베풀었다. 승리를 축하하는 풍악이 울리는 가운데 주유는 좌중에 술잔을 돌렸다. 술잔이 장간에게 이르자 좌중을 향해 말한다.

"이 사람은 나와 공부를 같이한 옛 친구요. 비록 강북에서 왔다지만 조조의 세객이 아니니 그대들은 모두 의심하지 마오."

그러고는 차고 있던 칼을 풀어 태사자에게 주며 말을 잇는다.

"그대는 이 칼을 차고 술자리를 감독하라. 오늘의 잔치는 오직 벗과 우정을 나누기 위함이니, 만에 하나 누구라도 조조와 동오의 군사에 관해 입을 여는 자가 있거든 즉시 목을 베도록 하라."

태사자가 주유의 뜻을 받들고 칼을 찬 채 자리에 앉으니, 장간은 놀란 나머지 다른 말을 꺼내지 못한다. 주유가 다시 말한다.

"출병한 이래 나는 술이라고는 한 방울도 입에 대지 않았으나, 오늘은 오랜만에 옛 친구를 만났고 또한 의심할 게 없으니, 실컷 마시고 한번 취해보리라."

주유는 호탕하게 웃으며 연신 술을 들이켰다. 좌중의 무리들도 덩달아 술잔을 비웠다. 술자리에 흥이 오르고 어느정도 취기가 돌자 주유는 장간의 손을 잡고 막사 밖으로 나갔다. 밖에는 좌우에 늘어선 군사들이 모두 무사 복색에 칼과 창을 짚고 서 있었다. 주유가 장간에게 말한다.

"이만하면 내 군사들이 웅장하지 않은가?"

"참으로 호랑이 같은 군사들이구먼."

주유는 장간을 이끌고 막사 뒤로 돌아갔다. 거기에는 군량과 마초가 산처럼 높이 쌓여 있다.

"어떤가, 군량도 이만하면 충분하지 않은가?"

"군사는 정예하고 군량은 넉넉하다더니, 과연 헛되이 전해진 말이 아닐세."

주유는 짐짓 취한 체하며 크게 웃는다.

"내가 지난날 그대와 공부할 때에는 오늘날 내가 이런 자리에 앉으리라곤 생각도 못했네."

장간이 대꾸한다.

"그대의 높은 재주로 보면 지나친 것도 아닐세."

주유가 장간의 손을 잡고서 말한다.

"대장부가 세상에 나와 나를 알아주는 주군을 만나서, 밖으로는 군신의 의리를 맺고 안으로는 부모 자식 같은 인연을 맺어, 말을 하면 반드시 행하고 계략을 세우면 반드시 좇아서 길흉화복을 함께 한다면, 가령 소진(蘇秦)과 장의(張儀, 둘 다 전국시대의 뛰어난 연설가)나 육가

(陸賈)와 역생(酈生, 둘 다 한나라의 책사이자 정치가. 문무병행을 주장)이 다시 와서 강물이 쏟아지듯 웅변을 토하고 칼날같이 날카로운 혀를 휘두른들, 어찌 내 마음을 움직일 수 있겠는가?"

주유가 호탕하게 웃으니 장간의 얼굴은 흙빛으로 변했다. 주유는 다시 장간의 손을 잡고 막사 안으로 들어가 술을 마시다가, 여러 장수들을 가리키며 말한다.

"이 자리에는 강동의 호걸들이 다 모였으니, 오늘의 이 모임을 군영회(群英會)라고 칭하리라."

술을 마시는 중에 어느덧 해가 저물었다. 등불이 켜지고 주유는 일어나 칼춤을 추며 노래를 지어 부른다.

대장부 세상에 나매 공명을 세워야 하리　　　　　丈夫處世兮立功名

공명을 세움이여 평생에 위안되도다　　　　　　立功名兮慰平生

평생에 위안됨이여 이제 나는 취하리로다　　　　慰平生兮吾將醉

내 취함이여 미친 듯이 노래 부르도다　　　　　吾將醉兮發狂吟

노래가 끝나고 좌중은 모두 기뻐하며 웃었다. 밤이 깊어지자 장간은 술을 사양한다.

"내 이제 술을 이기지 못하겠네."

주유가 잔치상을 거두라 이르니, 모든 장수들이 하직인사를 올리고 돌아갔다. 주유가 말한다.

"내 자익과 같이 잔 지도 참으로 오래되었으니, 오늘밤에 우리 옛날처럼 발을 맞대고 자보세."

주유는 거짓으로 몹시 취한 양 비틀거리며 장간을 데리고 거처로 들어갔다. 그러고는 옷을 입은 채 그대로 침상에 쓰러져서 심하게 토악질을 해대니 장간이 어찌 잠을 이룰 수 있겠는가. 베개에 얼굴을 묻고 잠을 청하는데 2경(밤 10시)을 알리는 북소리가 울린다.

장간은 자리에서 일어나 앉았다. 아직도 등잔불은 꺼지지 않고 밝게 타는데, 주유의 코고는 소리는 천둥처럼 요란하다. 문득 책상 위를 바라보니, 몇 통의 문서가 가지런히 놓여 있다. 장간은 호기심이 일어 문서를 뒤적이다가 그만 심장이 얼어붙듯 놀라고 말았다. 문서 중에 한 통의 편지가 있었는데, 겉봉에 '장윤과 채모가 삼가 올리나이다' 이렇게 씌어 있는 것이 아닌가.

장간은 순간 모골이 송연해졌다. 먼저 주유의 동정을 살펴보니, 다행히 주유는 아직도 정신없이 코를 골고 있다. 장간은 조심스럽게 편지를 꺼내 읽어내려갔다.

저희들이 조조에게 항복한 것은 벼슬이나 녹봉을 얻기 위함이 아니요, 어쩔 수 없는 상황 때문이었나이다. 이제 북군을 속여 영채 안에 가두어놓았으니, 때를 기다렸다가 반드시 역적 조조의 목을 베어다 장군께 바칠 것입니다. 조만간 사람을 보내 다시 소식을 전하려 하니, 조금도 의심치 마소서.

장간은 채모와 장윤의 편지를 다 읽고 옷 속에 집어넣으며 가만히 생각한다.

'채모와 장윤이 동오와 전부터 내통해왔단 말인가!'

장간은 혹시 또다른 문서가 없나 찾아보려는데, 문득 주유가 몸을 뒤척이며 돌아눕는다. 장간은 황급히 등불을 끄고 자리에 누워 자는 척했다. 바로 그때, 갑자기 주유가 분명치 않은 말로 잠꼬대를 한다.

"자익아, 며칠 내로 내 조적의 머리를 구경시켜주마."

장간은 잠꼬대하듯 주유의 말에 응수해주었다.

"응, 그러한가."

주유가 또다시 중얼거린다.

"자익아, 너 가지 말고 여기 있거라. 그럼 내 반드시 조적의 머리를 보여주마."

이번에는 장간이 넌지시 묻는다.

"대체 그게 무슨 소린가?"

주유는 또다시 코를 골기 시작했다. 장간이 잠을 이루지 못하고 뒤척이는데, 어느덧 4경이 되었다. 그때 밖에서 한 사람이 들어오더니 나지막한 소리로 말한다.

"도독께서는 잠을 깨셨는지요?"

주유는 깊은 잠에서 겨우 깨어 일어나는 시늉을 하면서 그 사람에게 묻는다.

"내 곁에서 자는 사람이 누군가?"

"도독께서 어젯밤 장간을 청해 함께 잠자리에 드시고서 잊으셨습니까?"

주유가 화들짝 놀라며 말한다.

"내 평소 이렇게 취한 일이 없었는데, 어제는 대취하여 그만 실수를 하고 말았구나. 내가 도대체 무슨 말을 지껄였는지 모르겠다."

그 사람이 다시 말한다.

"강북에서 지금 사람이 와 있습니다."

주유는 놀라는 체하며 말한다.

"쉿, 목소리를 낮춰라!"

주유는 조용히 장간을 불러본다. 장간은 일부러 자는 체하고 대답하지 않았다. 주유는 그 사람을 데리고 슬며시 막사 밖으로 나갔다. 장간은 한껏 귀를 세우고 밖에서 말하는 소리를 엿들었다. 그 사람이 다시 주유에게 고한다.

"장윤과 채모가 아직 기회가 없어 손을 쓰지 못하였답니다."

그리고 그뒤로 뭐라고 수군거리는 소리가 들렸으나 도무지 알아들을 수가 없었다. 잠시 후 주유는 다시 거처로 들어와 장간을 불렀으나, 장간은 머리까지 이불을 뒤집어쓰고 자는 체했다. 주유가 비로소 옷을 벗고 다시 잠자리에 드는 모양이다. 장간은 누운 채로 곰곰이 따져보았다.

'주유는 빈틈없는 사람이다. 아침에 일어나 편지가 없어진 걸 알면 반드시 나를 의심하여 죽이겠지.'

장간은 5경이 되기를 기다렸다가 가만히 주유를 불러보았다.

"공근, 아직 자는가?"

다행히도 주유는 깊이 잠들어 있었다. 장간은 머리에 갈건을 쓰고 조용히 막사를 나와, 가만히 동자를 불러내 원문을 나섰다. 지키고 있던 군사가 묻는다.

"선생께서는 어디 가십니까?"

"여기 오래 있으면 오히려 도독께 폐만 끼치게 될 것 같아 하직을 고하고 돌아가는 길이다."

장간의 말을 듣고, 군사는 더 캐묻지 않았다.

장간은 즉시 배를 타고 돌아가 조조를 만났다. 조조가 묻는다.

장간은 주유의 계략에 속아 편지를 훔쳐 도망치다

"그대의 일은 어찌 되었는가?"

"주유의 군은 절개를 말로는 움직일 수 없었습니다."

그 말에 조조는 노하였다.

"그렇다면 일은 이루지 못하고 괜히 비웃음거리만 된 꼴 아닌가?"

장간이 조용히 말한다.

"주유를 설복하지는 못했으나, 승상께 긴한 일을 알아왔으니 좌우를 물려주십시오."

조조가 좌우를 물러가게 하자, 장간은 몰래 가지고 온 편지를 품에서 꺼내 조조에게 보여주는 한편, 주유와 밤을 보내며 자신이 보고 들은 것들을 상세히 고했다. 조조는 격분하여 부들부들 떤다.

"두 역적놈이 감히 이렇듯 무례할 수가 있단 말이냐!"

조조는 즉시 채모와 장윤을 불러들였다.

"오늘 두 사람은 즉시 출병하도록 하라!"

채모가 아뢴다.

"아직 훈련이 충분하지 못하여 경솔하게 출병할 수 없습니다."

채모의 말이 떨어지기가 무섭게 조조는 벽력같이 소리친다.

"수군의 훈련을 마친 뒤에는, 네놈들이 내 머리를 주유에게 바칠 속셈이었더냐?"

두 사람은 영문을 몰라 대답도 못하고 황망히 서 있는데, 조조는 즉시 무사를 불러 목을 베라 명하였다. 그 추상 같은 명령에 무사들이 두 사람을 끌고 나가더니, 잠시 후 채모와 장윤의 머리를 베어 조조에게 바쳤다. 조조는 그제야 정신이 번쩍 들었다.

'아뿔싸, 내가 적의 계책에 속았구나!'

후세 사람이 시를 지어 탄식했다.

조조는 간웅이라 당할 수 없더니	曹操奸雄不可當
일시에 주랑의 계교 맞아들였도다	一時詭計中周郎
채모와 장윤 주인 팔아 영화를 구하더니	蔡張賣主求生計
누가 알았으리, 하루아침에 칼 아래 죽을 줄을	誰料今朝劍下亡

채모와 장윤이 참수당한 데 놀란 수하장수들이 조조에게 어찌 된 일인지 물었다. 조조는 이미 주유의 계책에 놀아났음을 스스로 깨달았지만, 그런 내색은 하지 않고 천연스레 말한다.

"두 사람이 군법을 어겼기에 참수했노라."

이 말을 듣고 수하장수들은 하나같이 슬퍼하였다. 조조는 즉시 채모와 장윤 대신 모개(毛玠)와 우금(于禁) 두 장수를 도독으로 삼아 수군을 통솔하게 했다. 이 소식이 강동에 알려지자 주유는 매우 기뻐한다.

"근심거리였던 채모와 장윤을 손쉽게 없앴으니 이제 무엇이 두려우랴!"

노숙이 치하한다.

"도독이 용병을 이렇듯 하시니, 조조를 격파하는 것도 어려운 일이 아니겠소이다."

주유가 말한다.

"아마도 다른 장수들은 모두 나의 계략을 눈치채지 못했겠지만, 제갈량만은 나보다 한수 위이니 이번 일도 알고 있었을 것이오. 노숙은 가서 과연 제갈량이 알고 있었는지 슬쩍 떠보고 오시오."

반간계 써서 일을 성사시키고   還將反間成功事
냉정한 눈으로 바라보는 이의 재주 시험하려네   去試從旁冷眼人

과연 공명은 이 계교를 알고 있었을까?

고육지계

공명은 교묘한 계책으로 많은 화살을 얻고
황개는 은밀한 계책을 말하고 형벌을 받다

노숙은 주유의 부탁을 받고 공명이 있는 배로 찾아갔다. 공명이 노숙을 맞아들여 두 사람이 마주앉았다. 노숙이 먼저 말한다.

"날마다 군무에 열중하다보니 오랫동안 찾아뵙지 못했습니다."

공명이 대답한다.

"나 역시 도독께 치하를 드리러 갔어야 하는데 못 갔습니다."

노숙은 짐짓 아무렇지도 않은 척 묻는다.

"치하라니요, 무슨 일을 가지고 그러시는지요?"

공명이 웃으며 대답한다.

"주유가 선생을 내게 보내, 내가 아는지 모르는지 알아보고 오라고 한 그 일 말씀입니다."

노숙은 깜짝 놀라 얼굴빛이 변했다.

"선생은 대체 어떻게 아셨습니까?"

공명이 말한다.

"도독이 계략으로 장간을 농락해 감쪽같이 조조를 속였으나, 조조도 아마 뒤늦게 깨닫기는 했을 것입니다. 허나 자기 잘못을 인정하려고는 하지 않겠지요. 어찌 되었든 이 일로 채모와 장윤 두 장수가 죽었으니, 동오는 이제 아무 근심이 없게 되었소이다. 그러니 어찌 치하를 드리지 않을 수 있겠습니까? 듣자하니 조조는 모개와 우금을 수군 도독으로 삼았다 하는데, 이 두 장수의 손에 장차 조조의 수군이 망하고 말 테지요."

노숙은 한참동안 할말을 잃고 우두커니 앉아 있다가, 공명에게 하직인사를 하고 일어섰다. 공명이 노숙에게 은근히 당부한다.

"공께서는 부디 주유에게 이번 일을 내가 이미 알고 있더라고 전하지 마십시오. 이 일로 투기하는 마음이 지나쳐 나를 죽이려 들까 두렵소이다."

노숙은 그러마고 돌아섰지만, 막상 주유를 만났을 때는 사실대로 말하지 않을 수 없었다. 공명이 예상한 대로 주유는 깜짝 놀라 소리쳤다.

"이자를 그대로 놔둘 수가 없구나. 내 반드시 공명을 죽이고야 말리라!"

노숙이 만류한다.

"만약 공명을 죽인다면 도리어 조조의 비웃음을 살 것입니다."

"내 스스로 구실을 만들어 공명을 죽일 테니 두고 보시오. 제가 죽어도 원망할 수 없게 말이오."

"무슨 구실로 공명을 죽이겠다는 말씀이오?"

노숙이 다급히 묻자 주유가 말한다.

"내일이면 알게 될 테니, 그냥 지켜보기만 하시오."

다음날 주유는 장수들을 모두 막사에 불러모은 다음, 사람을 보내 공명을 청했다. 공명은 흔쾌히 그 자리에 참석했다. 자리를 정하고 앉자, 주유가 공명에게 묻는다.

"조만간 조조와 전투를 치를 터인데, 수전을 벌이자면 어떤 병기가 가장 필요하겠는지요?"

공명이 거침없이 대답한다.

"넓은 강물 위에서야 화살이 제일이지요."

"선생의 생각이 과연 나와 일치하는구려. 그런데 지금 군중에 화살이 넉넉지 않으니, 수고스럽지만 선생께서 화살 10만 대만 만들어서 이번 싸움에 쓰도록 도와주실 수 있겠소? 이는 모두 공사(公事)에 관계되는 일이니, 선생은 부디 거절하지 마시오."

공명은 태연하게 대답한다.

"도독께서 부탁하시는 일인데 내 어찌 힘을 아끼겠습니까? 그런데 화살 10만 대를 언제쯤 쓰실 생각이신지요?"

"열흘 안에 마련할 수 있겠소?"

"조조 군사가 내일이고 모레고 언제 쳐들어올지 모를 판국에 열흘씩 잡았다가는 대사를 그르칠 것입니다."

"그럼 며칠이면 되겠습니까?"

"사흘이면 화살 10만 대를 만들어 바칠 수 있겠습니다."

주유가 정색을 하고 단호하게 말한다.

"군중에서 희언(戲言)은 없는 법이니, 공명께서는 반드시 약속을 지켜야 합니다."

"어찌 감히 도독께 실없는 소리를 하겠소? 군령장(軍令狀)을 쓸 테니 사흘 안에 화살을 마련하지 못하면 중벌이라도 달게 받겠습니다."

주유는 일이 뜻대로 순조롭게 되어감을 기뻐하며 즉시 군정사(軍政司)를 불러다 그 자리에서 제갈량의 군령장을 받아두었다. 그러고는 잔치를 베풀어 공명을 대접한다.

"이번 일을 마치는 대로 선생의 수고에 답례하겠소이다."

공명이 말한다.

"오늘은 시간이 늦어 어쩔 수 없고, 내일부터 일을 시작할 테니 장군께서는 사흘째 되는 날 군사 5백명을 강변으로 보내 화살을 가져가도록 하시오."

공명은 주유와 더불어 술을 몇잔 마신 후, 하직을 하고 처소로 돌아갔다. 노숙은 하도 어이가 없어서 공명의 뒷모습을 물끄러미 바라보다가 주유에게 한마디 한다.

"저 사람이 거짓말을 하는 게 아닐까요?"

주유가 말한다.

"스스로 죽기를 자초한 것이지 내가 핍박한 일이 아니오. 여러 사람들이 보는 앞에서 문서까지 작성했으니, 설사 제 양쪽 겨드랑이에 날개가 돋았다 해도 옴짝달싹 못할 것이오. 내 이제 장인(匠人)들에게 일부러 천천히 일을 하라고 명하고, 또한 필요한 모든 재료를 제때 준비해주지 않을 것이니, 공명은 별수없이 기한을 어기고 말 게요. 그때 가서 치죄한다면 무슨 변명을 늘어놓을 수 있겠소? 귀공은 공명이 어찌하고 있는지 살펴보고 내게 알려주오."

노숙이 찾아가니, 공명이 노숙에게 원망의 말을 한다.

"내 미리 자경께 주유에게 사실대로 말하지 말라고 당부하지 않았소? 주유가 이 사실을 알면 틀림없이 나를 죽이려 들 것이라고 부탁했건만, 공께서 내 말을 그대로 고해바치는 바람에 오늘 이런 일이 벌어지게 되었구려. 대체 사흘 안에 무슨 수로 화살 10만 대를 만들어낸단 말이오? 그러니 공께서 나를 좀 도와주셔야겠소."

노숙이 말한다.

"선생이 스스로 화를 불러들이시고서는 어찌 나더러 구해달라 하십니까?"

공명이 은밀히 말한다.

"한가지 부탁할 게 있습니다. 공께서는 내게 배 20척만 빌려주시되, 배 한 척마다 군사 30명씩을 태우고 배 위에는 푸른 천으로 휘장을 만들어 둘러친 다음, 풀더미 1천여개씩을 배 양편에 쌓아올려주시오. 그리만 해주신다면 내가 묘책을 써서 사흘 안에 화살 10만 대를 틀림없이 구해놓겠습니다. 하지만 제발 이 말만은 주유에게 해서는 아니 됩니다. 만일 이 일을 알게 되면 나의 계획은 모두 허사로 돌아가고 말 것이오."

노숙은 지난번 일로 공명에게 송구한 마음도 있고 해서 흔쾌히 부탁을 들어주겠다고 언약했다. 그러나 도무지 무슨 계획인지는 알 수 없었다. 노숙은 주유에게 돌아와서 공명이 배를 빌려달라고 하더라는 말은 하지 않고 이렇게 전한다.

"어찌 된 영문인지 공명은 대나무나 새깃, 아교나 옻칠 같은 것을 쓰지 않고도 약속한 시간 안에 화살 10만 대를 마련해놓을 도리가 있다고 하더이다."

그 말을 듣고 주유가 의심스러운 눈치를 보인다.

"하여튼 사흘 뒤에 어찌하는가 두고 봅시다."

노숙은 물러나온 즉시 쾌선 20척과 각 배마다 군사 30명씩을 준비해두었다. 그리고 배에 푸른 천을 두르고 안에는 양쪽에 풀더미를 쌓아올려놓은 채 공명의 지시만을 기다리고 있었다.

첫날은 아무런 움직임이 없었다. 다음날도 역시 그냥 지나가더니, 사흘째 되는 날 4경 무렵이 되어서야 공명이 사람을 보내 가만히 노숙을 청했다. 노숙이 공명에게 와서 묻는다.

"어인 일로 나를 부르셨소?"

공명이 웃으며 대답한다.

"함께 화살을 가지러 가자고 불렀습니다."

"화살을 가지러 대체 어디로 간단 말씀입니까?"

"그저 따라오시기만 하면 자연히 알게 될 것입니다."

공명은 즉시 군사에게 명해 쾌선 20척을 긴 밧줄로 붙잡아매어 연결하게 했다. 그리고 북쪽을 향해 전진하는데, 온통 짙은 안개가 천지를 뒤덮어 강물 한복판에서는 얼굴을 마주하고도 서로 알아볼 수 없을 정도였다. 공명이 밧줄로 이어진 20척의 배를 재촉해 앞으로 나아가는데, 갈수록 안개는 더욱 짙게 깔렸다.

옛 문장가가 「대무수강부(大霧垂江賦)」를 지어 읊었으니, 그 내용은 다음과 같다.

거대하다 장강이여   大哉長江

서쪽으로 민산 아미산에 접하고   西接岷峨

남쪽으로 삼오를 끌어당기고   南控三吳

북쪽으로 구하를 둘렀도다   北帶九河

일백 물을 한데 모아 바다로 들어갈 제   匯百川而入海

만고를 거쳐서 물결을 일으킨다   歷萬古以揚波

용백과 해약 같은 수신이며   至若龍伯海若

강비와 수모 같은 여신들   江妃水母

천길 되는 긴 고래   長鯨千丈

머리가 아홉 달린 지네   天蜈九首

귀신, 요괴 이상한 부류   鬼怪異類

여기 다 모여 있으니   咸集而有

무릇 귀신들이 깃드는 곳이요   蓋夫鬼神之所憑依

영웅들이 싸우며 지키는 터로다   英雄之所戰守也

때는 바야흐로 음양이 혼란에 빠져   時也陰陽旣亂

어둠과 밝음 구분이 안되고   昧爽不分

저 하늘이 한빛으로 변해   訝長空之一色

홀연 안개 사방에서 일어 아득하네   忽大霧之四屯

배에 실린 것 풀섶이라도 눈에 보이질 않고   雖輿薪而莫睹

오직 징소리 북소리만 귀에 울리누나   惟金鼓之可聞

처음에는 어둡고 몽롱하여   初若溟濛

겨우 남산의 표범이나 숨기더니   纔隱南山之豹

점점 가득 차서   漸而充塞

북해의 곤어까지 어지러워지네   欲迷北海之鯤

위로는 높이 하늘에 닿고   然後上摍高天

아래로는 두터운 땅에 드리워   下垂厚地

아득히 멀어 망망하고   渺乎蒼茫

무한히 넓어 끝이 없네   浩乎無際

고래는 물 위로 나와 물결 일으키고   鯨鯢出水而騰波

교룡은 심연에 잠겨 기운을 토하도다   蛟龍潛淵而吐氣

또한 매우(梅雨)에 습기가 걷히든지   又如梅霖收潦

봄철에 날씨가 음산할 때면   春陰釀寒

어슴푸레 막막하고   溟溟漠漠

광막하게 흘러   浩浩漫漫

동쪽으로는 시상 언덕 보이지 않고   東失柴桑之岸

남쪽에는 하구의 산도 간 곳 없네   南無夏口之山

전선 1천 척은   戰船千艘

모두 바위 구렁에 빠졌는가   俱沈淪於岩壑

고기잡잇배 일엽편주만   漁舟一葉

거친 물결 위로 떴다 가라앉았다   驚出沒於波瀾

심하면 하늘에도 빛이 없고   甚則穹昊無光

떠오르는 해 빛을 잃어   朝陽失色

대낮이 황혼으로 바뀌고   返白晝爲昏黃

붉은 산이 변해 푸른 물이 되도다   變丹山爲水碧

아무리 우임금 지혜로도   雖大禹之智
깊고 얕음을 헤아리지 못하리요   不能測其淺深
이루의 밝은 눈을 가졌단들   離婁之明
어찌 지척을 분별할 수 있으리오   焉能辨乎咫尺

이에 수신 풍이는 물결을 잠재우고   於是馮夷息浪
바람신 병예는 공을 거두니   屛翳收功
고기와 자라 자취를 감추고   魚鱉遁迹
새와 짐승이 종적을 숨긴다   鳥獸潛踪
봉래섬 어디이며   隔斷蓬萊之島
천상의 궁전 간 곳 없다   暗圍閶闔之宮

황홀히 치달아오르니   恍惚奔騰
금방 소나기라도 내릴 듯   如驟雨之將至
어지러이 밀려드니   紛紅雜沓
마치 비구름이 몰려올 듯   若寒雲之欲同
저 속에 독사라도 숨어서   乃能中隱毒蛇
무서운 전염병을 퍼뜨릴까   因之而爲瘴癘
저 안에 요괴를 감추어서   內藏妖魅
온갖 재앙을 지어내지 않을까   憑之而爲禍害
인간에게 질병과 액운을 내리고   降疾厄於人間
변방에 풍진을 일으키니   起風塵於塞外
소민(小民)은 앙화를 입게 마련   小民遇之夭傷
대인은 바라보며 탄식하더라   大人觀之感慨

장차 태고적 천지 기운으로 돌아가　　　　　　　　　　蓋將返元氣於洪荒

천지 혼합하여 큰 덩어리 만듦이런가　　　　　　　　　混天地爲大塊

자욱한 안개 속을 뚫고 가는데, 어느덧 5경에 이르러 배는 조조의 수채 가까이 이르렀다. 공명은 군사들에게 명해 뱃머리를 서쪽에 두고, 꼬리는 동쪽을 향하게 하여 일자로 죽 늘어서게 했다. 그러고는 군사들에게 어지럽게 북을 울리며 함성을 내지르라 명한다. 노숙이 깜짝 놀라 묻는다.

"만일 조조 군사들이 일제히 쏟아져나오면 어쩌려고 이러시오?"

공명은 웃으며 대답한다.

"제 아무리 조조라 해도 이 짙은 안개 속에 어떻게 군사를 내보내겠소? 우리는 그저 술이나 마시면서 안개가 걷힐 때를 기다려 돌아가도록 합시다."

한편 조조의 수채에서는 난데없는 북소리와 함성에 놀라, 모개와 우금 두 사람이 황급히 조조에게 이 사실을 고했다. 조조는 즉시 영을 내린다.

"안개가 이렇듯 자욱한데 강동의 군사가 쳐들어온 걸 보면 반드시 매복이 있을 것이다. 경솔하게 움직이지 말고 수군 궁노수들로 하여금 일제히 활을 쏘게 하라."

조조는 다시 사람을 뭍으로 보내 장요와 서황에게 각기 궁노수 3천 명을 이끌고 급히 강변으로 가서 수군을 도와 함께 활을 쏘도록 하라고 명했다.

모개와 우금은 조조의 영을 받은 즉시 궁노수를 시켜 수채 앞에서 활을 쏘게 했다. 얼마 후에는 육지에서 장요와 서황이 궁노수를 거느리고 와서, 모두 1만여명의 군사가 일제히 강동의 쾌선을 향해 활을 쏘아대니, 그야말로 화살이 비오듯 한다.

마침내 공명은 이번에는 뱃머리를 동쪽으로, 선미는 서쪽으로 돌려 세우라고 명하였다. 그러고는 조조의 수채 가까이에 배를 대고 화살을 받는 한편, 군사들에게는 쉴새없이 북을 울리고 함성을 지르게 했다.

이윽고 강물 속에서 해가 솟아오르고, 그와 함께 안개는 말끔히 걷혔다. 공명이 급히 쾌선을 거두어 돌아가는데, 20척의 배 양편에 쌓아올렸던 풀더미에는 화살이 빼곡히 박혀 있었다. 공명은 군사들에게 명하여 일제히 외치게 했다.

"승상, 화살을 주어 고맙소!"

조조가 이 사실을 알고 급히 추격했을 때는, 배는 가볍고 물살은 빠른 덕에 이미 강동의 쾌선 20척은 멀리 달아난 뒤였다. 조조는 후회하고 또 후회했다.

공명이 돌아가는 배 위에서 노숙에게 말한다.

"배 한 척마다 화살이 5,6천 대씩은 되니, 강동은 힘 하나 들이지 않고 화살 10만 대를 얻은 셈이올시다. 내일 이 화살로 조조의 군사를 쏘게 될 테니 얼마나 잘된 일이오."

노숙이 말한다.

"선생은 참으로 신인(神人)이십니다. 도대체 오늘 이렇게 안개가 낄 줄을 어찌 아셨습니까?"

"장수가 되어 천문을 통달하지 못하고 지리를 알지 못하며, 기문(奇門)을 모르고 음양을 깨치지 못하며, 진도(陣圖)를 보지 못하고 병

공명은 신묘한 계략으로 조조군에게서 화살 10만대를 얻다

세(兵勢)에 밝지 못하면, 이는 용렬한 장수일 것이오. 나는 이미 사흘 전에 오늘 짙은 안개가 내릴 것을 알고 있었고, 그래서 기한을 사흘로 정했소. 주유가 내게 열흘 만에 화살 10만 대를 만들라고 하고서 장인들과 필요한 재료를 일절 대주지 않다가, 약속한 날이 되면 군령장을 내밀고 나를 죽이려 한다는 것쯤 이미 알고 있었소이다. 허나 내 목숨은 하늘이 맡아보고 있으니 어찌 주유가 나를 죽일 수 있겠습니까?"

노숙은 공명의 말에 크게 감복한 나머지 그 자리에서 일어나 절을 올렸다.

배가 언덕에 닿으니, 강변에는 주유가 화살을 운반하라고 보낸 군사 5백명이 기다리고 있었다. 공명이 그들에게 분부했다.

"배 위에 있는 화살이 10만 대는 족히 될 테니 모조리 가져다 도독께 바치도록 하라."

노숙은 먼저 주유에게 가서, 공명이 어떻게 화살을 얻었는지 자세히 고했다. 말을 듣고 주유는 크게 놀라는 한편 탄식한다.

"공명의 신기묘산(神機妙算)은 도저히 내가 따르지 못하겠구나!"

후세 사람이 이 일을 두고 시를 지어 찬탄했다.

온 하늘 자욱한 안개 장강에 가득하여   一天濃霧滿長江

원근 모를레라 강물만 아득하네   遠近難分水渺茫

화살이 빗발치듯 메뚜기떼처럼 날아드니   驟雨飛蝗來戰艦

공명이 오늘에야 주랑을 굴복시켰네   孔明今日伏周郎

얼마 있다가 공명이 주유를 만나러 들어왔다. 주유는 황망히 자리에서 내려와 영접한다.

"선생의 신산(神算)은 참으로 놀라울 따름입니다."

주유가 칭찬을 아끼지 않는데, 공명이 말한다.

"조그만 계략을 가지고 어찌 기이하다 하겠습니까?"

주유는 공명과 함께 술을 마시며 말한다.

"어제 주공께서 사람을 보내 속히 출병하라고 재촉하시는데, 아직이렇다 할 계책이 없으니, 부디 선생께서 가르침을 주시오."

공명이 다시 겸손하게 대답한다.

"보잘것없는 재주뿐인데 어찌 묘한 계책이 있겠습니까?"

주유는 공명 옆으로 가까이 자리를 옮기며 은근하게 말한다.

"내가 조조의 수채를 보니 법도가 엄격하고 정연하여 쉽게 공격하기 어려울 것 같습니다. 속으로 한가지 계교를 생각하긴 했는데 적절한 방도인지 아직 결단을 내리지 못하고 있으니, 부디 선생께서는 나를 위해 결단을 내려주십시오."

"먼저 말씀하시지 말고, 우리 각기 손바닥에 계책을 써서 서로의뜻이 같은지 한번 보기로 합시다."

주유는 크게 기뻐하며 즉시 붓과 벼루를 가져오게 해서는 자신이먼저 손바닥에 안 보이게 글자를 적고, 공명에게 붓을 주며 쓰라고 권한다. 공명이 가만히 한 글자를 쓴 다음, 두 사람은 가까이 앉아서 각각 손바닥을 펴 보였다. 그들은 서로 상대의 손바닥에 씌어 있는 글자를 보고 크게 웃었다. 두 사람 모두 손바닥에 불 화(火)자를 써놓았던것이다. 주유가 말한다.

"우리 두 사람의 의견이 같으니, 이제는 다시 의심할 게 없소이다.부디 누설하지 마시오."

공명이 대답한다.

"우리 두 집안의 공사(公事)를 어찌 누설하겠습니까? 내 생각에는 조조가 비록 두번이나 우리 계책에 속아넘어갔으나 아직도 아무런 방비를 안하고 있소이다. 도독께서 마음껏 행하여도 공을 이룰 수 있을 듯합니다."

두 사람은 술자리를 파하고 헤어졌다. 여러 장수들이 그 자리에 있었어도 두 사람이 무슨 말을 했는지는 알지 못했다.

조조는 어처구니없이 화살을 15, 6만개나 잃고 나니, 몹시 기분이 상하고 울적했다. 그때 순유가 나서서 한가지 계책을 내놓는다.

"지금 강동은 주유와 제갈량 두 사람이 계략을 쓰고 있어서 쉽게 물리치기 어렵습니다. 그러니 사람을 동오로 보내 거짓으로 항복하는 체하고 속사정을 염탐한 뒤에 우리와 내통하도록 해야 일을 도모하기 쉬울 것입니다."

조조가 말한다.

"그 말이 나의 뜻과 같도다. 그러면 우리 군중에서 누굴 보내는 게 좋겠나?"

"채모가 참수당했지만 채씨 종족은 모두 우리 군중에 있으며, 채모의 아우 채중(蔡中)과 채화(蔡和)는 지금 부장으로 있습니다. 승상께서 그들에게 은혜를 베풀어 마음을 붙드신 다음 동오로 보내 거짓항복하게 하면 동오에서는 의심하지 않을 것입니다."

순유의 말을 받아들여 조조는 그날밤 채중과 채화 두 사람을 가만히 장막으로 불러들였다.

"너희 두 사람은 군사를 조금만 데리고 동오로 가서 거짓으로 항복해 저쪽 사람으로 있다가, 저들의 움직임을 비밀리에 알리도록 하라. 일이 이루어진 후에는 큰 상을 내릴 것이니, 절대로 딴마음을 품지 말라."

채중과 채화가 대답한다.

"처자가 모두 형주에 있는데, 어찌 감히 딴마음을 품겠습니까? 승상께서는 의심을 거두십시오. 저희들이 반드시 주유와 제갈량의 머리를 가져와 승상께 바치겠사옵니다."

조조는 몹시 기뻐하며 그들에게 후한 상을 내렸다. 이튿날 채중과 채화는 군사 5백여명을 두어 척의 배에 나누어 태우고 순풍을 받으며 강동을 향해 떠났다.

한편 주유는 수하장수들과 진병할 계획을 의논하고 있는데, 사람이 들어와 아뢴다.

"강북에서 몇척의 배가 당도했는데, 채모의 아우 채중과 채화가 항복하러 왔다고 합니다."

주유는 두 사람을 속히 데려오게 했다. 채화와 채중이 주유에게 엎드려 울며 호소한다.

"저희 형 채모가 죄 없이 조조에게 참수당한 것이 분하여, 저희 두 형제는 형님의 원수를 갚고자 투항합니다. 도독께서 다행히 거두어주신다면 선봉이 되겠습니다."

주유는 두 사람에게 후한 상을 내리고, 즉시 감녕에게 명하여 선봉으로 삼게 했다. 두 사람은 절을 올리며 속으로 쾌재를 불렀다.

'주유가 우리 계교에 넘어갔구나!'

채중과 채화 두 사람이 물러나자, 주유는 은밀히 감녕을 불러들여 분부를 내린다.

"채중과 채화 두 사람이 식솔을 거느리고 오지 않은 것으로 보아, 항복한 게 아니라 조조가 염탐꾼으로 보낸 게 분명하다. 내 이제 장계취계(將計就計, 적의 계략을 미리 알아 역이용하는 계책)하여 저희들로 하여금 우리 소식을 조조에게 통보하게 할 것이다. 그대는 아무쪼록 은근히 저들을 대접하며 동정을 살피도록 하라. 출병하는 날에는 먼저 두 사람의 머리로 군기(軍旗)에 제를 올릴 것이니, 조심하여 일을 그르치지 않도록 하라."

감녕이 주유의 영을 받고 물러나가고, 노숙이 들어와 말한다.

"채중과 채화가 아무래도 거짓으로 항복한 게 분명하니, 거두지 마십시오."

주유는 도리어 노기를 띠고 말한다.

"죄도 없이 저희 형이 조조에게 참수당해 원수를 갚고자 온 것인데, 무슨 거짓이 있단 말이오? 그대처럼 의심이 많아서야 어떻게 천하의 선비들을 거두어 쓰겠소?"

노숙은 아무 말도 못하고 물러나와 공명을 찾아갔다. 노숙이 공명에게 이 사실을 말하니, 공명은 빙그레 웃기만 할 뿐 아무 말이 없다. 노숙이 답답해서 묻는다.

"선생은 왜 웃기만 하십니까?"

공명이 그제서야 입을 열고 대답한다.

"주유가 계략을 쓰는 것을 공께서 모르니 답답해서 웃은 것이오. 너른 강이 펼쳐 있어 서로 염탐꾼이 오갈 수 없으니, 조조가 채중과 채화로 하여금 거짓항복하게 하여 기밀을 탐지해오라고 우리 군중에 보낸 것이오. 주유는 이를 알면서도 장계취계하여 바야흐로 저들을 시켜 우리 소식을 전하게 하려는 것이라오. 원래 병사(兵事)에는 속임수가 있게 마련이니, 주유의 계책이 옳소이다."

노숙은 그제야 깨닫고 돌아갔다.

그날밤 주유가 혼자 장막 안에 앉아 있는데, 갑자기 황개가 남의 눈에 띄지 않게 몰래 들어왔다. 주유는 반갑게 그를 맞아들였다.

"공복(公覆, 황개의 자)이 이 밤에 나를 찾아온 것을 보니 좋은 계책이라도 있는 모양이외다."

황개가 말한다.

"조조는 대군이고 우리는 군사가 적어 싸움을 오래 끌수록 불리하거늘, 도독께서는 어찌하여 화공을 쓰지 않습니까?"

주유가 은근히 놀라며 묻는다.

"그대에게 누가 이 계책을 일러주었소?"

황개가 대답한다.

"내가 혼자서 생각한 것이지 다른 사람이 일러준 게 아닙니다."

"사실은 나도 같은 생각을 하고 있었소. 그래서 채중과 채화가 거짓으로 투항한 걸 알면서도 그들을 거두어 우리 군중의 소식을 조조에게 알리게 하려는데, 문제는 나를 위해 저쪽에 거짓으로 투항해서 일을 꾸밀 사람이 없는 것이오."

황개가 결연히 말한다.

"만일 도독께서 원하신다면 제가 해보겠습니다."

주유는 고개를 가로젓는다.

"이는 결코 쉬운 일이 아니오. 그대가 큰 고통을 겪지 않으면 결코 저들이 믿으려 하지 않을 게요."

"나는 손씨 집안으로부터 두터운 은혜를 받은 몸이오. 비록 간뇌도

지(肝腦塗地)하는 일이 있더라도 절대 원망하지 않을 것입니다."

주유가 일어나서 황개에게 절을 올리며 말한다.

"공이 만약 이 고육지계(苦肉之計)를 행해준다면, 우리 강동으로서는 참으로 천만다행한 일일 것이오."

황개는 마주 절하며 굳은 의지를 내보였다.

"설사 죽는대도 맹세코 후회하지 않겠습니다."

이튿날, 주유는 북을 쳐서 모든 장수를 장막 앞에 모이게 했다. 공명도 그 자리에 나와 앉아 있었다.

"조조가 백만대군을 이끌고 와서 3백리에 걸쳐 진을 치고 있으니, 도저히 하루이틀에 물리칠 수는 없는 노릇이다. 이제 모든 장수들에게 영을 내리노라. 석달치 식량과 마초를 나누어줄 터이니, 모두 적과 맞서싸울 준비를 하라!"

주유의 말이 채 끝나기도 전에 황개가 나서며 말한다.

"석달은 고사하고 서른달치의 식량과 마초를 준비한다 하더라도 뜻을 이루기 어려울 것이오. 당장 이달 안으로 조조를 격파할 수 있으면 하는 것이고, 만일 격파할 수 없다면 일전에 장소가 말한 대로 갑옷을 벗고 칼을 거두어 북면하고 조조에게 항복하는 게 낫겠소이다!"

황개의 말에 주유는 격분하여 얼굴빛마저 변해 소리친다.

"내가 일전에 주공의 명을 받들어 조조를 공격하기로 할 때, 감히 항복하자는 말을 입밖에 내는 자가 있으면 누구를 막론하고 반드시 목을 벨 것이라고 했거늘, 지금 양군이 서로 팽팽하게 맞서고 있는 마당에 네가 감히 그런 말로 군심을 어지럽히다니 용서할 수 없다. 너를 참수형에 처하지 않고서는 다른 사람을 복종시킬 수 없으니, 후회해도 이미 늦었다!"

주유는 즉시 황개를 끌어내 목을 베라고 명했다. 황개도 전혀 기세를 누그러뜨리지 않은 채 노기등등하여 맞고함을 지른다.

"내 일찍이 파로장군(破虜將軍, 손견)을 모시고 동남으로 종횡하며 3대를 모셔온 터인데, 그동안 너는 어디서 무엇을 했단 말이냐?"

주유는 화가 치밀어 폭발할 지경이 되어 호령한다.

"속히 황개의 목을 베지 않고 무엇들 하는가!"

이때 감녕이 황망히 나서며 간곡히 말한다.

"황개는 동오의 오랜 신하이니, 바라옵건대 너그러이 용서해주십시오."

주유가 화를 참지 못하고 호통친다.

"네 어찌 여러 말로 내 법도를 문란케 하느냐?"

그러고는 좌우를 둘러보며 영을 내린다.

"먼저 감녕에게 곤장을 쳐라!"

감녕이 곤장을 맞고 내쫓겼다. 주유는 다시 황개의 목을 베라고 득달같이 소리쳤다. 그러자 모든 관원들이 일제히 무릎을 꿇고 청한다.

"황개의 죄는 죽어 마땅하오나 다만 군사(軍事)에 이롭지 않으니, 바라옵건대 도독은 너그러이 용서하시어 황개의 죄를 기록해두셨다가 조조를 물리친 후에 목을 베더라도 늦지 않을 것입니다."

그래도 주유의 노기는 좀처럼 가라앉지 않는다. 또다시 모든 관원들이 애걸하며 구원을 청하니, 주유는 마지못한 듯 물러섰다.

"마땅히 저자의 목을 벨 것이나, 여러 관원의 낯을 보아 목숨만은 붙여두겠다. 우선 곤장 1백대를 쳐서 그 죄를 다스리겠노라."

관원들이 거듭 용서를 청했다. 순간 주유는 앞에 있는 탁자를 뒤집어엎으며 호령한다.

"어서 끌어내 곤장을 치지 못할까!"

드디어 황개는 끌려나가 옷이 벗겨진 채 땅바닥에 엎드려 곤장 50대를 연이어 맞았다. 온통 피투성이가 되어 황개가 혼절하니, 또다시 관원들이 무릎을 꿇고 용서를 빌었다. 주유는 자리에서 벌떡 일어나 손으로 황개를 가리키며 소리친다.

"네가 그래도 나를 업신여길 테냐? 남은 곤장 50대는 내가 맡아두 었다가, 만약 또다시 오만방자하게 굴면 그때는 두 가지 죄를 함께 다스릴 것이다!"

주유는 분에 못이겨 씩씩거리며 장막으로 들어가버렸다. 모여 있던 관원들이 달려들어 황개를 부축하니, 독한 매질에 살가죽이 터져 속 살이 드러나고 상처마다 붉은 피가 흘러내려 차마 눈뜨고 볼 수 없었 다. 여러 사람이 겨우 부축해 본채로 데려와 자리에 눕히니, 황개는 몇번이나 혼절했다가 깨어나기를 반복했다. 이 참혹한 광경을 보고 울지 않는 이가 없었다. 노숙은 황개를 찾아보고 위로한 다음, 공명이 있는 배로 와서 화가 난 투로 말한다.

"오늘 공근이 노하여 황개를 벌할 때, 우리야 아랫사람이라 아무 말도 못했으나, 선생은 손님의 처지로 계신데 어찌하여 한 말씀도 없 이 수수방관하셨습니까?"

공명이 웃으며 말한다.

"자경은 왜 나를 속이려 하시오?"

노숙은 무슨 말인지 몰라 눈을 둥그렇게 뜨고 묻는다.

"그동안 선생과 함께 강을 건너온 뒤로 단 한번도 선생을 속인 일 이 없건만, 대체 그게 무슨 말씀입니까?"

"자경은 오늘 공근이 황개를 벌한 것이 바로 계략이었다는 걸 모르고서 하는 말씀이오? 일부러 하는 일인 걸 아는데 내가 어찌 말릴 수 있겠습니까?"

노숙은 그제야 깨닫고 고개를 끄덕였다. 공명은 다시 말을 잇는다.

"고육지계를 쓰지 않고서 어찌 조조를 속일 수 있겠소? 이제 황개로 하여금 조조에게 거짓항복하게 할 것이고, 채중과 채화로 하여금 이 일을 조조에게 알리도록 할 것이오. 그대는 주유에게 행여 내가 그의 계교를 다 알더라고 하지 말고, 오히려 도독의 무정함을 원망하더라고만 하십시오."

노숙은 돌아가서 주유에게 말한다.

"오늘 어찌하여 황개에게 그리 심하게 하셨습니까?"

주유가 되묻는다.

"모든 장수들이 나를 원망합디까?"

"모두들 속으로 불안한 모양입디다."

"공명은 무어랍디까?"

"공명도 도독이 좀 심했다고 은근히 원망하는 눈치였습니다."

주유가 웃으며 말한다.

"공명도 이번만큼은 내게 속고 말았구려."

노숙이 시치미를 떼고 묻는다.

"무슨 말씀이오?"

"오늘 황개를 그리 모질게 대한 것은 사실 계략이었소이다. 고육지계를 써서 우선 황개로 하여금 거짓항복을 하게 하고, 조조를 속여 화공으로 친다면 쉽게 이길 수 있을 것이오."

노숙은 마음속으로 새삼스레 공명의 높은 식견에 탄복했다. 그러나 공명이 당부한 대로 그 사실을 주유에게 말하지는 않았다.

한편 황개가 홀로 장막에 누워 있는데, 모든 장수들이 찾아와 그를 위로한다. 하지만 황개는 아무 말도 않고 어두운 얼굴로 긴 한숨을 토해낼 뿐이다. 그때 시종이 와서 알리기를 참모 감택(闞澤)이 왔다고 전한다. 황개는 사람들을 모두 물러가게 하고 그를 불러들였다. 감택이 먼저 묻는다.

"장군께서는 도독과 무슨 원수진 일이 있으신지요?"

황개가 대답한다.

"그런 일 없소."

"그러면 오늘 공께서 벌을 받으신 게 혹시 고육지계가 아닌지요?"

"어찌 아셨소?"

"내 도독의 거동을 보고 십중팔구는 짐작했소."

황개가 말한다.

"내가 3대를 거쳐 오후(吳侯)의 큰 은혜를 입고도 갚을 길이 없었는데, 이 고육지계로라도 조조를 물리치려는 것이니, 비록 고통을 받았지만 아무런 한도 없소이다. 군중을 두루 보아도 도무지 믿을 만한 심복이 없고, 오로지 그대가 충의로운 마음을 품고 있기에 내 감히 마음속에 품은 말을 털어놓을까 하오."

감택이 곰곰이 생각해보다 한마디 한다.

"장군께서 내게 속말을 하신다는 것은 혹시 나에게 거짓 항서를 바치라는 뜻이 아닙니까?"

황개가 감택의 손을 마주잡고 말한다.

"바로 그것을 청하려 했는데, 받아들일 수 있겠소?"

감택은 웃는 낯으로 선뜻 승낙했다.

용맹한 장수 몸을 던져 주군에게 보답하려 하고   勇將輕身思報主

모사 또한 나라 위해 마음을 같이했네   謀臣爲國有同心

감택은 과연 황개와의 언약을 지킬 것인가?

47

연환계

감택은 몰래 거짓 항서를 바치고
방통은 교묘히 연환계를 일러주다

감택은 자가 덕윤(德潤)으로, 회계 산음(山陰) 사람이다. 집안이 가
난했으나 학문을 좋아하여 일찍이 남의집살이를 하면서도 책을 빌려
다가 한번 읽으면 잊어버리는 일이 없었고, 또한 남달리 언변이 좋은
데다 담력이 뛰어났다. 손권이 불러다 수하에 참모로 두었는데, 여러
장수들 중에서 특히 황개와 교분이 두터웠다. 황개는 감택이 말을 잘
하고 담력이 있는 것을 알고, 그가 조조에게 거짓 항서를 전해주기를
바랐던 것이다. 감택이 흔쾌히 승낙하고 말한다.

"대장부가 세상에 나서 능히 공업(功業)을 세우지 못한다면 썩어버

리고 마는 초목과 무엇이 다르겠소? 공이 이미 몸을 내던져 주공께 보답하려 하는 터에, 나 혼자 구구히 목숨을 아껴 무엇하겠소?"

황개가 급히 자리에서 내려와 절하고 사례하니 감택이 결연한 태도로 말을 잇는다.

"시각을 지체할 일이 아니오. 내 즉시 떠나리다."

"항서는 이미 써놓았소."

황개는 기쁜 마음으로 감택에게 항서를 건네주었다. 감택은 항서를 받아 품속 깊숙이 간직한 후, 그날밤으로 평범한 어부로 꾸미고 작은 배에 올라 북쪽 언덕을 향해 노를 저어갔다. 밤하늘에는 유독 별빛이 가득했다. 3경쯤 되어 감택이 탄 배는 조조의 수채에 다다랐다. 순찰 중이던 군사가 발견하고 달려들어 붙잡아놓고서 곧장 조조에게 달려가 알렸다. 조조가 묻는다.

"혹시 동오의 염탐꾼이 아니더냐?"

군사가 아뢴다.

"차림새는 그저 어부 같은데, 자기가 동오의 참모 감택이라고 하면서 긴히 드릴 말씀이 있어 승상을 뵙겠다고 하옵니다."

"즉시 이리로 불러들여라."

감택이 군사에게 끌려와 보니, 장막 안은 등촉이 휘황한데 조조가 의자에 기대어 꼿꼿이 앉아 있다가 묻는다.

"네놈은 동오의 참모라면서 여기는 무슨 일로 왔느냐?"

감택이 혼잣말 하듯 대답한다.

"내 듣기로 조승상은 마치 목마른 사람이 물을 찾듯 어진이를 구한다고 하였는데, 지금 들어보니 모두 괜한 소리였구려. 공복(公覆, 황개의 자)이여, 그대가 잘못 알고 몸만 망쳤구나!"

조조가 말한다.

"내 이제 동오와 접전을 하려는 때인데 네가 이렇듯 사사로이 이곳에 왔으니, 어찌 한마디도 묻지 않을 수 있겠는가?"

감택은 조용히 고한다.

"황공복은 3대째 주공을 섬긴 동오의 오랜 신하올시다. 그런데 주유가 이번에 죄없이 여러 사람 앞에서 형벌을 내리니, 황공복이 분함을 이기지 못하고 승상께 항복하여 원수를 갚겠다고 내게 의논했소이다. 본래 황공복과 나는 골육(骨肉, 골육지친. 곧 형제처럼 가까움)이나 진배없는 사이라 이렇게 은밀히 와서 항서를 바치는 것이니, 승상께서는 우리를 받아들이시겠소?"

감택은 이렇게 말하고 품속에서 황개의 항서를 꺼내 조조에게 바쳤다. 조조가 등불 아래서 항서를 읽는다.

이몸 황개는 오랫동안 손씨 집안으로부터 크나큰 은혜를 입어온 터라 딴마음을 품을 수 없는 사람입니다. 그러나 오늘날의 형세를 본다면 강동의 여섯 군으로 중원의 백만대군을 대적한다는 것이 중과부적(衆寡不敵)임은 천하가 다 아는 일이요, 동오의 장졸들도 똑똑한 자건 어리석은 자건 싸워서 이길 수 없다는 것을 다 알고 있습니다. 하지만 어린애 같은 주유 혼자 어리석고 얕은 생각으로 스스로 제가 능하다 믿고 부질없이 달걀로 바위를 치려 하며, 제 위엄을 세우기 위해 죄없는 자에게 형벌을 내리고 공이 있는 자에게 상을 주지 않는 형편입니다. 게다가 3대를 섬겨온 옛 신하인 나는 이번에 이유없이 살가죽이 벗겨지는 형벌을 당했으니, 실로 마음에 맺히는 원한을 억누를 길이 없소이다. 듣자하니 승상께서는 성심으로 사람을 대접하고 어진이를 받아주신다기에, 내 이제 수하들을 이끌고 항복하여 공을 세워서 치욕을 씻고자 합니다. 또한 군량과 마초, 무기 등도 배편이 허락하는 대로 바치겠습니다. 피눈물로 아뢰오니, 만에 하나 의심치 마소서.

조조는 황개의 항서를 탁자 위에 놓고서 10여 차례나 되풀이 읽어보다가, 갑자기 주먹으로 탁자를 쾅 내리쳤다. 그러고는 눈을 부릅뜨며 큰소리로 호령한다.

"황개가 고육지계를 쓰고, 너에게는 거짓 항서를 바치게 하여 우리 군중을 어지럽히다니, 네가 감히 우리를 농락하려는 것이냐?"

조조는 즉시 좌우에게 명한다.

"저자를 당장 끌어내 목을 베어라!"

순간 군사들이 무서운 기세로 감택을 장막에서 끌어낸다. 감택은 얼굴빛 하나 변하지 않고 하늘을 향해 고개를 젖히고 껄껄 웃었다. 감택의 하는 양을 보고 있던 조조는 다시 감택을 제 앞으로 끌어오라 명했다.

"너희들의 간사한 계략을 내가 다 알고 죽이려는 것인데, 너는 무엇 때문에 웃는가?"

"그대를 보고 웃는 게 아니다. 황공복이 어찌 이리도 사람을 잘못 보았나 한심해서 웃었다."

"그건 또 무슨 소리냐?"

감택은 버럭 소리를 질러 대꾸한다.

"나를 죽일 생각이라면 어서 죽여라. 무슨 잔말이 그리도 많은가!"

조조가 애써 노기를 누르며 말한다.

"나는 어려서부터 병서를 숙독해 간사한 계교를 다 알고 있으니, 너희들의 얕은 꾀는 다른 사람은 속일 수 있을지 몰라도 나를 속이지는 못할 것이다."

감택이 다시 말한다.

"그럼 대체 그 글의 어느 부분이 거짓인지 말해보라."

"자세히 일러줄 터이니 다 듣고 너는 죽더라도 나를 원망하지 마라. 만일 너희가 진심으로 항복하는 것이라면, 어찌하여 거사할 날짜를 밝히지 못하느냐. 그래도 내게 무슨 할말이 있는가?"

감택은 어이없어하며 웃음을 터뜨렸다.

"그러고도 그대가 병서를 숙독했다고 자랑하다니 참으로 가소롭구나. 그 정도라면 한시바삐 군사를 거두어 돌아가는 것이 상책이겠다. 만약 이대로 동오와 싸우는 날에는 반드시 주유의 손에 사로잡히고 말 것이다. 이 배우지 못한 자여, 내가 네 손에 죽는다는 게 원통할 뿐이다!"

조조가 다시 묻는다.

"어찌하여 내가 배우지 못했다는 것이냐?"

"네가 계책을 모르고 도리에 밝지 못하니, 어찌 병서를 배웠다고 할 수 있겠느냐?"

"내가 무엇을 모른다는 것인지 한번 말해보라."

"네가 어진 선비를 대접하는 예절도 모르는데, 내가 여러 말 해서 무엇하겠는가? 네 손에 죽으면 그만이지."

"네 말이 사리에 맞다면 내가 자연 승복할 게 아니냐?"

그제서야 감택이 설명한다.

"너는 '주인을 배반하고 도적질하는 데는 기일을 미리 정해서는 안

된다'는 말도 못 들었더냐? 만약 미리 날짜를 약속해두었다가 갑자기 못 지킬 상황이 생기고, 이쪽에서는 그것도 모르고 섣불리 접응하러 나간다면 그 일은 반드시 탄로나고 말 것이다. 따라서 기회를 엿보다 좋을 때 행해야지, 어찌 날짜를 미리 정해놓고 하겠느냐? 네가 이런 이치도 모르고 죄없는 사람을 무작정 죽이려고만 하니, 참으로 배우지 못한 자로다."

조조는 감택의 말을 듣더니, 얼른 얼굴빛을 고치고 자리에서 내려와 사죄한다.

"내가 사리에 어두워서 그만 그대에게 예의를 갖추지 못했으나, 과히 허물치 마시오."

그제야 감택이 공손히 대답한다.

"제가 황공복과 더불어 투항하는 것은 마치 어린아이가 부모를 찾는 것과 같거늘, 어찌 털끝만큼이라도 거짓이 있겠습니까?"

조조는 기쁨을 감추지 못한다.

"만약 두 사람이 큰 공을 세운다면, 반드시 벼슬이 남의 윗자리에 있을 것이오."

"우리는 결단코 벼슬을 얻기 위해서 하는 일이 아닙니다. 하늘과 백성의 뜻에 따르려 할 뿐입니다."

조조가 잔치를 베풀어 감택에게 술을 내어 대접하고 있는데, 문득 한 사람이 장막으로 들어와 조조의 귀에 대고 속삭인다. 조조가 말한다.

"어디 그 서신을 한번 보자."

그 사람이 품안에서 한통의 밀서를 꺼내 올렸다. 서신을 읽는 조조의 얼굴에 즐거운 빛이 역력하다. 감택은 이 모양을 보고 생각했다.

'필시 채중과 채화 쪽에서 황개가 형벌을 받은 소식을 전한 게 틀림없으리라. 조조는 이제 우리들의 항복을 진정으로 믿고 기뻐하는 모양이다.'

조조가 다시 감택을 돌아보며 말한다.

"바라건대 선생은 강동으로 돌아가 황개와 거사를 정한 후 다시 내게 소식을 전해주어야겠소이다. 그러면 내가 군사를 이끌고 그대들을 맞이하러 가리다."

감택은 고개를 가로젓는다.

"나는 이미 강동을 떠난 몸이라 다시 돌아갈 수 없으니, 승상께서는 부디 황개에게 다른 사람을 보내 기별하십시오."

"만약 다른 사람을 보내면 일이 누설되기 쉬우니, 아무래도 선생이 가야겠소."

감택은 재차 사양하다가 잠시 뜸을 들인 후에 말한다.

"내가 가야 한다면 더이상 시간을 지체할 수 없지요. 지금 당장 떠나는 게 좋겠습니다."

조조는 감택에게 황금과 비단을 후하게 내렸다. 그러나 감택은 한사코 사양하고 즉시 배에 올라 강동으로 돌아왔다.

감택은 돌아오자마자 황개를 찾아가 조조와 있었던 일을 자세히 전했다. 황개가 듣고 나서 말한다.

"만약 그대의 담력과 구변이 없었다면, 고육지계가 허사로 돌아가 내가 부질없이 매만 맞은 꼴이 되었을 것이오."

"이제 감녕의 영채로 가서 채중과 채화의 동정을 좀 보고 오리다."

"좋은 생각이오."

황개에게서 물러나온 감택은 감녕의 처소를 찾았다.

"장군께서 어제 황공복을 구하려다 도리어 주유에게 욕을 보신 게 어찌나 분하고 민망하던지 참기 힘들더이다."

감녕은 대답을 않고 웃기만 한다. 바로 그때 채중과 채화 형제가 들어왔다. 감택이 눈짓을 보내자 감녕은 이내 그 뜻을 알아차렸다.

"주유가 자기 재주만 믿고 우리 모두를 멸시하지 않소? 어제는 여러 장수들 앞에서 모욕을 당하고 말았으니, 참으로 사람들 보기에 부끄러워 쥐구멍이라도 찾고 싶은 심정이오!"

감녕은 말을 마치고는 이를 갈며 주먹으로 탁자를 내리쳤다. 감택이 짐짓 감녕의 귀에 대고 속삭이자 감녕은 듣고 있다가 말없이 고개를 숙이며 긴 한숨을 토해냈다. 채중과 채화는 감녕과 감택에게 반역할 뜻이 있음을 눈치채고 은밀히 말을 건넨다.

"장군께서는 무슨 일로 번민하시며, 또 선생께서는 무슨 불평이 있으십니까?"

감택이 말한다.

"우리가 가슴속에 품은 괴로움을 너희가 어찌 알겠느냐?"

채화가 한마디 한다.

"혹시 동오를 배반하고 조조에게 투항하시려는 게 아니오?"

감택의 얼굴빛이 돌변하고, 감녕은 어느새 칼을 뽑아들며 자리에서 벌떡 일어났다.

"우리 속뜻을 알았으니, 너희를 죽여서라도 입을 봉할 도리밖에 없다!"

감녕은 즉시 칼을 내려칠 기세였다. 채중과 채화가 황망히 말한다.

"두 분께서는 아무 염려 마시오. 우리도 심중을 밝히리다."

감녕이 재촉한다.

"할말이 있거든 어서 하라."

채화가 말한다.

"저희들은 사실 조승상의 분부를 받고 동오에 거짓으로 투항한 것이오. 만일 두 분께 진심으로 귀순할 마음이 있으시다면, 저희가 주선해 드리리다."

"그 말이 사실이냐?"

감녕이 묻자 두 사람이 동시에 대답한다.

"어찌 감히 거짓을 고하리까? 이 머리를 두고 맹세하오."

감녕은 짐짓 기뻐하는 빛을 띠었다.

"그게 사실이라면 하늘이 준 기회로구나."

채중이 말한다.

"황공복과 장군께서 곤욕을 치르신 일도 저희가 벌써 승상께 알려 드렸습니다."

곁에 잠자코 앉아 있던 감택이 한마디 한다.

"나도 황공복을 위해 그의 항서를 조승상께 갖다 바치고, 이번에는 흥패(興覇, 감녕의 자)에게 투항하자고 약조하려던 참이었소."

감녕이 다시 말한다.

"대장부가 세상에 나서 밝은 주인을 만난 이상, 마음을 기울여 섬기는 것은 마땅한 일이오."

네 사람은 더불어 술을 마시며 거사를 모의했다. 채중과 채화는 술자리를 파한 즉시 동오의 대장 감녕도 함께 내응하기로 했다는 편지를 비밀리에 조조에게 보냈다. 감택 또한 따로 글을 써서 사람을 시켜 조조에게 은밀히 전하였다.

황개가 곧 떠나려 하나 아직 기회가 닿지 않아 결행을 못하거니와, 뱃머리에 청아기(靑牙旗, 아기牙旗는 대장기임)를 꽂고 가는 배가 있거든 바로 황개가 가는 배인 줄로 아시오.

잇달아 두 통의 밀서를 받은 조조는 어쩐지 의심스런 생각이 들어 결정을 내리지 못하고 모사들을 불러 의논한다.

"감녕은 주유에게 모욕을 당해 우리에게 내응하겠다고 하고, 또 황개는 형벌을 받고 감택을 시켜 항서를 전해왔는데, 모두 그대로 믿기는 어려운 노릇이다. 누가 주유의 영채로 숨어들어가 진위 여부를 알아오겠느냐?"

말이 떨어지기 무섭게 장간이 나선다.

"지난번에 동오까지 갔다가 변변히 공을 세우지도 못하고 돌아와 아직까지도 부끄러움에 얼굴을 들 수가 없습니다. 승상께서 다시 한번 기회를 주신다면 목숨을 걸고라도 반드시 그곳 실정을 알아가지고 돌아오겠사옵니다."

조조가 크게 기뻐하며 곧 허락했다. 장간은 작은 배에 올라 순풍에 돛을 달고 동오의 수채 근처에 다다랐다. 그는 곧 사람을 시켜 자기가 온 것을 주유에게 알리게 했다.

주유는 장간이 다시 왔다는 보고에 크게 기뻐했다.

"나의 성공은 오로지 이 사람에게 달려 있도다!"

주유는 노숙을 불렀다.

"즉시 방사원(龐士元)을 청해다 나를 위해 이러이러하게 해주십사 부탁드려주오."

본래 양양 사람 방통(龐統)의 자는 사원(士元)으로, 난리를 피해 강동에 와서 머물고 있었다. 노숙이 일찍이 주유에게 방통을 천거했는데, 방통이 미처 찾아가지 못하고 있는 중에 주유가 먼저 노숙을 보내 어떻게 하면 조조를 쳐부술 수 있는지 계책을 물은 적이 있었다. 그때 방통은 이렇게 말했다.

"조조 대군에게는 반드시 화공을 써야 하는데, 큰 강물 위에서는 배 한척에 불이 붙었다고 해도 나머지 배들이 모두 흩어져버리고 나면 아무 소용도 없는 일이오. 이럴 때는 연환계(連環計, 적에게 첩자를 보내 계교를 꾸미고 그사이 자신은 승리를 얻는 계책)를 써서 모든 배들을 한데 붙들어매놓은 다음에라야 성공할 수 있을 것이오."

노숙이 이 말을 그대로 주유에게 전하자 주유는 그 의견에 깊이 감복하여 말했다.

"그 계책을 실행할 사람은 오로지 방통밖에 없소이다."

노숙이 묻는다.

"하지만 간특한 조조를 어떻게 속여넘길 수 있겠습니까?"

주유는 그에 대해 별다른 방책이 서질 않아 궁리하고 있었는데, 마침 장간이 다시 왔다는 보고를 받은 것이다. 주유는 먼저 노숙을 방통에게 보내 계책을 쓰게 하고, 자기는 장막에 앉아서 사람을 시켜 장간을 맞이하도록 했다. 장간은 주유가 친히 나와서 맞이하지 않자 일단 불안해지며 의심이 들어 곧 배를 한적한 강기슭에 매놓고 주유의 영채로 들어갔다. 주유는 장간을 보자마자 얼굴에 노기를 띠고 큰소리로 책망한다.

"자네가 어떻게 나를 그리 속일 수 있단 말인가?"

장간이 웃으며 대답한다.

"나는 자네와 형제나 다름없는 사이라 내 심중을 털어놓을까 하고 찾아왔는데, 내가 자네를 속이다니 그게 무슨 말인가?"

주유는 계속 노기 띤 음성으로 말한다.

"자네가 나를 설복하여 항복을 받을 생각인 모양인데, 바닷물이 마르고 바위가 닳아 없어지기 전에는 안될 말이네. 지난날 함께 공부한 정리로 아무런 경계심 없이 자네와 흔쾌히 술을 마시고 취해서 한침상에서 잠이 들었지. 그런데 자네는 내게 온 서신을 훔쳐가지고 작별 인사도 없이 가서 조조의 손에 넘겨주고 채모와 장윤을 죽게 하여 내일을 물거품으로 만들어버리지 않았는가! 그런데 지금 또 왔으니, 필시 좋은 뜻이 있을 리 만무하네. 자네의 소행을 보면 단칼에 두 동강을 내도 시원치 않으나, 옛 정리를 생각해 목숨만은 붙여두겠네. 나는 이제 곧 조적을 칠 터이니 자네를 돌려보낼 수는 없고, 그렇다고 이대로 군중에 머물게 했다가는 또 기밀이 누설될 게 뻔한 일이야."

주유는 즉시 좌우에게 분부한다.

"자익을 서산 암자로 모시고 가 편히 쉬게 하라."

장간이 입을 열어 한마디 하려 했으나, 주유는 그대로 장막 안으로 들어가버렸다. 곧이어 사람들이 말을 끌고와서 장간을 태우고는 서산의 작은 암자로 데리고 갔다. 그리고 군사 두어 명을 두어 장간을 감시했다.

장간은 벼락치듯 삽시간에 암자로 끌려온 뒤로 자는 것도 먹는 것도 모두 내키지 않고, 바늘방석에 앉아 있는 것만 같았다. 어느날 밤, 하늘 가득히 별빛이 반짝일 무렵이었다. 장간은 홀로 뒤뜰을 거닐고 있었다. 그때 어디선가 책 읽는 소리가 낭랑하게 들려온다. 장간은 한 걸음 두 걸음 그 소리를 쫓아 올라갔다. 얼마 멀지 않은 곳에 초가집 한 채가 바위에 의지해 서 있는데, 그 안에서 불빛이 새어나오고 있었다. 장간은 다가가 가만히 안을 엿보았다. 방안에는 한 사람이 벽에 칼을 걸어놓고 등잔불 아래 단정히 앉아 손오병서(孫吳兵書)를 외우고 있었다.

'필시 보통사람이 아니다.'

장간은 이렇게 생각하고, 방문을 두드렸다. 곧이어 주인이 나와서 문을 열어주는데, 한눈에 보니 그 의표(儀表)가 범상치 않았다. 장간이 성명을 묻자 그가 대답한다.

"내 성은 방(龐)이요 이름은 통(統), 자는 사원이오."

장간은 화들짝 놀랐다.

"그러면 바로 봉추선생이 아니십니까?"

"그렇소이다."

장간은 반색하며 말한다.

"선생의 높은 이름은 이미 오래 전부터 들었습니다. 그런데 어찌하여 이렇게 궁벽한 곳에 홀로 계시는지요?"

방통이 대답한다.

"주유가 자기 재주만 믿고 다른 사람을 용납하지 않기에 이곳에 잠시 숨어 있소이다. 그런데 공은 뉘시오?"

"저는 장간이라는 사람입니다."

방통은 장간을 방안으로 청해들여 자리를 나누어 앉았다. 장간이 말한다.

"선생의 재주가 높은데 어디에 가신들 유용하게 쓰이지 않겠습니까? 만일 조승상께 가실 뜻이 있으시다면, 제가 모시고 가지요."

방통이 말한다.

"강동을 떠나려 한 지 이미 오래되었소. 그대가 나를 데려다줄 생각이라면 지금 곧 이곳을 떠나는 게 좋겠소. 지체했다가 혹시 주유에게 들킨다면 우리 둘 다 목숨을 잃을 것이오."

방통과 장간 두 사람은 그날밤으로 산을 내려왔다. 너무 밤이 깊어 장간을 감시하던 군사들은 잠에 빠져 있었다. 강기슭에 다다른 두 사람은 장간이 타고 온 배를 찾아 몸을 싣고, 강북을 향해 서둘러 노를 저었다.

드디어 조조의 수채에 이르렀다. 장간이 먼저 들어가서 알리자 조조는 봉추선생이 왔다는 말을 듣고 몸소 영접하러 나왔다. 방통과 장간을 청해들여 자리를 정해 앉고 나서, 조조가 먼저 말을 꺼낸다.

"주유가 나이 어려 자기 재주만 믿고 사람을 업신여기며 선생의 좋은 계책을 귀담아듣지 않았다지요? 내 선생의 높은 이름을 익히 들어 알고 있었는데, 이제 이렇게 왕림해주시니 기쁘기 그지없소이다. 부디 가르침을 아끼지 마십시오."

방통이 대답한다.

"승상의 용병은 법도가 있다고 들었습니다. 청컨대 군사들의 진용을 한번 구경시켜주시지요."

조조는 곧 방통과 함께 말을 타고 높은 곳으로 올라가 먼저 육지의 영채를 보여주었다. 방통은 조조와 말머리를 나란히하여 쭉 둘러보고 나서 말한다.

"산을 끼고 숲을 의지해 앞뒤가 서로 마주하고, 또한 출입하는 통로가 있고 나아가고 물러설 수 있는 굽은 길이 얽혀 있으니, 참으로 손오(孫吳, 손무孫武와 오기吳起. 춘추시대 병법의 대가)가 다시 살아나고 양저(穰苴, 춘추시대 제나라 사람 사마양저司馬穰苴. 병법에 능함)가 다시 오더라도 이보다 능하지는 못할 것입니다."

조조가 겸손하게 대꾸한다.

"선생은 너무 칭찬만 마시고 부족한 것을 가르쳐주십시오."

두 사람이 다시 수채를 둘러보니, 남쪽을 향해 24개의 수문을 만들고, 큰 배와 전선을 벌여세워 성곽을 이루었다. 그 안에서 작은 배들이 끊임없이 왕래하는데, 나아가고 물러섬에 법도가 있었다. 방통이 보고 나서 웃으며 말한다.

"승상의 용병이 이러하니, 과연 소문에 듣던 칭송과 다름이 없소이다."

그러고는 손으로 강남을 가리키며 외친다.

"주랑(周郎, 주유)아, 주랑아, 이번 싸움에 반드시 망하고 말리라!"

방통이 이렇게 비웃자 조조는 크게 기뻐했다.

조조와 방통은 다시 장막으로 돌아와 술상을 벌여놓고 함께 마시며 병법에 대해 이야기를 나누었다. 방통이 높은 식견과 말솜씨로 물흐르듯 대답하니, 조조는 깊이 감복하여 공경심이 절로 우러나왔다. 술이 여러 순배 돌았다. 방통이 취한 체하고 한마디 묻는다.

"군중에 용한 의원은 있는지요?"

조조가 되묻는다.

"무슨 일로 의원을 찾으십니까?"

"수군에는 워낙 병이 많이 도는 법이라, 용한 의원이 꼭 있어야 합니다."

마침 조조의 군사들 중에는 물과 흙이 맞지 않아 구토하는 병에 걸려서 죽는 이가 적지 않았다. 조조는 그 일로 매우 근심하던 중이라 방통의 말을 듣고 나니 되묻지 않을 수 없었다.

"사실 앓는 이가 많은데, 무슨 좋은 수가 없겠는지요?"

"승상께서 수군을 교련하시는 법이 오묘하나, 한가지 부족한 게 있어 온전하지 못한 게 애석하오."

조조가 궁금하고 답답해 거듭 묻는데도 방통은 쉽게 말문을 열지 않았다. 조조가 계속 간청하자, 그제서야 방통은 비로소 입을 연다.

"내게 한가지 계책이 있으니, 승상께서 그대로만 하신다면 군사들이 병에 걸리지 않고 싸워서 큰일을 이룰 수 있을 것이오."

조조는 희색이 만면하여 급히 청한다.

"부디 그 묘책을 좀 들려주시지요."

방통이 천천히 대답한다.

"큰 강물 위로 조수가 밀려오고 밀려가고 게다가 풍랑이 쉴새없으니, 배 타는 데 익숙지 못한 북쪽 군사들이 이리저리 몸이 흔들려 병에 걸리는 것은 당연한 노릇입니다. 그러니 큰 배 하나에 작은 배 30척이나 50척을 한 묶음으로 하여 뱃머리와 꼬리에 쇠고리를 달아 연결한 다음 그 위에 넓은 판자를 깔아놓으면, 사람들은 물론 말까지도 달릴 수 있고 또 풍랑이 일거나 조수가 드나들어도 두려울 게 없을 것입니다."

방통의 말을 듣고서 조조는 자리에서 일어나 사례한다.

"선생의 묘책이 아니라면 어떻게 동오를 물리칠 수 있겠습니까?"

"어리석은 소견이니, 승상께서는 재량껏 하십시오."

조조는 즉시 영을 내려 대장장이를 불러다 밤새 쇠고리와 큰 못을 만들게 하여 전선을 모두 연결해놓았다. 이 소식을 들은 군사들이 모두 기뻐하였다.

후세 사람들이 이를 두고 시를 지어 읊었다.

방통은 조조에게 연환계를 쓰다

적벽의 큰 싸움에 화공이라고　　　　　　　　赤壁鏖兵用火攻
전략 세움에는 사람 뜻 모두 같았네　　　　　運籌決策盡皆同
방통의 연환계 아니었던들　　　　　　　　　若非龐統連環計
주유 어찌 능히 큰 공을 세웠으리　　　　　　公瑾安能立大功

방통은 다시 조조에게 말한다.

"내가 보기에 강동의 호걸들 중에 주유에게 원한을 품은 자가 적지 않으니, 가서 차례로 만나보고 이 세치 혀를 놀려 승상께 투항하도록 설복할 생각이오. 그리 되면 주유는 외따로 떨어져 아무도 도와주지 않을 터이니, 승상께 사로잡히고 말 것입니다. 또한 주유를 사로잡고 나면 유비는 갈 곳이 없을 것 아니겠습니까?"

조조의 얼굴에는 기쁜 빛이 역력했다.

"선생께서 그렇게 큰 공을 이루어주신다면, 마땅히 황제께 아뢰어 선생을 삼공의 반열에 오르게 하리다."

방통이 말한다.

"이는 부귀를 얻고자 함이 아니라 오로지 만백성을 구하고자 하는 일이니, 승상께서는 강을 건너 동오를 평정한 뒤에라도 절대로 백성들을 해쳐서는 안됩니다."

"내가 하늘을 대신해 도를 행하려는 터에 백성들을 살육할 까닭이 어디 있겠소?"

"참으로 어진 말씀이오. 허나 승상의 군사가 강동에 쳐들어왔을 때 나의 식솔들이 화를 당하지 않게 방문(榜文)을 하나 써주셨으면 하오."

"선생의 가족은 지금 어디 계신지요?"

"강변에 살고 있는데, 승상의 방문만 하나 있으면 화를 면할 수 있겠소이다."

조조는 곧 방문을 쓰게 하고 직접 수결(手訣, 일종의 서명)을 하여 방통에게 내주었다. 방통이 절하며 사례하고 말한다.

"내가 떠나자마자 속히 진군하십시오. 주유가 눈치채지 못하도록 서두르셔야 합니다."

방통은 조조에게 하직을 고하고 강변으로 나왔다. 바야흐로 배에 오르려 할 때였다. 갑자기 도포 차림에 대나무관을 쓴 한 사람이 등뒤에서 방통의 팔을 덥석 잡는다.

"참으로 대담한 자로다! 황개는 고육지계를 쓰고 감택은 거짓 항서를 전하더니, 이제 그대는 여기까지 와서 연환계를 일러주고서도 조조의 전선을 모두 불태우지 못할까 걱정하는구나. 그대들의 지독한 수단이 조조를 용케 속였을지는 몰라도 나만은 속일 수 없으리라."

이 말을 듣고 방통은 혼비백산했다.

동남쪽이 이긴다고 말하지 말라   莫道東南能制勝
그 누가 서북쪽에 사람 없다 하랴   誰云西北獨無人

과연 이 사람은 누구일까?

장강의 밤잔치

조조는 장강에서 잔치를 벌이며 시를 읊고
북군은 전선을 한데 묶고 무기를 쓰다

방통은 깜짝 놀라 급히 뒤를 돌아보았다. 등뒤에 웃고 서 있는 사람
은 다름아닌 서서(徐庶)였다. 방통은 옛 친구임을 알아보고 비로소
마음을 놓았다. 주위를 둘러보고 다행히 아무도 없음을 확인하고는
서서에게 사정을 한다.

"만일 나의 계책을 발설했다가는 강남 81주 백성들은 모두 자네가
죽이는 셈일세."

서서가 웃으며 대답한다.

"그럼 여기 83만 인마(人馬)의 목숨은 어쩌란 말인가?"

"자네는 정녕 내 계책을 폭로할 작정인가?"

그제서야 서서는 고개를 가로저으며 말한다.

"나는 아직도 유황숙의 크나큰 은혜를 잊지 못하고 있네. 게다가 조조가 내 어머님을 돌아가시게 했으니, 나는 죽을 때까지 조조를 위해 한가지 계책도 말하지 않겠다고 맹세한 터일세. 그런 내가 어찌 자네의 계책을 발설하겠는가? 다만 내가 지금 조조의 군중에 있으니, 만일 조조가 패하는 날에는 시비곡직을 따질 것 없이 나 역시 난을 면하기 어려울 터라, 어떻게 하면 내가 여기서 몸을 빼내 벗어날 수 있을지 방법을 알려주시게. 그러면 나는 입을 다물고 멀리 피해 있겠네."

이 말을 듣고 방통이 웃으며 말한다.

"자네의 높은 식견과 먼 앞날을 내다보는 안목으로 그만한 어려움을 처리하지 못할까?"

서서가 다시 청한다.

"그러지 말고 형은 내게 방도를 알려주시게."

방통이 서서의 귀에다 입을 대고 몇마디 말을 일러주었다. 서서는 연신 고개를 끄덕이며 귀담아듣고는 사례했다. 마침내 방통은 서서와 작별하고 배에 올라 강동으로 돌아왔다.

방통과 헤어진 서서는 그날밤 심복 몇사람을 시켜 장수들이 머물고 있는 영채를 다니면서 헛소문을 퍼뜨리게 했다. 바로 방통의 계책을 행하는 것이다. 날이 밝자 군사들이 삼삼오오 모여앉아 귀엣말로 수군대니, 때아닌 소문으로 조조의 군중은 술렁술렁하였다. 이 소문을 들은 아랫사람이 즉시 조조에게 가서 아뢴다.

"지금 군중에 떠도는 소문에, 서량(西涼)의 한수(韓遂)와 마등(馬

騰)이 반란을 일으켜 허도로 쳐들어오고 있다 하옵니다."

조조는 크게 놀라 급히 모사들을 불러모았다.

"이번에 남쪽을 정벌하러 오면서도 내심 한수와 마등의 무리를 염려했었다. 군중에 떠도는 말이라 그대로 믿을 것은 못되나, 불가불 방비하지 않을 수 없다."

조조의 말이 채 끝나기도 전에 서서가 나서며 말한다.

"이 서서가 승상을 모신 후 일찍이 손가락 마디만한 공도 이룬 게 없어 부끄러웠습니다. 만일 군사 3천을 내주신다면 밤을 새워 산관(散關)으로 가서 중요한 길목을 막고 있다가 혹시 사세가 급해지면 보고하겠습니다."

조조는 조금도 의심하지 않고 기뻐한다.

"원직(元直, 서서의 자)이 가준다면야 무슨 걱정이 있겠소? 산관에도 군병이 있으니 모두 공이 통솔하도록 하고, 내 따로 기병 3천을 내줄 터이니 장패(臧霸)를 선봉으로 삼아 지체없이 떠나도록 하오."

이렇게 해서 서서는 방통의 계책대로 조조가 내준 군사 3천을 거느리고 그곳을 떠날 수 있었다.

후세 사람이 이 일을 시로 남겼다.

조조는 강남 정벌에 날마다 근심이   曹操征南日日憂
서쪽의 마등, 한수 쳐들어올까   馬騰韓遂起戈矛
봉추가 서서에게 일러준 한마디 말   鳳雛一語敎徐庶
바로 노니는 고기 낚시에서 벗어난 격   正似游魚脫釣鉤

조조는 서서를 보내고 나자 그제야 마음이 놓였다. 편안한 심정으로 말을 타고 강변에 세워둔 육지의 영채를 두루 돌아본 다음, 수채로 가서 배에 올라 군영을 시찰했다.

조조가 큰 배에 오르는데, 한복판에 수(帥)자 기가 펄럭이고 양편에는 수많은 수채가 열을 이루었으며, 선상에는 궁노수 1천여명이 매복하여 삼엄하게 경호한다. 때는 바야흐로 건안 13년(208) 11월 15일, 겨울이라고는 하지만 쾌청한 날씨에 바람이 없어 물결이 잔잔했다. 조조는 큰 배 위에 연석을 마련하여 술과 음식을 내오고, 풍악을 울리게 했다.

"내 오늘 저녁 모든 장수들과 회합을 가지려 한다."

그날밤, 모든 관원과 장수 들이 한자리에 모였다. 날이 저물어 동쪽 산위로 달이 솟아오르니, 밝은 달빛이 대낮처럼 환하고 장강 일대는 마치 흰 비단을 펼쳐놓은 듯했다. 드디어 조조가 가장 높은 자리에 좌정했다. 좌우에서 그를 호위하는 수백명의 사람들이 모두 비단옷에 수놓은 전포를 입고, 손에는 저마다 창과 극(戟)을 들고 도열했다. 이어서 문무백관이 서열에 따라 자리를 잡았다.

조조는 문득 고개를 들어 주위를 둘러보았다. 멀리 바라보이는 남병산은 한 폭의 그림 같다. 사방이 탁 트인 광활한 땅에 동쪽으로는 시상구 경계가, 서쪽으로는 하구의 강물이, 남쪽으로는 우뚝 선 번산과 북쪽으로 오림(烏林) 땅이 한눈에 들어온다. 조조의 얼굴에는 저절로 미소가 떠올랐다. 조조는 문무백관을 돌아보며 감회에 젖어 말한다.

"내가 의병을 일으킨 이래 나라를 위해 흉한 해악을 없애며 스스로 맹세한 것이 있으니, 바로 사해를 청소하고 천하를 평정하리라는 것이었소. 아직도 평정하지 못한 곳이 여기 강남인데, 지금 내게는 용감한 백만대군이 있고, 또한 여러 공들이 내 명을 받들어주니, 어찌 뜻을 이루지 못하겠는가? 강남만 장악하고 나면 천하에 걱정거리가 없을 것이니, 그때에는 내 공들과 더불어 부귀를 누리고 태평을 즐기리라."

문무백관이 모두 자리에서 일어나 조조에게 사례한다.

"저희들도 하루빨리 개가를 올리고 돌아가 승상의 은택 아래서 여생을 보내고 싶습니다."

조조의 마음은 한없이 유쾌하여, 밤이 깊도록 술을 마셨다. 술이 오르자 조조는 손을 들어 멀리 남쪽 언덕을 가리키며 말한다.

"주유와 노숙은 하늘의 뜻을 모르는도다. 네 심복부하들이 내게 투항하여 화가 되었으니, 이것은 바로 하늘이 나를 도우심이다!"

조조가 호기있게 큰소리로 외치는데, 곁에 있던 순유가 조용히 아뢴다.

"승상께서는 말씀을 삼가셔야 합니다. 혹시 일이 누설될까 두렵습니다."

조조는 호탕하게 웃으며 말한다.

"여기 모여 있는 공들과 좌우 측근들이 모두 나의 심복인데 무슨 말을 한들 어떻겠느냐!"

조조는 다시 하구를 손으로 가리키며 말한다.

"유비야, 제갈량아! 제 분수를 모르고 감히 개미 같은 힘으로 태산을 흔들려 하다니 참으로 가소롭구나."

조조는 한바탕 비웃고 나서 수하장수들을 돌아보며 말한다.

"벌써 내 나이 54세라. 만약 이번에 강남을 얻게 되면 기뻐할 일이 또 하나 있으니, 나는 그 옛날 동오의 교공과 가까운 사이였다. 교공에게는 두 딸이 있어 모두 절세미인이었는데, 뜻밖에도 하나는 손책의 아내가 되고 또 하나는 주유의 아내가 되었다네. 지난번 장수가에 새로 동작대를 지어놓았으니, 강남을 얻는 날에는 교씨의 두 딸을 취하여 동작대에 두고 만년을 즐길 수 있다면 더 바랄 것이 없겠노라."

조조는 이렇게 말하고 소리높여 웃었다.

당나라 시인 두목(杜牧)이 이를 두고 지은 시가 있다.

백사장에 부러진 창 아직도 삭지 않았네	折戟沈沙鐵未消
집어들고 닦아보니 전조의 것임을 알겠도다	自將磨洗認前朝
동풍이 만약 주랑편을 안 들었다면	東風不與周郎便
봄 깊은 동작대에 이교는 갇혔으리	銅雀春深鎖二喬

조조가 한바탕 웃고 있을 때, 문득 까마귀가 까악까악 울면서 남쪽 하늘을 향해 날아간다. 조조가 묻는다.

"저 까마귀는 어찌하여 밤에 우느냐?"

좌우에서 대답한다.

"달빛이 너무 밝아서 날이 밝은 줄 알고 까마귀가 둥지에서 날아와 울고 가는 것이옵니다."

조조가 또다시 크게 웃었다. 조조는 이때 이미 취해서 삭(槊, 창의 일종)을 짚고 뱃머리에 나가더니 강물 위에 술을 뿌렸다. 다시 큰 잔에 술을 가득 부어 석 잔을 연이어 마신 다음, 삭을 비껴잡고 장수들을 돌아보며 말한다.

"나는 이 삭으로 황건적을 쳐부수고 여포를 사로잡았으며, 원술을 멸하고 원소를 거두어들였다. 그리고 다시 북쪽 변경 요동에 이르러 천하를 종횡하였으니, 이만하면 대장부의 뜻을 이루었다고 하리라.

이제 이 경관을 마주하고 있으려니 참으로 감개가 무량하구나. 내 노래 한 가락 지어 부를 것이니, 그대들도 듣고 화답하라."

이리하여 조조는 노래를 지어 부르기 시작했다.

술잔 잡고 노래 부르니	對酒當歌
인생은 그 얼마인고	人生幾何
아침이슬 아닐런가	譬如朝露
지난 세월 고생도 많았지	去日苦多
이에 마음이 강개하니	慨當以慷
근심을 잊기 어려워라	憂思難忘
이 근심을 무엇으로 풀랴	何以解憂
술이 있을 뿐이로다	惟有杜康
푸르른 그대의 옷깃	青青子衿
유유한 내 마음이여	悠悠我心
오직 그대 생각하며	但爲君故
지금도 조용히 읊조리네	沈吟至今
유유한 사슴의 울음	呦呦鹿鳴
들판의 부평초를 뜯는구나	食野之苹
아름다운 손이 와서	我有嘉賓
비파 타고 생황 부네	鼓瑟吹笙

對酒當歌人生幾何譬如朝露去日苦多慨當以慷憂思難忘何以解憂唯有杜康青青子衿悠悠我心但為君故沈吟至今呦呦鹿鳴食野之苹我有嘉賓鼓瑟吹笙明明如月何時可掇憂從中來不可斷絕越陌度阡枉用相存契闊談讌心念舊恩月明星稀烏鵲南飛繞樹三匝何枝可依山不厭高水不厭深周公吐哺天下歸心

조조는 장강에서 큰 잔치를 벌이고 노래를 지어 부르다

밝고 밝은 달빛 같아   皎皎如月
그 어느 때나 그치려는가   何時可輟
시름도 그중에 따라오니   憂從中來
끊을 수가 다시 없구나   不可斷絶

이 길 저 길로   越陌度阡
손님들 찾아오신다   枉用相存
오랜만에 모여 잔치하고 즐기매   契闊談宴
옛 은정 마음에 그려지네   心念舊恩

달은 밝고 별은 드문데   月明星稀
까막까치는 남으로 날아오누나   烏鵲南飛
나무를 빙빙 돌기 세 바퀴   繞樹三匝
의지할 가지 하나 없어라   無枝可依

산은 높기를 마다하지 않고   山不厭高
물은 깊기를 마다하지 않네   水不厭深
주공이 토포로 손님을 맞으니   周公吐哺
천하가 한마음으로 돌아왔다네   天下歸心

　조조의 노래가 끝나자 모든 사람들이 화답하며 함께 찬탄해마지 않
았다. 모두들 즐거움에 젖어 있는데, 문득 좌중에서 한 사람이 나서며
말한다.

　"대군이 맞붙어 싸우고 장수들이 명을 받들어 싸움에 나가야 할 이

때에, 승상께서는 어찌하여 그리 불길한 노래를 부르십니까?"

조조가 돌아보니, 그는 양주 자사로 있는 패국(沛國) 상현(相縣) 사람 유복(劉馥)이었다. 유복의 자는 원영(元潁)으로, 그는 합비(合淝)에서 몸을 일으켜 고을의 정치를 바로잡고, 흩어진 백성들을 불러모아 학교를 세우며 논밭을 개간하고 교화에 힘쓰는 등, 오랫동안 조조를 섬겨오면서 공적을 많이 세운 인물이다. 유복의 말에 조조의 눈에서는 푸른 불꽃이 이는 듯했다. 조조는 삭을 고쳐잡으며 묻는다.

"내 노래의 어느 구절이 불길하단 말이냐?"

유복이 대답한다.

"'달은 밝고 별은 드문데, 까막까치는 남으로 날아오누나' 하는 구절과 '나무를 빙빙 돌기 세 바퀴 의지할 가지 하나 없어라' 하는 구절이 불길하옵니다."

불같이 노한 조조가 소리친다.

"네놈이 감히 내 흥을 깨는가!"

그러고는 들고 있던 삭을 번쩍 치켜들어 거침없이 유복의 가슴을 찔렀다. 유복은 그대로 거꾸러져 숨을 거두고 말았다. 좌중의 사람들은 하나같이 놀랐으나 비명 한번 지르지 못하고 일제히 숨을 죽였다. 선상의 잔치는 물을 끼얹은 듯 일순간에 흐지부지 끝나버렸다.

다음날, 술에서 깨어난 조조는 지난밤의 일을 못내 후회했다. 그때 유복의 아들 유희(劉熙)가 들어와 아비의 시신을 고향으로 모시고 가 장사지낼 수 있게 해달라고 청하였다. 조조는 눈물을 흘리며 말한다.

"지난밤 술에 취해 일을 저질렀으니 지금 후회한들 돌이킬 수 있겠는가. 삼공의 예로써 성대하게 장사지내도록 하여라."

조조는 즉시 군사를 내주어 영구를 호송해 장사지내도록 했다.

이튿날이었다. 수군도독 모개와 우금이 장막에 들어와 조조에게 아뢴다.

"크고작은 배들을 모두 쇠사슬로 묶어 배열하고 정기와 모든 기구도 빠짐없이 갖추어놓았으니, 바라옵건대 승상께서는 곧 날을 잡고 부서를 나누어 진군토록 하시지요."

조조는 곧 수채로 나가 중앙의 큰 전선 위에 좌정하고 모든 장수들을 불러 영을 내렸다. 먼저 수륙 양군은 모두 오색 깃발을 표지로 삼았다. 수군은 중앙에 황기를 세워 모개와 우금이 맡았고, 전군은 홍기로 장합이 거느리고, 후군은 흑기로 여건이 맡았으며, 좌군은 청기로 문빙이, 우군은 백기로 여통이 각각 통솔하니, 그 위용이 실로 대단했다. 기병과 보병을 보면, 전군은 홍기로 서황이 거느리고, 후군은 흑기로 이전이, 좌군은 청기로 악진이, 우군은 백기로 하후연이 맡았다.

수륙 양 진영을 모두 정한 다음 수륙양로의 도접응사(都接應使)로 하후돈과 조홍을 명하고, 승상의 호위와 왕래를 맡아볼 감전사(監戰使)를 두니, 허저와 장요가 그 소임을 맡았다. 그밖의 장수들도 각각 대오에 배치하여 한 군데도 소홀함이 없었다.

대오를 정비한 후 수군 영채 한가운데에서 북소리가 세 번 크게 울렸다. 이를 군호 삼아 모든 대오의 선단이 진문(陣門)을 열고 나아갔다. 이날 갑자기 서북풍이 불어닥쳤다. 그러나 전함이 돛을 높이 올려 달고 거친 물결을 헤치며 나아가니, 모든 배들이 쇠줄로 묶여 있는 터라 갑판 위는 평지와 다름없었다. 물길에 능숙하지 못한 북쪽 군사들이었지만 선상에서 평지처럼 용맹스럽게 창으로 찌르고 칼로 치며 용맹을 뽐내었다. 전후 좌우 각군의 기치가 정연하고, 또한 작은 배 50여척은 선단과 선단 사이를 왕래하며 순찰하고 독려하니, 명령이 일

사불란하게 전달되어 선단의 움직임이 한결같고 흐트러짐이 없었다. 조조는 장대(將臺) 위에 높이 올라, 군사들이 조련하는 모습을 흡족하게 바라보았다.

'이것이야말로 필승의 전략이로다.'

이번 싸움에 승리할 것을 확신한 조조는 일단 돛을 거두고 수채로 복귀할 것을 명했다. 조조는 장막으로 돌아와 모사들을 불러놓고 말한다.

"하늘이 나를 돕는 게 아니라면 내가 어찌 봉추의 묘계를 얻었겠는가. 쇠사슬로 전선을 묶어놓으니 과연 강을 건너는 게 평지처럼 수월하구나!"

정욱이 말한다.

"전선을 모두 쇠사슬로 묶어놓아 편하기는 합니다만, 만일 저들이 화공을 쓰는 날에는 피하기 어려우니 방책을 세워두셔야 합니다."

조조가 큰소리로 웃는다.

"중덕(仲德, 정욱의 자)이 비록 멀리까지 볼 줄은 아나, 한가지 부족한 게 있네."

순유가 곁에서 묻는다.

"소인의 생각으로도 중덕의 말이 타당하온데, 승상께서는 어찌하여 웃으십니까?"

조조는 대답한다.

"무릇 화공을 쓰려면 반드시 바람의 힘을 빌려야 하는데, 지금 같은 한겨울에 서풍과 북풍만 있을 뿐, 어디 동풍과 남풍이 불겠는가? 우리는 지금 서북쪽에 있고 저들은 남쪽에 있으니, 만일 저들이 화공을 쓰게 되면 오히려 자기 군사들이 불을 뒤집어쓸 텐데 내가 무엇을 두려워하랴. 만약 지금이 10월이라면, 나도 미리 방책을 세웠을 것이다."

조조의 설명을 듣고 모든 사람들이 감복한다.

"승상의 고견에 우리 같은 사람들이 어찌 미칠 수 있겠나이까!"

조조가 흐뭇하게 웃으며 다시 여러 장수들을 돌아보고 말한다.

"청주·서주·연주·대주 출신 군사들은 본래 배를 타는 데 익숙지 못한데, 이 묘책이 아니라면 무슨 수로 험한 강물 위를 이렇듯 수월하게 건널 수 있겠는가."

조조의 말이 끝나자 반열 가운데서 두 장수가 나서며 말한다.

"소장들은 비록 유주와 연주 출신이오나 능숙하게 배를 탈 수 있습니다. 승상께서 순시선 20척만 내주신다면 바로 강남으로 가서 적군의 깃발과 북을 빼앗아가지고 돌아와 우리 북방의 군사들도 배를 타는 데 능하다는 것을 보여주겠습니다."

조조가 보니, 원소 수하의 장수였던 초촉과 장남이었다. 조조가 그들에게 한마디 한다.

"너희들은 모두 북방에서 나고 자라서 배 타는 데 익숙지 못하고 강남의 군사들은 수시로 물 위를 오가며 훈련해 배 다루는 솜씨가 능숙하니, 목숨을 걸고 아이들 장난하듯 할 게 아니다!"

초촉과 장남은 뜻을 굽히지 않고 외친다.

"만일 저희들이 이기지 못하면 군법에 따르겠사옵니다!"

"전선을 모두 묶어놓아 고작 작은 배들만 있을 뿐이고, 그 배에는 군사 20명을 겨우 태울 수 있는데, 그것으로 어찌 싸우겠느냐?"

초촉은 여전히 뜻을 굽히지 않는다.

"큰 배를 쓴다면 무엇이 대단하겠습니까? 작은 배 20척만 내주시면 소장과 장남이 반씩 이끌고 가서 오늘 당장 강남의 수채를 뚫고 들어가 기를 빼앗고, 장수의 목을 베어 돌아오겠사옵니다."

조조가 마침내 허락한다.

"너희들에게 작은 배 20척과 정예군 5백명을 내줄 테니, 모든 군사들에게 긴 창과 경노(硬弩, 잇따라 여러 개의 화살과 돌을 쏘는 무기)를 지니게 하여 내일 날이 밝는 대로 떠나도록 하라. 그러면 대채의 큰 배를 띄워 멀리서 후원하겠다. 또한 문빙에게 순시선 30척을 주어 너희들을 돕게 하리라."

초촉과 장남은 조조의 승낙을 얻고 물러나왔다. 이들은 다음날 4경에 아침을 지어먹고, 5경에 이르자 모든 채비를 갖춘 뒤 출정의 순간을 기다리고 있었다. 이윽고 수채 안에서 북소리와 징소리가 요란하게 일어나더니, 대채 안에서 전선이 일제히 나와 강물 위에 포진했다. 장강 일대는 순식간에 무수히 나부끼는 푸르고 붉은 깃발로 장관을 이루었다. 기다리고 있던 초촉과 장남은 20척의 배를 이끌고 수채를 나와 강남을 향해 출발했다.

강남의 주유 진영에서는 지난밤 북쪽에서 북소리가 들려오자, 조조가 수군을 조련하는 모습을 멀리서 확인하고는 주유에게 사실을 보고했다. 하지만 주유가 산등성이 위로 올라갔을 때는 이미 북소리도 멎고 조조가 수군을 거두어 수채로 돌아간 뒤여서 적의 동태를 관망하지는 못하였다.

그리고 또다시 새벽이 밝아왔는데, 바람결에 실려 북소리가 들려온다. 주유의 군사가 급히 높은 곳에 올라가 살펴보니, 작은 배들이 물결을 헤치고 남쪽을 향해 오는 게 보였다. 이 소식은 급히 중군에 보고되었다. 주유는 수하장수들을 돌아보며 묻는다.

"누가 적들과 맞서싸우겠소?"

한당과 주태가 동시에 대답한다.

"제가 오늘 맞서싸우겠소이다."

주유는 두 장수 모두 수전에 익숙해 능히 선봉에 나설 만하다고 여겨서 쾌히 승낙했다. 그리고 각 채에 영을 내려 수비를 더욱 강화하고 절대로 경솔하게 나서지 말라고 일렀다. 한당과 주태가 어찌 싸우는지 살펴서 적군의 기세를 알아보기 위해서였다. 한당과 주태는 각각 초계선 5척을 이끌고 좌우로 갈라져 나아갔다.

초촉과 장남은 자신들의 용맹함만을 믿고 급하게 배를 몰고 다가왔다. 한당은 홀로 엄심갑(掩心甲)을 입고 손에 긴 창을 들고 뱃머리에 서 있었다. 초촉의 배가 다가오더니 먼저 한당의 배를 향해 어지럽게 화살을 날린다. 한당이 방패로 화살을 막아내고 있는데, 어느 틈에 옆구리로 따라붙은 초촉이 긴 창을 들고 한당에게 덤벼들었다. 한당은 번개같이 몸을 틀어 초촉의 창끝을 피하면서 창을 들어 찔렀다. 초촉은 제대로 싸워보지도 못하고 단창에 꿰여 거꾸러지고 말았다.

초촉의 뒤를 따르던 장남이 이를 보고 급히 노를 저어왔다. 그순간 한쪽에서 주태의 배가 불쑥 미끄러져 나오며 장남의 배를 가로막는다. 장남이 창을 들고 뱃머리에 서서 군사들을 독려하니, 군사들은 비록 수전에 능숙하지는 못하지만 배 양편으로 늘어서서 주태와 한당의 배를 향해 화살을 빗발치듯 쏘아댄다.

주태는 한 팔에 방패를 걸고 한 손으로는 긴 칼을 들고서 신속하게 배를 몰았다. 장남이 탄 배와 7, 8척 남짓 떨어진 곳에 다다르자 주태는 갑자기 몸을 날려 장남의 배로 뛰어들었다. 장남이 창을 고쳐잡을 새도 없이 주태는 단칼에 장남을 물속으로 처박은 다음, 조조의 수군을 닥치는 대로 쳐죽인다.

이 광경을 지켜보던 다른 배들은 혼비백산하여 황급히 뱃머리를 돌려 달아나기 시작했다. 한당과 주태가 달아나는 적선을 바짝 추격하며 강의 한복판을 넘어서는데, 갑자기 문빙의 순시선이 달려들었다. 한당과 주태가 즉시 문빙과 맞서니 양 진영의 군사들은 전선을 벌여 세우고 싸우기 시작했다. 그런데 수적으로 우세한 조조의 수군이 몇 안되는 주유의 수군을 당해내지 못한다.

그 시각 주유는 수하장수들과 더불어 산등성이에 올라서서 멀리 강북의 수면 위에 정연하게 늘어서 있는 수많은 전선과 기치를 바라보고 있었다. 그러다가 문득 한당과 주태가 문빙과 맞서싸우는 광경을 보게 되었다. 한당과 주태는 주유와 모든 장수들이 보고 있는 것을 알기라도 하는 듯 날카로운 기세로 용맹스럽게 문빙의 선단을 공격하고 있었다. 문빙은 도저히 당해내지 못하고 뱃머리를 돌려 달아나기 시작했다. 한당과 주태의 군사들은 기세를 올려 그들을 추격한다. 주유는 근심스럽게 바라보다가 급히 호령했다.

"두 장수가 적진 깊숙이 들어갔다가 포위라도 당하는 날에는 벗어나기 어렵다. 즉시 백기를 올리고 징을 울려 서둘러 돌아오게 하라!"

곧이어 징소리가 주유 진영에서 울리고, 백기를 휘둘러 회군하라는 신호를 보내니, 두 장수는 그제야 뱃머리를 돌렸다. 주유는 강북의 전선들이 모두 조조의 수채로 들어가는 것을 보고 나서야 수하장수들에게 말한다.

"강북의 전선이 저렇게 많고 조조의 꾀가 남다르니, 장차 어떤 계책을 써야 저들을 물리칠 수 있겠소?"

여러 장수들이 미처 대답도 하기 전이었다. 갑자기 저만치 떨어진 조조의 수채 가운데서 큰 바람이 일더니 한복판에 서 있던 황색기의 깃대가 뚝 부러져 강물 속으로 떨어지는 게 아닌가. 이를 목격한 주유는 소리높여 웃었다.

"참으로 상서롭지 못한 조짐이로다!"

그런데 이번에는 돌연 광풍이 일어 파도가 강기슭을 때리며 몰려오는가 싶더니, 세찬 바람이 곁에 세워둔 기폭을 휘감아 주유의 얼굴을 후려쳤다. 그순간 어떤 생각이 주유의 머릿속을 스치고 지나갔다. 주유는 외마디소리를 크게 내지르며 그대로 쓰러져버렸다. 땅바닥에 쓰러진 주유의 입에서는 붉은 선혈이 쏟아져나왔다. 여러 장수들이 소스라치게 놀라 주유를 안아일으켰으나, 그는 이미 의식을 잃은 상태였다.

| 금방 웃다가 금방 부르짖으니 | 一時忽笑又忽叫 |
| 남군이 북군 쳐부수기 어려운 일 | 難使南軍破北軍 |

주유의 생명은 어찌 될 것인가?

49

적벽대전

공명은 칠성단에서 동남풍을 빌고
주유는 삼강구에서 불을 지르다

주유는 산마루에서 한동안 조조의 수채를 바라보다가, 갑작스럽게 선혈을 토하며 쓰러지고 말았다. 좌우 장수들이 주유를 장막 안으로 옮겨 눕혔다. 여러 장수들이 주유의 병세를 살펴보며 한탄한다.

"강북의 백만대군이 동오를 한입에 집어삼키려 호시탐탐 노리고 있는 이때 도독께서 이렇게 쓰러지고 말았으니, 만일 조조의 군사가 한꺼번에 쳐들어온다면 어찌할 것인가?"

장수들은 우선 손권에게 사람을 보내 소식을 전하는 한편, 의원을 불러 치료하게 했다. 한편 노숙은 심상치 않은 주유의 병세를 근심하다 공명을 찾아갔다.

"도독께서 저리 병이 깊으니 어찌하면 좋소?"

공명이 묻는다.

"공의 생각은 어떻습니까?"

노숙은 힘없이 대답한다.

"조조에게는 복(福)이요, 강동에는 화(禍)로소이다."

공명이 입가에 미소를 띠며 말한다.

"도독의 병은 내가 고쳐놓으리다."

노숙은 귀가 번쩍 띄었다.

"그리 해주신다면 나라를 위해 천행일 것이오."

노숙은 곧 공명과 더불어 주유를 보러 갔다. 노숙이 먼저 들어가 살피니, 주유는 여전히 머리를 싸매고 누워 있다. 노숙이 묻는다.

"병세가 어떠신지요?"

주유가 얼굴을 찌푸리며 대답한다.

"가슴과 배가 심하게 아프고, 때때로 머리가 어지러워 정신을 놓을 지경이오."

"약은 좀 써보셨습니까?"

"구역질이 심해서 약을 못 넘기겠소."

노숙이 말한다.

"공명을 찾아가서 말했더니, 자기가 능히 도독의 병을 고칠 수 있다고 하여 함께 왔습니다. 지금 밖에 있으니 불러들여 치료를 받아보시는 게 어떻겠소?"

주유는 공명을 들이라 하고, 좌우의 부축을 받고 일어나 앉았다. 공명이 들어와 문안한다.

"여러 날 뵙지 못하여 도독께서 이렇게 편찮으신 줄 몰랐소이다."

주유가 침통하게 말한다.

"'사람에게는 아침 저녁으로 좋은 일과 나쁜 일이 생긴다' 했으니, 누군들 자신을 온전히 지킬 수 있겠소이까?"

주유의 말을 듣고 공명이 웃으며 한마디 한다.

"'하늘에는 예측할 수 없는 풍운이 있다'고 했으니, 사람이 어찌 알 수 있겠습니까?"

공명의 말에 주유는 얼굴빛이 변하더니 끙끙 신음소리를 낸다. 공명이 묻는다.

"도독의 마음에 번열증(煩熱症, 열이 나고 가슴이 답답함)이 생긴 게 아닌지요?"

주유가 고개를 끄덕이자 공명이 말한다.

"그렇다면 열 내리는 약을 써야지요."

"이미 약을 썼으나 효험이 없더이다."

"먼저 기운을 순하게 다스려야 합니다. 그러면 자연히 쾌차하실 것입니다."

'공명이 필시 내 속마음을 알고 하는 소리로구나.'

주유는 이렇게 생각하고 한마디 떠보았다.

"기운을 순하게 다스리려면 어떤 약을 써야 하겠소?"

공명은 웃으며 말한다.

"내게 도독의 기운을 순하게 다스릴 비방이 있습니다."

"바라건대 선생은 가르침을 주시오."

공명은 곧 종이와 붓을 가져오라 한 다음, 좌우를 물리치고 가만히 열여섯 자를 종이 위에 적었다.

조조를 치려면	欲破曹公
화공을 써야 하는데	宜用火攻
모든 일 구비되었으되	萬事俱備
오직 동풍이 빠졌구나	祇欠東風

공명은 글을 적은 종이를 주유에게 내밀었다.

"이것이 바로 도독이 앓는 병의 뿌리입니다."

주유는 종이에 씌어 있는 글을 읽고 크게 놀랐다.

'공명은 참으로 신인이로다. 마치 내 마음을 꿰뚫어보기라도 한 것 같구나. 그러니 이제 사실대로 말할밖에.'

주유는 드디어 웃으며 말한다.

"선생께서는 이미 내 병을 알고 있으니 장차 무슨 약을 써서 고치시려오? 한시가 급하니, 어서 가르쳐주시구려."

공명이 대답한다.

"이 제갈량이 비록 재주는 없으나 일찍이 이인(異人)을 만나서 기문둔갑천서(奇門遁甲天書)를 전수받아, 능히 바람을 부르고 비를 내리게 할 수 있습니다. 만일 도독께서 동남풍을 쓰시겠거든 남병산(南屏山) 아래에 단을 세우고, 이름을 칠성단(七星壇)이라 하시오. 칠성단은 높이가 9척이 되게 하고 3층으로 올리되 120명이 깃발을 들고 단을 둘러싸게 하십시오. 제가 그 단 위에 올라가 법(法)을 써서 사흘 낮 사흘 밤 동안 세찬 동남풍이 불게 하여 도독을 도우려 하는데, 의향이 어떠하시오?"

참으로 보통사람으로서는 믿기 어려운 말이었지만, 주유는 소원이 얼마나 간절했는지 공명에게 의지한다.

"사흘 낮 사흘 밤은 그만두고 단 하룻밤만이라도 큰 바람이 불어준다면 대사를 이룰 수 있을 것이오. 그런데 워낙 급한 일이라 더이상 시일을 끌 수가 없소이다."

"11월 20일 갑자(甲子)날에 바람을 빌려 22일 병인(丙寅)날에 바람을 그치게 하면 어떻겠습니까?"

주유가 크게 기뻐하며 즉시 자리를 차고 일어나 영을 내렸다.

"정예군 5백명을 남병산으로 보내 단을 쌓게 하고, 120명의 군사를 뽑아 깃발을 들고 단을 둘러싸게 한 후에, 다음 명령을 기다리도록 하라."

공명은 주유와 하직하고 나서 노숙과 함께 말을 타고 남병산에 올랐다. 남병산의 지세를 살핀 다음 동남쪽의 적토(赤土)를 가져다가 단을 쌓게 했는데, 둘레는 24장(丈)이요 한 층마다 높이가 3척이니, 도합 9척이었다.

맨 아래 제1층에는 28수(二十八宿, 동서남북 각각 7수, 모두 28수로 별자리 이름)의 기를 꽂았는데, 동쪽 7수(七宿)의 청기는 각(角)·항(亢)·저(氐)·방(房)·심(心)·미(尾)·기(箕)를 살펴 창룡(蒼龍) 모양으로 벌여놓았고, 북쪽 7수 흑기는 두(斗)·우(牛)·여(女)·허(虛)·위(危)·실(室)·벽(壁)을 살펴 현무(玄武)의 형세로 펼쳐놓았으며, 서쪽 7수 백기는 규(奎)·누(婁)·위(胃)·묘(昴)·필(畢)·자(觜)·삼(參)을 살펴 백호(白虎)의 위엄으로 앉혔으며, 남쪽 7수 홍기는 정(井)·귀(鬼)·유(柳)·성(星)·장(張)·익(翼)·진(軫)을 살펴 주작(朱雀)의 형상을 이루었다.

제2층은 주위를 황기로 두르고, 64면으로 64괘를 살펴 8위(位)로 나누어 세워놓았다.

맨 위 제3층에는 네 사람을 세웠는데, 모두들 머리에는 속발관(束髮冠)을 쓰고 검은 비단도포를 입었으며, 봉의(鳳衣, 신선들이 입는 옷)에 넓은 띠를 두르고 붉은 신을 신고, 모가 난 바지[方裾]를 입었다. 전면 왼쪽에 선 사람은 손에 긴 장대를 쥐었는데, 장대 끝에 닭의 깃을 매달아 바람을 부르게 했다. 또한 전면 오른쪽에 선 사람도 긴 장대를 들었는데, 그 장대 위에는 칠성(七星)을 나타내는 긴 천을 드리워 바람이 부는 방향을 표시하게 했다.

또한 후면 왼쪽에 선 사람은 보검을 받들고, 후면 오른쪽에 선 사람은 향로를 받들었으며, 단 아래에는 24명이 각기 정기(旌旗)·보개(寶蓋, 일산의 일종)·대극(大戟, 큰 갈래창)·장과(長戈, 긴 창)·황월(黃鉞, 금빛 도끼)·백모(白旄, 흰 깃발)·주번(朱幡, 붉은 깃발)·조독(皂纛, 검은 깃발)을 들고 사면으로 둘러서게 하였다.

11월 20일 갑자일 길진(吉辰)이었다. 공명은 목욕재계한 후 도의(道衣)를 입고, 맨발에 머리를 풀고 칠성단 앞에 섰다. 공명이 노숙에게 말한다.

"자경(子敬, 노숙의 자)께서는 가서 도독이 군사 조련하는 것을 도우시오. 혹시 이 제갈량이 빌어 아무런 효험이 없더라도 의심하거나 이상하게 생각지 마시오."

노숙이 작별하고 돌아가자, 공명은 단을 지키고 있는 군사들에게 분부를 내린다.

"모두 각자 맡은 방위를 떠나지 말라. 머리를 맞대고 수군거려서는 안되며, 함부로 떠들어서도 안되고, 공연한 일에 놀라거나 괴이하게 굴어서는 아니 된다. 만일 이를 어기는 자는 목을 벨 것이다!"

공명의 말에 군사들은 엄숙히 맹세했다. 공명은 천천히 칠성단 위로 올라가서 방위를 살핀 다음, 향로에 향을 피우고 바리에 물을 붓고서 하늘을 우러러 축수했다. 이를 마치고 단에서 내려온 공명은 장막으로 들어가 잠시 쉬면서 그동안 군사들에게 번갈아 식사를 하게 했다.

공명은 이렇게 하루에 세번 단에 오르고 세번 단에서 내려왔다. 그러나 아직 동남풍이 불어올 기미는 없었다.

주유는 정보와 노숙을 비롯해 모든 군관을 불러놓고, 동남풍이 부는 즉시 출병할 채비를 갖추었다. 그러는 한편 손권에게 사람을 보내 때를 맞추어 도울 것을 청하였다.

한편 황개는 이미 화선(火船, 적선에 불을 붙이는 데 쓰는 배) 20척을 준비해놓았는데, 뱃머리에 큰 못을 빼곡하게 박아 적군이 함부로 배에 오르지 못하게 했다. 또한 배 안에는 갈대와 마른 섶 등을 쌓아올린 다음 생선기름을 붓고, 그 위에 다시 유황과 염초 따위의 인화물질을 바른 뒤 기름을 먹인 푸른 천으로 덮어 군량선처럼 위장했다. 뱃머리에는 청룡아기(靑龍牙旗, 대장기)를 꽂았으며, 고물에는 작은 쾌선을 매놓아 전령사들이 손쉽게 오가도록 해두었다. 이렇게 만반의 준비를 갖춘 황개는 장막 밖에서 주유의 분부가 내리기만을 고대하고 있었다.

감녕과 감택은 배 안에서 채중·채화와 더불어 매일 술을 마시며 군졸 하나도 뭍에 오르지 못하게 했다. 이렇게 동오의 움직임이 털끝만치도 조조에게 새나가지 않게 해놓고는 모두 명령이 떨어지기만을 기다리고 있었다.

공명은 칠성단에 올라 동남풍을 빌다

주유가 바야흐로 장막 안에서 출병할 일을 의논하고 있을 때, 문득 전령이 들어와 아뢴다.

"오후(吳侯, 손권)께서는 친히 전선을 거느리고 수채에서 85리 떨어진 곳에 정박하여, 도독으로부터 좋은 소식이 오기만을 기다리고 계십니다."

주유는 즉시 노숙을 보내 각 부의 군사와 장수 들에게 널리 고하도록 했다.

"모두 전선을 수습하고 군기와 돛, 노 등을 점검해두었다가 명령이 내려지면 즉시 움직이되 시각을 지체하지 마라. 만일 이를 어기는 자가 있으면 군법에 따라 다스릴 것이다."

모든 장병들은 하나같이 주먹을 그러쥐고 손바닥을 쓸어내리며 공격할 때만 기다렸다.

그날 해가 거의 저물어갈 때까지 하늘은 청명하기만 하고, 미풍조차 일지 않았다. 주유가 초조해하며 노숙에게 말한다.

"공명의 말이 틀린 모양이오. 이 한겨울에 어찌 동남풍이 불겠소?"

노숙은 의연하게 대답한다.

"나는 공명이 빈말을 하지는 않으리라 믿소이다."

숨막히는 시간이 흘러갔다. 주유와 좌우 심복들은 바람소리에 귀를 곤두세우고, 멀리 북쪽의 조조 진영을 불안한 눈으로 지켜보고 있었다. 어느덧 3경(밤 12시)이 되어갈 무렵, 갑자기 바람소리가 들려왔다. 수하가 아뢴다.

"바람이 불고 깃대가 움직입니다!"

주유는 급히 장막 밖으로 나가보았다. 과연 바람이 불고 있었다. 깃대가 서북쪽 조조 진영 쪽으로 휘어져 깃발이 세차게 나부낀다.

"과연 동남풍이다!"

주유는 기쁨보다 두려움이 앞섰다.

'제갈량이 저렇듯 천지조화를 마음대로 하고 귀신도 알지 못할 도술을 부리니, 이대로 두었다가는 동오에 큰 화근이 되겠구나.'

이렇게 생각하며 마음속으로 또 한번 다짐한다.

'하루빨리 제갈량을 죽여 뒷날의 우환을 없애리라.'

주유는 급히 호군교위(護軍校尉) 정봉과 서성을 불러 영을 내렸다.

"너희 둘은 각각 군사 1백명을 이끌고, 서성은 강을 따라, 정봉은 육지로 하여 남병산으로 가라. 가서 시비곡직 가릴 것 없이 칠성단 앞에 있는 제갈량을 잡아 즉시 죽이고 그 머리를 가져와 내게 공을 청하라."

주유의 명을 받고 서성은 곧 배에 올라 1백명의 도부수를 거느리고 노를 저었으며, 정봉은 말에 올라 1백명의 궁노수를 이끌고 남병산을 향해 떠났다. 그들이 가는 길에도 동남풍은 세차게 불고 있었으니, 후세 사람이 이렇게 시를 지어 그때 일을 노래했다.

칠성단 위에 와룡이 오르고 보니   七星壇上臥龍登
하룻밤 새 동남풍 장강의 물결 일어난다   一夜東風江水騰
공명의 묘법이 없었던들   不是孔明施妙計
주유가 어찌 재주를 펴보았으리   周郎安得逞才能

남병산 칠성단 아래 먼저 닿은 것은 정봉의 기병이었다. 정봉이 좌우를 살펴보니 단상에는 기를 잡은 군사들이 세차게 몰아치는 바람 속에서 미동도 않고 서 있었다. 말에서 뛰어내린 정봉은 칼을 빼들고 단상으로 뛰어올라갔다. 그러나 그곳에 공명은 없었다. 정봉이 단을 지키고 있는 군사에게 다급히 묻는다.

"공명은 어디 있는가?"

군사가 대답한다.

"조금 전에 아래로 내려가셨습니다."

정봉은 재빨리 단에서 내려와 사방을 찾았다. 공명은 어디에도 보이지 않았다. 때마침 서성이 1백명의 도부수를 거느리고 도착했다. 두 사람이 강변에서 의논하고 있는데, 군졸이 나서며 아뢴다.

"어젯밤에 쾌선 한척이 앞 여울에 와서 닻을 내리고 밤을 지냈는데, 방금 제갈공명이 머리를 푼 채로 내려와 그 배를 타고 상류를 향해 떠났습니다."

서성과 정봉은 즉시 수륙 양로로 나뉘어 그 뒤를 추격했다. 서성이 돛을 높이 달아 순풍을 타고 나아가니, 얼마 멀지 않은 곳에 과연 쾌선 한척이 앞서 가는 게 보였다. 서성은 뱃머리에 서서 큰소리로 외친다.

"군사(軍師)는 가지 마십시오. 도독께서 모셔오라 하셨습니다!"

공명이 고물로 나와 큰소리로 웃으며 말한다.

"장군은 어서 돌아가 도독께 용병이나 잘하라 전하시오. 이 제갈량은 잠시 하구로 돌아가 있다가 훗날 다시 도독을 만나겠소."

서성이 급하게 말한다.

"아닙니다. 잠깐만 계십시오. 긴히 여쭐 말씀이 있습니다."

공명은 여전히 웃으며 말한다.

"나는 이미 도독이 나를 해치려 할 것을 짐작하고 조자룡에게 배를 가지고 와서 기다리라 했으니, 장군은 구태여 뒤쫓지 마시오."

공명이 탄 배에는 돛도 지붕도 없었다. 서성은 공명을 화살로 쏘아 죽일 생각으로 급히 따라붙었다. 어느덧 두 배의 거리가 가까이 좁혀 졌다. 갑자기 공명이 탄 배 한복판에 한 장수가 활에 화살을 메겨들고 나와 섰다. 그러고는 서성을 향해 큰소리로 외친다.

"나는 상산 조자룡이다. 특별히 명을 받고 군사를 모시러 왔는데, 네가 감히 뒤를 쫓으려 하는 게냐? 화살 한 대로 너를 쏘아죽이는 것 은 식은 죽 먹기이나, 두 집안(유비와 손권)의 화평을 생각해서 내 너에 게 솜씨나 한번 보여주마."

말을 끝내기 무섭게 조자룡이 손을 떼자 시위를 떠난 화살이 날아 와 서성이 탄 배의 돛줄을 탁 끊어놓았다. 돛줄이 끊어져 물 위에 떨 어지면서 서성의 배는 기우뚱하며 한쪽으로 기운다. 조자룡은 즉시 군사에게 명해 돛을 높이 달게 하더니, 하구를 향해 쏜살같이 나아가 기 시작했다. 그 속도가 어찌나 빠른지 서성은 도저히 추격할 도리가 없었다.

언덕에서 이 광경을 지켜보던 정봉이 서성을 강가로 불렀다. 서성 이 뱃머리를 돌려 돌아오자 정봉이 말한다.

"제갈량의 신기묘산(神機妙算)은 사람이 따를 수 없소이다. 게다가 조자룡은 혼자서 1만명이라도 대적할 수 있는 장수니, 서장군도 당양 (當陽) 장판(長坂)에서 조자룡의 활약을 알고 있지 않소? 이대로 돌아 가 도독께 사실대로 고하는 수밖에 없겠소."

두 사람은 즉시 본영으로 돌아가 주유에게 고했다.

"우리가 그곳에 갔을 때 공명은 조자룡을 불러 함께 배를 타고 이 미 빠져나간 뒤였습니다."

주유는 더욱 놀랐다.

"제갈량이 이렇게 계략에 능하니, 내 어찌 한시라도 마음 편할 수 있겠느냐?"

옆에서 노숙이 말한다.

"우선 조조를 물리친 후에 다시 좋은 방도를 찾는 게 마땅할 것이오."

주유는 노숙의 말에 따르기로 하고, 곧 여러 장수들을 불러들여 영을 내린다.

"감녕은 채중과 항복해온 군졸들을 데리고 남쪽 언덕으로 가서 북군(北軍, 조조군)의 기를 세우고 바로 오림(烏林)을 빼앗아라. 그리고 조조의 군량을 쌓아둔 곳 깊숙이 침투해 불을 질러 군호를 올리도록 하라. 채화는 내가 따로 쓸 데가 있으니 장막에 남겨두라."

다음에는 태사자에게 말한다.

"그대는 군사 3천명을 거느리고 즉시 황주 경계로 가서 조조를 도우러 합비에서 오는 군사들을 막고, 불을 질러 군호를 삼으라. 그곳에서 홍기가 보이면 주공께서 후원하러 오신 것이니 놀라지 말라."

감녕과 태사자가 이끄는 제1대와 제2대는 갈 길이 먼 까닭에 가장 먼저 떠났다. 주유는 이어 명을 내린다.

"제3대를 지휘하는 여몽은 3천 군사를 거느리고 오림으로 가서 감녕을 도와 조조의 영채를 불살라버려라. 그리고 제4대를 지휘하는 능통은 3천 군사를 거느리고 이릉 경계로 가서, 오림에 불길이 솟아오르는 즉시 군사를 이끌고 가서 후원하도록 하라. 또한 제5대를 통솔하는 동습은 3천 군사를 거느리고 즉시 한양(漢陽)을 취하고, 한천(漢川)을 따라 조조의 영채를 치도록 하라. 백기를 보거든 후원병력인 줄 알라. 마지막으로 제6대를 맡은 반장(潘璋)은 3천 군사에게 백기를 꽂게 한 뒤 한양으로 가서 동습을 후원하라."

이렇게 여섯 대의 군사들이 각기 배를 타고 길을 나누어 떠난 뒤, 주유는 황개를 불러 영을 내린다.

"그대는 먼저 화선을 잘 배치하고, 은밀히 군졸을 강북으로 보내 오늘밤 항복하러 가겠노라고 조조에게 밀서를 전하시오."

주유는 연이어 영을 내린다.

"전선을 네 대로 나누어 황공복(黃公覆, 황개의 자)이 탄 배를 뒤따르다가 긴밀하게 후원하도록 하라."

그러고는 각 부대를 지휘하는 장수를 임명하니, 제1대는 한당이요 제2대는 주태, 제3대는 장흠, 제4대는 진무였다. 모든 부대는 각각 전선 3백 척을 거느리고, 대 앞에는 20척의 화선을 앞장세웠다.

전군을 배치하고 각각 영을 내린 다음 주유는 정보와 더불어 사령선에서 지휘하기로 하고, 서성과 정봉에게 좌우 호위를 맡겼다. 또한 노숙과 감택을 비롯한 여러 모사들은 남아서 수채를 지키게 했다. 정보는 주유가 군사를 배치하고 전술을 구사하는 것을 보고 크게 감복하였다.

한편, 손권은 주유에게 사자를 보내 병부(兵符)와 함께 명을 전하였다. 육손을 선봉으로 삼아 기주와 황주로 진병하여 오후(吳侯) 자신이 친히 후원하러 오겠다는 내용이었다. 주유는 즉시 사람을 보내 서산에 화포를 놓고, 남병산에는 신호의 깃발을 올리도록 했다. 이렇게 각각 준비를 마치고 날이 저물기를 기다렸다.

여기서 이야기는 둘로 갈라진다. 이때 유현덕은 하구에서 제갈공명이 돌아오기를 학수고대하고 있었다. 그런데 갑자기 한무리의 배들이 하구에 이르렀다. 유기가 현덕의 소식이 궁금해 직접 찾아온 것이었다. 유현덕은 유기를 누대 위로 청해 자리에 앉은 다음 말한다.

"공명이 동남풍이 불면 조자룡을 보내달라 해서 보냈는데, 이제껏 소식이 없으니 걱정이 이만저만 아닐세."

현덕이 이렇게 운을 떼는데, 문득 군사 하나가 손을 들어 멀리 번구를 가리키며 말한다.

"저기 배 한척이 순풍을 따라 들어오는데, 군사께서 오시는 게 틀림없습니다."

유현덕은 반가워 어쩔 줄 모르며 유기와 함께 아래로 내려갔다. 얼마 후 배가 와닿는데 보니, 과연 공명과 조자룡이다. 유현덕이 크게 반색하며 공명을 맞이하여 그간의 일을 이야기하려는데, 공명이 손을 내저으며 다급하게 말한다.

"지금은 다른 말씀을 나눌 틈이 없습니다. 지난번에 말씀드렸던 군마와 전선은 준비되었는지요?"

"이미 준비해둔 지 오래니, 우리는 그저 군사가 쓰시기만을 기다리고 있었소."

공명은 즉시 현덕·유기와 더불어 장막으로 올라가 좌정한 후 모든 장수들을 불러들였다. 공명은 먼저 조자룡에게 말한다.

"자룡은 3천 군마를 이끌고 강을 건너 오림의 좁은 길에서 나무와 갈대가 우거진 곳을 찾아 매복하오. 오늘밤 4경(새벽 2시)이 지나면 조조가 반드시 그 길로 도망쳐올 테니, 그대는 기다렸다가 저들이 반쯤 지나간 뒤에 그 허리를 치고 불을 놓도록 하오. 비록 다 죽이지는 못할지라도 절반은 무찌를 수 있을 것이오."

조자룡이 한마디 묻는다.

"오림에는 두 갈래 길이 있습니다. 하나는 남군으로 통하고, 다른 하나는 형주로 통하는데, 어느 길목을 지켜야 할지요?"

공명이 말한다.

"조조는 형세가 절박하여 감히 남군으로는 가지 못하고 반드시 형주로 가서 대군을 모은 다음 허도를 향해 떠날 것이오."

조자룡이 영을 받고 물러나니, 다음 차례는 장비였다.

"익덕은 3천 군사를 거느리고 강을 건너서 이릉으로 가는 길을 끊고 호로곡(葫蘆谷) 어귀에 매복해 있으시오. 조조는 감히 남이릉으로 가지 못하고 북이릉으로 갈 것인즉, 내일 한차례 비가 지나간 뒤 그곳에 와서 솥을 걸고 밥을 지어먹을 것이오. 그대는 연기가 오르는 것을 보는 대로 산기슭에 불을 지르고 공격하오. 비록 조조를 잡지는 못해도 그 공이 적지 않을 것이오."

장비가 영을 받고 물러나고, 다음은 미축·미방·유봉 세 장수에게 명령한다.

"그대들은 각기 배를 타고 강가를 돌면서 패한 적군을 사로잡고 무기를 빼앗도록 하오."

세 사람이 물러간 뒤, 공명은 자리에서 일어나며 유기에게 말한다.

"무창(武昌)은 한눈에 사방이 내려다보이는 요충지이니, 공자께서는 어서 돌아가 수하군사들을 이끌고 연안 입구를 지키도록 하십시오. 조조가 싸움에 패하면 그쪽으로 달아나는 무리들이 많을 것이니 닥치는 대로 사로잡고, 결코 성곽을 떠나는 일이 없도록 해야 합니다."

유기는 즉시 유현덕과 공명에게 하직을 고하고 돌아갔다. 공명은 현덕에게 말한다.

"주공께서는 번구(樊口)에 주둔하시고 높은 데 올라 오늘밤에 주유가 큰 공을 이루는 것을 구경이나 하시지요."

그러는 동안 공명은 곁에 있는 관운장에게는 눈길 한번 주지 않았다. 관운장이 참다 못해 언성을 높여 한마디 한다.

"내가 형님을 모시고 이제까지 싸움터를 돌아다니는 동안 일찍이 남에게 뒤진 적이 없는데, 오늘날 대적을 만나고도 군사께서 나를 쓰시지 않으니, 대체 무슨 까닭입니까?"

공명이 웃으며 대답한다.

"운장은 괴이하게 생각지 마시오. 본래 그대를 가장 중요한 길목에 보내려고 했는데, 내 마음에 걸리는 바가 있어 그렇게 하지 못하고 있소이다."

"마음에 걸리는 게 무엇인지 어디 말씀해보시지요."

"지난날 조조가 운장을 후하게 대접했으니, 그대는 반드시 그 은혜를 갚으려 할 게 아니겠소? 이번에 조조가 싸움에 패하면 화용도(華容道)로 달아날 게 분명한데, 만일 그대가 그곳을 지키고 있으면 틀림없이 조조를 잡지 않고 놓아보낼 것이오. 그래서 감히 보내지 못하고 있는 거요."

듣고 나더니 관운장이 웃으며 말한다.

"군사는 생각이 지나치십니다. 그때 조조가 이 운장을 후하게 대접한 것은 사실이나, 나는 이미 안량과 문추의 목을 베고 백마의 포위를 뚫어 그 은혜를 갚았으니, 오늘밤 조조를 만난다고 해서 어찌 놓아주겠습니까?"

공명이 정색하고 묻는다.

"만일 그대가 놓아보낼 때는 어찌하겠소?"

"군법에 따라 처벌하시오."

"그렇다면 문서를 써서 남기시오."

관운장은 공명에게 군령장을 써주고 한마디 한다.

"만일 조조가 화용도로 오지 않으면 어찌시려오?"

공명이 흔쾌히 대답한다.

"그럼 나도 군령장을 써두겠소."

관운장은 몹시 기뻐했다. 공명은 비로소 운장에게 명한다.

"운장은 화용도 좁은 길로 가서 높은 곳에 섶을 쌓고 불을 질러 조조가 그쪽으로 오도록 유인하시오."

관운장은 미심쩍은 듯 되묻는다.

"조조가 연기를 보면 틀림없이 매복이 있으리라 짐작하고 다른 길로 가지 않겠소?"

공명이 미소지으며 대답한다.

"병법에서 허허실실(虛虛實實)을 말함을 듣지 못하셨소? 조조가 비록 용병에 능하지만, 이번에는 제 꾀에 제가 속아 연기를 보고 허장성세라 판단하고는 그 길로 접어들 것이니, 운장은 절대 인정에 빠져 판단을 흐리지 마시오."

관운장은 마침내 관평·주창과 5백명의 군사들을 이끌고 화용도를 향해 떠났다. 관운장을 보내고 나서 유현덕이 공명에게 묻는다.

"내 아우는 의기(義氣)를 중히 여기는 사람이라 만일 조조가 화용도로 오면 아무래도 그냥 보낼 것 같은데, 괜찮겠소?"

"제가 밤에 천문을 살펴보았더니, 조조는 아직 죽을 운이 아니었습니다. 그럴 바에는 운장으로 하여금 은혜 갚을 기회를 준 것이니, 이 또한 아름다운 일이 아니겠습니까?"

공명의 말에 유현덕은 탄복한다.

"선생의 신 같은 계산은 천하에 따를 자가 없소이다!"

공명은 손건과 간옹에게 성을 지키라 이르고, 현덕과 더불어 번구로 가서 주유가 용병하는 것을 지켜보기로 했다.

한편 조조는 대채에서 수하장수들을 불러 상의하며, 오직 황개에게서 소식이 오기만 기다리고 있었다. 그때 장강 일대에 때아닌 동남풍이 불기 시작했다. 정욱이 조조에게 와서 아뢴다.

"갑자기 동남풍이 저렇게 부니, 방비를 세워야 할 것 같습니다."

조조는 아무렇지도 않은 듯 웃으며 대답한다.

"동짓날은 음양이 교체되는 시기라 날씨도 변덕을 부리니, 동남풍이 불 수도 있는 것이다. 크게 걱정할 일이 아니다."

이때 갑자기 군사가 들어와 보고한다.

"강동에서 작은 배 한척이 당도했는데 황개의 밀서를 가져왔다고 하옵니다."

조조는 급히 불러들여 밀서를 받아 읽었다.

주유의 감시가 하도 엄해 그동안 벗어날 기회가 없더니, 이제 파양호에서 새로 군량이 들어오는 것이 있어 주유가 제게 순찰하도록 했습니다. 그래서 이 기회에 강동의 이름난 장수를 죽여 그 머리를 가지고 오늘밤 2경(밤 10시)을 기해 승상께 투항하려 하나이다. 청룡 아기가 꽂힌 배를 보거든 그것이 바로 군량선인 줄로 아소서.

조조는 크게 기뻐하며 모든 장수들과 더불어 큰 배에 올라 황개가 오기만을 기다렸다.

한편 강동에서는 날이 저물어갈 무렵이 되자, 주유가 갑자기 채화를 불러내 수하군사에게 결박하라고 명하였다. 채화는 깜짝 놀라 항변한다.

"무슨 일이오? 나는 아무 죄도 없습니다."

주유가 큰소리로 꾸짖는다.

"감히 거짓으로 항복하여 염탐하려 들다니! 내 오늘 군기(軍旗)에 바칠 제물이 없으니, 네 머리를 좀 빌려야겠다."

채화는 도무지 화를 면할 방법이 없음을 깨달았는지 발악을 한다.

"네 수하의 감택과 감녕도 나와 더불어 반역하기로 했는데, 알고나 있느냐?"

주유가 껄껄 웃으며 대답한다.

"그건 내가 그들에게 시킨 일이다."

채화가 자신의 어리석음을 탓했으나 이미 때는 늦었다. 주유는 강변으로 내려가 조독기(皂纛旗, 군을 대표하는 큰 기)를 올리게 하고 나서, 술을 뿌리고 종이를 태운 다음 채화의 목을 베어 그 피를 군기에 뿌려 제를 올렸다.

드디어 출정명령이 떨어졌다. 황개는 엄심갑(掩心甲, 가슴을 가리는 갑옷)을 입고 손에 한 자루 날카로운 칼을 들고는 세번째 화선에 타고 '선봉 황개'라고 쓴 큰 기를 올렸다. 그런 뒤 순풍을 타고 적벽(赤壁)을 향하여 출발했다. 동풍이 크게 일며 파도가 무섭게 소용돌이쳤다.

조조가 본진에서 멀리 강줄기를 바라보니, 달빛이 강물에 비쳐 마치 1만 마리의 황금 뱀이 물결을 희롱하며 춤을 추는 듯하다. 조조는 바람을 맞으며 의기양양하여 호탕한 웃음을 터뜨리는데, 갑자기 군사가 와서 아뢴다.

"멀리 강남 쪽에서 돛단배 한무리가 바람을 타고 다가오고 있사옵니다."

조조가 높은 곳으로 올라가 바라보니, 과연 한무리의 선단이 강을 타고 오는데 청룡아기가 꽂혀 있고, 큰 깃발 위에는 '선봉 황개'라는 글자가 크게 씌어 있다. 조조가 기분좋게 웃는다.

"황개가 항복을 하러 오니, 이는 하늘이 도우심이로다!"

배가 차츰 조조의 수채에 가까이 이르렀다. 그때까지 말없이 지켜보고 있던 정욱이 문득 조조에게 말한다.

"아무래도 수상하니 수채 근처에는 오지 못하게 하십시오."

조조가 묻는다.

"무엇이 수상하다는 것인가?"

정욱이 대답한다.

"저 배들이 군량을 싣고 있다면 분명히 반쯤 물에 잠겨 무겁게 흘러올 터인데, 저렇게 가볍게 물위에 떠 있으니 군량을 싣고 온다고 믿기 어렵습니다. 더구나 지금 동남풍이 크게 불어닥치니, 만일 저들이 계교를 쓰기라도 한다면 어찌 막으시렵니까?"

조조는 그제야 정신이 번쩍 나서 좌우를 돌아보며 묻는다.

"누가 나가 저 배들을 막겠는가?"

문빙이 나선다.

"수전에 익숙한 제가 가겠습니다."

문빙은 말을 끝내기가 무섭게 작은 배로 뛰어올랐다. 그리고 한번 손짓을 하니, 10여척의 순시선이 문빙의 뒤를 따라나선다. 문빙은 뱃머리에 서서 큰소리로 외친다.

"승상의 분부시니, 남쪽에서 온 배들은 가까이 오지 말고 강 복판에 닻을 내리고 머물도록 하라!"

문빙의 소리에 맞추어 수하군사들 또한 일제히 소리를 지른다.

"가까이 오지 말고, 어서 돛을 내려라!"

그들의 말이 미처 끝나기도 전이었다. 갑작스러운 시윗소리와 함께 날아온 화살이 문빙의 왼쪽 팔에 꽂혔다. 문빙은 외마디 비명과 함께 나동그라지고, 이를 본 군사들은 지레 겁을 먹고 뱃머리를 돌려 달아나기 바빴다.

강남의 배들은 어느새 조조의 수채에서 불과 2리 정도 떨어진 곳까지 이르렀다. 황개가 칼을 들어 신호하자 앞서가던 배에서 일제히 화포를 쏘아댄다. 순식간에 하늘은 온통 화염에 휩싸였다. 쏜살같이 내달리는 배들을 따라 불길은 동남풍을 등에 업고 그 기세가 더욱 험해졌다. 적벽강 일대는 화광이 충천해 대낮같이 밝고, 화염이 자욱했다.

이렇게 화선 20척이 불을 내지르며 수채 안으로 몰려들자 조조의 전선들은 순식간에 불길에 휩싸였다. 설상가상으로 조조의 수채에 있는 전선은 모두 쇠고리로 묶여 있는 터라, 어디로 피할 수도 없었다.

이때 강 건너 주유 진영에서 포소리가 울리며 사면에서 화선들이 일제히 몰려든다. 삼강에는 불길이 바람을 따라 치달아 온 천지가 시뻘건 불길로 가득했다. 조조가 다급하게 언덕 위 영채를 돌아보았다. 하늘이고 땅이고 바다고 할것없이 불길에 휩싸여 달아날 곳조차 없었다.

황개는 군사 4, 5명만 거느리고 작은 배로 뛰어내려, 화염을 무릅쓰고 불길을 뚫고 조조에게 다가갔다. 조조가 궁지에 몰려 언덕으로 뛰

—
불타는 적벽

어오르려는 순간, 장요가 작은 배 한척을 몰고 와서 옮겨타게 했다. 작은 배로 옮기자마자 조조가 타고 있던 큰 배는 순식간에 불길에 휩싸였다.

장요는 10여명의 군사와 더불어 조조를 호위해 급히 강어귀로 향했다. 붉은 도포를 입은 사람이 작은 배로 옮겨타는 모습에 황개는 이내 그가 조조임을 알아보고 배를 재촉하여 급히 뒤를 쫓았다. 황개가 손에 날선 칼을 들고 큰소리로 외친다.

"역적 조조는 달아나지 마라. 선봉 황개가 왔다!"

조조는 분하고 원통한 나머지 저주를 퍼부으며 탄식한다. 장요는 조용히 활에 살을 메기더니, 황개의 배가 가까이 다가오기를 기다렸다가 그 가슴을 향해 힘껏 쏘았다. 그저 조조를 잡을 욕심에만 사로잡혀 있던 황개는 몰아치는 바람소리와 일렁이는 불빛에 주의가 흐트러져 장요의 공격을 전혀 눈치채지 못했다. 황개는 그만 어깨에 화살을 맞고 물속으로 곤두박질하고 말았다.

불길의 횡액 맞을 때에 물의 횡액 만나니	火厄盛時遭水厄
매맞은 상처 낫자마자 화살에 상처 입었네	棒瘡愈後患金瘡

황개의 목숨은 어찌 될까?

50

목숨을 구걸하는 조조

공명은 지략을 써 조조를 화용도로 유인하고
관운장은 의리를 지켜 조조를 놓아주다

장요는 황개를 쏘아 물속에 처박은 다음, 급히 조조를 호위해 언덕
으로 올라갔다. 장요가 조조와 함께 말을 타고 달아나는 동안, 장수를
잃은 조조의 대군은 일대 혼란에 빠졌다. 그날밤 동오의 장수 한당(韓
當)이 불길을 뚫고 조조의 수채를 공격하는데 문득 수하군사가 보고
한다.

"고물 쪽에서 누가 장군의 이름을 부르고 있습니다."

한당은 귀를 세우고 들어보았다.

"의공(義公, 한당의 자), 나를 구해주오!"

과연 귀에 익은 음성이었다.

"황공복 아니시오?"

한당은 즉시 군사를 시켜 황개를 물속에서 구해냈다. 황개의 어깻죽지에는 화살이 깊숙이 박혀 있었다.

"장군, 조금만 참으시오!"

한당은 이로 화살대를 물고 뽑아냈으나, 너무 깊이 박혀 있던 탓에 화살촉이 그대로 살 속에 남고 말았다. 한당은 급히 황개의 젖은 옷을 벗기고 칼끝으로 살을 도려내 화살촉을 뽑은 다음, 기폭을 찢어서 상처를 싸맸다. 그러고는 자신의 전포를 벗어 황개에게 입히고, 다른 배에 태워 본부 영채로 보내 치료를 받게 했다. 본래 황개가 물에 익숙한 까닭에 이 엄동설한에 갑옷을 입은 채, 화살까지 맞고도 강물을 헤엄쳐 대안까지 와서 겨우 목숨을 보전할 수 있었던 것이다.

이날 적벽강은 무서운 불길에 덮이고, 천지를 뒤흔드는 함성이 하늘 높이 솟아올랐다. 왼쪽에서는 한당과 장흠(蔣欽)이 적벽의 서쪽으로부터 공격해왔고, 오른쪽에서는 주태(周泰)와 진무(陳武)가 적벽의 동쪽으로부터 배를 몰고 나왔으며, 한복판에서는 주유가 정보(程普)·서성(徐盛)·정봉(丁奉)과 함께 대선단을 이끌고 나왔다. 불길은 동오의 군사를 도왔고, 그들은 화염의 위력을 타고 조조의 대군을 사지로 몰아넣었다.

바로 이 전투가 후세에까지 전해지는 이른바 삼강수전(三江水戰)이요, 적벽오병(赤壁鏖兵, 적벽에서의 치열한 싸움)이었다. 조조의 대군은 창에 찔려죽은 자, 화살에 맞아죽은 자, 불에 타죽은 자, 물에 빠져죽은 자 등 그 수를 헤아릴 길이 없었다.

후세 사람이 시를 지어 읊었다.

손권·유비의 연합군은 조조군을 적벽에서 대파하다

위나라 오나라 자웅을 겨루니　　　　　　　　魏吳爭鬪決雌雄

적벽강의 전함들 한번에 쓸어버렸구나　　　　　赤壁樓船一掃空

열화는 타올라 운해를 비추나니　　　　　　　　烈火初張照雲海

주유가 일찍이 이곳에서 조조를 깨뜨렸네　　　周郎曾此破曹公

그리고 이런 시도 있다.

산은 높고 달은 작고 강은 넓어 망망한데　　　山高月小水茫茫

그 옛날 군웅의 할거 생각하며 탄식하도다　　追嘆前朝割據忙

강남 사람들 조조를 맞아들일 마음 없으매　　南士無心迎魏武

동풍은 뜻이 있어 주랑을 편들었다네　　　　東風有意便周郎

장강에서 벌어진 살상에 대해서는 더이상 이야기하지 않기로 하자.

감녕(甘寧)은 채중(蔡中)을 앞세우고 조조의 영채 깊숙이 짓쳐들어간 다음, 한칼에 채중을 베어 말 아래 거꾸러뜨리고 즉시 군량에 불을 질렀다. 그 불길을 멀리서 바라본 여몽(呂蒙)은 10여 군데 불을 지르며 감녕을 도우러 달려왔다. 뿐만 아니라 반장과 동습 역시 양쪽으로 갈라져 불을 놓으며 함성을 지르니, 북소리가 사방을 에워싸고 고함소리가 천지를 진동했다.

진퇴양난에 빠진 조조는 장요와 더불어 불과 1백여기(騎)를 거느리고 불길 속을 뚫고 나가려 했다. 적당한 퇴로를 찾지 못해 우왕좌왕하고 있는데, 바로 그때 모개가 문빙을 구한 다음 함께 10여기를 거느리고 달려왔다. 조조가 퇴로를 찾으라고 하자 장요가 말한다.

"다른 곳은 없고, 오림이 넓으니 그쪽으로 가시지요."

조조는 급히 오림을 향해 말을 달렸다. 그러나 얼마 못 가 등뒤에서 한떼의 군사가 쫓아오며 외친다.

"역적 조조야, 게 섰거라!"

조조가 돌아보니 불길 속에 여몽의 깃발이 뚜렷하다. 조조는 그대로 힘껏 내달리고, 장요가 남아 여몽을 대적한다. 그런데 이번에는 앞쪽에서 불길이 일며 산골짜기에서 한무리의 군사들이 쏟아져나오는 것이 아닌가.

"능통이 여기 있다!"

조조가 간담이 서늘해 도무지 어찌할 바를 모르는데, 산모퉁이에서 한떼의 군사들이 달려오며 외친다.

"승상은 두려워 마십시오. 여기 서황이 왔습니다."

고함소리가 울리기 무섭게 서황과 능통의 군사는 맞붙어 어지럽게 싸웠다. 서황은 적과 싸우면서 간신히 길을 열어 조조를 호위하고 북쪽을 향해 달아났다. 그런데 또다시 길 앞 산언덕을 의지하고 한무리의 군사가 진을 치고 있었다.

서황이 급히 달려가 알아보니, 다행히 원소의 수하장수였던 마연(馬延)과 장의(張顗)다. 두 장수는 북쪽 군사 3천명을 거느리고 그곳에 진을 치고 있었는데, 그날밤 온 천지에 화광이 충천하는 것을 멀찍이서 보고 감히 움직이지 못하다가 이렇게 조조를 만나게 된 것이다. 조조는 두 장수에게 군사 1천명을 거느리고 앞장서서 길을 열게 하고, 나머지 군사들은 뒤에서 자신을 호위하게 하였다. 대군은 아니지만 마연과 장의를 얻고 나니 조조는 다소 마음이 놓였다.

마연과 장의 두 장수는 말에 오르기 무섭게 바람처럼 달려나갔다. 그런데 채 10리도 못 가서 함성을 지르며 쏟아져오는 한무리의 적군과 맞닥뜨리고 말았다. 적장이 앞으로 나서며 외친다.

"나는 동오의 감녕이다!"

마연은 즉시 앞으로 달려나가 감녕을 맞아 싸웠다. 그러나 몇합 싸워보지도 못하고 번개같이 내리치는 감녕의 칼에 맞아 말 아래로 굴러떨어지고 말았다. 이번에는 장의가 창을 고쳐쥐고 감녕을 향해 달려들었다. 감녕이 크게 꾸짖으며 칼을 휘두르니, 장의는 손 한번 쓰지 못하고 감녕의 칼에 맞아 나뒹굴었다. 뒤따르던 군사가 급히 조조에게 달려가 이 사실을 고하자 조조는 놀라 어쩔 줄 모른다.

"이런 때 합비(合淝)에서 지원군이 온다면 오죽이나 좋으랴!"

이러한 조조의 간절한 바람과는 달리 손권이 합비의 길목을 막고 원군을 차단하고 있을 줄이야. 손권은 충천하는 불길을 보고 아군의 승리를 짐작하고는 육손에게 봉화를 올리도록 했다. 태사자는 봉화를 보고 육손과 합세하여 조조군을 공격하기 위해 달려왔다.

합비로도 갈 수 없게 되자 조조는 말머리를 돌려 이릉(彝陵)으로 향했다. 다행히 조조는 도중에 장합(張郃)의 군사를 만나, 장합에게 뒤를 막으라 이르고 밤새 말을 몰아 달아났다.

어느덧 5경 무렵(새벽 4시)이 되어 날이 훤하게 밝아왔다. 조조가 한숨 돌리고 뒤를 돌아다보니 화광이 저만큼 멀어져 있었다. 그제야 조조는 마음을 놓고 좌우에게 묻는다.

"이곳이 어디인가?"

"여기는 오림의 서쪽이고, 의도(宜都)의 북쪽입니다."

조조는 말을 천천히 몰면서 지세를 둘러보았다. 산림이 빽빽하고 지세가 험준하다. 갑자기 조조는 말 위에서 하늘을 올려다보며 호탕하게 웃는다.

"아니, 승상께서는 어찌 그리 웃으십니까?"

수하장수들이 묻자 조조가 대답한다.

"내 달리 웃은 게 아니다. 주유와 제갈량이 이렇듯 꾀가 없을 수 있느냐? 만일 내가 용병을 했다면 일찌감치 이곳에 군사를 매복해두었을 것이다. 그러면 도무지 어쩔 도리가 없었을 게 아닌가?"

조조의 말이 떨어지기가 무섭게 갑자기 양편에서 난데없는 북소리가 크게 일더니 불길이 하늘로 치솟는다. 조조는 소스라치게 놀라 하마터면 말에서 떨어질 뻔했다. 곧이어 한무리의 군사들이 내달려오면서 선봉에 선 장수가 큰소리로 외친다.

"나는 조자룡이다. 군사 제갈량의 영을 받들어 이곳에서 너희들을 기다린 지 오래다!"

조조는 서황과 장합 두 장수에게 조자룡과 맞서싸우라 명하고, 즉시 화염 속을 뚫고 바삐 달아났다. 조자룡은 서황·장합과 싸우면서 군이 조조를 뒤쫓지 않고 기치를 빼앗으려 할 뿐이었다. 그리하여 조조는 간신히 조자룡의 손에서 벗어날 수 있었다.

이미 먼동이 틀 시각이었으나, 검은 구름이 몰려와 온 하늘을 뒤덮으니 사위는 아직 어두웠다. 동남풍은 여전히 불고, 갑자기 쏟아붓기 시작한 장대비까지 바람을 타고 더욱 기세를 부렸다. 달아나는 조조와 군사들은 갑옷이며 말이며 무기며 할것없이 모두 비에 젖어 행색이 말이 아니었다.

계속되는 공격에 혼이 나간 조조는 장대비에도 아랑곳없이 한참을 달려가다가 문득 군사들을 돌아보니 지치고 굶주린 기색이 역력하여 군사들에게 마을로 찾아들어가 양식을 탈취하고 불씨를 얻어오게 했다. 바야흐로 자리를 정하고 밥을 지으려 할 때였다. 또다시 뒤에서 한무리의 군마가 급히 달려오는 것이 아닌가. 조조가 놀란 가슴을 진정하고 자세히 보니, 이전(李典)과 허저가 모사들을 호위하여 오고 있었다. 조조는 너무 기쁜 나머지 손수 말을 몰고 가서 그들을 맞이한 뒤, 좌우를 돌아보며 물었다.

"앞으로 계속 가면 어디로 통하는가?"

한 사람이 나서며 대답한다.

"한쪽은 남이릉으로 가는 대로이고, 다른 한쪽은 북이릉으로 가는 산길입니다."

"남군(南郡) 강릉(江陵)으로 가려면 어느 길이 더 가까운가?"

이번에는 다른 군사가 아뢴다.

"북이릉으로 해서 호로구(葫蘆口)를 지나는 길이 가장 빠릅니다."

조조는 그 군사의 말대로 북이릉으로 가는 길로 접어들었다. 드디어 조조와 군사들이 호로구에 이르니, 군사들은 굶주림과 피로에 지쳐 제대로 걷지도 못하고 말들도 지쳐서 길가에 쓰러졌다. 조조가 영을 내린다.

"이곳에서 잠시 쉬어가기로 한다."

군사들은 몹시 기뻐하며 밥부터 짓기 시작했다. 말에 싣고 온 솥들도 있고 마을에서 탈취한 양식도 있어 군사들은 산기슭 마른자리를 찾아 밥을 짓고 말고기를 구워 상하가 배불리 나누어 먹었다. 그러고 나서 비에 젖은 옷을 벗어 바람에 말리고, 말에게서 안장을 벗겨 마음놓고 들판에서 풀을 뜯게 하였다. 그런데 나무 밑에 앉아서 쉬고 있던 조조가 갑자기 큰소리로 웃음을 터뜨린다. 수하장수들이 묻는다.

"승상께서는 조금 전에 주유와 제갈량을 비웃으시다가 조자룡이 들이닥치는 바람에 숱한 인마를 잃으셨는데, 어째서 또 그렇게 웃으십니까?"

조조가 대답한다.

"아무리 생각해도 제갈량과 주유는 지모가 부족한 자들이로구나! 만일 내가 용병을 한다면 이곳에 군사들을 매복해두었다가 이렇게 우리가 쉬고 있을 때 기습공격을 감행할 것이다. 그리하면 설혹 우리가 목숨은 보존한다 하더라도 반드시 크게 다칠 터인데, 어찌하여 저들의 소견이 여기에 미치지 못하는지, 그게 참으로 우습지 않느냐?"

그런데 이게 웬일인가. 마치 누군가 곁에서 엿듣기라도 한 듯 그 말이 떨어지기가 무섭게 천지를 울리는 함성이 일어났다. 그것도 한 군데서가 아니라 전후좌우에서 한꺼번에 일어났다.

혼비백산한 조조는 갑옷도 입지 못한 채 말 위로 뛰어올랐다. 한가로이 쉬고 있던 수많은 군사들은 미처 사태를 수습하지 못하고 당황하여 갈팡질팡한다. 사방에서 불길이 일고 함성이 울리는 가운데 산어귀에서 한무리의 군사가 들이닥쳤다. 그 맨앞에는 연인(燕人) 장익덕이 장팔사모를 거머쥐고 말 위에 높이 앉아 벽력같이 소리를 지른다.

"역적 조조야, 어디로 달아나느냐!"

조조의 군사들은 간담이 서늘해 우왕좌왕할 뿐 감히 맞서싸우지 못하는데, 허저가 안장도 없는 말을 타고 나서서 장비와 맞섰다. 그제야 장요와 서황도 더불어 좌우에서 장비를 공격한다. 양편 군사들이 일대 혼전을 벌이는 틈에 조조는 말을 재촉해 달아나니 휘하 장수들도 각기 빠져나와 도망쳤다. 장비가 그 뒤를 맹렬히 추격한다.

조조는 한참동안 뒤도 안 보고 내달리다가, 추격병이 제법 멀찍이 떨어지자 말고삐를 늦추고 좌우를 돌아보았다. 뒤따르는 장수와 군사들 상당수가 크게 부상을 입었다. 조조가 수하장수들과 더불어 계속 전진하는데, 문득 앞서가던 군사가 와서 고한다.

"두 갈래 길이온데, 승상께서는 어디로 가시렵니까?"

조조가 묻는다.

"어느 길이 더 가까우냐?"

"대로는 평탄하여 가기는 쉬우나 50여리를 돌아야 하고, 좁은 산길을 취해 화용도(華容道)로 접어들면 50리는 줄지만, 길이 좁고 험한데다 구덩이가 많아서 행군하기가 어렵습니다."

조조는 즉시 사람을 시켜 산에 올라가 지세를 살피고 오라 일렀다. 얼마 후 군사가 돌아와서 고한다.

"좁은 산길 주변에는 곳곳에 연기가 오르는데, 대로에는 별다른 움직임이 없습니다."

조조는 즉시 전군에 영을 내린다.

"산길로 해서 화용도로 향하라!"

수하장수들이 의아해하며 묻는다.

"연기가 오르는 것으로 보아 적군이 매복해 있는 게 틀림없는데, 어찌하여 그 길로 가려 하십니까?"

조조가 웃으며 대답한다.

"병서(兵書)에도 있지 않느냐? 겉으로 보기에 허(虛)한 곳이 오히려 실(實)하고, 실(實)해 보이는 것이 오히려 허(虛)하다 했다. 제갈량은 워낙 계략이 많은 위인이라 일부러 좁은 산길에 연기를 피워올려 짐짓 매복을 둔 것처럼 위장해 우리를 대로로 유인하고, 사실은 대로에 군마를 매복해두었다가 우리를 공격하려는 게 분명하다. 내가 어찌 그 꾀에 속겠느냐?"

그 말에 모든 장수들은 탄복해마지 않는다.

"승상의 헤아림은 누구도 따를 자가 없습니다."

마침내 조조는 군사를 몰고 화용도 쪽 산길로 들어섰다. 산길은 과연 좁고 험하여 행군하기가 어려웠다. 군사들은 모두 굶주리고 피로에 지쳐 있었고, 말은 말대로 기운이 쇠하여 한걸음 내딛기도 어려웠다. 뿐만 아니라 그간의 전투로 머리가 탄 사람, 화상으로 이마가 부풀어오른 사람, 화살에 맞거나 창에 찔린 사람이 태반이었다. 부상당한 군사들은 절룩거리며 다리를 끌다시피 걸었고, 갑옷들은 흠뻑 비에 젖어 후줄근한데다 무기며 깃발도 제대로 갖추지 못한, 초라하기 그지없는 행렬이었다. 또한 이릉에서 장비를 만나 허겁지겁 도망치느라 안장이며 재갈이며 옷들을 모조리 내버리고 온 터라 엄혹한 추위에 그 고생은 이루 말할 수가 없었다. 갑자기 앞서가던 군사들이 더 전진하지 못한 채 멈추어 섰다. 조조가 소리쳐 묻는다.

"왜 전진하지 않느냐!"

한 군사가 앞으로 달려가 상황을 살피고 돌아와 조조에게 고한다.

"앞쪽 비탈길이 새벽에 내린 비로 그만 진흙구덩이로 변해 말굽이 푹푹 빠져 꼼짝도 못하고 있습니다."

조조가 버럭 화를 내며 호통친다.

"본래 군사는 산을 만나면 길을 내서 전진하고 물을 만나면 다리를 놓아 건너는 법인데 진흙구덩이 때문에 행군하지 못한다니, 될 법이나 한 소린가!"

조조는 즉시 전군에 추상같이 호령한다.

"늙고 약한 군사, 화살과 창을 맞아 부상당한 군사들은 천천히 뒤를 따르고, 건장한 무리들은 흙을 져나르고 섶을 묶고 풀과 갈대를 베어다 즉시 진흙구덩이를 메우도록 하라. 만일 영을 어기는 자가 있으면 단칼에 목을 베리라!"

모든 군사들은 말에서 내려 길가에서 대나무를 베고, 나뭇가지를 꺾어다 흙구덩이를 메우기 시작했다. 조조는 혹시라도 추격병이 있을까 두려워, 장요와 허저, 서황에게 군사 1백여명을 거느리고 뒤에 처져서, 조금이라도 늑장을 부리는 자가 있으면 가차없이 베어버리라고 엄명을 내렸다.

진흙구덩이를 메운 뒤, 조조는 인마를 재촉해 험한 벼랑길을 타고 행군을 계속했다. 군사들은 굶주리고 지쳐서 쓰러지는 자가 속출했다. 조조가 그 위를 그대로 짓밟고 가라고 호령하니 죽는 자들이 부지기수였고, 산비탈 길에는 비명과 두려움에 울부짖는 소리가 끊이지 않았다. 조조가 성이 나서 호령한다.

"죽고 사는 것은 모두 타고난 것인데 어찌하여 곡소리가 이리 높으냐! 다시 우는 자가 있거든 그 자리에서 목을 베리라!"

3대로 나뉘어 행군하던 조조의 군사 중에서 1대는 뒤로 처지고, 또 1대는 우왕좌왕하다 진흙구덩이에 빠져죽고, 마지막 1대만이 조조를 따라 험준한 길을 뚫고 나왔다. 평지에 이르러 조조가 좌우를 살펴보니 뒤따르는 군사는 3백여명에 불과한데, 갑옷이며 투구 등을 제대로 갖춘 자가 한 사람도 없었다. 이래 가지고야 적군을 만났다 하면 몰살을 면치 못하리라 생각한 조조는 급히 길을 재촉했다. 수하장수들이 고한다.

"말이 너무 지쳐 있으니 잠시 쉬었다 가시지요?"

조조는 들은 척도 하지 않는다.

"형주까지 가서 쉬더라도 늦지 않다."

조조가 말을 몰고 나가니 어쩔 수 없이 군사들이 뒤따르는데, 사람과 말 모두 지쳐 행군이 더뎠다. 그렇게 몇리쯤 가서였다. 조조가 갑자기 말 위에서 채찍을 높이 들고 소리내어 웃는다. 장수들이 묻는다.

"승상께서는 또 어찌 그리 웃으십니까?"

조조가 대답한다.

"모두들 주유와 제갈량의 지략이 뛰어나다고 하나, 내가 보기엔 참으로 무능한 인물들이로다. 만약 이곳에 군사 몇백만 매복해두었어도 우리 모두 꼼짝없이 사로잡히고 말 게 아니겠느냐?"

이번에도 조조의 말이 끝나기 무섭게, 갑자기 포성이 울리는 것을 신호로 양쪽에서 5백여명의 군사들이 시퍼런 칼을 들고 쏟아져나왔다. 그들을 이끄는 장수는 바로 관운장이었다. 관운장은 청룡도를 쥐고 적토마 위에 높이 앉아 길을 막고 나섰다. 조조가 호탕한 웃음을 터뜨릴 때마다 번번이 적병이 출몰하니, 기가 막힌 군사들은 서로의 얼굴을 쳐다볼 뿐 넋을 잃은 표정이다. 조조가 장수들을 돌아보며 말한다.

"이 지경까지 왔으니 죽기로 싸울 수밖에 없다!"

장수들이 말한다.

"군사들이 설사 겁내지 않는다 해도 말이 지쳐 도무지 움직이질 않으니 어찌 싸우겠습니까?"

그야말로 진퇴유곡에 빠진 이때, 정욱이 앞으로 나서며 간한다.

"제가 알기로 관운장은 윗사람에게는 오만해도 아랫사람은 절대 업신여기지 않고, 강한 자는 우습게 알아도 약한 자는 능멸하지 않으며, 은혜 갚는 일과 원수 갚는 일을 분명히하는 신의가 두터운 사람입니다. 승상께서 지난날 그에게 베푼 은혜가 있으니, 친히 간청하신다면 이 난국을 벗어날 수 있을 것입니다."

조조는 정욱의 말대로 말을 몰아 앞으로 나서며 관운장에게 몸을 굽혀 인사한다.

"장군께서는 그동안 별고 없으셨소?"

관운장 역시 몸을 굽혀 답례하며 대답한다.

"관우가 군사 제갈량의 영을 받들어 승상을 기다린 지 오래요."

"내가 싸움에 패하고 위기에 몰려 이곳에 이르렀으나 더이상 갈 길이 없는 터요. 부디 장군께서는 옛정을 생각하여 길을 내주시오."

"내 비록 승상의 은혜를 입었으나, 안량과 문추를 베어 백마(白馬)에서 포위를 뚫게 해드렸으니 은혜는 갚은 셈이오. 오늘은 사사로운 일로 공사(公事)를 거스를 수 없소이다."

조조는 관운장에게 간청해 겨우 목숨을 구하다

더이상 물러설 곳 없는 조조가 다시 간청한다.

"장군께서는 다섯 관문을 지날 때마다 내 장수 한명씩을 죽인 일을 잊으셨소? 대장부는 신의를 가장 중히 여기는 법이거늘 장군께서는 『춘추(春秋)』에 밝으신 터에 어찌 유공지사가 자탁유자를 쫓던 일(춘추시대 위나라의 유공지사庾公之斯가 쳐들어온 정나라의 자탁유자子濯孺子를 추격할 때 자탁유자가 몸이 아파 활을 쏘지 못하자, 유공지사가 '나는 윤공지사에게 활쏘는 법을 배웠고 윤공지사는 공에게 활쏘는 법을 배웠으니, 내가 공의 활쏘는 법으로 공을 죽일 수 없다'고 하여 촉을 뽑은 화살을 네 대 쏘고 돌아갔다는 고사)을 모르시오?"

관운장은 의리를 태산같이 중하게 여기는 사람이었다. 청룡도를 치켜든 채 고개를 숙이고, 지난날 허도에서 지낼 때 조조에게 입은 은혜와 또한 그뒤에 조조를 떠나올 때 다섯 관문을 통과하면서 관문을 지키던 장수들을 죽인 일을 생각하니 어찌 마음이 움직이지 않겠는가? 게다가 겁에 질려 하나같이 눈물을 떨구고 있는 조조 군사들의 행색을 보니 측은하기 그지없었다. 이윽고 관운장은 말머리를 돌려 군사들을 향해 영을 내린다.

"즉시 사방으로 흩어져라!"

관운장이 길을 터줄 뜻임을 알고, 조조는 급히 장수들과 수하군졸을 거느리고 달아나기 시작했다. 관운장이 몸을 돌이켰을 때 조조는 이미 여러 장수들과 저만큼 달아나고 있었다. 순간 관운장은 큰소리로 외쳤다.

"모두 멈추어라!"

조조의 뒤를 따르던 모든 군사들이 황망히 말에서 내려 그대로 땅에 엎드려 소리내어 운다. 관운장이 차마 어쩌지 못하고 괴로워하는데, 바로 그때 장요가 뒤늦게야 말을 달려 그곳에 이르렀다. 관운장은 장요와 나누었던 옛정이 떠올라 다시 길게 탄식하고는 외친다.

"내 앞에서 빨리 사라져라!"

조조와 수하장졸들은 급히 말에 올라 그곳을 빠져나갔다.

후세 사람들이 시를 지어 이를 찬탄했다.

조조군이 패하여 화용도로 달아나다가	曹瞞兵敗走華容
관우와 좁은 길에서 정통으로 마주쳤네	正與關公狹路逢
당초에 은혜와 의리가 중한 터라	祇爲當初恩義重
관공 자물쇠 열어 교룡을 놓아보냈네	放開金鎖走蛟龍

조조가 화용도에서 간신히 죽을 고비를 넘기고 골짜기 입구에 이르러 살펴보니, 남은 군사가 겨우 27명뿐이다. 조조는 다시 길을 재촉해 날이 저문 뒤에야 남군 근처에 이르렀다. 그때 갑자기 수많은 횃불들이 대낮처럼 주위를 밝히며 한무리의 군사가 맞은편에서 달려나왔다. 상심한 조조가 탄식한다.

"이제 내 명도 다했구나!"

어찌해볼 방도도 찾지 못하고 낙심하고 있는데, 가만히 살펴보니 바로 조인의 군사였다. 조조는 그제야 마음을 놓았다. 조인이 조조 앞으로 와서 아뢴다.

"이번 싸움에 패하신 줄 알았으면서도 감히 멀리까지 달려가지 못하고 겨우 이곳에서야 영접하게 되었습니다."

조조가 안도의 한숨을 내쉬며 대답한다.

"하마터면 다시는 너를 보지 못할 뻔했다."

조조는 곧 무리를 거느리고 남군으로 들어가서 휴식을 취했다. 뒤따라온 장요가 관운장의 덕을 칭송한다. 조조가 장졸을 모두 점검해 보니 태반이 부상을 당한 처지라 그들에게 편히 쉬도록 분부를 내렸다.

조인은 조조의 우울한 심기를 위로할 겸 술상을 차려내왔다. 여러 모사들도 자리를 함께하여 몇 순배 술이 돌았는데, 조조는 갑자기 하늘을 우러러 대성통곡을 한다. 자리에 있던 모사들이 조조에게 묻는다.

"승상께서는 그동안 호랑이굴을 숱하게 벗어나면서도 조금도 두려워하지 않으셨습니다. 그런데 이제 이렇게 성안에 들어와 모두들 배불리 먹고 말들도 충분히 휴식을 취하여, 바야흐로 군마를 정돈해 원수를 갚으려는 때, 어찌하여 이렇게 통곡을 하십니까?"

조조가 대답한다.

"곽봉효(郭奉孝, 곽가의 자)가 생각나서 그런다. 만일 봉효만 살았어도 오늘날 이렇게 낭패를 당하지는 않았으리라."

조조는 다시 주먹을 들어 가슴을 치며 울부짖는다.

"슬프구나 봉효여, 괴롭구나 봉효여, 아깝구나 봉효여!"

조조의 통곡에 모사들은 부끄럽고 무안하여 고개를 숙인 채 말이 없었다.

이튿날 조조가 조인을 불러 분부를 내린다.

"내 이제 허도로 돌아가 군마를 수습해 반드시 원수를 갚으러 올 것이니, 너는 부디 남군을 굳게 지키고 있거라. 내가 계략을 하나 적어서 밀봉해 남겨둘 터이다. 급한 일이 없으면 열어보지 말고, 급한 일이 생기거든 열어보아 거기에 적힌 계책대로 하라. 그리하면 동오가 감히 남군을 엿보지 못할 것이다."

조인이 한마디 묻는다.

"합비와 양양은 누가 지킵니까?"

조조가 대답한다.

"너는 형주를 맡아서 다스리도록 해라. 양양은 내가 이미 하후돈을 보내 지키게 하였다. 합비는 참으로 중요한 곳이라 장요를 주장으로 삼고 악진(樂進)과 이전을 부장으로 삼아 지키게 할 터이니, 급한 일이 생기면 즉시 내게 알리도록 하라."

조조는 이렇게 임무를 분담해 장수들을 임지로 떠나보낸 후, 수하의 무리와 형주에서 항복한 관원들을 데리고 허도를 향해 떠났다. 조인은 아우 조홍을 이릉으로 보내 지키게 하고, 자기는 남군을 지키며 주유를 방비하기로 했다.

한편, 화용도에서 조조를 살려보낸 관운장은 군사를 거두어 하구로 돌아왔다. 이미 제갈량의 명령을 받은 여러 장수들은 모두 적으로부터 말과 무기, 군량 등을 빼앗아가지고 하구에 돌아와 있었다. 오직 관운장만 군졸 하나, 말 한 필 얻지 못하고 빈손으로 돌아와 현덕을 뵙게 되니 처지가 난감했다.

공명은 마침 현덕과 더불어 승리를 자축하고 있었다. 관운장이 돌아왔다는 소식에 공명은 황급히 자리에서 일어나 술잔을 들고 나와서 맞이한다.

"장군께서 그렇게 큰 공을 세우시고 천하의 화근을 없앴으니, 우리가 마땅히 멀리 영접나가 경하드렸어야 했는데 송구스럽소."

관운장은 입을 봉한 채 말이 없다. 공명이 다시 말한다.

"우리가 멀리 나가 맞이하지 않았다고 장군께서는 화가 나셨소?"

그러고는 좌우를 돌아보며 책망한다.

"너희들은 어찌하여 장군께서 오신다고 일찍이 아뢰지 않았느냐."

그제서야 관운장이 간신히 입을 연다.

"관우는 오직 죽기 위해 돌아왔소이다."

공명이 다시 묻는다.

"아니, 조조가 화용도로 오지 않았습니까?"

"그곳으로 왔으나 내가 무능하여 놓치고 말았습니다."

"그러면 장수나 군졸은 몇명이나 잡았소?"

"하나도 잡지 못했습니다."

그 말에 공명은 격분하여 언성을 높인다.

"이는 운장이 조조에게 입은 은혜 때문에 일부러 놓아보낸 게 틀림없다. 이미 군령장까지 받아둔 터이니, 군법대로 시행하겠다!"

공명은 즉시 무사들에게 호령한다.

"관운장을 끌어내어 즉시 목을 베어라!"

한번 죽어 지기(知己)에 보답하니   拼將一死酬知己
의로운 그 이름 천추에 빛나리로다   致令千秋仰義名

이제 관운장의 목숨은 어찌 될 것인가?

51

주유의 헛수고

조인은 동오의 군사와 크게 싸우고
공명은 처음으로 주유의 화병을 돋우다

공명이 무사를 시켜 관운장의 목을 베려 하자 현덕이 만류한다.

"지난날 내가 관우·장비와 더불어 도원에서 결의할 때, 태어난 날은 다르나 같은 날 죽기로 맹세하였소. 비록 관운장이 군법을 어기기는 했지만 차마 지난날의 맹세를 저버릴 수 없으니, 군사께서는 부디 이 일을 잊지 말고 기억해두었다가 운장으로 하여금 공을 세워 속죄하게 해주시오!"

공명은 현덕의 간청에 못이기는 체 관운장을 용서해주었다.

한편, 적벽대전에서 승리를 거둔 주유는 군사와 장수들을 점검하고 그들의 공훈을 기록하여 손권에게 보고했다. 또한 투항해온 조조의 군사들과 전리품을 모두 강동으로 실어보낸 뒤에 크게 잔치를 베풀어 삼군을 위로하였다. 이제 남은 일은 다시 군사를 수습해 남군을 손에 넣는 일이었다. 주유는 강어귀에 선봉대를 주둔시키고 앞뒤로 영채 다섯 개를 세운 다음, 그 한가운데에 자리를 잡았다. 주유가 수하장수들을 불러모아 앞으로 남군을 공략할 계책을 의논하고 있을 때, 한 군사가 들어와서 아뢴다.

"유현덕의 사자 손건이 도독의 대승을 하례하러 왔습니다."

주유는 곧 손건을 불러들이라 명했다. 손건이 주유 앞에 예를 올리고 나서 말한다.

"주공께서는 특히 저를 보내시며 도독의 크신 덕을 사례하고, 보잘것없는 예물이나마 전해드리라 하셨습니다."

주유가 묻는다.

"현덕공은 어디 계시오?"

"지금 군사를 옮겨 유강 어귀에 주둔하고 계십니다."

주유는 깜짝 놀라며 재차 묻는다.

"그럼 공명도 유강에 계시오?"

"공명도 주공과 함께 유강에 계십니다."

손건의 대답에 주유는 잠시 말이 없더니, 이윽고 입을 연다.

"그대는 먼저 돌아가시오. 내 몸소 현덕공을 찾아뵙고 답례를 올리리다."

주유는 유현덕이 보낸 예물을 받고 손건을 돌려보냈다. 의아한 표정으로 있던 노숙이 묻는다.

"도독께서는 아까 왜 그렇게 놀라셨소?"

주유가 대답한다.

"유비가 지금 유강에 주둔해 있는 것은 틀림없이 남군을 손에 넣으려는 속셈이오. 우리가 그동안 수많은 군마와 전량을 없애가며 이제 막 남군을 취하려 하는데, 저들이 이렇게 어질지 못한 마음을 품고 있으니, 내 절대로 저들을 그냥 두지 않겠소."

"그렇다면 도독은 무슨 계책으로 저들을 물리칠 작정이오?"

"직접 찾아가서 저들의 이야기를 들어봐야겠소. 좋은 말로 해서 저들이 잘 들어주면야 별일 없겠지만, 만일 그렇지 않을 때에는 저들에게 남군을 내주느니 먼저 유비부터 없애버릴 생각이오."

"그럼 나도 함께 가리다."

주유는 노숙과 더불어 군사 3천명을 거느리고 유강 어귀를 향해 떠났다.

한편 손건은 유강으로 돌아와 유현덕에게 아린다.

"주장군이 답례차 친히 이곳으로 오겠다고 하였습니다."

유현덕은 의아한 눈빛으로 공명을 바라보며 묻는다.

"대체 그 사람이 무슨 뜻에서 온다는 것입니까?"

공명이 웃으며 대답한다.

"그까짓 보잘것없는 예물 때문에 올 리는 만무하고, 틀림없이 우리가 먼저 남군을 취할까봐 걱정되어서일 것입니다."

"주유가 군사라도 거느리고 오면 어떻게 대처해야 좋겠소?"

"주유가 오면 이렇게 대답하십시오."

공명은 유현덕에게 대처할 방도를 일러주었다. 그러고는 즉시 유강

위에 전선을 벌여놓고, 언덕 위에는 군사들을 질서정연하게 늘어세웠다.

이윽고 한 군사가, 주유와 노숙이 군사를 거느리고 도착했다고 전한다. 공명은 즉시 조자룡에게 몇사람을 거느리고 가서 영접하게 했다. 주유 일행이 유강 어귀에 이르러 보니, 현덕의 군세가 자못 웅대하다. 문득 주유는 마음이 불안해졌다.

조자룡의 안내로 주유 일행이 영문 밖에 이르자 유현덕과 공명이 나와서 그들을 맞이했다. 주객은 서로 깍듯이 예를 올려 인사를 나누고, 현덕은 즉시 진중에 크게 잔치를 베풀어 손님들을 대접했다. 먼저 유현덕이 적벽대전에서 대승한 주유에게 하례하고 술잔을 돌려 두어 순배에 이르렀다. 마침내 주유가 입을 연다.

"유예주께서 이곳에 군사를 주둔하신 것은 혹시 남군을 취하시려는 뜻이 아닌지요?"

현덕이 시치미를 떼고 말한다.

"도독께서 남군을 손에 넣으려 하신다는 소식을 듣고 혹시 도움이 될까 하여 왔습니다. 만일 도독께서 남군을 그냥 내버려둘 생각이시라면, 그때는 유비가 취할 것이오."

주유는 터무니없다는 듯 웃으며 말한다.

"우리 동오가 한강을 손에 넣으려 한 지는 이미 오래되었소이다. 게다가 지금 남군이 손안에 들어온 거나 진배없는데 취하지 않을 까닭이 어디 있겠습니까?"

유현덕이 느긋한 태도로 다시 한마디 한다.

"이기고 지는 것은 미리 알 수 없는 일입니다. 조조가 이번에 허도로 돌아가면서 조인에게 남군 일대를 방비하도록 지시했는데, 틀림없이 기묘한 책략이 있을 것이오. 더욱이 조인은 범 같은 장수로 그의 용맹을 당해내기 어려우니, 아마도 도독께서 남군을 취하시기가 그리 쉽지는 않을 것이오."

"만일 내가 남군을 취하지 못하면 그때는 현덕공께서 마음대로 하시구려."

주유가 자신만만하게 말한다. 기회를 놓칠세라 현덕이 주유에게 다짐하듯 말을 잇는다.

"언약하셨습니다. 여기 공명과 노숙이 함께 듣고 증인이 되었으니, 도독께서는 부디 후회하지 마십시오."

곁에서 듣고 있던 노숙은 주저하는 마음에 아무 말도 하지 못한다. 그러나 주유는 대수롭지 않은 듯 한마디 한다.

"대장부가 한번 입밖에 낸 말을 어찌 후회하겠습니까?"

이제까지 잠자코 있던 공명이 나선다.

"도독의 그 말씀이 참으로 공론(公論)입니다. 먼저 동오에서 남군을 공략해 만일 뜻을 이루지 못하거든, 그때에 우리 주공께서 나서서 취하신다면 무슨 문제가 있겠습니까?"

이윽고 술자리가 끝나고 주유와 노숙은 현덕과 공명에게 하직인사를 하고 돌아갔다. 현덕이 공명에게 다급하게 묻는다.

"선생이 하라는 대로 했소만, 다시 생각해보니 아무래도 잘못한 일 같소. 나는 지금 외롭고 곤궁한 처지로 발 하나 디딜 곳이 없어 어떻게 남군이라도 얻어서 몸을 붙여볼까 하는 터에 주유더러 먼저 취하라 했으니, 한번 동오에게 간 땅을 나중에 무슨 수로 차지하겠소?"

공명이 껄껄 웃는다.

"애당초 주공께 형주를 차지하시라고 권할 때는 도무지 듣지 않으시더니, 이제 생각이 달라지셨는지요?"

현덕이 말한다.

"그때야 한집안인 유표가 다스리는 땅이라 의리 때문에 차마 빼앗을 수 없었소이다. 그러나 지금은 조조의 땅이 되었으니 당연히 취해야 하지 않겠소?"

공명이 정색하고 말한다.

"주공께서는 조금도 염려 마시고 주유에게 재주껏 해보라고 두십시오. 그래도 이 제갈량이 반드시 조만간 주공을 남군성 안에 높이 앉으시게 하겠습니다."

"무슨 좋은 계책이라도 있으시오?"

공명은 목소리를 낮추어 현덕에게 계책을 들려주었다. 현덕은 크게 기뻐하고서, 공명의 말에 따라 유강 어귀에 진지를 구축하고 움직이지 않았다.

한편 주유와 노숙은 영채로 돌아왔다. 노숙이 묻는다.

"도독은 무슨 생각으로 현덕에게 남군을 취하라고 허락하셨소?"

주유는 자신있게 말한다.

"손끝만 한번 놀리면 남군을 얻을 수 있는 마당에 뭐가 어떻겠소? 그저 생색이나 한번 내본 것이오."

주유는 즉시 수하장수들을 돌아보며 묻는다.

"누가 나서서 남군을 취하겠느냐?"

한 사람이 응답한다.

"제가 하겠습니다!"

바로 장흠이다. 주유는 즉시 영을 내렸다.

"좋다. 그대가 선봉장이 되고 서성과 정봉을 부장으로 삼아 먼저 군사 5천명을 이끌고 강을 건너도록 하라. 내가 군사를 이끌고 뒤따라 도울 것이다."

이때 조인은 남군에 있으면서 조홍에게 이릉을 지키도록 하여 기각지세(掎角之勢)를 이루고 있었다. 갑자기 전령이 들어와 아뢴다.

"동오의 군사가 이미 한강을 건넜습니다!"

조인은 곧 수하장수들을 모아놓고 말한다.

"맞서싸우지 말고 굳게 성을 지키는 게 상책이다."

그때 날쌔고 용감한 장수 우금(牛金)이 분연히 나섰다.

"적군이 이미 성밑까지 육박해왔는데 나가서 싸우지 않는다면 비겁한 일이오. 게다가 지난번 적벽에서 대패한 군사들의 사기를 북돋아주어야 합니다. 제게 정병 5백명만 내주신다면 목숨을 걸고 싸우겠습니다."

그 말에 따라 조인은 우금에게 군사 5백명을 내주었다. 우금이 군사를 이끌고 성문 밖으로 나가자 동오의 진영에서는 정봉이 우금을 맞아 싸우러 나왔다. 두 장수가 어지럽게 맞선 지 4,5합에 이르렀다. 갑자기 정봉이 거짓으로 패한 체하며 달아나기 시작한다. 우금은 즉시 군사를 휘몰아 뒤쫓았다.

정봉은 바야흐로 우금이 동오의 진 안으로 들어오기를 기다렸다가 군사들을 지휘하여 철통같이 우금을 포위했다. 우금은 그제서야 정봉의 계략에 휘말린 것을 알고 뚫고 나갈 길을 찾았지만 포위망은 더욱 좁혀들 뿐이다. 성위에서 이 모양을 내려다보던 조인은 더이상 관망하고만 있을 수가 없었다.

"어서 갑옷을 대령하라!"

조인은 갑옷을 갖춰입고 군사 수백기를 거느리고 성밖으로 내달렸다. 그러고는 곧장 칼을 휘두르며 동오의 진으로 뛰어들었다. 조인의 공격에 동오에서는 서성이 나와 맞섰다. 그러나 조인의 기세가 워낙 사나운지라 당해내지 못하고 길을 내준다. 조인은 곧장 포위를 뚫고 오군 진영 한가운데로 짓쳐들어가 우금을 구해냈다. 한참을 달리다가 조인이 문득 고개를 돌려보니 아직도 자신의 군사 수십기가 포위망을 뚫지 못하고 갇혀 있었다. 조인은 다시 말머리를 돌려 포위망 안으로 뛰어들었다.

조인이 동오의 군사들을 닥치는 대로 칼로 내려치며 싸우는데, 동오의 장수 장흠이 길을 막는다. 조인은 우금과 함께 어지러이 적진의 좌우를 들이쳤다. 때마침 조인의 아우 조순(曹純)이 군사를 거느리고 지원하러 나와 한바탕 혼전이 벌어졌다. 장흠이 거느린 오군은 힘껏 싸웠으나 도무지 조인을 당해내지 못하고 패하여 달아났다. 조인은 승리를 거두고 돌아갔다.

장흠이 패하고 돌아오자 주유는 격노했다.

"그깟 남군성 하나 손에 넣지 못하고 오히려 군사를 잃어? 저자를 당장 끌어내 목을 베어라!"

여러 장수들이 간청한 덕에 장흠은 겨우 죽음을 면할 수 있었다. 분을 참지 못한 주유가 소리친다.

"내 직접 조인과 맞서싸우리라!"

감녕이 앞으로 나서며 말한다.

"도독께서는 서두르지 마십시오. 지금 조인은 아우 조홍에게 이릉을 지키게 하여 기각지세를 이루었으니, 제가 정병 3천을 이끌고 당장 가서 이릉을 점령하겠습니다. 도독께서는 그후에 출정하여 남군을 치시는 게 좋겠습니다."

주유는 좋은 계책이라 여겨 우선 감녕에게 군사 3천을 내주고 이릉을 공격하게 했다. 정탐꾼들이 이 사실을 알아내어 급히 조인에게 보고했다.

"동오군이 창끝을 이릉으로 돌렸습니다."

조인은 즉시 진교(陳矯)를 불러 상의했다. 진교가 말한다.

"만일 이릉을 잃으면 남군을 지키는 것도 어려워지니, 속히 원군을 보내야 합니다."

조인은 조순과 우금에게 비밀리에 이릉으로 떠나 조홍을 돕도록 했다. 조순은 이릉에 닿기 전에 먼저 조홍에게 사람을 보내 이를 알리고 성에서 나와 적을 유인하도록 했다.

한편 동오의 감녕이 군사 3천명을 이끌고 이릉에 도착하니, 조홍이 성밖으로 달려나와 감녕을 맞아 싸운다. 20여합을 어우러져 싸우다가 조홍이 갑자기 패한 체하며 달아나는데, 성안으로 들어가는 게 아니라 다른 쪽으로 달아나는 게 아닌가. 감녕은 구태여 조홍을 쫓지 않고 그대로 성안으로 쳐들어갔다. 동오의 군사들은 손쉽게 이릉을 빼앗고 나자 의기가 충천했다.

그런데, 황혼 무렵에 도착한 조순과 우금의 군사가 조홍의 군사와 함께 양쪽에서 이릉성을 포위해버렸다. 전령이 이 사실을 주유에게 아뢴다.

"감녕 장군이 이릉성을 탈취했으나 조홍과 조순, 우금의 군사들에게 포위되어 형세가 위급합니다."

주유는 크게 놀랐다. 정보가 나서서 말한다.

"즉시 군사를 나누어 구하러 가야 합니다."

주유는 고개를 젓는다.

"이곳은 요충지인데, 만일 군사를 나누어 구하러 갔다가 조인이 대군을 이끌고 습격해오면 어쩌겠느냐?"

여몽이 말한다.

"감흥패(감녕의 자)는 강동의 큰 장수입니다. 어찌 구하지 않을 수 있겠습니까?"

주유는 근심어린 어조로 말한다.

"당장이라도 몸소 달려가 구해오고 싶소만, 누가 여기 남아 내 소임을 대신할 수 있을지 걱정이오."

여몽이 대답한다.

"능통에게 그 소임을 맡기십시오. 그리고 제가 선봉에 서고 도독께서 뒤를 끊으신다면 열흘 안에 승리할 수 있을 것입니다."

주유가 능통을 돌아보며 묻는다.

"그대가 나 대신 이곳을 지켜주겠소?"

능통이 대답한다.

"열흘이라면 한번 맡아볼 만하나, 만일 열흘을 넘기면 감당하기 어려울 듯합니다."

주유는 크게 기뻐하며, 즉시 군사 1만명을 능통에게 남겨두고 나머지 대군을 이끌고 이릉을 향해 떠났다. 여몽이 주유에게 말한다.

"이릉성에서 남군으로 가려면 남쪽에 있는 산길이 가장 가깝습니다. 먼저 군사 5백명을 보내 나무를 베게 하여 그 길을 막아두시지요. 만일 적군이 패하면 그 길로 빠져나갈 게 분명한데, 그곳을 막아두면 말을 버리고 달아나지 않겠습니까? 그럼 우리는 손쉽게 말을 얻을 수 있을 것입니다."

주유는 여몽의 말대로 군사 5백명을 보내 남쪽의 좁은 산길을 막도록 하고는 서둘러 진군했다. 마침내 대군은 이릉 부근에 이르렀다. 주유가 수하장수들을 돌아보며 말한다.

"누가 포위를 뚫고 들어가 감녕을 구하겠느냐?"

"제가 가겠습니다."

다름아닌 주태였다. 주태는 칼을 휘두르며 급히 말을 몰아 성을 포위하고 있는 적진을 향해 짓쳐들어갔다. 성밑에 이르자 성위에서 상황을 살피고 있던 감녕이 친히 문을 열고 나와 주태를 맞이했다. 주태가 말한다.

"도독께서 몸소 군사를 거느리고 오셨소."

감녕은 즉시 군사들에게 명하여 무장을 갖추고 배불리 먹은 후 주유의 군사와 접응할 태세를 갖추도록 명했다.

한편 감녕을 포위하고 있던 조홍·조순·우금은 주태의 기습을 받고 그를 성안으로 들여보내고 나서야 주유가 친히 군사를 거느리고 왔다는 사실을 알았다. 조홍 등은 사람을 보내 남군에 있는 조인에게 이 사실을 알리는 한편, 군사를 재정비하여 주유의 군사와 대적할 태세를 갖추었다.

드디어 동오의 군사들이 공격을 시작했다. 조홍 등이 맞서싸움을 벌이는데, 성문이 열리더니 감녕과 주태가 군사를 거느리고 와서 협공한다. 조홍과 조순, 우금의 무리는 전후좌우에서 밀려오는 적군에 맞서싸우려 했으나 도저히 당해내지 못하고 퇴로를 찾아 달아나기 시작했다. 그들은 앞서 여몽이 말했던 대로 남군으로 향하는 산길로 향했다.

조홍 등이 군사를 이끌고 남쪽 산길에 이르렀으나 나무들이 어지럽게 쌓여 있어 도무지 말을 몰고 갈 수가 없다. 조홍 일행은 하는 수 없이 말을 버리고 달아났다. 이렇게 해서 동오는 말 5백여 필을 손쉽게 얻을 수 있었다.

별이 뜨기 시작했지만 주유는 군사들을 휘몰고 남군을 향해 달렸다. 남군성 쪽에서는 마침 이릉을 구하러 조인의 군사가 오고 있었다. 양군은 일대 혼전을 벌였으나, 날이 꼬박 어두워지자 각기 군사를 거두어들였다.

성안으로 들어간 조인은 수하들을 모아 대책을 의논했다. 조홍이 나서서 말한다.

"이제 이릉까지 잃어 형세가 위급한데 장군께서는 어찌하여 승상께서 남기신 계책을 꺼내보지 않으십니까?"

"마침 나도 그 생각을 하고 있었다."

조인은 즉시 조조가 남긴 계책을 꺼내보았다.

'이렇게 신묘한 계책이 있었다니……'

조인은 크게 기뻐하며 즉시 전군에 영을 내린다.

"이제 적벽의 원수를 갚을 때가 왔다. 모든 군사들은 5경에 밥을 지어먹고, 동이 트는 대로 즉시 성밖으로 모두 빠져나가도록 하라."

날이 밝아올 무렵 조인의 군사는 성문 세 곳으로 나뉘어 빠져나갔다. 그리고 성안 곳곳에는 정기를 꽂아 수많은 군사들이 있는 것처럼 꾸며놓았다.

한편 이릉성에 포위된 감녕을 구해낸 즉시 군사를 남군성으로 돌린 주유는 조인의 군사와 한바탕 싸움을 치른 뒤 성밖에 주둔하고 날이 밝기를 기다리고 있었다. 그런데 성문 세 곳으로 조인의 군사가 빠져나오기 시작한다. 주유는 즉시 지휘대에 올라가 살펴보았다. 성안 곳곳에 정기가 꽂혀 있을 뿐 지키는 군사는 한명도 없으며, 성문을 나서는 군사들을 보니 모두들 허리에 보퉁이를 하나씩 차고 있었다. 조인이 도망치려 한다고 확신한 주유는, 즉시 대군을 둘로 나누어 양 날개처럼 벌여세운 다음 다시 전군과 후군으로 나누었다.

"전군은 승리하면 적들에게 숨돌릴 틈도 주지 말고 추격하다가 징소리가 울리거든 돌아오도록 하라. 내가 친히 군사를 이끌고 쳐들어가 성을 취할 것이니, 정보는 후군을 맡도록 하라."

주유는 즉시 군사를 이끌고 쳐들어갔다. 적진에서 북소리가 크게 울리더니 조홍이 말을 몰고 달려왔다. 주유는 몸소 문기(門旗) 앞에 서서 호령한다.

"한당은 저놈을 당장 사로잡아 오라!"

조홍은 한당과 어우러져 30여합을 싸우다가 결국 패하여 달아났다. 그 즉시 조인이 말을 몰고 달려나왔다. 주유 진영에서는 주태가 급히 말을 몰고 나가 대적한다. 서로 어우러져 10여합을 싸우다가 조인 역시 당하지 못하고 달아나니, 조조군의 진영은 크게 흔들리며 혼란에 빠지고 말았다.

주유는 친히 군사를 이끌고 남군성 바로 아래까지 추격했다. 조조의 군사들은 성안으로 들어가지 않고 서북쪽을 향해 달아나기 시작했다. 한당과 주태가 그들을 추격한다. 주유는 성문이 활짝 열려 있는데다 성을 지키는 군사들이 없는 것을 보고, 조인이 성을 버렸음에 틀림없다고 생각했다.

"군사들은 즉시 성을 접수하라!"

주유는 수십기를 앞세우고 그 뒤를 따라 성안으로 들어갔다. 이때 성루에 있던 진교는 주유가 몸소 말을 몰고 성안으로 들어오는 것을

—
주유와 조인은 남군성을 두고 다투다

보고 속으로 감탄한다.

'승상의 묘책이 참으로 귀신 같구나!'

진교는 즉시 징을 울려 신호를 보냈다. 순간 좌우에서 화살이 빗발치듯 쏟아진다. 앞다투어 성안으로 들어서던 동오의 군사들은 모두 함정에 빠져버렸다. 주유가 깜짝 놀라 급히 말머리를 돌리는데 어디선가 날아든 화살이 주유의 왼쪽 갈빗대에 와서 꽂혔다. 주유는 맥없이 말 아래로 고꾸라지고 말았다.

성안에서 우금이 주유를 사로잡기 위해 달려나오자 때마침 이를 목격한 서성과 정봉 두 장수가 목숨을 걸고 달려들어 주유를 구해냈다. 기다렸다는 듯 성안에 숨어 있던 조조의 군사들이 쏟아져나왔다. 동오의 군사들은 먼저 달아나려고 서로 밟고 밟히며 함정에 빠졌으니,

이때 죽은 자의 수는 헤아릴 수도 없었다.

후군을 지휘하던 정보는 군사를 수습해 달아나려 했다. 그런데 이번에는 조인과 조홍이 각각 군사를 거느리고 몰려와 협공한다. 다행히 이때 능통이 일단의 군사를 거느리고 달려와 겨우 막아냈다. 조인은 대승을 거두고 성안으로 들어가고, 정보는 겨우 패잔병을 수습해 본진으로 돌아왔다.

서성과 정봉은 화살에 맞은 주유를 구해 장막으로 돌아와 급히 군의(軍醫)를 불러들였다. 의원은 즉시 쇠집게로 화살촉을 빼내고 금창약(金瘡藥)을 발랐으나 주유는 통증이 심해 먹지도 못하고 드러누웠다. 의원이 당부한다.

"화살촉 끝에 독이 묻어 있어 쉽게 낫기 어렵습니다. 만일 노기가 충천하면 상처가 터질 것이니 절대 안정하셔야 합니다."

정보는 영채를 굳게 지키고 함부로 출전하지 못하게 삼군에 엄명을 내렸다.

그로부터 사흘이 지났다. 우금이 군사를 거느리고 주유의 진영 앞에 와서 싸움을 청했으나 정보는 군사를 단속하여 응하지 않았다. 우금은 온종일 욕지거리를 퍼붓다가 날이 저물어서야 군사를 거두어 돌아갔다. 다음날 우금이 또 싸움을 청해왔지만, 정보는 혹시 주유의 노기를 돋울까 두려워 그 사실을 숨기고 보고하지도 않았다. 그 다음날도 우금은 또다시 오군의 영채 앞에서 군사를 시켜 욕지거리를 해댔다. 하나같이 주유를 반드시 사로잡으리라는 내용이었다. 정보는 장수들과 의논하여 잠시 군사를 물리기로 했다. 손권을 만나보고 다시 계책을 세우려는 것이다.

한편 주유는 상처의 통증에 시달리는 중에도 한가지 생각을 세워두고 있었다. 조조군이 영채 밖에서 욕설을 해대며 싸움을 거는 소리도 이미 듣고 있었다. 그러나 아무도 그 사실을 고하는 사람은 없었다.

하루는 조인이 몸소 대군을 이끌고 와서 소란스럽게 북을 울리고 함성을 지르며 싸움을 청했다. 이번에도 역시 정보는 영채를 굳게 지킬 뿐 싸움에 응하지 않았다. 주유는 즉시 수하장수들을 불러들였다.

"어디서 이렇게 북소리가 울리고 함성이 높으냐?"

장수들이 대답한다.

"군중에서 군사들을 조련하는 중입니다."

이 말을 듣고 주유가 버럭 화를 낸다.

"어찌하여 모두들 나를 속이려고만 드느냐? 조조의 군사가 매일 영채 앞에 와서 싸움을 거는 것을 내가 다 알고 있는데, 대체 정덕모 (程德謀, 정보의 자)는 나 대신 병권을 잡고 있으면서 가만히 앉아서 보고만 있을 작정이라더냐?"

장수들이 어찌할 바를 모르는데, 주유는 즉시 정보를 불러오라 호령한다. 정보가 장막에 들어서자마자 주유는 다짜고짜 추궁한다.

"그대는 어찌하여 출군하지 않았소?"

정보는 어쩔 수 없이 바른 대로 대답한다.

"의원이 도독께서 분기가 오르거나 충격을 받으시면 금창이 터진 다고 당부하여, 조조의 군사들이 싸움을 걸어와도 이실직고하지 못했습니다."

주유가 묻는다.

"싸우지 않으면 도대체 그대들은 어쩔 작정이오?"

정보가 대답한다.

"잠시 군사를 거두어 강동으로 돌아갔다가 도독께서 건강을 되찾으신 후에 다시 도모하는 게 좋겠다고 생각했습니다."

이 말에 주유는 분연히 자리를 차고 일어났다.

"나라의 녹을 먹은 대장부가 싸움터에서 죽는 것은 당연하고, 그 시체가 말가죽에 싸여 돌아올 수만 있어도 다행한 일이다! 어찌 나 하나 때문에 대사를 저버린단 말이냐!"

주유는 즉시 갑옷을 입고 말 위에 뛰어올랐다. 모든 장수들은 놀라서 아무도 입을 열지 못했다. 주유는 수백기를 거느리고 영채 밖으로 나섰다. 조조의 군사들은 이미 진세를 벌여놓고, 조인이 문기 아래서 말을 타고 채찍을 높이 든 채 크게 외치고 있었다.

"주유야, 이 애송이 같은 놈아! 화살에 맞아 필시 황천길이 눈앞에 있을 테니, 이제 다시는 감히 우리를 넘보지 못하겠지!"

조인의 욕설이 채 끝나기 전에 주유는 군사들 틈에서 와락 앞으로 나서며 소리친다.

"네 이놈, 조인아! 너는 이 주유도 못 알아보는 소경이 되었느냐?"

조조의 군사들은 주유를 보고 모두들 깜짝 놀랐다. 조인은 주위 장수들에게 낮은 소리로 일렀다.

"저놈의 금창이 터지도록 모두들 욕설을 퍼부어 화를 돋우어라."

조조의 군사들은 모두 목청껏 욕지거리를 퍼부어대기 시작했다. 주유는 격분하여 장수 반장으로 하여금 나가 싸우게 했다. 반장이 병기를 고쳐잡고 적진으로 달려나가려 할 때였다. 갑자기 주유가 외마디 소리를 지르더니 피를 토하며 말 아래로 굴러떨어졌다. 기다렸다는 듯 조조의 군사들이 함성을 올리며 공격해왔다. 주유의 장수들은 급히 달려나가 일대 혼전을 벌인 끝에 간신히 주유를 구해 장막으로 돌아왔다. 정보가 급히 와 묻는다.

"도독께서는 어떠시오?"

주유가 가만히 눈을 뜨고 정보에게 말한다.

"이것은 내가 꾸민 계책이니 그대는 놀라지 마오."

정보는 의아한 표정으로 되묻는다.

"계교라니, 무슨 말씀입니까?"

"본래 그리 심하게 아프지는 않은데 이렇게 한 것은 조조의 군사들에게 내 병이 위독한 듯이 속이려는 게요. 심복부하를 남군성으로 보내 거짓으로 항복하게 하고 내가 죽었다는 소문을 퍼뜨리시오. 그러면 틀림없이 오늘밤 조인이 우리 영채를 습격하러 올 게요. 우리가 사방에 군사들을 매복해두면 조인을 사로잡을 수 있소."

정보는 놀라서 눈이 휘둥그레졌다.

"참으로 묘한 계책입니다."

정보는 즉시 모든 장수들에게 곡을 하게 했다. 군사들은 당황하여 어쩔 줄을 몰랐다.

"도독께서 금창이 터져 돌아가셨다!"

소문은 당장 퍼져나갔다. 각 영채에서는 조기를 내걸고 모든 장졸은 옷을 갈아입고 곡을 올렸다.

남군성에서는 조인이 여러 장수들을 모아놓고 의논중이었다.

"주유가 노기충천하여 피를 뿜으며 말 아래로 떨어졌으니, 금창이 터졌음에 틀림없소. 이제 오래 못 버티고 죽을 것이오."

이 틈에 적군을 치자는 의논이 한참 무르익고 있을 때 문득 전령이 들어와서 고한다.

"지금 동오군 영채에서 10여명의 군사가 투항해왔습니다. 그중에는 본래 아군이었으나 동오에 잡혀간 군사 두 사람도 있습니다."

조인은 그 두 사람을 급히 불러들여 묻는다.

"지금 동오군 사정은 어떠하냐?"

한 군사가 대답한다.

"오늘 주유가 진 앞에서 금창이 터져 피를 토하고 영채로 돌아오자마자 즉사했습니다. 지금 장졸 모두 상복을 입고 곡을 올리고 있는데, 소인들은 그동안 정보에게 박대당한 적이 있어 죽을 각오로 장군께 투항해왔습니다."

조인은 크게 기뻐하며 즉시 수하장수들을 불러모아 의논한다.

"오늘밤 안으로 동오군의 영채를 급습해 주유의 시체를 탈취하고 그 목을 베어 허도로 보내도록 합시다."

진교가 말한다.

"좋은 계책이니 서둘러 행하는 게 좋겠습니다."

조인은 우금을 선봉으로, 조홍과 조순을 후군으로 삼고, 자신은 중군을 거느리기로 했다. 진교에게 약간의 군사를 남겨두어 성을 지키게 하고 나머지 군사는 모두 동원했다.

그날밤 초경(밤 8시)이 지날 무렵 조조의 군사들은 주유의 대채에 이르렀다. 그런데 군사는 단 한명도 찾아볼 수 없고, 오로지 깃발과 창검만 꽂혀 있을 뿐이다. 조인은 적의 계책임을 깨닫고 즉시 퇴각명령을 내렸다. 순간 전후좌우에서 포성이 천지를 진동하더니, 그와 동시에 동쪽에서는 한당과 장흠이, 서쪽에서는 주태와 반장이, 남쪽에서는 서성과 정봉이, 북쪽에서는 진무와 여몽이 일제히 쏟아져나와 순식간에 조조군을 포위해버렸다. 조조군은 전·중·후 삼로군 모두 동오의 포위를 뚫지 못하고 사분오열하여 궤멸당했다.

조인은 겨우 10여명을 거느리고 포위를 뚫고 나오다 조홍을 만나 함께 달아났다. 조인 일행은 5경 무렵에야 남군성 부근에 당도했다. 겨우 숨을 고르는데, 어디선가 북소리가 울리더니 능통이 군사들을 휘몰아 길을 막고 쳐들어온다. 조인이 죽을 힘을 다해 혈로를 뚫고 달아나는데, 이번에는 감녕이 이끄는 군사들이 나타나 맹렬히 공격한다. 조인은 도저히 남군으로 돌아갈 수 없음을 깨닫고 하후돈이 있는 양양을 향해 달아났다. 동오의 군사들도 더는 추격하지 않고 본진으로 돌아갔다.

드디어 대승을 거둔 주유와 정보는 군사를 수습한 즉시 의기양양하게 남군성으로 향했다. 그러나 성앞에 당도한 주유는 깜짝 놀라지 않을 수 없었다. 정기가 잔뜩 꽂혀 있는 성루에서 한 장수가 아래를 내려다보며 큰소리로 외치는 게 아닌가.

"도독은 과히 허물하지 말라. 나는 우리 군사의 영을 받들어 이 성을 점령한 상산 조자룡이다!"

격분한 주유는 즉시 남군성을 공격하려 했다. 그러나 성위에서 화살이 비오듯 쏟아지니 도무지 접근할 수가 없었다. 도리없이 군사를 거둔 주유는 장수들과 상의한 끝에 형주와 양양을 먼저 취하기로 했다. 곧 감녕에게 수천 군사를 주어 형주를 함락하라 이르고, 능통에게도 수천 군사를 주어 양양을 취하라 명했다. 그 다음에 남군성을 점령해도 늦지 않으리라 생각한 것이다.

감녕과 능통의 군사들이 길을 떠나기도 전이었다. 갑자기 전령이 달려와 주유에게 아뢴다.

"제갈량이 남군성을 취하자마자 즉시 조인의 병부(兵符, 용병用兵에 필요한 명령서)를 써서, 형주를 지키는 조조군에게 거짓으로 남군성이 위태로우니 원군을 보내달라 청한 다음, 그 틈에 장비로 하여금 형주

주유는 공명의 꾀에 남군성을 빼앗기고 쓰러지다

를 치게 하였습니다!"

연이어 전령이 달려와서 고한다.

"양양을 지키는 하후돈에게 제갈량이 사람을 보내 조인이 구원을 요청했다고 속여서 하후돈을 성밖으로 끌어낸 다음, 관운장을 시켜 양양을 점령했습니다! 유현덕은 형주와 양양 두 곳을 힘 하나 들이지 않고 손에 넣었습니다."

주유는 믿을 수가 없는 듯 묻는다.

"도대체 제갈량이 병부를 어떻게 손에 넣었단 말이냐!"

곁에 있던 정보가 말한다.

"남군을 공격하여 진교만 사로잡으면 병부야 저절로 수중에 들어올 것 아닙니까?"

주유는 갑자기 외마디 비명을 올리며 그 자리에 쓰러졌다. 아직 아물지 않은 금창이 터지고 만 것이다.

| 몇 고을 성지 내 몫이 못 되었거늘 | 幾郡城池無我分 |
| 한바탕 고생스런 싸움 누구를 위해서인가 | 一場辛苦爲誰忙 |

주유의 목숨은 이제 어찌 될 것인가?

52

三
國
志
—

큰 공을 세우는 조자룡

공명은 슬기롭게 노숙을 물리치고
조자룡은 계책을 써서 계양을 점령하다

공명에게 남군성은 물론이고 형주와 양양까지 고스란히 넘겨주고
말았으니, 주유는 화병으로 쓰러질 만도 했다. 결국 금창이 터지는 바
람에 혼절한 주유는 한참이 지나서야 겨우 깨어났다. 여러 장수들은
주유를 안정시키기 위해 좋은 말로 위로했다. 그러나 주유의 노기는
쉽게 가라앉지 않았다.

"한낱 촌놈인 제갈량을 죽이지 못한다면 내 어찌 이 가슴속의 원한
을 풀 수 있겠소. 정보는 부디 나를 도와 제갈량을 공격하여 반드시
남군을 되찾아야 하오."

260

이렇게 수하장수들과 이야기를 나누는 중에 노숙이 왔다. 주유가 노숙에게 말한다.

"나는 당장 군사를 일으켜 유현덕·제갈량과 죽을 각오로 싸워서 남군성을 탈환할 작정이오. 자경은 부디 나를 도와주오!"

노숙이 고개를 저으며 말한다.

"안됩니다. 지금 동오는 조조와 맞서고 있으나 아직 승패가 나지 않았고, 주공께서 합비를 공격하고 있지만 여태 얻은 게 없습니다. 이런 상황에서 우리끼리 서로 싸운다면 그 틈을 노려 틀림없이 조조가 쳐들어올 텐데, 그리 되면 형세가 위태로울 것이오. 더구나 유현덕으로 말하자면 일찍이 조조와 교분이 두터운 사이였으니, 만일 사태가 급하게 돌아가면 차지했던 땅을 모두 조조에게 바치고 합세하여 동오를 치려고 할 것입니다. 일이 그렇게 돌아간다면 참으로 큰일 아니겠습니까?"

분한 마음을 누를 길 없는 주유가 고집스럽게 말한다.

"우리가 온갖 계책을 세우고 병마를 잃고 전량을 허비해가며 도모한 일이 결국 남 좋은 일만 시킨 꼴이니 어찌 분하지 않겠소!"

노숙이 다시 권한다.

"도독께서는 그래도 참으셔야 합니다. 내가 당장 현덕을 찾아가서 좋은 말로 한번 사리를 따져보겠소이다. 그래서 말이 통하면 다행이고 말이 통하지 않거든 그때 움직여도 늦지 않을 것입니다."

모든 장수들이 노숙의 말을 거든다.

"자경의 말씀이 옳습니다."

주유는 결국 입을 다물었고, 드디어 노숙은 종자(從者)를 데리고 남군으로 향했다. 노숙이 성문 앞에 이르러 문을 열라 외치니 조자룡이 나와서 묻는다.

"자경은 무슨 일로 오셨습니까?"

노숙이 말한다.

"현덕공을 뵙고 드릴 말씀이 있소."

조자룡이 대답했다.

"주공께서는 지금 군사와 함께 형주에 계십니다."

노숙은 다시 형주로 향했다. 노숙이 형주성에 이르러 보니, 정기가 바르게 줄지어선 군대의 모습은 매우 위세가 당당했다.

'공명은 참으로 비상한 인물이구나!'

노숙은 속으로 탄복해마지 않았다. 군졸이 공명에게 노숙이 당도했음을 고하자 공명은 즉시 성문을 열고 나와 반갑게 맞아들였다. 주인과 손님이 자리를 나누어 앉은 다음 서로 예를 올리고 차를 마셨다. 먼저 노숙이 말한다.

"우리 주공과 도독이 유황숙을 만나뵙고 말씀을 올려달라 하여 이렇게 왔소이다. 지난날 조조가 백만대군을 이끌고 온 것은 겉으로야 강남을 취하려는 것이었지만, 사실은 유황숙을 도모하기 위해서였소. 다행히 그때 우리 동오가 조조의 군사를 물리쳐 유황숙을 구해드렸으니, 형주 아홉 군은 마땅히 동오의 것입니다. 그런데 황숙께서는 계책을 꾸며 형주와 양양을 힘 하나 안 들이고 손에 넣었고, 우리 강동은 수많은 군마와 전량을 소모하고서도 빈손이 되었으니 이것은 아무래도 이치에 어긋나는 일이 아니겠습니까?"

노숙의 말을 듣고 나서 공명이 말한다.

"자경은 고명한 선비거늘 어찌하여 그리 말씀하십니까? 예로부터 말하기를 물건은 반드시 주인에게 돌아가는 것이라 했습니다. 형주와 양양 아홉 군은 본래 동오땅이 아니고 유경승(유표)이 기업을 이룬 곳이오. 그런데 우리 주군께서는 유경승의 아우이며, 비록 그가 죽었다고는 하지만 그 아들이 살아 있으니, 숙부가 조카를 도와 형주를 되찾은 것이 어찌하여 이치에 어긋난다 하십니까?"

노숙이 말한다.

"과연 유기가 형주를 차지했다면 모를까, 지금 유공자는 강하에 있지 않습니까?"

공명이 정색을 하고 말한다.

"그럼 공께서 지금 유공자를 만나보시겠소?"

공명이 즉시 좌우에게 유공자를 모셔오라고 명하자 시종 두 사람이 병풍 뒤에서 유기를 부축하여 나왔다. 유기가 노숙에게 말한다.

"제가 병이 들어 미처 예를 차리지 못하니 공께서는 과히 허물치 마시오."

노숙은 너무나 뜻밖의 일이라 잠시 동안 아무 말도 못하고 앉아 있다가 겨우 다시 입을 열었다.

"만일 공자께서 아니 계신다면 그때는 어쩌시겠소?"

공명이 대답한다.

"공자께서 하루 계시면 하루를 지킬 것이요, 만일 안 계시다면 그때 다시 상의합시다."

"공자께서 안 계실 때는 반드시 이 땅을 우리 동오에 돌려주시는 게 이치에 합당할 것입니다."

"자경의 말씀이 옳소이다."

공명은 곧 잔치를 베풀고 노숙을 후하게 접대했다. 술자리가 끝나자 노숙은 하직인사를 하고 형주성을 나와 밤을 새워 영채로 돌아왔

공명의 지혜로 노숙의 말을 막다

다. 노숙이 주유에게 사실대로 전하니, 주유는 마뜩찮은 표정으로 말한다.

"유기는 아직 한창 젊은데, 어느 세월에 죽기를 기다려 형주를 돌려받을 수 있겠소?"

노숙이 말한다.

"도독은 과히 염려 마시오. 형주와 양양 아홉 군은 무슨 수를 쓰든 이 노숙이 되찾아오겠습니다."

주유는 여전히 못마땅한 기색이다.

"자경께 무슨 방도라도 있소?"

노숙이 설명한다.

"가서 보니 유기의 몰골이 형편없더이다. 주색에 빠져 병이 깊은지 얼굴빛이 창백했는데, 숨쉬는 게 어렵고 때때로 피까지 토한다고 합디다. 그러니 반년이 못 가서 죽고 말 것이오. 그때 형주를 취한다면 현덕도 어쩔 수 없을 것입니다."

그래도 주유의 울화는 가라앉지 않았다. 그때 손권이 보낸 사자가 당도했다는 보고가 들어왔다. 주유는 급히 사자를 불러들였다. 사자가 손권의 뜻을 전한다.

"주공께서는 합비를 포위하고 여러 차례 싸웠는데도 좀처럼 승리하지 못하여 도독께서 대군을 돌려 합비를 도우라는 분부를 내리셨습니다."

주유는 하는 수 없이 대군을 수습해 정보에게 전선과 장졸을 거느리고 즉시 합비로 가서 손권을 도우라고 명했다. 그리고 자신은 다친 상처를 돌보기 위해 시상(柴桑)으로 돌아갔다.

한편, 몸둘 곳 없이 떠돌던 유현덕은 이번에 힘들이지 않고 형주는 물론 남군과 양양을 얻게 되니 여간 기쁘지 않았다. 수하장수들을 모아놓고 오래 지킬 수 있도록 앞으로의 일을 상의하는데, 문득 한 사람이 대청 위로 올라온다.

"드릴 말씀이 있습니다."

그 사람은 바로 이적(伊籍)이었다. 이적은 지난날 두번씩이나 유현덕을 구해준 인물이다. 현덕은 지난날의 은혜를 고맙게 생각하여, 정중하게 자리를 권한 후 좋은 계책이라도 있느냐고 물었다. 이적이 대답한다.

"앞으로 형주를 오랫동안 지키고자 하신다면, 어찌하여 어진 선비를 구해 묻지 않으십니까?"

현덕이 궁금한 듯 묻는다.

"어진 선비라니 누구 말씀이오?"

"형주와 양양에는 마(馬)씨 형제 다섯이 있는데, 모두 재주가 뛰어나기로 이름난 인물들입니다. 가장 나이 어린 자의 이름은 속(謖)이요 자는 유상(幼常)이며, 가장 현명한 사람은 미간에 흰 털이 났는데, 이름은 양(良)이요 자는 계상(季常)이라 합니다. 고을사람들 사이에는 마씨 형제 중 '미간에 흰 털이 난 사람'〔白眉〕이 가장 뛰어나다고 소문이 나 있지요. 주공께서는 이 사람들을 불러 의논해보심이 어떠십니까?"

유현덕은 이적의 말을 듣고 즉시 마씨 형제를 모셔오라 일렀다. 마량(馬良)이 도착하자 유현덕은 깍듯한 예로써 맞이하여 묻는다.

"형주와 양양을 오래도록 보존할 좋은 계책이 없겠소?"

마량이 대답한다.

"형주와 양양은 사방에서 적들의 공격을 받기 쉬운 곳이라 오래 지키기 어렵습니다. 그러니 공자 유기를 머물게 하여 병을 다스리도록 하고, 옛 수하들을 불러 지키게 하십시오. 또 황제께 말씀을 올려 공자 유기를 형주 자사로 삼아 민심을 위로한 후에, 남쪽으로 무릉(武陵)·장사(長沙)·계양(桂陽)·영릉(零陵) 네 고을을 취하시고, 전량을 넉넉히 모아 근본으로 삼으십시오. 그것이 형주와 양양을 오래 지키는 계책입니다."

마량의 말에 유현덕은 크게 기뻐하며 다시 묻는다.

"네 고을 중에서는 어느 곳을 먼저 취하는 게 좋겠소?"

마량은 서슴없이 대답한다.

"상강(湘江) 서쪽으로 영릉이 가장 가까우니 먼저 그곳을 취하고, 다음으로 무릉을 취하십시오. 그후에 상강 동쪽의 계양과 장사 두 곳을 취하는 게 좋을 것입니다."

현덕은 마량을 종사(從事)로 삼고, 이적을 부종사로 삼았다. 그리고 공명과 의논한 후에 공자 유기는 양양으로 돌아가게 하는 한편, 관운장을 형주로 불러올렸다.

현덕은 먼저 영릉을 취하기 위해 군사를 재정비한 다음, 장비로 하여금 선봉을 맡게 하고 조자룡에게는 후군을 맡겼다. 그리고 공명과 현덕은 중군을 지휘하기로 하여 군사 1만 5천명으로 진용을 갖추었다. 또한 관운장을 남겨두어 형주를 지키게 하고, 미축과 유봉에게는 강릉을 지키라 명했다.

한편, 영릉 태수 유도(劉度)는 현덕의 군마가 쳐들어오고 있다는 첩보에 급히 아들 유현(劉賢)을 불러 의논했다. 유현은 젊은 혈기에 큰소리를 친다.

"아버님께서는 마음을 놓으소서. 비록 저들의 장수 장비와 조자룡이 용맹하다고는 하지만, 우리에게는 상장 형도영(邢道榮)이 있지 않습니까? 형도영은 홀로 1만명과 맞서싸워도 눈썹 하나 까딱하지 않는 맹장이니, 능히 그들을 대적할 수 있을 것입니다."

유도가 아들 유현에게 영을 내렸다.

"그럼 너는 형도영과 함께 군사 1만명을 이끌고 나가서 현덕군을 막아내도록 하라!"

유현은 즉시 군사를 거느리고 떠나서 성으로부터 30리 가량 떨어진 곳에 물을 끼고 산을 의지하여 영채를 세웠다. 곧이어 전령이 와서 고한다.

"공명이 한무리의 군사를 거느리고 오고 있습니다."

형도영은 즉시 군사를 이끌고 적을 맞으러 나갔다. 양쪽 군사는 원을 그리며 기세 좋게 진을 벌여세웠다. 먼저 형도영이 산을 쪼갠다는 큰 도끼 개산대부(開山大斧)를 휘두르며 말을 몰고 달려나갔다.

"이 역적놈들아, 어찌하여 남의 땅을 넘보느냐!"

형도영의 호령이 떨어지기가 무섭게 상대편 진영에서 황기(黃旗)가 떼를 지어 몰려나오더니 좌우로 갈라지며 사륜거(四輪車) 한 대가 나타났다. 수레 위에는 머리에 윤건을 쓰고 학창의(鶴氅衣)를 입은 사람이 손에 공작깃 부채를 들고 단정하게 앉아 있다. 그 사람이 깃털부채를 들어 형도영을 가리키며 말한다.

"나는 남양의 제갈공명이다. 조조가 백만대군을 거느리고 왔다가 나의 간단한 계책에 걸려들어 갑옷 하나 변변히 걸치지 못하고 달아났건만, 너희들이 무슨 수로 나를 대적하겠다는 것이냐. 내 지금 너희들을 안전하게 받아들이려 하는데 어찌 빨리 항복하지 않는가?"

공명의 말에 형도영이 큰소리로 웃으며 말한다.

"적벽대전은 주유의 모책이거늘, 네가 뭘 했다고 여기 와서 감히 허튼 소리를 하느냐?"

형도영은 곧 큰 도끼를 휘두르며 공명을 향해 달려들었다. 공명이 수레를 돌려 진중으로 돌아가니, 어느새 진문(陣門)이 닫혀버렸다.

형도영이 공명을 쫓아 그대로 진을 들이치니 갑자기 공명의 진영이 양쪽으로 나뉘어 달아나기 시작한다. 그 한복판에 황기를 든 무리들이 떼를 지어 달아나는 것을 본 형도영은 필시 거기에 제갈공명이 있으리라 짐작하고 정신없이 뒤쫓았다. 형도영이 산모퉁이를 돌았을 때다. 황기의 무리가 갑자기 멈췄다가 또다시 좌우로 갈라지는데, 그 속에 사륜거는 보이지 않고 장수 하나가 장팔사모를 거머쥐고 대갈일성하며 달려나온다. 다름아닌 장비였다.

형도영은 큰 도끼를 휘두르며 마주 달려나가 싸웠으나, 도무지 장비의 기세를 당할 수 없는지라 몇합 만에 급히 말머리를 돌려 달아나기 시작했다. 장비가 놓칠세라 뒤를 추격해온다. 바로 그때였다. 난데없이 산밑 양쪽에서 일제히 함성을 지르며 복병이 나타나더니, 한 장수가 길을 막고 호령한다.

"네 이놈, 상산의 조자룡을 모르느냐!"

퇴로도 보이지 않는데다 도저히 당해낼 도리가 없다고 여긴 형도영은 결국 말에서 내려 항복했다.

"그놈을 묶어라!"

조자룡은 형도영을 묶어 진영으로 끌고 왔다. 유현덕은 끌려온 형도영을 보고 좌우를 꾸짖으며 명한다.

"그 자리에서 죽일 것이지, 뭐하러 끌고 왔느냐? 당장 저놈의 목을 베어라!"

옆에 있던 공명이 급히 말리며 형도영에게 말한다.

"네가 만약 유현을 잡아온다면, 주공께 네 항복을 받아들이도록 말씀드리겠다."

형도영은 공명의 말을 듣고 연신 머리를 조아리며 그렇게 하겠다고 대답했다. 공명이 다시 묻는다.

"어떤 방법을 써서 유현을 잡아올 테냐?"

"만일 군사께서 저를 놓아보내주신다면, 제가 돌아가서 그들을 교묘하게 속일 자신이 있습니다. 오늘밤 군사께서 영채를 공격하십시오. 저는 내응하여 군사께 유현을 사로잡아 바치겠습니다. 유현을 사로잡으면 그 아비 유도는 자연 항복할 것입니다."

유현덕이 말한다.

"그 말을 어찌 믿을 수 있겠는가?"

공명이 말한다.

"형장군은 거짓말을 하지 않을 것입니다."

그러고는 마침내 형도영을 풀어 보내주었다.

영채로 돌아간 형도영은 유현에게 그간의 일을 세세하게 보고했다. 전후사정을 듣고 난 유현이 형도영에게 묻는다.

"그렇다면 이제 어찌하면 좋겠소?"

형도영이 대답한다.

"계책에는 계책으로 맞서야 합니다. 오늘밤 군사를 영채 밖에 매복해두고, 영채 안에는 거짓으로 깃발을 세워 공명이 공격해오기를 기다렸다가 사로잡으면 됩니다."

그날밤 2경이었다. 과연 한무리의 적군이 영채 입구에 와서 풀더미에 불을 붙여 일제히 불을 놓기 시작했다. 기다리고 있던 유현과 형도영은 군사를 이끌고 양쪽에서 달려나갔다. 불을 놓던 현덕의 군사들은 그대로 말머리를 돌려 달아난다. 유현과 형도영은 재빨리 그들을 추격하여 10여리 가량 정신없이 달렸다. 문득 앞을 바라보니 달아나던 군사들이 단 한명도 보이지 않는다.

두 사람은 그제야 자신들이 계책에 빠졌음을 깨닫고 급히 말머리를 돌려 영채로 향했다. 그때까지도 영채는 불타고 있었는데, 진중에서 웬 장수 하나가 말을 몰고 나온다. 그는 다름아닌 장비였다. 유현이 형도영을 돌아보며 말한다.

"영채에 들어갈 것 없이 이 길로 공명의 영채를 치러 갑시다!"

유현과 형도영은 말머리를 돌려 공명의 본진을 향해 급히 달려나갔다. 10여리쯤 달렸을까. 갑자기 옆길에서 조자룡이 군사를 몰고 달려나왔다. 형도영은 조자룡의 창날에 찔려 비명 한번 지를 새도 없이 말 아래 떨어져 죽고 말았다. 유현은 혼비백산하여 퇴로를 찾아 달아났으나, 얼마 못 가 추격해온 장비의 손에 사로잡히고 말았다. 유현은 마침내 현덕과 공명 앞으로 끌려갔다. 유현이 꿇어 엎드려 간청한다.

"형도영의 계략에 따랐을 뿐 본심에서 한 일이 아니었으니 굽어살 피소서."

공명은 좌우에게 명하여 유현의 결박을 풀어주도록 한 뒤 옷을 갈 아입혔다. 그리고 술상을 차려 위로하며 말한다.

"내 그대를 군사들과 더불어 성으로 돌려보내줄 테니 아비를 설득하여 항복하도록 하라. 만일 그래도 항복하지 않고 싸우려 든다면, 그때는 성안으로 쳐들어가 그대의 일가족을 몰살할 것이니 그리 알라!"

영릉으로 돌아간 유현은 아버지 유도에게 항복을 권한다.

"유현덕과 공명은 과연 듣던 대로 덕이 높고 지모가 출중했습니다. 또한 수하장수들도 하나같이 용맹하여 우리가 대적하기에 벅찬 상대이니, 항복하는 편이 낫겠습니다."

마침내 유도는 항복하기로 뜻을 정했다. 성위에 백기를 꽂고 성문을 크게 열어 몸소 인수를 들고 나가 현덕에게 바쳤다. 공명은 유도를 영릉의 군수로 삼고, 그 아들 유현은 형주로 보내 군사 일을 보게 하니 영릉의 백성들이 모두 기뻐하였다.

유현덕은 영릉성으로 들어가 백성들을 위무하고 이어 삼군에 큰 상을 내린 다음 수하장수들을 돌아보며 묻는다.

"영릉을 취했으니, 이제 계양은 누가 치러 가겠느냐?"

조자룡이 먼저 말한다.

"제가 가겠습니다."

그때 장비가 분연히 앞으로 나오며 말한다.

"내가 가겠수."

조자룡과 장비가 서로 가겠다고 다투자 공명이 말한다.

"조자룡이 먼저 나섰으니, 자룡을 보내도록 합시다."

장비는 공명의 말에도 도무지 뜻을 꺾지 않고 끝까지 자기가 가겠다고 고집을 부렸다. 난처해진 공명이 제비뽑기로 정하자 하여 제비를 뽑았다. 여기서도 결국 조자룡이 가기로 되었다. 그런데도 장비는 승복하지 않고 막무가내로 고집을 부린다.

"아무도 필요없수. 그저 군사 3천만 내주면 반드시 가서 계양성을 함락시키겠수."

조자룡도 지지 않고 말한다.

"저도 군사 3천만 거느리고 가겠습니다. 만일 계양성을 함락시키지 못하면 군령을 달게 받겠소이다."

공명은 조자룡에게서 군령장을 받은 다음, 정병 3천명을 내주고 즉시 길을 떠나게 했다. 장비가 투덜거리며 계속 불복하자 현덕이 호되게 꾸짖어 물러가게 하였다.

마침내 조자룡은 3천 군마를 이끌고 계양을 향해 진군했다. 정탐꾼이 이 소식을 계양 태수 조범(趙範)에게 전했다. 조범은 황급히 수하들을 불러모아 대책을 의논했다. 관군교위(管軍校尉) 진응(陳應)과 포륭(鮑隆)이 군사를 거느리고 가서 맞서싸우겠노라고 나섰다. 두 장수는 모두 계양령(桂陽嶺) 산골에 살던 사냥꾼 출신이었다. 진응은 특히 비차(飛叉, 긴 줄에 쇠뭉치를 달아 만든 무기)를 잘 쓰고, 포륭은 일찍이 화살 하나로 두 마리 호랑이를 잡은 일도 있는 명궁이었다. 두 사람은 자신들의 힘과 용맹함만 믿고 자신만만하게 조범에게 말한다.

"만일 유비가 쳐들어온다면 우리 두 사람이 선봉에 서겠습니다."

조범이 근심스레 말한다.

"들자하니 유현덕은 한나라 황실의 황숙이요 공명의 지모는 따를 자가 없다고 하였소. 게다가 관우·장비 같은 맹장이 버티고 있고, 지금 군사를 이끌고 오는 조자룡으로 말할 것 같으면, 지난번 당양땅 장판교 싸움에서 아두를 품에 안고도 백만 적병 사이를 무인지경 드나들 듯했다는데, 우리 계양에 군마가 꽤 있다고는 하지만 무슨 수로 저들을 대적하겠소. 그러니 항복하는 게 나을 듯싶소."

그 말에도 진응은 기세를 꺾지 않는다.

"일단 이 진응이 나가서 싸워보겠습니다. 만일 제가 조자룡을 사로잡지 못하거든 그때 항복하시더라도 늦지 않습니다."

조범은 생각 끝에 허락한다.

"그렇다면 나가 싸워보라!"

진응이 3천 군마를 이끌고 성밖을 나서니, 마침 조자룡이 군사를 이끌고 거침없이 달려오고 있었다. 진응은 곧 진을 벌여세우고 비차를 돌리며 앞으로 나섰다. 조자룡이 창을 고쳐잡고 말을 몰아오며 큰소리로 꾸짖는다.

"우리 주공 유현덕께서는 유경승의 아우님으로 공자 유기를 도와 형주를 다스리고 계시다. 이번에 특히 나를 보내 백성들을 위무하려 하시는데, 네 어찌 감히 나를 막으려 드느냐!"

진응 역시 지지 않고 맞선다.

"우리는 오로지 조승상만 섬길 뿐이거늘, 어찌 유비 따위에게 복종하겠느냐."

조자룡이 크게 노하여 창을 꼬나잡고 달려들었다. 진응도 비차를 휘두르며 마주 달려나갔다. 조자룡의 칼날이 번쩍이며 빛을 발하고, 진응의 비차가 바람 가르는 소리를 내며 두 장수가 어울려 싸우기를 4, 5합, 결국 진응은 조자룡에게 밀려 그대로 말머리를 돌려 달아나기 시작했다. 조자룡은 급히 말을 몰아 진응을 추격한다.

진응이 한참 달아나다 문득 고개를 돌려 바라보니 조자룡의 말이 바짝 다가와 있었다. 진응은 조자룡의 얼굴을 향해 번개처럼 비차를 내던졌다. 조자룡은 날아드는 비차를 창으로 막아내면서 다른 손으로 거머쥐더니 진응을 향해 되던졌다. 진응이 급히 몸을 굽혀 비차를 피하려는 찰나, 조자룡은 나는 듯이 말을 몰고 달려들어 진응의 뒷덜미를 잡더니 그대로 땅에 내던졌다. 곧이어 군사들이 들이닥쳐 진응을 꽁꽁 묶었다. 진응의 군사들은 혼비백산하여 사방으로 흩어져 달아나 버렸다.

조자룡은 영채로 돌아와 즉시 진응을 끌어내 다그친다.

"감히 나와 맞서려 하다니 참으로 가소롭구나. 내 너를 죽이지 않고 돌려보낼 터이니, 돌아간 즉시 조범에게 당장 우리 주공께 항복하라 전하여라."

진응은 조자룡에게 백배사죄하고는 부끄러워 얼굴을 소매 속에 감추고 쥐새끼처럼 몸을 빼 달아났다. 계양성으로 돌아간 진응은 조범에게 숨기지 않고 그간의 사정을 고했다. 조범의 얼굴빛이 굳어지더니 버럭 고함을 지른다.

"처음에 내가 항복하겠다고 했건만 굳이 나서서 싸우겠다고 하더니 결국 이 꼴이 다 뭐냐. 꼴도 보기 싫으니 썩 물러가라!"

그러고서 조범은 곧 인수를 받들고 10여기만을 거느린 채 조자룡의 영채를 찾아가 항복했다. 조자룡은 영채 밖으로 나와 조범을 맞아들이고, 예를 갖추어 서로 인사를 나누었다. 그리고 즉시 연회를 베풀어 위로하고 인수를 받았다. 술이 몇 순배 돌았을 때, 조범이 문득 입을 연다.

"장군의 성도 조씨요 이 사람의 성도 조씨니, 5백년 전에는 필시 한 집안이었을 것이오. 게다가 장군의 고향도 진정(眞定)이고 나 역시 진정 출신으로 동향이니, 만일 장군께서 나를 버리지 않고 형제의 의를 맺어주신다면 천행으로 여기겠소."

조자룡은 조범의 뜻에 흔쾌히 동의했다. 조자룡과 조범이 서로 나이를 헤아려보니 동갑이고, 조자룡이 조범보다 넉 달 앞서 태어났다. 조범은 조자룡에게 절을 하고 형님으로 모시기로 했다. 두 사람은 이렇듯 동향에 동갑에 동성으로 뜻이 잘 맞아 날이 저물어서야 술자리를 파하고 헤어졌다.

성으로 돌아온 조범은 이튿날 조자룡에게 사람을 보내 계양성에 들어와 백성들을 안심시켜달라고 부탁했다. 조자룡은 군중에 영을 내려 함부로 움직이지 못하게 한 뒤, 50여기만 거느리고 계양성으로 들어갔다. 백성들은 모두 손에 향을 피워들고 나와 길가에 엎드려 조자룡을 맞이했다.

조자룡은 먼저 백성들을 위무한 다음, 조범의 관아로 안내되어 들어갔다. 조범은 특별히 잔치를 베풀어 술을 권한다. 어느정도 취기가 돌자, 조범은 술자리를 옮겨 조자룡을 후당 은밀한 곳으로 데리고 가더니 술잔을 씻고 다시 술을 권한다. 이윽고 조자룡이 거나하게 취하자 조범은 문득 한 부인을 불러들여 은근히 조자룡에게 술을 올리게 했다. 조자룡이 보니 소복을 입은 그 부인이 가히 절색이다. 조자룡이 묻는다.

"이 부인은 누구신가?"

조범이 대답한다.

"제 형수님 번(樊)씨입니다."

조자룡은 얼른 몸가짐을 바로 하며 예를 갖췄다. 번씨가 술을 따르자 조범이 번씨 부인에게 자리를 권하였다. 이에 조자룡은 한사코 사양하며 부인을 안으로 들어가시게 하라 하니, 조범도 더이상 청하지 못한다. 번씨 부인은 후당으로 돌아갔다. 부인이 돌아간 뒤 조자룡이 묻는다.

"아우님은 어째서 형수께 술을 따르게 했는가?"

조범이 빙그레 웃으며 대답한다.

"다 그럴 만한 까닭이 있으니 제발 형님께서는 달리 생각하지 마십시오. 가형(家兄)께서 세상을 떠나신 지 벌써 3년이 지났는데 형수님은 아직 젊으시고. 평생 수절할 나이가 아니어서 제가 늘 개가하시라고 권했지요. 그런데 형수님 말씀이 세 가지 조건을 갖춘 사람이 아니면 절대로 시집갈 수 없다는 게 아니겠습니까? 그 세 가지 조건이 뭐냐하면, 첫째는 문무를 겸하여 그 이름이 천하에 알려진 사람이어야하고, 둘째는 인물과 풍채가 당당하여 그 위의가 남보다 뛰어나야 하고, 셋째는 돌아가신 가형과 동성이라야 한답니다. 세상에 이렇게 세가지 조건을 갖춘 사람이 어디 있겠습니까? 그런데 이제 형님을 뵈오니, 의표(儀表)가 당당하고 이름을 천하에 떨치셨으며 게다가 가형과 동성이시니, 형수님이 말씀하신 것과 꼭 맞지 않습니까? 만일 제 형수가 과히 박색이라 여기시지 않는다면, 비용을 대드릴 터이니 장군께서 아내로 맞이하여 오래도록 친척의 연을 맺었으면 하는데, 어떠십니까?"

조범의 말을 다 듣고 난 조자룡은 크게 노해 자리를 박차고 일어났다.

"내 이미 그대와 형제의 의를 맺었으니 네 형수라면 내게도 형수가 되거늘, 어찌 인륜을 어지럽히려든단 말이냐!"

조범은 조자룡의 말에 무안하여 낯빛을 붉히며 퉁명스레 말한다.

"이는 내 호의이거늘 어찌 이리도 무례한가?"

그러고는 좌우를 둘러보는 품이 심상치 않았다. 조자룡은 필시 자신을 해치려 한다고 생각하고 주먹을 들어 조범을 단번에 때려눕히고는 부중을 나와 말을 타고 가버렸다.

조범은 조자룡이 가버리자 진응과 포륭을 불러 상의했다. 진응이 말한다.

"조자룡이 저렇듯 화를 내고 갔으니, 아무래도 우리가 먼저 급습해 죽여버려야겠습니다."

조범이 묻는다.

"그와 싸워서 이길 자신이 있나?"

포룡이 대답한다.

"먼저 저희 두 사람이 조자룡에게 가서 거짓항복을 하고 자룡의 군
중에 있을 테니, 태수께서는 몸소 군사를 이끌고 와서 싸움을 거십시
오. 그러면 저희 둘이 내응하여 조자룡을 사로잡아 태수께 바치겠습
니다."

듣고 있던 진응이 조범에게 말한다.

"그러려면 우리도 인마를 데려가야 합니다."

포룡이 덧붙여 말한다.

"제 생각에 대략 5백기면 충분할 것 같습니다."

그날밤, 진응과 포룡은 군사 5백명을 이끌고 조자룡의 영채로 찾아
가 투항하러 왔다고 아뢰었다. 조자룡은 이들이 거짓투항한 것임을
뻔히 알면서도 그들을 영채 안으로 불러들였다. 두 장수가 장막 앞에
이르러 아뢴다.

"조범은 미인계를 써서 장군을 속이고, 장군께서 대취하시길 기다
렸다가 후당으로 끌어들여 죽인 다음 조조에게 머리를 바쳐 공을 세
우려 했습니다. 세상에 그렇게 의롭지 못한 일이 어디 있겠습니까?
장군께서 격노하여 나가시는 걸 보고 반드시 죄가 저희 두 사람에게
까지 미칠 것이라 생각하여 이렇게 투항하는 것입니다."

조자룡은 짐짓 기뻐하는 체하고는 이들에게 코가 비뚤어지도록 술
을 권했다. 두 사람이 마침내 만취해 쓰러지자, 조자룡은 그들을 결박
하여 장막 안에 가둔 다음 수하군졸을 불러다 심문하게 했다. 과연 두

사람은 거짓투항한 것이 틀림없었다. 조자룡은 즉시 조범의 군사 5백 명을 모조리 불러들여서 술과 밥을 배불리 먹인 다음 말했다.

"나를 해치려 한 것은 진웅과 포룡이니, 다른 사람은 상관없는 일이다. 내가 시키는 대로만 한다면 너희들 모두에게 후한 상을 내리겠다."

군사들은 일제히 절하며 사례했다. 조자룡은 즉시 진웅과 포룡의 목을 베었다. 그리고 조범의 군사 5백명을 앞세우고 자신은 1천 군사를 거느린 채 그 뒤를 따라 밤을 새워 계양성으로 떠났다. 계양성 아래 이르자 조자룡은 군사를 시켜 큰소리로 외치게 했다.

"진장군과 포장군이 조자룡을 죽이고 돌아왔으니, 어서 성문을 열어주시오!"

조범이 성위에서 횃불을 밝히고 내려다보니 과연 자신의 군사들인지라 얼른 말에 올라 성문을 열고 나왔다. 조자룡이 즉시 소리쳤다.

"어서 저놈을 잡아라!"

손쉽게 조범을 사로잡은 조자룡은 성안으로 들어가 백성들을 안심시킨 다음, 유현덕에게 사람을 보내 이 사실을 전했다. 유현덕과 공명이 소식을 듣고 친히 계양으로 찾아왔다.

조자룡이 그들을 영접해 성안으로 청해들이고, 즉시 조범을 마당에 꿇어앉혔다. 공명이 조범에게 친히 물으니, 조범은 제 형수를 조자룡의 아내로 삼게 하려 했다가 오히려 그의 노여움을 사게 된 일을 세세히 고하였다. 공명이 조범의 말을 듣고 나서 조자룡을 돌아보며 말한다.

"이는 또한 참으로 아름다운 일이거늘, 공은 어찌하여 일을 이 지경까지 몰고 왔소?"

조자룡이 대답한다.

"조범이 이미 나와 형제의 의를 맺은 터에 만일 그 형수에게 장가 든다면 필시 남의 욕을 살 것이니 그것이 첫째 이유요, 또 그 부인이 개가를 하면 절개를 잃게 되니 그것이 둘째 이유요, 조범이 항복하자 마자 그런 말을 꺼냈으니 본마음을 알 수 없는 것이 셋째 이유였습니 다. 게다가 지금 주공께서는 강한(江漢)을 평정하신 지 얼마 되지 않 아 잠자리가 편치 않으신데, 어찌 감히 제가 한 여자 때문에 큰일을 그르치겠습니까?"

조자룡의 말을 듣고 나서 유현덕이 말한다.

"오늘 큰일을 다 마쳤으니, 그대는 이제 그 부인에게 장가를 드는 게 어떻겠나?"

조자룡이 대답한다.

"천하에 여자는 적지 않으며, 명예를 손상할까 두려울 뿐 처자식이 없는 게 무슨 근심거리겠습니까?"

유현덕이 감탄해마지 않는다.

"자룡은 참으로 대장부로다!"

유현덕은 조범을 풀어주어 다시 계양 태수로 임명하고, 조자룡에게 는 후한 상을 내렸다. 그때 곁에서 지켜보고 있던 장비가 갑자기 큰소 리로 외친다.

"자룡에게만 공을 세울 기회를 주고, 나는 아무 짝에도 쓸모없는 사람을 만들 셈이우? 내게 3천 군마만 주시우. 그럼 내가 즉시 무릉 을 취하고 태수 김선(金旋)을 사로잡아오겠수!"

공명이 웃으며 말한다.

"익덕이 가는 것은 좋은데, 다만 한가지 조건이 있소."

공명의 승전하는 방법은 계책이 신묘한데   軍師決勝多奇策

장수들은 앞다투어 공을 세우려 하네   將士爭先立戰功

공명이 장비에게 내세울 한가지 조건이란 과연 무엇일까?

53

유비, 노장 황충을 얻다

관운장은 의리를 지켜 황충을 놓아주고

손권은 장요와 대판 싸우다

공명이 장비에게 말한다.

"이번에 자룡은 계양을 취할 때 군령장을 두고 갔소. 오늘 익덕도 무릉을 취하러 가려거든 반드시 군령장을 두고 가야 하오."

"그게 뭐 어려운 일이오?"

장비는 즉시 군령장을 써놓고 흔쾌히 군사 3천을 이끌고 밤을 새워 무릉을 향해 떠났다.

한편 무릉 태수 김선은 장비가 군사를 거느리고 온다는 첩보에 급히 장수들을 모아 무기와 군사들을 점검한 다음 성밖으로 나가 맞서

싸우려 했다. 이때 종사(從事) 공지(鞏志)가 나서며 만류한다.

"유현덕은 본래 황실의 황숙으로 그 어진 이름과 덕망이 천하를 뒤덮고 있으며, 또한 장비는 용맹무쌍한 장수이니 무슨 수로 맞서싸우겠습니까? 차라리 투항하는 편이 낫겠습니다."

김선은 격분했다.

"네놈이 적과 내통하여 안에서 변을 일으키려는 게 틀림없구나!"

김선은 무사들에게 공지를 당장 끌어내 목을 베라고 명했다. 모든 관원들이 앞으로 나와서 엎드리며 간청한다.

"적을 맞아 싸우기도 전에 집안 사람을 죽이는 것은 결코 이롭지 않습니다."

김선은 여러 관원들의 간청에 못이겨 공지를 죽이지 않고 크게 호통친 다음 물러가게 했다. 그러고는 몸소 군사를 거느리고 출발했다. 무릉성을 나와 20리쯤 달렸을 때다. 반대쪽에서 장비가 군사를 이끌고 달려오고 있었다. 양쪽 군사는 미처 진을 벌여세울 사이도 없이 맞부딪치고 말았다. 장비가 장팔사모를 거머쥐고 말을 세우더니 큰소리로 외친다.

"이놈들, 썩 나와서 목을 바쳐라!"

김선이 부장들을 돌아보며 묻는다.

"누가 나가서 싸우겠느냐?"

모두들 장비를 두려워하는지라 싸우겠다고 나서는 이가 없었다. 그러자 김선은 칼을 휘두르며 몸소 말을 몰고 달려나갔다. 장비가 벽력같이 호통을 치며 마주 달려나온다. 김선은 그만 간담이 서늘해져서 감히 장비에게 달려들지 못하고 그대로 말머리를 돌려 달아난다. 장비는 급히 군사를 휘몰아 그 뒤를 추격했다. 김선은 죽기 살기로 달려

가까스로 무릉성 아래 이르렀다. 그런데 도대체 어찌 된 일인가. 성위에서 난데없이 화살이 빗발치듯 날아오는 게 아닌가. 김선이 깜짝 놀라 성위를 쳐다보니, 그곳에는 공지가 서 있었다. 공지는 손을 들어 김선을 가리키며 소리친다.

"네가 하늘의 때에 순응하지 않고 스스로 패망을 자초하기에, 나는 백성들과 더불어 유황숙에게 항복하려는 것이다!"

말을 끝내기가 무섭게 공지가 활을 쏘니 김선은 얼굴에 화살을 맞고 그대로 말 아래로 떨어져버렸다. 군사들이 앞다투어 달려들어 김선의 목을 베어 장비에게 바쳤다. 공지는 즉시 성문을 열고 나와 장비에게 투항했다. 장비는 공지에게 명하여 인수를 받들고 계양으로 가서 유현덕을 뵙도록 하였다. 현덕은 크게 기뻐하며 마침내 김선을 대신해 공지를 무릉 태수에 봉하고, 친히 무릉성으로 가서 백성들을 위무했다.

바야흐로 영릉과 계양과 무릉을 차례로 취하고 나니, 남은 곳은 장사(長沙)뿐이었다. 유현덕은 이러한 소식을 담은 편지를 써서 형주로 사람을 보내 관운장에게 알렸다. 관운장은 즉시 유현덕에게 답신을 올렸다.

아직 장사를 취하지 못했다고 들었습니다. 만일 형님께서 이 아우의 재주를 인정하신다면, 부디 제게 공을 이룰 기회를 주십시오.

관운장의 답신을 읽고 유현덕은 크게 기뻐하며 즉시 장비를 형주로 보내 대신 지키라 이르고, 관운장에게 장사를 공격하도록 하였다. 관운장은 계양으로 와서 현덕과 공명을 뵈었다. 공명이 관운장에게 말한다.

"자룡이 계양을 차지하고 익덕이 무릉을 얻을 때에도 각기 3천 군마를 거느리고 갔소. 지금 장사 태수 한현(韓玄)은 실로 거론할 만한 인물이 못 되나, 수하에 쓸 만한 장수가 한 명 있소이다. 그는 남양(南陽) 사람으로 성은 황(黃)이요 이름은 충(忠), 자는 한승(漢升)이라 하오. 황충은 본래 유표 휘하에 중랑장(中郞將)으로 있던 장수인데, 유표의 조카 유반(劉磐)과 장사를 지키다가 한현을 섬기게 되었소. 지금 황충의 나이 비록 육순이 다 되었으나, 혼자서 1만명을 대적할 만큼 용맹스러우니 가볍게 대할 수 없을 게요. 이번 길에 운장은 군사를 넉넉히 이끌고 떠나시오."

관운장이 말한다.

"군사께서는 어찌하여 남의 예기(銳氣)는 그리 칭찬하시고, 우리의 위풍(威風)은 깎아내리시오? 그까짓 일개 노졸(老卒)을 들어 말할 게 무엇이오. 이 관우는 3천 군사도 필요없소. 제가 거느리고 다니는 교도수(校刀手) 5백명만 이끌고 가서, 황충과 한현의 목을 베어다 바치겠소이다."

유현덕이 몇번씩이나 간곡하게 만류했으나, 운장은 끝끝내 듣지 않고 교도수 5백명만 거느리고 장사로 떠났다. 공명이 현덕에게 말한다.

"운장이 황충을 우습게 보다가 혹시 실수할까 걱정스러우니, 주공께서 뒤따라가셔서 운장을 후원하시지요?"

유현덕은 공명의 말을 듣고 즉시 군사를 거느리고 장사를 향해 떠났다.

장사 태수 한현은 워낙 성미가 급한데다 대수롭지 않은 일에도 사람을 함부로 죽이곤 해서 뭇사람들이 한결같이 그를 꺼리고 미워했다. 이때 관운장이 군사를 거느리고 장사로 쳐들어온다는 소식을 듣고, 한현은 노장 황충을 불러다 의논했다. 황충이 말한다.

"태수께서는 조금도 심려하지 마십시오. 이 황충의 칼과 활이면, 1천명이 오면 1천명 모두 몰살당할 뿐 아무도 살아서 돌아가지 못할 것입니다."

원래 황충은 천하에 보기 드문 명궁으로, 육순이 가까운 지금까지도 이석궁(二石弓, 두 사람이 당길 만큼 강한 활)을 쏘아 백발백중으로 맞힐 정도였다. 황충의 말이 끝나기가 무섭게 섬돌 아래에서 한 사람이 나서며 말한다.

"구태여 노장군께서 나가실 것도 없는 일입니다. 제가 가서 맹세코 관운장을 사로잡아오겠습니다."

한현이 바라보니, 그는 관군교위 양령(楊齡)이다. 한현은 크게 기뻐하며 곧 양령에게 1천 군사를 거느리고 성밖으로 나가 관운장과 맞서싸우라 명하였다.

양령이 1천군을 거느리고 성문을 나서서 50리도 채 못 가서였다. 문득 저 멀리 바라보니, 요란한 말발굽소리와 함께 티끌이 자욱이 일어나는 곳에 한무리의 군사들이 기세좋게 달려오고 있었다. 바로 관운장의 군마였다. 양령은 곧바로 진을 벌이더니, 창을 거머쥐고 앞으로 달려나가 큰소리로 호통을 쳤다.

"어디서 굴러먹던 도적놈이냐, 이름이나 대라!"

관운장은 크게 노하여 아무 대꾸도 없이 청룡언월도를 휘두르며 곧장 양령을 향해 달려들었다. 양령도 창을 꼬나잡고 맞섰지만 관운장의 적수가 못 되었다. 싸운 지 불과 3합에 운장의 청룡도가 허공을 가르며 날카롭게 번쩍였다. 순간 양령의 몸이 두 동강 나서 말 아래로 떨어지고 말았다. 관운장의 기세에 놀란 양령의 군사들이 혼비백산하여 달아났다. 관운장은 닥치는 대로 도망가는 적을 뒤쫓아 무찌르며 장사성 아래에 이르렀다.

이 보고를 듣고 크게 놀란 한현은 즉시 황충에게 출병하라 이르고, 자신은 성위에 올라가 전세를 살펴보았다. 황충은 5백기를 거느리고 말에 뛰어올라 나는 듯이 조교(弔橋)를 건너 성밖으로 달려나갔다. 관운장은 군사를 거느리고 달려오는 늙은 장수가 틀림없이 황충일 거라 짐작하고, 군사들을 일자로 벌여세운 뒤에 칼을 비껴들고 말을 세우며 묻는다.

"거기 오는 장수는 황충이 아닌가?"

황충이 대답한다.

"내 이름을 알고 있으면서 어찌 감히 우리 영토를 침범했느냐?"

관운장이 웃으며 말한다.

"네 머리가 탐나서 왔다!"

두 장수는 그대로 어우러져 싸우기 시작했다. 황충은 큰 칼을 휘두르며 돌진하고 관운장은 청룡도를 휘둘러 막으면서 곧장 찔러들어간다. 황충이 허리 옆으로 들어오는 운장의 칼을 젖히고 말을 몰아 옆으로 빠져나가면서 운장의 머리를 내려치려는 순간 관운장은 청룡도를 번쩍 들어 황충의 칼을 막아낸다. 큰 칼과 청룡도가 부딪칠 때마다 우레가 소리치고 번개가 번쩍이는 듯했다. 눈깜짝할 새에 어느덧 싸움은 1백여합에 이르렀으나, 도무지 승부가 나지 않는다. 황충의 칼이 빛을 발하고 운장의 청룡도가 바람 가르는 소리를 낸다. 두 장수를 태운 말은 허연 콧김을 내뿜으며 먼지를 일으킨다.

성위에서 두 장수의 싸움을 지켜보던 한현은 행여 황충을 잃게 될까 두려워 급히 징을 울렸다. 황충은 군사를 거두어 성안으로 들어갔다. 성문으로부터 10여리 물러나 영채를 세운 관운장은 마음속으로 탄복했다. '노장 황충이 과연 듣던 대로 명장이로구나. 나와 1백여합을 싸우고도 조금도 흔들림이 없으니, 내일은 반드시 타도계(拖刀計, 달아나는 척하다가 돌아서서 공격하는 계책)를 써서 등판을 갈라놓으리라.'

다음날, 이른 아침을 먹은 관운장은 다시 성 아래로 달려가 싸움을 걸었다. 한현은 성위에서 황충에게 출정을 명했다. 황충은 곧 수백기를 거느리고 조교를 건너 관운장과 맞섰다. 두 장수가 어우러져 싸우기를 5,60합, 이번에도 역시 좀처럼 승부가 나지 않는다.

양쪽 군사들이 모두 함성을 지르고 갈채를 보내며 싸움을 북돋우는 가운데 북소리가 급하게 울려퍼졌다. 바로 이때, 관운장이 갑자기 말머리를 돌려 달아나기 시작한다. 황충은 놓칠세라 급히 뒤쫓아 달린다.

얼마쯤 달리다가 운장이 타도계를 쓰려는 순간, 갑자기 등뒤에서 난데없는 소리가 들려왔다. 급히 뒤를 돌아보니, 뜻밖에도 황충이 탄 말이 앞무릎을 꺾으며 주저앉고, 그 바람에 황충이 그대로 말 위에서 굴러떨어지는 게 아닌가. 관운장은 말머리를 돌리며 청룡도를 번쩍 치켜들더니 큰소리로 호통을 쳤다.

"특별히 네 목숨을 살려줄 테니 너는 즉시 돌아가 말을 바꿔타고 오너라!"

황충은 급히 말을 일으켜세운 뒤 몸을 날려 올라타고서 장사성 안으로 달려갔다. 돌아온 황충을 보고 한현이 놀라서 묻는다.

"어찌 된 일이오?"

황충이 대답한다.

"이 말이 오랫동안 전투에 나가지 않고 지낸 탓에 아마도 놀란 모양입니다."

한현이 다시 묻는다.

"그대는 활솜씨가 백발백중인데 어찌하여 활을 쏘지 않았는가?"

"내일 다시 싸울 때 거짓으로 패한 체 달아나다가, 관운장을 조교부근까지 유인해 한방에 쏘아 넘어뜨릴 생각입니다."

한현은 고개를 끄덕이더니 자신이 타는 청마 한 필을 황충에게 내주었다. 황충은 절하여 사례하고 밖으로 나왔다. 물러나 가만히 생각해보니 마음이 편칠 않다. 좀전에 관운장이 베푼 의기를 도저히 저버릴 수 없을 것 같아서였다.

'운장은 참으로 의기있는 사람이로다. 제가 말에서 떨어진 나를 차마 죽이지 않았는데, 내가 어찌 그에게 화살을 쏜단 말인가? 하지만 만일 운장을 쏴죽이지 않으면 장령(將令)을 어기는 것이니, 이 일을 어찌하면 좋을꼬……'

황충은 밤새도록 고민했지만, 뜻을 정하지 못한 채 새날을 맞이하게 되었다. 날이 밝기가 무섭게 아랫사람이 들어와 고하기를, 관운장이 또다시 성 아래 와서 싸움을 청한다고 한다. 황충은 즉시 군사를 거느리고 나갔다.

관운장은 벌써 이틀째 황충과 맞서싸웠으나 이기지 못한 터라 내심 몹시 초조했다. 그리하여 더욱 위세를 떨치며 황충과 싸우는데, 서로 어우러져 싸우기 시작한 지 30여합에 황충이 문득 말머리를 돌려 달아나기 시작했다. 관운장은 재빨리 황충의 뒤를 쫓았다.

황충은 관운장을 유인하면서 다시금 어제의 일을 떠올렸다. 자기를 살려준 은혜를 생각하면 차마 뒤쫓아오는 관운장을 향해 화살을 날릴 수가 없었다. 황충은 결국 화살을 메기지 않은 채 빈 시위만 힘껏 잡아당겼다. 뒤쫓던 관운장은 활시위 뜨는 소리에 급히 몸을 피했으나 막상 화살은 날아오지 않았다.

관운장이 다시 말을 몰아 황충을 추격하는데, 이번에도 황충은 빈 활을 쏘며 달아난다. 관운장은 황충이 아무래도 활을 잘 쏠 줄 모르는가 여겨 마음놓고 추격했다. 어느덧 조교 부근에 이르렀을 때 갑자기 황충이 다리 위에 멈추더니 비로소 활에 화살을 메겨 활시위를 힘껏 당겼다. 시윗소리가 크게 울리는가 싶더니 화살은 어느 틈에 운장의 투구끈에 날아와 꽂혔다. 장사의 군사들 속에서 함성이 터져올랐다.

관운장은 깜짝 놀라 투구끈에 화살이 꽂힌 채로 말머리를 돌려 영채로 돌아왔다. 그리고 비로소 노장 황충이 1백보 밖에서도 능히 버들잎을 쏘아맞힐 수 있는 솜씨를 지녔음에도 차마 자기를 쏘아죽이지 않은 것은 전날 말에서 떨어진 그를 죽이지 않은 은혜를 갚으려는 것임을 알았다.

관운장이 군사를 거두어 물러가고 황충은 성안으로 들어갔다. 한현이 다짜고짜 주위를 돌아보며 명한다.

"당장 황충을 잡아 꿇어앉혀라!"

황충이 크게 놀라 맞고함을 지른다.

"대체 내가 무슨 죄를 지었다고 이러십니까?"

한현은 그 소리를 듣고 더욱 화가 나서 큰소리로 말한다.

"내가 사흘 동안이나 성위에서 네가 싸우는 것을 지켜보았거늘, 그래도 나를 속이려 드느냐? 첫날 네가 힘껏 싸우지 않은 것은 딴마음

關羽戰長沙

三國演義第五十三回、雲長出曰戰更至百三十合
随兵夏侯惇曰雲長刀法無破綻忽詐敗走黃忠趕來
不過使詐拿把忽然弓弦響却無箭及第二日又射只
雲長機警應變拈弓如空寶黃忠如見雲長戰之慮
楊萬之名橋舊雲長戰之如見之弓慮雲長如見箭持射
虛中射黃之弓盛之心持之之弓慮雲長有有生爲回
爭也戰也射忽寶之弓射之弓及雲爲相射之時
今日射忽愿箭雲弓愿戰黃射之國愛

황충은 관우의 의기를 높이 사 세번만에 비로소 화살을 쏘다

이 있었기 때문이고, 어제 네가 말에서 떨어졌을 때 운장이 너를 죽이지 않은 것은 내통하고 있다는 증거이며, 오늘 다시 두번이나 빈 시위만 당기다가 세번째 가서야 겨우 투구끈을 맞혔으니, 이러고도 네가 적과 내통하지 않았다고 발뺌할 테냐? 지금 너를 이대로 살려두었다가는 반드시 후환이 있으리라!"

한현은 도부수에게 명한다.

"이놈을 즉시 성문 밖으로 끌어내 목을 베어라!"

모든 장수들이 만류하고 나섰지만 한현은 더욱 화를 내며 추상같이 호령한다.

"이제 누구든지 황충을 두둔하는 자는 같은 죄로 다스려 죽일 것이다!"

한현이 이렇게 못박자 아무도 나서지 못한다. 도부수들이 황충을 성문 밖으로 끌고 나가 목을 베려고 막 칼을 들어올리는 순간이었다.

갑자기 외마디소리를 지르며 홀연히 한 장수가 달려와 순식간에 도부수들을 베어죽이고, 황충을 부축해 일으켰다.

"황한승(黃漢升, 황충의 자)은 장사의 성벽과도 같거늘, 지금 한승을 죽이는 것은 곧 장사 백성을 죽이는 일이다. 한현은 본래 천성이 잔인하고 늘 어진이를 업신여기는 터라, 이제 다 함께 나서서 그를 죽여 장사의 해악을 없애야 하리라. 뜻을 같이하는 자는 내 뒤를 따르라!"

모여 있던 사람들이 그 장수를 보니, 얼굴은 잘 익은 대춧빛이요 눈은 별처럼 빛을 뿜는데, 바로 의양(義陽) 사람 위연(魏延)이다. 위연은 본래 양양에서 유현덕을 따르고자 했으나 사정이 여의치 못해 장사로 와서 한현에게 투항했다. 한현은 위연의 오만하고 무례한 태도를 탐탁지 않게 여겨 중히 써주지 않았다. 위연은 불만을 억누르고 지

292

내오던 중에 이날 기어이 황충을 구하고 한현을 죽이기 위해 일어선 것이다.

한현은 평소에 뭇사람들로부터 원망을 많이 받아오던 터라 위연이 손을 한번 높이 들자 너도나도 몰려들어 그를 따르는 자가 단박에 수백명에 이르렀다. 황충은 어떻게든 이 사태를 피하려 했지만 그들을 막을 수는 없었다.

위연은 앞장서서 성위로 뛰어올라 단칼에 한현을 두 동강 내버렸다. 그리고 한현의 목을 들고 말에 올라 백성들을 이끌고 관운장의 영채를 찾아가 항복했다. 관운장은 크게 기뻐하며 곧바로 장사성으로 들어가 백성들을 위로한 다음, 사람을 보내 황충에게 만나기를 청했다. 황충은 몸이 아프다는 핑계를 대고 만나려 하지 않는다. 관운장은 즉시 사람을 보내 유현덕과 공명을 장사로 오도록 했다.

한편 관운장이 장사로 떠난 뒤에 유현덕은 공명과 더불어 군마를 이끌고 길을 재촉하고 있었다. 한참 행군중인데 자꾸 청기(靑旗)가 거꾸로 말리면서 까마귀 한 마리가 북쪽에서 날아와 연이어 세번을 울고 남쪽으로 사라진다. 유현덕이 근심스럽게 묻는다.

"대체 이게 무슨 조짐이오?"

공명이 말 위에서 점괘를 짚어보고는 대답한다.

"장사군은 이미 손에 넣었고, 또 주공께서는 장수 한명을 얻을 것입니다. 오시(午時, 오후 12시)가 지나면 분명한 결과를 아시게 됩니다."

유현덕이 기쁜 마음에 길을 재촉하는데, 과연 오시가 지나자 장사에서 전령이 나는 듯이 말을 달려와 고한다.

"관장군께서는 이미 장사군을 취하셨고, 장수 황충과 위연이 항복했는데, 주공께서 오시기만을 고대하고 계십니다."

현덕은 크게 기뻐하며 길을 재촉하여 마침내 장사성에 이르렀다. 관운장이 성밖에 나와 유현덕과 공명을 영접해 부중으로 모셨다. 그러고는 그간에 황충과 있었던 일을 모두 아뢰니, 유현덕은 몸소 황충의 집으로 찾아가 만나기를 청했다. 황충은 그제야 나와 항복한 다음 말한다.

"청컨대 한현의 시신을 장사 동쪽 산기슭에 장사지내도록 허락해주십시오."

현덕은 쾌히 승낙했다. 이리하여 한현은 자신이 죽이려던 신하 덕에 까마귀밥 신세를 면할 수 있었다.

후세 사람이 황충의 충절을 찬양한 시가 있다.

장군의 빼어난 기개 하늘에 짝하는데　　　　將軍氣槪與天參
창창한 백발로 한남땅에서 곤핍하도다　　　白髮猶然困漢南
죽음도 달게 받아 원망할 줄 모르고　　　　至死甘心無怨望
항복에 임하여는 머리 숙여 부끄러워하네　臨降低首尙懷慚
서릿발 보검은 신 같은 무용을 나타내고　　寶刀燦雪彰神勇
바람 앞의 철기는 격렬한 옛 싸움 생각케 하네　鐵騎臨風憶戰酣
천고에 높은 이름 응당 지워지지 않으리니　千古高名應不泯
외로운 달 따라 길이 상강의 근원을 비추리　長隨孤月照湘潭

유현덕이 황충을 극진하게 대접하는데, 관운장이 위연을 데리고 들어와 뵙기를 청했다. 공명은 위연을 보더니 갑자기 도부수들에게 호령한다.

"저자를 끌어내 당장 목을 베어라!"

유현덕이 깜짝 놀라서 묻는다.

"위연은 죄는 없고 공이 있는 자인데, 군사께서는 어찌하여 그를 죽이려 하십니까?"

공명이 답한다.

"위연으로 말할 것 같으면, 녹을 받아먹으면서 그 주인을 죽였으니 이는 불충(不忠)이요, 자기가 살던 땅을 남에게 바쳤으니 이는 불의(不義)입니다. 더욱이 그 관상을 보니 뒤통수가 반골(反骨)이라 후일 반드시 모반할 것이니, 지금 죽여 화근을 없애는 게 상책입니다."

설명을 듣고 현덕이 말한다.

"지금 이 사람을 죽이면 앞으로 항복해오는 무리들은 모두 불안에 떨 것이오. 그러니 군사께서 용서해주시오."

그제야 공명이 손가락으로 위연을 가리키며 말한다.

"오늘 네 목숨을 살려줄 터이니, 너는 부디 충성을 다해 주공의 은혜에 보답하고, 행여 다른 마음을 품지 말도록 하라. 만일 딴마음을 품는 날에는 네 머리가 온전히 붙어 있지 못할 것이다!"

위연은 연신 고개를 조아리며 물러갔다.

한편 황충은 유표의 조카 유반(劉磐)을 현덕에게 천거했다. 그때 유반은 유현(攸縣)의 시골구석에서 조용히 숨어 살고 있었는데, 현덕은 즉시 그를 불러와 장사군을 맡아 다스리도록 했다.

이렇게 하여 영릉·무릉·계양·장사 네 곳을 평정한 현덕은 군사를 거두어 형주로 돌아갔다. 그리고 유강구(油江口)를 공안(公安)이라 고쳐 불렀다. 이때부터 전량이 넉넉해지고 어진 선비들이 하나둘 찾아들었다. 현덕은 각처에 군마를 보내 중요한 길목을 지키게 하였다.

한편 주유는 시상으로 돌아가 요양하면서 감녕에게는 파릉군(巴陵郡)을, 능통에게는 한양군(漢陽郡)을 지키라고 하고, 두 곳에 전선을 나누어 배치해 영을 기다리도록 하였다. 나머지 장수와 군사는 모두 정보에게 주어 합비의 손권을 돕게 했다.

손권은 적벽에서 대승을 거둔 후 그 기세를 몰아 합비에 군사를 주둔하고 조조의 군사들과 크고작은 전투를 10여번이나 치렀다. 그러나 아직 이렇다 할 만한 승리를 거두지 못한 탓에 합비성 근처에는 영채를 세우지 못하고 50여리 떨어진 곳에 주둔하고 있었다.

이렇듯 전세가 썩 유리하지 않은 중에 정보가 이끄는 원군이 온다는 보고가 들어왔다. 손권은 그들을 친히 맞이하러 영채에서 나와 기다리고 있었다. 전령이 와서 손권에게 고한다.

"노자경이 앞서 오고 있습니다."

손권이 곧 말에서 내려 노숙을 맞이하니, 노숙은 황망히 말에서 내려와 예를 올렸다. 모든 장졸들은 손권이 깍듯하게 노숙을 대하는 것을 보고 크게 놀랐다.

"자경, 어서 말에 오르시오."

손권은 노숙에게 말에 오르길 청하여 말머리를 나란히 하고 나아갔다. 손권이 가만히 노숙에게 묻는다.

"내가 말에서 내려 영접하여 공을 빛나게 하려 했는데, 흡족하시오?"

노숙이 대답한다.

"아닙니다."

"그러면 어찌해야 그대의 마음이 흡족하겠소?"

"주공의 위엄과 덕망이 사해에 떨치며 9주(九州)를 통솔하고 능히 제업(帝業)을 이루어, 이 노숙의 이름이 죽백(竹帛, 사서史書)에 오르는 것이 바로 제게는 더없는 영광이올시다."

손권은 손뼉을 치며 호탕하게 웃었다. 노숙과 함께 장막에 돌아온 손권은 크게 잔치를 베풀어 원군의 노고를 위로하고, 장차 합비를 공격할 계획을 의논했다. 문득 사람이 와서 고한다.

"장요에게서 전서(戰書)가 왔습니다."

손권은 장요의 전서를 받아 읽고는 몹시 화를 낸다.

"장요가 나를 참으로 멸시하는구나. 정보의 원군이 도착했다는 소식을 듣고 일부러 내게 싸움을 청하는 모양인데, 내일은 새로 온 군사는 한명도 쓰지 않고 널 대적할 터이니, 두고 보아라!"

다음날 5경 무렵, 손권은 삼군을 거느리고 일제히 합비를 향해 영채를 나섰다. 어느덧 날이 밝아 진시(辰時, 오전 8시)에 이르렀을 때였다. 손권의 군사는 합비성까지 아직 반도 못 갔는데, 이미 그곳까지 진격해 양쪽으로 진을 벌이고 기다리고 있던 조조의 군사와 마주쳤다.

손권은 황금투구에 황금갑옷을 입고 말 위에 높이 앉아 선두에 나섰다. 그 왼쪽에는 송겸(宋謙)이, 오른쪽에는 가화(賈華)가 각각 방천극을 손에 들고 호위했다. 그때 조조의 진영에서 북소리가 세번 크게 울리더니, 문기가 좌우로 열리며 무장을 단단히한 세 사람의 장수가 앞으로 나와 한줄로 늘어섰다. 한가운데 선 장수는 장요였고, 왼쪽에 선 장수는 이전, 오른쪽에 선 장수는 악진이었다.

이윽고 장요가 말을 몰고 앞으로 나서며 손권에게 싸움을 청했다. 손권이 창자루를 거머쥐고 장요를 향하는데, 갑자기 진문 안에서 한 장수가 창을 들고 말을 몰아 쏜살같이 내달으니, 그는 바로 태사자였다. 장요는 순식간에 코앞에 다가온 태사자를 향해 칼을 휘두르며 맞서싸우기 시작했다. 두 장수가 어우러져 7, 80여합을 싸웠으나 쉽사리 승부가 나지 않았다. 이때 조조 진영에서 이전이 악진에게 말한다.

"황금투구를 쓴 자가 바로 손권일세. 손권만 사로잡으면 적벽대전에서 목숨을 잃은 우리 83만 대군의 원수를 갚는 셈일세!"

이전의 말이 채 끝나기도 전에 악진은 벌써 말을 몰고 달려나와 순식간에 손권 앞에 이르렀다. 악진은 숨 한번 쉴 틈도 없이 손권의 머리를 향해 칼을 번쩍 치켜들어 내려친다. 그 찰나, 좌우에서 호위하던 송겸과 가화가 일제히 방천극을 들어 악진의 칼을 막아냈다. 요란한 소리와 함께 아래로 떨어진 것은 천만다행으로 손권의 목이 아니라 동강난 두 자루의 방천극이었다.

손권이 대경실색하여 물러섰다. 송겸과 가화는 급한 김에 자루만 남은 방천극으로 악진이 타고 있는 말머리를 후려친다. 악진이 놀란 말고삐를 그러쥐고 달아나고, 송겸은 급히 옆에 있던 군사의 창을 빼앗아들고 악진의 뒤를 추격한다. 송겸의 창이 악진의 등덜미에 거의 닿을 무렵이었다. 조조 진영에서 지켜보던 이전이 급히 화살을 메겨 송겸을 향해 활시위를 당겼다. 송겸은 그대로 가슴에 화살을 맞고 말 아래 떨어져 나뒹굴었다.

한창 장요와 맞붙어 싸우던 태사자는 문득 등뒤에서 누군가 말 아래로 떨어지는 것을 보고, 급히 본진을 향해 말머리를 돌렸다. 장요가 기세를 떨치며 맹렬히 공격하니, 동오의 군사들은 사방으로 흩어져 달아난다. 장요가 적진 가운데서 손권을 발견하고 곧장 달려들어 적벽의 원수를 갚으려는 순간이었다. 난데없이 한무리의 군사들이 옆에서 쳐들어오는데, 앞장선 장수는 바로 동오의 장군 정보였다. 정보가 무서운 기세로 적군을 물리치며 손권을 구해내니, 장요도 군사를 거두어 합비성으로 회군했다.

정보는 손권을 호위하고 대채로 돌아왔고, 뒤이어 군사들도 하나둘 영채로 돌아왔다. 손권은 적장의 화살을 맞고 죽은 송겸을 생각하며 목놓아 울었다. 장굉(張紘)이 나서서 간한다.

"주공께서 젊은 기운만 믿고 큰 적을 우습게 여기셨으니, 삼군 모두 참으로 한심스럽게 생각하고 있습니다. 적장을 베고 적기를 빼앗아 싸움터에서 위세를 떨치는 일은 장군들이 할 일이지, 주공의 일이 아닙니다. 바라옵건대 주공께서는 맹분(孟賁, 전국시대의 이름난 용사)이나 하육(夏育, 주나라 때 용사) 같은 용맹을 누르시고 천하를 구할 큰 뜻을 품으셔야 합니다. 오늘 송겸이 적장의 화살에 목숨을 잃은 것도 모두 주공께서 적을 가벼이 여기신 탓이니, 부디 앞으로는 자중자애하십시오."

"그대의 말이 옳소. 모두 내 잘못이니 오늘부터 마땅히 고치리다."

손권이 진심으로 자신의 과오를 뉘우치고 있을 때, 문득 밖에서 태사자가 들어와 아뢴다.

"제 수하에 과정(戈定)이라는 군사가 있는데, 장요 수하에서 말을 기르는 후조(後槽)와는 형제지간입니다. 후조는 사소한 일로 장요에게 책을 잡혀 그 때문에 속으로 원한을 품고 있다 합니다. 후조가 사람을 보내와 말하기를, 오늘밤 장요를 죽여 송겸의 원수를 갚고 불을 올려 군호를 보내겠다고 했습니다. 제게 군사를 주시면 즉시 달려가 그를 돕겠습니다."

손권이 반색을 하며 묻는다.

"그래 과정은 어디 있소?"

태사자가 대답한다.

"이미 혼전중에 저편 군사들 틈에 섞여서 합비성 안으로 들어갔습니다. 군마 5천만 내주시면 즉시 떠나겠습니다."

옆에서 듣고 있던 제갈근이 한마디 한다.

"장요는 본래 지모가 뛰어난 인물이라 대비하고 있을지 모르니 섣불리 움직여서는 안됩니다!"

그러나 태사자는 귀담아듣지 않고 자신의 뜻을 고집한다. 손권은 가뜩이나 송겸의 죽음으로 애통해하던 차라, 한시바삐 원수를 갚고 싶은 마음에 즉시 군사 5천명을 태사자에게 내주고 떠나라 명하였다.

본래 과정은 태사자와 같은 고향 사람이었다. 이날 조조 군사들 틈에 끼어 합비성으로 들어간 과정은 후조를 만나 함께 장요를 죽일 계책을 의논했다. 과정이 말한다.

"나는 이미 사람을 보내 태사자 장군께 말씀을 전했소. 틀림없이 오늘밤 장군께서 도우러 오실 텐데 형님은 어쩔 작정이오?"

후조가 말한다.

"여기는 군중에서 멀리 떨어져 있어 밤중에 급히 나가기 어려울 것이다. 내가 먼저 마초더미에 불을 지를 테니, 너는 기다리고 있다가 불길이 솟거든 배반자가 있다고 고함을 질러라. 그럼 반드시 난리가 날 것이니, 내가 그 틈에 장요를 찔러죽이면 다른 무리들은 모두 달아나고 말 것이다."

"참 좋은 계책이오."

과정은 연신 고개를 끄덕였다.

그날밤, 싸움에서 이기고 성으로 돌아온 장요는 삼군에 상을 주어 위로한 다음 영을 내렸다.

"오늘밤은 갑옷을 풀고 잠자지 마라!"

이 말에 수하장수들은 모두 의아해했다.

"오늘 전투에서 승리하여 동오 군사들이 멀리 달아났는데, 장군께서는 어찌하여 갑옷을 벗고 편히 쉬라 하지 않습니까?"

"그것은 모르는 소리다. 장수는 이겼다고 기뻐하고 졌다고 근심하지 않는 법. 승리했다고 방심하고 있을 때 동오 군사들이 쳐들어오기라도 하면 어찌 당해내겠느냐? 오늘밤은 다른 날보다 더욱 방비를 엄중히 해야 할 것이다."

바로 그때였다. 갑자기 뒤채에서 불길이 치솟더니 누군가 반란이 일어났다고 외치는 소리가 들려왔다. 곧이어 급한 사태를 보고하는 자가 잇따른다. 장요가 장막을 나가서 말에 오르니 수하장교 10여명이 그 곁을 삼엄하게 호위한다.

"함성이 저렇게 다급하니 아무래도 장군께서 직접 가보시는 게 좋을 듯합니다."

좌우 사람들이 아뢰었으나 장요는 듣지 않았다.

"어찌 성안 군사들이 모두 반역할 리가 있겠느냐? 틀림없이 몇놈이 모반을 일으켜 군심을 어지럽히는 것이리라. 더불어 경거망동하는 자는 모두 목을 베겠다."

얼마 후 과연 이전이 과정과 후조를 잡아왔다. 장요는 그들을 몸소 심문하여 자세한 내막을 알아낸 다음, 그 자리에서 두 사람을 죽여버렸다. 그때 갑자기 성문 밖에서 징소리와 북소리가 크게 울리며 함성이 천지를 진동한다. 장요는 급히 좌우를 돌아보며 말한다.

"동오의 군사들이 도우러 온 게 틀림없다. 내가 계책을 써서 저들을 잡고 말리라."

장요는 즉시 사람들을 시켜 성문 안 한쪽에다 불을 지르고 모반한 것처럼 소동을 일으키도록 했다. 그러고는 성문을 열고 조교를 내리게 했다.

기다리고 있던 태사자는 성문이 열리고 조교가 내려지자 성 안에서 모반이 일어났음을 믿어 의심치 않고 그대로 창을 거머쥔 채 말을 달려 성안으로 뛰어들었다. 그런데 갑자기 포성이 울리더니 성위에서 화살이 비오듯 쏟아지기 시작했다. 그제서야 태사자는 장요의 계교에 빠졌음을 알고 급히 말머리를 돌려 성밖으로 나왔으나, 이미 여러 곳에 화살을 맞은 뒤였다. 게다가 등뒤에서는 이전과 악진이 군사를 휘몰아 추격해왔다. 동오의 군사는 절반 넘게 죽고, 조조의 군사들은 승세를 몰아 손권의 대채 앞까지 쳐들어왔다. 동오 진영에서 육손과 동습이 군사를 이끌고 나와 태사자를 호위하니, 그제서야 조조의 군사들은 물러갔다.

손권은 온몸에 중상을 입은 태사자를 보고 몹시 애통해하였다. 장소(張昭)가 곁에서 군사를 거두자고 청하자 손권은 그 말을 좇아 배를 타고 남서(南徐)의 윤주(潤州)로 돌아갔다.

윤주에 군마를 주둔한 지 얼마 후 손권은 태사자의 병이 위독하다는 소식을 전해듣고 장소를 보내 문병하게 했다. 장소를 본 태사자는 갑자기 소리를 높여 울부짖었다.

"대장부가 난세에 났으니 마땅히 삼척 검을 허리에 차고 역사에 길이 남을 공을 세워야 하거늘, 그 뜻을 이루지 못하고 죽는구나!"

말을 마치자 세상을 떠나니, 이때 그의 나이 41세였다.

후세 사람이 그를 칭송하는 시를 지었다.

충효를 다하리라 맹세한 사람	矢志全忠孝
동래땅 태사자로다	東萊太史慈
그 이름 먼 변방에 빛나고	姓名昭遠塞
그 무예 적군도 떨었다네	弓馬震雄師
북해에서 공융에게 은혜 갚고	北海酬恩日
신정에서 손책과 싸웠던 그대	神亭酣戰時
임종시 남긴 장한 말이	臨終言壯志
천고를 내려오며 사람들을 울리네	千古共嗟咨

손권은 태사자의 죽음을 슬퍼해마지 않았다. 남서의 북고산(北固山) 아래 성대하게 장사지내주고, 그 아들 태사형(太史亨)을 부중에 데려다 길렀다.

그무렵 형주에서 군마를 정비하던 유현덕은 손권이 합비에서 군사를 거두어 남서로 돌아갔다는 소식을 들었다. 그는 즉시 공명을 청해 앞으로의 일을 의논했다. 공명이 말한다.

"간밤에 천문을 보니 서북쪽에서 별 하나가 땅에 떨어졌습니다. 필시 황족 한 분이 세상을 떠났을 것입니다."

그렇게 이야기를 나누는 중에 문득 사람이 들어와 공자 유기가 병사했다는 소식을 전한다. 유기가 죽었다는 말에 유현덕이 통곡하며 슬퍼하니, 공명이 위로한다.

"살고 죽는 것은 모두 정해진 일이니 주공께서는 너무 애통해하지 마십시오. 귀한 몸을 상하실까 염려됩니다. 우선 대사를 다스려야 할 테니, 급히 양양으로 사람을 보내 그곳을 방비하게 하고, 아울러 장례를 치르도록 하십시오."

유현덕이 묻는다.

"누구를 보냈으면 좋겠소?"

공명이 대답한다.

"운장이 아니면 안될 것입니다."

유현덕은 공명의 말대로 즉시 관운장을 양양으로 보내 그곳을 지키게 했다. 현덕이 다시 공명에게 묻는다.

"이제 유기가 죽었으니 필시 동오에서 형주를 되찾겠다고 할 터인데, 어찌하면 좋겠소?"

"동오에서 사람이 온다면 이 제갈량이 알아서 대답할 터이니 심려치 마십시오."

과연 보름이 지나자 동오에서 노숙이 특별히 문상하러 온다는 통지가 왔다.

먼저 계책을 세워 군사를 배치하고	先將計策安排定
동오에서 사신 오기만 기다리네	祗等東吳使命來

공명은 과연 노숙에게 어떤 대답을 할 것인가?

54

새장가 드는 유비

오의 국태부인은 절간에서 신랑감을 보고

유현덕은 화촉동방에서 아름다운 연분을 맺다

　동오에서 노숙이 문상왔다는 전갈을 듣고 공명은 현덕과 함께 성밖
으로 나가 맞이했다. 노숙과 공명, 현덕은 공청(公廳)으로 들어가 서
로 예를 갖추어 인사를 나눈 뒤 자리를 잡고 앉았다. 먼저 노숙이 말
한다.

　"주공께서 현덕공의 조카 유기가 세상을 떠났다는 소식을 듣고 특
별히 예물을 갖추어 제게 문상을 가라 하셨습니다. 또한 주도독은 재
삼 유황숙과 제갈선생에게 안부를 전해달라 하셨소."

　현덕과 공명은 자리에서 일어나 사례하고, 예물을 받은 다음 술자

리를 마련했다. 다시 노숙이 말한다.

"지난번 유황숙께서 말씀하시기를 유기 공자가 없으면 형주를 동오에 돌려주겠다고 하셨습니다. 이제 공자가 세상을 떠났으니 형주를 돌려주시리라 믿습니다만, 언제쯤이나 내주시렵니까?"

유현덕이 말한다.

"먼저 잔을 비우시오. 천천히 의논합시다."

노숙은 마지못해 술잔을 받아 몇잔 연거푸 마신 다음 대답을 재촉했다. 유현덕이 뭐라 대답하기도 전에 공명이 정색을 하고 말한다.

"자경은 참으로 사리에 밝지 못하시오. 그래 꼭 남이 일러주어야만 아시겠소? 한나라는 고황제(高皇帝, 유방)께서 참사기의(斬蛇起義, 유방이 진나라를 뜻하는 흰 뱀을 참하고 의병을 일으킨 일)하여 세우신 뒤 오늘에까지 이르렀습니다. 그런데 불행히도 사방에서 간웅들이 벌떼처럼 일어나 저마다 땅을 차지하니, 아무래도 하늘의 이치가 바로잡혀서 정통으로 복귀해야 할 것이오. 우리 주공께서는 바로 중산정왕의 후예로 효경황제의 현손이시고 황제의 숙부 되시니, 어찌 분모열토(分茅裂土, 집을 따로 나누고 땅을 쪼개 가짐)를 못하겠소이까? 더욱이 유표는 우리 주공의 형님이시니 아우가 형님의 기업을 잇는 것이 어째서 도리에 어긋난단 말씀이오? 그대의 주인으로 말할 것 같으면 한낱 전당(錢塘) 아전의 아들로, 일찍이 조정에 아무런 공덕이 없는데도 세력만 믿고 6군(郡) 81주(州)를 손에 넣고 그것도 모자라 또다시 한나라 땅을 탐하고 있으니, 이야말로 도리에 어긋나는 짓이 아니겠소? 유씨(劉氏) 천하에 우리 주공은 유씨임에도 불구하고 도리어 나누어 가지신 땅이 없는데, 그대의 주인은 손씨인데도 오히려 우리 주공께서 가진 땅조차 빼앗으려 해서야 되겠소? 또한 적벽대전에서도 우리 주공께서는 많은 공을 세우셨고, 수하장수들 역시 모두 용맹하게 명을 받들어 제 몫을 다했으니, 이 어찌 동오 혼자만의 힘이었겠소? 만일 내가 동남풍을 불러오지 않았더라면 주유가 어찌 절반의 공이라도 세울 수 있었겠소? 게다가 강남이 조조의 군사에게 패했다면 아니할 말로 절세의 이교(二喬, 손책의 아내와 주유의 아내)는 조조의 동작대에 앉아 있었을 것이고, 공들의 집안 또한 온전치 못했을 것이오. 아까 우리 주공께서 대답하시지 않은 것은, 그대가 고명한 선비라 구태여 자세한 말을 일일이 들어 말하지 않더라도 이치를 아시리라 믿은 것인데, 그대는 어찌하여 그렇듯 이치를 따질 줄 모르시오?"

공명의 말이 끝나자 노숙은 한참동안 아무 대꾸를 못하고 앉아 있다가 겨우 입을 열었다.

"공명의 말씀이 이치에 맞지 않는 것은 아니나, 이몸의 처지가 참으로 난처하게 되었소이다."

공명이 묻는다.

"그대가 난처할 게 뭐가 있습니까?"

"지난번 유황숙께서 당양에서 수난을 당하실 때 공명과 함께 강을 건너 우리 주공을 뵙게 한 것도 나고, 그후 주도독이 군사를 일으켜 형주를 취하려 했을 때 막고 나선 사람도 나였소. 또한 유기 공자께서 세상을 떠나시면 형주를 돌려주겠다던 말씀을 전한 것도 나였는데, 지금 와서 난데없이 그렇게 말하면 내가 무슨 면목으로 주공께 전할 수 있겠습니까? 물론 나야 설사 치죄를 당해 죽는다 해도 원통할 게 없으나, 그로 인하여 동오와 싸움이라도 벌어진다면 유황숙께서도 형주에 편안히 앉아 계시지 못할 것이고, 결국은 천하의 웃음거리밖에 더 되겠습니까?"

"조조가 백만대군을 이끌고 황제의 이름 아래 움직여도 내 그를 우습게 여겼는데, 한낱 애송이에 불과한 주유를 두려워하겠습니까? 하지만 그대의 처지가 그렇게 난처하다면, 내가 우리 주공께 특별히 문서를 써달라 청하겠소이다. 잠시 형주를 빌려 지내다가, 우리가 따로 땅을 얻은 다음에 형주를 동오에 돌려주겠다는 내용으로 말입니다. 자경의 생각은 어떻소이까?"

노숙이 다시 묻는다.

"대체 공명께서는 어디를 빼앗은 다음 형주를 돌려주겠다는 말씀이오?"

공명이 대답한다.

"물론 중원(中原)을 갑자기 도모하기는 어렵소이다. 그러나 서천(西川, 촉蜀 즉 지금의 사천성四川省)의 유장(劉璋)은 어리석고 유약하여 쉽게 도모할 수 있을 것이니, 만일 서천을 얻고 나면 그때는 즉시 형주를 돌려드리리다."

노숙은 달리 어찌할 도리가 없어 공명의 말을 따르기로 했다. 유현덕은 친필로 문서를 작성하여 서명하고 보증인으로는 제갈량의 이름을 쓰고 서명하게 했다. 공명이 말한다.

"나는 유황숙의 사람이라 한집안에서 보증을 서는 것은 아무래도 우스운 일이니, 수고스럽지만 노숙선생도 보증을 서고 돌아가서 오후(吳侯)를 뵙는 것이 좋겠습니다."

"황숙께서는 인의를 중하게 여기는 분이니, 이번에는 틀림없으리라 믿겠습니다."

노숙도 보증인으로 서명했다. 문서를 받아서 품에 넣은 노숙이 하직인사를 올리니, 유현덕과 공명은 강변까지 따라나와 전송한다. 공명이 마지막으로 한마디 당부한다.

"자경은 돌아가서 오후를 뵙거든 부디 잘 말씀드려서 망상을 품지 않도록 해주시오. 만일 우리 문서를 받지 않으신다면, 나 또한 마음을 바꾸어 81주를 모조리 빼앗아버릴지도 모르겠소이다. 행여 양쪽 집안의 화합이 깨져 조조의 웃음거리가 되지 않도록 하십시다."

노숙은 작별하고 배에 올라, 먼저 시상군으로 가서 주유를 만났다. 주유가 다급하게 묻는다.

"그래 형주 일은 어찌 되었소?"

"여기 문서가 있소."

노숙이 유현덕에게서 받은 문서를 꺼내 보였다. 주유가 문서를 다 읽고 나서 격분하여 발을 구르며 말한다.

"자경이 제갈량의 꾀에 넘어갔구려. 명색이 형주를 빌린다는 것이지 어물어물 넘어가려는 수작이 분명하오. 서천을 얻는 즉시 형주를 되돌려주겠다고 하지만, 대체 언제 서천을 수중에 넣겠소? 만일 10년이 지나도 저들이 서천을 손에 넣지 못하면 10년 동안 형주를 돌려주지 않을 것 아니오? 도대체 이까짓 문서가 무슨 소용입니까? 게다가 자경이 저 사람들을 위해서 연대보증을 서기까지 했으니, 만일 저들이 형주를 돌려주지 않으면 그 책임이 반드시 자경에게까지 미칠 것이오. 그때에 주공께서 문책하시면 그대는 대체 이 노릇을 어찌할 생각이오?"

노숙은 한참동안 넋을 잃은 듯 앉았다가 마침내 입을 연다.

"현덕은 나를 곤란하게 하지는 않을 것이오."

주유는 잠시 어이없는 듯 노숙의 얼굴을 망연히 바라본다.

"자경은 참으로 고지식한 사람이오. 그러나 유비는 용맹스런 영웅이고 제갈량은 간특한 모사꾼이니, 절대 그대의 마음과 같지는 않으리다."

그제야 마음이 불안해진 노숙이 묻는다.

"그럼 대체 이 일을 어쩌면 좋겠소?"

주유가 노숙을 위로하여 말한다.

"자경은 나의 은인이고, 또 지난날 그대가 내게 군량을 보내준 의리를 생각해서라도 내가 그대를 돕겠소이다. 자경은 얼마 동안이라도 이곳에 머물러 계시오. 강북으로 보낸 정탐꾼이 돌아오기를 기다렸다가 무슨 방도를 생각해봅시다."

노숙은 불안한 심경으로 시상구에 머물고 있었다.

며칠이 지나자 드디어 강북으로 보낸 정탐꾼이 돌아와 고한다.

"형주성에서는 포번(布幡, 상중에 올리는 베로 만든 깃발)을 세워 제를 올리고, 성밖에는 새로 산소를 썼으며, 군사들이 모두 상복을 입었습니다."

주유가 놀라서 묻는다.

"대체 누가 죽었단 말이냐?"

정탐꾼이 아뢴다.

"유현덕이 감부인을 잃고 장례를 치른다 합니다."

주유가 노숙을 돌아보며 말한다.

"드디어 내 계책이 이루어지게 됐소. 이제 유비를 꼼짝 못하게 결박지어 형주를 되찾고 말 테니 두고 보시오."

"대체 무슨 계책이오?"

주유가 만면에 웃음을 지으며 대답한다.

"이번에 유비가 상처를 했으니 반드시 새로 아내를 얻을 것이오. 우리 주공께는 누이동생이 한 분 계신데, 천성이 매우 강인하고 용맹하여 시비(侍婢) 수백명에게 항상 칼을 차고 다니게 할 뿐만 아니라 방안에는 병장기를 두루 갖추고 있소. 비록 사내 대장부라 하더라도 따르지 못할 거요. 나는 이제 주공께 글을 올려, 사람을 형주로 보내 유비와 주공의 누이동생 사이에 중매를 서도록 할 참이오. 그래서 유비가 남서에 온다면 즉시 옥에 가둔 다음, 다시 사람을 보내 형주와 유비를 맞바꾸자고 하겠소. 그리하면 저희가 어찌 형주를 내놓지 않고 버틸 수 있겠소? 그 다음에는 또 따로 생각이 있으니, 자경의 신상에는 아무 근심할 일이 없을 것이오."

노숙은 몸을 굽혀 절하며 사례했다. 주유는 즉시 손권에게 보내는 서신을 써서 노숙에게 주고 쾌속선을 타고 남서로 떠나게 했다.

손권을 만난 노숙은 먼저 형주를 유현덕에게 빌려주기로 한 일을 보고하고 현덕에게서 받은 문서를 올렸다. 문서를 읽고 난 손권은 노기를 띤 채 말한다.

"그대는 무슨 일을 이렇게 하오? 그래 이까짓 문서 따위를 대체 어디다 쓰겠소!"

노숙은 다시 주유의 서신을 올린다.

"주도독의 서신이 여기 있습니다. 주도독의 말로는 여기 적힌 계책대로 한다면 형주를 얻을 수 있을 것이라 하였습니다."

손권은 주유의 서신을 보더니 몇번이나 고개를 끄덕이면서, 한편으로는 누구를 보내면 좋을까 고심한다. 한참동안 궁리하던 손권은 갑자기 무릎을 탁 쳤다.

"여범(呂範), 그래 여범이면 되겠구나!"

손권은 즉시 여범을 불러들여 분부를 내린다.

"근래 들으니 유현덕이 부인을 잃었다는데, 내 현덕을 동오로 청하여 나의 누이동생과 맺어줄까 하오. 유현덕을 매제로 삼아 그와 한뜻이 되어 조조를 쳐부수고 한나라의 황실을 돕고자 하는데, 자형(子衡, 여범의 자)이 아니면 중매를 설 사람이 없으니, 부디 형주로 가서 내 뜻을 잘 전해주었으면 하오."

여범은 손권의 명을 받들어 즉시 배를 준비하고 시종 두어명을 거느리고 형주로 떠났다.

한편 유현덕은 감부인을 잃은 뒤 밤낮으로 번민의 시간을 보내다가 오랜만에 공명과 마주앉아 한가롭게 이야기를 나누고 있었다. 이때 사람이 들어와 전하기를 동오에서 여범이 손권의 명을 받들고 왔다 한다. 공명이 빙그레 웃으며 말한다.

"필시 형주 때문에 주유의 계책을 받고 온 사람일 것입니다. 제가 병풍 뒤에 숨어서 엿듣고 있을 테니, 주공께서는 여범이 무슨 말을 하든 그저 듣고만 계시다가 그 사람에게 역관으로 돌아가 편히 쉬라 분부하십시오. 그 일은 나중에 따로 저와 상의하도록 하시지요."

공명은 급히 병풍 뒤로 몸을 숨겼고, 유현덕은 곧 여범을 청해들였다. 서로 예를 올려 인사를 나누고 좌정하여 차를 마시고 나서 현덕이 묻는다.

"그런데 그대는 무슨 일로 오셨소?"

여범이 은근히 말한다.

"얼마 전에 황숙께서 부인을 잃으셨다는 소식을 들었습니다. 마침 좋은 분이 가까이 계셔서 중매를 서고자 왔는데, 황숙의 뜻은 어떠하신지요?"

312

"나이 들어 상처한 것이 큰 불행이나, 아직 처의 골육도 식지 않았는데 어찌 장가들 일부터 의논하겠소이까?"

"집안에 안사람이 없으면 마치 집에 대들보가 없는 것과 진배없습니다. 중도에 어찌 그런 인륜을 폐할 수 있겠습니까. 저의 주공 오후께는 누이동생이 한 분 계신데, 자색과 재덕이 출중하여 가히 황숙을 모실 만합니다. 만일 양가에서 진진지의(秦晉之誼, 두 집안이 혼인을 맺어 가까워진 정)를 맺게 되면 조조는 감히 동남을 가벼이 보지 못할 것입니다. 이는 집안과 나라에 두루 이로운 일이니, 황숙께서는 달리 의심하지 마십시오. 다만 우리 국태(國太) 오(吳)부인께서 어린 따님을 너무 사랑하시어 멀리 시집가는 것을 탐탁지 않아 하시니, 부디 황숙께서 동오에 오셔서 혼례를 치르심이 좋을 듯합니다."

"이 일을 오후께서는 알고 계시오?"

"주공께 먼저 아뢰지 않고서 어찌 이런 중대사를 말씀드리겠습니까."

"나는 이미 반백에 가까워 귀밑머리가 희끗희끗한데 오후의 누이동생은 한창 나이일 터라, 서로 어울리는 혼사일지 걱정이오."

"주공의 누이동생이 비록 몸은 아녀자이나 그 뜻은 대장부 못지 않아서, 항상 말하기를 천하 영웅이 아니면 절대 섬기지 않으리라 했습니다. 그런데 유황숙께서는 사해에 이름을 떨치고 계시니 이른바 요조숙녀와 군자라, 이보다 더 훌륭한 배필이 어디 있겠으며, 나이 차가 무슨 소용이겠습니까?"

유현덕이 마침내 말한다.

"말씀은 잘 알았소이다. 내게도 생각할 시간이 필요하니, 우선 쉬시도록 하오. 내일 답변을 드리리다."

현덕은 연석을 베풀어 여범을 대접하고 역관에서 편히 쉬도록 했다. 그날밤 현덕은 공명과 더불어 이 일을 상의한다.

　"대체 어찌하였으면 좋겠소?"

　공명이 대답한다.

　"여범이 온 뜻을 이미 짐작하고 있었습니다. 제가 방금 주역의 괘를 뽑아보았더니 매우 길하고 크게 이로운 운입니다. 주공께서는 편히 응낙하시고, 먼저 손건으로 하여금 여범을 따라가 오후를 만나게 하십시오. 손건이 가서 대사를 정한 뒤에 길일을 택하여 주공께서 동오로 가서서 혼례를 치르도록 하십시오."

　현덕은 공명의 대답을 듣고 의아하게 생각하여 되묻는다.

　"이것은 나를 해치려고 주유가 꾸민 일이 분명한데, 선생은 어찌하여 나더러 그토록 위태로운 곳에 발을 들여놓으라 하시오?"

　공명이 크게 웃으며 말한다.

　"주유가 비록 계교를 잘 쓴다고는 하지만, 이 제갈량을 어찌 속일 수 있겠습니까? 아무 염려 마시고 제 말씀대로 하십시오."

　현덕이 주저하며 결단을 내리지 못하자 공명이 거듭 말한다.

　"제게 주유를 꼼짝 못하게 할 계책이 있습니다. 오후의 누이동생은 주공께 매인 몸이 되고 형주 또한 잃지 않을 것이니, 주공께서는 털끝만큼도 염려하지 마십시오."

　현덕은 마음이 놓이질 않아 망설이는데, 공명은 손건으로 하여금 여범을 따라가 혼사를 성사시키도록 지시했다. 그리하여 손건은 여범과 함께 동오로 가서 손권을 뵈었다. 손권이 말한다.

　"내 다른 마음은 없고 진정으로 내 누이동생을 현덕과 맺어주고자 하는 것이니 추호도 의심하지 마시오."

손건은 절하여 사례한 다음, 형주로 돌아와 현덕에게 아뢰었다.

"오후는 한시바삐 주공께서 오셔서 혼사 치르시길 고대하고 있습니다."

현덕은 아직도 내키지 않는 기색이다. 공명이 말한다.

"제가 이미 세 가지 계책을 세워두었는데, 이는 조자룡이 아니면 행하지 못할 것입니다."

공명은 즉시 조자룡을 불러 조용히 분부를 내린다.

"그대는 주공을 모시고 동오로 가도록 하오. 내가 비단주머니 세 개를 줄 터인데, 그 속에 계책이 한가지씩 들어 있으니 잘 간수했다가 차례로 행하도록 하오."

공명이 즉시 비단주머니 세 개를 건네주자 조자룡은 그것을 품속 깊숙이 간직했다. 공명은 먼저 일체의 예물을 갖추어 동오로 사람을 보냈다.

때는 건안 14년(209) 10월이었다. 유현덕은 마침내 형주의 일을 공명에게 맡기고, 조자룡·손건과 더불어 쾌선 10척에 5백여명의 수행원을 거느리고 남서를 향해 떠났다. 현덕은 여전히 마음이 편치 않았으나, 이제 공명의 계책을 믿고 따를 수밖에 없었다.

일행을 태운 배가 어느덧 남서의 나루터에 닿았다. 조자룡은 비단주머니 생각이 났다.

'군사께서 내게 세 가지 계책을 주시며 차례로 행하라 하셨는데, 이제 동오땅에 닿았으니 우선 첫번째 주머니를 열어봐야겠구나.'

비단주머니를 열어서 계책을 본 조자룡은 즉시 수행군사 5백명에게 일일이 지시를 내렸다. 군사들이 저마다 지시받은 대로 자신의 일을 찾아 흩어지자, 조자룡은 현덕에게 먼저 교국로(喬國老)를 찾아뵙기를 권하였다. 교국로는 바로 저 이교(二喬)의 아버지로, 남서에 살고 있었다.

현덕은 술과 고기를 장만해 교국로를 찾아뵙고 절한 뒤에, 자신이 여범의 주선으로 동오로 혼례를 치르러 오는 길임을 고했다. 같은 시각, 수행온 군사 5백명은 모두 붉은 비단옷으로 갈아입고 뿔뿔이 흩어져서 남서성 안에 들어갔다. 이들은 이런저런 물건들을 사들이면서, 유현덕이 동오로 장가들러 왔다고 소문을 퍼뜨렸다. 이 소문은 삽시간에 퍼져서 성안이고 성밖이고 이 사실을 모르는 사람이 없게 되었다. 유현덕이 이미 도착했다는 보고를 받은 손권은 즉시 여범을 보내 일행을 역관으로 안내하고 편히 쉬게 하였다.

한편 현덕의 방문을 받은 교국로는 그 길로 국태(오부인)의 처소로 찾아가 축하 인사를 전했다. 전혀 영문을 모르는 오국태가 되묻는다.

"아니, 내 집에 무슨 경사가 났다고 그래요?"

교국로가 웃으며 말한다.

"따님을 유현덕에게 출가시키기로 하여 이미 현덕이 이곳에 와 있거늘, 어찌하여 이 사람을 속이려고 하십니까?"

태부인은 이 말을 듣고 깜짝 놀랐다.

"이 늙은이는 진정 모르는 일이오."

태부인은 손권에게 사람을 보내 사실을 알아오도록 하는 한편, 몇몇 사람을 풀어 떠도는 소문을 직접 확인하게 했다. 얼마 후 사람들이 돌아와 한결같이 말한다.

"알아보니 그 말은 사실입니다. 지금 신랑감 유현덕은 역관에서 쉬고 있고, 수행원 5백명이 성안에 흩어져 혼인준비를 하느라 여간 분주한 게 아닙니다. 또한 신부 쪽에서는 여범이 나서고 신랑 쪽에서는 손건이 나서서 중매를 했는데, 지금 역관에서 서로를 대접하고 있다 합니다."

태부인은 뜻밖의 소식에 너무나 놀랐다. 잠시 후 손권이 후당으로 태부인을 만나뵈러 왔다. 태부인은 손권을 보자마자 주먹으로 자신의 가슴을 치며 목놓아 울기 시작한다. 손권이 깜짝 놀라며 급히 묻는다.

"어머님께서는 무슨 일로 이렇게 괴로워하십니까?"

태부인이 말한다.

"진정 네가 이렇게 나를 업신여긴다면 내가 살아 무슨 소용이 있겠느냐. 내 언니(손권의 친어머니)께서 돌아가실 때 나를 이리 대접하라 이르셨더냐?"

손권은 무슨 까닭인지 몰라 다시 묻는다.

"어머님, 대체 무슨 말씀이십니까? 제게 하실 말씀이 있으면 어서 하십시오."

태부인이 말한다.

"사내가 장성하면 장가를 들고, 여자가 나이 차면 시집가는 것은 정한 이치이다. 하지만 내가 네 어미이니 혼인 말이 있으면 마땅히 내게 먼저 알려야 옳은 게 아니냐. 그런데 너는 유현덕을 불러 매부로 삼으려 하면서도 어떻게 내게는 일언반구도 없이 나를 속이려 드느냐. 그 아이는 네 누이동생이지만 내가 낳은 내 딸이기도 하다."

손권이 소스라치게 놀라 묻는다.

"아니, 어머님께서는 그 말을 어디서 들으셨습니까?"

태부인은 더욱 노했다.

"내게 알리고 싶지 않은 일이라면 애당초 하지를 말아야지, 온 천하 사람들이 다 아는 일을 어찌하여 나만 모르게 하려느냐?"

곁에 있던 교국로도 한마디 한다.

"이 늙은 사람도 이미 들었기에 오늘 치하의 말씀을 드리러 온 참이외다."

손권은 할수없이 사실대로 말한다.

"그게 아닙니다. 사실은 이 모두가 주유의 계책이온데, 혼례를 빌미로 유비를 이곳으로 유인해 잡아가둔 다음 형주와 맞바꾸자고 할 작정이었습니다. 만일 형주에서 따르지 않을 경우에는 유비를 죽여버릴 참입니다. 이번 일은 모두 형주를 되찾으려는 계책이지 사실이 아닙니다."

이 말을 듣고 그야말로 격노한 태부인은 그 자리에 있지도 않은 주유를 호되게 꾸짖는다.

"6군 81주의 대도독으로서 형주를 취할 방법이 그렇게도 없더란 말이지? 그래, 내 딸을 팔아 미인계를 써서 유비를 죽이면 그애는 시집도 가기 전에 청상과부가 되어 다시는 시집을 못 갈 터인데, 네놈들만 좋자고 내 딸의 신세를 망치려 드는 게냐?"

잠자코 듣고 있던 교국로가 거든다.

"설사 그런 계교로 형주를 손에 넣는다 치더라도, 이 일은 그야말로 천하사람들의 비웃음을 살 터인데, 어찌하여 일을 이렇게 몰아가는고."

손권은 입을 봉하고 아무 말을 못하고, 태부인은 줄곧 주유에게 욕을 퍼부어댔다. 교국로가 다시 입을 연다.

"이미 일이 이렇게 되었으니, 유황숙으로 말할 것 같으면 한나라 황실의 종친이라, 차라리 진짜로 그를 사위로 삼아 망신이나 면하는 도리밖에 없겠구려."

그제서야 손권이 한마디 한다.

"나이 차가 많아 혼인을 시킬 수는 없습니다."

교국로가 말한다.

"유황숙은 당대의 호걸이니, 그런 분을 매부로 삼는다면 누이동생에게도 과히 욕될 일은 아니오."

손권은 뜻을 정하지 못하는데, 태부인이 말한다.

"내 아직 유황숙을 한번도 만난 일이 없으니, 내일이라도 감로사(甘露寺)로 불러다가 먼저 만나봐야겠다. 내가 봐서 마음에 들지 않으면 그때는 너희들 뜻대로 하고, 내 마음에 합당한 인물이면 그때는 내가 사위로 삼을 생각이니 그리 알고 물러가거라."

손권은 본래 효성이 지극한 사람이라 모친의 말을 듣고는 그 뜻에 따르기로 하고 밖으로 물러나와 여범을 불러 분부를 내렸다.

"내일 감로사 방장(方丈, 귀한 손님을 접대하는 방)에 연회를 마련하도록 하라. 태부인께서 친히 오셔서 유비를 보시겠다는 분부시다."

여범이 말한다.

"그렇다면 가화(賈華)를 시켜 도부수 3백명을 감로사 복도 양쪽에 숨겨두었다가, 만일 태부인께서 탐탁지 않게 여기신다 싶으면 한마디 호령을 신호로 일제히 몰려나와 당장에 유비를 사로잡도록 하면 어떨는지요?"

손권은 여범의 말대로 가화를 불러 미리 도부수를 매복시키고, 태부인의 거동을 잘 살피도록 분부를 내렸다.

한편 교국로는 태부인에게 하직하고 물러나오자마자 급히 현덕에게 사람을 보내 알렸다. 오후와 태부인께서 내일 친히 유황숙을 선보기로 결정되었으니 그렇게 알고 기다리라는 내용이었다. 유현덕이 곧 손건과 조자룡을 불러 의논하니, 조자룡이 말한다.

"내일은 길한 일보다 흉한 일이 더 많을 것 같으니, 제가 군사 5백 명을 거느리고 가서 주공을 보호하겠습니다."

유현덕은 고개를 끄덕였다.

드디어 이튿날이 되었다. 태부인과 교국로가 먼저 와서 감로사 방장에 자리를 잡고 앉았고, 손권이 모사들을 거느리고 뒤따라 들어왔다. 손권은 자리에 앉자마자 여범에게 역관으로 가서 현덕을 모셔오라 일렀다.

유현덕은 세개(細鎧, 갑옷 밑에 받쳐입는 쇠그물옷)를 입고 그 위에 비단 도포를 걸쳤다. 그러고는 종자에게 검을 들고 뒤따르게 하고 말에 올랐다. 조자룡도 완전무장을 하고 군사 5백명을 거느리고 현덕을 수행했다.

감로사 앞에 이르자 현덕은 먼저 말에서 내려 손권에게 예를 갖추었다. 손권은 현덕의 의표가 비범한 것을 보고 은근히 속으로 두려움이 일었다. 두 사람은 인사를 나눈 다음, 방장으로 들어가 태부인을 뵙고 절하였다. 태부인은 현덕을 보자마자 단번에 마음에 들어 흡족한 미소를 지으며 곁에 앉아 있는 교국로에게 낮은 소리로 말한다.

"진정 내 사윗감이로구려!"

교국로가 더불어 칭찬한다.

"현덕은 그 풍채가 용봉 같고 그 기상이 하늘의 해와 같으며 나아가 인덕이 천하에 자자하온데, 태부인께서 이렇듯 훌륭한 사위를 얻으셨으니 참으로 경사입니다."

유현덕은 이러한 칭송에 절하여 사례했다.

유현덕은 태부인의 환심을 사다

이윽고 방장 안에 잔치가 크게 벌어졌다. 잠시 후 조자룡이 칼을 차고 들어와서 현덕 옆에 지키고 선다. 태부인이 현덕에게 묻는다.

"저 장수는 누구요?"

현덕이 대답한다.

"상산의 조자룡입니다."

"그렇다면 일전에 당양 장판에서 아두(阿斗)를 품에 안고 조조의 백만대군 속을 활보하였다는 그 장수 아니오?"

"예, 바로 그 조자룡입니다."

"참으로 훌륭한 장수로다!"

태부인은 즉시 조자룡에게 술을 내렸다. 조자룡은 무릎을 꿇고 태부인의 술잔을 받은 다음, 현덕에게 가만히 고한다.

"방금 제가 복도를 순시하면서 보니까 양쪽 방안에 도부수들이 매복하고 있으니, 분명 호의는 아닐 것입니다. 주공께서는 즉시 태부인께 말씀드리십시오."

유현덕은 곧 태부인 앞으로 다가가 무릎을 꿇더니 눈물을 흘리며 고한다.

"태부인께서 만일 유비를 죽이시려거든 바로 이 자리에서 죽여주십시오."

뜻밖의 말에 태부인은 깜짝 놀란다.

"대체 그게 무슨 말이신가?"

"이 유비를 죽이기 위해서가 아니라면 무엇 때문에 복도 양쪽 방에 도부수를 매복해놓았겠습니까?"

현덕의 말을 듣고 태부인은 노발대발하여 손권을 꾸짖는다.

"오늘 현덕이 내 사위가 되었으니 곧 내 자식이나 다름없는데, 너는 어찌하여 도부수를 매복해놓았단 말이냐!"

손권이 발뺌한다.

"도무지 모르는 일입니다."

그러면서 여범을 불러서 물으니, 여범은 또 가화에게 떠넘긴다. 태부인은 즉시 가화를 불러들여 호통을 쳤다. 가화는 고개를 숙인 채 아무 말도 못했다. 태부인이 무사들에게 호령한다.

"당장 저놈을 끌어내 목을 베어라!"

그러자 유현덕이 황망히 만류한다.

"만일 지금 장수를 죽이시면 대례에 이롭지 않으며, 이 유비가 태부인 슬하에 오래 머물러 있기 불안합니다."

곁에 있던 교국로도 현덕의 말을 거들었다. 태부인은 마침내 가화를 호되게 꾸짖어 물리치니, 매복해 있던 도부수 3백명은 그대로 머리를 감싸안고 줄행랑치듯 몸을 피했다.

유현덕이 잠시 옷을 갈아입으려 방장을 나서서 무심코 뜰안을 지나다가 바라보니, 한구석에 큰 돌이 하나 놓여 있다. 현덕은 종자를 불러 검을 받아들고는 하늘을 우러러 축원했다.

'만약 이 유비로 하여금 무사히 형주로 돌아가서 대업을 이루게 하시려면 단칼에 이 돌이 두 쪽으로 갈라지게 하시고, 만일 여기서 죽을 목숨이거든 검이 두 동강 나고 돌은 갈라지지 않게 하소서.'

이렇게 속으로 다짐하고 칼을 들어 내려치니, 불이 번쩍 일어나며 돌이 두 쪽으로 갈라졌다. 마침 뒤따라나온 손권이 이 광경을 보고 묻는다.

"귀공께서는 이 돌에 무슨 한이라도 있으십니까?"

유현덕이 대답한다.

"이 유비가 어느새 쉰살이 다 되었건만 나라를 위해 역적을 물리치지 못해 늘 한스러웠는데, 이제 태부인의 부름을 받아 사위가 된 것은 일생일대의 기회라 생각하오. 그래 검을 들어 하늘에 묻기를, 만일 조조를 물리치고 한나라를 흥하게 하시려거든 이 돌을 두 동강 나게 해 주십사 빌었더니, 과연 이렇게 되었지 뭡니까?"

'나를 속이려고 하는 말임에 틀림없다.'

이렇게 생각한 손권은 즉시 칼을 빼들며 말한다.

"그럼 어디 이 사람도 한번 하늘에 물어보아야겠소. 만일 조조를 물리칠 수 있겠거든 이 돌이 두 쪽으로 갈라지게 하소서."

손권은 입밖으로는 이렇게 말했지만 마음속으로는 유비 모르게 다른 것을 축원했다.

'만일 손권이 다시 형주를 얻고 동오가 융성하겠거든 이 돌이 두 쪽으로 갈라지게 하소서.'

이렇게 빌며 칼을 들어 내려치니, 큰 돌이 곧 두 조각으로 갈라졌다. 지금까지도 감로사 뜰앞에는 십자(十字)자국이 난 돌이 있으니, 후세 사람들이 이것을 보고 시를 지어 읊었다.

보검이 떨어지자 돌이 쪼개지는데	寶劍落時山石斷
쇳소리 울리는 곳에 불빛이 번쩍이네	金環響處火光生
두 나라 일어나는 기상은 모두 하늘 운수라	兩朝旺氣皆天數
이로부터 천하는 솥발처럼 셋으로 나뉘었네	從此乾坤鼎足成

두 사람은 칼을 버리고 함께 자리로 돌아갔다. 다시 술잔이 몇 순배 돌았다. 손건이 현덕에게 가만히 눈짓을 보내자 현덕은 그 뜻을 알아

차리고 술을 사양하며 자리에서 일어섰다.

"저는 이제 술을 이기지 못하여 물러가겠습니다."

손권이 유비를 감로사 문밖까지 배웅하러 나왔다. 두 사람이 절 앞에 나란히 서서 강산의 경치를 구경하는 중에 현덕이 감탄하여 말했다.

"참으로 천하제일의 강산이로다!"

지금도 감로사에 가면 '천하제일강산(天下第一江山)'이라 새겨진 비석이 있어, 후세 사람이 이를 보고 찬탄하여 시를 지었다.

강산에 비 개어 청산이 둘러싸니	江山雨霽擁靑螺
지경이 태평이라 즐거움이 가득하네	境界無憂樂最多
그 옛날 영웅의 눈길 머물던 자리	昔日英雄凝目處
절벽은 예와 같이 풍파를 막아섰네	岩崖依舊抵風波

손권과 현덕이 경치를 구경하고 있는데, 갑자기 강바람이 크게 일며 집채 같은 파도가 눈발처럼 흩어지고 흰 물결이 하늘을 찌를 듯 높이 솟구쳐오른다. 이때 홀연 조그만 쪽배 한척이 험한 강물 위를 마치 평지 달리듯 지나가는 것이 눈에 띄었다. 현덕은 자기도 모르게 탄성을 질렀다.

"남쪽 사람들은 배를 잘 타고 북쪽 사람들은 말을 잘 탄다더니, 과연 빈말이 아니로구나!"

현덕의 말을 듣고 손권은 혼자 속으로 생각했다.

'유비가 이렇게 말하는 것은 혹시 내가 말타기에 능하지 못하다고 놀리는 게 아닐까?'

손권은 즉시 좌우에게 명해 말을 끌어오게 하더니 나는 듯이 말에 올라탔다. 그는 한달음에 산 아래로 달려내려갔다가 다시 한달음에 고개를 달려올라와서는 유현덕에게 소리쳤다.

"이래도 남쪽 사람들이 말 타기에 능하지 못하다 하겠습니까?"

이번에는 현덕이 옷자락을 걷어올리고 몸을 날려 말잔등에 오르더니, 나는 듯이 산 아래로 달려내려갔다가 다시 올라왔다. 손권과 현덕은 말머리를 나란히하고 채찍을 높이 치켜들며 호탕하게 웃었다. 이렇듯 두 사람이 서 있던 곳이 오늘날에는 주마파(駐馬坡)라는 이름으로 남아 있다. 후세 사람이 이를 두고 시를 지어 읊었다.

용마를 타고 치달리니 기개도 드높아라	馳驟龍駒氣槪多
두 영걸 말고삐 나란히 강산을 바라본다	二人幷轡望山河
동오와 서촉 함께 패업을 이루었나니	東吳西蜀成王霸
천고에 아직도 주마파가 남아 있네	千古猶存駐馬坡

유비와 손권이 말머리를 나란히하고 돌아오자 남서의 백성들 중에 두 사람을 보고 칭송하지 않는 이가 없었다.

현덕이 손권과 헤어져 역관으로 돌아오자, 손건이 먼저 돌아와 기다리고 있다가 현덕에게 말한다.

"주공께서는 부디 교국로에게 청하여 하루빨리 혼례를 치르도록 하십시오. 혹시라도 다른 일이 생길까 염려됩니다."

현덕은 그 이튿날 다시 교국로를 찾아갔다. 현덕이 말에서 내리자 교국로가 몸소 밖으로 나와 영접하여 차를 대접했다. 현덕이 먼저 입을 열었다.

"이곳 사람들 중에 저를 해치려는 무리가 많으니, 아무래도 여기 오래 머물 수는 없을 것 같습니다."

교국로가 말한다.

"귀공은 과히 심려하지 마시오. 내가 즉시 태부인을 찾아뵙고 말씀드려 보호해드리리다."

유현덕이 감사의 뜻을 표하고 돌아갔다. 교국로는 그 길로 태부인을 찾아갔다.

"이곳 사람들이 혹시 모해할까 두려워 현덕공이 급히 돌아가야겠다고 합니다."

이 말을 듣고 태부인은 크게 노했다.

"누가 감히 내 사윗감을 해친단 말이오?"

태부인은 즉시 현덕에게 사람을 보냈다.

"현덕공께서는 역관에 머물러 있지 말고 서원(書院)에 가 계시다가 날을 받아 혼례를 치르도록 하시라는 분부십니다."

현덕은 다시 태부인을 찾아뵙고 아뢰었다.

"조자룡을 두고 저 혼자 이렇게 들어와 있으니, 이곳 군사들에게 무슨 일을 당할지 두렵사옵니다."

태부인은 다시 분부를 내렸다.

"조자룡과 수행군사 5백명을 모두 부중에 들도록 하여, 역관에 그대로 남아 있다가 변을 당하는 일이 없도록 하라."

유현덕은 마음속으로 크게 기뻐했다.

그로부터 며칠이 지나 부중에는 큰 잔치가 벌어지고, 마침내 현덕은 젊고 아름다운 손부인과 혼례를 치렀다. 날이 저물고 잔치가 파하여 손님들이 모두 돌아가자 현덕은 양쪽에 붉은 등촉이 늘어선 곳을 지나 신방으로 인도되었다. 그런데 현덕이 방에 들어서니 휘황한 등촉 아래 보이는 것은 창과 칼이요, 신부를 모시는 시비들까지 모두 허리에 칼을 차거나 손에 들고 양편에 늘어서 있는 것이 아닌가. 너무도 뜻밖의 상황인지라 현덕은 혼이 나간 것처럼 어찌할 바를 몰랐다.

시녀들이 칼 차고 늘어선 모습에 놀라   驚看侍女橫刀立
동오의 복병이 아닌가 의심하누나   疑是東吳設伏兵

도대체 어찌 된 일인가?

또다시 실패하는 주유

현덕은 지혜롭게 손부인을 감동시키고

공명은 두번째로 주유를 까무러치게 하다

신방에 들어선 유현덕은 양쪽에 늘어선 온갖 병기와 허리에 칼을
찬 시비들을 보고 놀라 자신도 모르게 낯빛이 변했다. 곁에 있던 나이
든 시비가 말한다.

"귀인께서는 너무 놀라지 마십시오. 본래 부인이 어려서부터 무술
을 좋아하셔서, 늘 시비들에게 검술을 시키고 그것을 보는 일을 즐기
시는 터라 이렇습니다."

그래도 현덕은 마음이 놓이질 않는다.

"칼은 아녀자들이 가까이할 것이 못 되며, 또한 내가 몹시 불안하

니 잠시 거두어두는 게 좋을 듯하오."

나이 든 시비는 즉시 현덕의 뜻을 손부인에게 전했다.

"새서방님께서 방안에 벌여놓은 병기 때문에 심기가 불편하시니 잠시 거두라고 하십니다."

손부인은 입가에 웃음을 띠며 말한다.

"반평생을 싸움터에서 보내신 분이 병기를 두려워하신다더냐."

손부인은 드디어 방에 있던 병기를 모조리 치우게 하고, 시비들에게도 허리에 찬 칼을 풀어놓도록 분부했다. 이날밤 유현덕은 손부인과 날이 새도록 넘치는 정을 나누었다.

다음날 현덕은 시비들에게 비단과 금을 골고루 나누어주어 그 마음을 사고, 손건에게는 형주로 돌아가 기쁜 소식을 전하게 했다. 그러고는 날마다 술이나 마시며 즐기는데, 태부인이 현덕을 아끼고 존중하기가 그지없었다.

한편 손권은 시상군에서 요양중인 주유에게 사람을 보내 이 소식을 전했다.

'모친의 강력한 주장으로 누이동생을 결국 유비에게 시집보내게 되었다. 거짓으로 행한 일이 참말이 되고 말았으니 장차 이 일을 어찌하면 좋겠느냐?'

소식을 전해들은 주유는 몹시 놀라 안절부절 못하다가 마침내 한 가지 계책을 생각해내고 밀서를 써서 손권에게 보냈다. 손권이 그 밀서를 받아 읽으니, 내용은 대략 이러했다.

저의 계책이 이렇게 뒤집어질 줄이야 누가 알았겠습니까? 기왕 거짓으로 행한 일이 진짜로 이루어지고 말았으니, 다른 계책을 쓸까 합니다. 유비는 녹록치 않은 영웅인데다 수하에 관우·장비·조자룡 같은 장수들이 있고 더구나 제갈량 같은 이가 돕고 있으니, 남의 밑에 오래 있을 인물이 아닙니다. 제 어리석은 생각으로는 유비를 동오에 오랫동안 잡아두는 게 좋을 듯합니다. 먼저 궁실을 호사스럽게 지어 그 의지를 잃게 하고, 미색을 갖춘 여인들과 좋은 물건으로 그 눈과 귀를 즐겁게 해주십시오. 이로써 관우·장비와의 정이 멀어지고 제갈량과도 의를 상하게 하여, 각각 다른 곳에 떨어져 있게 한 뒤에 군사를 일으켜 치면 대사를 이룰 수 있을 것입니다. 이제 또다시 현덕을 놓아보낸다면, 이는 마치 용이 구름과 비를 얻어 하늘로 오르는 형국이라 다시는 우리 손안에 잡아둘 수 없을 것입니다. 명공께서는 깊이 생각하소서.

손권이 밀서를 장소에게 보이고 그의 뜻을 물었다. 장소가 말한다.
"주유의 계책이 제 뜻과 일치합니다. 유비는 본래 미천한 집안에서 자라나 그동안 천하를 떠돌아다니느라 일찍이 부귀영화를 누려본 적이 없습니다. 이제 화려한 궁궐에다 갖가지 금은비단과 아름다운 여인으로 유혹하면, 저절로 공명·관우·장비 무리들과 소원해져 서로 원망하는 마음이 생길 것입니다. 바로 그때를 기다렸다가 형주를 도모하면 어렵지 않을 것이니, 주공께서는 주유의 계책대로 속히 행하도록 하시지요."
손권은 크게 기뻐하며 그날로 동쪽 부중을 수리하기 시작했다. 넓은 뜰에는 온갖 나무와 꽃을 심고 호사스러운 집기들을 갖추어 현덕과 자신의 누이동생이 거처하도록 했다. 뿐만 아니라 수십명의 무희와 금과 옥, 갖가지 비단과 값진 물건을 넉넉하게 대주며 온갖 즐거움을 누리게 했다. 태부인은 손권이 호의를 베푸는 것으로만 알고 크게 기뻐했다. 과연 현덕은 하루가 지나고 이틀이 지나는 사이에 풍류와 여색에 빠져 형주로 돌아갈 일은 아예 잊은 듯했다.

한편 조자룡은 수행군사 5백명과 함께 현덕의 부중 앞에 거처하며, 하는 일이 없어 성밖으로 나가 활쏘기나 말 달리기를 하면서 하루 해를 보내곤 했다. 이렇게 어느덧 날이 가고 달이 바뀌어 그해도 거의 저물어갈 무렵이었다. 조자룡은 문득 공명이 비단주머니 세 개를 건네주면서 당부하던 말을 떠올렸다. 형주를 떠날 때 공명은, 첫째 비단주머니는 남서에 닿은 즉시 보라고 하고, 두번째 비단주머니는 한해가 저물어갈 무렵 보라 했으며, 세번째 비단주머니는 상황이 위급해 도무지 아무런 방책이 없을 때 펼쳐보라 하였다.

'비단주머니 속에 신출귀몰한 계교가 있으니, 그대로 따라 하면 틀림없이 주공을 보호해 형주로 돌아올 수 있다고 하셨다. 이제 한해가 저물어가는데도 주공께서는 도무지 향락에 빠져 돌아갈 생각을 않으시니, 두번째 비단주머니를 열어볼 때가 된 모양이다.'

조자룡이 드디어 두번째 비단주머니를 열어보니 과연 그 속에 든 계책이 신묘했다. 조자룡은 즉시 부중으로 들어가 현덕을 뵙기를 청했다. 시비가 들어가 유현덕에게 전한다.

"조자룡이 급한 일로 귀인께 드릴 말씀이 있다 합니다."

현덕이 즉시 조자룡을 불러들여 묻는다.

"무슨 급한 일인가?"

조자룡은 짐짓 무척 당황한 기색으로 아뢴다.

"주공께서는 호사스런 부중에 깊이 들어앉으시어, 도무지 형주의 일은 생각도 않으십니까?"

"대체 무슨 일이 있기에 그러는가?"

"오늘 공명선생께서 사람을 보내왔는데, 조조가 적벽에서의 한을 풀겠다고 정병 50만을 이끌고 형주로 쳐들어오고 있다 합니다. 형세가 매우 긴박하니 주공께서 한시바삐 돌아오셨으면 한다는 전갈입니다."

"그러면 우선 들어가서 부인과 상의해보겠네."

조자룡이 다급히 말한다.

"의논하신다면 반드시 부인께서는 주공을 보내주지지 않을 것이니, 아무 말씀 마시고 오늘 밤중에 즉시 떠나야 합니다. 만일 시간을 지체하면 일을 그르치고 말 것입니다."

유현덕이 잠시 생각해보더니 말한다.

"내가 알아서 처리할 테니, 자네는 이만 물러가 있게."

"시각을 다투는 일이니 속히 행하셔야 합니다."

조자룡은 거듭 재촉하고 물러갔다. 현덕은 안으로 들어가 손부인을 대하고는 가타부타 말없이 눈물만 흘린다. 손부인이 깜짝 놀라 묻는다.

"서방님께서는 무슨 일로 그리 번민하십니까?"

유현덕이 말한다.

"나는 그동안 혼자 타향으로 떠돌아다니느라 부모님이 살아 계실 때 제대로 받들어모시지도 못했으며, 또한 조상의 제사조차 모시지 못하고 있으니, 이런 큰 불효가 어디 있겠소? 이제 문득 한해가 저물어간다 생각하니 나도 모르게 비감해지는구려."

"저를 속이려 하지 마세요. 제가 이미 엿들어서 다 알고 있습니다.

방금 조자룡 장군이 와서 형주가 위급하다고 전하니, 속히 돌아가실 마음으로 이러시는 게 아니어요?"

현덕은 손부인 앞에 무릎을 꿇고 말한다.

"부인이 이미 알고 있다니 솔직히 다 말하리다. 내가 돌아가지 않으면 형주를 잃어 천하사람들의 비웃음을 면치 못할 테고, 또한 형주로 돌아가자면 부인과 헤어져야 할 테니, 도무지 어찌해야 좋을지 괴롭기만 하구려."

손부인이 말한다.

"첩은 이미 서방님을 섬기는 몸입니다. 그러니 서방님께서 가시는 곳이라면 마땅히 따라가야 하는 게 도리지요."

"부인의 마음은 그러하나, 태부인과 오후께서는 틀림없이 부인을 떠나보내려 하지 않으실 게요. 부인이 이 유비를 가련히 여긴다면 잠시 이별하는 슬픔을 참아주시오."

말을 마친 현덕은 비오듯 눈물을 흘린다. 손부인이 현덕을 위로한다.

"서방님께서는 너무 슬퍼하지 마십시오. 제가 어머님께 간곡히 청을 드리면 틀림없이 함께 떠나라고 허락하실 겁니다."

"설사 태부인께서 허락하신다 해도 오후는 반드시 못 가게 막을 것이오."

손부인은 한동안 생각해보더니 드디어 입을 열었다.

"정월 초하룻날 어머님께 세배를 올리는 자리에서, 강변에 나가 조상들께 제를 올리고 오겠노라 핑계를 대고 그대로 떠나버리면 어떻겠어요?"

유현덕은 다시 손부인 앞에 무릎을 꿇고 사례한다.

"만일 그리만 해주시면 평생 그 은혜를 잊지 않겠소. 부디 아무에 게도 말이 새나가지 않게 조심하시오."

두 사람은 이렇게 뜻을 정했다. 유현덕은 은밀히 조자룡을 불러 분부를 내린다.

"정월 초하룻날, 자네는 먼저 군사를 이끌고 성밖으로 나가 관도 (官道)에서 기다리고 있게. 나는 조상께 제사를 지내러 간다 하고 부인과 함께 달아날 것이니."

조자룡은 그 말을 듣고 물러갔다.

해가 바뀌어 건안 15년(210) 정월 초하루가 되었다. 오후 손권이 문무백관을 당상에 불러모아 크게 잔치를 열었다. 현덕은 손부인과 더불어 태부인께 새해 문안인사를 올렸다. 그 자리에서 손부인이 태부인께 고한다.

"지아비가 부모와 종조(宗祖)의 묘소가 모두 탁군에 있어 제사조차 올리지 못하는 것을 늘 비감해하던 터라, 오늘 정월 초하룻날 강변에 나가 북쪽 고향을 향해 망제를 올리고자 합니다."

태부인이 말한다.

"이는 효도를 하자는 일이니 누가 따르지 않겠느냐. 네 비록 시부모를 뵙지 못했지만 지아비와 더불어 제를 올리도록 하여라. 그것이 아내로서 할 도리이니라."

손부인은 태부인께 절하여 사례하고 물러나왔다. 손권에게는 이 일을 전혀 눈치채지 못하게 했다. 손부인은 몸에 지닐 수 있는 가벼운 귀중품만 챙겨서 수레에 올랐고, 유현덕은 종자 두어 명만 데리고 말에 올라 성밖으로 나갔다. 조자룡은 이미 관도에서 현덕을 기다리고 있었다. 유현덕은 손부인과 함께 수행군사 5백명의 호위를 받으며,

드디어 남서를 떠나 형주를 향해 길을 재촉했다.

이날 손권은 몹시 취하여 좌우 신하들의 부축을 받아 후당으로 돌아왔고 문무백관들도 모두 흩어졌다. 관원들이 현덕과 손부인이 도망간 사실을 안 것은 이미 해가 진 후였다. 급히 보고하려 했으나, 만취한 손권은 이미 잠에 곯아떨어져 있었다.

손권이 가까스로 잠에서 깨어난 것은 5경이 넘어서였다. 그제야 현덕이 손부인과 달아난 것을 알게 된 손권은 소스라치게 놀라 급히 문무백관들을 불러들여 대책을 상의했다. 장소가 나서서 아뢴다.

"현덕을 이대로 형주로 보냈다가는 조만간 큰 화를 당할 테니, 곧 뒤를 쫓아야 합니다."

손권은 즉시 진무(陳武)와 반장(潘璋)에게 정병 5백명을 내주며 영을 내렸다.

"밤낮을 가리지 말고 그들을 뒤쫓아 반드시 유비를 사로잡아 오도록 하라!"

두 장수는 손권의 영을 받은 즉시 군사를 이끌고 떠났다. 손권은 아무리 생각해도 현덕에게 속은 게 분해 견딜 수가 없었다. 참다 못한 그는 책상 위에 놓여 있던 옥벼루를 냅다 집어던져 박살을 내고 말았다. 이 광경을 지켜보던 정보가 조용히 아뢴다.

"주공께서는 노기를 가라앉히고 제 말씀을 들어보십시오. 아무래도 진무와 반장이 유비를 사로잡아 오긴 힘들 것 같습니다."

손권이 역정을 낸다.

"저들이 어찌 나의 명령을 어기겠느냐!"

"군주(郡主, 손부인을 말함)께서는 어렸을 때부터 무술을 좋아하고 성품이 엄정하셔서 모든 장수들이 두려워했습니다. 그런 분께서 유비와 한마음이 되어 도망친 게 분명한데, 아무리 명을 받고 떠난 군사들이라 할지라도 군주 앞에서 어찌 손을 쓸 수 있겠습니까?"

정보의 말을 듣고 손권은 더욱 노했다. 즉시 장흠(蔣欽)과 주태(周泰) 두 장수를 불러들여 허리에 차고 있던 칼을 풀어주며 말한다.

"너희들은 이 칼을 가지고 즉시 출발하여 유비와 내 누이의 목을 베어 오너라. 만약 영을 어기는 자는 참할 것이니, 그리 알라!"

장흠과 주태는 곧 군사 1천명을 거느리고 유비의 뒤를 급히 추격했다.

그무렵, 현덕 일행은 달리는 말에 채찍을 더해가며 길을 재촉하고 있었다. 그날밤은 길에서 잠시 2경(更, 4시간) 정도를 쉬고, 이튿날 날이 채 밝기도 전에 다시 출발했다. 어느덧 시상군 경계에 이르렀을 때였다. 갑자기 뒤에서 부옇게 먼지가 일더니, 추격병이 뒤를 쫓고 있다는 보고가 들어왔다. 현덕이 황망히 조자룡에게 묻는다.

"추격병이 뒤를 쫓아오니 이를 어찌하면 좋겠나?"

조자룡이 말한다.

"주공은 먼저 가십시오. 제가 뒤를 맡겠습니다."

그런데 이번에는 앞쪽 산모퉁이에서 한떼의 군사들이 나타나 길을 막더니 앞장선 두명의 장수가 큰소리로 호령한다.

"유비는 즉시 말에서 내려 결박을 받으라. 우리가 주도독의 영을 받들고 이곳에서 기다리고 있은 지 오래다!"

본래 주유는 현덕이 달아날 것에 대비해 서성과 정봉 두 장수로 하여금 군사 3천명을 거느리고 높은 곳에 올라 망을 보며, 현덕이 도망칠 경우 통과할 만한 길목을 지키게 했던 것이다.

유현덕이 깜짝 놀라 말을 멈추고는 조자룡을 돌아보며 물었다.

"앞에서는 저렇게 길을 막고 뒤에서는 추격병이 쫓고 있으니 도무지 달아날 길이 없구나. 이제 어찌하면 좋겠느냐?"

조자룡이 태연한 기색으로 말한다.

"주공은 너무 염려하지 마십시오. 형주를 떠나올 때 군사께서 제게 주신 비단주머니 세 개가 있습니다. 주머니마다 한가지씩 계책이 들어 있었는데, 이미 두 개는 열어서 효험을 보았습니다. 이제 위급한 상황에 처하거든 펼쳐보라 하신 세번째 주머니가 남았는데, 지금이 바로 군사께서 말씀하신 위급한 상황이니 열어보도록 하겠습니다."

조자룡은 즉시 품속에서 세번째 비단주머니를 열어 쪽지를 현덕에게 건넸다. 현덕은 그것을 읽어보고는 즉시 손부인이 타고 있는 수레로 가서 눈물을 흘리며 말한다.

"내가 마음속에 있는 말을 하려고 하니 부인께서는 부디 들어주길 바라오."

손부인이 말한다.

"제게 하시려는 말씀이 무언지 어서 사실대로 다 말씀해보세요."

현덕은 지금까지 있었던 일들을 숨김없이 손부인에게 털어놓는다.

"지난날 오후께서는 주유와 더불어 한가지 계책을 꾸몄소이다. 이 유비에게 동오에 와서 부인에게 장가를 들라 한 것은, 사실 부인을 위해서 한 일이 아니라 오직 유비를 사로잡아 가둔 다음 형주를 손에 넣으려는 속셈이었소. 형주를 손에 넣은 다음에는 나를 장차 죽이려 했던 것이니, 이 모두는 부인을 향기로운 미끼로 써서 유비를 낚으려는 계책이었소. 내가 그 속셈을 다 짐작하고도 죽음을 두려워하지 않고 이곳에 온 것은, 오로지 부인께 남정네 못지않은 기백이 있어서 반드시 나를 구해주실 것이라 믿었기 때문이오. 어제 형주의 형세가 위급하다고 한 것은 사실 오후가 나를 죽이려 한다는 소문을 듣고 형주로 돌아가고자 꾸민 핑계였소. 천만다행으로 부인께서 나를 버리지 않고 더불어 이곳까지 따라와주어 그 은혜를 갚을 길이 없으나, 지금 오후는 군사를 보내 우리의 뒤를 추격하고 또 주유는 사람을 시켜 앞길을 막고 있으니, 부인이 나서주시지 않으면 도저히 이 위급한 상황을 벗어날 길이 없소. 부인께서 이 사람의 청을 들어주지 않는다면, 차라리 부인의 수레 앞에서 목숨을 끊어 부인의 은덕이나 갚을까 하오."

현덕의 말을 듣고 손부인은 크게 노한다.

"오라버니가 저를 골육의 정으로 대하지 않는 터에 제가 무슨 이유로 그를 다시 만나겠어요? 그러니 서방님께서는 심려치 마세요. 오늘의 위기는 제가 풀어드리겠어요."

손부인은 즉시 명하여 수레를 앞으로 몰고 나가게 했다. 서성과 정봉이 검을 빼들고 기세좋게 막아서는데, 손부인은 주렴을 걷어올리고 두 장수를 불러 큰소리로 꾸짖는다.

"보아하니 너희 두놈이 반역할 셈이로구나!"

두 장수는 황망히 말에서 뛰어내려 손에 잡은 병장기를 땅에 버리고 아뢴다.

"무슨 당치도 않은 말씀입니까? 저희는 주도독의 명령을 받고 이곳에서 진을 치고 유비를 기다리고 있었을 뿐입니다."

손부인이 다시 큰소리로 호통을 친다.

"주유 이 역적놈, 우리 동오가 일찍이 저를 서운케 하지 않았는데 제가 감히 어찌 이럴 수가 있다더냐? 유현덕은 곧 한나라 황실의 숙부요 또한 나의 남편이시다. 내가 이미 어머님과 오라버니께 말씀을 올리고 함께 형주로 돌아가는 터인데, 네놈들이 이렇게 산모퉁이에 군사를 깔아놓고 길을 막는 것은 우리 부부의 재물이라도 약탈하려는 속셈이더냐?"

서성과 정봉은 쩔쩔매며 아무런 대답도 못하다가 겨우 풀죽은 목소리로 말한다.

"그럴 리가 있겠습니까? 부인께서는 부디 노여움을 푸십시오. 이일은 모두 주도독께서 분부하신 일이지 저희들이 임의로 꾸민 게 아니옵니다."

"그렇다면 너희는 오로지 주유만 두렵고 나는 두렵지 않단 말이로구나! 그래 주유가 너희를 죽일 수 있다면, 내가 주유의 목을 못 벨것 같으냐?"

손부인은 이렇게 한바탕 주유를 욕하고 나서 급히 명한다.

"어서 앞으로 수레를 몰아라!"

서성과 정봉 두 장수는 가만히 생각해보았다.

'우리는 아랫사람이니 어찌 감히 부인의 말을 어길 수 있으랴.'

게다가 손부인의 수레 뒤를 따르는 조자룡의 노기등등한 얼굴을 대하자 두려운 마음이 일었다. 두 장수는 애꿎은 군사들을 꾸짖어 길을 열게 한 다음 손부인 일행을 보내주는 도리밖에 없었다.

그러고 나서 현덕 일행이 5, 6리도 채 못 갔을 무렵이었다. 갑자기 뒤에서 폭풍처럼 말을 몰아 진무와 반장 두 장수가 당도했다. 서성과 정봉은 손부인을 놓아보낸 정황을 이야기했다.

"그대들은 단단히 잘못했소!"

진무와 반장이 발을 구르며 책망한다.

"우리 두 사람은 지금 오후의 영을 받들어 특별히 유비를 잡으러 뒤쫓는 길이오. 어서 그들을 뒤쫓아 사로잡읍시다."

이리하여 네 장수는 수하군사들을 거느리고 현덕의 뒤를 쫓아 급히 말을 달렸다.

한편 현덕 일행은 더욱더 길을 재촉하고 있었다. 그런데 느닷없이 등뒤에서 다급한 말발굽소리와 커다란 함성이 들려온다. 당황한 유비는 수레에 탄 손부인에게 달려가 말한다.

"또다시 추격병이 뒤쫓아오니, 대체 어찌하면 좋겠소?"

손부인이 말한다.

"서방님께서는 앞서 달려가시지요. 제가 조자룡 장군과 함께 뒤를 맡겠습니다."

유현덕은 군사 3백명을 거느리고 강변을 향해 먼저 떠났다. 조자룡은 남은 군사들을 벌여세운 뒤, 자신은 손부인의 수레 곁에 말을 세우고 뒤따라오는 네명의 장수를 기다렸다. 기세좋게 말을 달려오던 네 장수는 손부인이 수레의 주렴을 올리고 노기띤 얼굴로 노려보고 있자 황망히 말에서 내려 손을 맞잡고 수레 앞에 둘러섰다. 손부인이 먼저 입을 열었다.

"진무와 반장은 무슨 일로 왔소?"

두 장수가 공손히 아뢴다.

"주공의 명을 받들어, 부인과 현덕공을 모시고 돌아가려고 급히 오는 길입니다."

손부인이 정색을 하고 꾸짖는다.

"이 못된 놈들 같으니라고. 이는 필시 너희들이 우리 남매 사이를 이간질하려는 수작이 분명하다. 나는 유황숙의 아내로 외간남자와 사사로이 도망가는 것이 아니다. 이미 어머님의 허락을 받고 형주로 가는 길이니, 오라버님께서도 예를 갖추어 우리를 전송해야 마땅할 것이다. 그런데도 너희 두 장수가 군사의 힘을 빌려 이렇게 위협하니, 이는 나를 해칠 속셈이 아니고 무엇이겠느냐?"

네 장수는 서로 얼굴을 쳐다보며 어찌할 바를 모르고, 속으로 각각 생각에 잠겼다.

'오후와 손부인은 1만년이 지나도 변함이 없는 남매간이다. 게다가 이번 일은 태부인께서 주관하신 일, 효성이 지극하신 오후께서는 결국 모친의 뜻에 따르게 될 것이다. 그렇다면 내일이라도 당장 오후의 심기가 변할 경우 공연히 우리만 치죄를 당할 게 뻔하지 않은가. 이런 경우에는 인정을 쓰지 않을 수 없지. 더구나 정작 유현덕의 모습은 보이지도 않고, 수레 곁에 선 조자룡은 성난 눈을 부릅뜨고 당장이라도 달려들 태세로구나.'

네 장수는 슬금슬금 뒤로 물러났다. 그때 손부인이 소리높여 호령한다.

"무엇들 하느냐, 냉큼 수레를 끌어라!"

손부인과 조자룡 일행은 위기에서 벗어나 길을 떠났다. 서성이 세 사람을 돌아보며 말한다.

"우리가 함께 가서 주도독께 이 일을 아뢰도록 합시다."

네 장수가 서로 얼굴만 쳐다보며 쉽게 결정을 못하고 주저하는데, 갑자기 한떼의 군사가 질풍처럼 달려온다. 바로 장흠과 주태가 이끄는 무리들이다. 두 장수가 가까이 다가와 급히 묻는다.

"유비를 못 보았소?"

네 장수가 한결같이 대답한다.

"새벽녘에 이미 지나갔소이다. 반나절은 족히 되었을 거요."

장흠이 얼굴색이 변하며 묻는다.

"그런데 어찌하여 잡지 않았소?"

네 장수가 번갈아 손부인의 말을 전하며 변명을 늘어놓자 장흠이 큰소리로 역정을 낸다.

"그렇지 않아도 혹시 이런 일이 있을까 하여 오후께서 친히 우리들에게 보검을 내리시며 먼저 손부인을 베어죽이고 유비를 참하라는 엄명을 내리셨소. 또한 말씀하시기를, 영을 어기는 자는 그 자리에서 목을 베라 하셨소."

네 장수는 전전긍긍한다.

"이미 떠난 지 오래니, 지금 어떻게 쫓아가겠소이까?"

장흠이 단호하게 말한다.

"허나 저들은 모두 보병이니 그새 가면 얼마나 갔겠소? 서성과 정봉 두 장수는 어서 도독께 말씀드려 수로를 이용해 쾌선을 타고 쫓아가도록 하시오. 나머지 우리 네 사람은 즉시 지름길로 뒤쫓을 것이오. 수로든 육로든 가릴 것 없이 어느 편이든 잡는 즉시 목을 베도록 하오!"

이렇게 하여 서성과 정봉은 그 길로 주유에게 가서 보고했다. 그리고 장흠과 주태를 비롯한 진무와 반장 네 장수는 군사를 거느리고 강변을 따라 현덕 일행을 황급히 뒤쫓았다.

한편 현덕 일행은 시상군에서 멀리 벗어나 유랑포(劉郎浦)에 이르러서야 한숨을 돌렸다. 그들은 강을 건너기 위해 언덕에 올랐다. 그러나 아무리 둘러봐도 강물만 넘실거릴 뿐 배 한척 보이지 않는다. 현덕이 근심에 싸여 고개를 떨구자, 조자룡이 말한다.

"주공께서는 이제 호구(虎口)를 벗어나 형주 경계에 이르셨습니다.

앞으로의 일은 군사께서 방책을 세워두셨을 것이니 너무 근심하지 마십시오."

현덕은 불현듯 동오에서 호화로운 생활에 빠져 지내던 일을 떠올리고, 자기도 모르게 회한의 눈물을 흘렸다.

후세 사람이 이 일을 탄식해 시를 지어 읊었다.

유현덕이 동오에서 성혼을 하고 보니	吳蜀成婚此水潯
주렴은 옥구슬이요 지붕은 황금이라	明珠步障屋黃金
뉘 알았으랴 한낱 여자에 끌려서	誰知一女輕天下
천하를 경륜할 뜻이 흔들리게 될 줄을	欲易劉郎鼎峙心

유현덕이 조자룡에게 적당한 배를 찾아보게 하는데, 홀연 수하군사가 적군이 먼지를 일으키며 질풍처럼 몰려온다고 고한다. 현덕이 높은 곳에 올라가 살펴보니 과연 무수한 군마가 땅을 뒤덮을 듯한 기세로 달려오고 있었다. 현덕이 탄식한다.

"날마다 쉬지도 못하고 달려와 사람과 말이 모두 지칠 대로 지쳤는데 또다시 이렇게 추격병이 몰려오니 이제 진정 살아날 길이 없겠구나!"

함성은 점차 가까이 들리고 사태가 급박해지는 바로 그때, 난데없이 돛단배 20여 척이 나타나 한 줄을 이루더니 이쪽 언덕에 와서 닿았다. 조자룡이 현덕을 돌아보며 말한다.

"하늘의 도움으로 배가 이곳에 닿았습니다! 속히 강을 건넌 후에 다시 대책을 세우는 게 좋겠습니다."

즉시 유현덕은 손부인과 함께 먼저 배에 올랐다. 조자룡도 수행군사 5백명을 거느리고 일제히 배에 올랐다. 바로 그때 배 안에서 윤건에 도복차림을 한 사람이 불쑥 나오더니 큰소리로 웃으며 말한다.

"주공께서는 이제 마음 놓으소서. 제갈량이 이곳에 와서 기다린 지 오래입니다."

배 안에 장사꾼으로 꾸미고 있는 사람들은 모두 형주의 수군들이었다. 현덕은 찬탄하며 크게 기뻐했다. 바로 그때 동오의 네 장수가 마침내 강가에 이르렀다. 공명은 언덕 위에 있는 네명의 적장들을 손으로 가리키며 껄껄 웃는다.

"내 이미 계획을 세운 지 오래니, 너희들은 즉시 돌아가서 주유에게 다시는 미인계 따위를 쓰지 말라고 전하여라!"

장흠 등은 급히 군사들에게 배를 향해 화살을 쏘도록 명했다. 그러나 배는 이미 강변에서 멀찌감치 떨어진 뒤였다. 동오의 군사들이 어지럽게 쏘아올린 화살은 맥없이 강물 속으로 떨어지고 말았다. 네명의 적장들은 멀어져가는 배를 멀거니 바라볼 뿐이었다.

현덕이 공명과 더불어 배를 타고 앞으로 나아가는데, 문득 강물 위에서 큰 함성이 울렸다. 고개를 돌려 바라보니 강 위에 무수한 전선이 포진해 있었다. 수(帥)자 정기 아래에는 다름아닌 주유가 친히 싸움에 익숙한 수군을 이끌고 나왔고 왼쪽에는 황개가 오른쪽에는 한당이 호위하고 있었다. 그 기세가 달리는 말처럼 날쌔니 유성처럼 빠르게 다가온다. 공명이 영을 내렸다.

"어서 배를 북쪽 대안으로 돌려라!"

배가 북쪽 언덕에 닿았다. 일행은 급히 뭍에 올라 수레에 타거나 말에 올라 형주를 향해 달아나기 시작했다. 주유 또한 강가에 닿아 급히 뭍에 오르더니 현덕 일행을 뒤쫓는다. 그러나 말 탄 장수는 몇 안되

고, 대부분은 배를 타고 온 수군이라 육지에서는 보병에 불과했다. 주
유가 황개·한당·서성·정봉 등을 이끌고 선두에 서서 현덕 일행을
바짝 추격하다가 묻는다.

"여기가 어디냐?"

한 군사가 대답한다.

"바로 저기가 황주(黃州) 지경입니다."

주유가 앞을 바라보니 현덕의 수레와 말은 어느덧 가물가물 멀어지
고 있었다. 주유는 군사들을 독촉하며 죽을 힘을 다해 뒤를 쫓는데,
문득 북소리가 크게 울리더니 반대편 산골짜기에서 한무리의 군사들
이 몰려나온다. 앞장선 장수는 바로 관운장이다. 주유가 소스라쳐 놀
라 그대로 말머리를 돌려 달아나기 시작했다.

"게 섰거라!"

관운장이 청룡도를 거머쥐고 주유의 뒤를 바짝 추격한다. 주유는
황급히 말에 채찍질을 하여 겨우 목숨을 구해 달아났다. 옆에서 함께
달리던 서성·정봉·한당·황개 등도 정신없이 달아나니, 뒤에서 달려
오던 주유의 수군들은 모두 발길을 돌려 강가에 대놓은 배 안으로 다
투어 뛰어들었다.

주유가 배를 타기 위해 정신없이 달려가는데, 이번에는 왼쪽에서
황충이, 오른쪽에서는 위연이 기세좋게 쳐들어왔다. 동오의 군사는
크게 패했다. 주유는 겨우 말에서 뛰어내려 간신히 배에 올랐다. 언덕
위까지 쫓아온 형주의 군사들이 큰소리로 외친다.

"주유의 계책이 천하제일인 줄 알았더니, 이제 손부인도 보내고 군
사마저 잃었구나!"

적군들이 일제히 야유하는 소리에 주유는 치밀어오르는 분노를 누

공명은 두번째로 주유를 격분시켜 쓰러뜨리다

를 길 없었다.

"다시 가서 죽음을 무릅쓰고 싸워 결판을 내고 말리라!"

주유는 배에서 뛰어내리려 했지만 황개와 한당이 양쪽에서 붙잡고 놓아주지를 않는다. 주유는 처참한 심정이 되어 홀로 탄식한다.

"나의 계책이 모두 실패했으니 이제 무슨 낯으로 오후를 뵙는단 말인가!"

주유는 외마디소리를 지르더니, 금창(金瘡)이 다시 터져 그대로 배 위에 쓰러지고 말았다. 여러 장수들이 황급히 부축했지만 주유는 이미 정신을 잃은 상태였다.

두번의 계교가 모두 허사로 돌아간 날	兩番弄巧翻成拙
분통이 터지는 중에 창피한 마음이 이네	此日含嗔却帶羞

주유의 목숨은 어찌 될까?

56

三
國
志

제 꾀에 속은 주유

조조는 동작대에서 크게 잔치를 벌이고

공명은 세번째로 주유를 쓰러뜨리다

주유는 제갈량이 미리 매복시켜둔 관운장·황충·위연 등이 거느린 삼군의 습격을 받고 크게 패했다. 황개와 한당이 급히 주유를 도와 배에 올랐으나 이미 수많은 수군을 잃은 뒤였다. 더구나 현덕과 손부인 일행은 산마루에서 이런 주유를 구경하고 있었으니, 어찌 분하고 원통하지 않았으랴. 지난날 금창이 다 아물지 않은데다 울화가 치밀어 충격을 받으니 상처가 다시 터져 혼절했다. 동오의 장수들은 급히 주유를 선창 안에 눕혀 정신을 차리게 하고 배를 저어 달아났다. 공명은 구태여 그를 뒤쫓지 않고 현덕과 더불어 형주로 돌아와 승리를 자축하고 모든 장수들에게 후하게 상을 내렸다.

주유는 시상으로 돌아가고, 현덕 일행을 쫓던 장흠 등 여러 장수들은 남서로 돌아가 손권에게 경과를 보고했다. 손권은 화가 나서 정보를 도독에 임명하고 다시 군사를 일으켜 형주를 칠 계획을 세웠다. 이때 주유 또한 손권에게 서신을 보내왔으니, 그 내용도 마찬가지로 크게 군사를 일으켜 기필코 패배의 한을 풀겠다는 것이었다. 장소가 나서서 만류한다.

"주공께서는 함부로 움직이지 마소서. 조조가 밤낮으로 적벽에서의 한을 풀려 하면서도, 아직 손·유 두 집안이 한마음으로 협력하고 있어서 감히 군사를 일으키지 못하는 것입니다. 주공께서 한때의 노여움을 참지 못하고 군사를 일으켜 형주를 치면, 조조는 반드시 그 틈을 타서 우리 동오를 치러 올 것입니다. 그리 되면 나라가 자못 위태로워집니다."

고옹도 나서서 말한다.

"허도에서 염탐꾼을 보내지 않았을 리가 없습니다. 손·유 양가가 서로 화목하지 못한 사실을 알게 되면, 조조는 반드시 사람을 보내 유비와 결탁하려고 할 것입니다. 유비 또한 동오를 꺼려 틀림없이 조조와 손을 잡을 터이니, 강동은 하루도 편할 날이 없을 것입니다."

손권이 묻는다.

"그럼 대체 이 일을 어찌 풀어야 하겠소?"

고옹이 다시 말한다.

"제 생각으로는 허도로 사람을 보내 황제께 유비를 표주(表奏)하여 형주목(荊州牧)으로 삼는 것이 좋을 듯합니다. 조조가 이 사실을 알면 두 집안의 유대가 공고하다고 생각해 감히 동남에 군사를 일으키지 못할 것이고, 유비 또한 주공을 원망하지 않을 것입니다. 일단 그렇게 일을 무마했다가 심복으로 하여금 반간계(反間計, 교묘히 사이를 이간질하는 계책)를 써서 조조와 유비가 서로 싸우게 한 후에, 그 틈을 타서 형주를 공격하는 것이 상책일 듯합니다."

다 듣고 나서 손권이 말한다.

"원탄(元嘆, 고옹의 자)의 말이 과연 그럴 듯한데, 누구를 허도로 보내야 할지 모르겠소."

고옹이 대답한다.

"적당한 인물이 있습니다. 조조가 평소 존경하는 사람이니, 그를 보내는 게 좋을 듯합니다."

"그게 누구요?"

"화흠(華歆)이 여기 있거늘 어찌 보지 못하십니까."

손권은 매우 흡족해하며 그 자리에서 유현덕을 형주 목사로 천거하는 글을 써서 화흠에게 주어 허도로 보냈다. 화흠은 손권의 명을 받은 즉시 길을 재촉해 허도에 당도했다. 그 길로 들어가 조조를 만나고자 했으나, 그때 조조는 허도에 없었다. 조조가 업군(鄴郡)에서 군신들을 모아놓고 동작대(銅雀臺) 낙성식을 준비하는 중이라는 말을 전해들은 화흠은 다시 허도를 떠나 업군으로 향했다.

한편 조조는 적벽에서 참패한 뒤 늘 원수를 갚으려고 벼르고 있었으나 손권과 유비가 합세하여 대항할까봐 두려워 감히 군사를 일으키지 못했다. 건안 15년(210) 봄, 조조가 울울한 심사를 달래기 위해 힘써 완공한 동작대는 그 장대하고 화려함이 천하에 비할 바 없는 대단한 건축물이었다. 조조는 동작대의 완공을 기념하여 문무백관을 업군에 불러모으고 크게 연회를 베풀어 경축했다. 장하(漳河)를 옆에 끼고 한복판에 세운 것이 바로 동작대요 왼쪽에 있는 것은 옥룡대(玉龍臺), 오른쪽에 세운 것은 금봉대(金鳳臺)였다. 대의 높이는 각기 10장(丈)이고, 그 사이에 두 개의 다리를 놓아 서로 통하게 했으며 천문만호(千門萬戶)에 벽마다 황금빛과 푸른빛이 어우러지게 단청을 하여 그 화려하기가 이를 데가 없었다.

이날 조조는 머리에 보석 박은 금관을 쓰고 녹색 비단도포에 옥대를 두르고 진주로 장식한 신발을 신고서 동작대 위에 높이 올라앉았다. 그 아래에 문무백관들이 관직의 높낮이에 따라 차례로 줄지어 섰다. 마치 제왕처럼 높이 앉은 조조는 수하 무장들의 활솜씨를 구경하고자 했다. 서천의 명물인 홍금전포(紅錦戰袍)를 한벌 내다가 수양버들 가지에 걸게 하고, 그 아래 과녁을 세운 다음, 무장들을 두 패로 나누어 1백보 밖에서 활시위를 당겨 과녁의 홍심(紅心)을 쏘아 맞히게 했다. 조씨 문중 장수들은 붉은색 전포를 입고 나머지 다른 성씨를 가진 장수들은 녹색 전포를 입고서, 모든 장수가 활과 화살을 갖추어들고 군호가 울리기를 기다리고 있었다. 드디어 조조가 영을 내린다.

"과녁의 홍심을 제대로 맞히는 자에게는 금포를 내릴 것이요, 만일 맞히지 못하는 자에게는 벌로 냉수 한잔을 내리겠다."

조조의 영이 떨어지자, 먼저 붉은 전포를 입은 쪽에서 한 소년장수가 말을 급히 몰고 나온다. 그는 바로 조휴(曹休)였다. 조휴는 나는 듯이 말을 달려 세 바퀴를 돌고서 시위에 화살을 메겨들고 힘껏 당겼다. 화살은 바람을 가르고 날아가 그대로 홍심에 박힌다. 징과 북소리가 일제히 울리고, 모여 있던 사람들 속에서 박수갈채가 터져나왔다. 동작대 위에서 지켜보던 조조의 마음은 매우 흡족했다.

"과연 우리 집안의 천리마(千里馬)로다!"

조조가 사람을 시켜 나뭇가지에 걸어둔 홍금포를 조휴에게 내리려하는데, 녹색 전포들 가운데서 한 장수가 달려나오며 큰소리로 외친다.

"승상의 금포는 먼저 다른 성씨에게 주셔야지, 같은 문중 사람에게주는 것은 온당치 않소이다!"

조조가 바라보니 그는 바로 문빙이다. 모여 있던 사람들이 일제히외친다.

"어디 문빙의 솜씨를 구경해봅시다!"

문빙은 당장 활에 살을 메겨 들더니 나는 듯이 달려나와 단번에 과녁의 홍심을 뚫었다. 사람들이 다시 환호성을 올리고, 징소리 북소리가 어지럽게 울려퍼졌다. 문빙이 소리 높여 외친다.

"어서 금포를 가져오너라!"

그 말에 붉은 전포의 무리 한복판에서 한 장수가 말을 달려나오며큰소리로 외친다.

"너보다 먼저 쏘아맞힌 사람이 있는데 네가 어찌 금포를 빼앗으려하느냐. 내 두 사람의 화살을 갈라놓을 테니 보아라!"

그 역시 활을 힘있게 당겨 쏘니 그대로 홍심에 명중했다. 관중들이일제히 갈채를 보내며 절묘한 솜씨의 주인공을 바라보았다. 그는 다름아닌 조홍이다. 조홍이 홍금포를 차지하려는데, 이번에는 녹색 전포 쪽에서 장수 하나가 활을 치켜들고 뛰어나온다.

"너희들 세 사람의 솜씨가 무어 그리 대단하다는 게냐. 내가 진짜솜씨를 보여주겠다!"

사람들이 모두 그를 향해 시선을 돌렸다. 그는 바로 장합이다. 장합

동작대에서 조조의 군사들은 활솜씨를 겨루다

은 무섭게 말을 달리다가 반대 방향으로 몸을 홱 뒤틀더니 자기 어깨 너머로 활을 당겨 정확히 홍심을 맞혔다. 네 대의 화살은 가지런히 홍심에 꽂혀 있다. 모든 사람들이 입을 모아 대단한 솜씨라고 칭송하고, 장합은 자랑스레 소리친다.

"이제 금포는 마땅히 내것이다!"

장합의 말이 채 끝나기도 전에 다시 붉은 전포 가운데서 한 장수가 말을 몰고 나오며 큰소리로 외친다.

"몸을 뒤틀어 뒤로 쏘는 것이 뭐가 그리 신기하단 말이냐? 내가 어찌 쏘는지 똑똑히 보아라."

사람들이 일제히 쳐다보니 다름아닌 하후연이다. 하후연은 말을 달려 경계선에 이르더니 신속하게 몸을 한바퀴 돌리면서 활을 쏘았다. 시위를 떠난 화살은 네 대가 꽂힌 홍심의 가장 중심부에 정통으로 박힌다. 다시 한번 북소리와 징소리가 크게 울렸다. 하후연은 말을 멈추고 활을 어루만지면서 큰소리로 외친다.

"자, 이만하면 금포는 내것이 아니겠느냐?"

다시 녹색 전포의 무리 중에서 한 장수가 큰소리로 답한다.

"가만 있거라. 금포는 이 서황의 차지다!"

하후연이 묻는다.

"네가 무슨 솜씨로 나의 금포를 빼앗겠다는 것이냐?"

"네가 홍심을 맞힌 것은 아무것도 아니다. 잘 보아라, 내가 어떻게 금포를 취하는지."

서황은 말을 끝내기가 무섭게 번개처럼 활을 당겼다. 순간 버드나무 가지가 맥없이 부러지며 걸려 있던 홍금포가 밑으로 떨어진다. 서황은 화살보다 빠르게 달려가 떨어지는 홍금포를 낚아채 자신의 어깨에 걸치고는 말을 몰아 동작대 앞으로 나서며 크게 외친다.

"삼가 승상의 금포를 사례하오!"

조조와 모든 문무관원들은 감탄해마지 않았다. 서황이 드디어 말머리를 돌리려 하는데, 갑자기 녹색 전포 무리 중의 장수 하나가 급히 말을 몰고 달려나오며 소리친다.

"금포를 가지고 어디로 가느냐. 어서 내놓지 못할까?"

사람들이 일제히 바라보니 그는 바로 허저다. 서황이 한마디 한다.

"이미 내 수중에 들어온 홍금포를 내놓을 성싶으냐!"

허저가 아무 대꾸 없이 그대로 말을 몰고 달려나가 우격다짐으로 홍금포를 낚아채려 드니 서황이 활로 후려친다. 허저는 한 손으로는 서황의 활을 붙들고, 다른 한 손으로는 서황의 팔을 덥석 잡아 안장에서 끌어내리려 안간힘을 쓴다. 버티다 못한 서황은 쥐고 있던 활을 놓아버리고 얼른 말에서 뛰어내렸다. 허저가 뒤따라 말에서 뛰어내리더니 그대로 엉겨붙어 서로 치고받기에 이르렀다.

조조는 급히 사람들을 시켜 두 사람을 뜯어말렸다. 그 와중에 홍금포는 이미 갈가리 찢겨 있었다. 조조는 두 장수를 대 위로 불러올렸다. 대 위에서까지 두 사람은 눈을 부릅뜨고 서로를 잡아먹을 듯 이를 갈며 으르렁거리는데 조조가 만면에 웃음을 머금고 말한다.

"나는 공들의 활솜씨를 보려던 것일 뿐 그까짓 금포 한벌이 무슨 대수겠는가?"

조조가 모든 장수를 대 위로 불러올려 촉의 특산품인 비단 한 필씩을 선사하니 모두 감사해마지 않았다.

곧이어 조조는 모든 장수들을 관직의 고하에 따라 자리에 앉힌 다음 성대하게 잔치를 베풀었다. 풍악소리가 흥겹게 울리는 가운데 산해진미를 앞에 놓고 문무관원들은 서로 술을 권하며 마음껏 잔치를 즐겼다. 조조가 문득 문관들을 돌아보며 말한다.

"무장들은 이미 활쏘기와 말타기로 그 위용을 보였으니, 공들은 모두 학문을 하는 선비로서 오늘 이곳 동작대 위에 올라앉은 김에 아름다운 문장을 지어 오늘의 경사를 기념하면 어떻겠소?"

문관들이 모두 허리를 굽혀 절하며 아뢴다.

"삼가 분부대로 따르겠나이다."

그리하여 왕랑(王朗)·종요(鍾繇)·왕찬(王粲)·진림(陳琳) 등 여러 문관들이 저마다 시를 지어 조조에게 바쳤으니, 모두 조조의 공덕을 높이 찬양하며 조조야말로 하늘의 뜻을 받들기에 합당하다는 내용이었다. 조조가 차례로 읽고 나서 웃으며 말한다.

"그대들의 아름다운 글들은 하나같이 나를 지나치게 추켜세웠구려. 나는 본래 보잘것없는 사람으로 처음에는 그저 효렴(孝廉, 효성스럽고 청렴한 사람)으로 천거받은 선비였는데, 나중에 천하가 어지러워지기에 초군(譙郡) 동쪽에서 50리 들어간 곳에 정사(精舍)를 한 채 짓고, 봄과 여름에는 글을 읽고, 가을 겨울에는 사냥질이나 하며 지냈소이다. 천하가 화평해지면 출사할 작정이었으나, 뜻밖에도 조정에서 내게 전군교위(典軍校尉)를 제수하시기에, 내 뜻을 고쳐세워 오로지 나라를 위해 도적을 토벌하여 공을 세우고, 죽어서 내 무덤에 비석을 세울 때 '한나라 고 정서장군 조후지묘(漢故征西將軍曹侯之墓)'라고만 새겨지면 평생의 소원을 다 이룬 것이라 생각하고 있었소. 내가 동탁을 토벌하고 황건적을 몰아낸 뒤로, 원술과 여포를 없애고, 원소를 멸하고, 유표를 정벌하고, 마침내 천하를 평정하여 재상의 자리에까지 올랐으니 신하된 사람으로서는 지극히 귀한 대접을 받았거늘 더이상 무엇을 바라겠소? 만일 내가 없었다면 참으로 몇 사람이 황제라 자칭하고 또 몇 사람이 왕이라 자칭하며 나섰을지 모를 일이오. 나의 권세가 너무 중해진 것을 보고 혹시 내게 다른 마음이 있는 것은 아닌지 망령되게 의심하는 무리도 있으나 이는 큰 잘못이외다. 나는 항시 공자(孔子)께서 문왕(文王)의 덕을 칭송하시던 일을 생각하여 그 말씀이 한시도 내 마음을 떠난 적이 없소이다. 다만 내가 병권을 내놓고 무평후(武平侯)로 돌아가지 못하는 것은, 만일 내가 병권을 내놓는 날에는 반드시 나를 해치려는 사람이 있을 것이고, 내가 잘못되는 날에는 나라가 위태로워질 것이니, 허명(虛名)을 좇느라 화를 당할 수는 없기 때문이오. 형편이 이러한데, 그대들이 내 깊은 속마음을 알기나 하는지 모르겠소."

문무관원들은 일제히 일어나 조조에게 절하였다.

"비록 이윤(伊尹)과 주공(周公)이라 할지라도 승상께는 미치지 못할 것이옵니다."

후세 사람이 이를 두고 시를 지었다.

주공도 헛소문에 두려워한 때 있었고　　　　　周公恐懼流言日
왕망도 겸손하게 선비를 대접한 날이 있었다네　　王莽謙恭下士時
만일 그 당시에 세상을 마쳤더라면　　　　　　　假使當年身便死
일생의 진실과 허위를 뉘라서 알리요　　　　　　一生眞僞有誰知

조조는 술을 연거푸 몇잔 기울이더니 흥이 올라서 손수 동작대를 기리는 시를 짓겠다고 지필묵을 가져오게 했다. 막 붓을 쥐려는데 수하사람이 들어와서 아뢴다.

"지금 동오에서 화흠이 유비를 형주 목사로 제수해주십사 하는 표문을 가지고 왔습니다. 또한 손권은 누이동생을 유비에게 시집보냈고, 형주 아홉 군(郡)의 태반이 모두 유비의 수중에 들어갔다 합니다."

조조는 이 말을 듣고는 갑자기 손발이 떨려 그만 손에 들고 있던 붓을 바닥에 내동댕이쳐버렸다. 정욱이 말한다.

"승상께서는 천군만마 가운데에서 화살과 돌이 빗발치듯 해도 털끝만큼도 놀라지 않으셨는데, 어찌하여 유비가 형주를 얻었다는 소식에는 그리 놀라십니까?"

조조가 대답한다.

"유비는 비유하자면 용과 같은 인물이라. 평생 물을 만나지 못하다가 이제 형주를 수중에 거두어들였으니, 이는 마치 갇혀 있던 용이 큰 바다로 들어간 것이나 마찬가지인데 내 어찌 놀라지 않을 수 있겠는가?"

"승상께서는 무슨 이유로 동오에서 화흠을 보냈는지 아십니까?"

"그야 모를 일이지."

"손권은 유비를 경계하여 내심으로는 당장에라도 군사를 일으켜 형주를 공격하고 싶을 것입니다. 하지만 그 틈에 승상께서 자신들을 공격할까 두려워 지금 화흠을 보낸 것이지요. 첫째는 유비를 표주함으로써 그를 안심시키고, 둘째는 손·유가 두 집안이 화목함을 승상께 보여서 승상으로 하여금 강남을 넘보지 못하게 하려는 속셈입니다."

조조가 고개를 끄덕인다.

"옳은 말이로다."

정욱이 다시 말을 잇는다.

"제게 한가지 계책이 있습니다. 먼저 손씨와 유씨 두 집안이 서로 싸우게 만들고 나서 승상께서 그 틈에 일을 도모하신다면, 한번 북을 울려 가히 두 적을 모두 쳐부술 수 있을 것입니다."

조조가 크게 기뻐하여 급히 묻는다.

"그래 그 계책이란 어떤 것인가?"

"동오에서 믿을 만한 장수는 주유밖에 없으니, 승상께서는 주유를 표주해 남군 태수로 제수하시고, 정보를 강하 태수로 삼으십시오. 또한 화흠을 조정에 붙들어두고 중용하십시오. 그러면 주유는 반드시 유비와 원수가 될 터이니, 그때를 기다렸다가 일을 도모하면 어렵지 않을 것입니다."

조조는 다시 고개를 끄덕인다.

"내 뜻이 중덕(仲德, 정욱의 자)의 뜻과 같소!"

조조는 화흠을 동작대 위로 불러올려 후하게 상을 내리고 잔치를 파했다. 그리고는 즉시 문무백관을 거느리고 허도로 돌아갔다. 조조는 정욱의 계책대로 먼저 주유를 남군 태수로 제수하고, 정보를 강하 태수로 삼았으며, 또 화흠은 대리소경(大理少卿)으로 삼아 허도에 머물러 있도록 했다.

드디어 황제의 칙사가 칙명을 받들고 동오에 이르니, 주유와 정보는 모두 벼슬을 받고 임지로 떠났다.

한편 남군을 호령하게 된 주유는 줄창 유비에게 원수 갚을 일만 생각하고 있었다. 남군 태수라고는 해도 주유가 다스려야 할 남군은 모두 유비가 차지하고 있었던 것이다. 주유는 오후 손권에게 글을 올려 즉시 노숙을 보내 하루빨리 형주를 돌려받으라고 재촉했다. 이에 손권이 노숙을 불렀다.

"지난번에 자경이 보증을 서서 유비에게 형주를 빌려주었소. 이제 많은 시간이 흘렀는데 유비는 전혀 돌려줄 생각도 않고 있으니, 대체 언제까지 기다리고 있어야 하는가?"

노숙이 대답한다.

"문서에는 서천을 얻는 대로 돌려주겠다고 명백히 씌어 있지 않습니까?"

손권이 화난 어조로 말한다.

"말로만 서천을 취하겠다고 하면서 도무지 군사를 움직일 생각을 안하니, 늙어죽을 때까지 기다리고만 있으란 말이오?"

"제가 당장 형주로 가서 그 일을 따져보겠습니다."

노숙은 그 길로 배를 타고 형주로 떠났다.

이때 유현덕은 형주에 있으면서 공명과 더불어 군량을 모으고 군사를 조련하는 등 바쁘게 군세를 키우고 있었다. 이곳저곳에서 어진 선비들이 모여들어 현덕의 가업은 그 뿌리가 튼실해졌다.

유현덕이 공명과 더불어 돌아가는 정세에 대해 담론하고 있는데, 문득 사람이 들어와 동오에서 노숙이 찾아왔다고 고했다. 현덕이 공명에게 묻는다.

"이번에는 자경이 무슨 일로 찾아온 것일까요?"

공명이 대답한다.

"지난번에 손권이 주공을 형주목으로 천거한 것은 조조를 두려워한 데서 나온 계책이요, 조조가 주유를 남군 태수로 봉한 것은 우리와 손가 두 집안에 싸움을 붙여 중간에서 어부지리를 얻으려는 속셈이 분명합니다. 이번에 노숙이 찾아온 것은 필시 주유가 남군 태수가 되었으니 형주를 내놓으라고 보낸 것일 테지요."

유현덕은 벌써 안색이 흐려진다.

"그렇다면 어떻게 대답을 해야 좋겠소?"

"노숙이 형주에 대한 말을 꺼내거든 주공께서는 그저 목놓아 울기만 하십시오. 이 제갈량이 적당한 때에 나타나 알아서 조처하겠습니다."

이렇게 의논을 정한 다음, 현덕은 노숙을 부중으로 맞아들였다. 서로 인사를 나누고 나서 현덕이 노숙에게 자리를 권하니, 노숙이 사양하며 말한다.

"이제 황숙께서는 동오의 사위가 되셨으니 곧 노숙의 주인이신데, 제가 어찌 감히 자리를 같이하겠습니까?"

유현덕이 웃으며 말한다.

"자경은 나의 오랜 친구인데 그렇게 겸양하실 게 뭐가 있습니까?"

노숙은 그제서야 자리에 앉아 함께 차를 마시다가 드디어 말문을 연다.

"저는 오늘 오후의 특별한 명을 받들고 형주 일로 황숙을 뵈러 왔습니다. 황숙께서는 애초에 이곳을 잠시 빌렸다가 되돌려주기로 약조하셨지요. 그런데 오늘날까지 도무지 돌려주실 생각은 안하시고 차일피일 시간만 지체하니 도대체 무슨 까닭이십니까? 이제 양가가 혼례를 맺은 터이니, 그 정리를 봐서라도 하루빨리 형주를 돌려주시지요."

노숙의 말이 끝날 무렵, 갑자기 현덕은 두 손으로 얼굴을 감싸쥐고 서글피 울기 시작한다. 너무나 뜻밖의 일이라 노숙은 깜짝 놀랐다.

"황숙께서는 어인 일로 이러십니까?"

현덕은 도무지 대답은 않고 그저 울기만 할 뿐이다. 노숙이 당황해하고 있는데, 갑자기 병풍 뒤에서 공명이 나오며 말한다.

"두 분 말씀을 이미 듣고 있었습니다. 자경은 진정 주공께서 우시는 까닭을 모르시오?"

노숙이 대답한다.

"나로서는 도무지 까닭을 모르겠소이다."

공명은 자리에 앉아 차근차근 설명한다.

"이 제갈량이 말씀해드리리다. 주공께서는 형주를 빌리실 때, 서천을 취하는 대로 즉시 형주를 돌려주겠다고 약속하셨소이다. 그런데 가만히 생각해보니, 익주의 유장(劉璋)으로 말할 것 같으면 다 같은 한나라 황실의 종친으로 주공의 아우님이 되시는 터라, 만일 군사를 일으켜 그의 성을 빼앗자니 천하가 욕할 일이요, 그대로 두자니 형주를 동오에 돌려보내야 하는 형국인데, 그렇다면 마땅히 안신할 곳도 없는 처지가 되지 않겠소. 게다가 형주를 돌려주지 않으면 처가를 대하기도 면구스러운 일이니, 참으로 이러지도 못하고 저러지도 못하는 어려운 상황이지요. 우리 주공께서 이렇듯 슬퍼하시는 까닭이 바로 여기 있소이다."

공명의 말에 따라 부러 우는 체하던 유현덕은 막상 공명의 말을 듣고 보니 참으로 자신의 신세가 처량하기 그지없어 비통한 마음이 절절해졌다. 현덕은 주먹을 들어 가슴을 치고 발까지 굴러가며 목놓아 통곡한다. 노숙은 민망하기도 하고 마땅히 위로할 말도 떠오르지 않아 엉겁결에 말한다.

"황숙은 너무 괴로워 마십시오. 노숙이 공명과 더불어 좋은 방도를 찾아보겠습니다."

공명이 기회를 놓치지 않으려는 듯 재빨리 말한다.

"자경께서는 번거로우시겠지만 돌아가서 오후를 뵙고 이 딱한 처지를 잘 말씀드려주시고, 얼마 동안만이라도 말미를 달라고 부탁드려주십시오."

"말씀을 전하는 것이야 어렵지 않으나, 오후께서 듣지 않으실 때는 어찌해야 할지 나도 모르겠소."

"오후께서는 이미 누이동생을 황숙께 시집보내신 터인데, 동기간에 그만한 청을 못 들어주시겠습니까? 부디 자경은 수고를 아끼지 말고 오후께 잘 말씀드려주시오."

노숙은 본래 관대하고 어진 인물이라 현덕이 그처럼 애통해하는 것을 보니 야박하게 말할 수가 없었다.

"황숙의 사정이 이러하시니, 속히 돌아가 오후께 진언해보리다."

노숙은 현덕과 공명의 사례를 받고, 배를 타고 먼저 시상으로 가서 주유를 만났다. 노숙이 형주에서 있었던 일을 세세히 고하자 이야기를 듣고 난 주유는 화가 나서 발을 굴렀다.

"이번에도 자경은 제갈량의 계략에 감쪽같이 속았소이다. 유비는 유표에게 의탁해 있는 동안에도 호시탐탐 형주를 손에 넣을 기회만 노렸는데, 그까짓 서천의 유장이 무어 그리 대수겠소? 이렇게 자꾸 시간만 지체하니, 이러다가 자경에게까지 누가 미칠까 걱정이오. 다행히 내게 좋은 계책이 있소이다. 이번에는 제아무리 제갈량이라 해도 도저히 내 계략에서 벗어나지 못할 테니, 자경은 수고를 아끼지 말고 다시 한번 형주에 다녀오시오."

노숙이 묻는다.

"대체 어떤 묘책이오?"

"자경은 돌아가 오후를 뵐 필요도 없소. 이 길로 다시 형주로 가서 유비에게 전하시오. 손가와 유가 두 집안은 이미 사돈지간이 되어 한 집안이나 다름없는데, 유황숙께서 차마 종친의 정리로 서천을 공격할 수 없다면 우리 동오에서 대신 서천을 빼앗아 혼인 예물로 삼을 터이니, 그때는 즉시 형주를 되돌려주어야 할 것이라고 하시오."

주유의 말에 노숙은 고개를 갸우뚱하며 미심쩍은 듯 말한다.

"서천은 워낙 멀리 떨어져 있는데다 지형이 험준해 취하기 어렵소. 아무래도 도독의 계략을 행하기가 쉽지 않을 것 같소이다."

주유가 호탕하게 웃으며 말한다.

"자경은 참으로 고지식하시오. 내가 정말로 서천을 취하러 갈 거라고 생각하시오?"

노숙은 눈이 휘둥그래져서 묻는다.

"아니, 그러면 대체 어쩔 작정이란 말씀이오?"

"내가 서천을 취하러 간다 함은 그저 구실에 불과하고, 사실은 형주를 취하려는 것이오. 자경도 아시다시피 우리 동오군이 서천을 취하려 한다면 반드시 형주를 거쳐야 하오. 우리가 그곳을 지나면서 형주의 현덕에게 전량을 좀 빌려달라고 하면 현덕은 동오군을 위로하러 성밖으로 나오겠지요. 그 기회에 유비를 사로잡아 형주를 빼앗을 것이니, 이로써 내 원한도 풀고 자경을 위험에 빠뜨릴 화도 면하게 되오."

노숙이 듣고 보니 그럴 듯하여 그 길로 다시 발길을 돌려 형주로 향했다. 현덕은 노숙이 다시 왔다는 보고에 황망히 공명을 청해 묻는다.

"아니 어째서 자경이 다시 왔을까요?"

공명이 말한다.

"노숙은 오후 손권에게 가지 않고, 시상으로 가서 주유를 만나 계책을 정한 다음 우리를 속이려고 다시 온 것입니다. 노숙이 무슨 말을 하든지 주공께서는 듣고 계시다가, 제가 고개를 끄덕이거든 그렇게 하라고 응낙만 하십시오."

현덕과 공명이 곧 노숙을 청해들이니, 노숙은 다시 예를 갖추어 인사하고 나서 먼저 입을 연다.

"제가 찾아뵈었더니 오후께서는 황숙의 덕망을 칭송하시더니 여러 장수들을 불러모아 의논하시고, 즉시 군사를 일으켜 유황숙 대신 서천을 취하기로 하셨습니다. 서천을 취한 즉시 형주와 바꾸되, 서천은 특히 시집간 누이동생에게 선물로 주겠다고 하십니다. 그러니 동오군이 서천으로 가는 길에 형주의 황숙께서는 부디 군량미를 후원하고 군사를 위로해주십시오."

공명은 듣더니 고개를 끄덕이며 말한다.

"오후께서 그렇게 호의를 베푸시다니, 우리로서야 그 은혜 갚을 길이 없소이다."

현덕도 두 손을 맞잡고 재삼 사례한다.

"이 모두가 자경이 오후께 잘 말씀드린 덕이올시다."

공명은 다시 노숙에게 덧붙여 말한다.

"오후께서 오시는 날에는 마땅히 성밖으로 나가 영접하겠소이다."

노숙은 기쁜 마음에 자리를 파하자마자 작별하고 돌아갔다. 노숙을 배웅하고 돌아온 현덕이 공명에게 묻는다.

"저들이 우리를 대신해 서천을 취하겠다니, 이게 도대체 무슨 소리요?"

공명이 큰소리로 웃는다.

"주유가 드디어 죽을 날이 가까워오는 모양입니다. 저런 계책으로야 어린아인들 속일 수 있겠습니까?"

"무슨 말인지 나는 잘 모르겠으니, 자세히 설명을 해보시오."

"이것이 바로 '가도멸괵지계(假途滅虢之計)'라고, 즉 길을 빌려 괵나라를 멸망시킨다는 계책입니다. 저들이 말로는 서천을 취하러 간다고 하면서 본심은 형주를 빼앗으려는 것이지요. 주공께서 동오군을 위로하고 영접할 생각에 성밖으로 나가시면 그틈에 성안으로 쳐들어와 성을 차지하려는 속셈입니다."

현덕은 새삼 가슴이 철렁했다.

"그럼 어찌하면 좋겠소?"

"주공은 심려 마시고 그저 와궁(窩弓, 굴 안에서 숨어서 쏘는 활)을 마련해 사나운 호랑이를 잡으시고, 향기로운 미끼로 자라와 고기를 낚으시면 됩니다. 주유가 오면 죽이지는 않더라도 기력을 다 써서 도저히 운신하지 못하게 하겠습니다."

공명은 즉시 조자룡을 불러 계책을 상세히 일러주었다.

"나머지 일은 내가 알아서 하겠다!"

현덕은 크게 기뻐하였다. 후세 사람이 시를 지어 이 일을 찬탄했다.

주유가 꾀를 써서 형주를 취하려 드니	周瑜決策取荊州
제갈량은 먼저 알고 대비하더라	諸葛先知第一籌
주유는 장강에 드리운 미끼만 좇아	指望長江香餌穩
그 속에 낚싯바늘 숨긴 줄 생각 못하네	不知暗裡釣魚鉤

돌아온 노숙이 주유에게 형주에서의 일을 낱낱이 고한다.

"도독의 말을 전했더니 현덕과 공명이 크게 기뻐합디다. 동오군이 형주에 이르면 멀리 성밖까지 나와 군사들을 마중하고 위로하겠노라 했습니다."

그 말을 듣고 주유가 크게 웃는다.

"이제야 내 계책이 들어맞았구나!"

주유는 즉시 노숙을 손권에게 보내 이 일을 보고하게 하고, 정보로 하여금 군사를 거느리고 와서 지원하도록 했다. 이무렵 주유는 금창이 다 나은데다 기력 또한 더없이 좋았다. 그는 감녕을 선봉장으로 삼고 자신은 서성·정봉과 함께 중군을 거느리고, 능통과 여몽에게는 후군을 맡겼다. 이렇게 수륙 양군 5만명을 거느리고 형주를 향해 출정하면서, 주유는 배 안에서 줄곧 회심의 미소를 지었다.

'이번에야말로 공명이 내 계략에 말려들고 말 것이다.'

드디어 5만 군사가 하구에 이르렀다. 주유가 묻는다.

"형주에서 우리를 영접하러 나온 사람이 없더냐?"

한 군사가 아뢴다.

"유황숙의 명을 받고 미축이 도독을 뵈러 와 기다리고 있습니다."

주유가 미축을 급히 불러들여 묻는다.

"우리 동오군을 맞이할 준비는 어찌 되었소?"

미축이 말한다.

"주공께서 친히 준비하고 기다리십니다."

"황숙은 지금 어디 계시오?"

"도독을 맞이하여 함께 술잔이나 나누시겠다고 형주 성문 밖까지 나와서 기다리고 계십니다."

주유가 정색을 하더니 덧붙여 말한다.

"이번 출정은 그대들 때문이니, 군사들을 위로하는 일을 소홀히해서는 안될 게요."

미축은 분부를 받들고 돌아갔다. 주유는 강물 위에 전선을 가득 늘여세우고 서서히 움직이기 시작했다. 하지만 강 위에는 배 한척 보이지 않고, 마중나온 사람의 그림자도 눈에 띄지 않았다.

'괴이한 일이로다!'

주유는 못내 의아한 생각이 들었지만 그대로 전선을 재촉해 전진했다. 드디어 형주성에서 10여리 가량 떨어진 곳에 닿았는데도, 여전히 강 위에는 배 한척 구경할 수가 없다. 정찰 나갔던 군사가 돌아와서 고한다.

"형주성 양쪽에 백기가 꽂혀 있을 뿐 사람이라고는 그림자도 찾아볼 수 없습니다."

주유는 더욱 기이한 생각이 들었다.

'이게 대체 어찌 된 일인가……'

주유는 전선을 강가에 댄 다음 뭍에 올라 말을 타고 감녕과 서성, 정봉 등의 장수들과 정병 3천명을 거느리고 형주성을 향해 나아갔다. 주유 일행이 마침내 성 아래까지 왔는데도 형주성에서는 아무런 움직임도 없었다. 주유는 말을 세우고 군사를 시켜 성문을 열라고 큰소리로 외치게 했다. 성위에 한명의 군사가 나타나서 묻는다.

"누구시오?"

동오의 군사들은 화가 나서 큰소리로 외친다.

"동오의 주도독께서 몸소 오셨소!"

그 말이 채 끝나기도 전에 홀연히 징소리가 울리더니, 성위에 있던 군사들이 일제히 창과 칼을 쥐고 일어서는 것이 아닌가. 그와 동시에

제 꾀에 속은 주유 369

성루에서 조자룡이 나서며 큰소리로 말한다.

"도독은 무슨 일로 오셨소?"

주유는 조자룡을 보고 마음 한편에서 솟구치는 불안감을 애써 누르며 크게 외친다.

"이번에 나는 네 주인을 대신해 멀리 서천을 치러 가는 길인데, 네가 어찌 그 일을 모른단 말이냐?"

조자룡이 호쾌하게 웃으며 말한다.

"우리 군사께서는 도독이 '가도멸괵지계'를 쓰려 한다는 것을 알고 이곳에 이 조자룡을 남겨두셨소. 우리 주공께서 말씀하시기를 '나와 서천의 유장은 다같이 한나라 황실의 종친인데, 어찌 의리를 배반하고 서천을 취하겠느냐. 만일 동오가 서천을 취한다면 나는 머리를 풀고 산으로 들어갈지언정 천하에 신의를 잃지 않을 것이다' 하셨으니 당장 돌아가시오!"

주유가 대경실색하여 급히 말머리를 돌리려 하는데, 갑자기 영(令)자 깃발을 든 군사가 달려와 고한다.

"큰일났습니다. 지금 사방에서 적군이 쳐들어오고 있습니다."

"그게 무슨 소리냐?"

주유가 놀라서 묻자 다시 아뢴다.

"관운장은 강릉(江陵)에서부터 쳐들어오고, 장비는 자귀(秭歸)에서, 또 황충은 공안(公安)에서, 위연은 잔릉(孱陵)에서 쳐들어오고 있습니다. 그 수가 얼마나 되는지 알 수 없으나 함성이 천지를 진동하고 하나같이 '주유를 잡아라!' 하고 외치고 있습니다."

주유는 "억!" 하고 외마디소리를 내지르더니, 다 아물어가던 금창이 다시 터져 말 아래로 굴러떨어지고 말았다.

공명의 계략으로 주유는 세번째로 쓰러지다

저보다 위인 고수와 겨루려니 대적하기 어려워   一着棋高難對敵

몇번이나 계교를 썼건만 모두 허사로 돌아가네   幾番算定總成空

주유의 목숨은 정녕 어찌 될 것인가?

와룡과 봉추

주유가 끓어오르는 노기로 가슴이 막혀 말에서 떨어지자 좌우 사람들이 급히 그를 부축해 배로 돌아왔다. 이때 군사들이 전한다.

"유현덕과 공명이 지금 앞산 정상에서 풍악을 울리며 술을 마시고 있습니다."

주유는 더욱 화가 나서 이를 갈며 중얼거린다.

"내가 서천을 치지 못할 줄 아는가. 내 기필코 취하고 말 테니 어디 두고 보아라!"

바로 그때 오후의 아우인 손유(孫瑜)가 왔다는 보고가 들어왔다.

주유는 급히 손유를 맞아들여 그간 있었던 일을 자세히 설명한 뒤 기필코 서천을 치러 갈 생각임을 밝혔다. 손유가 말한다.

"형님의 명을 받들어 도독을 도우러 오는 길입니다."

이 말에 주유는 즉시 진격명령을 내렸다. 주유의 대군이 파구(巴丘)에 이르렀을 때 유봉(劉封)과 관평(關平) 두 장수가 군사를 이끌고 상류에서 수로를 막고 있다는 보고가 들어왔다. 주유가 다시 치밀어오르는 노기를 참지 못하고 있는데, 공명이 사람을 시켜 서신을 전해왔다고 한다. 주유는 부리나케 서신을 읽어보았다.

한나라 군사(軍師) 중랑장(中郞將) 제갈량은 동오 대도독(大都督) 공근(公瑾)선생께 삼가 글월을 올립니다. 내가 시상구에서 선생과 작별한 뒤 이제까지 연연한 마음을 한시도 잊은 적이 없던 차에, 선생이 서천을 취하러 떠난다는 말을 듣고, 나는 거듭거듭 생각한 끝에 서천을 취하기란 불가한 일임을 알았소이다. 서천 익주로 말할 것 같으면 백성들은 용맹하고 지형은 험준한데다, 비록 유장이 암약(暗弱)하다고는 하지만 제 땅을 스스로 지킬 만은 합니다. 지금 도독께서 수고롭게 군사를 일으켜 만릿길을 떠나려 하는데, 참으로 오기(吳起, 전국시대의 병법가. 초나라 재상이 되어 부국강병책을 썼음)가 되살아난다 하더라도 방도를 세우기 어렵고, 손무(孫武, 역시 전국시대의 병법가. 『손자병법』의 저자)가 다시 태어난다 하더라도 장담할 수 없는 일이오. 더욱이 조조는 적벽에서 수많은 인마를 잃었으니 어찌 한시라도 원수 갚을 일을 잊은 적이 있겠소이까? 만일 도독께서 군사를 일으켜 먼길을 떠난다면 반드시 그 틈을 타서 쳐내려올 것이니, 강남은 하루아침에 깨어져 가루가 되고 말 것입니다. 내 차마 보고만 있을 수 없어 이렇게 말씀을 드리는 것이니, 부디 살피고 숙고하시라.

주유는 서신을 읽고 나서 긴 한숨을 내쉬었다. 그러더니 좌우에게 명해 종이와 붓을 가져오라 하여 오후에게 올리는 글을 쓴 뒤에 모든 장수들을 불러놓고 말한다.

"나는 충성을 다해 나라에 보답하려 했건만, 이미 천명을 다했으니 도무지 어쩔 도리가 없구려. 부디 그대들은 오후를 지성으로 섬겨 천하대업을 이루도록 하오."

이렇게 말을 마치고는 정신을 잃고 쓰러졌다. 얼마 후 간신히 깨어난 주유는 하늘을 우러러 탄식했다.

"아아 하늘이여, 이미 주유를 세상에 내고서 어찌하여 또 제갈량을 내었단 말인가!"

주유는 같은 말을 되풀이해 중얼거리다가 그대로 혼절하더니 다시는 깨어나지 못했다. 이때 주유의 나이 36세였다.

후세 사람들이 주유의 죽음을 시를 지어 탄식했다.

적벽대전에서 위업을 남겼으니	赤壁遺雄烈
청년시절부터 명성이 높았어라	青年有俊聲
음악을 들으면 그 뜻을 짐작한다더니	弦歌知雅意
술잔 들어 장간을 친구로 대했더라	杯酒謝良朋
일찍이 삼천 섬의 양곡 받았고	曾謁三千斛
언제나 십만 군사 지휘했네	常驅十萬兵
이곳 파구에서 그 숨을 거두셨으매	巴丘終命處

그 죽음 조문하며 마음이 쓰라려라   憑弔欲傷情

　수하사람들은 주유의 시신을 파구땅에 안치하고 주유의 유서를 봉해 즉시 손권에게 보냈다. 손권은 주유가 죽었다는 비보를 받고 목놓아 울었다. 그러다가 마음을 가라앉히고 주유의 서신을 읽어보니, 자기 대신 노숙을 천거한다는 내용이 적혀 있었다.

　주공께서는 평범한 재주를 가진 이몸에게 큰 은혜를 베풀어 병마를 지휘하는 막중한 소임을 맡기셨으니, 저는 오로지 죽을 힘을 다해 보답코자 하는 마음뿐이었습니다. 사람이 죽고 사는 일은 예측할 수 없고 목숨의 길고 짧음은 정해져 있으니, 보잘것없는 이몸은 어리석은 뜻을 펴보지도 못하고 죽게 되어 참으로 맺힌 한을 풀 길이 없습니다. 지금 조조는 북쪽에서 호시탐탐 동오를 노리고 있고, 유비는 우리에게 의탁하고 있으나 범을 키우는 것과 같으니 장차 천하의 일이 염려스럽기만 합니다. 바야흐로 모든 신하들은 침식을 잊고 나라일에 충성할 때이고, 주공께서는 항상 앞날을 염려하셔야 할 때입니다. 그래서 드리는 말씀입니다만, 노숙은 충성스럽고 극진하여 일을 소홀히 하는 법이 없으니, 이 주유의 소임을 대신할 수 있을 것입니다. 사람이 죽음을 눈앞에 두면 옳은 말을 한다고 합니다. 이 뜻을 깊이 새겨주신다면 저는 죽어도 결코 썩지 않을 것입니다.

　손권은 다 읽고 나서 또다시 통곡한다.
　"공근이야말로 왕을 보필할 수 있는 재목이었는데, 이렇게 단명하여 세상을 하직하니 나는 장차 누구를 믿고 의지할까. 공근이 글을 남겨 특별히 노숙을 천거했으니, 내 어찌 그의 말을 따르지 않을 것인가."

손권은 그날로 노숙을 도독으로 삼아 병마를 통솔하게 하는 한편, 주유의 시신을 옮겨와 성대히 장례를 치렀다.

한편 형주의 공명은 밤에 천문을 보다가, 장성(將星) 하나가 어두운 하늘을 가르며 땅으로 떨어지는 것을 보고는 빙긋이 웃으며 중얼거린다.

"주유가 죽었구나!"

공명이 날이 밝기를 기다렸다가 현덕에게 말하니, 현덕은 당장 사람을 보내 사실을 확인해보았다. 과연 공명의 말은 틀리지 않았다. 유현덕이 공명에게 묻는다.

"주유가 죽었으니, 앞으로 어떻게 하면 좋겠소?"

공명이 대답한다.

"주유 대신 병권을 잡을 사람은 노숙일 것입니다. 근래 천문을 보니 장성이 동방으로 모이고 있더이다. 제가 문상을 핑계로 강동으로 가서 조문을 올린 다음, 두루 살펴 어진 선비를 찾아내 주공을 돕도록 하겠습니다."

현덕이 걱정스럽게 말한다.

"동오의 장수들이 선생을 그냥 둘지 걱정이오."

공명이 웃으며 대답한다.

"주유가 살아 있을 때도 두려워하지 않았는데, 이제 그가 죽은 마당에 무엇을 근심하겠습니까?"

공명은 조자룡에게 군사 5백명을 거느리고 수행하게 하고 조문하는 데 쓸 예물을 갖추어 배를 타고 파구로 향했다. 그런데 도중에 오후 손권이 이미 노숙을 도독으로 임명하고 주유의 시신을 시상땅으로 옮겨 장례를 치렀다는 소식을 전해들었다. 공명이 시상으로 찾아가자 노숙이 나와서 영접했다. 주유의 여러 부장들은 공명을 죽이려 벼르고 있었으나, 조자룡이 칼을 쥐고 그림자처럼 호위하는지라 감히 어쩔 도리가 없었다. 공명이 제물을 영전에 올려놓은 다음 친히 잔에 술을 따르고 무릎을 꿇은 채 제문을 읽어내려가니, 그 애절함이 심금을 울린다.

슬프도다 공근이여! 불행히도 이렇게 일찍 세상을 하직했으니, 목숨의 길고 짧음이 하늘의 뜻이라고는 하나 남은 사람들이 어찌 슬프고 애통하지 않으리요. 내 마음 또한 아픔을 견디기 어려워 여기 한잔의 술을 따르나니, 그대 영혼이 있거든 이 조상(弔喪)을 받으시라. 일찍이 백부(伯符, 손책의 자)와 교우할 때 오로지 의리를 내세우고 재물에는 뜻이 없어 남에게 제 집을 내주어 살게 했던 그대의 소싯적을 떠올리며 삼가 애도의 뜻을 표하노라. 또한 그대는 약관에 봉새의 날개를 펼쳐 만리를 날더니 패업을 이루어 강남땅에 할거했도다. 장년에 이르러서는 멀리 파구를 진압하여 유표로 하여금 수심에 잠기게 했으며, 역적을 물리쳐 평안하게 하였노라. 그대는 또한 뛰어난 풍채로 소교와 아름다운 인연을 맺어, 한나라 신하의 사위로서 당대에 조정에 나아가기에 부끄러울 것이 없었노라. 그대의 기개를 애도하니, 그대는 볼모를 보내지 말자 간했으며, 처음에는 날개를 펴지 않고 있다가 마침내 힘차게 날갯짓하여 사람들을 놀라게 했도다. 그대가 파양에 있을 때는 장간이 와서 설복하는

공명은 시상에서 주유를 조상하다

데도 술잔을 높이 들고 넓은 아량과 높은 뜻을 펼쳐 보였으며, 또한 그대는 크나큰 재주를 지닌 자로서, 문무를 갖춘 계략으로 적벽싸움에서 화공법으로 적군을 크게 물리치고 강한 자를 약하게 만들었도다. 생전의 그대를 기억하니, 그대는 참으로 영웅다운 기품에 영특한 인물이었거늘, 이렇게 일찍 세상 떠남을 통곡하며 땅에 엎드려 피눈물을 흘리노라. 그대의 마음 충의롭고 그대의 기품 신령스럽도다. 비록 수명은 삼십여세에 다했으나 그 이름 백세에 남겼구나. 그대를 생각하는 나의 마음 더없이 애절하니 내 간담은 끊어지는 듯하노라. 참으로 하늘은 어둡고 삼군은 창연하기만 한데, 그대의 주공은 애달피 울고, 그대의 벗들은 모두 그대로 인해 눈물 짓노라. 이 제갈량이 비록 재주 없으나 그대에게 계교를 청하고 꾀를 구하여, 동오를 도와 조조를 막고 한나라를 도와 유황숙을 편하게 하려 함에 서로 돕고 짝을 지었으니 죽고 살고 간에 무엇을 염려하며 무엇을 근심했으리오. 아, 공근이여! 이제 생사로 영영 이별하니 그대의 곧은 정절도 아득히 멀어지는 것만 같도다. 그대의 영혼이 이 어둠속에서 떠나지 않고 있다면 내 마음을 살펴주시라. 이제 천하에 나를 알아줄 이 하나 없으니, 아아, 슬프도다! 엎드려 바라건대 부디 이 제사를 받으시라.

공명이 제문을 다 읽고 나서 엎드려 우는데, 그 애통함이 극에 달해 눈물이 비오듯 하며 멈추지 않는다. 동오의 여러 장수들은 서로를 돌아보며 수군거린다.

"세상사람들이 주유와 공명을 원수지간처럼 말했는데, 오늘 이렇게 공명이 애통해하는 것을 보니 모두 거짓인 모양일세."

노숙도 공명이 이렇게 비통해하는 모습을 보고는 속으로 가만히 생각한다.

　'공명이 저렇게 인정 있는 사람인데 공근이 소견이 좁아서 죽음을 자처했구나.'

　후세 사람이 시를 지어 탄식했다.

　와룡이 남양에서 잠이 미처 깨지 않은 때　　　　　臥龍南陽睡未醒

　서서에 또 빛나는 별이 내렸다네　　　　　　　　又添列曜下舒城

　하늘이 기왕에 주유를 낸 바에야　　　　　　　　蒼天旣已生公瑾

　이 세상에 어찌 다시 공명을 내었던고　　　　　　塵世何須出孔明

　제사를 마치고 노숙은 크게 잔치를 베풀어 공명을 극진히 대접했다. 잔치가 끝나고 공명이 노숙과 작별한 뒤 배에 오르려는 순간이었다. 대나무로 만든 관을 쓰고 도포에 검은 띠를 두르고 흰 신을 신은 사람이 강변에 나타나서는 다짜고자 공명을 와락 잡아채며 큰소리로 웃는다.

　"주유를 화병으로 죽게 하고도 이렇게 와서 조문까지 하다니, 공명은 동오에 사람이 없는 줄 아는가?"

　공명이 깜짝 놀라 바라보니, 그 사람은 바로 봉추선생 방통(龐統)이었다. 공명도 마음을 놓고 크게 웃었다. 두 사람은 손을 마주 잡고 배에 올라 마음속에 품고 있던 이런저런 이야기들을 털어놓았다. 한참 이야기를 나눈 뒤, 공명은 편지 한통을 써서 방통에게 주며 말한다.

　"내 생각에 손권은 그대를 중히 쓸 위인이 아닌 듯하니, 만일 뜻이 맞지 않거든 형주로 오시오. 나와 더불어 유황숙을 도우면 얼마나 좋겠소? 유황숙은 관대하고 덕이 높아 그대가 평생 닦은 것을 헛되게 하지는 않을 것이오."

"내 유념하리다!"

공명은 방통과 헤어져 형주로 돌아왔다.

한편, 노숙은 주유의 영구를 무호(蕪湖)로 운반해왔다. 손권은 그를 맞아 영전에 제를 올리며 통곡했다. 그리고 영구를 고향땅으로 보내 후하게 장례를 치르도록 하였다. 주유에게는 아들이 둘, 딸이 하나 있었는데, 맏아들의 이름은 순(循)이요 둘째아들의 이름은 윤(胤)이었다. 손권은 이들 남은 가족들에게도 각별한 배려를 잊지 않았다.

어느날 노숙이 말한다.

"저는 아무 재주가 없음에도 공근이 특별히 천거해 큰 임무를 맡았으나, 참으로 감당하기 어렵기에 한 사람을 추천하여 주공을 도울까 합니다. 그 사람은 위로는 천문을 통달하고 아래로는 지리에 밝으며, 그 계교는 관중(管仲)과 악의(樂毅) 못지않고, 군사를 쓰는 데는 손자와 오기에 버금가는 인물입니다. 생전에 주공근도 그의 의견을 많이 참작했고 공명 또한 그의 지혜에 깊이 탄복했는데, 지금 강남에 있으니 주공께서는 그 사람을 하루 빨리 중용하시는 게 좋을 듯합니다."

노숙의 말을 듣고 손권이 크게 기뻐하며 묻는다.

"그 사람의 이름이 어찌 되오?"

"그 사람은 양양 출신으로 성은 방(龐)이고 이름은 통(統)이며 자는 사원(士元)으로, 도호(道號)를 봉추선생이라 합니다."

"나 역시 그 이름을 들은 지 오래인데, 지금 여기 와 있다니 즉시 청하여 만나게 해주시오."

이리하여 노숙은 방통을 불러 손권과 만나게 했다. 두 사람이 서로
예를 갖추어 인사를 나누고 나자 손권은 방통을 찬찬히 살펴보았다.
방통은 눈썹이 숯검정같이 짙고 코는 들창코인데다 얼굴이 검고 수염
은 짧아 그 생김새가 참으로 기괴하게 보였다. 손권은 내심 탐탁지 않
은 채로 방통에게 묻는다.

"그대가 평생 공부해온 바는 주로 무엇이오?"

방통이 덤덤히 대답한다.

"아무것에도 구애되지 않고 그저 형편에 따라 응했을 뿐이외다."

"그렇다면 그대의 재주와 학문은 공근에 비해 어떻소이까?"

방통이 웃으며 대답한다.

"내가 그간 공부해온 것은 공근과 크게 다르오."

손권은 평소 주유를 가장 아끼고 존중했기 때문에, 이렇게 방통이
주유를 폄하하는 듯한 말을 하자 그만 더럭 역정이 났다.

"그만하면 알겠으니 그대는 물러가시오. 내 그대가 필요하면 다시
청하리다!"

방통은 길게 탄식하며 그 자리를 떠났다. 노숙이 손권에게 묻는다.

"주공께서는 어찌하여 방통을 중용하시지 않습니까?"

손권이 대답한다.

"미친 선비를 중용해서 무슨 도움이 되겠소?"

노숙이 손권의 마음을 돌려볼 요량으로 말했다.

"적벽대전에서 조조군을 몰살할 수 있었던 것은 방통이 일러준 연
환계 덕분이니, 그가 제일 큰 공을 세운 일을 주공께서는 벌써 잊으셨
습니까?"

"그때는 조조가 스스로 배를 묶어놓은 것이지 꼭 방통의 공이라고 할 수 없소. 나는 맹세코 그를 쓸 생각이 없소이다."

노숙은 답답한 마음을 안고 물러나와 방통을 위로했다.

"내가 공을 천거했으나 오후께서 쓰실 생각이 없으니, 공은 잠시 참고 기다려보시오."

방통이 한참동안 고개를 숙이고 탄식할 뿐 아무 대답이 없자 노숙이 묻는다.

"혹시 공은 이제 동오에 뜻이 없는 게 아니시오?"

그래도 방통은 대답이 없다. 답답한 노숙이 다시 묻는다.

"공이야 세상을 구할 재주를 가졌으니 어디 간들 걸릴 게 있겠소. 어디 속마음이나 압시다. 그대는 장차 어디로 가실 생각이오?"

방통이 대답한다.

"조조에게나 갈까 하오."

"안되오. 그것은 밝은 구슬을 어둠속에 내던지는 격이오. 그럴 바에야 형주로 유황숙을 찾아가시오. 틀림없이 공을 중용할 게요."

그제서야 방통이 실토한다.

"실은 그게 바로 이 사람의 뜻이오. 방금 한 말은 그저 농담으로 해본 소리요."

"그렇다면 내가 서신을 써드릴 테니, 귀공이 유황숙을 보필하게 되거들랑 반드시 손·유 양가가 서로 공격하지 않게 힘써주시고, 두 집안이 힘을 합쳐 조조를 치도록 합시다."

"그것은 바로 내가 평생 뜻하던 바이니 자경은 염려 마시오."

방통은 노숙의 서신을 품안에 넣고 유현덕을 만나러 형주로 갔다.

그무렵 공명은 4개 군을 시찰하는 중이라 형주에 없었다. 문지기가 와서 유현덕에게 아뢴다.

"강남의 명사 방통이란 분이 찾아뵙길 청하옵니다."

유현덕은 오래 전부터 익히 그 명성을 들어온 터라 즉시 모셔들이라 했다. 잠시 후 안내되어 들어온 방통은 현덕을 대하자 길게 읍할 뿐 절은 하지 않는다. 현덕 역시 방통의 외모부터가 마음에 들지 않아 달갑지 않은 듯 한마디 한다.

"먼길 오시느라 애쓰셨소."

방통은 노숙과 공명이 써준 편지를 내놓을 생각은 않고 대수롭지 않다는 듯 말한다.

"유황숙께서 어진 선비를 널리 받아들인다기에 특별히 의탁하러 왔소이다."

"지금은 형주 일대가 어느정도 안정을 찾아서 적당한 자리가 없고, 다만 이곳에서 동북쪽으로 130리를 가면 뇌양현(耒陽縣)이라는 고을이 있는데, 마침 그곳 현령자리가 비었소이다. 공을 그 자리에 임명할 테니 잠시 가 계시면 차차 좋은 자리가 나는 대로 중용하도록 하겠소."

'현덕이 나를 어찌 이리도 박대하는고……'

방통은 자신의 학문과 재주를 펼쳐 보일까 생각하다가 공명도 없고 해서 하직인사를 올리고 뇌양현으로 떠났다.

뇌양현에 부임한 방통은 공무는 돌보지 않고 날마다 술 마시는 것으로 낙을 삼았다. 전량을 비축한다거나 송사를 다스리는 등 고을의 일 따위는 일절 하지 않았다. 이 소식을 전해들은 유현덕은 진노했다.

"설익은 선비가 감히 나의 법도를 어지럽히다니!"

유현덕은 즉시 장비를 불러 분부를 내렸다.

"사람들을 거느리고 가서 형주 남쪽의 여러 고을을 순시하도록 해라. 만일 공사를 게을리하거나 법을 지키지 않는 자가 있거든 가차없이 심문하고, 혹 일이 분명치 않을 경우를 대비해 손건과 함께 떠나도록 해라."

이윽고 장비는 손건과 함께 뇌양현에 닿았다. 모든 관리와 백성 들이 성곽까지 나와 그들을 맞이하는데, 유독 현령의 모습만 보이지 않았다. 장비가 좌우를 둘러보며 묻는다.

"현령은 어디 계시느냐?"

나와 있는 관원 중의 하나가 대답한다.

"방현령이 여기 부임한 지 벌써 1백여 일이 지났으나, 공사를 다스리기는커녕 날마다 아침부터 저녁까지 술만 드십니다. 오늘도 엊저녁 드신 술이 깨지 않아 아직 일어나지 못하고 계십니다."

크게 노한 장비가 당장 현령을 잡아들이라고 호령했다. 옆에서 손건이 손을 내저으며 만류한다.

"방통은 고명한 선비이니 가볍게 보아서는 안되오. 일단 안에 들어가 어찌 된 사정인지 물어본 후에 이치가 타당한지 살펴서 죄를 다스려도 늦지 않을 것이오."

장비는 곧 현청으로 들어가 상석에 자리를 잡고 앉아 현령을 불러들였다. 방통은 몹시 취해 의관도 제대로 갖추지 못하고 사람들의 부축을 받으며 나왔다. 장비가 큰소리로 꾸짖는다.

"우리 형님께서 그래도 너를 인물이라 여겨 현령자리를 맡기셨는데 너는 어찌하여 고을일을 전폐하고 있느냐?"

방통은 웃으며 도리어 큰소리를 쳤다.

"내가 고을일을 돌보지 않은 게 무엇인지 말해보오."

"부임한 지 벌써 백여 일이 지났건만 너는 밤낮없이 취해 있었다고 하니 언제 고을일을 보았겠느냐?"

장비의 호통에도 방통은 태연하다.

"기껏 백리밖에 안되는 작은 고을의 일이 어려울 게 뭐 있겠소? 장군은 잠시 앉아 내가 어떻게 일하는지 구경이나 하시구려."

방통은 즉시 아전을 불러 명령한다.

"지난 백여 일 동안 밀린 공무를 전부 보고하라."

장비가 고리눈을 부릅뜨고 지켜보는 가운데 관리들이 밀린 결재문서를 한아름씩 들고 들어왔다. 뿐만 아니라 그동안 처결하지 못한 죄수들을 불러들여 모조리 현청 마당에 꿇어앉히니, 송사 관련 문서들도 산더미처럼 쏟아져나왔다.

방통이 그 자리에서 붓을 들어 문서 하나하나에 제사(題辭, 백성이 낸 소장에 적는 판결 또는 지령)를 쓰며 입으로는 판결을 내리고 귀로는 송사를 듣는데, 옳고 그름을 가리는 데 조금도 착오가 없었다. 이렇게 해서 1백여 일 동안 밀린 공무는 반나절도 채 안되어 모두 끝이 났다. 지켜보던 관원들과 백성들이 감복하여 엎드려 절하니, 방통은 땅바닥에 붓을 내던지며 말한다.

"어디 내가 고을일을 돌보지 않은 게 뭐가 있는지 말해보시오. 내가 조조와 손권도 손금 보듯 하는 터에 이까짓 좁쌀만한 고을일에 신경쓸 게 뭐가 있겠소?"

장비는 몹시 놀라서 자기도 모르게 벌떡 일어나 상석에서 내려와 사죄한다.

"선생의 큰 재주를 몰라보고 제가 결례했습니다. 돌아가서 형님께 선생을 강력히 천거하겠소이다."

그제야 방통은 껄껄 웃으며 노숙이 써주었던 서신을 내놓는다.

"그렇다면 이것을 가지고 가오!"

"선생께서 처음 우리 형님을 뵈었을 때 왜 이 서신을 내놓지 않으셨소이까?"

"그 자리에서 당장 내놓았다면 마치 그것만 믿고 온 꼴이 되지 않았겠소?"

이 말을 듣고 장비가 손건에게 말했다.

"공이 아니었다면 큰 선비를 잃을 뻔했구려."

마침내 방통과 작별하고 형주로 돌아온 장비는 현덕에게 방통이 얼마나 비범한 재주를 가진 인물인지 자세히 이야기했다. 그제서야 현덕은 크게 놀라며 후회한다.

"큰 선비를 몰라보고 푸대접했으니, 이는 모두 내 잘못이로다."

장탄식을 한 현덕은 장비가 올린 노숙의 글을 읽기 시작한다.

방사원은 결코 백리지재(百里之才, 그릇이 작은 이)가 아니니 치중(治中, 주의 목사나 군수 아래의 수석보좌관)이나 별가(別駕, 목사나 자사 바로 아래 관직) 등 중요한 일을 맡기셔야 비로소 큰 뜻을 펼 수 있는 사람입니다. 만일 그 생김새로만 판단하고 재주를 의심하면 필시 다른 사람이 쓸 것이니, 그리 된다면 참으로 아까운 일입니다.

유현덕이 편지를 읽고 자신의 실수를 거듭 한탄하고 있을 때 마침 공명이 형주로 돌아왔다는 전갈이 왔다. 유현덕이 급히 나가 공명을 맞이하니 공명이 대뜸 묻는다.

"방군사는 어찌 지내는지요?"

현덕이 말한다.

"뇌양현을 다스리게 했는데, 매일 술만 마시고 고을일은 돌보지 않고 있다 하더이다."

공명이 웃으며 말한다.

"방통은 절대 백리지재가 아니며 흉중의 배운 바가 저보다 열 배는 많습니다. 제가 지난번에 방사원에게 서신을 주었는데 주공께서는 못 보셨습니까?"

"오늘에야 비로소 노자경의 글을 받았는데, 아직 선생의 글은 보지 못했소."

현덕은 민망해하고, 공명이 웃으며 말한다.

"큰 선비에게 작은 일을 맡기면 간혹 술을 일삼고 정사를 등한히하는 수가 있습니다."

"내가 아우의 말을 듣지 못했다면 큰 선비를 잃을 뻔했소이다."

현덕은 다시 장비를 뇌양현으로 보내 방통을 모셔오게 했다. 장비가 방통과 더불어 형주로 돌아오자 유현덕은 마당 아래까지 내려가 사죄했다. 방통이 그제야 공명의 서신을 현덕에게 올리니, 노숙의 편지와 마찬가지로 '봉추가 오거든 중용하라'는 내용이 적혀 있었다. 현덕이 얼굴 가득 웃음을 지으며 말한다.

"지난날 사마덕조(司馬德操, 사마휘의 자)가 복룡과 봉추 두 사람 중에 한 사람만 얻어도 천하를 편안히할 수 있다 했소이다. 오늘 이렇게 두 분을 모두 얻었으니 틀림없이 한나라 황실이 다시 번성할 것이외다."

유현덕은 방통을 부군사(副軍師) 중랑장으로 삼고, 공명과 함께 계책을 세우고 군사를 조련하며 때를 기다리게 했다.

형주의 소식은 정탐병에 의해 빠르게 허도에 전해졌다.

"유현덕이 제갈량과 방통을 모사로 삼아 군사를 모으고 조련하는 한편, 말을 사들이고 마초와 군량을 준비하고 있다 합니다. 틀림없이 동오와 합세해 조만간 군사를 일으켜 북벌에 나설 것입니다."

이 말을 듣고 조조는 모사들을 불러모아 먼저 남쪽을 정벌할 일을 의논했다. 순유가 말한다.

"이제 주유가 죽었으니, 먼저 손권을 치고 그 다음에 유현덕을 공격해야 할 것입니다."

"우리가 원정길에 오른 틈에 마등이 허도를 급습할까 두렵소. 지난번 적벽싸움에서도 군중에 서량이 침입했다는 헛소문이 돌았는데, 이런 일이 또다시 생기지 않도록 방비를 해야 할 것이오."

순유가 다시 말한다.

"어리석은 소견입니다만, 먼저 마등에게 '그대를 정남(征南)장군으로 봉할 터이니 즉시 손권을 치라'는 내용의 조서를 내리십시오. 이렇게 해서 마등을 도성으로 유인한 후에 기회를 만들어 없애버리고 나서 남정길에 오르면 후환이 없을 것입니다."

"참으로 좋은 생각이오."

조조는 매우 흡족해하며 그날로 조서를 써서 사람을 보내 마등을 불러오게 했다.

마등의 자는 수성(壽成)으로, 한나라 복파장군(伏波將軍) 마원(馬援)의 후손이다. 부친의 이름은 마숙(馬肅)이요 자는 자석(子碩)인데, 환제 때 천수군(天水郡) 난간현(蘭幹縣)의 현위로 있다가 벼슬을 잃고 농서(隴西)지방으로 밀려나 떠돌아다니다가 강족(羌族, 중국 이민족의 하나로 티베트 계통 유목민족)들 틈에 섞여 살았다. 이때 강족 여자를 얻어 낳은 것이 바로 마등이다. 마등은 키가 8척에다 풍채가 좋고 성품이 착해 많은 사람들로부터 공경을 받았다. 영제(靈帝) 말년에 오랑캐들이 모반했을 때 마등은 민병을 모아 그들을 평정했다. 그 공로로 초평(初平, 190~93) 연간에 정서장군(征西將軍)이 되어, 진서장군(鎭西將軍) 한수(韓遂)와 의형제를 맺었다. 마등은 조조의 조서를 받자마자 맏아들 마초를 불러 대책을 의논했다.

"나는 이미 오래 전에 동승(董承)과 더불어 의대조(衣帶詔, 황제의 옥대에 감춰진 밀조)를 받은 이래, 유현덕과 함께 역적 조조를 치기로 언약했었다. 불행히 동승은 먼저 세상을 떠나고 현덕 또한 번번이 패하고 있는데, 나 역시 서량 벽지에 있어 돕지를 못했느니라. 이제 현덕이 형주를 얻어 드디어 지난날 못다 한 뜻을 펼치려 하는데, 조조가 이렇게 나를 부르니 이 일을 어쩌면 좋겠느냐?"

마초가 말한다.

"황제의 명을 내세워 아버님을 부르니 가지 않았다가는 조조가 황제를 거역했다고 우리를 문책할 것입니다. 그러니 도성에 가서 정세를 엿보다가 일을 도모하신다면 뜻을 이루실 수 있지 않을까 합니다."

마등의 조카 마대(馬岱)는 생각이 달랐다.

"조조의 속마음은 좀처럼 헤아리기 어려운 터라 숙부님께서 조조의 말만 믿고 가셨다가 해를 입으시기라도 할까 두렵습니다."

마초가 언성을 높인다.

"그러느니 차라리 서량의 군사를 모조리 이끌고 허도로 쳐들어가서 천하의 역적 조조를 없애버리는 게 낫지 않겠습니까?"

"아니다. 너는 강병(羌兵)을 통솔하고 서량을 지키고 있거라. 나는 네 아우 마휴(馬休)와 마철(馬鐵), 그리고 마대를 데리고 가겠다. 네가 서량을 지키고 있고, 또 한수가 돕는다는 것을 알면 조조라도 감히 나를 해치지 못할 것이다."

마초가 거듭 당부한다.

"가시더라도 절대로 도성에는 들어가지 마십시오. 상황을 보아 처신하시되, 먼저 저쪽의 동정을 잘 살피십시오."

"내게도 다 생각이 있으니 너무 염려하지 말아라."

마등은 드디어 서량군 5천명을 거느리고 허도로 향했다. 두 아들 마휴와 마철이 선두에 섰고, 마대에게는 후대를 맡겨 혹시 무슨 일이 생기면 후원하도록 지시를 내렸다. 마등 일행은 마침내 허도로부터 약 20리 가량 떨어진 곳에 이르러 군마를 멈춰 세우고 진을 쳤다. 조조는 멀리서 마등이 왔다는 보고를 받고 문하시랑 황규(黃奎)를 불러 분부한다.

"이번에 마등이 남정길에 오르는데, 내 그대를 행군참모(行軍參謀)로 삼을 생각이다. 그대는 먼저 마등의 영채로 가서 군사를 위로하고 내 말을 전하도록 하라. 서량은 길이 멀어 군량을 운반하기 어렵고 많은 군마를 거느리기도 어려울 게 아니냐. 내가 대군을 보낼 테니 함께 협력하여 전진하되, 내일 도성에 들어와 황제를 뵈면 군량과 마초를 함께 내줄 것이라고 하여라."

황규는 조조의 명을 받고 마등의 영채로 향했다. 마등은 연석을 베풀어 황규를 영접했다. 술이 두어 순배 돌고 나서 황규가 소리를 낮추어 말한다.

"내 선친 황완(黃琬)이 이각과 곽사의 난 때에 돌아가셔서 항상 통한이 되었는데, 오늘날 이렇게 황제를 속이는 역적을 만나게 될 줄 누가 알았겠소?"

마등이 묻는다.

"역적이라니, 누구를 두고 하는 말씀이오?"

"황제를 속이는 역적, 조조 말이오. 그대는 어째서 그것도 깨닫지
못하고 내게 되묻는 게요?"

마등은 아무래도 이것이 자신의 속을 떠보기 위한 술책이 아닌가
싶어 급히 손을 내저으며 말한다.

"그게 무슨 말씀이오? 듣고 보는 자가 많으니 허튼 소리일랑 그만
두시지요."

황규가 큰소리로 마등을 꾸짖는다.

"그대는 벌써 지난날의 의대조를 잊었단 말인가?"

그제서야 황규의 말이 진심임을 알게 된 마등은 비로소 은밀한 어
조로 솔직한 심정을 토로했다. 황규도 사실을 밝힌다.

"조조가 도성으로 들어와 황제를 뵈라고 하는 것은 필시 호의가 아
닐 거요. 그대는 경솔하게 도성에 들어가지 말고 내일 군사를 성밑에
세워두었다가 조조가 점군하러 성을 나서면, 그때 그놈을 없애버리시
오. 그러면 대사를 이룰 수 있지 않겠소이까?"

두 사람은 이렇게 의논을 정한 후 헤어졌다. 마등과 헤어져 집으로
돌아온 황규는 좀처럼 흥분이 가라앉지 않았다. 황규의 아내가 무슨
일이 있었느냐고 몇번이나 물었지만 황규는 좀처럼 입을 열지 않았
다.

그즈음 황규의 첩 이춘향(李春香)은 황규의 처남 묘택(苗澤)과 오랫
동안 정을 통해오고 있었다. 묘택은 이춘향을 온전히 자신의 사람으
로 만들고 싶었으나, 도무지 방도가 없어 속을 끓이던 참이었다. 그날

황규에게서 뭔가 심상치 않은 기미를 눈치챈 이춘향이 묘택에게 그 정황을 알렸다.

"첩이 보니 오늘 황시랑이 군정(軍情)을 의논하고 돌아와서 몹시 흥분해 있던데, 무슨 일로 그러는지 아무래도 이상합디다."

묘택이 춘향에게 꾀를 알려준다.

"자네가 황규에게 넌지시 물어보게. 사람들이 말하기를 유황숙은 어질고 덕이 높으며 조조는 간웅이라 하는데, 어찌 생각하느냐고 말이야. 그러고는 무어라 대답하는지 잘 들어보게나."

그날밤 황규가 춘향의 방에 드니, 춘향은 갖은 교태를 부리며 묘택이 시킨 대로 물었다.

"너 같은 아녀자도 사악한 것과 올바른 것을 그렇듯이 구분하는데 나야 말할 나위가 있겠느냐? 내 평생의 한은 조조를 죽여야만 풀릴 수 있을 게다."

황규는 얼큰하게 취한 김에 무심코 이렇게 말해버리고 말았다. 춘향이 다시 묻는다.

"어떻게 하면 조조를 죽일 수 있겠는지요?"

"오늘 마등 장군과 약속했느니라. 내일 성밖에서 조조가 점군할 때 없애버리기로 말이다."

춘향은 이 말을 묘택에게 그대로 전했고, 묘택은 즉시 조조에게 달려가 들은 대로 고했다. 조조는 즉시 조홍과 허저를 불러들여 분부를 내린 다음, 다시 하후연과 서황을 불러 조치를 취했다. 모두들 비밀리에 조조의 영을 받들고 나갔다. 그날밤 황규의 집안사람들은 남녀노소를 불문하고 모조리 붙잡혀 들어왔다.

이윽고 날이 밝았다. 마등이 서량군을 이끌고 성 가까이 이르렀는데, 문득 앞을 보니 붉은 깃발이 가득 늘어서 있고 그 가운데 승상의 기호(旗號)가 걸려 있었다.

'조조가 손수 점군하러 온 모양이군.'

마등이 말을 몰고 앞으로 달려가는데, 갑자기 포성이 울리더니 붉은 기가 열리면서 화살이 빗발치듯 날아들었다. 마등이 순간 당황해 머뭇거리는데 한 장수가 쏜살같이 달려든다. 바로 조홍이었다. 마등이 급히 말머리를 돌려 달아나려는 순간 양쪽에서 또 한번 함성이 일어났다. 왼쪽에서는 허저가 쳐들어오고, 오른쪽에서는 하후연이, 그리고 뒤쪽에서는 서황이 군사를 몰고 공격해왔다. 서량군은 순식간에 무너지고, 마등 삼부자는 곤경에 처하였다.

물러설 곳조차 없게 된 마등은 죽을 힘을 다해 싸웠다. 마철은 화살에 맞아죽고, 마휴 또한 기를 쓰고 좌충우돌했으나 끝내 포위를 뚫지는 못했다. 마등과 마휴가 중상을 당한 채 말에서 떨어지자 조조군은 그 부자를 사로잡아 조조 앞으로 끌고 갔다. 조조는 황규와 마등 부자를 끌어내더니 땅바닥에 꿇어엎드리게 했다.

"내가 무슨 죄를 지었다고 이러느냐?"

황규가 큰소리로 외쳤다. 조조는 묘택을 불러들여서 진상을 낱낱이 고하게 했다. 황규가 이를 갈며 고개를 떨구자, 마등이 한탄한다.

"어리석은 선비가 대사를 망치고 말았구나. 나라를 위해 역적을 죽이지 못하니, 이 또한 하늘의 뜻이로다!"

조조가 큰소리로 외친다.

"저자들을 끌어내 당장 목을 베어라!"

도부수들이 달려왔다. 마등은 마지막까지 조조를 저주하며 욕설을 퍼부어댔으나, 결국 뜻을 이루지 못한 채 그 아들 마휴와 함께 죽임을 당하고 말았다.

　후세 사람이 시를 지어 마등을 기렸다.

　　그 아버지에 그 아들 꽃다운 이름　　　　　　　　父子齊芳烈

　　충성과 절의 한 가문에 빛나도다　　　　　　　　忠貞著一門

　　목숨 버려 국난을 구하려 하였고　　　　　　　　捐生圖國難

　　죽기로 맹세코 국은을 갚기로 했네　　　　　　　誓死答君恩

　　피로써 맹세한 말 아직 생생하여　　　　　　　　嚼血盟言在

　　역적을 죽이자 의로운 연명장 남았도다　　　　　誅奸義狀存

　　서량에서 대대로 떠받드는 명문　　　　　　　　西涼推世冑

　　복파장군 후손으로서 부끄러울 게 없도다　　　　不愧伏波孫

　묘택이 조조에게 청한다.

　"상을 바라는 것은 아니옵고, 다만 이춘향을 아내로 삼게 해주시기를 간청하옵니다."

　조조가 크게 웃으며 말한다.

　"그깟 계집년 하나 때문에 매부의 집안을 몰살시켰으니, 이런 의리없는 놈을 살려두어 무엇에 쓰겠느냐?"

　조조가 군사들에게 명해 묘택과 춘향은 물론 황규 일가의 남녀노소를 저잣거리에 끌어내 모두 참하게 하니, 구경꾼들 중에 탄식하지 않는 사람이 없었다.

　후세 사람이 또한 시를 지어 탄식했다.

　　묘택 이 사람 사욕으로 충신을 해치고　　　　　苗澤因私害藎臣

춘향은 얻지도 못하고 제 몸만 잃었구나	春香未得反傷身
간웅 역시 이자를 용서하지 않으니	奸雄亦不相容恕
그른 일을 도모하다 저만 소인 되었어라	枉自圖謀作小人

조조는 이렇게 한번 피바람을 일으킨 다음 서량 군사들을 불러 안심시키며 말했다.

"마등 부자의 모반은 너희와 상관없는 일이니 너희들에게 죄를 묻지는 않겠다."

그러고는 즉시 중요한 길목에 사람을 파견해 마대가 달아날 길을 막으라고 명했다. 한편 마대는 군사 1천명을 거느리고 후방에 진을 치고 있다가, 허도 성밖으로 도망쳐나온 군사들에게서 자세한 정황을 들었다. 뜻밖의 소식에 소스라치게 놀란 마대는 즉시 군마를 버리고 장사치 차림으로 밤을 새워 달아났다.

마등 부자를 죽인 뒤로 조조가 다시 남쪽을 정벌할 계획을 세우고 있는데, 정탐꾼이 와서 고한다.

"유현덕이 군마를 조련하고 군기를 수습해 장차 서천을 취하려 하고 있습니다."

조조는 깜짝 놀라지 않을 수 없었다.

"만일 유현덕이 서천을 얻는다면 좌우의 날개를 얻는 격이니 어찌하면 좋겠느냐?"

조조의 말이 미처 끝나기도 전에, 한 사람이 나서며 말한다.

"제게 한가지 계책이 있습니다. 유현덕과 손권이 서로 으르렁대게 하여 강남과 서천이 모두 승상께 돌아오도록 할 것이니, 승상께선 염려 마십시오."

서량 호걸들이 금방 베임을 당했는데   西州豪傑方遭戮
남국의 영웅들이 또 재앙을 받겠구나   南國英雄又受殃

계책이 있다고 나선 사람은 과연 누구일까?

58_

마초가 조조를 혼내주다

마초는 군사를 일으켜 원수를 갚으려 하고
조조는 수염을 자르고 전포를 벗어 도망가다

계책이 있다는 말에 뭇사람들이 바라보니, 그는 치서시어사(治書侍
御史, 법률 해석과 수정을 주관하는 관직) 진군(陳群)으로, 자는 장문(長文)
이었다. 조조가 묻는다.

"좋은 계책이라면 어떤 것인가?"

진군이 대답한다.

"지금 유현덕과 손권은 이와 입술처럼 밀접한 관계로 쉽사리 떼어
놓을 수 없는 형편입니다. 유현덕이 서천을 취하려는 이때 승상께서
는 합비의 군사와 힘을 합쳐 강남을 공격해 들어가십시오. 그러면 손

권은 현덕에게 구원을 청할 터이나, 현덕은 당장 서천을 취할 생각에 급급해 손권을 도울 경황이 없을 것입니다. 유비의 도움을 받지 못하면 손권은 자연 군세가 약화되어 힘을 쓰지 못할 테니 승상께서는 쉽게 강동을 얻으실 수 있습니다. 이렇게 강동을 얻고 나면 북 한번 울리는 것만으로 형주를 거두실 수 있을 것이고, 그 다음에 서천을 도모한다면 마침내 천하를 손에 넣으실 것입니다."

조조가 진군의 말에 무척 흡족해한다.

"그대의 말이 어쩌면 그리도 내 뜻과 같은가!"

조조는 즉시 30만 대군을 일으켜 강남으로 진군하는 한편, 합비성의 장요에게 군량과 마초를 준비해 공급하도록 명했다.

동오의 정탐꾼이 이 소식을 손권에게 알렸다. 손권은 다급히 모든 장수들을 불러들여 대책을 의논했다. 먼저 장소가 나서서 말한다.

"노자경에게 사람을 급파해 현덕과 힘을 합쳐 조조를 막자고 형주에 서신을 보내도록 하십시오. 일찍이 자경이 은혜를 베푼 적이 있으니, 현덕은 그의 말을 좇을 것입니다. 또한 현덕은 동오의 사위이니 의리를 봐서라도 어찌 거절할 수 있겠습니까? 유현덕이 돕기만 한다면 강남으로서는 크게 걱정할 것이 없습니다."

손권은 고개를 끄덕이고는 즉시 노숙에게 사람을 보냈고, 손권의 명을 받은 노숙은 당장 현덕에게 구원을 요청하는 편지를 써서 형주로 보냈다. 유현덕은 편지를 받고는 노숙의 사자를 역관에 머물도록 하고, 남군으로 사람을 보내 공명을 불러들였다. 공명이 노숙의 글을 읽고는 말한다.

"강남과 형주의 군사를 전혀 움직이지 않고도 감히 조조가 동남쪽을 기웃거리지 못하게 하겠습니다."

공명은 급히 답장을 써서 사자에게 주어 노숙에게 보냈다.

베개를 높이 베고 아무 염려 마시오. 북쪽의 조조군이 쳐들어온다 해도 황숙께 물리칠 계책이 있소이다.

사자가 돌아가자 유현덕이 의아한 눈길로 공명에게 묻는다.

"지금 조조가 30만 대군을 일으켜 합비군과 합세해 쳐들어온다는데, 군사는 무슨 계책이 있어서 조조의 대군을 물리칠 수 있다고 장담하시오?"

"조조가 제일 근심하는 것은 바로 서량의 군사입니다. 조조가 마등을 죽이는 바람에 그의 아들 마초가 서량 군사를 통솔하게 되었습니다. 마초는 조조라면 이를 갈며 벼르고 있을 게 분명합니다. 주공께서 마초에게 글을 보내셔서 그로 하여금 군사를 일으켜 중원의 관문으로 들어가게 한다면 조조가 무슨 수로 강남으로 쳐들어오겠습니까?"

유현덕은 공명의 계책을 듣고 크게 기뻐하며 그 자리에서 글을 써서 심복부하를 서량으로 보냈다.

한편 서량의 마초는 한밤중에 꿈을 꾸었다. 자신이 눈 위에 쓰러져 있는데, 사나운 호랑이떼가 덤벼들어 온몸을 무는 바람에 깜짝 놀라 깨어나는 꿈이었다. 다음날 마초는 뒤숭숭한 기분을 떨치지 못해 장수들에게 간밤의 꿈이야기를 들려주었다. 그때 장막 앞에서 한 장수가 나서며 말한다.

"그 꿈은 매우 상서롭지 못합니다."

사람들이 보니 그는 마초의 심복부하인 교위(校尉) 방덕(龐德)으로 그의 자는 영명(令名)이었다. 마초가 궁금해하며 묻는다.

"그렇다면 자네 생각에는 어떠한가?"

방덕이 대답한다.

"눈 위에서 호랑이를 만나는 꿈은 흉몽 중의 흉몽이니, 아무래도 허도에 가신 노장군께 무슨 변고가 생긴 게 아닌가 걱정입니다."

방덕의 말이 끝나기 무섭게 한사람이 황급히 들어와 통곡하며 땅에 엎드려 고한다.

"숙부님과 동생들 모두 세상을 떠났습니다!"

마초가 깜짝 놀라 보니 다름아닌 마대였다.

"아니 대체 그게 무슨 말인가?"

"숙부님께서는 시랑 황규와 조조를 모살하려고 계획을 꾸몄는데, 그 일이 새나가는 바람에 저잣거리에서 참수당하셨습니다. 두 동생들도 죽고, 저만 살아남아 장사치로 변장하고 야밤에 겨우 빠져나왔습니다."

마초는 마대의 말을 듣고 통곡하다가 그만 혼절하고 말았다. 여러 장수들이 부축해 일으키자 제정신이 돌아온 마초는 조조에 대한 복수심으로 이를 갈며 분통을 터뜨렸다. 때마침 유현덕의 사신이 밀서를 가지고 도착했다. 마초는 급히 편지를 뜯어보았다.

엎드려 생각하건대, 한나라 황실이 불행하여 역적 조조가 권력을 잡고 임금을 기망하며 백성들을 못살게 굴고 있소. 유비는 지난날 공의 선친과 더불어 황제의 밀조를 받아 역적 조조를 치기로 맹세한 바 있소. 그런데 이번에 선친께서 조조에게 목숨을 빼앗기고 말았으니, 참으로 조조는 장군과 한하늘 아래 살 수 없는 원수요 국적이외다. 만일 서량군이 들고 일어나 조조의 오른편을 친다면 유비는 형주와 양양의 군사를 모두 모아 조조의 앞을 치려 하오. 그렇게 되면 가히 역적 조조를 사로잡고 간악한 도당을 멸할 수 있으며, 마침내 선친의 원수를 갚고 한나라 황실을 다시 일으킬 수 있지 않겠소이까? 글로는 할말을 모두 전하지 못하니, 선 채로 회신을 기다리겠소.

서신을 다 읽고 난 마초는 흐르는 눈물을 훔치며 답서를 써서 유현덕의 사자에게 들려 보냈다. 사자가 돌아간 후 마초가 서둘러 군마를 일으켜 진군하려는데, 서량 태수 한수가 사람을 보내 만나기를 청했다. 마초는 곧장 한수의 부중으로 갔다. 들어서는 마초에게 한수는 대뜸 조조에게서 온 편지부터 꺼내 보였다.

그대가 마초를 사로잡아 허도로 데려온다면 그대를 서량후(西涼侯)에 봉할 것이오.

편지를 읽은 마초는 즉시 땅에 엎드리며 말한다.
"숙부께서는 우리 형제를 결박지어 허도로 압송하시고 조조와 싸우는 고생을 면하시지요."
한수는 손수 마초를 잡아 일으키며 말한다.
"나와 자네의 부친은 의형제를 맺은 사이거늘, 어찌 차마 자네를 해칠 수 있겠는가? 자네가 군사를 일으킬 생각이라면 내 마땅히 자네를 도와야지."
마초가 엎드려 절하여 사례했다. 한수는 조조 진영에서 보내온 사자의 목을 벤 다음 휘하의 8부(八部) 군마를 거느리고 출정할 채비를 하였다. 8부 군마를 지휘하는 장수는 후선(侯選)·정은(程銀)·이감(李堪)·장횡(張橫)·양홍(梁興)·성의(成宜)·마완(馬玩)·양추(楊秋) 등으로, 이 여덟 장수가 각기 군사를 거느리고, 마초의 수하장수 방덕과 마대의 군사들이 합세해 무려 20만 대군이 물밀듯 장안을 향해 쳐들어갔다.

장안 군수 종요(鍾繇)는 이 위급한 사태를 조조에게 비밀리에 알리는 한편 적과 맞서싸우기 위해 군사를 거느리고 들판에 나가 포진했다. 마침내 서량군의 선봉대장 마대가 1만 5천 군사를 거느리고 기세좋게 산과 들을 뒤덮으며 공격해왔다. 종요도 대적하기 위해 말을 몰고 나갔다. 그러나 마대가 보검 한 자루를 뽑아 휘두르니, 종요는 단 1합도 버티지 못하고 패하여 달아나버리고 말았다. 마대는 그를 놓칠세라 보검을 높이 치켜들고 뒤쫓았고, 대군을 이끌고 온 마초와 한수는 장안성을 에워싸버렸다. 성안으로 달아난 종요는 성문을 굳게 닫은 채 꼼짝도 않고 있었다.

장안은 서한(西漢)의 도읍지였다. 따라서 성곽이 견고하고 성을 둘러싼 해자는 물이 깊어 쉽게 공략하기 어려웠다. 서량군이 열흘 동안이나 성을 포위하고 공격을 가했으나 도무지 함락할 수 없었다. 하루는 방덕이 계책을 내놓는다.

"장안성은 땅이 단단하고 물이 짜서 식수가 귀한데다, 땔감마저 넉넉하지 않아 아마 지금쯤 백성들이며 군사들 모두 굶주리고 있을 것입니다. 그러니 잠시 군사를 거둔 다음 제가 말씀드리는 대로만 하시면 힘들이지 않고 장안성을 점령할 수 있습니다."

방덕의 말이 이어지는 동안 마초는 고개를 끄덕인다.

"정말 묘책이오."

마초는 즉시 각 부대에 영(令)자 기를 돌려 퇴군명령을 내리고 자신도 후군이 되어 군마를 거느리고 철수했다. 다음날 성위에 오른 종요는 전혀 적군을 볼 수 없었다. 혹시 계책이 아닌가 하여 사람을 시켜 주위를 탐색해보았으나 마초가 군사를 거느리고 멀리 물러갔음을 확인했을 뿐이다. 안심한 종요는 군사와 백성들이 밖으로 나가 물도 긷고 나무도 해올 수 있도록 성문을 활짝 열어 출입을 자유롭게 했다. 그로부터 닷새째 되는 날 갑작스런 보고가 들어왔다.

"서량군이 다시 진격해오고 있습니다!"

즉시 성문을 걸어 잠그라 명하니, 성밖으로 나갔던 사람들이 앞다투어 밀려들며 북새통을 이루었다. 마침내 종요는 다시 성문을 굳게 닫아걸고 꼼짝도 하지 않았다.

이때 종요의 동생 종진(鍾進)은 서문을 지키고 있었다. 그런데 3경 무렵 갑자기 성문 안쪽에서 불길이 일어나는 게 아닌가. 종진은 깜짝 놀라 군사들을 이끌고 급히 달려갔다. 정신없이 불을 끄려는데, 문득 한 장수가 칼을 휘두르며 말을 달려오면서 큰소리로 호령한다.

"방덕이 여기 있다. 꼼짝 마라!"

종진은 손 한번 놀려보지 못하고 방덕이 휘두른 단칼에 말 아래로 고꾸라지고 말았다. 방덕은 닥치는 대로 칼을 휘둘러 종진의 군사들을 쫓아버린 다음 빗장을 부수고 문을 활짝 열어젖혔다. 기다리고 있던 마초와 한수의 군사들이 물밀듯이 성안으로 진입했다. 종요는 성을 버리고 동문으로 몸을 빼어 달아났다. 이리하여 장안성은 서량군에 의해 함락되었다. 성을 점령한 마초와 한수는 삼군에게 상을 내려 그 공로를 높이 치하했다.

한편 간신히 도망쳐나온 종요는 동관(潼關)에 진을 치고 급히 조조에게 소식을 전했다. 장안성이 서량군의 수중에 들어간 것을 안 조조는 불같이 역정을 내더니 더이상은 강남 정벌에 대한 말을 꺼내지 않았다. 조조는 조홍과 서황을 불러들여 명한다.

"내 그대들에게 1만 군사를 내줄 테니, 한시바삐 동관으로 가서 종요 대신 그곳을 방비하도록 하라. 만일 열흘도 못 버티고 동관을 잃을 땐 그대들의 목을 벨 것이나, 열흘을 넘긴다면 책임을 면할 것이다. 내가 대군을 이끌고 뒤따를 것이니 어서 떠나도록 하라."

조홍과 서황은 조조의 영을 받은 즉시 서둘러 1만명의 군사를 거느리고 떠났다. 조인이 말한다.

"조홍의 성미가 조급해 대사를 그르치지나 않을까 걱정입니다."

조조가 대답한다.

"전량과 마초를 보내주고, 곧 그들을 뒤따라 지원하도록 하라."

조홍과 서황은 동관에 도착한 즉시 종요와 교대하여 관문을 굳게 지킬 뿐 나가 싸우려 하지 않았다. 마초는 매일같이 군사를 이끌고 와서 조조의 가문 3대를 두고 욕설을 퍼부어댔다. 조홍이 격분한 나머지 당장 군사를 이끌고 나가려 하자 서황이 만류한다.

"이는 마초가 장군을 격분시켜 참살하려는 것이니, 나가서 싸우면 안되오. 머지않아 승상께서 대군을 거느리고 오실 테니, 그때 본때를 보여줍시다."

마초의 군사들은 밤낮을 가리지 않고 번갈아 와서 욕설을 퍼부어댔다. 그때마다 조홍은 격분해서 싸우려 하고, 서황은 그런 조홍을 말리느라 바빴다.

아흐레째 되는 날이었다. 조홍이 누대에 올라 서량군 진영을 살펴

보니, 군사들이 모두 피로에 지친 듯 말에서 내려와 풀밭에 앉거나 드
러누워 잠을 자고 있었다. 말들도 고삐가 풀린 채 들판을 돌아다니며
한가롭게 풀을 뜯는다. 조홍은 모처럼의 기회를 놓칠세라 3천 군사를
이끌고 동관을 나서서 적을 무찌르기 시작했다. 서량 군사들은 무기
를 버리고 달아나기 바빴다. 이때 동관 안에서 군량과 마초를 점검하
고 있던 서황은 조홍이 동관 밖으로 나가 전투중이라는 말을 듣고 대
경실색하여 전군을 이끌고 나섰다.

"조장군, 어서 말머리를 돌리시오!"

서황이 조홍의 뒤를 쫓으며 목이 터져라 소리쳤으나, 조홍은 들은
척도 않고 달아나는 적군을 공격하는 데만 온 정신이 팔려 있었다. 이
때 홀연히 등뒤에서 함성이 일어났다. 마대가 군사들을 휘몰고 달려
온 것이다.

"조장군, 어서 회군하시오. 뒤쪽에서 적들이 오고 있소!"

서황이 몇번이고 다급히 외친 뒤에야 조홍도 적들의 계책에 휘말렸
음을 깨닫고 황급히 말머리를 돌렸다. 하지만 일은 여기에서 끝나지
않았다. 또 한번 북소리가 요란하게 울리더니, 양쪽에서 또다른 서량
군사들이 진격해오기 시작했다. 왼쪽은 마초가 이끄는 군사고, 오른
쪽은 방덕이 지휘하는 군사들이었다. 호랑이 같은 두 장수의 협공에
당해내지 못한 조홍은 군사를 태반이나 잃고는 간신히 포위를 뚫고
동관을 향해 달아났다. 서량 군사들이 멈추지 않고 바싹 추격해오자
조홍의 군사들은 드디어 동관을 버리고 달아났다. 파죽지세로 뒤따르
던 방덕의 군사는 동관을 한참 지나서까지 조홍을 추격했다. 조홍이
위기에 처한 바로 그때, 조조와 더불어 군사를 거느리고 동관을 향해
오던 선봉장 조인이 나타나 후원해서 겨우 조홍을 구해냈다. 동관을

빼앗은 마초는 방덕을 지원해 맞아들였다.

조홍은 동관을 빼앗기고 군사들을 태반이나 잃고서 조조 앞에 나타났다. 조조가 격분하여 언성을 높인다.

"열흘만 지키라고 했는데 그래 그것조차 못 지켜서 아흐레 만에 동관을 잃었단 말이냐!"

조홍이 땅바닥에 머리를 조아리고 고한다.

"서량 군사들이 하루도 빠짐없이 우리 집안을 욕하더니, 제풀에 지친 듯 방비가 허술해졌기에 그 틈을 타 공격한 것이 그만 그들의 간계에 휘말려들고 말았습니다."

조조가 이번에는 서황을 질책한다.

"조홍은 나이 어려 미숙하다 치고, 그대는 무얼 하고 있었는가?"

서황이 대답한다.

"제가 여러번 만류했으나 듣지 않았습니다. 동관에서 군량과 마초를 점검하다가 조홍 장군이 관문 밖으로 나갔다는 급보를 듣고 일을 그르칠까 염려해 황급히 뒤따랐으나, 이미 적들의 간계에 빠지고 난 뒤였습니다."

크게 노한 조조가 즉각 조홍을 끌어내 참하라 명한다.

"승상, 조장군이 비록 명을 어겼으나 아직 어린 나이니, 참형만은 면해주시옵소서!"

여러 장수들이 만류하는 바람에 조홍은 겨우 목숨을 구했다. 조조가 직접 군사를 이끌고 동관을 치려 하자 조인이 나서며 말한다.

"먼저 영채를 세우고 나서 동관을 쳐도 늦지 않을 것입니다."

조조 생각에도 조인의 말이 옳은 듯하여 즉시 나무를 베어다 울타리를 치게 하고 세 곳에 나누어 영채를 세웠다. 왼쪽 영채에는 조인이, 오른쪽 영채에는 하후연이, 가운데 영채에는 조조가 들었다.

다음날, 조조는 세 영채의 장수들과 군사들을 이끌고 동관을 향해 나아갔다. 마침 서량 군사들도 기다렸다는 듯이 동관 밖으로 달려나와 양쪽 진영이 마주섰다. 조조가 말을 달려 문기 아래 나서서 적진을 바라보니, 서량의 군사들은 하나같이 용맹스럽고 건장해 보였다. 유독 얼굴이 백옥처럼 희고 입술은 연지를 바른 듯 붉은 마초의 모습이 눈에 띄었는데, 허리가 가늘고 어깨가 떡 벌어져 용맹스런 기상이 온몸에 넘쳐흘렀다. 그뿐 아니라 목소리 또한 웅장하다. 마초는 흰 전포에 은으로 된 갑옷을 입고 손에 긴 창을 든 채 말에 올라 진 앞으로 나섰다. 방덕과 마대가 마초를 앞뒤로 호위하듯 따라나왔다. 조조는 마음속으로 감탄해마지 않았으나, 앞으로 말을 몰고 나가며 큰소리로 꾸짖는다.

"너는 한나라 명장의 자손으로서 어찌하여 모반하느냐?"

마초가 이를 갈며 대꾸한다.

"이놈 역적 조조야! 너는 위로는 임금을 속이고 아래로는 백성을 못살게 구니 참으로 죽어 마땅하다. 또한 내 부친과 아우를 죽였으니 불구대천의 원수라. 네놈을 산 채로 잡아 살을 뜯어먹어도 시원치 않겠다!"

마초는 말을 맺기가 무섭게 긴 창을 비껴들고 조조를 죽일 듯이 달려들었다. 이에 조조의 등뒤에 서 있던 우금이 마주 달려나갔다. 마초와 우금이 서로 어우러져 싸운 지 8,9합만에 우금은 더 견뎌내지 못하고 달아났다. 이번에는 장합이 맞서싸운다. 하지만 장합도 20여합을 싸우다가 꼬리를 내리고 달아나니 뒤를 이어 이통(李通)이 나선다. 그러나 이통 또한 불과 몇합만에 마초의 창을 맞고 말 아래로 고꾸라지고 말았다.

이통을 쓰러뜨린 마초는 창을 번쩍 치켜들며 군사들을 향해 신호를 보냈다. 용기백배한 서량 군사들이 일제히 내달아와 닥치는 대로 조조의 군사들을 쳐죽이니, 내로라하는 조조의 심복장수들도 당해내지 못하고 뿔뿔이 흩어지기 시작했다. 마초와 방덕, 마대는 여세를 몰아 군사 1백여명을 거느리고 조조를 사로잡기 위해 중군으로 뛰어들었다.

"역적 조조를 잡아라!"

조조는 어지럽게 싸우는 군사들 틈에 끼여 어디로 가야 할지 방향을 잡지 못하고 갈팡질팡하고 있었다. 이때 서량 군사들의 고함소리가 귓전을 울린다.

"붉은 전포 입은 놈이 조조다!"

그 말을 듣자마자 조조는 재빨리 전포를 벗어던져버렸다. 또다시 고함소리가 들린다.

"수염 긴 놈이 조조다!"

조조는 당황한 나머지 차고 있던 칼을 뽑아 냉큼 수염을 잘라버렸다. 서량군 한명이 이 광경을 보고는 급히 마초에게 달려가 고한다.

"저기 있는 장수가 수염을 잘라버렸습니다!"

마초는 그가 조조라고 확신하고 군사들을 시켜 소리치게 했다.

"수염 짧은 놈이 조조다. 어서 조조를 잡아라!"

서량 군사들의 아우성에 놀란 조조는 허둥지둥 옆에 있던 깃발 한 자락을 잘라 턱을 감싸고는 정신없이 달아나기 시작했다.

이날 조조의 허둥대던 모습은 두고두고 웃음거리가 되어 후세 사람들이 시를 지어 전했다.

—
조조는 전포를 벗고 수염까지 잘라 겨우 도망치다

동관싸움에 대패하자 바람만 보고도 달아났네　　　　潼關戰敗望風逃

정신없이 쫓긴 조조 비단전포를 벗어던지고　　　　　孟德愴惶脫錦袍

칼로 수염까지 잘랐으니 간담이 상했어라　　　　　　劍割髥驚應喪膽

마초의 그 명성은 하늘 높이 올랐도다　　　　　　　馬超聲價蓋天高

　겨우 위태로운 상황을 벗어난 조조가 내쳐 달려가는데, 갑자기 등
뒤에서 말발굽소리가 요란하게 들려왔다. 돌아보니 뒤쫓아오는 장수
는 다름아닌 마초다. 조조의 수하장수들은 마초를 보더니 제각기 살
길을 찾아 달아나기 바빴다. 혼자 남은 조조를 향해 마초가 벼락치듯
소리친다.

　"이놈 조조야, 꼼짝 말고 게 섰거라!"

　혼비백산한 조조가 채찍을 떨어뜨리고 정신없이 달아나는데, 어느
새 마초가 바로 등뒤까지 바싹 따라붙었다. 마초는 긴 창을 거머쥐고
조조의 목을 겨누어 번개처럼 빠르게 찔렀다. 그러나 조조가 잽싸게
나무를 끼고 돌며 피하는 바람에 마초의 창날은 그대로 빗나가며 나
무에 꽂히고 말았다. 마초가 급히 창을 빼들고 다시 공격하려 했으나
조조는 이미 저만치 달아나고 있었다.

　마초는 쉬지 않고 말을 다그치며 조조를 추격했다. 마초가 막 산
모퉁이를 돌아나가는 참이었다. 웬 장수가 불쑥 앞을 막아서며 소리
친다.

　"우리 주공을 해치지 말라! 조홍이 여기 있다."

　조홍은 칼을 휘두르며 달려나와 마초와 맞섰다. 두 사람이 어우러
져 싸우는 동안에 간신히 조조는 죽음의 위기에서 벗어났다.

조홍은 필사적으로 마초를 막았다. 마초는 용맹스럽게 창을 휘둘렀지만, 조조를 추격하느라 기운을 많이 쓴 탓인지 팔이 제대로 말을 듣지 않았다. 그런데도 싸움이 4, 50합 가량 계속되자 조홍은 눈에 띄게 기력이 떨어졌고 칼쓰는 법도 산란스러워 이대로 가다가는 마초의 창날에 목숨을 빼앗길 듯했다. 이때 마침 조조의 장수 하후연이 기병 수십명을 이끌고 쫓아오니, 마초는 혼잣몸으로 그들과 대적할 수 없음을 깨닫고 아쉽게 말머리를 돌려야 했다. 하후연도 차마 뒤쫓지 못하고 마초가 돌아가는 모습을 그저 바라볼 뿐이었다. 이렇게 하여 마초는 조조를 없앨 천재일우의 기회를 놓쳤고, 조조는 구사일생으로 목숨을 보전하여 본채로 돌아갔다.

조조가 본채로 돌아와보니, 그나마 조인이 결사적으로 영채를 지킨 덕분에 군마를 많이 잃지는 않은 상태였다. 조조는 장막 안으로 들어서며 안도의 숨을 몰아쉬었다.

"지난번에 조홍을 죽였더라면 나는 오늘 꼼짝없이 마초의 손에 죽고 말았을 게다."

조조는 조홍을 불러 후하게 상을 내렸다. 그리고 군사를 수습한 뒤 다시 적을 공격할 엄두도 못내고 참호를 깊이 파고 보루를 높이 쌓아 굳게 방비할 뿐, 섣불리 움직이려 하지 않았다.

마초가 날마다 군사를 이끌고 와서 욕설을 퍼부어대며 싸움을 걸었다. 조조는 군사들에게 진을 굳게 지키도록 엄명을 내리고 절대 싸움에 나서지 못하게 했다.

"철저히 방비하되 함부로 움직이지 말라. 만일 영을 어기는 자가 있으면 목을 베리라."

여러 장수들이 조조에게 간한다.

"서량군은 긴 창을 쓰니, 우리는 궁노수로 막는 게 좋겠습니다."

조조는 조용히 고개를 저었다.

"싸우고 안 싸우고는 내 마음이지 적들의 뜻이 아니다. 적이 비록 긴 창을 가졌다 해도 어찌 감히 나를 찌를 수 있겠느냐? 굳게 지키고만 있으면 적은 제풀에 물러갈 것이니 두고 보아라."

장수들은 조조 앞에서 물러나와 자기들끼리 수군거렸다.

"조승상께서는 지금까지 숱한 정벌전에서 남보다 앞장서셨는데 이번 싸움에 마초에게 패하더니 어찌 저리도 기가 꺾이셨는지 모르겠소."

며칠이 지났다. 정탐꾼이 조조에게 와서 고한다.

"마초군에 새로 원기왕성한 2만 군사가 합세했는데, 그들은 모두 강족 출신이라 합니다."

조조는 이 소식을 듣더니 즐거운 기색을 감추지 못한다. 여러 장수들이 의아해하며 묻는다.

"마초군에 새로 원병이 오게 되었다는데 승상께서는 어찌하여 오히려 기뻐하십니까?"

"그대들은 내가 어떻게 이기는지 지켜보라. 그때 가서 그대들에게 말해주리라."

그로부터 사흘 후, 동관에 적병이 더 늘어났다는 보고를 받고도 조조는 여전히 기뻐하며 잔치를 베풀어 축하하기까지 했다. 장수들은 영문도 모른 채 술을 받아마시면서 모두 속으로 조조를 비웃었다. 조조가 장수들의 속마음을 읽기라도 한 듯 묻는다.

"그대들은 내가 마초를 꺾을 계책도 없이 이러는 줄 아는가? 그렇다면 어디 그대들의 의견을 한번 들어보세."

서황이 기다렸다는 듯 먼저 말한다.

"지금 승상께서는 여기 계시고 적들은 모두 동관에 주둔하고 있으니, 필경 하서(河西, 황하 서쪽)에는 아무런 방비가 없을 것입니다. 우리가 비밀리에 군사들을 보내 포판진(蒲阪津) 건너에 매복시켜 적들의 귀로를 차단하는 한편 승상께서 하북을 치신다면, 적들은 서로 호응할 수 없어 형세가 몹시 위태로워질 것입니다."

"내 뜻도 그대가 말한 계책과 같도다."

조조는 흡족해하며 즉시 영을 내린다.

"공명(公明, 서황의 자)은 정병 4천명을 거느리고 주령(朱靈)과 함께 가서 하서에 매복해 있으라. 그리하여 내가 하북으로 건너가기를 기다렸다가 동시에 공격하라."

즉시 서황과 주령이 정병 4천명을 거느리고 은밀히 떠났다. 조조는 다시 영을 내린다.

"조홍은 포판진에 가서 배와 뗏목을 준비하고, 조인은 이곳에 남아 영채를 지키도록 해라."

그러고 나서 조조 자신은 위수를 건너기 위해 길을 떠났다. 정탐꾼으로부터 소식을 전해들은 마초는 이미 조조의 계책을 꿰뚫어보고 한수에게 말한다.

"조조가 동관을 공격하지 않고 사람을 시켜 배와 뗏목을 준비하도록 한 것을 보면, 틀림없이 하북으로 돌아서 우리의 퇴로를 끊으려는 수작입니다. 제가 약간의 군사를 거느리고 북쪽 언덕을 막는다면 저들은 위수를 건너지 못할 테고, 20일이 채 못 되어 하동의 양식이 끊겨 조조군은 군기가 문란해질 것입니다. 그때 하남으로 쳐들어가면 조조를 사로잡을 수 있지 않겠습니까."

들고 있던 한수가 이의를 제기한다.

"아니, 그럴 필요도 없네. 병법에 '적이 강을 절반쯤 건넜을 때 공격하라'는 말이 있지 않은가? 조조의 군사들이 위수를 반쯤 건널 때를 기다렸다가 습격하면 모조리 물속에 장사지낼 수 있을 걸세."

한수의 말에 마초는 고개를 끄덕인다.

"과연 숙부님 말씀이 옳습니다."

마초는 이렇게 계책을 세우고 나서 사람을 보내 조조군이 강을 건너는 시간을 정탐해오게 했다.

한편 조조는 군마를 정비하고 군사를 셋으로 나누어 위수(渭水)를 건너기 시작했다. 하구에 이르렀을 무렵 어느덧 해가 솟아올랐다. 조조는 먼저 정예병을 북쪽 해안으로 보내 영채를 세우게 하고, 자신은 호위병 1백여명을 거느린 채 남쪽 해안에 칼을 짚고 앉아 강을 건너는 군사들을 지켜보고 있었다. 이때 갑자기 뒤에서 누군가가 소리쳤다.

"후방에서 흰 전포를 입은 장수가 달려옵니다."

흰 전포를 입은 장수란 다름아닌 마초였다. 순간 조조의 군사들은 저마다 먼저 배에 오르려 하니 한바탕 아귀다툼이 벌어졌다. 하지만 조조는 미동도 않고 칼을 쥐고 앉아서 군사들을 진정시키려 할 뿐이다. 함성과 울부짖는 말울음소리가 가까워졌다. 형세가 급박해지자 배에 타고 있던 한 장수가 몸을 날려 조조에게로 오더니 다급하게 소리친다.

"적군이 가까이 옵니다! 승상은 어서 배에 오르십시오!"

조조가 바라보니 바로 허저였다.

"적이 오면 오는 거지 두려울 게 뭐 있느냐?"

한수·마초의 연합군은 위수에서 조조군을 대파하다

　머리를 돌려 바라보니 마초는 어느새 1백여보밖에 안되는 거리까지 다가와 있었다. 허저는 무조건 조조를 끌고 배를 향해 달렸다. 그러나 배는 어느새 강기슭에서 한 길이나 멀어져 있다. 허저는 앞뒤 가릴 것 없이 조조를 들쳐업고 한달음에 배 위로 뛰어올랐다. 조조를 호위하던 군사들도 모두 물에 뛰어들어 서로 배에 오르려고 뱃전에 매달리며 아우성을 쳤다. 그 바람에 배가 기우뚱하며 뒤집힐 참에 허저는 단호히 칼을 뽑아들더니 뱃전을 붙들고 있는 군사들의 손목을 사정없이 후려치기 시작했다. 토막난 손들이 물속으로 떨어지며 처절한 비명소리와 함께 강물을 피로 물들였다.

　허저는 황급히 노를 저어 하류 쪽으로 내려갔다. 조조는 꼼짝하지 않고 허저의 발치에 납작 엎드려 있었다. 마초군이 강기슭에 도착했을 때 조조의 배는 이미 강 한복판에 떠 있었다.

"모두 화살을 쏴라!"

마초는 궁노수들에게 명령을 내리고 자신도 활을 쏘기 시작했다. 조조가 탄 배 안으로 화살이 소나기처럼 쏟아졌다. 허저는 조조가 화살에 다칠까 두려워 왼손으로 말안장을 들고 방패삼아 조조를 보호한다.

마초는 명궁이었다. 화살 한 대 빗나가지 않고 순식간에 배에 탄 조조 군사들을 수십명이나 거꾸러뜨렸다. 노를 젓던 군사들이 화살에 맞아 쓰러지니, 배는 중심을 잃고 당장이라도 뒤집힐 듯 뱅글뱅글 제자리를 맴돌기 시작했다. 허저 홀로 맹위를 떨치는데, 두 무릎 사이에 키를 끼워 방향을 잡으면서, 한 손으로는 노를 젓고 다른 한 손으로는 말안장을 들어 날아오는 화살을 막아가며 조조를 보위했다.

이때 위남(渭南) 현령 정비(丁斐)는 남산 위에 있다가 조조가 위기에 몰린 것을 보고는 서둘러 영채 안에 있던 말과 소를 모조리 밖으로 몰아냈다. 삽시간에 산과 들은 온통 말과 소 천지가 되었다. 서량 군사들은 말과 소를 보더니 조조를 쫓는 일은 뒷전으로 미룬 채 서로 한 마리라도 더 잡을 요량으로 이리 뛰고 저리 뛰고 하였다. 조조는 이 틈에 위기에서 벗어나 가까스로 북쪽 강기슭에 닿았다. 강기슭에 닿은 조조는 즉시 배와 뗏목을 부수어 강물 속에 처박게 했다. 급보를 받고 장수들이 구하러 달려왔을 때는 조조가 언덕에 오른 뒤였다. 갑옷에 화살이 빈틈없이 꽂힌 허저의 모습은 흡사 고슴도치였다. 여러 장수들이 조조를 영채에 모시고 엎드려 문안을 올렸다. 조조는 껄껄 웃으며 대수롭지 않다는 듯 말한다.

"하마터면 하찮은 도적들에게 당할 뻔했구나."

허저가 한마디 한다.

"누군가 마소를 풀어놓지 않았더라면 정말 큰일날 뻔했습니다."

조조가 주위를 둘러보며 묻는다.

"그래 마소를 풀어논 사람이 누구더냐?"

그 일을 아는 사람이 있어 대답했다.

"위남 현령 정비입니다."

조조는 즉시 정비를 불러들이라 명했다. 얼마 후 정비가 와서 인사를 올리자 조조는 그의 공을 높이 치하한다.

"그대의 훌륭한 계책이 아니었다면 나는 적들에게 사로잡히고 말았을 게다."

조조는 정비를 전군교위(典軍校尉)에 봉했다. 정비가 말한다.

"적들은 잠시 물러났을 뿐 내일이면 반드시 다시 공격해올 것이니 방책을 세워야 합니다."

"내게도 생각이 있느니라."

조조가 장수들을 모두 불러들여 분부했다.

"모두들 남쪽 강기슭을 따라 용도(甬道, 흙을 파고 담장을 쌓아 만든 비밀통로)를 만들고 바깥에 군사들을 배치하도록 하라. 적들이 기습해올 때를 대비해서 용도 안에다 깃발을 세워 군사들을 벌여놓은 것처럼 위장하고, 강기슭 여러 곳에 함정을 파서 그 위에 나무와 풀을 덮어두고 적을 유인하라. 그리하면 적들이 급히 공격해오다 함정에 빠질 것이니, 쉽게 사로잡을 수 있다."

한편 마초는 회군하여 한수에게 말한다.

"조조를 거의 사로잡기 직전에 한 장수가 와서 조조를 들쳐업고 배 안으로 사라져버렸는데, 그자가 누군지 모르겠습니다."

한수가 말한다.

"조조는 용맹한 장수만을 뽑아 장전시위(帳前侍衛)로 삼고 그들을 호위군(虎衛軍)이라 하는데, 전위와 허저가 지휘관이라고 들었네. 전위는 죽고 없으니, 이번에 조조를 구해 달아난 것은 틀림없이 허저일 것일세. 허저는 용기와 힘이 대단해 사람들이 그를 호치(虎痴, 호랑이 같은 사람)라고 부른다니, 만약 그자를 다시 만나면 가볍게 상대해서는 안될 걸세."

"허저라면 저도 그 이름을 들은 지 오랩니다."

"이제 조조가 강을 건너 우리의 배후를 급습할 게 뻔한데, 이 영채를 세우기 전에 서둘러 공격하지 않으면 그들이 만반의 준비를 마친 다음에는 도무지 쳐부수기 어려울 것이네."

"제 어리석은 소견으로는 북쪽 강기슭을 막아서 조조가 위수를 건너지 못하게 하는 것이 상책일 듯합니다."

"조카가 영채를 지키도록 하게. 나는 군사를 거느리고 위수를 따라 내려가 조조와 대적해보겠네."

"숙부님께서는 방덕을 선봉장으로 삼으십시오."

그리하여 한수는 방덕을 선봉장으로 삼아 군사 5만명을 거느리고 위남을 향해 출정했다. 조조는 장수들에게 용도 양쪽에서 적을 유인하도록 했다. 한수의 선봉장 방덕은 아무것도 모른 채 용도를 따라 적을 괴멸시킬 작정으로 무장기병 1천여명을 거느리고 짓쳐들어갔다. 그때였다. 함성을 올리며 용도로 달려들던 방덕과 그 군사들은 함정에 빠지고 말았다. 뒤따르던 한수도 일시에 쳐들어오는 적들에게 포위되었다.

함정에 빠진 방덕은 단번에 몸을 솟구쳐나와 선 자리에서 달려드는 적군 몇명을 동시에 쳐죽였다. 가까스로 걸어서 포위망을 뚫고 나오니 한수가 적병에게 포위된 채 위기에 몰려 있다. 방덕은 한수를 구하기 위해 공격해 들어가다가 조인의 부장 조영(曹永)과 맞닥뜨렸다. 방덕은 단칼에 조영을 찔러 말 아래로 거꾸러뜨리고 그 말에 올라탔다. 그러고는 한수를 구해내 혈로를 뚫고 동남쪽으로 달아나기 시작했다. 조조의 군사들이 그 뒤를 추격하는데, 마초가 때맞춰 달려와 포위당해 있던 군마를 태반이나 구해냈다. 혈전을 벌이던 양군은 해가 저물어서야 각각 회군했다.

영채로 돌아온 마초와 한수는 군마부터 점검해보았다. 장수 정은과 장횡 등을 비롯해 함정에 빠져 목숨을 잃은 군사가 2백여명이나 되었다. 마초와 한수는 대책을 강구한다.

"이런 식으로 시간을 끌다가는 조조가 하북에 진영을 구축할 테고, 그렇게 되면 공격하기가 더욱 어려워집니다. 오늘밤 날쌘 군사들을 모아 조조의 영채를 급습하는 게 좋을 것 같습니다."

한수가 마초에게 말한다.

"군사를 전군과 후군으로 나누어 서로 지원하도록 하세."

이리하여 마초가 선봉에 서고, 방덕과 마대는 후군을 거느리고 밤새 길을 나섰다.

한편 조조는 군사를 거두어 위수 북쪽에 주둔하고서 장수들을 불러 지시한다.

"우리가 영채를 세우기 전에 적들이 기습해올 것이니, 사방에 군사들을 매복시켜놓되 중군은 비워두어라. 포소리를 신호로 일시에 일어난다면 북소리 한번으로 적들을 사로잡을 수 있을 것이다."

장수들은 조조의 영을 받들어 군사들을 매복시킨 다음 마초군이 당도하기만을 기다렸다.

　그날밤, 마초는 장수 성의(成宜)에게 30명의 기병을 내주고 적들의 동태를 정탐하게 했다. 조조의 진영 가까이 다가간 성의는 말과 군사들이 하나도 보이지 않자 마음놓고 중군으로 달려들어갔다. 이때였다. 갑자기 어둠속에서 포소리가 요란하게 천지를 뒤흔들었다. 마초군이 오기만을 기다리고 있던 조조의 군사들이 성의의 무리를 발견하고 즉각 포를 쏜 것이다. 이 소리를 신호삼아 곳곳에 매복해 있던 복병이 일시에 일어나더니 성의를 비롯한 30여명의 기병들을 겹겹이 에워쌌다. 성의는 결국 하후연의 칼에 목숨을 잃고 말았다. 이때 마초는 군사를 세 길로 나누어 방덕·마대와 함께 조조군의 배후를 공격해들어오고 있었다.

　군사를 매복시키고 적군을 기다렸으되　　　　　縱有伏兵能候敵
　맹장들 앞다투어 달려드니 누가 감당할까　　　　怎當健將共爭先

　이들의 승부는 어찌 될 것인가?

용호상박

허저는 갑옷을 벗어던지고 마초와 싸우고
조조는 서신 글씨를 뭉개 한수와 마초를 이간하다

　그날밤 마초와 조조의 군사는 밤새도록 혼전을 거듭하다가 날이 밝
아서야 각기 군사를 거두어 돌아갔다. 마초는 위구(渭口)에 영채를
세우고 군사를 나누어 밤낮으로 조조를 공격했다. 조조는 위수에 배
와 뗏목을 엮어 남쪽 기슭으로 연결하는 부교를 세 개 만들었다. 조인
은 강을 끼고 영채를 세운 다음 적의 기습공격을 막아내기 위해 군량
과 마초를 실은 수레를 병풍처럼 둘러서 장벽을 만들었다.
　정탐병에게서 이 소식을 전해들은 마초는 군사들에게 마른 짚 한
단씩을 짊어지게 해서 한수와 함께 군사들을 거느리고 조조의 영채로

쳐들어갔다. 서량 군사들이 곳곳에 마른 짚을 쌓아올리고 불을 지르니, 불길은 순식간에 조인이 세워놓은 방어벽으로 옮겨붙었다. 난데없는 불길에 당황한 조조의 군사들은 영채를 버리고 달아났고, 군량을 실은 수레와 부교는 모조리 불타버리고 말았다. 크게 승리를 거둔 서량군은 위수를 막아버렸다. 조조는 다시 영채를 세울 엄두도 내지 못한 채 근심에 싸여 있었다. 순유가 말한다.

"위수의 모래흙으로 토성을 쌓으면 굳게 지킬 수 있을 것입니다."

조조는 순유의 말에 따라 즉시 군사 3만명을 동원하여 모래흙으로 토성을 쌓기 시작했다. 그러나 마초라고 손 놓고 구경만 할 리 없었다. 마초는 방덕과 마대로 하여금 군사 5백명을 거느리고 수시로 조조군을 기습하게 했다. 워낙 모래가 많이 섞인 흙이라 토성을 쌓기도 어려운데다 쌓기가 무섭게 적들이 쳐들어와 분탕질을 해놓으니, 그나마 쌓아올린 것마저 태반이 무너져서 조조는 도무지 어찌할 방법이 없었다.

어느덧 9월이 다 지나갔다. 날씨가 갑자기 추워지고 무거운 구름이 하늘을 뒤덮은 채 며칠이고 걷힐 줄 몰랐다. 조조가 울적한 심사를 달랠 길 없어 장막에 들어앉아 있는데, 수하사람이 들어와 고한다.

"한 노인이 승상을 뵙고 계책을 전하겠다 하옵니다."

"모셔들이도록 하라!"

조조가 노인을 청하여 보니, 학처럼 단아한 모습에 소나무 같은 기상이 범상치 않아 보였다. 조조가 묻는다.

"노인장은 뉘시오?"

노인이 대답한다.

"이 사람은 경조(京兆) 사람으로 종남산(終南山)에 은거하고 있는

데, 성은 누(婁)요 이름은 자백(子伯)이며, 도호는 몽매거사(夢梅居士)
라 합니다."

조조가 예를 갖춰 깍듯이 대접하니, 누자백이 입을 연다.

"승상께서는 영채를 세우려 하신 지 벌써 오래되었는데 어찌하여
때를 보아 축조하지 않으시오?"

"이곳은 온통 모래흙 천지라 쌓는 족족 그대로 무너져버리니, 은사
(隱士)께 좋은 방책이 있으면 가르쳐주시지요."

"승상의 용병술은 귀신 같은데 어찌 천시(天時)를 모르십니까? 요
사이 먹구름이 연일 하늘을 뒤덮고 있는 것으로 보아 삭풍만 한번 불
면 만물이 꽁꽁 얼어붙을 것입니다. 그러니 바람이 이는 즉시 군사들
을 시켜 흙벽을 쌓으면서 물을 끼얹도록 하면, 날이 샐 무렵에는 토성
이 완성될 것입니다."

조조는 그제야 깨닫고 누자백에게 후하게 상을 내렸다. 그러나 누
자백은 이를 거절하고 어디론가 가버렸다.

그날밤 북풍이 세차게 불었다. 조조는 군사들을 총동원해 흙을 나
르고 보루를 쌓기 시작했다. 그런데 막상 물을 운반할 도구가 마땅치
않았다. 궁여지책으로 비단주머니를 이용해 물을 길어다가 쌓아올린
흙벽에 부으니, 날 샐 무렵 흙벽은 그대로 꽁꽁 얼어붙어 거대한 토성
이 되었다. 정탐꾼으로부터 조조 진영의 토성이 완성되었다는 소식을
전해들은 마초는 몸소 군사를 이끌고 나가보았다가 크게 놀랐다.

'하늘의 도움이 아니라면 어찌 이런 일이 일어날 수 있단 말인가?'

이튿날 마초는 대군을 거느리고 북을 치며 진군했다. 조조가 이에
맞서기 위해 몸소 말을 타고 영채를 나서는데, 뒤따르는 이는 허저 한
사람뿐이었다. 조조가 채찍을 높이 쳐들며 큰소리로 호령한다.

"맹덕(조조의 자)이 여기 홀로 나왔으니 마초는 냉큼 앞으로 나서라!"

마초가 창을 비껴들고 말을 몰아 나오는데, 기고만장한 조조는 한층 목소리를 높여 외친다.

"너는 우리가 영채를 세우지 못하리라 여겼겠지만 보다시피 이렇게 하룻밤 새 하늘의 도움으로 튼튼한 토성을 세웠다. 네 당장 항복해 화를 면하도록 하라!"

마초가 크게 노해 당장 달려나가 조조를 사로잡으려다가 보니, 조조의 뒤에 한 장수가 말을 세우고 강도(鋼刀)를 든 채 눈을 부릅뜨고 있는 것이 눈에 띄었다. 마초는 혹시 그 장수가 허저가 아닐까 하여 채찍을 높이 쳐들고 묻는다.

"너희 군중에 호후(虎侯, 호랑이 같은 제후. 허저의 별명 호치를 가리킴)가 있다던데 어디 있는가?"

마초의 말에 허저가 칼을 높이 들어 큰소리로 답한다.

"내가 바로 초군(譙郡) 출신 허저다!"

마초는 불을 뿜어낼 듯한 허저의 눈빛과 위풍당당함에 기가 질려 선뜻 나서지 못하고 말머리를 돌려 돌아갔다. 조조도 허저와 더불어 영채로 돌아갔다. 이 광경을 지켜보던 양쪽의 군사들은 하나같이 어안이 벙벙했다. 조조가 수하장수들을 둘러보며 말한다.

"적들도 중강(仲康, 허저의 자)이 호후인 줄 아는구나?"

그후로 허저는 호후로 통하게 되었다. 허저가 조조에게 다짐한다.

"내일은 기필코 마초를 사로잡겠습니다."

"마초는 영특하고 용맹하니 가볍게 보아서는 안될 게야."

"제가 죽기를 각오하고 싸우겠습니다."

허저는 당장 사람을 시켜 마초에게 도전장을 보냈다. 내일 단신으로 한판 승부를 겨루자는 내용이었다. 편지를 읽은 마초는 크게 노했다.

"대체 이놈이 무얼 믿고 나를 업신여기는가."

마초도 당장 '내일 싸움에 반드시 그대 호치를 죽이고야 말겠다'는 내용의 답신을 보냈다.

다음날 드디어 양쪽 군사가 영채를 나와 포진했다. 방덕을 왼쪽 날개로, 마대를 오른쪽 날개로 삼고, 한수를 중군으로 삼은 마초가 창을 비껴들고 말을 몰아 진 앞으로 나서서 큰소리로 외친다.

"이놈 호치야, 썩 앞으로 나서라!"

조조는 문기 아래 서서 여러 장수들을 돌아보며 말한다.

"마초가 여포 못지않게 용맹스런 장수로구나."

조조의 말이 채 끝나기도 전에 허저가 춤추듯 칼을 휘두르며 말을 몰고 달려나간다. 마초도 창을 비껴들고 이에 맞섰다. 칼과 창이 맞부딪치며 불꽃을 일으키고 내닫는 말이 차올리는 흙먼지가 구름처럼 일어나는 가운데 칼날 창날의 쇳소리가 요란하게 울려퍼졌다. 마초와 허저가 힘과 무예와 지혜를 다해 싸운 지 무려 1백여합에 이르렀다. 그러나 도무지 승부는 나지 않고, 콧김을 뿜어올리던 말들만 기력이 쇠한 듯 비틀거렸다. 두 장수는 각기 자신의 군중으로 돌아가 말을 바꿔타고 다시 나왔다. 또다시 1백여합에 이르도록 싸웠으나 이번에도 승부가 나지 않았다.

성질이 급한 허저는 화가 치밀어서 자기 진영으로 돌아가더니 투구며 갑옷을 벗어던졌다. 맨몸으로 칼을 들고는 번개처럼 말에 뛰어올라 다시 마초와 싸우러 나간다. 그 기세에 양쪽의 군사들이 모두 놀라

갑옷을 벗어던진 허저가 마초의 창자루를 휘어잡다

탄성을 지르는데, 어느 틈에 두 장수는 다시 맞붙어 결전을 벌이고 있다.

다시 30여합을 더 싸웠을 무렵이다. 허저가 있는 힘껏 마초를 향해 칼을 내려쳤다. 마초가 날쌔게 칼을 피하면서 허저의 가슴을 향해 창을 내질러 반격한다. 허저는 급한 나머지 칼을 던져버리고 잽싸게 마초의 창자루를 휘어잡았다. 이제 두 사람은 창 한 자루를 나누어 잡고 힘을 겨룬다. 얼마동안 그렇게 실랑이를 벌이다가 허저가 크게 소리를 지르며 힘을 주니 마침내 창대가 뚝 부러져 두 동강이 나고 말았다. 두 장수는 반토막 난 창대를 쥐고 상대를 찌르며 난투극을 벌였다.

두 사람의 싸움을 지켜보던 조조는 허저가 실수할까 두려워 급히 하후연과 조홍에게 협공하도록 했다. 그때였다. 하후연과 조홍이 움직이기를 기다렸다는 듯, 방덕과 마대가 양 날개처럼 포진해 있던 병사들을 휘몰고 나와 좌우로 마구 무찌르며 치닫는다. 예기치 못한 상황에 조조 진영은 일시에 흔들리기 시작했고, 허저도 팔에 화살을 두 대나 맞는 바람에 더이상 싸울 수가 없었다. 조조의 군사들은 서량군에 밀려 일제히 영채 안으로 달아나기 바빴다. 마초가 승세를 몰아 그 뒤를 바싹 추격하니, 이 싸움에서 조조의 군사들은 절반이나 죽고 부상당했다. 조조는 영채 문을 굳게 닫아걸고서 더는 움직이려 하지 않았다.

크게 이기고 위구로 돌아간 마초가 한수에게 말한다.

"허저처럼 포악하게 싸우는 놈은 처음 보았습니다. 호치라더니 괜한 소리가 아닙디다."

조조는 마초를 쳐부수기 위해서는 계책을 쓰는 도리밖에 없다고 생각했다. 비밀리에 사람을 보내 서황과 주령으로 하여금 강을 건너 황하 서쪽에 영채를 세우고 앞뒤에서 협공하도록 지시했다.

하루는 조조가 성위에 올라가서 보니, 마초가 수백명의 기병을 거느리고 자신의 영채 바로 앞에서 오락가락하고 있었다. 이를 지켜보던 조조가 화가 치밀어 투구를 벗어 땅에 내동댕이치며 소리친다.

"마초 이놈을 죽이지 못하면 내 죽어도 묻힐 땅이 없겠구나!"

그 말에 하후연도 분을 삭이지 못하고 거친 음성으로 내뱉는다.

"싸우다 그 자리에서 죽을지언정 기필코 마초놈을 죽이고야 말겠습니다."

하후연은 말을 마치기가 무섭게 군사 1천여명을 거느리고 영채 문을 활짝 열고 달려나갔다. 조조가 만류하려 했지만 이미 늦었다. 조조는 하는 수 없이 급히 말에 올라 하후연을 후원하러 나섰다.

마초는 조조의 군사들이 달려나오는 것을 보고, 즉시 전군을 후군으로 삼고 후군을 선봉군으로 삼아 일자로 벌여섰다. 하후연은 앞뒤 분간 없이 그 한복판으로 뛰어들었다. 하후연을 맞아 한창 싸우던 마초는 혼전중인 군사들 가운데 조조의 모습이 보이자 하후연을 버리고 곧장 조조를 향해 덤벼든다. 조조가 대경실색하여 말머리를 돌리니, 조조의 군사들은 좌충우돌 달아나기 바빴다. 마초가 정신없이 달아나는 조조의 뒤를 쫓는데 군사 한명이 다급히 쫓아와 전한다.

"조조군이 이미 위수 서쪽에 영채를 구축했다 합니다. 너무 깊숙이 뒤따르지 마십시오."

크게 놀란 마초는 황급히 군사를 수습해 영채로 돌아온 즉시 한수와 의논한다.

"조조 군사가 빈틈을 타서 위수 서쪽에 자리를 잡았다 합니다. 앞뒤로 적군을 맞게 되었으니 어찌하면 좋겠습니까?"

부장 이감(李堪)이 나서며 말한다.

"우리가 빼앗은 땅을 나누어 조조와 화친을 맺고 함께 군사를 거두었다가, 겨울이 지나고 봄이 오면 그때 다시 도모하는 것이 어떨는지요?"

한수가 말한다.

"이감의 말이 옳은 듯하니 따르는 게 좋겠네."

마초가 쉽게 결단을 내리지 못하고 주저하는데 곁에서 지켜보던 양추(楊秋)와 후선(侯選)이 모두 화친할 것을 권했다. 마침내 마초도 동의하니, 한수는 즉시 편지를 써서 양추를 조조의 진영으로 보냈다. 한수의 서신을 받아본 조조는 사자로 온 양추에게 말한다.

"너는 돌아가거라. 내가 내일중으로 회답하겠다."

양추가 떠나고 난 뒤 가후(賈詡)가 들어와서 조조에게 묻는다.

"승상의 뜻은 어떠하신지요?"

조조가 되묻는다.

"그대의 소견은 어떤가?"

가후가 말한다.

"자고로 군사(軍事)에는 속임수를 꺼리지 않는다 했습니다. 우선 허락하는 척하고 나중에 반간계를 써서 한수와 마초를 이간질하면, 한번 북을 울림으로써 단번에 그들을 격파할 수 있습니다."

조조가 손뼉을 치며 웃는다.

"천하에 고견은 서로 통한다더니, 그대의 계교가 내 뜻과 같구나."

조조는 즉시 마초에게 답신을 보냈다.

내 천천히 군사를 물릴 테니 그대는 위수 서쪽땅을 돌려달라.

그러고는 부교를 세워 퇴군하려는 움직임을 보였다. 마초는 조조의
회신을 받았지만 쉽게 믿음이 가지 않아 한수에게 말한다.

"조조가 비록 화친하겠다고 하지만, 간교한 인물이라 그 심중을 헤
아리기 어렵습니다. 우리가 아무런 방비도 하지 않고 있다가는 틀림
없이 놈의 계책에 넘어갑니다. 저와 숙부님이 번갈아 동태를 살피되
오늘 숙부님께서 조조를 맡으시면 제가 서황을 맡고, 다음날 제가 조
조를 맡으면 숙부님께서 서황을 맡는 식으로 해서 조조의 속셈에 놀
아나지 않도록 방비해야 할 것입니다."

한수는 마초의 뜻에 따르기로 했다. 어느새 정탐꾼이 이 일을 알아
내 조조에게 전하자 조조가 가후를 돌아보며 말한다.

"일이 제대로 돌아가는 모양이군."

그러고는 정탐꾼에게 묻는다.

"그렇다면 내일은 누가 나를 맡느냐?"

"한수가 맡을 것이옵니다."

이튿날 조조가 여러 장수들을 이끌고 영채를 나서는데, 대오의 한
가운데 호위장수들에 둘러싸여 말 위에 앉아 있는 그 모습이 단연 눈
에 띈다. 한수의 부하장졸들 중에는 조조를 본 적이 없는 사람이 많아
서 그를 구경하려고 진영을 나와 저마다 두리번거리고 있었다. 조조
가 큰소리로 호령한다.

"너희들이 이 조조를 보고자 하느냐? 나도 사람이라 눈이 네 개 있
는 것도 아니고 입이 둘인 것도 아니다. 다른 게 있다면 지략이 뛰어
날 뿐이니라."

조조의 한마디에 한수의 군사들은 두려운 빛을 감추지 못했다. 조조는 사람을 시켜 한수 진영에 들어가 말을 전하게 했다.

　"승상께서 한장군과 말씀을 나누고 싶어하십니다."

　한수가 진 밖으로 나와보니 조조는 무기를 지니지 않았을 뿐만 아니라 전혀 군장을 갖추지 않은 모습이었다. 이에 한수도 갑옷을 벗고 가벼운 옷차림으로 말을 몰아 조조에게 갔다. 두 사람은 말머리를 나란히하고 이야기를 나누었다. 조조가 먼저 말을 건넨다.

　"지난날 내가 장군의 선친과 함께 효렴으로 천거되어 선친을 숙부로 섬겼으며, 또한 공과 더불어 벼슬길에 올랐는데 이렇게 세월이 흘렀구려. 장군은 금년에 춘추가 어찌 되시오?"

　한수가 답한다.

　"올해 마흔 되었소."

　"우리가 지난날 함께 경사(京師)에서 지낼 때만 해도 젊었는데, 어느덧 중늙은이가 되고 말았구려. 언제쯤에나 세상이 조용해져서 태평세월을 즐길 수 있을지 모르겠소."

　조조는 옛이야기만 늘어놓을 뿐 지금의 정황에 대해서는 일언반구 내비치지 않은 채 말끝마다 큰소리로 웃기만 했다. 이렇게 한 두어 시간이나 이야기를 나누던 두 사람은 작별을 고하고 각기 자기 진영을 향해 말머리를 돌렸다. 이 일을 자세하게 보고받은 마초가 한수에게 묻는다.

　"오늘 조조와 무슨 이야기를 나누었습니까?"

　"도성에서 함께 지내던 이야기만 나누었을 뿐이네."

　"군무에 대해서는 한마디 언급도 없었습니까?"

　"글쎄, 조조가 아무 말도 안하는데 낸들 무어라 말을 꺼낼 수가 있어야지."

마초는 한수의 대답에 의구심이 일었으나 말 없이 물러나왔다.

한편, 영채로 돌아온 조조는 가후를 불러 묻는다.

"그대는 내가 왜 영채 앞에서 한수와 대화를 나누었는지 진의를 아
는가?"

"그만한 계교로 두 사람을 이간하기는 어렵습니다. 제게 계책이 서
있으니, 만일 그대로만 한다면 마초와 한수는 원수지간이 되어 서로
죽이려 들 것입니다."

조조가 솔깃하여 그 계책을 물으니, 가후가 대답한다.

"마초는 한낱 용장에 불과하니 은밀하게 이루어지는 일은 살필 줄
모릅니다. 승상께서 친필로 한수에게 서신을 쓰시되, 중간중간에 글
씨를 흐릿하게 하고 중요한 대목은 일부러 지워 고쳐쓴 다음 단단히
봉해 보내십시오. 이 사실을 마초가 알게끔 만드시면 마초는 반드시
승상께서 보낸 편지를 보려 할 것입니다. 그리하여 마초가 승상의 편
지를 보면, 필시 자신이 기밀을 알게 될까봐 한수가 중요한 대목을 뭉
개고 고쳤다고 의심할 테고, 또한 한수가 홀로 승상과 오랫동안 이야
기를 나누었던 사실을 결부해 생각지 않을 수 없을 것입니다. 서로 의
심이 생기면 상황은 어지럽게 꼬일 것이니, 그 기회를 틈타 한수의 부
하장수들을 매수해 둘 사이를 이간한다면 마초를 죽이는 일은 그리
어렵지 않습니다."

"그거 참 묘한 계책이오."

조조는 곧 친필로 서신을 작성하면서 중요한 대목은 지우거나 고쳐
써서는, 일부러 여러 명의 사자를 동원하여 한수의 영채로 보냈다. 이
일은 금세 정탐꾼의 눈에 띄어 마초에게 전해졌다. 의구심이 더욱 커

진 마초는 친히 한수의 장막으로 와서 편지를 확인하고자 했다. 한수는 조조가 보내온 서신을 마초에게 내주었다. 마초가 살펴보니 중간중간 뭉개고 고쳐쓴 부분이 많아 무슨 말인지 알아볼 수가 없었다. 마초가 한수에게 다짜고짜 묻는다.

"어째서 이렇게 지운 대목이 많습니까?"

한수 역시 고개를 갸웃거린다.

"원래 그리 써보냈는데, 나도 이유를 모르겠네!"

"초(草) 잡은 편지를 보낼 리가 있겠습니까? 혹시 숙부께서 내가 무슨 내막을 알게 될까 두려워서 지운 게 아니오?"

"대체 그게 무슨 말인가. 조조가 초고를 잘못 넣어 보낸 게 아닌가 싶네."

마초는 곧이들으려 하지 않는다.

"그럴 리 없습니다. 조조같이 빈틈없는 위인이 이런 실수를 할 리 없지요. 저는 숙부와 더불어 어떻게든 역적 조조를 죽이기 위해 합심해서 싸웠는데, 숙부가 이렇게 다른 마음을 품으리라곤 꿈에도 생각 못했습니다."

한수는 기가 막혔다.

"정 그렇게 믿지 못하겠다면 이렇게 하세. 내일 내가 조조를 불러내 이야기를 나눌 터이니, 그대는 진중에 숨어 있다가 조조를 급습해 한창에 찔러죽이면 될 게 아닌가."

"그렇게만 해주신다면 숙부님의 진심을 알 수 있으리다."

이튿날 한수는 후선·이감·양흥·마완·양추 등 다섯 장수를 이끌고 영채를 나섰고, 마초는 진문 뒤에 숨어서 지켜보고 있었다. 한수는 사람을 보내 조조의 영채 앞에서 큰소리로 외치게 했다.

"한장군께서 승상께 할말이 있다 하옵니다."

조조는 자기는 나가지 않고 조홍에게 수십 기를 거느리고 가서 대신 한수를 만나보게 했다. 조홍은 네다섯 걸음을 사이에 두고 한수에게 몸을 굽히며 말한다.

"어제 승상께서 말씀하신 대로 장군은 착오없이 행하시라는 분부시오."

제 말만 끝내고 조홍은 곧 말머리를 돌려 돌아가버렸다. 지켜보고 있던 마초는 분기가 치솟아 창을 높이 쳐들고 그대로 한수를 찔러죽이려 했다. 그러나 다섯 장수가 가까스로 진정시켜 영채로 돌아왔다. 한수가 말한다.

"조카는 나를 의심하지 마시게. 내 마음은 조금도 변함이 없다네."

마초는 끝내 믿으려 하지 않고 가슴 가득 의구심을 품은 채 돌아가 버렸다. 한수는 다섯 장수를 불러앉히고 의논했다.

"도대체 이 일을 어찌하면 좋겠나?"

양추가 말한다.

"마초는 자신의 용맹함만을 믿고 주공을 업신여기는 일이 많았습니다. 비록 우리가 조조를 이긴다 한들 주공께 자리를 양보할 위인이 아닙니다. 제 어리석은 소견으로는 이번 기회에 조조에게 투항해 훗날 벼슬자리나 얻는 게 나을 듯합니다."

한수가 힘없이 말한다.

"내가 마등과 의형제를 맺은 터인데 어찌 그럴 수 있단 말인가."

양추가 다시 말한다.

"일이 이미 이 지경에 이른 마당에 다른 도리가 없지 않습니까?"

한수는 잠시 생각에 잠겨 있다가 묻는다.

"그럼 누가 우리의 뜻을 조조에게 전하겠는가?"

양추가 자청해 나섰다.

"제가 가겠습니다."

한수가 드디어 밀서를 써서 양추를 통해 조조에게 보내니, 조조는 크게 기뻐하였다. 조조는 한수를 서량후(西涼侯)로 봉하고 양추를 서량 태수로 삼았다. 그리고 나머지 장수들에게도 각각 관직을 내릴 것을 약속했다. 양추는 불을 놓아 군호로 삼고, 양군이 합세하여 마초를 도모하기로 정하고 돌아와 한수에게 전했다.

"오늘밤 불을 질러 내응하기로 약속했습니다."

한수 역시 매우 기뻐하면서 즉시 중군 장막 뒤에 마른 나무를 쌓아두고, 다섯 장수는 칼을 들고 부를 때까지 기다리기로 했다. 또 한편으로 한수는 다른 장수들과 의논하여 술자리를 열고 마초를 청해 그 자리에서 일을 도모할까도 생각했으나, 아직 결단을 내리지 못하고 있었다.

그러나 어찌 상상이나 했으랴. 정탐꾼을 통해 이 일을 다 알게 된 마초는 심복장수 몇명과 함께 칼을 들고 한수의 처소로 향했다. 방덕과 마대에게는 뒤에서 지원하도록 했다. 마초가 숨죽여 한수의 막사로 들어서는데 바로 그때 장막 안에서는 한수와 다섯 장수가 밀담을 나누고 있었다. 양추가 한수의 결심을 재촉한다.

"더 지체했다가는 일이 누설될 수 있으니 한시바삐 서두르십시오."

이 말을 들은 마초가 크게 노해 칼을 휘두르며 장막 안으로 뛰어들어갔다.

"이 도적놈들아, 어찌 감히 나를 해치려 하느냐!"

갑작스럽게 들이닥친 마초를 보고 모여 있던 장수들은 놀라서 어찌할 바를 몰랐다. 마초가 높이 쳐든 칼을 그대로 한수를 향해 내려치자 다급해진 한수는 손을 들어 막다가 그만 왼팔이 뭉텅 잘려나가고 말았다. 그제서야 다섯 장수는 일제히 한수를 호위하며 마초에게 덤벼들었다. 마초가 장막 밖으로 뛰쳐나오자 다섯 장수는 틈을 주지 않고 마초를 포위하고 공격했다. 마초는 홀로 보검을 휘두르며 다섯 장수를 상대했다. 검광이 번쩍일 때마다 선혈이 솟구치며 마완과 양홍이 칼을 맞고 쓰러졌다. 마초의 기세에 밀려 나머지 세 장수들은 목숨을 구해 달아났다.

마초는 다시 장막 안으로 들어가 한수를 찾았다. 한수는 이미 수하 사람들의 도움을 받아 어디론가 달아나버린 뒤였다. 그때였다. 장막 뒤에서 불길이 치솟더니 한수의 영채에 있던 군사들이 일제히 몰려나왔다. 마초가 재빨리 말에 뛰어올라 빠져나가려는데 마침 방덕과 마대가 군사를 이끌고 나타나 일대 혼전이 벌어졌다. 같은 서량군인 마초의 군사와 한수의 군사가 치열한 접전을 벌이고 있는데 사방에서 조조의 군사들이 들이닥쳤다. 앞은 허저가, 뒤는 서황이 맡고, 좌측은 하후연이, 우측은 조홍이 맡아 지휘하는 가운데 그 와중에 서량군이 섞여 싸우고 있으니, 그야말로 자중지란(自中之亂)이 아닐 수 없었다.

마초는 방덕과 마대가 보이지 않자 기병 1백여명을 이끌고 위수의 다리 위에 지키고 섰다. 어느덧 날이 밝아 자기를 배반한 이감이 한 무리의 군사를 이끌고 다리 밑을 지나가는 것이 바라보였다. 마초는 쏜살같이 다리 밑으로 달려내려갔다. 이감은 소스라치게 놀라 정신없이 달아난다. 이때였다. 마초를 추격하던 조조의 장수 우금이 등뒤에서 마초를 향해 활시위를 당겼다. 시윗소리를 들은 마초가 급히 몸을 숙여 피하자 화살은 그대로 날아가 이감의 머리에 정통으로 꽂혔다.

마초·한수·장로의 군사는 양주에서 조조군과 크게 싸우다

이감은 말에서 떨어져 죽고 말았다. 마초는 말머리를 돌려 우금을 향해 달려들었다. 우금이 감히 맞서지 못하고 달아나니, 마초는 더 추격하지 않고 다시 다리 위에 버티고 섰다.

어느새 몰려온 조조의 군사들은 호위군을 선두로 하여 앞뒤로 마초를 에워싸고는 어지러이 화살을 쏘아대기 시작했다. 마초가 창을 휘둘러 날아드는 화살을 쳐내는데, 바닥에 떨어지는 화살이 셀 수 없을 만큼 많았다. 마초는 기병들을 앞세우고 어떻게든 포위를 뚫고 나가려 했지만 조조군의 포위가 워낙 견고해 도무지 뚫고 나갈 방도가 보이지 않았다.

마초는 다리 위에서 한소리 크게 내지르더니 강 북쪽의 적진을 향해 뛰어들었다. 수하 기병들은 포위에 갇혀 빠져나오지 못하고, 홀로

포위를 뚫고 달리던 마초는 금세 또다시 조조군에게 포위되고 말았다. 적진 속에서 좌충우돌하던 마초는 마침내 타고 있던 말이 화살을 맞고 거꾸러지는 바람에 함께 바닥에 나뒹굴었다. 용장 마초가 꼼짝없이 사로잡히려는 순간이었다. 홀연히 서북쪽에서 한무리의 날쌘 군사들이 쳐들어오는데, 바로 방덕과 마대의 원군이었다. 두 사람은 가까스로 마초를 구해낸 다음 적군의 말을 빼앗아 태우고 몸을 날려 혈로를 뚫고 서북쪽을 향해 달아났다.

조조는 마초가 달아났다는 보고에 즉시 장수들에게 영을 내린다.

"주야를 불문하고 추격하라. 마초의 머리를 가져오는 자에게는 천금의 상을 내릴 뿐만 아니라 만호후(萬戶侯)에 봉할 것이요, 산 채로 잡아오는 자는 대장군에 봉할 것이다."

조조의 영을 전해들은 장수들은 모두 공을 세우려고 있는 힘을 다해 마초를 추격했다. 마초는 피로에 지친 군사와 말 들을 돌볼 겨를도 없이 달아나기에 바빴다. 뒤따르던 기병들은 뿔뿔이 흩어져 점점 줄어들고 보병들은 거지반 적들에게 사로잡혀 겨우 30여기가 남았을 뿐이다. 마초는 방덕·마대와 더불어 남은 군사들을 거느리고 농서의 임조(臨洮)를 향해 달아났다.

조조는 몸소 마초를 뒤쫓아 안정(安定)까지 갔다가 마초가 이미 멀리 달아난 것을 알고 장안으로 회군했다. 장안에는 이미 수많은 장수들이 모여 있었다. 조조는 왼팔을 잃은 한수에게 장안에서 몸을 돌보라 이르고 약속대로 서량후에 봉했다. 또한 양추와 후선은 각각 열후(列侯)로 봉하여 위구를 지키게 했다. 이곳은 바로 마초군이 진을 세우고 조조를 괴롭혔던 곳이다. 이제 조조는 허도로 회군하려 했다. 이때 자가 의산(義山)인 양주 참군(參軍) 양부(楊阜)가 장안으로 조조를 찾아와 간한다.

"마초는 여포와 같은 용장으로 강족들의 인심을 얻고 있는 터라 이 기회에 뿌리 뽑지 못하고 훗날 다시 세력을 키우는 날에는 농서지방 일대는 영영 잃고 말 것입니다. 하오니 승상께서는 이대로 회군하셔서는 안됩니다."

"나 역시 모르는 바 아니다. 하지만 중원에 일이 많고 남방 또한 평정하지 못한 터라 이곳에 오래 머무를 처지가 아니다. 그러니 그대가 나를 위해 이곳을 지켜주게나."

양부는 조조의 뜻을 따르기로 하고, 위강(韋康)을 양주 자사로 천거하며 그와 함께 기성(冀城)에 군사를 주둔해 마초를 막겠다고 했다. 조조가 허락하자, 양부는 임지로 떠나기에 앞서 다시 간청한다.

"부디 장안에 군사를 남겨두어 저희들을 후원할 수 있도록 해주십시오."

조조가 대답한다.

"이미 계획한 바가 있으니 그대는 염려하지 마라."

양부가 물러갔다. 모여 있던 장수들이 조조에게 묻는다.

"처음에 마초가 동관에 쳐들어왔을 때 위북이 끊어진 상태였는데, 승상께서는 하동으로 해서 풍익(馮翊)을 치지 않고 도리어 동관을 지키느라 시간을 보내다가 뒤늦게 북쪽으로 건너가 영채를 세우고 굳게 지키기만 하신 까닭은 무엇입니까?"

"마초가 동관을 지키고 있을 때 만일 내가 곧바로 하동을 취하려 했다면 필시 서량군은 군사를 나누어 곳곳의 나루터를 지켰을 테고 우리는 하서로 건너지 못했을 것이다. 그러나 내가 동관 앞에 대군을 집결시킨 까닭에 그들은 남쪽을 지키기에 급급해 하서를 소홀히 방비할 수밖에 없었다. 서황과 주령이 수월하게 하서로 건너갈 수 있었던 것도 그 때문이었다. 그런 다음 북쪽으로 군사를 이끌고 가서 수레를 잇고 울타리를 세워 용도를 만들고 토성을 쌓아올려 세력이 약한 척한 것은 적들로 하여금 교만함에 빠져 방비를 허술하게 하려는 것이었다. 나는 적들을 이간하는 반간계를 쓰면서 그동안 군사들의 힘을 축적해 일시에 격파한 것이니, 이야말로 빠른 우레소리에 귀막을 틈도 주지 않은 격이지. 병법의 운용이란 한가지 방책으로 되는 게 아니다."

여러 장수들이 조조의 설명에 감탄하며 다시 묻는다.

"승상께서는 적병이 늘어날 때마다 기뻐하셨는데 그것은 무슨 까닭입니까?"

"아마도 그대들은 내가 거짓으로 그런 줄 알았을 것이다. 서량군은 멀리 변방에 있는데 적들이 각기 중요한 길목을 지키고 있다면, 어찌 그들을 한두 해에 정복할 수 있겠느냐? 그러나 그들이 모두 한곳에 모이고 보면 인심이 하나 같지 않아서 이간하기가 수월하니 내가 기뻐할밖에."

"승상의 신기묘산은 아무도 따를 자가 없습니다."

장수들은 탄복하여 일제히 절을 올렸다. 조조는 장수들에게 후하게 상을 내린 뒤 하후연을 장안에 주둔하게 하고, 투항해온 군사들을 각 부대에 배속했다. 하후연이 풍익땅 고릉(高陵) 사람으로 장기(張旣)라는 인물을 천거하니, 그의 자는 덕용(德容)이었다. 조조는 장기를 경조윤으로 삼아 하후연과 더불어 장안을 지키게 했다.

이윽고 조조는 군사를 거느리고 허도로 돌아왔다. 헌제는 수레를 성밖까지 몰고 나가 영접하고 이번 원정에서 세운 공을 기려 조조에게 조서를 내렸다. 첫째, 조조는 황제에게 절하면서 이름을 고하지 않아도 되며, 둘째, 입조할 때 종종걸음을 하지 않아도 되고, 셋째, 칼을 차고 신을 벗지 않고도 전각에 오를 수 있다는 내용이었으니, 이는 한나라 재상 소하(蕭何, 한고조를 도와 율령을 만든 인물로 위세가 컸음)의 고사에 따른 특전이었다. 이후 조조의 위엄은 천하에 떨치게 되었다.

이 소식은 한중에까지 전해져 한녕 태수 장로(張魯)를 놀라게 했다. 원래 장로는 패국(沛國) 풍(豊)땅 사람인데, 그의 할아버지 장릉(張陵)은 서천 곡명산(鵠鳴山)에서 도가(道家)의 글을 조작해 사람을 미혹하니 모두들 그를 공경했다. 장릉이 죽은 뒤 그의 아들 장형(張衡)이 대를 이었는데, 도학을 배우고자 하는 백성들에게 쌀 다섯말씩을 요구해서 세상사람들은 그를 '미적(米賊)'이라고 불렀다.

장형이 죽자 장로가 대를 이었다. 장로는 한중에서 살면서 스스로를 '사군(師君)'이라 칭하고 도를 배우려는 자는 모두 '귀졸(鬼卒)'이라 불렀다. 귀졸 중 지도급에 있는 자를 '좨주(祭酒)', 이 무리를 거느린 자를 '치두대좨주(治頭大祭酒)'라고 했다. 장로는 몇가지 율법을 만들었는데, 진실과 믿음을 위주로 하여 속이는 것을 용서하지 않았고, 혹 병자가 있으면 단(壇)을 세우고 조용한 방에 거처하며 기도를 올려 자신의 죄를 참회하게 했다. 기도하는 일을 주관하는 사람을 '간령좨주(奸令祭酒)'라 했다.

기도하는 방법으로는, 우선 병자의 이름을 적고 복죄(服罪, 죄에 대한 벌을 받음)의 뜻을 담은 세 통의 글을 쓰게 했는데, 이를 '삼관수서(三官手書)'라 일컬었다. 세 통의 글 중 한 통은 산꼭대기에 갖다놓아 하늘에 아뢰게 하고 한 통은 땅에 묻어 땅에 아뢰었으며, 나머지 한 통은 물속에 던져 수궁에 아뢰게 했다. 병이 나으면 쌀 다섯말을 사례로 받았다.

또 의사(義舍)라는 건물을 지어 그곳에 쌀과 땔나무, 고기 등을 갖추어두고 오가는 길손들에게 마음대로 먹게 했으나, 욕심을 내는 자는 하늘의 벌을 받는다고 하였다. 그 구역 안에서 범법자가 생기면 세 번은 용서해주고, 그런데도 행실을 고치지 않으면 형벌에 처했다. 이런 일은 따로 관장하는 사람이 없이 모두 죄주들이 맡아 처리했다. 이렇게 장로가 한중에 웅거한 지 30여년이 지났으나 나라에서는 워낙 먼곳이라 정벌하지 못했다. 다만 장로를 진남중랑장(鎮南中郎將)으로 삼고 한녕 태수에 봉하여 해마다 공물을 바치게 하는 데 그쳤다.

장로는 조조가 서량군을 무찔러 천하에 위엄을 떨쳤다는 소식을 듣고 급히 수하사람들을 불러모아 의논했다.

"서량의 마등이 이미 죽고 마초 또한 패했으니 조조는 분명 우리 한중을 그냥 두지 않을 것이다. 이제 내가 한녕왕이라 칭하고 군사를 일으켜 조조와 맞서려 하는데, 그대들의 생각은 어떤가?"

염포(閻圃)가 나서며 말한다.

"우리 한중으로 말할 것 같으면, 이미 백성이 10만여 호가 넘고 재물과 양식이 넉넉한데다 사면이 험한 지세로 둘러싸여 있습니다. 게다가 이번에 마초가 패하는 바람에 서량 백성들 가운데 자오곡(子午谷)을 넘어 한중으로 들어온 자가 수만명이 넘을 것입니다. 제 어리석은 소견으로는 익주의 유장(劉璋)이 어리석고 약하니, 먼저 서천의 41주를 빼앗아 근거지로 삼은 후에 왕이라 칭하셔도 늦지 않을 것입니다."

장로는 크게 기뻐하며 즉시 자신의 아우 장위(張衛)와 더불어 군사를 일으킬 일을 의논했다. 이 소식은 곧장 정탐꾼에 의해 익주의 유장에게 전해졌다.

익주 목사 유장의 자는 계옥(季玉)인데, 유언(劉焉)의 아들로서 한나라 노공왕(魯恭王)의 후예이다. 유언은 장제(章帝) 원화(元和) 연간에 경릉(竟陵)땅에 옮겨와서 그 자손들이 줄곧 이곳에서 살고 있었다. 그후 유언의 벼슬은 익주목에 이르렀는데, 흥평(興平) 원년(194)에 등창으로 죽자 고을의 관리 조위(趙韙) 등이 유장을 익주목으로 세웠다. 유장은 장로의 모친과 아우를 죽인 일이 있어 두 사람은 원수지간이었다. 그래서 방희(龐羲)를 파서(巴西) 태수로 삼아 장로를 경계해왔는데, 방희가 정탐꾼으로부터 장로가 군사를 일으켜 서천을 넘본다는 소식을 전해듣고는 급히 유장에게 보고했던 것이다.

유장은 본래 소심한 인물이라 이 소식을 듣자 크게 놀라 모든 관원들을 불러모아 대책을 상의했다. 그 자리에서 한 사람이 나서며 아뢴다.

"주공께서는 부디 마음을 놓으십시오. 비록 이몸이 재주는 많지 않으나 세치 혀가 굳지 않았으니, 장로 따위가 감히 서천을 엿보지 못하도록 하겠습니다."

촉땅의 모사가 나섬으로 인해　　　　　　　　祇因蜀地謀臣進
형주의 호걸이 나오게 되는구나　　　　　　　致引荊州豪傑來

세치 혀로 장로를 막겠다는 이 사나이는 과연 누구일까?

60 _

三
國
志

서촉행

장송은 거꾸로 양수를 책망하고
방통은 계책을 꾸며 서촉을 취하려 하다

유장에게 계책이 있다고 큰소리친 사람은 바로 익주 별가로 있는
장송(張松)이란 사람으로, 자는 영년(永年)이다. 그는 생김새가 괴상
해서 이마는 툭 튀어나오고 머리는 뾰족 솟았으며 코는 납작하고 이
는 뒤틀려 난데다 키까지 작아 5척이 채 못 되었다. 그러나 목소리는
큰 종소리만큼 우렁찼다. 유장이 묻는다.

"그래 별가는 무슨 계책으로 장로를 막겠단 말이오?"

장송이 답한다.

"듣자하니 허도의 조조는 중원을 정벌해 여포와 원소와 원술을 모

446

두 멸망시키고 근래에는 마초까지 격파해 천하에 대적할 자가 없다 합니다. 그러니 주공께서 조조에게 바칠 예물을 갖추어주신다면 제가 직접 허도로 가서 조조로 하여금 한중의 장로를 치도록 설복하겠습니다. 조조가 장로를 공격한다면 장로는 조조를 막느라 급급할 터이니, 무슨 수로 우리를 엿보겠습니까?"

"참으로 훌륭한 계책일세."

유장은 몹시 기뻐하며 황금과 구슬, 비단 등을 장만해 장송을 허도로 떠나보냈다. 장송은 남몰래 서천의 지리를 한눈에 볼 수 있는 군사 지도를 그려 간수하고서 종자 몇사람을 거느리고 길을 떠났다. 이 사실은 곧 정탐꾼에 의해 형주에 전해졌다. 제갈공명은 지체하지 않고 사람을 허도로 보내 상황을 탐지하게 했다.

허도에 도착한 장송은 역관에 머물면서 날마다 승상부에 가서 조조 만나기를 청하였다. 조조는 마초를 격파한 이래 한층 더 오만해져서 날마다 잔치를 베풀었으며, 정사도 승상부에서 처리했다. 장송은 사흘 만에야, 그것도 조조 좌우 신하들에게 뇌물을 바친 뒤에야 겨우 조조와 상면할 수 있었다. 당상에 앉아 있던 조조는 장송이 절을 마치기가 무섭게 묻는다.

"너의 주인 유장은 무슨 이유로 여러 해 동안 공물을 바치지 않는 것이냐?"

장송이 아뢴다.

"길이 험악하고 도적이 많아서 공물을 바치기 어려웠사옵니다."

조조가 꾸짖는다.

"내 이미 중원을 모두 평정했는데, 도적이라니 무슨 소리냐?"

"남쪽에는 손권이 있고 북쪽에는 장로가 있으며 서쪽에는 유비가 있어, 그들 가운데 군사가 적은 자라 할지라도 최소한 10여만명 이상을 거느리고 있으니, 이를 어찌 태평하다 하겠습니까."

조조는 무엇보다도 장송이 괴상하게 생겨 불쾌해하던 차에 말씨 또한 불손하고 당돌하자 그대로 자리를 차고 일어나 후당으로 들어가버렸다. 좌우 사람들이 장송을 꾸짖는다.

"그대는 사신의 몸으로 예의를 갖추지 못하고 어찌하여 입을 함부로 놀리는 게요? 그나마 승상께서 먼길 온 것을 생각해 벌을 내리지 않은 것만도 천행으로 알고 속히 돌아가오."

장송이 빙그레 웃는다.

"우리 서천에는 아첨하는 자가 없소이다."

그 말이 끝나기도 전에 계단 아래에서 난데없는 호령소리가 터져나왔다.

"서천에 아첨하는 자가 없다, 그럼 우리 중원에는 아첨하는 사람이 있단 말이냐?"

장송이 호령하는 사람을 쳐다보니, 짙은 눈썹에 눈이 가늘며 얼굴빛이 희고 총명해 보였다.

"그대의 성함이 어찌 되는지 알고 싶소이다."

그는 태위(太尉) 양표(楊彪)의 아들 양수(楊修)였다. 양수의 자는 덕조(德祖)로, 현재 승상 문하의 장고주부(掌庫主簿, 창고 관리인)로 있었다. 양수는 박학다식하며 말을 잘하는 출중한 인물이었다. 장송은 양수가 말을 잘한다는 사실을 알아채고, 곧 말로써 그를 궁지에 빠뜨려보고 싶은 생각이 들었다. 양수 또한 제 재주를 믿고 천하의 선비들을 우습게 알던 터라 장송의 뼈있는 말을 듣게 되자 그를 바깥 서원으로 청했다. 자리를 나누어 앉은 뒤 양수가 먼저 입을 연다.

"촉땅은 길이 멀고 험한데 오시느라 고생하셨소."

장송이 말한다.

"주인의 명을 받들고 있으니 끓는 물속이든 뜨거운 불속이든 어찌 망설이겠습니까."

"그래 촉의 풍토는 어떻소?"

"촉은 서쪽에 있고 옛이름은 익주라 하는데, 험한 지형에 금강(錦江)이 둘러 있고 웅장한 검각(劍閣)과 잇닿아 있어 그 둘레만도 208정(程)이요 종횡(縱橫)이 3만여 리올시다. 가는 곳마다 닭 우는 소리 개 짖는 소리가 들리는 여염집이 이어져 있고, 논밭이 비옥하고 홍수와 가뭄 걱정이 없으니, 나라가 부강하고 백성들이 풍족해 날마다 풍악소리가 그치지 않소이다. 뿐만 아니라 그곳에서 나는 물자가 산처럼 쌓여 있으니 천하에 비길 데가 없지요."

"그래 그곳의 인물은 어떠하오?"

"문(文)에는 사마상여(司馬相如, 한무제 때의 문사)가 부(賦)에 탁월하고, 무(武)에는 마복파(馬伏波, 후한초의 명장 마원馬援. 복파장군)가 있으며, 의술로는 장중경(張仲景, 후한말의 의사. 저서『상한론』열권은 한방의학의 고전임)을 따를 자가 없고, 점술에는 엄군평(嚴君平, 전한말의 학자. 점괘를 이용해 충효신의를 가르침)이 있으니, 구류삼교(九流三敎, 종교·학술의 여러 유파)의 출중한 무리들을 어찌 일일이 다 말할 수 있겠소이까?"

양수가 계속 묻는다.

"그래 유장의 수하에는 그대 같은 인재가 몇이나 되오?"

"문무를 겸비한 인재와 충의강개한 지사가 1백명은 될 것이오. 나같이 재주 없는 사람까지 헤아린다면 수레에 실어 세어도 다 헤아릴 수 없을 정도요."

"그렇다면 공의 직함은 무엇이오?"

"외람되게도 별가의 자리에 있소이다. 공은 조정에서 어떤 벼슬자리에 계시오?"

"승상부의 주부로 있소이다."

장송은 도무지 이해할 수 없다는 얼굴로 말한다.

"듣자니 공의 집안은 누대에 걸쳐 고관을 지낸 문벌이라 하던데, 어찌 묘당(廟堂)에서 황제를 보좌하지 않고 구구하게 승상부의 한낱 관리노릇을 하신단 말이오?"

양수는 부끄러운 빛을 감추며 대답한다.

"내 비록 오늘날 하급관리로 있으나, 승상께서 내게 전량과 군정의 중임을 맡기셨을 뿐만 아니라 승상께 배우는 바가 많기 때문에 이 자리에 있는 것이외다."

장송이 껄껄 웃으며 말한다.

"내가 듣기로 승상은 문에 있어 공자와 맹자의 도에 밝지 못하고, 무에 있어 손무와 오기의 지혜에 이르지 못하여 오로지 무력으로 패권에만 힘써 오늘에 이르렀다는데, 그대는 무슨 가르침을 얻는단 말이오?"

"말씀이 지나치시오. 공이 한낱 변방에 있으면서 어찌 승상의 큰 재주를 아시겠소. 내 공께 보여드릴 게 있소이다."

양수는 곧 좌우에게 명해 상자에서 책을 한 권 가져오게 하여 장송에게 보여주었다. 제목을 보니 '맹덕신서(孟德新書)'로, 조조가 지었다고 적혀 있다. 장송이 책을 받아들고 첫장부터 끝까지 훑어보니, 전부 13편으로 되어 있는데 모두 용병법에 관한 내용이다. 장송이 묻는다.

"그래 공은 이 책을 어떻게 보시오?"

양수가 비로소 득의양양하여 말한다.

"이 책은 승상께서 옛것을 참작하여 『손자 13편』(『손자병법』)처럼 저술하신 것이오. 공은 우리 승상께 재주가 없다고 업신여겼으나 이만하면 후세에 전할 만한 책이 아닙니까?"

장송이 호탕하게 웃으며 대꾸한다.

"이 책은 우리 촉땅에서는 삼척동자도 다 외우고 있는데, 새로 지은 책이라니 무슨 소리요? 이 책은 전국시대에 어느 무명씨가 지은 것이오. 조승상은 도적질에 능하니 그를 표절해 자신이 지은 것처럼 그대를 속인 것이오."

양수는 도무지 믿을 수 없다는 표정으로 되묻는다.

"그럴 리 없소. 이 책은 승상이 비장하고 세상에 내놓지 않았는데, 촉의 삼척동자도 다 외우고 있다니, 어찌 그대가 승상을 이렇듯 업신여긴단 말이오?"

"내 말을 못 믿겠다면, 내가 한번 외워보리다."

장송은 이렇게 말하고는 『맹덕신서』의 내용을 처음부터 끝까지 낭랑하게 읊었다. 거침없이 외우는 그 소리를 들으니 일자일획도 틀리지 않는다. 양수는 놀라는 한편으로 장송에게 탄복하고 말았다.

"공은 한번 본 것을 잊지 않으니 과연 천하의 기재(奇才)구려."

후세 사람이 찬양해서 시를 지었다.

고괴한 얼굴 이상도 하구나	古怪形容異
청고한 그 모습 소탈하여라	淸高體貌疎
언변은 삼협의 물이 쏟아지는 듯	語傾三峽水

눈은 열줄을 한번에 읽어내리네	目視十行書
담도 커서 서촉의 으뜸이요	膽量魁西蜀
문장은 하늘을 꿰뚫는도다	文章貫太虛
제자백가를 통달하여	百家并諸子
한번 보면 줄줄 외우더라	一覽更無餘

장송이 일어나 작별을 고하려 하자 양수가 간곡히 만류한다.

"잠시만 더 역관에 머물러 계시오. 내가 승상께 여쭈어 한번 더 뵐 수 있게 해드리겠소."

"그리 해주신다면 더없이 고맙겠소이다."

장송이 사례하고 역관으로 돌아가자 양수는 조조를 만나러 들어갔다.

"승상께서는 어찌하여 장송을 그리 소홀히 대하셨습니까?"

"그자의 말투가 공손치 않아서 일부러 그런 것이다."

"승상께서는 일찍이 예형을 용납하셨으면서 어찌 장송은 받아들이지 않으십니까?"

"예형은 문장이 뛰어나 이름이 높아서 차마 죽일 수 없었지만 장송은 무슨 재주가 있단 말이냐?"

"장송은 입만 열면 열변이 쏟아져 강물처럼 흐르는 언변가일 뿐만 아니라, 승상께서 지으신 『맹덕신서』를 보였더니 한번 훑어보고는 그 자리에서 모조리 외우지 뭡니까? 이처럼 박문강기(博聞强記, 아는 것이 많고 기억력이 좋음)하기는 참으로 어려운 일인데다 그의 말을 빌리자면, 이 책은 전국시대에 무명씨가 지은 것으로 촉땅의 삼척동자도 모두 외우고 있다 하더이다."

이 말을 들은 조조는 언성을 높인다.

"옛사람 생각이 나와 우연히 들어맞았던 게지!"

그러고는 즉시 그 책을 찢어 불살라버리라고 명했다. 양수가 이어서 말한다.

"이 사람을 다시 불러 조정의 기상을 보여주시는 게 어떨는지요?"

무심한 체하던 조조가 입가에 웃음을 지으며 말한다.

"내일 서쪽 교련장에서 내가 군사를 점검할 테니, 그대가 그를 데려와 우리 군사의 위용을 보이고, 그가 돌아가거든 내가 강남을 쳐부수고 즉시 서천을 취할 것이라고 전하게 하라."

다음날 양수는 조조가 말한 대로 장송과 함께 서쪽 교련장에 나타났다. 그때 조조는 5만여 호위군을 사열하고 있었다. 장송이 보니 과연 조조의 호위군이 그 위용이 대단하다. 갑옷과 투구가 번쩍이고 전포가 찬란하며, 징소리 북소리가 하늘에 울리고 창과 칼이 햇살을 받아 날카롭게 빛났다. 사면팔방으로 대오를 나누니 바람에 오색 깃발이 휘날리고 군사와 말이 어우러져 금세 하늘로 오르기라도 할 기세였다. 장송이 곁눈질로 그 광경을 보고 있는데, 한참동안 위용을 자랑하던 조조가 장송을 부르더니 위세당당한 호위군을 가리키며 말한다.

"그대는 서천에서 이만한 영웅들을 보았는가?"

장송이 시치미를 떼고 답한다.

"우리 촉에서는 이러한 군사와 무기를 본 적이 없습니다. 오로지 인의(仁義)로 다스릴 뿐이지요."

순간 조조는 얼굴빛이 변하며 매섭게 장송을 노려보았다. 그러나 장송은 태연자약하여 조금도 두려운 기색이 없다. 옆에서 지켜보던 양수가 몸이 달아 장송에게 눈짓을 하며 주의를 주었으나 아랑곳하지 않는다. 조조가 언성을 높여 말한다.

"나는 천하의 쥐새끼 같은 무리들을 초개(草芥)처럼 볼 뿐이다. 나의 대군이 가는 곳마다 싸워 이기지 않은 곳이 없고, 공격하여 손에 넣지 않은 적이 없으니, 나를 따르는 자는 살고 거역하는 자에게는 죽음이 있을 뿐이다. 너는 그것을 아느냐?"

조조의 위협적인 언사에도 불구하고 장송은 서슴지 않고 대답한다.

"승상께서 군사를 이끌고 가는 곳마다 싸우면 반드시 이기고, 공격하면 반드시 취함을 어찌 모르겠습니까? 뿐만 아니라 지난날 복양에서 여포를 치시던 일이며 완성에서 장수와 싸우시던 일, 적벽에서 주유를 만나고 화용도에서 관우를 대적하시던 일, 동관에서 수염을 자르고 전포를 벗어버리고 위수에서 화살을 피하시던 그 일들을 생각하면, 과연 천하무적이라 아니할 수 없겠지요."

장송의 언사는 부드러우나 말 속에는 냉소의 뜻이 가득했다. 조조는 마침내 참지 못하고 소리를 버럭 내질렀다.

"네 이놈, 썩은 선비놈이 어찌 나의 아픈 곳을 골라 찌르느냐!"

이어 좌우에게 당장 장송의 목을 치라고 명하였다. 양수가 허겁지겁 만류한다.

"장송의 죄는 죽어 마땅하오나, 멀리 촉땅에서 조공을 바치러 온 사람을 죽였다고 소문이 나면 변방의 백성들로부터 인심을 잃을까 두렵습니다."

조조의 노기는 좀처럼 수그러들지 않았다. 지켜보던 순욱이 또한 강력히 말리니 마침내 조조는 장송을 참하는 대신 곤장을 치라 명했다. 결국 장송은 매서운 몽둥이 찜질을 당한 후 쫓겨나고 말았다.

장송은 역관으로 돌아와 즉시 짐을 꾸려 서천으로 향했다. 아픈 몸을 이끌고 가면서 생각한다.

　'본래 서천땅을 조조에게 바치려 했는데 조조가 이렇게까지 거만할 줄은 미처 몰랐구나. 그나저나 어쩐다? 유장 앞에서 큰소리치며 떠나왔는데, 이렇듯 빈손으로 돌아간다면 웃음거리가 되고 말 게 아닌가. 그럴 바에야 차라리 유현덕에게 가는 편이 낫겠구나. 현덕은 어질고 인의가 두텁기로 소문이 자자하니, 가는 길에 들러 그의 됨됨이나 알아보고 어찌할지 결정해야겠다.'

　장송은 이렇게 뜻을 정하고 말머리를 형주로 돌렸다. 어느덧 장송 일행이 영주(郢州) 경계에 이르렀을 때였다. 한무리의 군마가 홀연히 달려오는데 대략 5백여명은 되어 보였다. 대장으로 보이는 장수는 가볍게 무장했고, 차림새 또한 깨끗하였다. 장송 일행이 다가가자 대장이 말을 몰고 앞서 나와 묻는다.

　"오시는 분이 장별가가 아니신지요?"

　장송이 답한다.

　"그렇소이다."

　장수는 황망히 말에서 내리더니 공손하게 말한다.

　"조운이 이곳에서 기다린 지 오래 되었습니다."

　장송도 말에서 내려 답례한다.

　"그렇다면 그대가 상산 조자룡 아니시오?"

　"그렇습니다. 주공 유현덕의 명을 받들어 먼길을 오시는 대부(大夫)를 위해 말을 재촉해 달려왔습니다. 주공께서는 먼저 간단한 음식과 술로 위로해드리라고 분부하셨습니다."

　조자룡이 말을 마치자 군사들이 음식과 술을 가져와 무릎을 꿇고 바쳤다. 조자룡이 극진한 태도로 장송에게 권한다. 장송은 마음속으로 생각했다.

'사람들이 말하기를 유현덕이 너그러운 사람으로 손님을 끔찍이 대접한다더니, 과연 맞는 말이로구나.'

조자룡과 장송은 음식과 술을 나누어든 뒤 말을 타고 나란히 길을 떠났다. 두 사람은 날이 저물어서야 형주 경계에 이르렀다. 장송 일행이 형주의 역관에 들어가는데, 어느새 관문에 1백여명의 사람들이 시립한 채 북을 울리며 일행을 맞이했다. 이번에는 다른 장수가 장송의 말 앞으로 나와 인사를 올린다.

"대부를 위해 역관 안팎을 깨끗이 쓸고 숙식을 돌보라는 형님의 분부를 받들어 미리 와서 준비하고 있었습니다. 어서 드시지요."

그는 다름아닌 관운장이었다. 마침내 장송은 말에서 내려 관운장과 조자룡 두 장수와 더불어 역관에 들어 인사를 나누고 자리에 앉았다. 술과 음식이 차려지자 관운장과 조자룡은 밤늦게까지 장송을 대접했다. 장송은 오랜만에 여독을 풀고 종자와 더불어 편안한 밤을 보냈다.

다음날, 장송은 아침을 먹자마자 일찍 말에 올랐다. 길을 떠난 지 몇리 안되어 한무리의 인마가 나타났으니, 바로 현덕이 복룡 제갈량과 봉추 방통과 더불어 몸소 장송을 영접하러 나온 것이었다. 현덕 일행은 멀리서 장송의 모습을 보자마자 먼저 말에서 내려 기다렸다. 그 모습에 장송도 황송하여 즉시 말에서 내려 앞으로 나갔다. 현덕이 먼저 인사한다.

"대부의 높은 이름을 들은 지 이미 오래 되었으나 워낙 먼곳에 계신 탓에 가르침을 듣지 못하여 안타까웠소이다. 그런데 이번에 허도에서 돌아오신다는 소식을 듣고 이렇게 나왔으니, 부디 내치지 마시

456

고 보잘것없는 고을이나마 잠깐 들러 오랫동안 갈망해오던 회포를 풀게 해주시면 영광이겠소."

장송은 참으로 기뻐하며 다시 말에 올라타 고삐를 나란히 쥐고 부지런히 형주성으로 들어갔다. 형주성에 도착한 일행이 부중 당상에 올라 정식으로 인사를 나누고 주객이 자리를 나누어 앉으니 잔치가 벌어졌다. 그런데 어쩐 일인지 한참동안 술잔을 주고받으며 회포를 풀었는데도 유현덕은 한담만 나눌 뿐 서천에 대한 일은 입에 담지도 않는 게 아닌가. 장송이 더 참지 못하고 먼저 말문을 연다.

"지금 황숙께서 지키고 계신 형주는 몇 고을이나 되는지요?"

유현덕이 묵묵부답으로 앉아 있으니 제갈공명이 대신 말한다.

"형주땅도 동오로부터 잠시 빌린 곳이라 저쪽에선 매일 사람을 시켜 되찾아갈 궁리만 하고 있는 처지요. 그나마 주공께서 동오의 사위가 되어 그럭저럭 지내고 있는 형편이지요."

장송이 말한다.

"아니, 동오는 6군 81주에 웅거하여 백성은 강하고 나라는 부유한데, 뭐가 부족해서 그리 한답니까?"

이번에는 방통이 대답한다.

"우리 주공께서는 한나라 황실의 황숙이신데도 변변한 고을 하나 손에 넣지 못하고 있는데 다른 자들은 모두 한나라의 좀도둑이면서도 제멋대로 토지를 점령하고 있으니, 지혜로운 식자(識者)들이 그래서 불평하는 것입니다."

이때 유현덕이 말한다.

"두 분께서는 그런 말씀 마시오. 내가 무슨 덕이 있다고 감히 많은 것을 바라겠소."

장송이 말한다.

"아닙니다. 명공께서는 한실의 종친으로 인의가 사해에 충만했으니, 주나 군을 차지하는 건 말할 것도 없고 정통을 이어 제위에 오르시더라도 분에 넘치는 일이 아닐 것입니다."

유현덕이 손을 맞잡고 사례한다.

"공의 말씀 과분하오. 유비가 무슨 수로 감당하겠습니까."

이날부터 내리 사흘 동안 잔치를 베풀어 술을 마셨으나, 유현덕은 서천에 대해서는 말 한마디도 꺼내지 않았다. 드디어 장송이 떠나는 날, 유현덕은 10리 밖 장정(長亭)에서 크게 잔치를 베풀고 손수 술을 따라 장송에게 권한다.

"대부께서 사흘 동안이나 이곳에 머물러주셔서 쌓인 회포를 풀었는데, 이제 이렇게 떠나고 보면 또 언제 다시 뵙고 가르침을 받을 수 있을지 모르겠소이다."

유현덕이 말을 맺지도 못하고 석별의 눈물을 흘리니, 장송 또한 착잡한 심정이 되었다. 그는 속으로 생각했다.

'현덕이 이렇게 너그럽고 인자하니 어찌 이대로 떠날 수 있겠는가. 차라리 현덕에게 서천을 취할 방도를 일러주리라.'

이렇게 뜻을 정한 장송이 현덕에게 말한다.

"이몸도 공을 조석으로 모시고 싶으나 그리 할 수 없음이 한스럽습니다. 이번에 형주를 둘러보니, 과연 동쪽에는 손권이 항상 범같이 노리고 있고, 북쪽에서는 조조가 매양 고래같이 삼키려고 하니, 결코 오래 머물러 있을 곳이 못 되는 듯합니다."

유현덕은 처지를 한탄하듯 처량하게 말한다.

"물론 짐작하고 있는 일이나, 몸둘 곳이 없으니 답답할 뿐입니다."

장송이 마음속에 품은 생각을 말한다.

"익주는 험한 지형에 둘러싸여 있는데다 비옥한 평야가 천리에 펼쳐져 있고, 백성들은 번성하고 나라는 부강하며, 지혜있고 능력있는 선비들은 모두 오래 전부터 황숙을 흠모하고 있습니다. 황숙께서 형주와 양양의 무리를 일으켜 멀리 서쪽으로 나가신다면 패업을 이룰 수 있을 것이며, 나아가 한나라 황실을 중흥하실 것입니다."

현덕은 여전히 사양한다.

"유비가 그것을 어찌 감당하겠소? 게다가 유익주(劉益州, 유장) 역시 한실의 종친으로 촉땅을 은혜로 다스린 지 오래인데, 내 어찌 그 땅을 침범할 수 있겠소이까?"

"제가 주인을 팔아 영화를 구하려는 게 아니라, 이렇게 명공을 뵙고 보니 감히 본심을 털어놓고 싶은 생각이 듭니다. 유계옥(劉季玉, 유장의 자)이 비록 익주를 차지하고 있으나 품성이 어리석고 나약하여 도무지 어진 인물을 쓸 줄 모르는데다, 북쪽의 장로는 호시탐탐 쳐들어올 기회만 노리고 있으니, 민심도 어지러워 오로지 참주인 만나기만을 바라고 있는 형편입니다. 제가 이번에 온 것은 바로 조조에게 익주를 바치려는 뜻에서였습니다만, 역적 조조가 어진이를 업신여기고 오만방자하기 짝이 없어, 생각을 바꾸어 이렇게 명공을 찾아온 것입니다. 명공께서 먼저 서천을 취해 기반으로 삼으신 후에, 다시 북쪽으로 한중을 도모하고 중원을 취해 한실을 바로잡는다면, 그 이름이 청사(靑史)에 길이 남을 것이니 이보다 더 큰 공로가 어디 있겠습니까? 명공께서 진실로 서천을 취하실 생각이 있으시다면 제가 견마(犬馬)의 수고를 아끼지 않고 돕겠습니다."

"공의 뜻은 더없이 감사하나, 유계옥은 나와 친척간인데 그를 해쳤다가는 세상사람들이 욕할 것이니 그것이 두렵소이다."

"대장부가 세상에 나와 공을 세우고 업을 이루기 위해서는 남보다 앞서야 하는 것이 으뜸인데, 지금 취하지 않고 기회를 놓친다면 나중에 후회한들 무슨 소용이겠습니까?"

"듣자하니, 촉땅은 지형이 험준해 곳곳에 산이 높고 물이 많아 수레는 구르지 못하고 말은 고삐를 나란히하지 못한다고 하더이다. 그러니 취하고 싶다 해도 어찌 계책인들 변변히 세울 수 있겠소이까?"

유현덕의 말을 듣자마자 장송은 소매 속에서 지도 한장을 꺼내주며 말한다.

"제가 유공의 성덕을 보고 느낀 게 많아 이 지도를 드리니, 이것만 있으면 촉땅의 지리는 훤히 알 수 있습니다."

현덕이 지도를 펴보니 서촉의 지리가 자세히 그려져 있는데, 거리가 얼마나 멀고 가까운지, 도로의 폭이 넓은지 좁은지, 그리고 산천의 험준함이 어느 정도인지와, 심지어 부고(府庫, 관청의 창고)의 전량(錢糧)까지 일일이 적혀 있다. 장송이 말한다.

"명공은 되도록 속히 일을 도모하십시오. 제게는 서로 마음을 나누는 벗이 둘 있는데, 법정(法正)과 맹달(孟達)이 그들입니다. 이들이 유공을 도울 것이니, 나중에 두 사람이 형주에 찾아오거든 명공께서는 안심하시고 그들과 의논하십시오."

유현덕은 손을 마주 잡고 사례한다.

"청산은 늙지 않고 녹수는 길이 흐르니, 훗날 일이 성사되면 반드시 후하게 보답할 것이오."

"제가 밝은 주인을 만나 어쩔 수 없이 본심을 밝히는 것인데, 무슨 보답을 바라겠습니까?"

—
장송은 유비에게 서천의 지도를 바치다

장송이 작별을 고하자 공명은 관운장 등에게 명해 수십리 밖까지 장송을 배웅하라 일렀다.

익주로 돌아온 장송은 먼저 친구 법정을 만났다. 법정의 자는 효직(孝直)으로 우부풍(右扶風, 지금 섬서성 장안현의 서쪽 지역) 사람인데, 어진 선비로 이름 높던 법진(法眞)의 아들이다. 장송이 법정에게 말한다.

"조조는 너무나 오만해 어진이를 업신여기니, 근심은 함께 할 수 있어도 즐거움을 함께 할 수는 없는 인물이오. 내 장차 익주를 유황숙께 바칠까 생각중인데, 그대 생각은 어떠하신가?"

장송의 말을 듣고 법정이 대답한다.

"나 역시 유장이 무능하여 이미 마음속으로 유황숙을 생각한 지 오래요. 우리 두 사람의 뜻이 이렇게 같다는 걸 알았으니 무엇을 더 주저하겠소?"

두 사람이 한창 이야기를 나누고 있는데 맹달이 찾아왔다. 맹달의 자는 자경(子慶)으로, 법정과는 같은 고향 사람이다. 맹달은 법정과 장송이 은밀하게 이야기를 주고받는 자리에 합석하며 대뜸 이렇게 말한다.

"내 두 사람의 뜻을 알 만하오. 익주를 누구에게 바칠지 의논하고 있었던 게 아니오?"

장송이 맹달의 말을 받아 말한다.

"그렇다면 누구에게 주려고 하는지 한번 맞혀보시게."

맹달이 서슴지 않고 말한다.

"유현덕이 아니고는 안되오."

세 사람은 서로 같은 마음인 것이 신통하여 박장대소했다. 이윽고 웃음을 거두고 법정이 장송에게 묻는다.

"형은 내일 유장을 만날 텐데 무슨 이야기를 하시려오?"

"두 분을 형주로 가는 사신으로 천거할 생각이오. 그러니 두 분은 함께 형주로 가주오."

두 사람은 마주보며 고개를 끄덕였다.

이튿날 장송은 유장을 뵈러 갔다. 유장이 장송에게 묻는다.

"그래 갔던 일은 어찌 되었소?"

장송은 서슴지 않고 대답한다.

"조조는 한나라 역적으로, 천하를 찬탈하려 함은 말할 것도 없고 이미 서천을 빼앗을 작정을 하고 있었습니다."

"그럼 어찌하면 좋겠소?"

"제게 한가지 계책이 있으니, 장로와 조조 모두 서천을 넘보지 못하게 하겠습니다."

"어떤 계책인지 한번 말해보오."

"형주의 유황숙으로 말할 것 같으면 주공과 종친이며 인자하고 너그러워 장자의 기풍이 있는데다, 적벽대전 이래 조조의 간담을 서늘하게 했으니 장로 따위가 문제겠습니까? 주공께서 유황숙에게 사신을 보내 우의를 다지셔서 그와 손을 잡게 되면 조조는 말할 것도 없고 장로도 염려하실 필요가 없습니다."

"나도 오래 전부터 그런 생각을 하고 있었소. 그러면 누구를 사신으로 보내는 게 좋겠소?"

"법정과 맹달이 아니면 성사시키기 어렵습니다."

유장은 즉시 두 사람을 불러들이는 한편 서신을 쓰게 했다. 그리고는 법정에게 형주로 가서 서신을 전하여 우호관계를 맺게 하고, 뒤이어 맹달로 하여금 정병 5천기를 이끌고 나가 유현덕을 서천으로 영접해오도록 했다. 이때였다. 한 사나이가 얼굴이 온통 땀으로 범벅이 된 채 뛰어들어오며 큰소리로 외친다.

"주공! 만일 주공께서 장송의 꾀에 넘어가신다면 우리 서천땅 41주 는 모조리 남의 손에 넘어가고 말 것입니다."

장송이 깜짝 놀라 바라보니, 그는 바로 서랑(西閬) 중파(中巴) 사람 황권(黃權)이었다. 황권의 자는 공형(公衡)으로, 유장의 막부에서 주 부로 있었다. 유장이 묻는다.

"유현덕으로 말하면 나의 종친이라 내가 그에게 구원을 청하려는 것인데, 너는 어찌하여 이렇게 경망스런 말을 하느냐!"

황권이 고한다.

"유비가 사람을 대함에 너그럽고 부드러움으로 능히 강함을 이기 니, 당대에 비할 바 없는 영웅임을 저도 알고 있습니다. 뿐만 아니라 멀리까지 인심을 얻고 가까이로는 백성들의 인망을 얻었으며, 제갈공 명과 방통의 지모에 관우·장비·조자룡·황충·위연 등을 날개로 삼 고 있습니다. 그러한 그를 우리 촉땅에 불러들여 신하의 예로 대접한 다면 과연 만족하겠습니까? 그렇다고 빈객의 예로 대접한다면 한 나 라에 주인이 둘 있는 셈이니 그 또한 있을 수 없는 일입니다. 지금 주 공께서 제 말씀을 들으신다면 우리 서촉은 태산같이 평안할 것이나, 듣지 않으시면 누란지위(累卵之危, 새알을 쌓아놓은 것처럼 몹시 위태로운 형 세)에 빠질 것입니다. 장송이 지난번 조조에게 다녀오는 길에 형주에 들른 것으로 보아 유비와 공모한 것이 틀림없습니다. 장송을 끌어내 목을 베고 유비와 단절하신다면 서천은 무사할 것입니다."

유장이 묻는다.

"조조와 장로가 쳐들어오면 무슨 수로 막을 셈인가?"

황권이 대답한다.

"국경과 요새를 굳게 지키며, 해자를 깊게 파고 성벽을 높이 쌓아 적이 물러갈 때를 기다릴 수밖에 없습니다."

"이제 적이 우리 경계를 넘어 눈썹 밑에까지 불이 붙은 형국인데 고작 적이 물러날 때를 기다린다는 게 계책이란 말이냐? 그따위 계책으로 무엇을 할까?"

유장이 황권의 말을 귀담아듣지 않고 계획대로 법정을 형주로 보내려는 참인데, 또 한 사람이 막고 나선다.

"안됩니다, 안됩니다!"

유장이 보니 그는 바로 장전(帳前) 종사관 왕루(王累)였다. 왕루가 머리를 조아리며 간곡히 말한다.

"주공께서 만일 장송의 말대로 하신다면 참으로 화를 자초하게 될 것입니다."

유장이 말한다.

"그렇지 않다. 유현덕과 동맹을 맺으려는 이유는 바로 장로를 막기 위해서다."

왕루가 말한다.

"장로가 침범해오는 것은 비유하면 옴 같은 피부병에 불과하나, 유비를 서천으로 불러들이는 것은 심장과 뱃속에 큰 병을 만드는 일입니다. 유비는 천하의 영웅이라, 일찍이 조조를 섬기면서 모해했고, 나중에는 손권을 따르다가 형주를 빼앗았습니다. 그의 야심이 이와같은데 어찌 함께 일을 도모할 수 있겠습니까? 지금 유비를 불러들인다면 서천은 끝장날 것입니다."

유장이 호되게 꾸짖는다.

"입 닥치지 못할까. 현덕은 나와 친척간인데 어찌 내 기업(基業)을 빼앗겠느냐."

유장은 황권과 왕루 두 사람을 끌어내게 한 다음 법정에게 속히 형주로 떠나라 명했다.

익주를 떠난 법정은 곧장 형주에 이르러, 유현덕을 뵙고 세번 절한 다음 서신을 올렸다. 유현덕이 뜯어서 읽어보니 다음과 같은 내용이다.

족제(族弟, 아우뻘 되는 같은 성의 먼 친척) 유장은 현덕 장군 휘하에 거듭 절하고 글을 올립니다. 오래 전부터 우레 같은 명성을 들었으나 촉땅이 험한 탓에 이제까지 인사를 올리지 못하였으니 참으로 부끄러울 따름입니다. 길흉은 서로 구하고 환난은 서로 도우라는 말이 있으니, 친구 사이도 그러하거늘 하물며 친척간이야 말해 무엇하겠습니까. 바야흐로 장로가 북쪽에서 밤낮으로 군사를 일으켜 경계를 침범해오니 불안하기 짝이 없습니다. 이제 사람을 보내 서신을 올리니 부디 살펴주십시오. 친척간의 정과 수족(手足) 같은 의리를 생각해 군사를 일으켜 저 미친 도적을 물리치도록 후원해주신다면, 이와 입술처럼 오래도록 우호를 유지하며 그 은혜를 잊지 않겠습니다. 글로는 뜻을 다 전할 수 없사오며, 오로지 수레와 기마를 고대하겠습니다.

서신을 다 읽고 난 유현덕은 크게 기뻐하며 즉시 잔치를 열어 법정을 환대했다. 술이 몇 순배 돌았다. 현덕은 좌우 사람을 물리치고 나서 법정에게 은밀하게 말한다.

"공의 높은 이름을 우러르고 사모한 지 오래이고 또한 장별가로부터도 공의 성덕을 들었는데, 이제 가르침을 듣게 되니 가히 평생의 위로가 되겠소이다."

법정이 사례한다.

"촉땅의 하찮은 관리를 어찌 이렇게까지 대해주시는지요? 말은 백락(伯樂, 춘추시대 사람 손양孫陽. 말을 알아보는 안목이 탁월함)을 만나야 울고, 사람은 자기를 알아주는 이를 만나야 목숨을 바치는 법이라 했습니다. 장군께서는 장별가가 드린 말씀을 잊지 않고 계시겠지요?"

"내 처지가 떠도는 나그네에 불과하니 날마다 탄식하는 터요. 뱁새도 깃들여 앉을 나뭇가지가 있고 토끼도 제 몸을 피할 굴이 서너 개는 되는데 하물며 사람은 어떠하겠소? 기름지고 넉넉한 촉땅을 취하고 싶은 마음이야 있으나, 유장이 나와 같은 종실이라 차마 도모하기 어렵소이다."

"익주는 하늘이 내린 땅이니 다스릴 만한 주인이 아니면 차지할 수 없습니다. 이제 유장이 어진 선비를 제대로 쓰지 못해 익주가 남의 손에 넘어갈 판국이고, 더구나 스스로 장군께 바치려고 하는 터이니 이 기회를 놓쳐서는 안됩니다. 토끼도 먼저 쫓는 사람이 임자라고 하지 않습니까? 장군께서 익주를 취하려고만 하신다면 제가 목숨을 걸고 도울 것입니다."

유현덕은 법정에게 두 손을 맞잡고 사례하고 다음날을 기약했다. 자리가 파하자 공명이 몸소 법정을 역관으로 안내했다. 유현덕이 홀로 앉아 곰곰이 생각에 잠겨 있는데 방통이 들어와 말한다.

"결단해 마땅한 일을 앞두고 망설이는 것은 어리석은 사람이거늘 고명하신 주공께서 무엇을 주저하십니까?"

현덕이 방통에게 묻는다.

"그대 생각에는 어찌하면 좋을 것 같소?"

"형주는 동쪽에 손권이 웅크리고 있고 북쪽에 조조가 버티고 있어서 뜻을 이루기 어려운 곳이나, 익주로 말하자면 호구(戶口)가 백만이요 땅은 넓고 물자가 풍족해 가히 대업을 이룰 수 있는 곳입니다. 다행히 장송과 법정이 돕겠다고 나서니 그야말로 하늘의 뜻인데, 주공께서는 무엇을 주저하십니까?"

"지금 나와 조조는 물과 불처럼 상극이요. 따라서 조조가 급하게 굴면 나는 느긋하게 처신하고, 조조가 포악하면 나는 어질게 행동하며, 조조가 속임수를 쓰면 나는 충직하게 움직여야 하오. 이렇게 항상 조조와 상반되게 움직여야 대사를 이룰 수 있을 터인데, 혹시라도 작은 이득을 얻자고 천하의 신의를 저버리는 일이 아닐까 두렵소."

방통이 웃으며 말한다.

"주공의 말씀이 하늘의 이치에 합당합니다만, 이런 난세에 군사를 일으켜 싸우면서 오로지 한가지 도리만 좇을 수는 없는 일입니다. 일상의 이치만 따진다면 한발짝도 나아가지 못할 테니, 모름지기 약자를 아우르고 무지한 자를 공격하며(兼弱攻昧, 『상서尚書』에 나오는 전략) 역으로 취해 순으로 지키는 것(逆取順守, 『한서漢書』에 나오는 전략. 무력을 써서 승리하고 권위를 세워 다스림)은 옛적 상(商)나라 탕왕(湯王)과 주(周) 무왕(武王)의 도리(둘 다 잔학한 왕의 폭정을 쳐부숨)입니다. 천하의 대사를 정한 후에 의를 베풀고 대국(大國)으로 봉한다면 신의를 저버릴 것이 무엇이 있겠습니까? 만일 오늘 취하지 않으면 남에게 빼앗기고 말 것이니, 주공께서는 심사숙고하십시오."

현덕은 그제야 확연히 깨달은 듯 말한다.

"그대의 금석(金石) 같은 말씀을 가슴 깊이 새기리다."

그러고는 즉시 공명을 불러 군사 일으킬 일을 의논했다. 공명이 말한다.

"형주는 중요한 곳이라 군사를 나누어 반드시 지켜야 합니다."

현덕이 말한다.

"내가 방사원·황충·위연과 서천으로 떠날 테니, 군사는 관운장·장익덕·조자룡과 함께 형주를 지켜주시오."

공명도 그에 따르기로 해서 형주는 공명이 도맡고, 관운장은 양양의 요충지를 막아 청니(靑泥)땅 애구(隘口)를 맡기로 했다. 장비는 4군을 다스리며 그 일대 강변을 순찰하고, 조자룡은 강릉에 진을 치고 공안(公安)을 지키기로 했다. 유현덕은 황충을 선봉장으로 삼고 위연에게는 후군을 맡겼다. 그리고 자신은 유봉(劉封)·관평과 함께 중군이 되었으며 방통을 군사로 삼고 기병과 보병 도합 5만명을 거느리고 떠날 채비를 했다. 현덕이 길을 막 나서려는데 요화(廖化)가 한무리의 군사를 이끌고 투항해와서, 그로 하여금 관운장을 도와 조조를 막도록 했다.

마침내 현덕이 서천을 향해 5만 대군을 거느리고 장정에 오르니 때는 바야흐로 겨울이었다. 현덕군은 길 떠난 지 얼마 안되어 유장의 명으로 5천 군사를 거느리고 유현덕을 영접하러 온 맹달을 만났다. 현덕도 익주로 사람을 보내 유장에게 답례했다. 유장은 각 주군에 공문을 띄워 유현덕의 군사가 이르거든 즉시 전량을 공급하고 편의를 제공하도록 지시했다. 또한 몸소 현덕을 영접하고자 부성(涪城)으로 나가기 위해 수레와 장막을 준비시키고, 정기와 갑옷들을 깨끗이 손질하라 명했다. 이때 주부 황권이 들어와 간한다.

"주공께서 이렇게 맞이하러 가신다면 유비에게 반드시 해를 입고 말 것입니다. 오랫동안 주공을 섬겨온 몸으로 저는 이제 주공께서 남의 간계에 빠지는 것을 그냥 볼 수가 없사오니, 바라옵건대 거듭 숙고해주십시오."

이에 옆에 있던 장송이 말한다.

"주공, 황권의 이런 말은 종친간의 의리를 이간질해 도적들의 위세만 높여줄 뿐입니다. 주공께 득이 될 게 없으니 귀담아듣지 마십시오."

유장은 장송의 말이 옳다고 여겨서 황권을 호되게 꾸짖었다.

"내 이미 뜻을 정했는데, 네가 어찌 나를 거역하려 드느냐!"

황권은 너무나 원통한 나머지 머리를 땅바닥에 짓찧어 피가 흐르는 얼굴로 유장의 옷자락을 물고 간하기를 멈추지 않았다. 크게 노한 유장이 황권을 뿌리치며 벌떡 몸을 일으키자 그 바람에 황권의 앞니가 두 개나 빠져버렸다.

"당장 이자를 끌어내지 못할까!"

유장이 좌우에게 명하니, 황권은 통곡하며 끌려나갔다. 마침내 유장이 자리를 떠나려 하는데 또 한 사람이 소리치며 앞으로 나섰다.

"주공께서는 어찌하여 황권의 충언을 물리치고 스스로 사지로 뛰어들려 하십니까?"

섬돌 아래 엎드려 간곡히 만류하는 사람은 건녕(建寧)의 유원(俞元) 사람 이회(李恢)였다.

"임금에게는 충언하는 신하가 있고, 아비에게는 바른말을 하는 아들이 있다 했습니다. 주공께서는 부디 황권의 충언을 물리치지 마십시오. 만일 유비를 서천에 들인다면 이것은 대문으로 호랑이를 맞아들이는 격입니다."

유장이 말한다.

"현덕은 나의 종형이니 어찌 나를 해치겠는가. 또 한번 말하는 자
가 있으면 즉시 목을 칠 터이니 그리 알라."

그러고는 이회 역시 당장 밖으로 끌어내라 명했다. 장송이 다시 유
장을 다잡는다.

"지금 촉에서 녹을 먹는 문관들은 한결같이 제 처자들만 생각하지
주공을 위해 힘쓰는 사람이 없으며, 장수들은 자신의 공만 믿고 오만
해져서 이미 딴마음을 품고 있습니다. 지금 유황숙의 후원을 받지 않
는다면 밖에서는 적들이 쳐들어오고 안에서는 백성들이 들고일어나
큰 낭패를 당하실 것입니다."

유장이 고개를 끄덕이며 말한다.

"그대야말로 내게 유익한 사람이오."

다음날 유장이 말을 몰고 유교문(楡橋門)을 나서려 할 때였다. 문득
한 사람이 달려와 아뢴다.

"지금 종사 왕루가 밧줄로 제 몸을 묶고 성문 위에 거꾸로 매달려
한 손에는 주공께 간하는 글을 들고 다른 손에는 칼을 들고서, 만일
주공께서 자신의 간언을 들어주시지 않으면 제 손으로 밧줄을 끊고
땅에 떨어져 죽겠다고 합니다."

유장은 당장 왕루가 간하는 글을 가져오라 일렀다.

익주 종사 신(臣) 왕루는 피눈물로 씁니다. 좋은 약은 입에 쓰나
병에는 이롭고, 충언은 귀에 거슬리나 행함에는 이롭다 했사옵니
다. 옛날 초나라 회왕(懷王)은 굴원(屈原)의 말을 듣지 않고 무관

(武關)에서 회맹(會盟, 임금과 신하가 모여 결의를 다짐)하다가 진(秦)나
라에 곤욕을 치렀습니다. 이제 주공께서 경솔하게 대군(大郡)을 떠
나 부성에서 유비를 맞으려 하시니, 가는 길은 있으나 돌아올 길이
없을까 두려울 뿐입니다. 아직 늦지 않았으니 장송을 저자에 끌어
내 참하고 유비와 관계를 끊으신다면 촉의 백성에게는 더할나위 없
는 행운일 것이며, 주공의 기업 또한 길이 빛날 것입니다.

다 읽고 난 유장이 크게 노해 꾸짖는다.
"내 이제 어진이를 만나서 지란(芝蘭)의 친교를 나누려 하는데 네
가 어찌하여 이렇듯 나를 업신여기는 게냐!"
순간 왕루는 크게 한소리 외치고는 제 손으로 밧줄을 끊고 떨어져
죽고 말았다.
후세 사람이 시를 지어 왕루의 충절을 찬양했다.

성문에 거꾸로 매달려 간하는 글 바치고　　　　　倒挂城門捧諫章
한 목숨 내던져 유장에게 보답했네　　　　　　　拚將一死報劉璋
이 부러뜨리며 간언한 황권 종내 항복했거니　　　黃權折齒終降備
절개를 지킴이 어찌 왕루의 강직함에 견주랴　　　矢節何如王累剛

마침내 유장이 3만 군사를 거느리고 부성으로 향하는데, 그 뒤에는
현덕에게 건네줄 전량과 비단을 실은 수레 1천여대가 따랐다.
한편 유현덕의 선봉대는 이미 점강(墊江)에 당도했다. 현덕의 군사
가 이르는 곳마다 서천에서 군량과 물품을 공급받은데다 함부로 백성
을 노략질하는 자는 참형에 처한다는 현덕의 군령이 엄해서 조금도

백성들에게 폐를 끼치지 않았다. 그리하여 유현덕의 군사가 당도하면 백성들은 노인을 부축하고 아이들을 안고 길가에 나와 향을 사르며 절하고 영접했다. 현덕은 그들을 좋은 말로 위로했다.

법정이 방통에게 귓속말로 이야기한다.

"장송의 밀서가 도착했는데, 부성에서 유장과 만날 때 일을 도모하되 기회를 놓치지 말라 했습니다."

"알겠으니 이 얘기는 아무에게도 하지 말고 입을 봉하고 계시오. 두 유씨가 만날 때 기회를 보아 일을 도모하겠소. 이 일이 누설되었다가는 큰 봉변을 당할 것이오."

법정은 입을 굳게 닫고 아무에게도 말하지 않았다.

부성은 성도(成都)에서 360리나 떨어져 있었다. 유장은 그 먼길을 행군하여 먼저 도착해서 유현덕이 오기를 고대하고 있었다. 드디어 양쪽 군사가 부강에 진을 치자, 현덕이 입성하여 유장과 상면했다. 두 사람은 형제의 정을 나누며 눈물로 지난 고충을 토로하고 술잔을 기울였다. 이윽고 자리가 파하자 각각 영채로 돌아가 먼길에 지친 몸을 쉬니, 첫날은 이렇게 저물었다. 마음이 흡족해진 유장이 모든 관원들을 불러놓고 말한다.

"황권과 왕루 무리가 내 종형의 마음을 모르고 망령되게 의심만 하더니, 참으로 가소롭구나. 오늘 유황숙을 만나보니 참으로 어질고 의로운 분이라, 이분이 후원만 해준다면 조조나 장로 따위는 걱정할 것 없다. 장송이 아니었으면 어찌 오늘이 있었겠느냐?"

말을 마친 유장은 입고 있던 녹색 전포를 벗어 황금 5백냥과 함께 성도에 있는 장송에게 전하도록 사람을 보냈다. 그러자 유괴(劉璝)·영포(泠苞)·장임(張任)·등현(鄧賢) 등 수하의 문무관원들이 입을 모아 말한다.

"주공께서는 너무 기뻐하지 마십시오. 유비는 부드러움 속에 강함이 있어 그 마음을 측량하기 어려우니 마땅히 방비하셔야 합니다."

유장이 웃으며 말한다.

"그대들은 도무지 걱정이 너무 많아 탈이로구나. 내 형님이 어찌 다른 마음을 품었겠는가?"

유장의 뜻이 완고하니 모두들 탄식하며 자리를 물러났다.

한편 현덕이 영채로 돌아오자 방통이 들어와 말한다.

"주공께서는 오늘 유장의 동태를 살펴보셨습니까?"

"유장은 참으로 성실한 사람이오."

"유장이 비록 착하다지만 그 신하인 유괴와 장임의 무리는 모두 불평하는 기색이 역력했으니, 앞으로 길흉을 알 수 없습니다. 제 생각 같아서는 내일이라도 우리 쪽에서 잔치를 베풀어 유장을 청하되, 미리 벽 안쪽에 도부수 1백여명을 매복시켰다가 주공께서 술잔 던지는 것을 신호삼아 유장을 없애버린 다음 한달음에 성도로 밀고 들어간다면, 칼을 빼지 않고 화살을 메기지 않아도 앉아서 뜻을 이룰 수 있을 것입니다."

유현덕이 고개를 가로저으며 말한다.

"그런 말은 하지 마시오. 유장은 내 종친으로 성심껏 나를 대접했고, 게다가 촉땅에 들어와 내가 아무런 은혜와 신망도 베풀지 않은 터에 그렇게 행한다면, 위로는 하늘이 용납하지 않고 아래로는 만백성이 원망할 것이오. 그대의 계책에 힘입어 내 비록 패자(覇者)가 된다 해도 그렇게는 할 수 없소."

방통이 다시 말한다.

"저의 계책이 아닙니다. 법정이 장송의 밀서를 받고 지체없이 도모하라 했습니다."

이야기가 채 끝나지 않았는데 법정이 들어와 말한다.

"저희들을 위한 일이 아닙니다. 이는 바로 천명을 따르는 것입니다."

현덕은 그래도 듣지 않는다.

"그럴 수는 없소. 유장은 나와 종친인데 내가 어찌 그를 죽일 수 있겠소!"

법정이 다시 간곡하게 말한다.

"아닙니다. 명공께서 잘못 생각하고 계십니다. 만일 이대로 계신다면 장로는 반드시 그 어머니의 원수를 갚기 위해 촉으로 쳐들어올 것입니다. 또한 명공께서는 멀리 군마를 이끌고 여기까지 오셨으니 앞으로 나아가면 공을 이루되, 물러나면 아무것도 얻지 못합니다. 결정도 못 내리고 시일만 보내면 때를 놓칠 것이며, 계획이 누설되는 날에는 다른 사람이 일을 꾀할지 모릅니다. 하늘과 사람이 따르는 때를 놓치지 마시고, 불시에 나서서 하루바삐 기업을 이루시는 게 상책입니다."

유현덕이 묵묵히 듣고만 있고, 방통은 옆에서 거듭 간한다.

주군은 거듭 두터운 도리 행하려 하는데　　　　　人主幾番存厚道
모사는 한결같이 권모술수를 쓰려 하네　　　　　才臣一意進權謀

현덕은 과연 어찌할 것인가?

손권이 조조를 물리치다

방통과 법정 두 사람은 유현덕에게 술자리에서 유장을 죽이면 힘들이지 않고 서천을 손에 넣을 수 있다고 권했다. 현덕이 말한다.

"내 이제 비로소 촉땅에 들어와 은혜와 신의를 베풀기도 전인데, 절대 그런 일을 저지를 수는 없소."

두 사람이 거듭 권했으나 현덕은 결코 받아들이려 하지 않았다.

이튿날, 성중에서는 또다시 잔치가 벌어져 유장과 현덕이 자리를 함께했다. 두 사람은 숨김없이 흉금을 털어놓으며 돈독한 정을 나누었다. 어느덧 술자리는 무르익어 좌중에는 취흥이 감돌기 시작했다.

방통이 법정과 의논하여 말한다.

"일이 이미 이렇게까지 되었으니 주공의 허락만 기다리고 있을 수는 없소이다."

방통 등은 즉시 위연에게 당상에 올라 검무를 추다가 틈을 보아 유장을 베어없애도록 은밀하게 지시했다. 위연이 칼을 차고 나와 고한다.

"잔치자리에 풍악이 없으니, 소장이 검무라도 추어 좌중의 흥을 돋울까 합니다."

방통은 무사들을 불러들여 당하에 늘여세우고 위연의 신호를 기다리게 했다. 유장의 수하장수들이 보니, 위연은 당상의 잔치자리에서 칼춤을 추고, 당 아래서는 무사들이 칼자루를 잡은 채 당 위를 지켜보고 있다. 당상에서 이를 바라보던 유장의 종사 장임이 자리에서 벌떡 일어나더니 칼을 빼들고 나서며 말한다.

"검무에는 반드시 상대가 있어야 하는 법이니, 제가 위장군과 더불어 추겠습니다."

위연과 장임 두 사람이 어울려 검무를 추는데, 위연이 흘끗 유봉에게 눈짓을 보낸다. 그러자 유봉도 칼을 빼들고 검무를 돕는다. 이를 지켜보던 유장의 장수 유괴(劉璝)와 영포(泠苞), 등현(鄧賢) 등도 저마다 칼을 빼들고 나섰다.

"우리들도 함께 추어 군무로 흥을 돋울까 하옵니다."

유현덕이 크게 놀라 옆에 있던 시종의 허리에서 칼을 뽑아들더니 자리를 박차고 일어나며 꾸짖는다.

"우리 형제가 상봉하여 서로 술잔을 나누는 데 어떤 의혹도 없고, 여기가 홍문회(鴻門會, 항우와 유방이 홍문에서 만나 베푼 연회. 항우의 항장項莊

이 검무를 핑계삼아 유방을 죽이려 한 고사가 있음) 자리도 아닌데 어째서 검무 따위가 필요하단 말이냐. 당장 칼을 버리지 않으면 누구든 즉시 목을 베겠다!"

유장도 자신의 장수들을 꾸짖었다.

"형제가 서로 만났거늘 어찌하여 칼을 뽑느냐. 즉시 칼을 버려라!"

호위병들에게 명해 칼을 뺏도록 했다. 그제야 양쪽 장수들은 당하로 내려갔다. 유현덕이 다시 수하장수들을 불러올려 자리에 앉으라 하고 술잔을 내리며 말한다.

"우리 형제는 한조상의 뼈와 피를 나눈 사이로 앞으로의 대사를 의논할 뿐 다른 마음이 없으니 그대들은 추호도 의심치 말라."

현덕의 말에 장수들은 일제히 절을 올려 사례했다. 유장은 현덕의 손을 맞잡고 눈물을 흘리며 말한다.

"형님의 크신 은혜를 맹세코 잊지 않겠습니다."

현덕과 유장은 밤늦도록 술잔을 나누며 즐기다 헤어졌다. 현덕은 영채로 돌아오자마자 방통을 불러들여 나무란다.

"공들은 어찌하여 나를 불의에 빠뜨리려 하오? 앞으로는 이런 일이 없도록 단단히 주의하시오!"

방통은 길게 한숨을 지으며 물러났다.

한편, 영채로 돌아온 유장에게 유괴 등이 입을 모아 말한다.

"주공께서는 오늘 잔치에서 보신 모습을 어떻게 생각하십니까? 어서 돌아가 후환을 면하도록 하십시오."

유장이 말한다.

"내 형님 현덕은 다른 사람과 같지 않은 분이라네."

"비록 유현덕에게 그럴 마음이 없다 해도, 수하장수들은 모두 서천을 손에 넣고 부귀를 누리려 하는 게 분명합니다."

유장은 귀담아듣지 않는다.

"그대들은 우리 형제의 정을 갈라놓지 말게!"

그뒤로도 유장은 날마다 현덕과 더불어 즐겁게 보냈다.

바로 그때 장로(張魯)가 군사를 일으켜 가맹관(葭萌關)으로 쳐들어
온다는 급보가 날아들었다. 유장이 황급히 현덕에게 도움을 요청하자
현덕은 흔쾌히 수락하고 즉시 본부의 군사를 거느리고 가맹관을 향해
출정했다.

유현덕이 출정한 뒤 유장 수하의 장수들은 한결같이 현덕군이 변란
을 일으키는 것을 막기 위해 곳곳의 요충지와 관문에 장수들을 파견
해 굳게 지켜야 한다고 간했다. 유장은 처음에는 들은 척도 하지 않았
다. 그러나 많은 사람이 일제히 권하자 더는 물리칠 수가 없어서 마침
내 백수(白水) 도독(都督) 양회(楊懷)와 고패(高沛) 두 사람을 부수관
(涪水關)으로 보내 지키게 했다. 그리고 유장 자신은 성도로 돌아갔다.

한편 가맹관에 이른 유현덕은 먼저 군사들을 엄하게 단속하고, 널
리 은혜를 베풀어 민심을 거두었다.

이 소식은 곧바로 염탐꾼에 의해 동오에 전해졌다. 오후(吳侯) 손
권은 지체없이 문무백관을 불러모아 대책을 상의했다. 먼저 고옹이
나서서 말한다.

"유비가 지금 군사를 나누어 멀리 험준한 서천으로 들어갔으니, 돌
아오는 길이 쉽지 않을 것입니다. 그러니 어찌 이 기회를 놓치겠습니
까? 우선 군사를 풀어 강어귀를 지키게 하고 돌아오는 길을 막은 다
음 군사를 동원한다면, 한번 북을 울려 능히 형주·양양을 공략할 수

있을 것입니다. 이는 놓칠 수 없는 기회입니다."

손권이 무릎을 치며 감탄한다.

"참으로 훌륭한 계책이로구나!"

바로 그때 갑자기 병풍 뒤에서 느닷없는 고함소리가 터져나왔다.

"대체 이런 계책을 꾸민 자가 누구냐? 그놈을 끌어내 당장 목을 베어야 한다. 너희들이 이제 내 딸을 죽이려 하느냐!"

모든 사람들이 화들짝 놀라 바라보니, 그는 다름아닌 오국태다. 오국태의 노여움은 하늘에 닿을 지경이었다.

"내 평생 딸 하나를 애지중지 키워 유비에게 시집보냈는데, 지금 너희들이 군사를 일으키면 내 딸의 목숨은 어찌 된단 말이냐!"

오국태는 이어 손권을 꾸짖는다.

"너는 아비와 형의 기업(基業)을 물려받고, 앉아서 81주를 거느리고 있으면서 무엇이 부족해 작은 이익에 눈이 어두워 골육의 정을 생각지 않는 것이냐?"

오국태의 호된 꾸짖음에 손권은 그저 예, 예 할 뿐이었다.

"어머님 뜻을 어찌 거역하겠습니까? 그대들은 모두 물러가게."

백관들을 꾸짖어 물러나게 했다. 그제야 오국태는 눈물을 거두고 여전히 원망을 지닌 채 안으로 들어갔다. 손권은 처마 아래 서서 혼자 깊은 생각에 잠겼다.

'이렇게 좋은 기회를 놓치면 언제 어떻게 형주·양양땅을 얻을 수 있겠는가.'

손권이 한숨을 내쉬는데, 마침 장소가 들어와 묻는다.

"주공께서는 무슨 근심이라도 있으십니까?"

"아까 있었던 일 때문에 그러네."

장소가 웃으며 말한다.

"그리 어려운 일이 아닙니다. 이제라도 심복 한사람에게 군사 5백
명을 주어 형주로 잠입하게 하십시오. 국태께서 병환이 위독해 따님
을 보고 싶어하신다는 밀서를 꾸며서는 밤도와 손부인을 모셔오게 하
고, 이때 현덕의 하나밖에 없는 혈육인 아두(阿斗)까지 데려오는 것
입니다. 그러면 현덕은 필시 아두를 형주와 바꾸자고 할 테고, 그렇지
않더라도 우리가 군사를 일으켜 쳐들어가는 데 장애될 게 없어지지
않겠습니까?"

손권이 듣고 나서 말한다.

"그것 참 묘한 계책이오. 마침 그 일에 적당한 인물이 있으니 이름
이 주선(周善)이오. 주선이 담대할 뿐 아니라 어려서부터 우리 집안
과 가깝고, 형님을 수행하기도 했으니 그를 보내야겠소."

"주공께서는 일을 은밀하게 추진하셔야 합니다. 즉시 떠나게 하십
시오."

이리하여 주선은 군사 5백명을 장사치로 꾸며 배 다섯 척에 나누어
태우고 길을 떠났다. 거짓으로 꾸민 국태의 밀서를 몸에 지녀 검문에
대비하고, 배 안에는 무기를 은밀히 감추어두었다. 명에 따라 주선은
물길을 따라 나아가 형주에 도착했다. 배를 강가에 정박시킨 다음, 그
는 홀로 성중에 들어가 문지기에게 손부인께 알리도록 했다. 손부인
은 급히 주선을 들여보내도록 명했다. 주선은 손권의 밀서를 손부인
에게 올렸다. 어머니의 병환이 위독하다는 내용을 읽은 손부인이 눈
물을 흘리며 병세를 묻자 주선이 엎드려 절하며 아뢴다.

"국태께서는 병환이 위중하셔서 밤낮으로 부인 생각만 하고 계십
니다. 서둘러 떠나시지 않으면 살아 생전에 만나뵙기 어려울 것입니

다. 또한 아두 도련님을 보고 싶어하시니 부인께서는 가시는 길에 함께 모시고 가시지요."

손부인이 근심에 잠겨 대답한다.

"지금 황숙께서는 군사를 거느리고 멀리 외지에 나가 계시오. 내가 이곳을 떠나려면 아무래도 군사(軍師, 제갈공명)께 알려야 하겠소."

주선은 이내 손부인의 말꼬리를 잡고 늘어진다.

"만일 군사가 황숙께 알리고 허락을 받은 다음에 떠나라고 하면 어쩌시렵니까?"

손부인이 걱정스럽게 말한다.

"알리지 않고 떠나려 했다가 도중에 못 가게 막을까 두렵소."

"이미 강가에 배를 정박해두었습니다. 부인께서는 곧 수레에 올라 성을 빠져나가시면 됩니다."

주선이 거듭 재촉하며 어머니의 병세가 위독하다고 하니, 손부인은 급한 마음에 황망히 일곱살 난 아두를 데리고 수레에 올랐다. 수행하는 30여명의 군사들이 모두 칼을 차고 부인을 호위하면서 일행은 형주성을 떠나 강가에 이르렀다. 형주성 부중에서 이 사실을 위에 알렸을 때 손부인은 이미 사두진(沙頭鎭)에 이르러 아두를 안고 배에 오르고 있었다.

주선이 서둘러 배를 띄우려 할 때였다. 언덕 위에서 한 장수가 거세게 말을 몰고 달려오면서 큰소리로 외친다.

"배를 멈추시오. 내 부인을 전송해야겠소!"

그는 바로 조자룡이었다. 조자룡은 강가를 순찰하던 중에 이 소식을 전해듣고 깜짝 놀라, 겨우 기병 4,5명만 거느리고 바람처럼 달려온 것이다. 주선이 손에 긴 창을 잡고 마주 소리친다.

"대체 누구기에 감히 주모(主母)를 뵙겠다는 것이냐?"

주선은 군사를 재촉해 일제히 노를 젓게 하는 한편 배 안에 숨겨두었던 병장기를 꺼내 무장군사들을 벌여세웠다. 순풍에다 물살이 빨라 다섯 척의 배는 나는 듯이 강위를 달렸다. 조자룡은 강가를 따라 달려오며 거듭 소리친다.

"부인께서는 가시더라도 제 말을 듣고 가십시오!"

주선은 들은 척도 않고 배를 재촉해 달아날 뿐이다. 조자룡이 강변을 10여리 남짓 뒤쫓아오는데, 강가 여울에 어선 한 척이 비스듬히 묶여 있었다. 조자룡은 말을 버리고 창을 거머쥔 채 어선에 뛰어올라 사공과 둘이 급히 노를 저어 손부인이 타고 있는 큰 배를 추격해갔다. 주선이 다급히 군사들에게 명령한다.

"활을 쏘아라!"

순간 화살이 비오듯 날아드니 조자룡이 창을 휘둘러 화살을 막아낸다. 물속으로 화살이 어지러이 떨어졌다.

조자룡의 배는 어느 틈에 손부인이 타고 있는 큰 배의 뱃전에 한 길 남짓의 거리로 다가들었다. 동오의 군사들은 이번에는 창을 들고 일제히 공격할 태세를 취했다. 조자룡은 창을 내버리고 차고 있던 청강검을 빼들더니 단숨에 큰 배로 뛰어올랐다. 청강검으로 마구 찔러대는 적들의 창을 되받아치니, 동오군은 대경실색하여 물러섰다. 조자룡은 한달음에 선실로 쫓아들어갔다. 손부인이 아두를 품에 안은 채 큰소리로 꾸짖는다.

"이 무슨 무례한 짓인가!"

조자룡은 청강검을 칼집에 꽂고 공손한 태도로 말한다.

"주모께선 어디로 가십니까? 어찌하여 군사께 알리지도 않고 떠나십니까?"

"모친의 병환이 위독하다 하여 알릴 틈이 없었네."

"주모께서 문병 가시는데 어찌하여 작은주인은 데리고 가십니까?"

"아두는 내 아들이오. 형주에 두고 가면 돌봐줄 사람이 없질 않소?"

"잘못 생각하셨습니다. 우리 주공께 혈육이라고는 아두 공자뿐입니다. 일찍이 소장이 당양 장판파에서 백만대군 속을 누비고 겨우 구해낸 터인데, 오늘 주모께서 아두 공자를 데려가신다니 이런 도리는 없습니다."

손부인은 화가 나서 낯색이 변했다.

"너야말로 장하의 일개 장수에 지나지 않거늘, 어찌하여 내 집안일에 간섭하려 드느냐!"

조자룡은 완강하다.

"부인께서 문병을 가셔야 한다면 혼자 떠나시지요. 작은주인은 안 됩니다."

손부인은 거듭 언성을 높여 꾸짖는다.

"네가 이렇게 도중에 배로 뛰어든 걸 보니 필시 반역할 뜻이 있는 게로구나!"

"만일 작은주인을 두고 가시지 않으면 저는 만번 죽는 한이 있어도 부인을 보내드릴 수 없습니다."

손부인이 곁에 있는 시비들에게 조자룡을 붙들라고 호통친다. 조자룡은 급히 몸을 날려 시비를 밀어넘어뜨리고는 부인이 안고 있는 아두를 빼앗아 품에 안고 뱃전으로 나왔다. 그러나 막상 나와보니, 망망한 장강 위에서 배를 대려 해도 강기슭까지는 까마득한데다 도와주는

조자룡은 손부인에게서 아두를 빼앗아오다

이도 없다. 배 안의 동오군을 쳐없애고 싶어도 손부인 앞에서 도리가
아니라고 생각되어 조자룡은 이러지도 저러지도 못하고 있었다. 손부
인이 뛰쳐나와 시비들에게 호령한다.

"뭣들 하느냐, 당장 아기를 빼앗아오너라!"

그러나 조자룡이 한손에 아두를 안고 또 한손에 청강검을 들고 험
악한 기세로 서 있으니, 누구 하나 감히 덤벼들지 못한다. 그사이에도
주선은 키를 놓지 않고 부지런히 배를 몰아 강줄기를 내려갔다. 순풍
에 물살이 급하니 배는 빠른 속도로 중류를 향해 나아갔다. 조자룡은
아두를 품에 안고 있을 뿐, 혼자서 어떻게 배를 기슭으로 옮겨댈 수
있겠는가.

이 위급한 때 홀연히 하류 포구에서 10여 척의 배가 일자로 늘어서
서 거슬러올라오고 있었다. 오색 깃발이 바람에 나부끼고 북소리가
요란하다. 조자룡은 낭패스러웠다.

'기어이 동오놈들의 책략에 빠지고 말았구나!'

그런데 고개를 들어 바라보니 뱃전에 한 장수가 손에 장팔사모를
쥐고 서서 큰소리로 외치는 게 아닌가.

"형수는 조카님을 두고 가우!"

순찰중이던 장비가 소식을 듣고 급히 유강(油江) 어귀로 달려온 참
이었다. 배가 맞닿기도 전에 장비는 칼을 쥐고 동오의 배로 뛰어올랐
다. 뒤늦게 주선이 칼을 빼들고 나왔으나 장비의 칼이 바람을 가르자
주선의 목은 단번에 떨어져나갔다. 장비가 주선의 목을 손부인 앞에
던지니, 손부인이 크게 놀라 소리친다.

"시숙은 어찌 이리 무례하오!"

장비가 대답한다.

"형수께서는 형님 생각은 안하시고 사사로이 집으로 돌아가려 하다니, 이런 무례한 일이 어디 있수?"

"어머님 병환이 위중하여 급히 가는 길인데, 형님의 회신을 기다리다가는 일을 그르치기 십상이오. 만일 나를 못 가게 막는다면 이 자리에서 강물에 빠져죽고 말 테니 그리 아시오."

장비와 조자룡이 급히 의논한다.

"여기서 부인을 죽게 한다면 신하의 도리가 아니지. 우리는 아두나 데리고 돌아가세."

장비가 배를 옮겨타기 전에 부인에게 말한다.

"우리 형님은 대한(大漢)의 황숙이시니 형수께 욕된 일은 있을 리없수. 형수는 오늘 떠나시더라도 황숙의 은의를 생각해서 하루바삐 돌아오도록 하시우."

장비는 말을 마치고 아두를 안고는 조자룡과 함께 타고 온 배로 돌아갔다. 손부인은 결국 아두를 뒤로 한 채 다섯 척의 배와 더불어 동오로 향했다.

후세 사람들이 이 일을 시로 읊어 조자룡을 기렸다.

지난날 당양에서 주인을 구하더니	昔年救主在當陽
오늘은 몸을 날려 장강으로 달려갔네	今日飛身向大江
배 위의 동오 군사 간담이 찢어진다	船上吳兵皆膽裂
조자룡의 용맹, 세상에 짝이 없어라	子龍英勇世無雙

또한 장비의 무용을 칭찬한 시도 있다.

그 옛날 장판교 위에서 노기등등　　　　　　長坂橋邊怒氣騰
우렁찬 한 소리 조조의 대군이 물러갔더라네　一聲虎嘯退曹兵
오늘은 강 위에서 주인의 위기를 구하니　　　今朝江上扶危主
청사에 그 이름 만세에 전하리라　　　　　　青史應傳萬載名

　두 사람이 아두를 안고 기뻐하며 돌아오는데, 몇리도 채 못 가 대선단을 인솔해오는 공명을 만났다. 공명은 아두를 무사히 되찾아온 것을 크게 기뻐했다. 세 사람은 말머리를 나란히하여 형주성으로 돌아왔고, 공명은 즉시 글을 써서 이 일을 가맹관에 있는 현덕에게 알렸다.

　한편 동오로 돌아간 손부인은 손권에게 장비와 조자룡이 주선을 죽이고 아두를 빼앗아간 일을 자세히 이야기했다. 손권은 크게 노여워했다.
　"내 누이가 돌아왔으니 이제 유비와는 남남이나 다름없다. 주선의 원수를 어찌 갚지 않을 수 있으랴."
　손권은 급히 문무관원들을 불러모아 당장 군사를 일으켜 형주를 공격할 계획을 상의했다. 이때 홀연히 급보가 날아들었다. 조조가 40만 대군을 거느리고 적벽대전의 원수를 갚으러 온다는 소식이었다. 깜짝 놀란 손권은 형주 공격은 제쳐두고 급한 대로 조조 대군을 막을 일을 상의했다. 그때 또 한사람이 들어와 병으로 고향에 돌아가 있던 장사(長史) 장굉(張紘)이 죽으면서 남긴 유서를 바쳤다. 손권이 그 유서를 보니, 도읍을 말릉(秣陵)으로 옮길 것을 권유하고 있었다. 말릉은 제왕의 기운이 산천에 넘쳐흐르니 하루바삐 천도하여 만세의 기업을 이

루라는 내용이었다. 유서를 읽고 난 손권은 통곡하며 문무관원들에게
말한다.

"자강(子綱, 장굉의 자)이 내게 말릉으로 천도하라 했으니 내 어찌 그
뜻을 따르지 않을 수 있으랴."

손권은 즉시 명을 내려 도읍을 말릉(천도 후 건업建業으로 고쳐부름)으로
옮기고 그곳에 석두성(石頭城)을 쌓도록 했다. 이에 여몽(呂蒙)이 나
서서 간한다.

"조조가 대군을 거느리고 오니, 유수(濡須)땅 강어귀에 보루를 쌓
아 막아야 합니다."

여러 장수들이 반대한다.

"언덕에 올라 대적하다가 여차하면 맨발로 강물에 배를 띄워 오를
수 있는데 보루는 쌓아 무엇에 쓰겠소?"

여몽이 답한다.

"싸움에는 불리할 때와 유리할 때가 있는 법이오. 언제나 반드시
적을 이긴다고 누가 장담할 수 있겠소? 보병과 기병이 일시에 공격해
들어오면 언제 배를 띄우고, 어느 참에 배에 오른단 말입니까?"

손권은 여몽의 말이 옳다고 생각했다.

"사람이 먼 일에 대한 대비가 없으면 반드시 가까운 근심을 얻게
되는 법이니, 자명(子明, 여몽의 자)의 식견이 자못 원대하다."

곧 군사 수만명을 동원해 유수땅에 보루를 쌓았는데, 밤낮으로 서
둘러서 며칠 만에 완성되었다.

한편 허도에 있는 조조는 그 위엄과 영화가 날로 드높아졌다. 하루
는 장사 동소(董昭)가 간한다.

"자고로 신하의 몸으로 승상만큼 공을 세운 인물이 없으니, 주공 (周公)이나 여망(呂望, 강태공)이라도 따르지 못할 것입니다. 승상께서 는 즐풍목우(櫛風沐雨, 바람으로 머리 빗고 비로 몸을 씻는다는 뜻으로, 긴 세월을 객지에서 떠돌며 갖은 고생을 한다는 비유) 30여년에 역도들을 소탕하여 백성 을 평안케 하고 한나라 황실을 반석 위에 올려놓았으니, 어찌 다른 신 하들과 같은 열에 서실 수 있겠습니까? 모름지기 위공(魏公, 모든 제후 의 위이고 왕의 바로 아래인 직위)의 지위를 얻고 구석(九錫)의 예우를 받아 공덕을 빛내 마땅하십니다."

여기서 구석의 예우란 무엇인가. 왕이나 누릴 수 있는 크나큰 특권 이니, 그 내용은 다음과 같다.

첫째는 수레와 말인데, 검은 암소 두 마리가 끄는 황금으로 칠한 큰 수레 대로(大輅)와 여덟 필의 황마(黃馬)가 끄는 전투용 병거(兵車) 융로(戎輅) 한 채씩이다. 둘째는 의복(衣服)으로, 면류관에 곤룡포를 입고 붉은 가죽신을 신으니 임금의 의복과 같다. 셋째는 악현(樂懸) 이니, 곧 왕의 음악이다. 넷째는 주호(朱戶)로 거처하는 집의 창과 대 문을 붉게 칠한다. 다섯째는 납폐(納陛)인데, 황제가 계신 어전 층계 를 마음대로 오르내릴 수 있다. 여섯째는 호분(虎賁)으로 3백명의 군 사를 두어 문을 지키게 한다. 일곱째는 부월(鈇鉞)로, 금도끼·은도끼 한 자루씩을 주니, 이는 병권의 상징이다. 여덟째는 궁시(弓矢)로, 붉 은 활 한 벌에 붉은 살 10대, 검은 활 10벌에 검은 살 1천대를 사용한 다. 아홉째는 거창규찬(秬鬯圭瓚)인데, 거창은 거초(秬草)와 검은 수 수, 향초로 빚은 제사 술이고 규찬은 종묘 제사에 쓰는 옥돌로 만든 제기(祭器)를 말한다.

동소의 말을 듣고 시중 순욱이 간한다.

"안됩니다. 승상께서는 의병을 일으켜 한나라 황실을 받들어모셨으니, 마땅히 충정에서 비롯된 것이라 겸양하고 물러서는 절조를 지켜야 합니다. 군자는 덕으로써 백성을 사랑하는 법이니 그런 특권은 누리지 마소서."

조조는 순욱의 말에 불쾌해져서 대뜸 안색이 변했다. 동소가 뜻을 굽히지 않고 말한다.

"어찌 한 사람이 여러 사람의 뜻을 막을 수 있겠습니까."

그러고는 마침내 황제에게 표문을 올려 조조를 위공으로 삼고 구석을 내릴 것을 청하였다. 순욱은 길게 탄식해마지 않았다.

"오늘과 같은 일이 있을 줄은 내 몰랐구나!"

조조는 순욱의 말을 전해듣고 그를 미워하는 마음이 깊어졌다.

건안 17년(212) 10월, 조조는 군사를 일으켜 강남으로 진군하면서 순욱에게 함께 출정할 것을 명했다. 이미 조조에게 살의가 있음을 깨달은 순욱은 병을 핑계로 수춘(壽春)에 머물면서 조조의 명에 따르지 않았다. 그러던 어느날이었다. 느닷없이 조조가 사람을 시켜 순욱에게 음식 합(盒)을 보내왔다. 합 위에는 조조가 친필로 쓴 종이가 봉해져 있었다. 순욱이 열어보니 아무것도 들어 있지 않은 빈 합이다. 빈 합은 곧 먹을 것이 없다는 뜻이니, 순욱이 조조의 뜻을 깨닫고 스스로 독약을 마시고 죽었다. 그의 나이 50세였다.

후세 사람이 이를 탄식해 시를 지었다.

순욱의 재주 천하에 드높더니   文若才華天下聞
아깝다 권문에 발을 잘못 디뎠던고!   可憐失足在權門
후세 사람들 그를 장자방에 비하지 마라   後人休把留侯比

죽음에 다다라 한나라 임금을 뵈올 낯이 없으리　　　臨沒無顔見漢君

　순욱의 아들 순운(荀惲)이 조조에게 부고를 띄워 알렸다. 조조는 비로소 깊이 뉘우치는 마음이 들어, 후하게 장사지낼 것을 명하고 순욱에게 경후(敬侯)라는 시호를 내렸다.

　이윽고 조조 대군은 유수에 이르렀다. 먼저 조홍이 철갑기병 3만명을 이끌고 강변으로 나가 주변 정세를 살피고 와서 보고한다.

　"장강 일대 눈 닿는 곳마다 깃발이 무수히 펄럭이니, 도무지 군사들이 어디에 있는지 알 수가 없습니다."

　조홍의 보고에 초조해진 조조는 친히 군사를 이끌고 유수 어귀에 진을 치고 나서 1백여명의 친위군만 데리고 산으로 올라갔다. 멀리 동오의 선단을 바라보니 대오를 나누어 늘어섰는데, 오색 깃발이 하늘을 뒤덮고 병장기들이 햇빛을 받아 번쩍인다. 한복판의 큰 배 위에는 푸른 비단일산 아래 손권이 앉아 있고, 좌우에는 문무관원들이 시립하고 있었다. 조조가 채찍을 들어 손권을 가리키며 주위 사람들에게 감탄하여 말한다.

　"아들을 낳으려면 손중모(孫仲謀, 손권) 같은 자식을 낳아야지, 유경승(劉景升, 유표)의 자식 따위는 개 돼지에 불과하다!"

　그때였다. 갑자기 포소리가 울리더니 동오의 전선(戰船)이 나는 듯이 달려오고, 유수성 안에서 한무리의 군사들이 쏟아져나와 조조군을 공격하기 시작했다. 조조군은 싸울 생각도 못하고 앞다투어 달아나기에 바빴다. 조조가 호통을 쳐도 멈추지 않았다. 게다가 갑자기 산기슭을 향해 1천여명의 날쌘 기병들이 공격해오는 것이 아닌가. 앞에서 그들을 지휘하는 장수는 바로 푸른 눈에 자줏빛 수염의 손권이었다.

손권이 몸소 한떼의 군사를 거느리고 조조를 잡으러 온 것이다. 깜짝 놀란 조조가 허겁지겁 말머리를 돌려 달아나려 하는데, 어느새 동오의 장수 한당과 주태가 조조를 쫓아 산위로 치달아왔다. 조조의 등뒤에서 허저가 뛰쳐나와 칼을 휘둘러 두 장수의 공격을 막아내는 사이에 조조는 겨우 빠져나와 영채로 돌아올 수 있었다. 허저는 동오의 두 장수들과 어우러져 30여합을 더 싸운 다음에야 말머리를 돌려 조조의 뒤를 따랐다.

그날 조조는 허저에게 후한 상을 내리고, 싸우지도 않고 달아난 여러 장수들을 호되게 꾸짖었다.

"적을 맞아 싸워보지도 않고 물러나 군사의 사기를 꺾다니, 이후 다시 이런 일이 있을 때는 모두 참하겠다!"

그날밤 2경(밤 10시) 무렵이었다. 갑자기 영채 밖에서 천지를 뒤흔드는 함성이 들려왔다. 조조가 급히 말에 올라 살펴보니, 주위가 온통 불바다가 아닌가. 기세가 오른 동오군이 대채로 밀려들어 아무런 방비도 하지 않고 있던 조조군을 닥치는 대로 베어죽이니, 이때 목숨을 잃은 조조군은 이루 다 헤아릴 수도 없었다. 조조는 날이 밝을 때까지 쫓기며 수많은 군사를 잃고 50여리 밖까지 밀려나서야 영채를 다시 세웠다.

조조가 울적한 심사를 달래려고 병서(兵書)를 뒤적이고 있는데 정욱이 들어와 간한다.

"승상께서는 병법을 잘 아시면서 어찌 '군사에는 신속함이 가장 중요하다[兵貴神速]'는 것을 잊으셨습니까? 이번에 군사를 일으키면서 자꾸 날짜를 늦추는 바람에 손권이 만반의 준비를 갖추어 유수 어귀마다 보루를 세웠으니 공격하기가 어렵습니다. 허도로 돌아가 다시 좋은 계책을 찾는 게 옳은 줄로 아룁니다."

정욱이 간곡하게 권했으나 조조는 대꾸도 하지 않는다. 정욱은 조조 앞을 물러나왔다.

조조는 책상에 엎드려 피곤한 몸을 쉬고 있었다. 갑자기 파도소리가 들끓으며 천군만마가 달리는 듯한 소리가 들려왔다. 조조가 깜짝 놀라 보니 강 한복판에서 붉고 둥근 해가 솟아오르며 눈부신 빛을 내뿜는다. 고개를 들어보니 하늘에도 두 개의 태양이 서로 맞서 빛을 발하고 있었다. 그때 갑자기 강속에서 솟구친 붉은 해가 그대로 날아올라 영채 앞 산중으로 떨어지며 벼락치는 듯한 소리를 내는 게 아닌가. 그 소리에 놀라 깨어보니 꿈이었다.

때마침 장막 앞에서 군사가 오시(午時, 정오)를 알리는 소리가 들려왔다. 조조는 즉시 50여기를 거느리고 영채를 나와 꿈에서 해가 떨어졌던 산쪽으로 갔다. 산기슭을 찬찬히 둘러보던 조조는 돌연 이쪽을 향해 달려오는 한떼의 인마를 보았다. 앞선 장수는 황금 투구에 황금 전포를 입었는데, 햇빛을 받아 그 광채가 사뭇 찬란하다. 그는 다름아닌 손권이었다. 손권은 조조를 알아보고도 전혀 당황해하는 기색 없이 말을 멈추더니 채찍을 들어 조조를 가리키며 말한다.

"승상은 중원을 차지하여 이미 부귀가 극에 이르렀는데 무엇이 부족해 또다시 우리 강남을 침범하는가?"

조조가 소리를 가다듬어 답한다.

"네가 신하의 처지로 감히 황실을 업신여기고 있으니, 내 황제의 명을 받들어 너를 토벌하려는 것이다."

손권이 크게 웃으며 말한다.

"그렇게 말하다니 참으로 부끄럽지도 않은가? 네가 황제를 빙자해 제후들을 호령하고 있음은 온 세상사람이 다 아는 일이다. 그럼에도 오히려 나더러 한실을 존중하지 않는다 하니 가소롭구나. 내 너를 토벌해 한나라를 바로잡을 것이니라!"

조조가 크게 노하여 호통을 쳤다.

"누가 저놈을 잡아들이겠느냐!"

그때 갑자기 북소리가 울리더니 산뒤 양쪽에서 군마가 쏟아져나왔다. 오른쪽에서는 한당과 주태가, 왼쪽에서는 진무·반장이 군사를 이끌고 있었다. 네 장수가 3천 궁노수를 거느리고 어지럽게 활을 쏘아대니 조조 진영으로 화살이 빗발처럼 쏟아진다. 조조가 놀라 급하게 무리를 이끌고 달아나는데 뒤에서 네 장수가 나는 듯이 쫓아왔다. 조조가 영채에 거의 반쯤 다다랐을 때 허저가 호위군을 이끌고 나와 조조를 구해냈다. 동오군은 개가를 올리고 유수로 돌아갔다.

영채로 돌아온 조조는 손권에 대한 두려움을 떨칠 수가 없었다.

'손권은 과연 가볍게 볼 인물이 아니야. 꿈에 본 붉은 해가 곧 그일 테니, 뒷날 필시 제왕이 될 것이다.'

조조는 허도로 돌아가고 싶은 생각이 간절했지만 동오의 비웃음을 살까 두려워 이러지도 저러지도 못하고 진퇴양난에 빠져 있었다.

이렇게 조조군과 동오군이 서로 대치한 채 한달이 지났다. 그동안 이기고 지는 싸움을 몇차례 치렀으나 양군 모두 결정적인 승리를 얻지 못한 채 어느새 해가 바뀌었다. 정월로 들어서자 봄을 재촉하는 비가 그치지 않고 계속되니 이곳저곳이 모두 물바다로 변해버렸다. 군사들은 진창에서 고생이 이만저만이 아니었다. 조조는 처한 상황이 근심스러워 여러 모사들을 불러 의논했으나 모사들의 의견은 저마다 달랐다.

"군사를 거두어 돌아가는 게 상책이오."

"그렇지 않소. 곧 봄이 되어 날이 풀릴 터이니 좀더 기다려봅시다."

조조는 도무지 마음을 정하기가 어려웠다. 그 와중에 동오로부터 사신이 손권의 서신을 들고 찾아왔다. 그 글을 읽어보니 대략 다음과 같은 내용이다.

나와 승상은 모두 한나라의 신하인데, 승상은 보국안민(報國安民)할 생각은 않고 망령되이 군사를 움직여 산것들을 잔학하게 해치니 어찌 어진 사람이라 하겠소. 바야흐로 봄물이 넘쳐나는데 공은 마땅히 물러가야 할 것이오. 만일 그렇지 않으면 또 한번 적벽에서와 같은 화를 당할 터이니, 모름지기 그대는 깊이 생각하시라.

그리고 편지 뒷면에는 두 줄의 문장이 적혀 있었다.

그대가 죽지 않으면   足下不死
나는 편치 않으리   孤不得安

조조는 크게 소리내어 웃었다.

"손중모가 나를 속이지는 않겠구나."

동오의 사자에게 후하게 상을 내려 돌려보내고, 전군에 철수 명령을 내렸다. 여강 태수 주광진(朱光鎭)에게 환성(皖城)을 지키게 한 다음 조조는 대군을 거느리고 허도로 돌아갔다.

손권 역시 말릉으로 회군하여 여러 장수들을 불러놓고 말한다.

"조조가 북으로 돌아가고 아직 유비는 가맹관에서 돌아오지 않고 있으니, 조조를 막으려던 군사로 형주를 취하면 어떻겠소?"

이에 장소가 말한다.

"아닙니다. 아직 군사를 일으킬 때가 아닙니다. 제게 한가지 계책이 있으니, 유비로 하여금 형주로 돌아오지 못하게 하겠습니다."

조조의 대군이 북으로 물러가니	孟德雄兵方退北
손권의 웅대한 뜻 다시 남쪽을 도모한다	仲謀壯志又圖南

장소의 계책이란 무엇일까?

62

부수관

방통은 부수관을 쳐서 양회와 고패의 목을 베고
낙성 공격에서 황충과 위연이 공을 다투다

장소가 자신의 계책을 설명한다.

"무엇보다 군사를 움직이지 않아야 합니다. 만일 우리가 군사를 움
직이면 조조가 반드시 그 틈을 타 들이닥칠 것입니다. 그러나 제 계책
대로 두 통의 서신만 만들어 보내놓으면 우리는 앉아서 형주를 손에
넣을 수 있습니다."

손권이 묻는다.

"어디다 무슨 편지를 보낸단 말이오?"

장소가 차근차근 계책을 풀어놓는다.

"주공께서는 우선 유장에게 한통의 서신을 보내십시오. 유비가 우리 동오와 결탁해 함께 서천을 취하기를 권유하고 있다고 적어보내, 유장으로 하여금 유비를 불신하게 만드는 것입니다. 또 한통은 장로에게 보내서 형주로 쳐들어가도록 권유한다면, 유비는 양쪽으로 적을 맞게 되어 머리와 꼬리가 서로를 구하지 못할 것입니다. 바로 그때 군사를 일으켜 치면 우리는 앉아서 형주를 취할 수 있습니다."

손권은 장소의 말에 따라 유장과 장로에게 각각 사신을 보냈다.

한편, 유현덕은 가맹관에 오래 주둔하면서 백성들로부터 널리 신망을 얻고 있었다. 또한 공명의 서신을 받아, 손부인이 동오로 돌아갔고 조조가 군사를 일으켜 유수를 공격했다는 사실도 알고 있었다. 유현덕은 방통을 불러 의논한다.

"조조가 손권을 이긴다면 반드시 형주를 그냥두지 않을 것이고, 손권이 이긴다고 해도 형주를 취하려 할 터인데, 군사께 무슨 좋은 계책이 있으시오?"

방통이 대수롭지 않은 듯 대답한다.

"주공께서는 심려하지 마십시오. 공명이 그곳에 있는데 동오가 어찌 감히 형주를 넘보겠습니까? 그러니 먼저 주공께서는 유장에게 서신을 한통 쓰시되 '조조에게 공격당한 손권이 형주에 구원을 요청했소. 손권과는 입술과 이처럼 서로 의지하는 처지라 돕지 않을 수 없고, 장로로 말할 것 같으면 제 땅만 침범하지 않으면 쳐들어오지 않을 테니 나는 군사를 이끌고 형주로 돌아가 손권과 더불어 조조를 칠 계획이오. 다만 우리에게 군량과 군사가 모두 부족하니, 바라건대 형제 간의 정리를 생각하여 정예병 3, 4만명과 군량 10만섬을 도와주시오'

라고 하십시오. 만일 유장이 군사와 군량을 보내준다면 그때 다시 의논하지요."

현덕은 방통의 말대로 성도의 유장에게 사신을 보냈다. 현덕의 사신은 곧 부수관에 이르렀다. 당시 부수관(涪水關)은 양회(楊懷)와 고패(高沛)가 지키고 있었다. 사신에게서 현덕의 뜻을 확인한 양회가 고패에게 말한다.

"고장군께서 이곳을 지켜주시오. 나는 사신과 동행하여 성도로 가겠소이다."

사신과 함께 성도로 들어간 양회가 유장에게 현덕의 서신을 올렸다. 유장이 글을 다 읽고 나서 양회에게 묻는다.

"그래 장군은 어인 일로 사신과 함께 왔소?"

양회가 대답한다.

"이 서신 때문에 왔습니다. 유비가 서천에 온 이후 널리 은덕을 베풀어 인심을 얻고 있는데, 그 뜻이 결코 선하다고만 할 수 없습니다. 지금 군마와 군량미를 구하는데 주공께서는 절대로 응하셔서는 안됩니다. 그것은 그야말로 타오르는 불길에 마른섶을 던져주는 형국입니다."

"현덕은 나와 더불어 형제의 의를 맺었는데, 내 어찌 그를 돕지 않을 수 있겠소?"

유장의 말이 끝나기를 기다렸다는 듯 한 사람이 나서며 간한다.

"유비는 효웅(梟雄)이라 우리 촉땅에 오래 머물게 하는 것은 호랑이를 방안에 들이는 것과 같습니다. 게다가 다시 군마와 전량까지 주어 돕는다면 이는 호랑이에게 날개를 달아주는 격이지요."

그는 영릉(零陵) 증양(烝陽) 사람으로 이름은 유파(劉巴)요, 자는 자초(子初)이다. 유장은 유파의 말을 듣고도 결정을 못 내리고 주저했다. 황권이 거듭 간한다. 마침내 유장은 늙고 약한 군사 4천명과 쌀 1만섬만 보내기로 결정하고 현덕에게 사신을 보냈다. 양회와 고패에게는 부수관을 단단히 지키라고 일렀다.

유장의 답신을 들고 온 사자가 가맹관에 도착해 현덕에게 글을 올렸다. 현덕은 유장의 서신을 읽고 불같이 화를 낸다.

"내 저를 위해 적과 맞서싸우면서 수고를 아끼지 않고 있는데, 재물을 쌓아두고도 이렇게 인색해서야 어찌 군사들에게 목숨바쳐 싸우라고 할 수 있겠는가!"

현덕이 소리를 지르며 답신을 찢고 자리를 박차고 일어나니, 놀란 사자는 도망치듯 성도로 달아났다. 방통이 말한다.

"주공께서는 인자함과 의리를 중히 여기시더니, 오늘은 어찌하여 이렇게 서신을 찢고 노여워하십니까? 이제까지의 정리를 모두 없던 일로 하시려는 겁니까?"

유현덕이 묻는다.

"그러니, 이 일을 어찌하면 좋겠소?"

"제게 세 가지 계책이 있으니, 주공께서는 들어보시고 그중에서 하나를 취하십시오."

"세 가지 계책이란 뭐요?"

"정예병을 가려뽑아 밤낮을 가리지 않고 지름길로 달려가서 성도를 급습하는 것이 상책입니다. 그 다음은, 양회와 고패 같은 촉의 명장이 강한 군사들을 거느리고 부수관을 지키고 있으니, 주공께서 거짓으로 형주로 돌아간다고 하시고 저들이 배웅하러 나온 틈을 타 저들을 잡아죽이고 부수관을 빼앗은 뒤 곧장 성도로 향하는 것이 중책입니다. 마지막으로 백제(白帝)로 물러났다가 형주로 곧장 귀환해 서서히 일을 도모하는 것이 하책입니다. 이제 여기서 때를 놓치면 빠져나올 수 없는 구렁에 빠지고 말 터이니, 시급히 결정하십시오."

현덕은 방통의 말을 듣고 나서 대답한다.

"그대가 말한 상책은 너무 촉박하고 하책은 너무 느리니, 느리지도 급하지도 않은 중책을 취하겠소."

이리하여 현덕은 유장에게 서신을 보냈다.

조조가 군사를 일으켰소. 부장 악진을 내세워 청니진(靑泥鎭)을 치고 있는데, 여러 장수들이 막아내지 못하고 있소. 내 급히 돌아가 이를 막고자 하여 경황중에 이렇게 글을 적어 작별을 고하오.

현덕의 글이 성도에 이르자 가장 놀란 사람은 다름아닌 장송이었다. 유현덕이 형주로 가버리고 나면 그동안의 일은 모두 허사가 되는 게 아닌가. 장송은 마침내 서신을 적어 은밀히 현덕에게 보내기로 했다. 그런데 장송이 현덕에게 보낼 서신을 막 접으려는 참에 친형인 광한(廣漢) 태수 장숙(張肅)이 아우 장송을 만나러 찾아왔다. 장송은 엉겁결에 소맷자락 안에 편지를 집어넣고 형을 맞아들였다. 두 형제가 오랜만에 만나 이야기를 나누며 술잔을 기울이는데, 장송의 행동거지가 사뭇 자연스럽지 못하니 장숙은 내심 의아하게 생각했다. 이윽고 술이 몇순배 돌았는데 형에게 술을 권하던 장송의 소맷자락에서 그만 편지가 떨어지고 말았다. 그 편지는 마침 장숙을 따라온 종자의 손에 들어갔다. 술자리를 파하자 종자는 자신의 주인 장숙에게 그 편지를 올렸다. 장숙이 보니 장송이 친필로 쓴 그 편지는 대강 이러하였다.

지난날 이 장송이 황숙께 진언한 말에 추호도 거짓이 없거늘 어찌하여 시일만 끌고 서두르시지 않습니까? 역리(逆理)로 취한 후에 순리(順理)로 지키는 것은 옛사람들도 중하게 생각해왔습니다. 이제 대사가 손안에 들어온 것이나 다름없는데 어찌 취할 생각은 않고 형주로 돌아가려 하십니까? 소식을 듣고 저는 정신을 잃을 뻔했습니다. 이 편지가 닿자마자 조금도 지체하지 말고 진군하십시오. 제가 마땅히 안에서 지원할 것입니다. 부디 서두르셔서 대사를 그르치는 일이 없기를 바랍니다.

편지를 읽은 장숙은 크게 놀라 어찌할 바를 몰랐다.

'아우가 우리 가문을 망하게 하고야 말겠구나. 일이 이 지경에 이르렀으니 내 고할 수밖에 없겠다.'

장숙은 그 밤으로 유장에게 가서 장송의 편지를 보이고 아우가 유비와 공모해 서천을 바치려 했던 일을 낱낱이 고했다. 유장은 불같이 화가 났다.

"내 평소에 저를 박대하지 않았는데 무슨 까닭에 나에게 모반하려 하는가!"

그러고는 즉시 장송 일가를 모조리 잡아들여 저잣거리에서 목을 베게 했다.

후세 사람이 이를 두고 탄식한 시가 있다.

한번 보면 잊지 않는 재주 세상에 드문데	一覽無遺世所稀
뉘 알았으랴 서신 한장으로 천기가 누설될 줄	誰知書信洩天機

현덕이 왕업 일으킴을 보지 못하고서   未觀玄德興王業

장송 먼저 성도에서 옷깃을 피로 물들였구나   先嚙成都血染衣

유장은 장송 일가를 처형하고 나서 문무관원들을 불러모아 대책을 의논한다.

"유비가 나의 터전을 빼앗으려 하니 어찌하면 좋겠소?"

황권이 말한다.

"잠시도 지체할 수 없는 일입니다. 즉시 각 관으로 사람을 보내 이 사실을 알리고 굳게 지키라 이르는 한편, 형주의 군사는 단 한명도 들이지 못하게 하십시오."

황권의 말에 따라 유장은 그날밤으로 각 관문에 격문을 보냈다.

한편, 유현덕은 군사를 거느리고 가맹관을 떠나 부성에 도착했다. 그러고는 먼저 부수관의 양회와 고패에게 사람을 보내 형주로 돌아가는 길이니 관문에서 작별인사라도 나누자고 청하였다. 양회와 고패 두 장수는 현덕의 청을 받고 머리를 맞대고 궁리한다. 양회가 묻는다.

"현덕이 돌아간다 하니 어찌면 좋겠소?"

고패가 말한다.

"이제야 현덕이 죽을 때가 되었나보오. 우리 둘다 몸에 칼을 숨기고 가서 현덕을 만난 자리에서 없애버립시다. 그러면 우리 주공께서도 우환에서 벗어나실 것이오."

양회는 즉시 머리를 끄덕이며 찬성했다.

"참으로 묘한 계책이오."

양회와 고패는 군사 2백명을 거느리고 관을 나섰다. 나머지 군사는 관 안에 남아 지키게 하였다.

현덕의 대군이 거의 부수관에 이르렀을 즈음, 현덕은 방통과 말머리를 나란히하고 달리며 앞으로의 일을 의논했다. 방통이 말한다.

"양회와 고패가 흔쾌한 태도로 나타나거든 잘 방비하시고, 나타나지 않거든 지체하지 말고 관으로 쳐들어갑시다. 한시도 주저하시면 안됩니다."

그런데 방통의 말이 끝나기도 전에 난데없이 회오리바람이 일더니 현덕의 수(帥)자 기를 부러뜨렸다. 현덕이 이맛살을 찌푸리며 방통에게 묻는다.

"대체 이게 무슨 징조요?"

"이는 경계의 뜻입니다. 분명 양회와 고패가 주공을 해치려는 모양이니, 주공께서는 미리 방비하십시오."

유현덕은 즉시 갑옷을 겹으로 입고 허리에 보검을 찼다. 드디어 양회와 고패가 온다는 보고가 들어왔다. 현덕은 군사들에게 휴식을 명하고, 방통은 위연과 황충을 불러 은밀히 분부를 내린다.

"부수관에서 오는 군사가 많건 적건 기병이건 보병이건 간에 단 한 명도 놓치지 마시오."

두 장수는 방통의 엄명을 받고 물러났다. 양회와 고패는 품속에 예리한 칼을 감춘 채, 양을 끌고 술통을 짊어지고는 군사 2백명과 더불어 현덕이 주둔하고 있는 진지 앞에 이르렀다. 재빨리 주위를 살펴보니 아무런 방비도 하고 있지 않은 듯하여 양회와 고패는 내심 기뻐했다. 두 장수가 장막으로 들어가니, 현덕은 방통과 앉아 담소를 나누고 있었다. 두 장수는 자못 공손하게 말한다.

"황숙께서 먼길을 돌아가신다니 보잘것없으나마 예를 갖추어 전송하러 왔습니다."

그러고는 들고 온 술과 안주 등을 내놓으며 현덕에게 권했다.

현덕이 사례한다.

"두 분 장군께서 평소 관소를 지키느라 고생이 많을 테니 먼저 잔을 받으시오."

두 사람은 현덕이 권하는 대로 먼저 술잔을 받아 마셨다. 현덕은 술잔이 비는 것을 보고 주위를 둘러보며 말한다.

"두 장군과 은밀히 나눌 얘기가 있으니, 다른 사람들은 잠시 물러가 있도록 하오."

현덕의 말에 따라 양회와 고패가 거느리고 온 군사 2백명은 중군 밖으로 물러나고 드디어 두 장수만 남았다. 갑자기 현덕이 벼락같이 고함을 질렀다.

"나를 위해 이 두 도적을 잡아라!"

장막 뒤에서 유봉과 관평이 뛰쳐나왔다. 양회와 고패는 갑작스럽게 벌어진 일이라 유봉과 관평을 이기지 못하고 순식간에 사로잡히고 말았다. 유현덕이 두 사람을 호되게 꾸짖는다.

"나는 너희 주인과 한집안 형제인데 너희가 어찌 감히 공모하여 혈친간의 정리를 이간질하느냐!"

방통이 좌우 사람들에게 명하여 두 사람의 몸을 뒤지게 했다. 과연 두 사람의 품속에서 날카로운 단검이 한 자루씩 나왔다. 방통은 곧 큰소리로 영을 내린다.

"이 두놈을 끌어내 당장 목을 베어라!"

이 말에 유현덕이 주저하며 얼른 결단을 내리지 못하는데, 방통이 단호하게 말한다.

"이 두놈은 처음부터 주공을 해칠 음모를 품고 왔는데 어찌 그 죄를 용서할 수 있겠습니까?"

방통이 명령을 내리자 도부수의 도끼가 공중을 갈랐고 두 장수의 머리는 땅에 굴러떨어졌다. 또 한편으로 황충과 위연은 방통의 분부대로 2백명의 적군을 단 한명도 놓치지 않고 모조리 잡아두었다. 유현덕은 그들을 불러들인 다음 술을 내려 놀란 가슴을 진정하게 하고나서 말한다.

"양회와 고패 두놈은 우리 형제 사이를 이간질했을 뿐만 아니라 단검을 숨기고 들어와 나를 해하려 하기에 어쩔 수 없이 참형에 처하였다. 너희들은 죄없이 따라온 터이니 놀랄 것 없느니라."

현덕의 위로에 군사들은 절을 올려 사례했다. 뒤이어 방통이 말한다.

"이제 너희들은 우리에게 길을 안내하도록 하라. 우리가 관소를 점령하고 나면 후한 상을 내릴 것이다."

그날밤, 현덕의 대군은 항복한 촉의 군사 2백명을 앞세우고 부수관으로 향했다. 항복한 군사들이 관문 앞에 이르러 일제히 소리높여 외친다.

"두 장군께서 급한 볼일로 회군하셨으니 어서 관문을 열어라!"

성위에서 그 소리를 들으니 자기편 군사가 틀림없다. 성에서는 아무 의심 없이 문을 열었고, 현덕의 군사들은 피 한방울 흘리지 않고 부수관을 점령했다. 부수관을 지키고 있던 촉군은 모두 항복했다. 현덕은 부수관에 입성하여 약속대로 후한 상을 내리고 군사를 나누어 앞뒤를 수비하게 했다.

다음날은 군사들을 배불리 먹여 위로하고, 공청에 큰 잔치를 베풀었다. 현덕은 전에 없이 대취하여 마침 옆에서 술을 들고 있던 방통을 돌아보고 한마디 한다.

"군사, 오늘 이 자리가 가히 즐겁지 않소?"

방통이 대답한다.

"남의 나라를 치고 나서 즐겁다 하심은 어진 사람이 취할 병법이 아닌 듯합니다."

그 비꼬는 듯한 말투에 현덕의 목소리가 무심결에 커진다.

"내 듣자니 주나라 무왕은 폭군 주(紂)를 치고 나서 악곡을 지어 승리를 기렸다는데, 그러면 무왕 역시 어진 사람의 병법을 취한 게 아니란 말이오? 그대의 말은 도리에 맞지 않으니 썩 물러가오!"

방통은 크게 웃으며 밖으로 나가버렸다. 현덕이 몸을 가누지 못하고 비틀거리니 좌우에서 부축해 후당으로 들어갔다. 한밤중에야 술이 깬 현덕은 좌우 사람들에게서 방통에게 폭언을 퍼부은 이야기를 전해 듣고 크게 후회했다. 이튿날 아침 일찍 현덕은 의관을 정제하고 당상에 올라 방통을 청하여 사죄했다.

"어젯밤 취중에 내가 말을 함부로 했던 모양이오만, 군사께선 부디 마음에 두지 마시오."

방통은 태연하게 웃고만 있다. 현덕이 거듭 말한다.

"어제의 말은 오로지 내 실수였소."

그제야 방통이 웃으며 대답한다.

"군신(君臣)이 함께 실수했사옵니다. 어찌 주공 혼자만의 실수이겠습니까!"

현덕도 호탕하게 웃으며 처음의 즐거운 기분으로 돌아갔다.

한편, 성도에 있는 유장은 유현덕이 양회와 고패 두 장수를 죽이고 부수관을 점령했다는 보고에 크게 놀랐다.

"오늘날 일이 이렇게 될 줄은 미처 몰랐구나!"

유장은 문무관원들을 모아놓고 현덕군을 물리칠 대책을 물었다. 황권이 나서서 아뢴다.

"당장이라도 군사를 보내 낙현(雒縣)에 주둔시키십시오. 낙현은 성도에 이르는 중요한 길목이니, 이곳을 잘 막으면 유비에게 제아무리 강한 군사와 용맹한 장수가 있다 할지라도 쉽게 지나오지 못할 것입니다."

유장은 곧 유괴와 영포, 장임, 등현 등 네 장수에게 5만 대군을 거느리고 밤을 새워 낙현으로 가서 길목을 지키라 명했다. 네 장수가 곧 출병하여 한창 행군해가는 중에 유괴가 말을 세우고 말한다.

"듣자니 금병산(錦屛山)에 도호가 자허상인(紫虛上人)이라는 아주 기이한 인물이 살고 있는데, 사람의 생사귀천(生死貴賤)을 기막히게 잘 본다고 합니다. 마침 오늘 금병산을 지나게 되니 한번 만나서 물어보면 어떻겠소?"

장임이 일소에 부친다.

"대장부가 적을 무찌르러 가는 마당에 산야에 묻혀사는 사람에게 무얼 묻는단 말이오?"

"그렇지 않소. 성인도 말씀하시기를 지성지도(至誠之道)는 미리 알 수 있다고 하셨소. 고명한 도인에게 앞날을 물어 길(吉)을 택하고 흉(凶)을 피하는 것이 어찌 부질없는 일이겠소."

그리하여 네 장수는 5, 60기를 거느리고 자허상인을 찾아보기로 했다. 먼저 산 아래 마을의 나무꾼에게 자허상인이 어디에 사는지를 물으니 나무꾼은 높은 산꼭대기를 가리키며 그곳이 도인이 사는 곳이라고 일러주었다. 나무꾼의 말대로 산꼭대기까지 올라가니 과연 조그만 암자 하나가 있었다. 네 장수가 암자 앞에 이르니 동자 하나가 나와서 맞으며 이름을 묻고 암자 안으로 안내했다. 자허상인은 버들방석에 앉아 있었다. 네 장수가 공손히 절하고 나서 앞일을 물으니, 자허상인이 답한다.

"빈도(貧道)는 그저 산속에 묻혀사는 폐인에 지나지 않는데 어찌 인간사의 길흉을 알겠소?"

유괴가 세번 절하고 다시 물으니, 그제야 동자에게 종이와 붓을 가져오라 하여 거침없이 여덟 구의 글을 적어주었다.

좌측의 용 우측의 봉	左龍右鳳
서천으로 날아드니	飛入西川
봉은 땅에 떨어지고	雛鳳墜地
용은 하늘로 날아오르누나	臥龍升天
하나를 얻고 하나를 잃는 건	一得一失
천수의 당연함이라	天數當然
기회를 잘 보아 처신하여	見機而作
구천에 떨어지질 말아라	勿喪九泉

유괴가 다시 묻는다.

"저희 네 사람의 운수는 어떻습니까?"

자허상인이 귀찮다는 듯 대답한다.

"하늘이 정한 운수는 피할 길이 없으니 다시 물어 무엇 하겠소."

유괴가 거듭 물었지만, 자허상인은 눈썹을 내려뜨린 채 눈을 감고 대꾸가 없다. 그 모양이 마치 깊은 잠에 빠진 듯했다. 할수없이 네 장수가 산을 내려오는데 유괴가 말한다.

"선인의 말을 믿지 않을 수가 없소."

장임이 냉소한다.

"그런 미친 늙은이의 말을 들어서 무슨 이익이 있겠소."

드디어 네 장수는 낙현에 이르러, 중요한 길목에 군마를 나누어 배치하고 굳게 지키기로 했다. 유괴가 말한다.

"낙성은 성도의 장벽이자 보루니 이곳을 잃으면 성도를 지키기 어려울 게요. 그러니 우리 넷이 의논하여 둘은 성을 지키고, 나머지 둘은 낙현 앞 험산에 의지해 양편에 진을 쳐서 적군이 성에 얼씬도 못하도록 합시다."

영포와 등현이 나선다.

"그럼 우리 둘이 영채를 구축하고 적을 막겠소."

유괴는 크게 기뻐하며 즉시 두 사람에게 군사 2만명을 주어 성밖으로 60여리 떨어진 곳에 영채를 세우게 했다. 자기는 장임과 남아서 낙성을 지키기로 했다.

한편 현덕은 부수관을 함락시킨 뒤 방통과 함께 낙성을 점령하려 의논을 하고 있었다. 그때 보고가 들어왔다.

"유장이 네 장군에게 대군 5만을 내주어 낙성을 지키도록 했는데, 그중 영포와 등현은 그날로 군사 2만을 이끌고 성밖 60리 떨어진 곳에다 각각 영채를 세웠습니다."

현덕이 주위를 돌아보며 묻는다.

"누가 나서서 적군의 두 영채를 먼저 공격해 공을 세우겠소?"

노장 황충이 앞으로 나선다.

"이 늙은이가 가겠습니다."

"노장군이 본부 인마를 거느리고 낙성으로 가서 영포와 등현의 영채를 취한다면 후한 상을 내리겠소."

황충이 크게 기뻐하며 즉시 본부 군마를 이끌고 진군하려 하는데, 갑자기 한 장수가 뛰어나오며 큰소리로 외친다.

"노장군은 연세도 많으신데 어찌 낙성을 취할 수 있겠소이까? 비록 소장이 재주는 없으나 대신 가고 싶습니다."

현덕이 보니 그는 바로 위연이다. 황충이 노하여 말한다.

"내 이미 장령(將令)을 받았는데 네가 어찌 감히 나서느냐!"

그러나 위연은 조금도 물러설 기미를 보이지 않는다.

"노장군은 이미 근력이 다했는데, 듣자니 영포와 등현은 촉의 명장으로 혈기가 왕성하다 합니다. 그러니 노장군이 어찌 당해낼지, 잘못되었다간 주공의 대사만 그르칠 게 아니겠소? 그래서 제가 대신 가겠다는 말입니다. 좋은 뜻에서 하는 말이니 부디 노여워하지 마십시오."

황충이 더욱 화가 나서 외친다.

"네가 나를 늙었다 하니, 어디 나와 무예를 겨뤄보겠느냐?"

위연이 말한다.

"주공 앞에서 무예를 겨루어 이긴 사람이 가기로 합시다."

황충이 계단 아래로 뛰어내려가며 부하장수에게 말한다.

"어서 칼을 가져오너라!"

급기야 유현덕이 나서며 두 장수를 만류한다.

"이게 무슨 짓들이오? 내 서천을 취하려는 지금 두 장수만을 믿고 있는데, 이렇게 두 호랑이가 서로 싸우면 하나는 틀림없이 상할 것이니 그래서야 어찌 대사를 이룰 수 있겠소? 두 사람은 노기를 풀고 어서 화해하시오."

방통도 말한다.

"두 사람은 다툴 것 없소. 지금 영포와 등현이 각기 영채를 하나씩 세우고 서로 호응하고 있으니, 두 사람 모두 본부 인마를 거느리고 가서 각자 영채 하나씩을 치시오. 먼저 영채를 빼앗는 쪽을 선공으로 인정하겠소이다."

이리하여 황충은 영포의 영채를, 위연은 등현의 영채를 치기로 명령을 받고 물러나갔다. 방통이 현덕에게 말한다.

"두 사람이 노상에서 행군중에 다툴지도 모르니 주공께서 군사를 거느리고 가셔서 후원하시지요."

현덕은 방통에게 성을 지키게 하고, 유봉·관평과 더불어 군사 5천명을 거느리고 뒤를 따르기로 했다.

한편, 황충은 영채로 돌아와 영을 내린다.

"내일은 4경(새벽 2시)에 밥을 지어먹고 5경(새벽 4시)에 전열을 정비해 날이 밝는 대로 왼편 산골짜기로 진군할 것이다!"

위연은 사람을 시켜 황충의 군사가 언제 출발하는지 알아오게 해두었다. 정탐꾼이 이 일을 즉시 위연에게 전하니 위연은 은근히 기뻐하며 곧 군사들에게 분부를 내린다.

"2경(밤 10시)에 밥을 지어먹고, 3경(밤 12시)에 진군하여 날이 밝는 대로 등현의 영채를 공격한다."

군사들은 위연의 명에 따라 초저녁에 배불리 먹었다. 그리고 마침내 말의 방울을 모두 떼내고 각자 함매(銜枚, 말을 못하도록 입에 물리는 나

514

무조각)를 문 뒤 깃발을 말아 갑옷 속에 감추고는 어둠을 뚫고 소리없이 행군했다. 드디어 3경 무렵, 군사를 이끌고 적의 영채를 향해 전진하면서 위연은 생각한다.

'이번 싸움에서 등현의 영채를 쳐부순다고 해서 그게 무슨 큰 공이 되겠는가. 이왕 나선 김에 우선 영포의 영채를 치고 그 기세를 몰아 등현의 영채까지 빼앗으면 두 영채를 해치운 공로를 독차지할 수 있겠지.'

위연은 즉시 군사들에게 길을 바꿔 왼쪽 산길로 진군하도록 했다. 어느새 동쪽 하늘이 뿌옇게 밝아오고 있었다. 영포의 영채가 보이는 곳에서 위연은 잠시 군사를 멈추고 북이며 징, 기치, 창검 등을 정비했다.

이미 영포의 진영에서는 만반의 태세를 갖추고 있었다. 영포의 정탐병이 이 상황을 염탐해 곧바로 보고했던 것이다. 영포의 삼군은 한 방의 포소리를 신호로 위연의 군사를 향해 조수처럼 밀려나왔다. 갑작스런 상황에 위연은 급히 칼을 쥐고 말을 몰아 영포를 맞아 싸웠다. 두 장수가 어울려 30여합을 싸웠으나 승부는 쉽게 나지 않았다. 서천 군사들은 두 갈래로 나뉘어 위연의 군사들을 급습했다. 위연군은 밤새 행군으로 지쳐 있는데다 갑작스런 공격에 당황해 변변히 겨뤄보지도 못하고 달아나기에 바빴다. 위연도 더 버티지 못하고 말머리를 돌려 영포에게서 달아났다. 서천 군사들은 틈을 주지 않고 추격해왔다. 위연의 군사들이 크게 패하여 미처 5리도 달아나지 못했을 때였다. 산 뒤쪽에서 갑자기 북소리가 진동하더니 등현이 군사들을 이끌고 골짜기 길을 막으며 내달아온다.

"위연은 어서 말에서 내려 항복하라!"

황충은 활을 쏘아 위연의 목숨을 구해주다

위연이 급히 채찍을 더해 달아나는데, 순간 타고 있던 말이 앞굽을 꺾으며 넘어졌다. 그 바람에 위연은 말에서 떨어지면서 땅바닥에 내동댕이쳐지고 말았다. 등현이 때를 놓치지 않고 달려와 창을 번쩍 치켜들며 위연의 가슴을 찌르려는 참이었다. 어디선가 시윗소리가 나며 등현이 그대로 말에서 굴러떨어진다. 뒤에서 달려오던 영포가 등현을 급히 구해내려는데 한 장수가 산등성이에서 나는 듯이 말을 달려내려오며 온 산이 쩌렁쩌렁 울리도록 호통을 친다.

"노장 황충이 여기 있다!"

황충이 춤추듯 칼을 날려 영포를 공격하니, 영포는 당해내지 못하고 달아난다. 황충이 기세를 몰아 그 뒤를 추격하자 서천 군사들은 사방으로 흩어지며 혼란에 빠졌다. 황충의 군사들은 위연을 구해내고 등현을 해치웠다. 그러고는 바로 적의 영채 앞까지 쳐들어갔는데, 달아나던 영포가 갑작스럽게 말머리를 돌려 황충에게 덤벼들었다.

황충과 영포가 서로 어울려 싸우기를 10여합, 갑자기 뒤쪽에서 한 떼의 군마가 물밀듯 몰려왔다. 영포는 왼쪽 영채를 버리고 오른쪽 영채로 달아났다. 패잔병을 이끌고 영포가 오른쪽 영채 앞에 이르러 보니, 어찌 된 일인지 영채 안에는 자기편 기치가 전혀 보이지 않는다. 영포가 크게 놀라 주위를 두리번거리는데, 황금 갑옷에 비단 전포를 입은 한 장수가 나타났다. 그는 다름아닌 유현덕이다. 그 왼쪽에는 유봉이, 그리고 오른쪽에는 관평이 서 있었다. 현덕이 큰소리로 호통친다.

"영채를 빼앗긴 패장이 어딜 가느냐!"

원래 현덕은 뒤에서 후원하려고 오다가 힘 하나 안 들이고 등현의 영채를 점령한 것이다. 영포는 앞뒤 생각할 겨를도 없이 산기슭 좁은 길을 따라 낙성을 향해 달아났다. 그러나 채 10리도 못 가서 복병들이 함성을 지르며 나타나더니 순식간에 밧줄을 던져 영포를 사로잡고 말았다. 다름아닌 위연의 군사들이었다. 위연은 자신이 얼마나 큰 잘못을 범했는지 잘 아는 터라, 후군을 수습하고 촉군 포로에게 길을 물어서 영포가 달아날 만한 장소에 미리 매복해 있었던 것이다. 위연은 영포를 앞세우고 현덕에게로 갔다.

한편 첫싸움에 승리한 현덕은 면사기(免死旗)를 높이 세워서 서천 군사 중에 무기와 갑옷을 버리고 항복한 자는 죽이지 못하게 하고, 항복한 자를 죽인 경우는 제 목숨으로 갚게 했다. 그리고 서천 군사들에게 명을 내렸다.

"너희 서천 군사들에게도 부모와 처자가 있을 터인즉, 항복한 자들은 모두 군사로 받아들일 것이나 원하지 않는 자는 집으로 돌아가도록 허락한다."

이 말을 들은 서천 군사들의 환성이 땅을 진동했다. 황충이 영채를 완전히 장악하고 현덕에게 와서 고한다.

"위연이 군령을 어겼으니 목을 베소서!"

현덕이 즉시 위연을 부르니, 위연은 기다렸다는 듯 영포를 결박해 끌고 들어왔다. 현덕이 명한다.

"비록 위연이 군령은 어겼으나 적장을 사로잡은 공로를 인정하여 그 죄를 사하노라. 위연은 목숨을 구해준 황장군의 은혜에 깊이 감사하고, 다시는 서로 다투는 일이 없도록 하라."

위연은 머리를 조아려 황충에게 사죄했다. 현덕은 황충에게 상을 내리고 영포를 장막 앞으로 끌어오게 했다. 영포가 끌려오자 현덕은 손수 결박을 풀어주고 술을 내려 위로하며 묻는다.

"그대는 항복할 뜻이 없는가?"

영포가 대답한다.

"이미 죽은 목숨을 살려주셨으니 어찌 항복하지 않겠습니까? 유괴와 장임은 저와 더불어 생사를 함께하기로 맹세한 사이입니다. 저를 돌려보내주신다면 두 사람이 항복하게 하여 낙성을 바치겠습니다."

현덕이 크게 기뻐하며 즉시 영포에게 옷과 말을 내주고 낙성으로 돌아가게 했다. 위연이 말한다.

"영포를 돌려보내시면 안됩니다. 그자는 한번 가면 다시는 돌아오지 않을 것입니다."

"내가 저를 인의로 대하면 그도 나를 저버리지 못할 것이다."

낙성으로 돌아간 영포는 유괴와 장임에게 사로잡혔다가 풀려났다는 말은 하지 않고, 그저 10여명의 현덕군을 죽이고 말을 빼앗아 돌아왔노라고만 말했다. 유괴는 급히 성도로 사람을 보내 구원을 요청했다.

유장은 등현이 죽었다는 소식에 크게 놀라 문무관원을 모아놓고 대책을 의논했다. 큰아들 유순(劉循)이 나선다.

"제가 군사를 거느리고 가서 낙성을 지키겠습니다."

유장이 주위를 둘러보며 말한다.

"내 아이가 나서겠다니, 누가 그를 보좌하겠느냐?"

"제가 가겠습니다."

한 사람이 나서니 다름아닌 유장의 외숙 오의(吳懿)였다.

"공이 가겠다 하시니 마음 든든합니다. 부장으로는 누구를 데려가시겠습니까?"

오의는 그 자리에서 오란(吳蘭)과 뇌동(雷銅)을 천거해 부장으로 삼고, 군사 2만명을 거느리고 낙성을 향해 떠났다. 원군을 맞아들인 유괴와 장임은 전날 있었던 일을 알리고 다시 계책을 논의했다. 먼저 오의가 계책을 묻는다.

"적병이 성밑까지 들이닥쳤으니 맞서싸우기가 쉽지 않을 게요. 좋은 계책이 있으면 주저하지 말고 말하시오."

영포가 말한다.

"이 부근에는 부강(涪江)이 흐르는데 물살이 제법 빠릅니다. 적들의 영채는 산기슭에 있고 지세가 아주 낮습니다. 제게 군사 5천을 내주신다면 괭이와 호미로 강둑을 무너뜨려 유비의 군사들을 몰살시키겠습니다."

오의는 당장 영포의 계책에 따르기로 하고 오란·뇌동에게도 후원하도록 했다. 영포는 군사 5천명을 거느리고 제방을 무너뜨릴 준비를 했다.

한편, 유현덕은 황충과 위연에게 각각 영채를 지키게 하고, 자신은 부성으로 돌아와 방통과 대책을 의논하고 있었다. 이때 정탐꾼이 돌아와 보고한다.

"동오의 손권이 동천의 장로에게 사람을 보내 서로 동맹을 맺고 가맹관으로 쳐들어온다 합니다."

유현덕이 깜짝 놀라며 방통에게 묻는다.

"가맹관을 잃으면 퇴로가 끊어져 진퇴유곡에 빠질 텐데 어찌하면 좋겠소?"

방통이 옆에 있는 맹달을 보며 말한다.

"그대는 촉땅 사람이라 지리에 밝을 터이니 가서 가맹관을 지키는 게 어떻겠소?"

맹달이 말한다.

"제가 한 사람을 천거할까 합니다. 그 사람과 함께 가맹관을 지킨다면 어려울 게 없겠습니다."

현덕이 묻는다.

"그 사람이 누구요?"

맹달이 아뢴다.

"일찍이 형주의 유표 밑에서 중랑장을 지낸 사람으로 남군(南郡) 지강(枝江)이 고향인데, 성명은 곽준(霍峻)이요, 자는 중막(仲邈)이라 합니다."

현덕은 크게 기뻐하며 즉시 맹달과 곽준을 가맹관으로 보내 지키게 했다. 방통은 현덕과 헤어져 관사로 돌아왔다. 잠시 후 문지기가 들어와 고한다.

"손님이 찾아와 군사를 뵙겠다고 합니다."

방통이 나가보니, 8척 장신에 생김새가 매우 비범한 사람이 서 있는데 짧게 자른 머리는 목언저리에서 너풀거리고, 아무렇게나 옷을 걸쳐 보기에 몹시 누추했다. 방통이 물었다.

"선생은 누구시오?"

그런데 그 사람은 아무런 대답도 않고 섬돌로 쓱 올라서더니 거침없이 방안으로 들어가 침상에 누워버렸다. 방통이 당황스럽기도 하고 의아하기도 해서 거듭 물으니 그제야 그 사람이 입을 연다.

"그렇게 서두를 것이 뭐 있소? 내 이제 그대에게 천하대사를 알려주려 하는데……"

방통은 더욱 의심스러웠지만 우선 사람을 시켜 술과 음식을 내오게 했다. 그 사람은 벌떡 일어나 조금도 사양하지 않고 마구 먹고 마시더니 다시 침상에 드러누워 코를 골며 잠이 들어버렸다. 방통은 혹시 염탐꾼이나 아닌가 의심스러워 사람을 시켜 법정을 청해오도록 했다. 법정이 황망히 달려오자 방통이 나가 맞으며 정황을 설명한다.

"이러저러한 사람이 나를 찾아왔소이다."

듣고 나서 법정이 말한다.

"혹시 팽영언(彭永言)이 아닐지……"

법정이 섬돌 위로 올라서서 코를 골며 누워 자는 사람을 들여다보았다. 그때 자던 사람이 벌떡 일어나며 인사를 한다.

"그래 효직(孝直, 법정의 자)은 별일 없었는가?"

서천 사람 옛벗을 만나   祇爲川人逢舊識
마침내 부수의 거친 물결 잠재우도다   遂令涪水息洪流

이 사람은 과연 누구일까?

낙봉파

공명은 방통의 죽음에 통곡하고
장비는 엄안을 의리로써 살려주다

법정이 그 사람을 마주보고 손뼉을 치며 반갑게 웃었다. 방통이 어리둥절하여 누구냐고 묻자, 법정이 대답한다.

"이분은 광한(廣漢) 사람으로 성은 팽(彭)이요 이름은 양(羕), 자는 영언(永言)이며, 촉땅의 호걸이오. 일찍이 유장에게 바른말을 했다가 미움을 받아 곤겸형(髡鉗刑, 머리를 깎이고 목에 쇠고리를 끼는 형벌)을 받고 노예가 되었던지라 이렇게 머리가 짧은 것이지요."

설명을 듣고 나서 방통은 팽양을 귀한 손님의 예로 정중하게 대접하며 묻는다.

"이번에는 무슨 일로 어려운 걸음을 하셨는지요?"

팽양이 대답한다.

"이번에 특별히 그대들 수만명의 목숨을 구해줄까 해서 왔소만, 유 장군을 만나야 말할 수 있소."

법정은 지체없이 현덕에게 알렸다. 현덕이 급히 팽양을 찾아와 묻는다.

"제게 하실 말씀이 무엇인지요?"

현덕의 물음에 오히려 팽양이 되묻는다.

"장군께서는 전방 영채에 군사를 얼마나 배치했습니까?"

"그곳은 지금 황충과 위연이 지키고 있습니다."

"허허, 장군이란 사람이 어찌 지세의 이로움을 모르시오?"

"무슨 말씀인지요?"

"전방 영채가 부강에 바싹 붙어 있으니 만일 적군이 제방을 무너뜨리고 앞뒤를 막는다면 한 사람도 살아남기 어려울 거요."

팽양의 말을 듣고 현덕은 크게 깨닫는 바 있었다. 팽양이 다시 말한다.

"이 사람이 천문을 보았는데, 강성(罡星, 북두칠성의 자루 부분에 있는 별)이 서쪽에 있고 태백(太白, 금성)이 이곳에 머물러 있으니 불길한 징조입니다. 장군께서는 부디 만사를 신중하게 처리하십시오."

현덕은 자리에서 일어나 팽양에게 절을 올리고 막빈(幕賓)으로 삼았다. 그리고 위연과 황충에게 사람을 보내 밤낮으로 경계를 철저히하여 부강의 제방이 무너지지 않도록 하라고 일렀다. 황충과 위연은 각각 하루씩 교대로 강변을 경계하면서, 적군을 만날 경우 서로에게 통보해 지원하기로 했다.

비바람이 몰아치는 밤이었다. 영포는 이때를 놓치지 않고 군사 5천 명을 이끌고 둑으로 나왔다. 영포의 군사들이 괭이와 삽으로 제방을 무너뜨리려는데 갑자기 뒤에서 빗소리 바람소리에 섞여 함성이 들려왔다. 영포가 함정에 빠진 것을 깨닫고 급히 군사를 되돌려 빠져나가려 하는데 앞에서 위연이 군사를 이끌고 들이닥치니, 갑자기 당한 일에 놀란 서천 군사들이 자기네끼리 밟고 밟히며 큰 혼란이 일어났다. 서둘러 달아나던 영포는 달려드는 위연과 마주쳤다. 서로 맞붙어 싸운 지 불과 몇합에 위연이 영포를 사로잡아버렸다. 오란과 뇌동이 급히 영포를 후원하러 달려왔으나, 황충의 군사가 들이닥치는 바람에 수많은 군마만 잃고 달아났다.

위연이 영포를 사로잡아 부관에 이르니, 현덕이 영포를 꾸짖는다.

"내 너를 인의로 대하여 살려보냈더니 감히 나를 배신했단 말이냐. 이번에는 살기를 바라지 마라!"

현덕은 즉시 영포를 끌어내 참하라 명하고 위연에게는 후한 상을 내렸다. 그리고 성대한 잔치를 베풀어 팽양을 대접하는데, 갑자기 형주에 있는 군사 제갈량이 마량(馬良)을 시켜 서신을 보내왔다는 전갈이 들어왔다. 현덕이 불러들이니, 마량이 들어와 예를 올리고 아뢴다.

"형주는 평안하오니 주공께서는 아무 염려 마십시오."

그러고는 현덕에게 제갈량의 서신을 바쳤다. 현덕이 펴보니 내용은 대강 이러하다.

신 제갈량이 밤에 태을수(太乙數, 음양가에서 전란·재화 등을 다스린다는 별자리)를 보니, 금년이 계사년인데 강성이 서쪽에 있고, 또 건상(乾象, 하늘의 별자리)을 보니 태백(금성)이 낙성땅 위에 나타나, 주장수(主

將帥)의 신상에 흉함은 많고 길함이 적으니 바라옵건대 주공께서는
만사에 근신하소서.

현덕은 서신을 읽고 나서 마량을 돌려보낸 뒤에 말한다.
"내가 형주로 돌아가서 이 일을 의논해보겠소."
현덕의 말에 방통은 생각한다.
'내가 서천을 점령해 공을 세울까 두려워 공명이 편지를 보내 막으
려 하는구나.'
방통이 현덕에게 말한다.
"저 역시 태을수를 보아 이미 강성이 서쪽에 있음을 알고 있습니
다. 하지만 이는 주공께서 서천을 취할 조짐일 뿐 결코 흉조가 아닙니
다. 또한 저 역시 천문을 보아 태백이 낙성에 임했음을 알고 있으나,
적장 영포를 참했으니 이미 흉조는 때운 것입니다. 주공께서는 주저
하지 마시고 속히 진군하십시오."
현덕은 방통의 거듭되는 재촉에 군사를 이끌고 전진하기로 했다.
황충과 위연이 현덕군을 영채로 맞아들였다. 방통이 법정에게 묻는
다.
"낙성으로 가자면 여러 갈래의 길이 있겠지요?"
법정은 땅바닥에 지도를 그려 보이며 진군할 길을 가르쳐주었다.
현덕이 장송으로부터 건네받은 지도와 대조해보니 틀림없었다. 법정
이 자세히 설명한다.
"산 북쪽으로 대로가 있는데, 바로 낙성의 동문으로 향하는 길입니
다. 또한 산 남쪽으로 난 외딴 소로는 바로 낙성의 서문으로 통합니
다. 두 길 모두 군사를 움직일 만합니다."

방통이 현덕에게 말한다.

"제가 위연을 선봉장으로 삼아 남쪽 소로로 갈 테니 주공께서는 황충을 선봉장으로 하여 북쪽 대로로 가시지요. 낙성에 함께 도착해 일제히 공격하는 게 좋겠습니다."

현덕이 말한다.

"나는 어렸을 때부터 활 쏘고 말 달리는 데 익숙해 소로를 많이 다녔으니, 방군사께서 대로로 가서 동문을 취하시오. 내가 서문을 공략하겠소."

"대로에는 반드시 지키는 군사가 있을 테니 주공께서 군사를 거느리고 가서 막아주십시오. 저는 소로를 맡겠습니다."

"안되오. 실은 어젯밤에 꿈을 꾸었는데, 신인(神人)이 손에 쇠막대를 들고 나타나 내 오른쪽 팔을 내려칩디다. 놀라서 잠을 깼는데, 어찌 된 영문인지 깨고 나서도 오른쪽 팔이 아팠소. 이번 행군은 아무래도 좋지 못한 듯하오."

"대장부가 싸움에 나가 죽지 않으면 다치는 것은 당연한 일입니다. 어찌 한낱 꿈을 가지고 의심하신단 말입니까?"

그러나 현덕은 걱정을 떨치지 못한다.

"아무래도 공명의 서신이 마음에 걸리는구려. 군사는 돌아가서 부관을 지키는 게 낫겠소."

방통이 대수롭지 않은 듯 크게 웃으며 말한다.

"주공께서는 공명의 서신에 미혹되셨습니다. 공명은 제가 혼자 큰 공을 세울까 하여 그런 글을 보내 주공의 마음을 흔들어놓았습니다. 그 마음 때문에 주공께서 그러한 꿈을 꾸신 것이지 무슨 흉사가 있겠습니까? 방통은 주공을 위해 간뇌도지(肝腦塗地)할 것이니, 주공께서는 더이상 여러 말씀 마시고 진군하소서."

방통의 태도는 강경했다. 마침내 현덕은 그날로 군사들에게 5경에 밥을 지어먹고 날이 밝는 대로 진군하라고 명을 내렸다.

날이 밝자마자 선봉장 위연과 황충이 군사를 거느리고 먼저 출발했다. 이어 현덕이 방통과 더불어 낙성에서 만날 약속을 정하고 있는데, 갑자기 방통이 타고 있던 말이 날뛰면서 방통을 땅에다 내동댕이쳐버렸다. 현덕은 깜짝 놀라 말에서 뛰어내려서 날뛰는 말을 붙잡는 한편, 손수 방통을 부축해 일으켰다. 현덕이 나무라듯 말한다.

"군사는 어째서 이런 말을 타시오?"

방통도 어이가 없는 얼굴로 대답한다.

"이 말을 탄 지 오래되었지만 일찍이 이런 일은 없었습니다."

"싸움에 임하여 이런 일이 생긴다면 필경 사람의 목숨이 온전치 못하겠소. 내 백마는 성질이 순하고 길이 잘 들었으니 군사가 내 말을 타시오. 절대 실수가 없으리다. 군사의 못된 말은 내가 타겠소."

현덕의 깊은 배려에 방통은 감격한다.

"주공의 두터운 은혜를 어찌 다 갚겠습니까. 제가 비록 만번 죽는다 해도 보답하기 어려울 것입니다."

현덕과 방통은 말을 바꾸어타고 각자 길을 떠났다. 현덕은 멀어져가는 방통의 뒷모습을 바라보며 어쩐지 마음이 불안하고 내내 안심이되질 않았다.

한편, 낙성의 오의와 유괴는 영포가 사로잡혀 참형당했다는 소식을 듣고 사람들을 불러모아 의논했다. 장임이 먼저 말한다.

"성밖 동남쪽 산골에 소로가 있으니 이곳이 참으로 중요한 길목이오. 내가 한떼의 군사를 이끌고 가서 지키겠소. 공들은 이 낙성을 굳게 지켜 절대 실수 없도록 하시오."

이때, 현덕군이 두 길로 나뉘어 낙성을 향해 오고 있다는 보고가 들어왔다. 장임은 급히 군사 3천명을 이끌고 가 소로에 매복하고 기다렸다. 얼마 후 선봉인 위연의 군사가 산길에 나타났다.

"절대 움직이지 마라. 곧 후군이 올 테니 기다려라!"

장임의 은밀한 전령에 따라 매복군사들은 기다리고 있었다. 과연 얼마 후 방통의 군사들이 소로에 들어섰다. 장임의 군사 하나가 손으로 방통을 가리키며 말한다.

"저기 백마를 타고 오는 장수가 바로 유비입니다!"

장임은 크게 기뻐하며 군사들에게 이러저러하게 하라고 계책을 일러주었다.

한편 방통은 산속 좁은 길을 전진하고 있었다. 주위를 둘러보니 양쪽 산봉우리가 맞닿을 듯 길이 좁고 수목이 빽빽한데다, 마침 여름 끝이라 나뭇잎이 무성했다. 방통은 문득 의심이 일어 급히 말을 세우고 묻는다.

"이곳 지명을 뭐라 하는가?"

새로 항복해온 서천 군사가 대답한다.

"이곳은 낙봉파(落鳳坡)라 하옵니다."

방통은 깜짝 놀랐다.

'내 도호가 봉추인데, 낙봉파라니…… 내게 이롭지 않도다!'

방통은 즉시 군사들에게 호령한다.

"빨리 후퇴하라!"

그때 갑자기 산 절벽 쪽에서 한방 포소리가 울리더니 백마를 탄 방통을 향해 화살이 비오듯 쏟아졌다. 아깝게도 방통은 어지러이 날아드는 화살에 맞아 말에서 떨어져죽으니, 이때 그의 나이 36세였다.

후세 사람이 시를 지어 탄식했다.

고갯마루 연이어 녹음이 우거진 현산	古峴相連紫翠堆
방통의 집은 그 산모퉁이에 있었네	士元有宅傍山隈
비둘기 부르는 노래 아이들까지 익히 알았고	兒童慣識呼鳩曲
빼어난 그 재주 길거리에도 모르는 사람 없었다네	閭巷曾聞展驥才
천하가 셋으로 나뉠 것을 미리 알고서	預計三分平刻削
만리길을 달려 홀로 배회하더니	長驅萬里獨俳徊
뉘 알았으리 천구성이 떨어져	誰知天狗流星墜
장군의 금의환향 끝내 보지 못할 줄을	不使將軍衣錦回

당시 동남쪽에서 불리던 동요도 있다.

봉 한 마리 용 한 마리 나란히	一鳳幷一龍
촉중으로 함께 날아가더니	相將到蜀中
가던 길 반도 못 미쳐	纔到半路裏
봉은 동쪽 언덕에서 떨어져 죽었네	鳳死落坡東
바람은 비를 몰아오고	風送雨
비는 바람 따라 오고	雨隨風
한이 일어날 때 촉으로 가는 길 열리는데	隆漢興時蜀道通
촉으로 가는 길 열렸을 땐 용 한마리뿐이리라	蜀道通時祇有龍

이날 장임은 방통을 쏘아죽였고, 비좁은 산골에서 진퇴양난에 빠진

한나라 군사 태반이 죽고 말았다. 앞서 빠져나간 군사가 위연에게 이 소식을 전했다. 위연이 황급히 말머리를 돌렸으나 길이 좁아 싸울 수가 없다. 게다가 장임이 길을 끊고 높은 언덕에 올라 강궁(强弓, 탄력이 세고 큰 활)과 경노(硬弩, 강한 쇠뇌)를 빗발치듯 쏘아대지 않는가. 위연이 다급한 상황에서 어찌할 바를 모르고 있는데, 항복해온 서천 군사가 귀띔한다.

"차라리 곧장 큰길로 나가 낙성을 향하는 게 좋겠습니다."

그 말에 따라 위연은 앞장서서 싸우면서 길을 뚫어 낙성을 향해 진군했다. 그때 앞에서 자욱하게 흙먼지가 일더니 한무리의 군사들이 무서운 기세로 달려오고 있었다. 바로 낙성을 지키고 있던 오란과 뇌동의 군사였다. 뒤에서는 장임이 추격하고 앞에서는 오란과 뇌동의 적병이 들이닥치니, 위연은 꼼짝없이 갇힌 꼴이라 죽기를 각오하고 싸웠지만 도무지 빠져나갈 수가 없었다. 그때 갑자기 적군의 뒤쪽이 어수선해지면서 무너지기 시작했다. 오란과 뇌동이 말머리를 돌려 후군을 수습하러 달려가니 위연은 그 뒤를 추격했다. 갑자기 앞에서 한 장수가 칼을 휘두르며 말을 박차고 달려와 큰소리로 외친다.

"문장(文長, 위연의 자), 내 그대를 구하러 왔네!"

다름아닌 노장군 황충이었다. 비로소 힘을 얻은 위연이 그대로 적을 들이치고 황충의 군사는 뒤에서 후원했다. 위연과 황충은 협공으로 오란과 뇌동의 군사를 무찌르며 기세를 몰아 곧바로 낙성 밑까지 육박했다. 낙성에서는 기다렸다는 듯 유괴가 군사를 이끌고 나와 공격했다. 때마침 현덕이 나타나 뒤를 후원하니 황충과 위연은 그 틈에 군사를 돌려세웠다.

현덕의 군사가 서둘러 영채로 회군하는데 소로에 매복해 있던 장임의 군사가 앞길을 막았다. 그리고 뒤에서는 유괴·오란·뇌동의 군사가 합세하여 공격해온다. 현덕의 군사는 앞서 빼앗은 두 영채에 머물지도 못하고 싸우다 달아나고, 싸우다 달아나기를 거듭하면서 부관으로 밀려났다. 촉군이 승세를 타고 더욱 급하게 추격해오니 현덕의 군사는 말과 사람이 모두 지쳐 대적할 기운을 잃고 목숨을 구해 달아나기에 바빴다. 겨우 부관에 이르렀을 때였다. 지칠 대로 지쳐 바싹 뒤로 다가든 장임의 군사에게 당하기 직전인데, 왼쪽에서 유봉이, 오른쪽에서 관평이 3만 군사를 이끌고 나와 현덕군을 맞는다. 그제야 장임은 말머리를 돌려 달아났다. 유봉과 관평이 장임을 20리까지 뒤쫓아 많은 전마를 빼앗고 돌아왔다.

유현덕은 부관에 들어서자마자 방통의 안부를 물었다. 낙봉파에서 겨우 목숨을 구해 도망온 군사들이 보고한다.

"군사께서는 적군이 어지러이 쏘는 화살을 맞고 말과 함께 낙봉파에서 전사하셨습니다."

그 말을 들은 현덕은 서쪽을 바라보며 통곡했다. 그러고는 방통을 위해 초혼제를 지내니, 여러 장수들도 모두 통곡하며 애통해 마지않았다. 황충이 말한다.

"방통 군사께서 돌아가셨으니 필시 장임이 이 틈을 노려 부관을 공격해올 것입니다. 주공께서는 마땅히 대책을 세우셔야 합니다. 즉시 형주로 사람을 보내 제갈 군사를 모셔다가 서천을 취할 계책을 의논하시는 게 어떨지요."

이렇게 의논하고 있는데, 장임이 성밑에 와서 싸움을 걸고 있다는 보고가 들어왔다. 즉시 황충과 위연이 나서더니 서로 자기가 출전하겠다고 우겼다. 현덕이 말한다.

"지금은 군사들의 사기가 꺾여 있으니 성을 굳게 지키며 제갈 군사가 올 때까지 기다리시오."

황충과 위연은 현덕의 명령에 따라 성을 굳게 지키고만 있었다. 현덕이 서신 한통을 써서 관평에게 주며 말한다.

"네 형주로 가서 제갈 군사를 속히 청해오도록 하라."

관평이 서신을 가지고 밤을 새워 형주로 달려간 뒤로 현덕은 오직 부관을 지키기만 할 뿐 나가서 싸우려 하지 않았다.

한편 공명은 형주에서 칠석 명절을 맞아 밤에 잔치를 베풀고 서천 공략에 대한 이야기를 나누고 있었다. 문득 공명이 하늘을 바라보니, 서쪽 하늘에서 말〔斗〕만한 크기의 별 하나가 떨어져 흐르면서 그 빛이 사방으로 흩어졌다. 공명은 소스라치게 놀라더니 술잔을 땅에 던지며 얼굴을 가리고 통곡한다.

"슬프도다, 원통하도다!"

모든 관리들이 놀라 까닭을 물으니 공명이 비통한 얼굴로 말한다.

"일전에 금년 천수(天數)를 보니 강성이 서쪽에 있어 군사에게 불길했소. 게다가 천구(天狗, 유성)가 우리 군을 침범하고 태백이 낙성에 임한지라 주공께 글을 올려 조심하시라 말씀드렸는데, 오늘밤 서쪽에서 큰별이 떨어질 것을 어찌 생각이나 했겠소? 방사원(士元, 방통의 자)의 명이 다한 게 틀림없구려."

공명은 울음을 참지 못하며 원통해한다.

"우리 주공께서 팔 하나를 잃으셨구나!"

좌중의 사람들은 놀랐으나 누구도 그 말을 믿으려 하지 않았다. 공명이 말한다.

"며칠 안으로 반드시 소식이 있을 게요."

그날밤 잔치는 썰렁하게 끝나고 사람들은 모두 흩어져 돌아갔다. 그리고 며칠이 지났다. 공명이 관운장과 마주앉아 있는데, 종자가 와서 알린다.

"관평이 도착하여 뵙기를 청합니다."

관리들은 모두 놀랐다. 관평이 들어와 현덕의 서신을 올리니 공명이 급히 읽는다.

"금년 칠월 초이렛날 방통 군사가 낙봉파에서 장임의 군사들이 쏜 화살에 맞아 목숨을 잃었소."

편지를 읽은 공명이 통곡하고, 모여 있던 사람들도 모두 눈물을 흘렸다. 공명이 주위를 둘러보며 말한다.

"부관에 계신 주공께서 진퇴양난에 빠져 계시니 내가 가보지 않을 수 없겠소."

관운장이 걱정스럽게 말한다.

"군사께서 떠나시면 형주는 누가 지킨단 말씀이오? 형주는 중요한 곳이니 가벼이 여겨서는 안됩니다."

공명이 답한다.

"주공께서 서신에 형주를 지킬 사람을 딱히 지목하시지 않았으나, 나는 주공의 뜻을 짐작하고 있소."

공명은 현덕의 서신을 여러 사람에게 보이며 말을 잇는다.

"주공께서는 형주의 일을 내게 맡기면서 재량껏 처리하라 하셨소. 허나 관평에게 편지를 들려보내신 것은 관운장에게 형주를 맡기라는 뜻이오. 운장은 부디 주공의 뜻을 받들어 형주를 맡아주시오. 도원결의하던 형제의 정을 생각해서라도 온힘을 다해 형주를 지키셔야 할 것이오. 실로 운장의 책임이 막중하오."

운장은 사양하지 못하고 공명의 뜻을 받아들였다. 공명은 잔치를 열고 현덕에게서 받았던 인수를 관운장에게 전했다. 관운장이 두 손을 들어 인수를 받으려 하자 공명은 인수를 떠받든 채 다시 한번 당부한다.

"형주는 오로지 장군의 손에 달려 있소이다."

관운장이 답한다.

"대장부가 중임을 맡았으니 사력을 다해 지킬 것이오."

순간 공명은 운장의 말 중에 죽을 사(死)자가 거슬렸으나, 이미 입 밖에 나오고 말았으니 주워담을 수도 없는 노릇이다. 공명이 운장에게 묻는다.

"만일 조조가 쳐들어오면 어쩌시겠소?"

"힘을 다해 막겠습니다."

"그럼 조조와 손권이 한꺼번에 쳐들어오면 어찌하시겠소?"

"군사를 나누어 막겠습니다."

공명은 잠시 운장을 바라보다 말한다.

"안되오. 그러면 형주가 위태로워질 게요. 내가 여덟 글자를 알려드릴 터이니, 잘 기억해두었다가 그대로 행한다면 형주를 보존할 수 있으리다."

"그 여덟 글자가 무엇입니까?"

"북거조조(北拒曹操, 북으로 조조를 막다) 동화손권(東和孫權, 동으로 손권과 화친하다)이오. 이 여덟 자를 명심하시오."

"군사께서 하신 말씀을 가슴 깊이 새겨 잊지 않으리다."

마침내 공명은 운장에게 인수를 전했다. 그리고 관운장을 보좌할 사람들을 정했다. 문관으로는 마량·이적·향랑·미축을 명하고, 무관으로는 미방·요화·관평·주창을 정해 형주를 지키게 했다. 또한 공명은 친히 군사를 거느리고 서천을 향해 떠나기에 앞서 이렇게 지시한다.

"익덕은 정예군사 1만명을 거느리고 대로로 진군해 파주를 거쳐 낙성 서쪽으로 쳐들어가시오. 먼저 당도한 것으로 일등 공을 삼겠소. 또한 자룡은 한무리의 군사를 거느리고 선봉이 되어 강을 거슬러올라가 낙성에 이르도록 하오."

그리고 공명 자신은 간옹·장완(蔣琬) 등과 함께 그 뒤를 따르기로 했다. 장완은 영릉(零陵) 상향(湘鄕) 사람으로 자는 공염(公琰)인데, 형주와 양양에서 이름을 떨치던 인물로 그때 서기 일을 보고 있었다.

드디어 공명은 1만 5천 군사를 거느리고 장비와 같은 날 출정했다. 떠나기에 앞서 공명은 장비에게 거듭 당부한다.

"서천에는 호걸이 많으니 절대로 가벼이 여겨서는 안되오. 또한 군사들을 잘 단속하여 민폐를 끼치는 일이 없도록 하고, 가는 곳마다 백성을 구휼해 민심을 얻으시오. 부디 군사들을 잘 독려하여 하루바삐 낙성에 당도해 선공을 세우시오."

장비는 흔쾌히 공명의 충고를 받아들인다.

"군사는 걱정 마시우. 내 알아서 잘하리다!"

장비의 1만 대군이 드디어 낙성을 향해 떠났다. 장비가 닿는 곳마다 항복해오는 자가 많았는데 모두 너그럽게 대했으며, 군사들 역시 군령을 엄수해 민폐를 끼치는 일이 없었다. 장비는 한천(漢川)길을 따라 진군해 파군(巴郡) 가까이에 도착했다. 정탐꾼이 장비에게 보고한다.

"파군 태수 엄안(嚴顔)은 널리 알려진 촉의 명장으로, 비록 나이는 많지만 혈기가 젊은이 못지 않아 아직도 강한 활과 큰 칼을 잘 쓰며 혼자서 만명도 대적할 만큼 용맹스럽다 합니다. 성을 굳게 지키며 백기를 내걸지 않고 있습니다."

장비가 보니, 지금까지 지나온 다른 성들과는 달리 파군의 성곽에는 항기(降旗, 항복할 때 내거는 백기)가 나부끼지 않는다. 장비는 우선 성밖 10리 되는 곳에 영채를 세우고, 사신을 파군성으로 보내 일렀다.

"늙은 필부는 즉시 항복하라. 그리하면 성안의 백성들은 목숨을 보전하겠지만 만일 버티고 귀순하지 않으면 성곽을 쳐부수고 들어가 늙고 젊고를 가리지 않고 모조리 목을 벨 것이다!"

한편, 본래 파군 태수 엄안은 유장이 법정을 형주로 보내 현덕을 서천으로 불러들였다는 소식을 듣고 가슴을 치며 탄식한 터였다.

"가만히 앉아서 호랑이를 데려다가 호위하게 하려는 수작이란 말인가!"

그뒤 현덕이 부관을 점령했다는 소식을 들은 엄안은 크게 노하여 군사를 이끌고 가서 싸울 생각까지 했으나, 혹시나 그 틈에 동오의 군사가 쳐들어올까 두려워 주저하던 참이었다. 그러던 중 장비의 군사들이 온다는 보고를 받자 즉각 정예병 5,6천명을 점검하여 대적할 준비를 했다. 그때 한 사람이 나서서 계책을 말한다.

"장비는 당양 장판파에서 고함소리 한번으로 조조의 백만대군을 물리친 장수입니다. 조조 역시 그 이름만 들어도 피하는 터이니 절대 가벼이 여길 상대가 아닙니다. 도랑을 깊이 파고 보루를 높인 다음 나가서 싸우지 말고 굳게 성을 지킨다면, 양식이 떨어져 한달도 버티지 못하고 물러나게 되겠지요. 더구나 장비는 성미가 불 같아서 곧잘 군사를 채찍질한다 합니다. 그러니 우리가 나아가 싸우지 않으면 반드시 노할 테고, 노하면 군사들을 포악하게 다룰 것입니다. 그리 되면 군사들의 마음도 변하고 말 테니, 그때 기회를 보아 공격하면 수월하게 장비를 사로잡을 수 있을 것입니다."

엄안은 그 말을 받아들이고 군사들을 총동원하여 굳게 성을 지키라 명했다. 그때 홀연히 장비의 군사 하나가 성밑에 와서 소리친다.

"성문을 열어라!"

엄안이 불러들이라 해서 만나보니, 장비의 군사는 사신으로 온 뜻을 고하고 즉각 항복하면 목숨을 살려줄 것이라는 장비의 말을 그대로 전했다. 그 말을 들은 엄안이 크게 노하여 꾸짖는다.

"그런 보잘것없는 놈이 어찌 이리 무례한가. 나 엄장군이 그까짓 도적놈에게 항복할 것 같으냐. 너의 입을 빌려 내 말을 장비에게 그대로 전하리라!"

엄안은 장비의 사자로 온 군사의 귀와 코를 베어버린 다음 성밖으로 쫓아냈다. 귀와 코를 베인 군사는 영채로 돌아와 울며불며 장비에게 엄안의 욕설을 그대로 고했다. 대로한 장비는 이를 갈며 고리눈을 부릅뜨더니 수백기를 거느리고 한달음에 파군 성밑으로 달려가 싸움을 걸었다. 하지만 성위의 군사들은 입에 담지도 못할 더러운 욕설만 퍼부어댈 뿐 맞서싸우러 나오지 않았다. 장비는 화를 참지 못해 몇차례나 조교 가까이 쳐들어가 해자를 건너려 했다. 그러나 그때마다 비오듯 쏟아지는 화살 때문에 뜻을 이룰 수 없었다. 잔뜩 노기가 치밀어오른 장비가 앞뒤로 오가며 싸움을 독촉했으나 밤이 이슥하도록 성에서는 한 사람도 나오지 않는다. 장비는 끓어오르는 분을 누르며 영채로 돌아왔다.

이튿날 이른 새벽부터 장비가 또 성밑으로 나가 싸움을 거는데, 성루 위에 있던 엄안이 화살 한대를 쏘아 장비의 투구에 맞혔다. 약이 오른 장비가 엄안을 향해 손가락질하며 소리친다.

"내 반드시 저 늙은놈을 잡아 그 고기를 씹고야 말 테다!"

그날도 온종일 욕설만 오가다가 헛되이 날이 저물고 말았다. 사흘째 되는 날, 장비는 다시 군사를 거느리고 성밑으로 가서 싸움을 걸었다. 원래 파군성은 산위에 세운 성으로, 주위의 산세가 험준했다. 장비가 산꼭대기로 말을 몰아 파군 성안을 굽어보니, 엄안의 군사들은 하나같이 투구를 쓰고 정연히 대오를 갖추어 매복해 있었다. 단지 싸우러 나오지 않을 뿐이었다. 백성들은 부지런히 돌과 벽돌을 나르며 성 지키는 일을 돕고 있었다. 장비는 곧 군사들에게 영을 내렸다.

"기병은 말에서 내리고, 보병은 풀밭에 널브러져 있도록 해라. 저놈들이 어찌하는지 어디 두고 보자."

이렇듯 허점을 보이며 성밑에서 싸움을 걸어보았지만, 여전히 파군성에서는 개미새끼 한마리 나오지 않았다. 장비군은 이날도 하루종일 욕설만 퍼붓다가 영채로 돌아왔다.

'온종일 싸움을 걸었지만 꿈쩍도 하지 않으니, 어쩐다? 이러다 낙성에는 언제 가게 되나.'

곰곰이 생각하다가 불현듯 한가지 계책을 떠올린 장비는 곧 전군을 무장시켜 영채에 머물게 한 다음, 몇십명의 군사만을 성밑으로 보내 욕설을 퍼부어 싸움을 걸도록 했다. 엄안이 쫓아나오면 그때 일제히 군사들을 풀어 엄안을 해치우려는 것이었다. 이렇게 해놓고 장비는 다급한 마음에 주먹을 어루만지고 손을 비비며 싸움이 벌어지기를 학수고대했다. 그러나 사흘이 지나도록 엄안은 꼼짝도 하지 않았다.

'이 계책도 아무 소용 없으니, 어쩐다?'

장막 안에 들어앉아 미간을 찌푸린 채 골똘히 궁리하던 장비는 드디어 새로운 계책을 떠올렸다. 장비는 즉시 전군에 영을 내린다.

"전군은 산속으로 들어가 사방으로 흩어져 나무를 베면서 낙성으로 들어가는 샛길이 있는지 찾아보라!"

명을 받은 장비의 군사들은 산에서 나무를 하는 한편 산길을 찾느라 성밑에 가서 싸움을 청하지 못했다. 엄안은 성안에서 며칠째 기다려도 장비가 모습을 보이지 않자 심중에 의혹이 일었다. 곧 10여명의 군사들을 장비의 군사처럼 꾸며 산중으로 보냈다. 엄안의 정탐꾼들은 해가 저물자 돌아오는 군사들 틈에 섞여 장비의 영채로 들어왔다. 장비는 장막 안에 있다가 일을 마치고 돌아온 군사들 앞에서 발을 구르며 화를 냈다.

"엄안 그놈이 나를 아예 속태워 죽일 작정인가보다."

서너 사람이 나서서 장비를 달랜다.

"장군님, 고정하십시오. 저희가 샛길을 발견했으니 파군성쯤이야 그냥 두고 간들 뭐가 아깝겠습니까?"

장비는 일부러 화를 내며 호통친다.

"그런 길을 알았으면 진작 알릴 것이지 여태 가만 있었단 말이냐!"

모두들 한입으로 대답한다.

"저희들도 오늘에야 겨우 찾아냈습니다."

장비는 즉시 영을 내린다.

"그렇다면 더이상 기다릴 것 없다. 2경에 밥을 지어먹고, 3경에는 밝은 달빛을 이용해 영채를 거두고 진군한다. 군사들은 함매하고 말 방울을 떼내고서 조심조심 떠나도록 하라. 내가 앞장설 테니 모두들 내 뒤를 따르라!"

장비의 말소리는 밖에까지 들릴 정도로 우렁찼다. 잠시 후 전군에
영이 내려 떠날 채비를 하니, 엄안의 정탐꾼들은 몰래 장비의 영채를
빠져나가 엄안에게 이 사실을 보고했다. 엄안은 크게 기뻐한다.

"내 그놈이 참지 못할 줄 알았다. 샛길로 빠져나가려면 군량과 마
초가 뒤따를 테니 내가 그 중로를 끊겠다. 제가 무슨 수로 행군을 계
속하겠느냐!"

엄안은 즉시 영을 내려 군사들에게 진군할 채비를 갖추게 했다.

"오늘밤 2경에 밥을 지어먹고 3경에 성을 나서서 숲속에 매복하라.
장비가 지나가고 뒤이어 수레들이 지나려고 할 때, 북소리를 신호삼
아 일제히 공격하도록 하라!"

드디어 밤이 되었다. 엄안의 군사들은 배불리 먹고 단단히 무장했
다. 소리없이 성을 빠져나가 장비가 지나기로 되어 있는 길목에 매복
하고서 북소리가 울리기만을 기다렸다. 엄안은 10여기의 호위를 받
으며 숲속에 몸을 숨기고 기다리고 있었다. 과연 3경이 지나자 멀리
서 장비가 모습을 드러냈다. 장비가 장팔사모를 단단히 쥐고 말을 몰
아 앞장서 오는데, 그 뒤를 군사들이 소리없이 따르고 있다. 선발대가
3,4리 정도 진군해갔을 무렵 드디어 장비의 수송부대가 나타났다. 엄
안이 즉시 북을 치게 하니, 울리는 북소리와 함께 사방에서 복병이 일
어나 함성을 지르며 장비의 군사들을 덮쳤다. 그때였다. 난데없이 배
후에서 징소리가 울리더니 한무리 군사들이 짓쳐나오며 고함을 지른
다.

"늙은 도적은 꼼짝 마라. 내 너를 기다린 지 오래다!"

엄안이 깜짝 놀라 고개를 돌려보니 한 장수가 내달아오는데, 표범

같은 머리에 고리눈, 제비 같은 턱에 호랑이 수염, 장팔사모를 치켜들고 검은 말을 탄 모습이 장비가 틀림없다. 징소리가 천지를 진동하고 수많은 군사들이 사방에서 몰려들어오며 엄안의 군사들을 쳐부수기 시작했다. 엄안은 장비를 확인한 순간 몹시 당황했으나 곧 칼을 고쳐 잡고 맞붙어 싸웠다. 불과 몇합만에 장비가 틈을 보이자 놓칠세라 엄안이 큰칼을 번쩍 들고 장비의 어깨를 내려치려는데, 장비가 번개같이 몸을 피하면서 한손으로 엄안의 갑옷끈을 쥐더니 땅바닥에 내동댕이쳐버린다. 순간 장비의 군사들이 한꺼번에 달려들어 그대로 엄안을 결박해버렸다.

원래 중군을 거느리고 앞서 지나갔던 장수는 가짜 장비였다. 장비는 엄안이 북소리로 신호를 삼을 줄 짐작하고 징소리로 신호를 바꾼 다음 앞서 가던 군사들까지 되돌아와 공격하게 하니, 서천 군사들은 태반이 무기를 버리고 항복했다.

장비가 적을 무찌르며 곧장 파군성으로 쳐들어가니 그때는 이미 장비의 후군이 성안에 들어가 있었다. 이렇게 하여 파군성을 손에 넣은 장비는 모든 군사들에게 절대 백성을 다치게 하지 말라고 엄명을 내리는 한편 방을 붙여 백성들을 안심시켰다.

이윽고 장비는 도부수에게 명해 엄안을 끌어오도록 했다. 그러나 끌려들어온 엄안은 장비가 대청 위에 앉아 있는데 도무지 무릎을 꿇으려 하지 않았다. 여럿이 달려들어 내리눌러도 막무가내였다. 장비가 눈을 부릅뜨고 이를 갈며 큰소리로 꾸짖는다.

"대장이란 자가 이 지경에 이르고도 어찌하여 항복하지 않고 저항하는가!"

엄안은 두려워하는 빛 없이 오히려 장비를 꾸짖는다.

"의리없는 네놈들이 우리 주군(州郡)을 침범하지 않았느냐! 우리 땅에는 비록 목을 잘릴 장수는 있을지언정 항복할 장수는 없다!"

장비가 격분하여 좌우를 둘러보며 소리친다.

"당장 저놈의 목을 쳐라!"

엄안 또한 굽히지 않고 맞고함을 지른다.

"이 도적놈아, 목을 치려면 당장 칠 것이지 화를 낼 건 또 뭐냐!"

장비가 보니 그 음성이 우렁차고 위엄이 있는데다 안색조차 조금도 변하지 않았다. 크게 감동한 장비는 곧 노여움을 풀고 기쁜 얼굴로 섬돌 아래로 내려가 좌우를 꾸짖어 물리치고는 몸소 엄안의 결박을 풀어주었다. 그러고는 옷을 가져오게 해 손수 입혀준 다음 엄안을 부축하여 대청 위에 오르게 하고 엄안 앞에 머리숙여 절을 올렸다.

"장군께서는 이제까지 내뱉은 이 사람의 실언을 용서하시오. 내 오래 전부터 노장군의 호걸다운 기개를 알고 있었소이다."

엄안은 장비의 후한 은의에 감복하여 마침내 항복했다.

후세 사람이 엄안을 칭송한 시가 있다.

백발 노장이 서촉에 사니	白髮居西蜀
맑은 이름 온나라에 울렸어라	淸名震大邦
충성스런 마음은 밝은 달빛이요	忠心如皎月
호연한 기개 장강을 휘감는도다	浩氣卷長江
차라리 목이 잘려 죽을지언정	寧可斷頭死
어찌 무릎 꿇어 항복하랴	安能屈膝降
파주의 연로한 노장군	巴州年老將
천하에 다시 짝이 없네	天下更無雙

장비는 엄안의 기개에 감동해 절을 올리다

또한 장비를 찬탄한 시도 있다.

엄안을 사로잡은 그 용맹 절륜하고　　　　　　　　先獲嚴顔勇絶倫
오로지 의기 하나로 군민을 감복시켰네　　　　　　惟憑義氣服軍民
오늘날까지도 파촉에 사당이 있어　　　　　　　　至今廟貌留巴蜀
술 안주 갖추어 받드니 태평한 세월이라　　　　　社酒鷄豚日日春

　장비가 엄안에게 성도로 들어갈 계책을 묻자 엄안이 답한다.
　"패장으로서 이렇게 큰 은혜를 입었으니 어찌 보답하지 않을 수 있 겠소? 견마지로(犬馬之勞)를 다할 터이니, 화살 한대 쏘지 않고 성도 를 얻을 수 있는 방도를 알려드리겠소."

한 장수의 마음이 기운 후에　　　　　　　　　　祇因一將傾心後
이르는 곳 여러 성들 항복하기 바쁘구나　　　　　致使連城唾手降

　과연 엄안의 계책은 무엇일까?

낙성과 기주

공명은 계책을 써서 장임을 사로잡고
양부는 군사를 빌려 마초를 격파하다

장비가 엄안에게 대체 어떤 계책이냐고 묻자 엄안이 대답한다.

"여기서부터 낙성까지 관문을 지키고 있는 군사는 모두 이 늙은이
의 소관이오. 이제 장군의 은혜에 보답할 차례이니, 내가 앞장서서
이르는 곳마다 항복을 받아내겠소이다."

장비는 엄안의 손을 마주 잡고 사례했다. 이윽고 엄안이 선봉에 서
고 장비는 군사를 이끌고 뒤를 따랐다. 과연 엄안은 이르는 곳마다 장
수를 불러내 항복을 받아냈다. 간혹 의혹을 떨치지 못하고 불복하는
자가 있었지만 그때는 엄안이 직접 나서서 타일렀다.

"나도 항복했는데 그대가 망설일 게 뭐가 있는가!"

그뒤로 모두들 먼빛으로 보기만 해도 항복하니, 장비는 단 한차례도 싸우지 않고 전진할 수 있었다.

한편, 형주에서 출정하던 날 공명은 현덕에게 모두들 낙성에서 모이기로 약속했다는 사실을 알렸다. 유현덕은 곧 사람들을 불러모아 의논한다.

"지금 공명과 장비가 두 길로 나뉘어 서천으로 오고 있고, 우리는 낙성에서 모여 함께 성도를 공략하기로 했소. 수륙 양군이 이미 7월 20일에 길을 떠났으니 며칠 안으로 도착할 게요. 우리도 군사를 거느리고 진격해야겠소."

황충이 말한다.

"장임이 매일 싸움을 거는데도 우리가 움직일 기미를 보이지 않아 모두들 방심하고 있을 것입니다. 그러니 오늘밤에 군사를 나누어 저들을 기습공격한다면 대낮에 적을 치는 것보다도 많은 전과를 올릴 것입니다."

현덕은 황충의 말을 따르기로 했다. 황충이 좌군을 맡고 위연이 우군을, 현덕 자신은 중군을 거느리고서 그날밤 2경에 세 길로 나뉜 군마가 일제히 진격했다. 과연 장임의 군사들은 방비가 소홀했다. 현덕의 군사들은 거침없이 대채로 쳐들어가 불을 놓았다. 시뻘건 화염이 하늘을 가득 메우고, 촉군은 혼비백산하여 낙성을 향해 달아났다. 현덕군이 뒤쫓아 어느덧 낙성에 이르렀는데, 성안에서 군사들이 달려나와 지원하여 도망치던 촉군들은 겨우 성안으로 피해들어갔다. 현덕은 일단 군사를 물려 영채를 세웠다.

이튿날 날이 밝았다. 현덕은 몸소 군사를 거느리고 낙성을 포위공격했으나 장임은 군사를 눌러둔 채 전혀 움직이지 않았다. 나흘째 되는 날 현덕은 한무리의 군사를 거느리고 서문을 공격하고, 황충과 위연에게는 동문을 공격하게 했다. 남문과 북문은 포위하지 않고 그대로 두었는데, 남문 일대는 첩첩산중으로 도망갈 길이 없었고, 북문 쪽에는 부강이 흐르고 있었다. 장임은 성안에서 현덕이 말에 올라 서문 앞에서 분주히 군사를 지휘하며 성을 공격하는 것을 지켜보았다. 진시(辰時, 오전 8시)에서 미시(未時, 오후 2시)까지 쉬지 않고 공격하던 현덕군은 점차 군사와 말 모두 피곤한 빛이 역력해졌다. 드디어 공격의 때를 잡은 장임은 곧 오란과 뇌동에게 군사를 이끌고 북문으로 나가 동문 쪽의 황충과 위연을 공격하도록 하고, 자신은 남문으로 나가 서문의 현덕군과 맞서기로 했다. 성안에서는 백성들을 동원해 북을 치고 함성을 질러 전세를 북돋게 하였다.

해가 서산으로 기울어가자 현덕은 후군을 먼저 물렸다. 그러고는 막 회군하려 할 때였다. 갑자기 성안에서 함성이 일더니 남문 쪽에서 한무리의 군마가 달려나왔다. 장임이 앞장서서 말을 몰고 달려와 현덕을 공격하니 지쳐 있던 현덕의 군사들은 적병의 기습으로 크게 혼란에 빠졌다. 황충과 위연 역시 오란과 뇌동의 습격으로 길이 막혀 도울 수 없었다. 현덕은 장임을 막아내지 못하고 말에 채찍을 가하여 산골 좁은 길로 달아났다. 장임이 기병을 이끌고 추격해오는데 현덕은 혼자 말을 달리고 있었다. 양편의 거리는 점점 좁혀지고 현덕은 필사적으로 앞만 보고 내달렸다. 그때 갑자기 앞길에서 한무리의 군사들이 먼지를 일으키며 달려왔다. 현덕은 절망에 빠져 탄식한다.

"뒤에는 추격병이고 앞에는 복병이니, 이제 하늘이 나를 죽이실 작정이로구나!"

그러다가 앞쪽에서 달려오는 장수를 보니, 바로 장비였다. 원래 장비는 엄안과 더불어 그 길로 오던 중이었는데, 멀리서 먼지가 일어나는 것을 보고 촉군과 전투가 벌어졌다고 판단해 앞서서 급히 달려온 참이었다. 장비가 곧바로 장임을 대적해 10여합을 싸우는데 뒤에서 또 엄안이 군사를 거느리고 달려왔다. 장임은 그만 말머리를 돌려 황급히 달아나기 시작했다. 장비는 낙성 아래까지 추격했다. 장임은 성안으로 들어가더니 조교를 걷어올려버렸다. 장비가 현덕에게 말한다.

"군사께서 강을 거슬러오기로 했는데 아직 당도하지 않았으니, 이번에는 내게 선공을 뺏긴 셈이우."

현덕이 묻는다.

"산길이 험하고 막히는 데가 많은데, 어떻게 적군에게 저지당하지 않고 그 먼길을 이렇듯 먼저 도착했단 말이냐?"

장비가 말한다.

"관문이 모두 마흔다섯이나 되는데, 노장군 엄안의 공으로 싸움 한번 치르지 않고 여기까지 왔지요."

그러고는 의기로 엄안을 살려준 것부터 지금까지 있었던 일을 상세하게 아뢰고 나서 엄안을 불러들여 현덕을 뵙게 했다. 현덕이 사례하며 말한다.

"노장군의 도움이 아니었다면 내 아우가 어찌 이처럼 빨리 올 수 있었겠소?"

현덕은 그 공을 칭송하며 자신이 입고 있던 황금 갑옷을 벗어 엄안에게 내렸다. 엄안은 갑옷을 받아입고 감격하여 절을 올려 사례했다. 현덕이 장비와 엄안을 환영하는 간단한 술자리를 벌이려 하는데, 문득 한 군사가 달려와 이른다.

"황충과 위연이 오란과 뇌동에 맞서싸우던 중 성안에서 갑자기 오의와 유괴가 나와 협공하니, 견디지 못하고 동쪽으로 달아났습니다."

장비가 이 말을 듣고 즉시 현덕에게 청한다.

"군사를 두 길로 나누어 적을 치고 그들을 구해냅시다!"

곧바로 장비는 왼쪽을, 현덕은 오른쪽을 맡아 적진을 향해 나아가니, 오의와 유괴는 뒤쪽에서 일어나는 함성만 듣고도 놀라 급히 성안으로 들어가버렸다. 황충과 위연을 부지런히 추격하던 오란과 뇌동은 현덕과 장비에 의해 돌아갈 길이 끊겼다. 뿐만아니라 달아나던 황충과 위연이 말머리를 돌려 공세를 취하니 대오마저 흩어져 모두들 달아나기에 바빴다. 오란과 뇌동은 할수없이 본부 인마를 수습하여 항복하고 말았다. 현덕은 기꺼이 그들의 항복을 받아들이고, 낙성 가까이에 영채를 세웠다.

한편 장임은 오란과 뇌동 두 장수를 잃고 근심에 잠겨 있었다. 오의와 유괴가 말한다.

"지금 형세가 심히 위태로우니 죽기를 각오하고 한판 싸움을 벌이지 않고서 어찌 적군을 물리칠 수 있겠소? 성도로 사람을 보내 주공에게 급한 사정을 알리는 한편, 적을 물리칠 계책을 세워야 하오."

장임이 말한다.

"내일 내가 군사를 거느리고 나가서 싸우다가 패한 체하며 적을 성북쪽으로 유인할 테니, 그때 성안에서 군사를 끌고 나와 적진의 허리를 끊으시오. 그러면 틀림없이 승리를 거둘 수 있을 것이오."

오의가 말한다.

"그럼 유장군께서 공자(유장의 아들 유순)를 도와 성을 지키시오. 내가

550

군사를 이끌고 나가 싸움을 돕겠소."

이렇게 정하고 다음날, 장임은 수천 군사를 거느리고 성을 나와 깃발을 휘날리며 함성을 질러 싸움을 돋우었다. 장비가 지체없이 말을 몰고 달려나와 싸우기를 10여합, 장임은 거짓으로 패한 체하며 성벽을 돌아 북문 쪽으로 달아난다. 장비가 전력을 다해 장임을 추격하는데, 난데없이 오의가 한무리의 군사를 거느리고 나타나 대오의 허리를 끊었다. 장임이 기다렸다는 듯 말머리를 돌려 가세했다. 드디어 장비는 앞뒤로 적을 맞아 진퇴양난에 빠졌다.

장비가 장팔사모를 휘두르며 활로를 찾고 있는데 문득 한무리의 군사들이 강변 쪽에서 나타났다. 앞선 장수가 창을 휘두르며 달려와 오의와 맞서는가 싶더니 단 1합에 오의를 사로잡고 군사들을 물리쳐 장비를 구해냈다. 그는 바로 조자룡이었다. 장비가 묻는다.

"군사께서는 어디 계시오?"

"군사는 이미 도착해 지금쯤 주공을 뵙고 계실 게요."

장비와 조자룡 두 사람은 사로잡은 오의를 끌고 영채로 향했다. 장임은 오의를 구할 생각도 못하고 동문으로 해서 성안으로 들어가버렸다. 장비와 조자룡이 영채로 돌아오니, 공명과 간옹, 장완이 모두 장막 가운데 앉아 있었다. 장비가 말에서 내려 공명에게 절하니, 공명이 놀라서 묻는다.

"어떻게 하여 먼저 올 수 있었소?"

현덕이 장비와 엄안 사이에 일어난 일을 자세히 얘기했다. 공명이 크게 기뻐하며 경하해마지 않는다.

"장장군께서 이렇게 계책을 쓰게 되었으니, 이는 모두 주공의 큰 복이올시다."

이때 조자룡이 사로잡은 오의를 현덕 앞에 끌어냈다. 현덕이 오의에게 묻는다.

"네가 항복하겠느냐?"

오의가 답한다.

"이미 사로잡힌 몸, 어찌 항복을 않겠습니까?"

현덕은 기뻐하며 친히 오의의 결박을 풀어주었다. 공명이 오의에게 묻는다.

"지금 성에는 몇사람이나 지키고 있소?"

오의가 말한다.

"유계옥(劉季玉, 유장의 자)의 아들 유순과 그를 보필하는 장수로 유괴와 장임이 있소이다. 유괴는 대수롭지 않은 인물이나, 장임은 촉군(蜀郡) 사람으로 담대하여 가볍게 여길 수 없는 상대입니다."

오의의 말을 듣고 나서 공명이 혼잣말처럼 중얼거린다.

"먼저 장임을 사로잡고 난 뒤에 낙성을 취하리라!"

그리고는 오의에게 다시 묻는다.

"낙성 동쪽에 있는 다리는 뭐라 부르오?"

"금안교라 합니다."

공명은 곧 말에 올라 금안교 쪽으로 가서 주변을 둘러본 다음 영채로 돌아왔다. 그리고는 황충과 위연을 불러들여 말한다.

"금안교에서 남쪽으로 5, 6리쯤 가면 양쪽 기슭이 모두 갈대밭으로 군사들을 매복시키기에 좋은 곳이오. 위장군은 군사 1천명을 거느리고 왼쪽 기슭에 매복해 있다가 적의 기병만 죽이고, 황장군은 도부수 1천명을 이끌고 오른쪽 기슭에 매복해 있다가 군마의 다리만 찍으시오. 그러면 장임이 필시 산 동쪽 작은 길로 달아날 터이니, 장익덕은 군사 1천 명을 이끌고 그 부근에 매복해 있다가 장임을 사로잡도록 하오."

공명은 다시 조자룡을 불러 명한다.

"자룡은 금안교 북쪽에 매복해 있다가 내가 장임을 유인해 다리를 지나거든 즉시 다리를 끊고, 군사를 다리 북쪽에 벌여세워 세를 과시하시오. 그러면 장임이 감히 북쪽으로 도망갈 생각을 못하고 남쪽 길을 취해 반드시 우리의 계책에 빠지게 될 것이오."

할일을 지시한 다음 공명은 적군을 유인하러 나갔다.

한편, 성도의 유장은 낙성이 위태롭다는 소식을 듣고 탁응(卓膺)과 장익(張翼) 두 장수를 보내 싸움을 돕도록 했다. 장임은 두 장수가 도착하자 장익에게는 유괴와 더불어 성을 지키게 하고, 자신과 탁응은 성을 나가 적을 치기로 했다. 공격을 위해 군사를 두 대로 나누어 자신이 전대를 맡고, 탁응에게는 후대를 맡겼다.

드디어 장임이 군사를 움직였다. 공명은 대오도 제대로 갖추지 않은 군사 1백여 명만 거느리고 금안교를 건너 마주하고 진을 쳤다. 공명은 윤건(綸巾)에 우선(羽扇, 깃털부채)을 들고 사륜거에 앉았고 그 주위에는 1백여 군마가 호위하고 있었다. 이윽고 공명이 장임을 손가락질하며 말한다.

"백만대군을 거느린 조조도 내 이름만 듣고 달아났거늘, 너는 감히 무얼 믿고 항복하지 않느냐!"

장임은 공명의 군사들이 규율도 없어 보이는데다 공명 또한 초라한 행색이라 말위에서 한껏 냉소하며 말한다.

"제갈공명의 용병술이 귀신 같다고 하더니, 이제 보니 참으로 유명무실한 위인이구나!"

장임은 말위에서 창을 들어 공격신호를 내렸다. 순간 촉군들은 일제히 적을 향해 돌진했다. 공명은 제대로 싸워볼 생각도 않고 허겁지겁 수레를 버리더니 말을 타고 금안교를 건너 달아나버렸다. 장임은 곧장 공명을 뒤쫓아 금안교를 건넜다. 좌우를 둘러보니 현덕의 군사가 왼쪽에서 내달아오고, 오른쪽에는 엄안의 군사가 숨어 있다가 일시에 달려들었다.

'적들의 계교에 빠졌구나!'

당황한 장임은 급히 금안교를 건너려고 말머리를 돌렸다. 그러나 이미 다리는 끊어진 뒤였다. 장임이 북쪽으로 달아나려 하는데, 건너편 언덕에 조자룡이 군사를 벌여세우고 기다리고 있다. 장임이 남쪽으로 말머리를 돌려 강을 끼고 6, 7리쯤 달리니 갈대가 우거진 벌판이 나왔다. 그런데 갑자기 갈대숲에서 위연의 군사들이 일어나더니 장창으로 장임의 군사를 마구 찔러죽인다. 그와 동시에 황충이 거느린 군사들도 갈대숲에 숨어서 긴 칼을 휘둘러 말다리를 마구 찍어대니 기병은 말에서 떨어지고 넘어져 거의가 포박되었고, 보병이야 더 말할 것도 없었다.

장임은 겨우 기병 수십기를 수습하여 산길을 바라고 달리다가 정면으로 장비와 맞부딪쳤다. 장임이 급히 말을 돌려 달아나려는데, 장비가 한마디 큰소리를 질렀다. 이를 신호로 모든 군사들이 일제히 달려들어 장임을 사로잡아버렸다. 이미 탁응은 장임이 계교에 빠진 것을 보고 조자룡에게 가서 투항하고 말았다. 조자룡이 군사를 거두어 대채로 돌아오니, 현덕은 탁응에게 상을 내렸다. 이어 장비가 장임을 끌고 들어섰다. 이때는 공명도 장중에 이르러 현덕 옆에 앉아 있었다. 현덕이 장임에게 말한다.

장비는 드디어 장임을 산 채로 사로잡다

"촉의 모든 장수가 바라만 보고도 항복했는데, 너는 어찌하여 일찌 감치 항복하지 않았느냐?"

장임이 눈을 부릅뜨고 외친다.

"충신이 어찌 두 주인을 섬기겠느냐!"

"너는 천시(天時)를 모르는구나. 지금 항복하면 죽음은 면할 것이다."

장임의 태도는 단호하다.

"내 지금 항복한다 해도 나중에 반드시 다시 대적할 테니 어서 나를 죽여다오!"

유현덕이 차마 죽이지 못하고 머뭇거리니, 장임은 큰소리로 저주를 퍼붓는다. 옆에서 지켜보던 공명이 보다 못해 명한다.

"장임을 참하라!"

공명의 뜻은 장임의 이름이나마 온전히해주기 위함이었다.

후세 사람이 장임을 찬탄한 시가 있다.

열사 어찌 두 주인을 섬길소냐	烈士豈甘從二主
장임의 충의와 용맹은 죽어서 살아 있네	張君忠勇死猶生
하늘에 뜬 저 달처럼 높고도 밝아서	高明正似天邊月
밤마다 흐르는 빛 낙성을 비추나	夜夜流光照雒城

현덕은 장임의 절개에 감탄해 그의 수급과 시신을 거두어 금안교 옆에 장례를 치러주고 그 충의를 기렸다.

이튿날, 현덕은 엄안과 오의 등 항복한 장수들을 선봉부대로 삼아 낙성으로 진군했다. 엄안은 성 앞에 이르러 큰소리로 외쳤다.

"어서 성문을 열고 항복하여 성중 백성들의 고생을 면하게 하라!"

성위에 있던 유괴가 마구 욕설을 퍼부었다. 엄안이 활에 살을 메겨 쏘려는 바로 그때, 한 장수가 성위에 나타나더니 한칼에 유괴를 찔러 죽이고 성문을 활짝 열게 했다. 현덕의 군마가 거침없이 낙성으로 들어가니, 유순은 서문을 열고 탈출하여 성도를 향해 달아났다. 현덕이 방을 붙여 백성들을 안심시키고 나서 유괴를 죽인 장수를 찾으니 그는 무양(武陽) 사람 장익(張翼)이었다. 낙성을 점령한 현덕은 여러 장수들에게 큰 상을 내렸다. 공명이 말한다.

"낙성을 이미 깨뜨리고 성도는 바로 목전에 있습니다. 다만 주군 경계 밖의 고을이 조용하지 못하니, 조자룡은 장익과 오의를 데리고 외수(外水)의 강양(江陽) · 건위(犍爲) · 일대를 무마하고, 장익덕은 엄안과 탁응을 데리고 파서(巴西) · 덕양(德陽) 일대를 무마하게 하십시오. 이렇게 하여 지방관리들을 달래고 치안을 안정시킨 후에 군사를 돌려 일제히 성도를 공략하는 것이 좋겠습니다."

공명의 제안에 따라 조자룡과 장비가 명을 받고 각자 군사를 거느리고 출발했다. 군사들을 떠나보낸 다음 공명이 묻는다.

"앞으로 진군하는 데 주의할 관문이 어디인가?"

촉에서 항복한 장수가 답한다.

"면죽(綿竹)이라는 곳이 있는데, 많은 군사들이 굳게 지키고 있습니다. 이곳만 얻으면 성도는 손에 넣은 거나 진배없습니다."

공명이 진군할 일을 상의하는데 법정이 들어와서 말한다.

"이미 낙성이 깨졌으니 촉중은 위태로운 지경입니다. 주공께서 인의로 복종시키시려거든 잠시 진군을 늦추시지요. 제가 유장에게 서신을 써보내어 이로움과 해로움을 밝혀 말하면 유장이 스스로 항복해올 것입니다."

공명이 듣고 나서 말한다.

"효직의 말이 최선이구나."

공명은 곧 법정에게 서신을 쓰게 하여 성도로 보냈다.

한편, 성도로 달아난 유순은 부친 유장에게 낙성이 함락되었음을 고했다. 놀란 유장은 모든 관원들을 불러모아 대책을 상의했다. 종사로 있는 정도(鄭度)가 계책을 올린다.

"지금 유비가 성을 공격해 땅을 빼앗았다고는 하오나, 군사가 많은 것도 아니고 선비와 백성들이 따르는 것도 아닙니다. 식량이라야 우리 들판에서 나는 곡식이 고작이고 군중에 군량도 없습니다. 그러니 파서(巴西)와 재동(梓潼)의 백성들을 모조리 부수 서쪽으로 옮기고 창고와 들에 있는 곡식을 불살라버리십시오. 해자를 깊이 파고 보루를 높이 쌓은 채 적들이 와서 싸움을 걸어도 응하지 않으면 저들은 오래지 않아 양식이 떨어질 터이니, 백일이 지나기 전에 스스로 물러날 것입니다. 이때를 타서 일시에 공격한다면 유비를 능히 사로잡을 수 있습니다."

유장이 말한다.

"그렇지 않소. 내가 적을 막아 백성을 평안하게 한다는 말은 들었어도 백성을 움직여 도적을 막는다는 말은 듣지 못했으니, 이는 분명 나라를 지키는 계책이 아니오."

이렇게 한참 의논을 하는 중에 법정에게서 서신이 왔다는 보고가 들어왔다. 유장이 곧 사신을 불러들여 편지를 보니, 그 내용은 다음과 같다.

지난날 저를 파견해주신 뒤로 형주와는 우호를 돈독히해왔습니다만, 뜻밖에도 주공께서 좌우에 사람을 얻지 못하여 오늘날 이와 같이 되었습니다. 지금 형주는 아직도 옛정을 간직하고 형제의 의리를 잊지 못하고 있사오니, 이제라도 주공께서 생각을 돌려 귀순하신다면 절대 박정하게 대하지는 않을 것입니다. 바라옵건대 재삼 생각하시고 결단을 내리소서.

유장이 크게 노하여 서신을 찢으며 목청껏 질타한다.

"법정은 주인을 팔아 제 한몸의 영화를 구하는 배은망덕한 역적놈이로다!"

유장은 사자를 성밖으로 쫓아버리고 즉시 처남인 비관(費觀)에게 군사를 이끌고 가서 면죽관을 굳게 지킬 것을 당부했다. 비관이 남양 출신으로 성명은 이엄(李嚴)이요 자가 정방(正方)이라는 사람을 천거했다. 유장이 이를 허락하니 비관은 이엄과 함께 3만 군사를 거느리고 면죽관을 지키러 떠났다.

이때 익주(益州) 태수로 있던 동화(董和)는 자가 유재(幼宰)로 남군 지강(枝江) 사람이다. 동화가 유장에게 글을 올려 한중으로 가서 원군을 청하라고 간하였다. 유장은 곧 동화를 불러들여 의논한다.

"장로는 대대로 우리와 원수지간인데 도와주려 하겠소?"

동화가 말한다.

"비록 장로가 우리와 원수지간이라 해도 유비군이 낙성에 주둔해 있어 정세가 위급합니다. 자고로 입술이 없으면 이가 시린 법이라 했으니, 촉이 망하면 한중도 위험에 빠진다는 사실을 밝히고 이해득실을 따져 말한다면 반드시 우리 뜻에 따를 것입니다."

유장은 드디어 서신을 써서 사자를 한중으로 보냈다.

한편, 마초가 조조에게 패하여 강족(羌族)의 땅으로 종적을 감춘 지 어언 두 해가 넘었다. 그동안에 마초는 강족과 우의를 다져서 그 군사로 농서(隴西)의 고을들을 무찌르니, 이르는 곳마다 항복하지 않는 자가 없었다. 오로지 기주(冀州)만이 함락되지 않았다. 기주 자사 위강(韋康)은 마초를 맞아 싸우면서 거듭 하후연에게 구원을 요청했다. 그러나 하후연은 조조의 승낙이 없어 감히 원병을 보내지 못하고 있었다. 구원병을 기다리다 지친 위강은 수하사람들과 상의했다.

"아무래도 마초에게 투항할 수밖에 없겠다."

참군(參軍)으로 있는 양부(楊阜)가 울면서 간한다.

"마초는 반군의 무리인데 어찌 항복한단 말씀입니까?"

"사태가 이 지경에 이르렀는데 항복하지 않고 더 무엇을 기다리란 말인가."

양부가 거듭 간했지만 위강은 듣지 않고 마침내 성문을 크게 열어 마초에게 항복했다. 그러나 마초는 크게 노했다.

"네 이놈, 형세가 이렇듯 위급해진 오늘에야 항복하다니, 이는 결코 진심이 아니다!"

불같이 화를 내며 위강과 그의 식솔 40여명을 모조리 잡아다 목을 베었다. 어떤 사람이 옆에서 마초에게 한마디 했다.

"양부가 위강에게 항복하지 말자고 권했다 하니 그자도 참해야 합니다."

마초는 오히려 양부를 두둔한다.

"그는 의리를 지켰으니 죽일 수 없다."

그러고는 양부를 다시 참군으로 썼다. 양부가 양관(梁寬)과 조구(趙衢) 두 사람을 천거하니 마초는 그들을 군관으로 삼았다. 어느날 양부가 마초에게 고한다.

"제 아내가 임조(臨洮)에서 죽었는데 두어 달 말미를 주신다면 가서 장례를 치르고 오겠습니다."

마초가 선선히 승낙하니 그 즉시 양부는 고향으로 떠났다. 양부는 도중에 역성(歷城)을 지나다가 무이장군(撫彝將軍) 강서(姜敍)의 집에 들렀다. 양부와 강서는 원래 고종형제간으로, 강서의 모친이 바로 양부의 고모였으며 그때 나이 82세였다. 양부가 강서의 내실로 들어가 고모를 뵙고 절을 올리고는 울면서 호소한다.

"제가 기주성을 온전히 지키지 못하고 주인을 따라 죽지 못했으니, 고모님을 뵐 면목이 없습니다. 반역죄를 지은 마초가 군수를 죽인 터라 고을의 선비와 백성들이 모두 원망하고 있는데, 형님은 역성을 굳게 지키시면서 도적을 칠 생각을 안하시니 어찌 신하된 도리라 하겠습니까!"

양부는 말을 마치고 그 자리에서 피눈물을 흘렸다. 이 말을 듣고 강서의 모친이 아들을 불러들여 꾸짖는다.

"위사군(韋使君, 위강)께서 해를 입었으니, 이는 또한 네 죄가 아니겠느냐."

그러고는 양부에게도 한마디 한다.

"너는 이미 마초에게 항복해 그 녹을 먹고 있으면서 어찌 그를 칠 생각을 한단 말이냐?"

양부가 눈물을 거두고 답한다.

"제가 도적을 따른 것은 오로지 목숨을 보전해 원수를 갚기 위해서였습니다."

강서가 한마디 한다.

"마초는 영특하고 용맹하여 쉽게 도모하기 어렵다."

양부가 말한다.

"비록 마초가 용맹하기는 하나 꾀가 없으니 쉽게 도모할 수 있습니다. 제가 이미 양관·조구와 은밀하게 약속해두었으니, 형님이 군사를 일으키시면 두 사람은 반드시 도울 것입니다."

강서의 모친이 아들에게 말한다.

"네가 지금 서두르지 않고 다시 어느 때를 기다린단 말이냐. 사람은 누구나 죽는 법, 충의에 죽는다면 참으로 죽을 자리를 얻는 일이니라. 내 염려는 조금도 하지 마라. 아우의 의로운 말을 듣지 않겠다면 내가 먼저 죽어서 네 근심을 덜어주마."

강서는 마침내 마초를 칠 결심을 굳히고, 그날로 통병교위(統兵校尉) 윤봉(尹奉)과 조앙(趙昻)을 불러 군사 일으킬 일을 의논했다. 그런데 조앙의 아들 조월(趙月)은 마초 밑에서 비장(裨將)으로 있는 터라, 조앙은 그날 강서의 말에 응낙하고 집으로 돌아와 아내 왕씨를 보고 한탄한다.

"오늘 강서·양부·윤봉과 상의해 죽은 위강의 원수를 갚기 위해 마초를 치기로 했소. 그런데 마초가 알면 당장 내 아들부터 죽일 테니 이를 어찌하면 좋겠소?"

가만히 듣고 있던 왕씨가 목소리를 가다듬어 말한다.

"주군과 부모의 치욕을 갚는다면 죽어도 애석할 것이 없는데, 하물며 자식놈 때문에 망설이십니까? 당신이 아들 때문에 가시지 않겠다면 제가 먼저 목숨을 끊겠어요."

조앙은 아내의 말에 깊이 감명을 받고 결심을 굳혔다. 이튿날 그들은 일제히 군사를 일으켰다. 강서와 양부는 남아 역성을 지키기로 하고, 윤봉과 조앙은 기산(祁山)에 주둔했다. 조앙의 아내 왕씨는 가지고 있던 패물과 비단 등속을 남김없이 팔아 술과 고기를 장만하여 몸소 기산으로 찾아가 군사들을 위로했다.

한편, 마초는 강서와 양부가 윤봉·조앙과 더불어 군사를 일으켰다는 소식을 듣고 크게 노하여 즉시 조앙의 아들 조월을 끌어다 목을 베었다. 그리고 방덕(龐德)·마대(馬岱)에게 즉시 군사를 일으키라고 명하여 역성을 치러 나섰다.

마초가 역성에 이르자 강서와 양부가 군사를 거느리고 성밖으로 나왔다. 양쪽 진영은 즉시 마주보고 둥글게 진을 벌여세웠다. 흰색 전포를 입은 양부와 강서가 앞으로 나서며 마초를 향해 크게 꾸짖는다.

"임금에게 반역한 의리없는 도적놈아!"

크게 노한 마초는 당장 군사들을 이끌고 짓쳐들어갔다. 양군이 어우러져 접전을 벌였지만, 강서와 양부의 군사들이 어찌 마초의 적수가 될 수 있겠는가. 강서와 양부의 군사가 크게 패하여 달아나니 마초는 급히 군사를 휘몰아 추격했다. 그때 갑자기 뒤쪽에서 함성이 일더니 윤봉과 조앙이 한무리의 군사를 이끌고 들이닥쳤다. 마초는 즉시 말머리를 돌려 새로운 적들을 맞는데, 이번에는 쫓기고 있던 양부와 강서가 회군하여 마초를 협공한다. 마초가 앞뒤로 적을 맞아 어렵게 싸우는데, 또다시 옆에서 한떼의 군마가 나타나더니 마초의 진영 한복판으로 달려들었다. 하후연이 마침내 조조의 군령을 받고 군사를 휘몰아 마초를 공격하러 온 것이다. 아무리 용맹한 마초라고 해도 무슨 수로 세 방면에서 압박해오는 군사를 당해낼 수 있으랴. 결국 마초는 참패를 당하고 밤새 달아나 새벽녘에야 겨우 기성에 이르렀다.

"어서 성문을 열어라!"

그때 성루 위에서 난데없이 화살이 비오듯 쏟아져내렸다. 곧이어 양관과 조구가 모습을 드러내고 마초에게 한껏 욕설을 퍼붓는다. 그와 함께 마초의 아내 양씨가 끌려나오는가 싶더니 곧바로 칼날이 번뜩이며 양씨의 목과 몸이 두 동강이가 되어 성밑으로 굴러떨어졌다. 마초의 어린 세 아들과 친척 10여명이 차례로 그뒤를 이었다. 마초는 기가 막히고 가슴이 떨려 그만 말에서 떨어질 지경이었다. 설상가상으로 등뒤에서는 하후연이 군사를 이끌고 들이닥쳤다. 마초는 하후연의 군세가 강한 것을 보고 싸움을 포기하고는 마대 · 방덕과 더불어 혈로를 뚫고 달아났다. 그러나 얼마 달리지 못하고 강서 · 양부의 군사와 맞닥뜨려 죽기로써 일전을 벌였다. 겨우 남은 병사를 수습하여 다시 길을 뚫고 달리는데 이번에는 윤봉과 조앙의 군사가 달려든다. 또 한바탕 싸움을 치르고 나니, 이제 마초의 군마는 겨우 5, 60기에 불과했다.

마초는 밤새도록 달려 4경 무렵에 역성 아래 이르렀다. 이때 성문을 지키던 군사들은 강서가 회군한 줄 알고 성문을 활짝 열어 맞이했다. 그대로 남문으로 짓쳐들어간 마초는 닥치는 대로 백성들을 잡아 죽였다. 마초군의 무기는 곧 피로 붉게 물들었다. 마초는 곧바로 강서의 집으로 들이닥쳤다. 마초에게 끌려나온 강서의 팔순 노모는 두려운 빛 없이 오히려 마초를 손가락질하며 큰소리로 꾸짖었다. 대로한 마초는 몸소 칼을 빼어 노파를 쳐죽이고, 윤봉과 조앙의 일가족 남녀노소를 모조리 잡아죽였다. 오직 조앙의 부인 왕씨만 군중에 가 있어 겨우 난을 면할 수 있었다.

다음날, 하후연이 대군을 이끌고 역성으로 쳐들어왔다. 마초가 성을 버리고 서쪽을 향해 달아나서 채 20리도 못 갔을 때 또 한떼의 군마가 앞길을 가로막았다. 바로 양부가 이끄는 무리였다. 마초가 원한에 맺혀 이를 갈면서 말을 박차고 창을 휘두르며 양부에게 달려들었다. 양부의 일곱 형제들이 일제히 나와 맞서싸웠다. 마대와 방덕이 마초를 돕기 위해 뒤쫓는 적의 후군을 막는 사이에 마초는 양부의 일곱 형제를 모두 쳐죽였다. 양부가 다섯 군데나 창을 맞고도 마초에 맞서 의연히 싸우는 중에 하후연의 원군이 들이닥쳤다. 마초는 다시 하후연의 대군에 쫓겨 달아나니, 따르는 군마는 방덕·마대와 더불어 겨우 6, 7기에 불과했다.

하후연은 달아나는 마초를 더 쫓지 않고 돌아왔다. 농서의 여러 고을을 순시하며 백성들을 위로한 다음 강서 등에게 각각 고을을 지키게 하고 부상당한 양부를 수레에 싣고 허도로 돌아갔다. 조조는 양부의 충절과 공로를 칭찬하고 그를 관내후(關內侯)에 봉했다. 양부는 한사코 사양한다.

"저는 싸움에 이긴 공로도 없으려니와 죽어야 할 때 죽지 못했으니 절개를 지킨 것도 아닙니다. 오히려 군법으로 따지자면 죽어 마땅한데 무슨 낯으로 작위를 받겠습니까?"

조조는 더욱 가상히 여겨 끝내 양부에게 작위를 내렸다.

한편, 마초는 방덕·마대와 상의한 끝에 한중의 장로에게 몸을 의탁하러 갔다. 용장 마초를 얻은 장로는 크게 기뻐했다.

'이제 마초를 얻었으니 서쪽으로는 익주를 손에 넣고 동쪽으로는 조조를 막을 수 있겠구나!'

장로는 기쁜 나머지 부하들과 의논해 마초를 사위로 삼으려 했다. 이때 대장 양백(楊柏)이 간한다.

"마초의 처자가 참혹하게 죽은 것은 모두 그의 잘못입니다. 주공께서는 어째서 따님을 주려 하십니까?"

장로는 양백의 말을 듣고 마초를 사위로 삼으려던 것을 없던 일로 했다. 그런데 이때 양백이 장로에게 한 말은 공교롭게도 마초의 귀에까지 들어갔으니, 마초는 크게 앙심을 품고 양백의 목숨을 벼르게 되었다. 양백도 그런 기미를 감지하고 그의 형 양송(楊松)을 찾아가 함께 마초를 도모하기로 상의했다.

유장이 보낸 사자가 한중에 이르러 원군을 요청한 것은 바로 이 무렵이었다. 장로는 그 청에 따르지 않았다. 얼마 후 유장이 또다시 황권을 사자로 보냈다는 보고가 들어왔다. 황권은 이번에는 친분이 있는 양송을 먼저 찾아갔다.

"동천(東川, 한중지방)과 서천(西川, 촉땅)은 입술과 이처럼 운명을 함께하는 이웃이오. 만일 서천이 격파되면 동천 역시 보존하기 어려울 것이외다. 지금 우리에게 원군을 보내 도와준다면 서천땅 스무 고을을 한중에 내주겠소."

양송은 크게 기뻐하며 즉시 황권을 장로에게 안내했다. 그러고는 서천과 동천이 순치지간(脣齒之間)임을 이야기하면서 원군을 보내주면 서천땅 스무 고을을 내줄 것이라는 황권의 말을 그대로 전했다. 장로는 그 말에 크게 혹해서 유장의 요청에 따르기로 했다. 이때 파서의 염포(閻圃)가 간했다.

"유장은 주공과 대를 이어 원수지간이었습니다. 지금 형세가 위급해지자 짐짓 땅을 떼어준다는 말로 주공을 유혹하는 것이니, 절대로 속지 마십시오."

그런데 바로 이때 갑자기 섬돌 아래서 한 사람이 나서며 말한다.

"제가 비록 재주는 없으나, 원컨대 얼마간의 군사를 내주신다면 유비를 사로잡고 땅을 떼어받아오는 일을 맡을까 합니다."

바야흐로 참주인이 서촉으로 들어오니   方看眞主來西蜀

또 정예병이 한중에서 출동하는구나   又見精兵出漢中

유비를 사로잡겠다고 큰소리치는 이 사람은 누구인가?

65

가맹관 싸움

마초는 가맹관에서 크게 싸우고
유비는 스스로 익주목이 되어 다스리다

염포가 장로에게 유장을 도와주지 말라고 권하는데, 마초가 앞으로
나서며 말한다.

"주공의 은혜에 깊이 감사하고 있으나 이제까지 갚을 길이 없었습
니다. 바라건대 제게 군사를 내주시면 가맹관을 취해 유비를 사로잡
고 그 대가로 유장에게서 스무 고을을 할양받아 주공께 바치겠습니
다."

장로가 마초의 말을 듣고 크게 기뻐하면서 우선 황권을 소로로 하
여 돌아가도록 하고, 군사 2만명을 마초에게 내주었다. 이때 방덕은

병이 나서 가지 못하고 한중에 남았다. 장로는 양백을 감군(監軍)으로 삼고 마초·마대 형제와 더불어 날을 잡아 떠나도록 했다.

한편, 현덕은 군마를 거느리고 낙성에 주둔하고 있었다. 법정의 서신을 가지고 성도에 갔던 사람이 돌아와 고한다.

"정도라는 자가 유장에게, 들에 쌓인 곡식과 곳곳의 창고를 모조리 불태우고 파서의 백성들을 부수 서쪽으로 피난시킨 다음, 해자를 깊게 파고 보루를 높이 쌓아 나가서 싸우지 않고 굳게 지키면 될 것이라 권했다 합니다."

현덕과 공명은 소스라치게 놀랐다.

"그렇게 되면 우리 형세가 위태로워지겠구나!"

두 사람이 걱정을 하고 있는데 법정은 한가롭게 웃는다.

"주공께서는 과히 심려 마소서. 그 계책이 자못 혹독하지만 유장은 반드시 그 계책을 쓰지 못할 것입니다."

과연 그날 하루가 다 지나기 전에 소식이 전해졌다.

"유장은 백성을 옮기지 않았으며, 정도의 계책을 따르지 않았다고 합니다."

현덕은 그제야 마음을 놓았다. 공명이 말한다.

"속히 군사를 진격시켜 면죽관을 손에 넣어야겠습니다. 여기만 손에 넣으면 성도는 쉽게 취할 수 있을 것입니다."

그 말에 따라 황충과 위연으로 하여금 먼저 군사를 거느리고 진군하게 했다.

한편, 면죽관을 지키던 비관(費觀)은 현덕군이 온다는 보고를 받고 이엄에게 군사 3천명을 거느리고 맞서싸우라 명하였다. 이엄이 군사들을 거느리고 나가 진을 벌이니, 현덕군 또한 포진했다. 먼저 황충이 말을 몰고 출전해 이엄과 어우러져 4, 50합을 싸웠으나 승패가 나지 않았다. 지켜보던 공명이 징을 울려 군사를 거두어들였다. 황충이 진영으로 돌아와 공명에게 묻는다.

"바야흐로 이엄을 사로잡으려는 판인데 군사께서는 어째서 군사를 거두셨소?"

공명이 답한다.

"이엄의 무예를 보니 힘만으로는 취할 수 없겠소. 내일 다시 싸우게 되면 장군은 거짓으로 패한 체하여 산골짜기로 유인하시오. 그런 뒤 불시에 군사를 내몰아 급습하면 이길 수 있소."

황충은 공명에게서 계책을 받고 물러났다. 다음날 이엄이 군사를 거느리고 와 다시 싸움을 청했다. 황충은 출전하여 이엄과 싸운 지 10합이 채 못되어 거짓으로 패한 체하며 군사를 이끌고 달아났다. 이엄은 급히 그 뒤를 쫓다가 구불구불 이어진 산길을 돌아 어느덧 깊은 산골짜기에 들어섰다.

'아, 내가 적의 계책에 빠져들었구나!'

이엄이 급히 말머리를 돌리는데, 어느새 위연이 군사를 벌여세우고 앞을 가로막고 있었다. 그때 공명이 산위에 나타나 이엄에게 말한다.

"지금 항복하지 않으면 양옆에 매복한 궁노수들에게 명해 방사원의 원수를 갚아주겠다!"

이엄은 허겁지겁 말에서 내리더니 갑옷과 투구를 벗고 항복했다. 이렇게 하여 공명은 한명의 군사도 잃지 않았다. 공명이 이엄을 데리고 현덕 앞에 이르렀다. 현덕이 너그러운 태도로 대하자 이엄이 감복하여 말한다.

"비관은 유익주(劉益州, 유장)의 처남이지만 저와는 절친한 사이입니다. 제가 가서 설득하여 항복시키도록 하겠습니다."

현덕은 즉시 이엄에게 명하여 성으로 돌아가 비관에게 항복을 권유하도록 했다. 면죽성으로 돌아온 이엄은 비관에게 현덕의 어진 덕성을 한껏 칭송하고 이렇게 권한다.

"지금 항복하지 않으면 필시 큰 화를 당할 것이오."

비관은 이엄의 말을 받아들여 성문을 활짝 열고 항복했다.

면죽에 입성한 현덕이 장차 군사를 나누어 성도를 취할 방책을 상의하고 있을 때, 홀연 파발꾼이 와서 급보를 전한다.

"가맹관을 지키고 있는 맹달과 곽준이 동천의 장로가 보낸 마초와 양백, 마대의 군사들에게 맹렬한 공격을 받고 있습니다. 구원병이 늦어지면 가맹관을 잃게 될 것입니다."

난데없는 소식에 현덕은 크게 놀랐다. 공명이 말한다.

"장익덕과 조자룡 두 장군이라야 상대가 되겠습니다."

"자룡은 지금 주군(州郡)을 순시중인데 아직 돌아오지 않았소. 익덕이 이곳에 있으니 그라도 급히 보내야겠소."

현덕의 말에 공명이 웃으며 말린다.

"주공께서는 아무 말씀 마십시오. 제가 장익덕을 한번 격동시켜보겠습니다."

한편 장비는 마초가 가맹관을 공격한다는 소식을 듣자마자 달려와 큰소리를 쳤다.

"형님, 내가 마초놈과 싸우러 가겠수."

공명은 들은 척도 하지 않고 현덕을 바라보며 말한다.

"지금 마초가 가맹관을 침범했으나 아무도 대적할 사람이 없습니다. 형주에 있는 관운장을 불러야 맞수가 되겠습니다."

장비가 버럭 화를 내며 말한다.

"군사는 어째서 나를 얕잡아보는 거요? 내 일찍이 혼자서 조조의 백만대군도 물리쳤는데 마초 같은 촌놈 하나 감당 못하겠소!"

공명이 말한다.

"장장군이 지난번 장판교를 끊었을 때는 조조가 우리의 허실을 몰랐으니 망정이지 만일 알았다면 무사할 수 있었겠소? 오늘날 마초의 용맹은 천하가 다 아는 바요. 마초가 위교(渭橋)에서 조조의 대군을 맞아 여섯 차례 싸웠을 때 수많은 조조의 군사들이 목숨을 잃고 조조도 수염을 깎고 전포마저 벗어던지고서야 겨우 살아났으니, 마초는 절대 함부로 볼 상대가 아니오. 관운장이 온다 해도 반드시 이길 수 있을지 모르겠소."

공명의 말 한마디 한마디가 모두 장비의 화통을 지르는 소리뿐이다. 참다 못한 장비가 큰소리로 말한다.

"어쨌든 나는 갈 테요. 만일 내가 마초를 못 이기면 어떤 군령도 감수하겠소."

그제야 공명이 현덕을 보며 말한다.

"장장군이 군령장을 써서 약조하겠다니 선봉장으로 쓰시되, 주공께서 친히 함께 가십시오. 저는 이곳에 남아 있다가 조자룡이 돌아오면 따로 의논하겠습니다."

이때 위연이 나선다.

"저도 가고자 합니다."

"그렇다면 위장군은 초마(哨馬, 파수를 보거나 경계를 순시하는 기병) 5백

572

명을 이끌고 먼저 떠나도록 하오."

이리하여 위연의 기마 초병들이 먼저 떠난 다음 장비가 뒤를 이었고, 현덕은 후군으로 가맹관을 향해 출병했다.

위연의 군사들이 먼저 가맹관에 도착해 양백의 군사와 정면으로 맞섰다. 양군이 맞붙어 싸운 지 불과 10여합에 양백은 힘에 부쳐 달아났다. 위연이 장비보다 먼저 공을 세우려는 욕심에 승세를 타고 양백의 뒤를 쫓는데 앞쪽에서 한무리의 군사들이 진을 벌여세우고 막아선다. 바로 마대의 부대였다. 위연이 마초인 줄 알고 말을 달려나가 칼을 휘두르며 싸우는데, 이번에도 10여합 싸우다가 마대가 달아난다. 위연은 적장을 놓칠세라 정신없이 뒤를 쫓았다. 도망치던 마대가 갑자기 몸을 홱 돌리더니 활에 화살을 메겨들고 쏘았다. 화살은 위연의 왼쪽 팔에 꽂혔다. 놀란 위연이 급히 말머리를 돌려 달아나니 이번에는 마대가 그 뒤를 추격한다. 마대가 위연을 쫓아 가맹관 앞에 이르렀을 때다. 갑자기 한 장수가 우레 같은 함성을 내지르며 달려나오니, 다름아닌 장비였다. 원래 장비는 한발 늦게 관에 도착해 위연과 마대의 싸움을 보고 있다가 위연이 화살을 맞고 도망치자 구하러 달려나온 참이었다. 장비가 마대를 향해 호통친다.

"너는 누구냐? 먼저 통성명이나 하고 내 널 죽여주마!"

마대가 맞고함을 지른다.

"나는 서량의 마대다!"

장비가 호탕하게 웃으며 말한다.

"네가 마초가 아니었구나. 너는 내 상대가 아니니 냉큼 돌아가거라. 가서 마초에게 연인 장익덕이 왔으니 죽으러 나오라고 전해라."

자신을 업신여기는 장비의 말에 마대가 크게 노하여 버럭 소리를 지른다.

"어찌 감히 나를 업신여기느냐!"

그러고는 창을 비껴들고 장비에게 덤벼든다. 장비가 장팔사모를 휘둘러 마대를 맞아 싸우니 마대는 겨우 10여합을 겨루다가 견디지 못하고 달아나기 시작했다. 장비가 그 뒤를 추격하는데, 갑자기 관에서 말탄 사람이 달려오면서 소리친다.

"아우는 잠시 멈추어라!"

뒤를 돌아보니 유현덕이다. 장비는 더이상 추격하지 않고 현덕·위연 등과 함께 관으로 돌아왔다. 현덕이 말한다.

"네 조급한 성미가 걱정되어 따라왔느니라. 이미 마대를 이겼으니 오늘은 편히 쉬고 내일 다시 마초와 싸우도록 해라."

이튿날이었다. 새벽녘에 성문 아래서부터 북소리가 크게 울리더니 마초의 군사들이 들이닥쳤다. 현덕이 관 위에서 내려다보니 문기(門旗) 아래에서 마초가 옆구리에 창을 끼고 말을 몰아나온다. 사자머리 투구에 수대(獸帶, 괴수의 형상을 새긴 띠)를 두르고 은빛 갑옷과 백색 전포 차림의 그는 한눈에도 모습이 비범하고 재간이 출중해 보였다. 현덕은 자신도 모르게 탄성을 지른다.

"사람들이 서량에 '금마초(錦馬超)'가 있다고 하더니 과연 명불허전(名不虛傳, 이름과 실상이 같음)이로구나!"

옆에 있던 장비는 그 소리를 듣고 분이 나서 숨을 몰아쉬며 다짜고짜 달려나갈 기세다. 현덕이 장비를 만류한다.

"가만 있거라. 적의 예기(銳氣)는 피하는 게 좋다."

그때 마초는 성 아래서 쉬지 않고 장비를 부르며 충동질한다.

"촌놈 장비야, 네가 찾던 마초가 여기 왔는데 어째서 꾸물대느냐.

벌써 겁을 집어먹은 게냐!"

관 위에서는 장비가 고리눈을 부라리며 들썩거리는데, 그때마다 현덕이 제지하기를 벌써 네댓번이나 했다. 그러는 동안 어느새 오후도 훌쩍 기울었다. 현덕이 보니 마초 진영의 기세가 조금 해이해지고 군마가 모두 방심한 빛이 역력했다.

"익덕은 5백기를 선발해 적을 물리쳐라!"

현덕의 승낙을 받은 장비는 관을 나서서 나는 듯이 달려갔다. 장비의 기습에 마초는 창을 들어 군호를 내리더니 화살이 닿지 못할 만한 거리로 군사를 물렸다. 장비의 군사들도 멈추어섰다. 관에서는 아직도 군사들이 쏟아져나오고 있었다. 장비가 고리눈을 부릅뜨고 외친다.

"연인 장익덕을 네가 아느냐?"

마초가 답한다.

"우리 집안은 대대로 공후(公侯)를 지내온 가문이다. 어찌 너따위 촌놈을 알겠느냐!"

격분한 장비가 말을 휘몰아 나서니 마초 역시 말을 달려나와 맞섰다. 말이 가쁘게 콧김을 내뿜고 창날과 창날이 부딪쳐 번뜩인다. 이렇게 두 장수가 어우러져 싸우기를 1백여합이 지나도록 승패가 나지 않았다. 지켜보던 현덕이 탄식했다.

"참으로 호랑이 같은 장수로다!"

현덕은 행여 장비가 실수라도 할까 염려해 징을 울려 불러들였다. 그제야 두 장수는 각기 자기 진영으로 돌아갔다. 진영에서 잠시 말을 쉬게 한 장비는 곧바로 투구를 벗어던지고 수건으로 머리를 동여맨 채 다시 말을 몰고 나갔다.

"이놈, 마초야. 어서 싸움을 끝내자!"

장비의 호통소리를 듣고 마초도 달려나와 두 사람은 다시 싸우기 시작했다. 현덕은 장비를 염려해 갑옷을 입고 관을 나서서 진 앞에 말을 세우고 서 있었다. 창과 창이 맞부딪치고 말과 말이 한데 엉켜 접전을 벌이기를 다시 1백여합이 지났다. 그러나 두 사람은 싸울수록 힘이 솟는 듯 조금도 지친 기색이 없었다. 현덕이 징을 울려 싸움을 중지시키니 두 장수는 다시 창을 거두고 각자의 진으로 돌아갔다.

어느덧 날이 저물어가고 있었다. 현덕이 장비를 불러 조용히 타이른다.

"과연 마초는 영용한 장수라 가벼이 대적할 수 없겠다. 우선 관으로 돌아갔다가 내일 다시 싸우도록 해라."

그러나 흥분한 장비는 발을 구르며 부르짖는다.

"난 맹세코 죽기 전엔 돌아오지 않겠수!"

"날이 이미 저물었는데 무슨 수로 싸운단 말이냐?"

"횃불을 밝히고 싸우면 되잖수."

이때였다. 마초가 말을 바꿔 타고 현덕군의 진영 앞으로 나와 소리친다.

"장비야, 네 감히 야전(夜戰)을 할 수 있겠느냐!"

성이 머리끝까지 치민 장비는 현덕에게 청해 말을 바꾸어 타고는 창을 비껴들고 나가며 소리친다.

"내 네놈을 잡기 전에는 맹세코 관으로 돌아가지 않겠다!"

마초도 마주 소리친다.

"오냐, 이 마초도 네놈을 이기기 전에는 맹세코 영채로 돌아가지 않을 테다!"

양쪽 진영의 군사가 함성을 지르며 기세를 올렸다. 그와 함께 여기 저기서 횃불이 오르니 어느새 싸움터는 대낮처럼 밝아졌다. 수천의 횃불이 활활 타오르는 가운데 두 장수는 창날을 번뜩이며 어울려 싸웠다. 20여합 싸우다가 마초가 갑자기 말머리를 돌리더니 달아나기 시작했다. 장비가 마초를 뒤쫓으며 외친다.

"네 이놈, 어디로 달아나느냐!"

원래 마초는 장비가 다루기 어려운 상대임을 깨닫고 계책을 세워둔 터였다. 마초가 짐짓 달아나는 체하니 장비가 고함을 지르며 뒤를 쫓는데, 마초는 가만히 동추(銅錘, 살상용 망치)를 꺼내들었다. 장비가 가까워지기를 기다려 마초는 갑자기 몸을 돌리더니 동추를 휘둘렀다. 장비는 달아나는 마초를 보고 내심 의혹이 일어 대비를 하며 마초의 뒤를 쫓고 있었다. 그러다가 갑자기 동추가 날아오자 가볍게 몸을 돌려 피했다. 동추는 바람소리를 내며 장비의 귓가를 스쳐지나갔다. 장비는 그대로 말머리를 돌려 달아났다. 이번에는 마초가 그 뒤를 추격한다. 달아나던 장비가 활에 화살을 메기면서 말을 세우더니 몸을 돌리는 순간 마초를 향해 쏘았다. 마초가 급히 몸을 틀어 화살을 피했다.

장비와 마초는 이렇게 서로 쫓고 쫓기기를 수십 차례 했으나 승패를 가리지 못했다. 결국 두 장수는 누가 먼저랄 것도 없이 말머리를 돌려 본진으로 향했다. 그때 현덕이 진영 앞에 나와 마초를 향해 외친다.

"나는 오늘날까지 인의로 사람을 대접하여 결코 속인 일이 없으니 맹기(孟起, 마초의 자)는 어서 군사를 거두고 잠시 쉬도록 하라. 내 그 틈을 노려 그대를 뒤쫓지는 않을 것이다."

가맹관에서 장비와 마초는 죽을 힘을 다해 싸우다

마초가 현덕의 말을 듣고 친히 뒤를 끊어 군사들을 단속하며 전군을 후퇴시켰다. 현덕 또한 군사를 거두어 관으로 올라갔다.

다음날 장비가 다시 관문을 나가 마초와 결전을 벌이겠다고 벼르고 있는데, 사람들이 들어와 공명이 도착했다고 알렸다. 현덕이 공명을 맞아들이니 공명이 현덕에게 말한다.

"제가 듣건대 맹기는 호랑이 같은 장수라, 만약 익덕과 더불어 죽기로 싸우게 둔다면 둘 중 하나는 상할 게 틀림없습니다. 그래서 자룡과 한승(漢升, 황충의 자)에게 면죽관을 지키게 하고 밤새 달려온 것입니다. 이제 제가 계책을 써서 마초가 주공께 귀순하도록 하겠습니다."

현덕이 묻는다.

"내 마초를 보고 그 용맹함과 영특함을 매우 사랑하게 되었는데, 어떻게 하면 그를 얻을 수 있겠소?"

"제가 듣자하니 동천의 장로는 스스로 한녕왕(漢寧王)이 되고 싶어 안달이고, 그 수하에 있는 모사 양송은 탐욕스러운 인물로 뇌물을 밝힌다고 합니다. 주공께서는 지름길로 한중에 사람을 보내어 금은으로 양송의 환심을 산 다음, 장로에게 서신을 올리도록 하십시오. '나와 유장이 서천을 다투는 것은 장로의 원수를 갚아주려는 뜻이니 이간하는 자들의 말을 믿지 말 것이며, 일이 평정된 뒤에는 그대를 한녕왕으로 삼을 것을 보증한다' 하시고, 즉시 마초의 군사를 불러들이라 종용하십시오. 마초의 군사가 철수할 때를 기다려 계교를 써서 마초가 항복하게 하겠습니다."

현덕은 크게 기뻐하며 즉시 서신을 써서 많은 금은보화와 함께 손건에게 주고 양송을 찾아가게 했다. 지름길로 해서 한중에 이른 손건이 양송을 만나 금은보화를 내놓고 찾아온 뜻을 전하니 양송은 매우 흡족해하며 손건을 몸소 장로에게 인도했을 뿐만 아니라 옆에서 손건 의 말을 거들기도 했다. 장로가 편지를 읽고 나서 양송에게 미심쩍은 듯 묻는다.

"유현덕은 벼슬이 좌장군일 뿐인데 무슨 수로 내가 한녕왕이 되는 것을 보증한단 말인가?"

양송이 나서서 아뢴다.

"유현덕은 바로 대한(大漢) 황제의 황숙입니다. 마땅히 황제께 주청하고 보증할 자격이 있습니다."

장로는 양송의 말에 의심을 거두고 그 자리에서 명한다.

"그렇다면 즉시 마초의 군사를 철수시키도록 하라."

장로의 사자가 마초에게로 떠난 뒤 손건은 양송의 집에 머물면서 마초의 회신을 기다리기로 했다. 하루도 안되어 마초에게 갔던 사자 가 돌아와 전하기를, 공을 이루지 않고는 회군할 수 없다고 했다는 것 이다. 장로가 다시 사람을 보내 소환했으나 마초는 듣지 않았다. 연달 아 세번이나 사자를 보냈는데도 마초는 돌아오지 않았다. 양송이 기 다렸다는 듯이 장로에게 넌지시 말한다.

"본래 마초가 믿을 만한 인물이 아니었는데, 회군하라는 영을 거역 하는 것으로 보아 모반할 뜻이 있는 게 분명합니다."

양송은 사람을 시켜 유언비어를 퍼뜨리기까지 했다.

"마초는 서천을 빼앗아 촉왕이 되어 아비의 원수를 갚으려 할 뿐, 한중의 신하 되기를 원하지 않는다더라."

바야흐로 이 소문은 장로의 귀에까지 닿았고, 장로는 즉시 양송을 불러들여 계책을 물었다. 양송은 때를 만난 듯 장로에게 말한다.

"마초에게 사람을 보내 이렇게 이르십시오. '네가 기어이 공을 세우려 한다면 한달의 기한을 주겠노라. 그 대신 내가 바라는 세 가지 일을 완수하면 상을 내릴 것이요 못하면 목을 벨 것이다. 첫째는 서천땅을 취하는 일이고 둘째는 유장의 수급을 가져오는 일이며 셋째는 유비의 형주 군사를 물리치는 일이니, 이 세 가지 중에서 어느 하나라도 이루지 못하는 날에는 네 머리를 바쳐라.' 이렇게 이르는 한편 장위(張衛)에게 명하여 군사들을 풀어 길목마다 단단히 지키게 해서, 마초가 변란을 일으키지 못하도록 미리 방비하십시오."

장로는 양송의 계책을 따르기로 했다. 즉시 사람을 보내 세 가지 완수해야 할 일을 전하니, 마초는 다 듣고 크게 놀랐다.

"나를 대하는 태도가 어찌 이리도 변했는가?"

마초는 마대와 함께 의논한 끝에 철군하는 길밖에 없다는 결정을 내렸다. 한편 마초의 결정을 전해들은 양송은 다시 사람을 시켜 유언비어를 퍼뜨렸다.

"마초가 회군하는 것은 다른 마음을 품었기 때문이다."

이 말이 성중에 퍼지자 장로는 즉시 장위를 시켜 군사를 일곱 갈래로 나누어 관문을 굳게 지키며, 마초의 군사들을 들이지 못하게 했다. 바야흐로 마초는 나아갈 수도 물러설 수도 없는 처지에 빠지고 말았다. 드디어 공명이 현덕에게 말한다.

"지금 마초가 진퇴양난에 빠져 있으니, 제가 직접 마초의 영채로 찾아가 세치 혀로 설복시켜 항복하게 하겠습니다."

공명의 말을 듣고 현덕은 안색이 흐려진다.

"선생은 나의 고굉심복(股肱心腹, 고굉지신股肱之臣과 심복지신心腹之臣을 아우른 말로 없어서는 안될 존재)인데 만에 하나 무슨 일이라도 생기면 어찌하겠소?"

공명이 굳이 가고자 하나 현덕은 놓아주려 하지 않았다. 이러는 중에 문득 보고가 들어와 조자룡의 추천장을 가지고 서천에서 한사람이 항복해왔다고 전했다. 현덕이 그 사람을 불러들이니, 그는 건녕의 유원 출신으로 성명은 이회(李恢)요 자는 덕앙(德昂)이었다. 현덕이 이회에게 묻는다.

"내 일찍이 들으니 공은 지난날 유장에게 간곡하게 간하였다 하던데, 이제 내게 온 까닭이 무엇이오?"

이회가 답한다.

"제가 듣건대 좋은 새는 나뭇가지를 가려서 깃들고, 어진 신하는 주인을 가려 섬긴다 합니다. 지난날 제가 유익주에게 신하의 도리를 다하려고 간했으나 들어주지 않는 것을 보고 반드시 패할 것을 알았습니다. 오늘날 장군의 인덕이 촉땅에 널리 퍼져 있으니 필경 뜻을 이루겠기에 이렇게 찾아온 것입니다."

현덕은 기쁘게 맞으며 말한다.

"선생이 이렇게 오셨으니 이 유비에게 큰 도움이 될 것이오."

이회가 조심스럽게 말을 꺼낸다.

"마초가 진퇴양난에 빠졌다는 소식을 들었습니다. 제가 일찍이 농서에 있을 때 마초와 대면한 적이 있으니, 찾아가 설득하여 주공께 투항하도록 하면 어떻겠습니까?"

공명이 말한다.

"그렇지 않아도 나 대신 마초에게 보낼 사람이 절실하게 필요했소. 그대가 무슨 말로 마초를 설득할 것인지 한번 들어봅시다."

이회는 좌우를 살피더니 공명의 귓가에 입을 대고 속삭였다. 공명은 크게 기뻐하며 즉시 이회를 마초의 진영으로 보냈다.

마초의 영채에 당도한 이회는 먼저 사람을 시켜 자신의 이름을 전하게 했다. 수하사람을 통해 보고를 받은 마초는 의혹이 일었다.

"이회는 언변이 뛰어난 자다. 나를 설득하러 온 게 틀림없구나!"

그리고는 즉시 20여명의 도부수를 불러들였다.

"너희들은 장막 뒤에 숨어 있다가 내가 명을 내리거든 즉시 그자를 죽여 고기젓을 만들어버려라!"

얼마 후 이회가 고개를 꼿꼿이 들고 조금도 두려워하는 빛 없이 들어섰다. 마초는 장막 가운데 꼼짝도 않고 앉은 채 사납게 소리친다.

"너는 무슨 일로 왔느냐?"

이회가 겁도 없이 대꾸한다.

"내 특별히 세객(說客)으로 그대를 타이르러 왔소!"

마초는 이회의 담대함에 약간 놀랐지만 은근히 얕잡아보는 태도로 말한다.

"내 보검을 새로 갈아놓았으니 어디 하고 싶은 말을 해보아라. 네 말이 내게 통하지 않으면 당장에 내 보검을 시험해보겠다!"

마초의 섬뜩한 말에 이회는 오히려 껄껄 웃으며 답한다.

"장군에게 화가 닥쳐오고 있으니, 새로 벼린 칼을 내 목에 시험해보기는커녕 장군 자신에게 쓰게 될까 두렵구려."

이회의 이 말은 진퇴양난에 처한 마초가 결국에는 자결할 수도 있다는 뜻이었다. 마초가 언성을 높여 묻는다.

"도대체 내게 무슨 화가 닥친단 말이냐?"

"내가 듣건대 월(越)나라 서시(西施, 춘추시대의 미녀)를 두고는 아무리 헐뜯기를 잘하는 사람도 아름다움을 무시할 수 없었고, 제(齊)나라 무염녀(無鹽女, 무염 지방에 살았다는 못생긴 여자)에 대해서는 아무리 칭찬을 잘하는 사람도 그 못난 용모를 가려줄 수 없었다고 하오. 해가 중천에 오르면 기울고 달도 차면 이지러지는 법이니 이것은 세상의 이치로소이다. 지금 조조야말로 장군의 부친을 죽인 원수이며, 농서는 장군이 잊지 못할 한을 품었던 곳이오. 앞으로는 유장을 도와 형주 군사를 물리치지 못했고, 뒤로는 양송을 누르고 장로의 얼굴을 대할 면목도 없으니, 천하에 장군이 몸둘 곳이 어디 있으며, 모실 주인은 누구겠소? 만일 또다시 위교와 기성에서처럼 실패한다면 세상사람들을 도대체 무슨 낯으로 대하려 하시오?"

심금을 찌르는 이회의 말을 묵묵히 듣고 있던 마초는 드디어 머리를 조아리며 사례한다.

"공의 말이 참으로 옳소이다. 나는 갈 곳이 없는 사람이오."

이회가 말한다.

"공이 내 말을 알아들었다면 어찌하여 장하에 도부수를 그대로 숨겨두고 있소이까?"

마초가 크게 부끄러워하며 도부수들을 꾸짖어 물리쳤다. 이회가 다시 말한다.

"유황숙은 예로써 어진 선비를 대하니 반드시 큰뜻을 이룰 것이오. 이 믿음에 따라 나는 유장을 버리고 귀순한 것이오. 더구나 공의 선친은 지난날 유황숙과 더불어 역적을 토벌하기로 약속하신 분인데, 공은 어찌하여 어둠을 버리고 밝음을 취하여 위로는 선친의 원수를 갚고 아래로 큰 공명을 세우려 하지 않으시오?"

말을 다 들은 마초는 크게 깨달으며 기뻐했다. 곧 양백을 불러들여 한칼에 목을 벤 후, 그의 수급을 들고 이회와 더불어 관으로 가서 현덕에게 항복했다. 현덕이 친히 나와 마초를 공손히 맞아들이고 귀빈의 예로 대접했다. 마초가 머리를 조아리며 사례한다.

"이제 밝은 주인을 만나뵙게 되니 구름과 안개가 걷힌 푸른 하늘을 보는 것 같습니다."

이때는 손건도 이미 관으로 돌아와 있었다. 현덕은 다시 곽준과 맹달에게 가맹관을 지키라 이르고 군사를 거두어 성도를 치러 갔다. 조자룡과 황충이 나와 유현덕을 면죽관으로 맞아들이는데, 수하사람이 와서 촉의 장수 유준(劉晙)과 마한(馬漢)이 군사를 거느리고 온다고 고했다. 조자룡이 성큼 나서며 말한다.

"제가 가서 두 사람을 사로잡아오겠습니다."

그러고는 말에 올라 군사를 거느리고 싸우러 나갔다. 유현덕은 마초를 대접하기 위해 술자리를 마련하게 했는데, 모두 자리를 잡고 앉기도 전에 조자룡이 어느새 적장 두 사람의 수급을 들고 돌아와 바쳤다. 마초는 조자룡의 용맹스러움에 놀라는 한편 더욱더 공경하는 마음을 품게 되었다. 마초가 말한다.

"주공께서 손수 군사를 거느리고 싸우실 것 없습니다. 제가 가서 유장을 불러내 항복하도록 하겠습니다. 만일 항복하지 않으면 아우 마대와 더불어 성도를 쳐서 주공께 바치겠습니다."

마초의 말에 유현덕은 크게 기뻐하며 술자리를 즐기니 잔치는 온종일 계속되었다.

한편, 패주한 군사들이 익주에 이르러 유장에게 패전 사실을 보고하자 유장은 크게 놀라 성문을 굳게 닫아걸었다. 그때 사람이 와서 마초가 구원병을 거느리고 성 북쪽에 이르렀다고 알렸다. 유장이 급히 성위에 올라 바라보니, 과연 마초와 마대 형제가 성밑에서 큰소리로 외치고 있었다.

"유계옥은 나와서 답하시오."

유장이 성위에서 무슨 뜻이냐고 되묻자 마초가 말탄 채로 채찍을 들어 가리키며 소리친다.

"내 본래 장로의 군사를 거느리고 익주를 구하러 왔으나, 장로가 양송의 모함을 듣고 오히려 나를 해치려 할 줄 누가 알았겠소. 나는 이미 유황숙께 항복했소. 귀공도 지체하지 말고 항복하여 수많은 백성들의 고생을 면하도록 하시오. 만일 항복하지 않고 어리석은 고집을 부린다면 내가 먼저 성을 공격하겠소!"

이 말을 듣고 유장은 너무도 놀라 안색이 흙빛으로 변하더니 그만 기절하여 쓰러졌다. 좌우 사람들이 달려들어 정신을 차리게 하니 유장은 겨우 몸을 일으켜 힘없이 말한다.

"내 어리석음을 이제 와서 후회한들 무슨 소용이랴. 성문을 열고 항복해 백성들을 구하느니만 못하도다."

이때 동화가 나서서 만류한다.

"성안에 군사가 3만여명이고 일년을 버틸 만한 돈과 비단, 군량과 마초가 있는데 어찌하여 항복하신단 말씀입니까?"

유장이 고개를 가로저으며 말한다.

"우리 부자가 촉땅을 다스린 지 어언 20여년이오. 하지만 그간에 백성들에게 은혜와 덕을 베풀지 못했고, 지난 3년 동안의 전쟁으로 피와 살이 들판에 널렸으니, 이는 모두 나의 죄요. 어찌 내 마음이 편하겠소? 차라리 항복하여 백성들을 편안히하고자 하오."

유장의 말을 듣고 모두들 비감해 눈물을 흘리는데, 문득 한 사람이 나와 아뢴다.

"주공의 말씀이 바로 하늘의 뜻에 합당합니다."

사람들이 보니 그는 파서 서충국(西充國) 출신으로 이름은 초주(譙周)요 자는 윤남(允南)이며, 천문에 능통한 사람이었다. 유장이 그 말의 까닭을 물으니 초주가 대답한다.

"제가 밤에 천문을 보니 많은 별들이 촉땅에 모였는데, 그중에 큰 별 하나가 달처럼 밝게 빛나니 이는 바로 제왕의 상입니다. 더구나 한 해 전에 아이들이 부른 노래에도 '새 밥을 먹으려거든 먼저 주인이 오실 때를 기다려라(若要吃新飯 須待先主來)' 했습니다. 이 모든 징조가 하늘의 뜻이니 이를 거역해서는 안됩니다."

황권과 유파가 이 말을 듣고 크게 노해 칼을 빼들고 초주를 죽이려 하자 유장이 말렸다. 이때 갑자기 보고가 들어왔다.

"촉군 태수 허정(許靖)이 성밖으로 나가 항복했습니다."

유장은 목놓아 울며 부중으로 들어갔다.

이튿날 수하사람이 와서 유황숙이 막빈(幕賓) 간옹을 사자로 보냈는데, 지금 성 아래에 와서 문 열어주기를 청하고 있다고 고하니 유장은 성문을 열어 영접하라고 명했다. 간옹이 수레를 타고 들어오는데 그 태도가 심히 오만하다. 갑자기 한사람이 칼을 빼들고 뛰쳐나오며 크게 꾸짖는다.

"하찮은 놈이 뜻을 이루었다고 방약무인이로구나. 네 감히 우리 촉땅 사람들을 이렇듯 업신여길 수가 있느냐!"

간옹이 황망히 수레에서 내리더니 그 사람에게 절을 올렸다. 그는 광한(廣漢) 면죽 사람으로 성명은 진복(秦宓)이요 자는 자칙(子勅)이었다. 간옹은 진복에게 웃으며 말한다.

"내 미처 형을 알아보지 못했구려. 너무 책망하지 마시오."

간옹은 진복과 함께 유장을 만나, 유현덕이 관대하고 인자한 사람이며 절대 해칠 뜻이 없음을 간곡하게 설득했다. 마침내 유장은 항복할 뜻을 굳히고 간옹을 후대했다.

다음날 유장은 손수 인수와 문적(文籍)을 싸들고 간옹과 함께 수레를 타고 성을 나와 유현덕에게 항복했다. 유현덕은 영채에서 나와 친히 영접하며 유장의 손을 잡고 눈물을 흘린다.

"내가 인의를 행하려 하지 않은 게 아니라, 형세가 어쩔 수 없어 이렇게 되었소이다."

유장이 영채로 들어가 인수와 문적을 현덕에게 넘겨주니, 이윽고 두 사람은 말머리를 나란히하고 함께 성도 성안으로 들어갔다. 유현덕이 성안으로 들어서자 백성들은 향기로운 꽃과 등촉을 들고 나와 영접했다.

현덕이 공청에 이르러 당상에 올라앉으니 그곳 관원들이 빠짐없이 나와 당하에서 절을 올리는데 황권과 유파만은 문을 굳게 닫아걸고 나오지 않았다. 여러 장수들이 격분해 당장 달려가 두 사람을 죽이려 하니 현덕이 황망히 영을 내려 제지한다.

"만일 두 장수를 해치는 자가 있으면 그 삼족을 멸하리라."

엄명을 내린 후 현덕이 몸소 두 사람을 찾아가 벼슬길에 나오기를 청하니, 두 사람 모두 현덕의 높은 은혜에 감동하여 나왔다. 공명이 현덕에게 말한다.

"이제 서천을 평정했으니 두 주인을 섬길 수는 없는 일입니다. 주공께서는 유장을 형주로 보내십시오."

현덕이 대답한다.

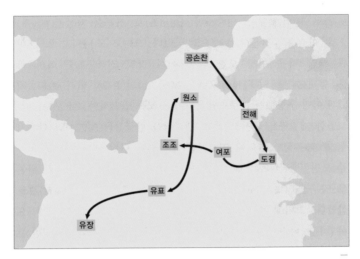

유비는 오랜 역정을 거쳐 익주에 정착하다

"내가 방금 촉군을 얻었는데 어찌 계옥을 멀리 보낼 수 있겠소?"

"유장이 기업을 잃은 것은 유약했기 때문입니다. 그런데 주공께서도 아녀자 같은 마음으로 결단을 내리지 못하신다면 이 땅을 오래 보전하지 못할까 두렵습니다."

현덕은 공명의 말에 따르기로 했다. 크게 잔치를 베풀어 유장을 위로하고 진위장군(振威將軍)의 인수를 내리는 한편 재물을 수습해 처자와 종자들을 거느리고 남군(南郡) 공안(公安)땅으로 부임하도록 했다. 유장은 그날로 익주를 떠났다.

현덕은 스스로 익주목(益州牧)이 되어 항복한 문무관료들에게 후한 상과 벼슬을 내렸다. 엄안을 전장군(前將軍)으로 삼고 법정을 촉군 태수로, 동화를 장군중랑장(掌軍中郎將)으로, 허정을 좌장군장사(左將軍

長史)로, 방의(龐義)를 영중사마(營中司馬)로, 유파를 좌장군(左將軍)으로, 황권을 우장군(右將軍)으로 삼았다. 그리고 그 나머지 오의·비관·팽양·탁응·이엄·오란·뇌동·이회·장익·진복·초주·여의·곽준·등지(鄧芝)·양홍(楊洪)·주군(周羣)·비의(費禕)·비시(費詩)·맹달과 이미 투항했던 문무관원 60여명을 모두 발탁하여 기용했다.

또한 제갈량을 군사로 삼고, 관운장을 탕구장군(蕩寇將軍) 한수정후(漢壽亭侯)로, 장비를 정로장군(征虜將軍) 신정후(新亭侯)로, 조자룡을 진원장군(鎭遠將軍)으로, 황충을 정서장군(征西將軍)으로, 위연을 양무장군(揚武將軍)으로, 그리고 마초를 평서장군(平西將軍)으로 삼았다. 그밖에 손건·간옹·미축·미방·유봉·오반·관평·주창·요화·마량·마속·장완·이적 등과 지난날 형주·양양땅의 모든 일반 문무관원들까지 벼슬을 올려주고 상을 내렸다.

사자를 시켜 황금 5백근·은 1천근·전(錢) 5천만과 촉땅에서 나는 비단 1천필을 관운장에게 보내고, 그 나머지 관원과 장수 들에게도 직위에 따라 차등을 두어 후하게 상을 내렸다. 한편으로는 소와 말을 잡아 군사들을 배불리 먹이고, 창고를 열어 백성들에게 골고루 나누어주니 군사들과 백성들 모두 기뻐해 마지않았다.

익주를 완전히 평정한 현덕은 성도의 기름진 논밭과 가옥을 여러 관리들에게 나누어주려 했다. 조자룡이 나서서 간한다.

"익주 백성들이 여러 차례 난리를 겪어 집과 논밭을 잃었으니 이제 마땅히 백성들에게 돌려주어 편안히 생업에 종사하게 해야 민심이 따를 것입니다. 이를 빼앗아 사사로이 상으로 내림은 온당치 않습니다."

현덕은 흔쾌히 조자룡의 말을 따랐다. 또 한편으로 군사 제갈량으로 하여금 치국(治國)을 위한 조례를 정하게 했는데, 그 형법이 매우 까다롭고 엄중했다. 법정이 말한다.

"옛날 고조께서는 약법삼장(約法三章, 살인한 자는 죽이고, 사람을 상하게 한 자. 도둑질한 자는 벌한다는 세 조목만의 법)으로 다스려 백성들이 그 은덕에 감복했다 하지 않습니까. 그러니 군사께서도 형벌을 줄이고 법령을 간단히하여 백성을 위로하심이 어떠한지요?"

공명이 대답한다.

"그대는 참으로 하나만 알고 둘은 모르오. 그것은 진(秦)나라 법이 모질고 가혹해 만백성이 원망한 까닭에 한고조께서 어질고 관대한 덕으로 다스리신 것이오. 하지만 유장은 어리석고 유약해 덕으로 다스리지 못한데다 형벌은 위엄을 잃어 임금과 신하의 도리가 무너졌소. 총애하여 직위를 자꾸 올려주면 직위가 높아질 대로 높아진 사람은 잔악해지고, 순종시킨다고 은혜를 베풀기만 하다가 더이상 은혜를 베풀지 못하게 되면 백성들은 태만해지니, 그런 까닭으로 폐단이 오늘에 이른 것이오. 이제 법의 위엄을 세워 잘 시행되면 은혜를 알게 되고, 벼슬에 한계를 두면 벼슬이 높아질수록 그 영광을 알게 될 것이오. 은혜와 영광을 아울러 베풀면 위아래가 절도 있어질 터이니, 이로써 나라를 다스리는 도리를 삼으려 하오."

법정은 공명의 설명을 듣고 감복하여 절했다. 그 이래로 군사와 백성들이 안정되었다. 공명은 41주에 군사를 파견해 지키고 위무하며 두루 평정했다.

그런데, 촉군 태수에 오른 법정은 평소 남에게 받은 작은 은혜를 잊지 않고 갚는 반면 자질구레한 원한을 참지 않고 보복하는 사람이었다. 어떤 사람이 나서서 공명에게 고한다.

"효직의 횡포가 지나치니 주의를 주시지요."

공명이 말한다.

"지난날 주공께서 어렵게 형주를 지키면서 북으로는 조조의 위세를 두려워하고 동으로는 손권을 꺼려하시다가, 마침내 효직의 도움으로 몸을 일으켜 날개를 활짝 펴고 남의 압제를 받지 않게 되었소이다. 그런데 지금 효직의 행동을 금하여 작은 일도 뜻대로 못하게 해서야 되겠소?"

공명이 자신의 소행을 불문에 부친 이야기를 전해듣고 법정은 스스로 부끄럽게 여겨 매사에 삼가는 마음을 가지게 되었다.

하루는 유현덕이 공명과 한담을 나누고 있는데, 지난번에 관운장에게 금은과 비단을 내린 일로 관평이 사례하러 왔다는 보고가 들어왔다. 현덕이 불러들이니 관평이 절을 올리고 서신을 전한다.

"아버님께서 마초의 무예가 출중하다는 말을 들으시고 서천에 와서 한판 겨루어보고 싶다고 하십니다. 그래서 오늘 백부님께 그 뜻을 전하러 왔습니다."

현덕은 크게 놀란다.

"만일 운장이 여기 와서 맹기와 무예를 겨룬다면 두 사람이 비길 수는 없는 일 아닌가!"

공명이 말한다.

"걱정 마십시오. 제가 관운장에게 서신을 써보내겠습니다."

유현덕은 관운장의 급한 성미를 염려하여 즉시 공명에게 서신을 쓰게 하고 관평에게 밤낮을 가리지 말고 달려서 형주로 돌아가라고 일렀다. 관평이 형주로 돌아오자 운장이 묻는다.

"마맹기와 무예를 겨루고 싶다는 내 뜻은 전하였느냐?"

관평이 말한다.

"말씀을 올렸더니 군사께서 서신을 써주셨습니다."
운장이 서신을 펴보니 다음과 같다.

듣자니 장군께서 맹기와 무예를 겨루고 싶다 하셨다는데, 내 생
각으로는 비록 맹기의 용맹이 출중하다지만 그저 경포(黥布)나 팽
월(彭越)의 무리(둘다 한고조 시대의 맹장)에 불과하오. 장익덕과는 말을
달려 앞서거니 뒤서거니 다툴 만한 정도이나, 미염공(美髥公)의 절
륜한 용맹에는 따르지 못할 것이오. 지금 귀공이 형주를 지켜야 하
는 막중한 임무를 두고 서천에 왔다가 만약 형주를 잃는 날에는 그
큰 죄를 말로 다할 수 없으니 부디 깊이 헤아리고 밝게 살피시오.

관운장은 편지를 읽고 나서 수염을 쓰다듬으며 기분좋게 웃는다.
"과연 공명이 내 마음을 아는구나!"
좌중에 편지를 돌려 읽히며 서천에 갈 생각을 접었다.

한편, 동오의 손권은 유현덕이 서천을 얻고 유장을 공안 지방으로
보냈다는 보고를 받자 곧 장소와 고옹을 불러들여 형주를 되찾을 일
을 의논했다.
"애당초 유비가 우리 형주땅을 빌릴 때 서천을 얻게 되면 형주를
돌려주마고 했소. 이제 그들이 파촉(巴蜀) 41주를 얻었으니 우리는
반드시 옛땅을 되찾아야 하오. 유비가 형주를 돌려주지 않으면 군사
를 일으켜서라도 찾아야 할 것이오."
장소가 나서서 말한다.
"동오가 이제야 겨우 안정되었는데 지금 군사를 일으켜서는 안됩

니다. 제게 한 가지 계책이 있으니, 유비가 두 손으로 형주를 받들어 주공께 바치게 하겠습니다."

서촉에서 바야흐로 새 세상이 열리는데   西蜀方開新日月
동오는 또 옛 산천을 찾으려는구나   東吳又索舊山川

장소의 계책이란 과연 무엇일까?

66

三
國
志

조조가 황후를 시해하다

관운장은 칼 한 자루 들고 연회에 참석하고
복황후는 나라를 위하다가 목숨을 버리다

장소가 손권에게 형주를 되찾을 계책을 말한다.

"유비가 의지하는 사람은 오로지 제갈량뿐입니다. 그의 형 제갈근
이 우리 동오에 있지 않습니까. 그의 가족을 잡아가두십시오. 그런 다
음 제갈근을 서천으로 보내 그의 아우 제갈량이 유비를 설득해 형주
를 돌려주도록 하십시오. '만일 형주를 돌려주지 않으면 내 가족들이
모두 죽게 되었다'고 하면 제갈량도 육친의 정을 생각해 반드시 응할
것입니다."

손권이 말한다.

"제갈근은 성실한 군자인데 어찌 차마 그의 가족을 가두어둔단 말이오?"

"그저 계책일 뿐임을 알려주면 마음을 놓을 것입니다."

손권은 장소의 계획에 따르기로 했다. 즉시 제갈근의 가족을 모두 불러들여 거짓으로 관부에 가두고는, 제갈근에게 서신을 주어 서천으로 보냈다. 며칠 만에 성도에 당도한 제갈근은 먼저 현덕에게 사람을 보내 자신이 왔음을 알렸다. 현덕이 공명에게 묻는다.

"형님 되시는 분이 무엇 때문에 여기 오신 것 같소?"

"형주를 되찾으러 왔을 겁니다."

"그럼 내가 어떻게 대답해야 하오?"

공명은 유현덕에게 이러이러하게 대답하라고 일러주었다. 계책을 정하고 나서 공명은 성밖으로 나가 제갈근을 영접했는데, 형을 자신의 집으로 데려가지 않고 빈관(賓館, 귀한 손님을 모시는 집)으로 안내했다. 인사를 마치자마자 제갈근은 소리내어 통곡을 한다.

"형님, 대체 무슨 일이십니까? 말씀을 하셔야지 이렇게 우시면 어찌합니까?"

공명의 말에 제갈근이 한숨을 내쉬며 말한다.

"내 가족들은 모두 이제 끝장이 났구나……"

"형주를 돌려받지 못해서 그런 것 아닙니까? 이 아우 때문에 형님 가족들을 잡아가두었다니 제 마음인들 어찌 편하겠습니까. 제게도 생각이 있으니 형님께서는 너무 걱정 마십시오. 형주를 곧 돌려드리도록 하겠습니다."

제갈근은 크게 기뻐하며 즉시 공명과 더불어 현덕에게로 가서 인사하고 손권의 서신을 바쳤다. 현덕은 제갈근으로부터 서신을 받아 읽고 나서 벌컥 화를 낸다.

"손권이 제 누이를 내게 시집보내놓고 내가 형주를 비운 틈에 몰래 빼내갔으니 정리로 보아도 어찌 용서할 수 있겠소? 내 지금 서천 군사를 이끌고 강남으로 쳐들어가 원한을 갚으려는 생각뿐인데, 오히려 형주를 돌려달란 말인가!"

바로 그때 공명이 울면서 땅에 엎드려 말한다.

"오후가 형님의 가족들을 잡아가두었으니 형주를 돌려주지 않으면 형님 일가는 참살당할 것입니다. 형님이 죽고 어찌 저 혼자 살 수 있겠습니까? 바라건대 주공께서는 저의 얼굴을 보아서라도 형주를 동오에 돌려주시고 저희 형제간의 정을 온전하게 해주소서!"

공명이 거듭 청했으나 현덕은 받아들이지 않았다. 마침내 공명이 울면서 매달리니 현덕이 마지못해 대답한다.

"내 군사의 체면을 보아 형주의 절반을 떼어 장사(長沙)·영릉(零陵)·계양(桂陽) 세 지방을 내주겠소."

공명이 말한다.

"기왕 주공께서 허락하신 일이니, 즉시 관운장에게 편지를 보내 세 지방을 돌려주라 하십시오."

현덕이 제갈근에게 말한다.

"편지를 써드릴 테니 자유(子瑜, 제갈근의 자)께서 직접 형주에 가서 내 아우 운장에게 잘 말씀해보시오. 내 아우의 성미가 워낙 불 같아서 나도 두려울 때가 있으니, 아무쪼록 잘 알아듣게 말씀하셔야 할 거요."

유현덕의 서신을 받아들고 물러나온 제갈근은 공명과 헤어져 즉시 형주로 떠났다.

유비는 형주의 절반을 동오에 내주는 체하다

　관운장은 제갈근이 왔다는 보고에 중당(中堂)으로 청해들였다. 서
로 인사를 나누고 손님과 주인이 자리를 가려 앉자 제갈근이 먼저 유
현덕의 편지를 내놓으며 말한다.

　"황숙께서 이미 세 지방을 동오에 돌려주라고 허락하셨으니, 장군
께서는 즉시 돌려주시오. 그래야만 내가 돌아가서 우리 주공께 면목
이 서겠소이다."

　제갈근의 말에 관운장의 안색이 변한다.

　"나는 우리 형님과 도원에서 형제의 의를 맺으며 반드시 한나라 황
실을 바로잡기로 맹세했소. 형주로 말할 것 같으면 애초에 한나라 강
토라는 걸 천하가 다 아는데, 한치의 땅인들 어찌 함부로 내줄 수 있
겠소? 장수가 외지에 나가 있을 때는 비록 임금의 명이라도 거역할

598

수 있다 했소. 아무리 형님의 서신을 가지고 왔다 해도 나는 단 한치의 땅도 동오에 내줄 수 없소이다!"

제갈근이 애원한다.

"오후가 지금 내 가족을 잡아가두었소이다. 만일 형주를 돌려받지 못하면 모조리 죽임을 당할 것이니, 바라건대 장군은 이를 가엾게 여겨주오!"

운장이 코웃음을 친다.

"그 모두가 오후의 계책인데, 내가 속아넘어갈 것 같소?"

"장군께서는 어찌 이리도 경우가 없으시오?"

그 말에 관운장은 손에 칼을 잡으며 말한다.

"더이상 말하지 말라. 이 칼에는 원래 경우가 없느니라!"

관평이 보다 못해 만류한다.

"군사의 체면을 봐서라도 아버님께서는 노여움을 거두십시오."

운장이 제갈근에게 말한다.

"군사의 체면을 생각지 않았다면 그대를 동오에 살려보내지 않았을 게요."

제갈근은 큰 수모를 당하고 나서 급히 배를 타고 공명을 만나러 다시 서천으로 갔다. 그러나 공명은 이미 각군을 순시하러 떠나고 없었다. 할수없이 제갈근은 현덕을 찾아가 뵙고, 관운장이 명에 따르기는 커녕 자신을 죽이려 했다고 울면서 고했다. 현덕이 시치미를 떼고 말한다.

"내 아우는 성미가 워낙 급해서 한번 화를 내면 함부로 말을 붙이기가 어렵소. 자유는 잠시 동오로 돌아가 계시오. 내가 장로의 동천 한중땅을 얻게 되면 관운장을 그리로 보내 지키게 할 테니, 그때 형주를 돌려드리겠소이다."

제갈근은 하는 수 없이 동오로 돌아와 손권에게 자초지종을 자세히 이야기했다. 다 듣고 난 손권이 대로하여 말한다.

"자유가 이번에 소득도 없이 분주하게 다닌 것은 모두 공명의 계책이오!"

제갈근이 황망히 말한다.

"아닙니다. 내 아우도 현덕에게 울면서 고하여 세 지방을 돌려받기로 허락받은 것인데, 관운장이 완강히 내놓지 않으니 어쩌겠습니까?"

"좌우간 유비가 우선 세 지방을 돌려준다고 했으니, 장사·영릉·계양에 관리를 부임시키고 저들이 어찌 나오는지 한번 봅시다."

제갈근이 힘없이 대답한다.

"주공의 말씀이 가장 그럴듯합니다."

손권은 제갈근의 식구들을 모두 풀어주고 나서 장사·영릉·계양 3군에 관리를 부임시켰다. 그러나 3군에 파견된 관리들은 하루도 견디지 못하고 쫓겨와서 손권에게 고한다.

"관운장이 우리를 받아들이지 않아 그 밤으로 동오 경계까지 쫓겨났는데, 자칫 죽을 뻔했습니다."

손권은 크게 화가 나서 즉시 노숙을 불러들여 꾸짖는다.

"지난날 자경(子敬, 노숙의 자)이 보증을 서서 유비에게 형주를 빌려주었는데, 이제 유비는 서천을 얻고도 형주를 돌려줄 생각을 않고 있소. 자경은 앉아서 구경만 할 작정이오!"

노숙이 답한다.

"제가 한 가지 계책을 생각해둔 게 있어서 안 그래도 주공께 아뢰려던 참입니다."

"그래 어떤 계책이오?"

"먼저 군사를 육구(陸口)에다 주둔시키고, 사람을 보내 관운장을 모임에 청합니다. 관운장이 응하여 오면 크게 잔치를 베풀어 좋은 말로 타이르고, 듣지 않으면 도부수를 매복해두었다가 죽여버리십시오. 그가 불러도 오지 않는다면 군사를 일으켜 쳐들어가 형주를 빼앗는 것입니다."

"그대의 생각이 나와 같으니 즉시 실행하도록 하오."

그때 감택(闞澤)이 나서서 만류한다.

"안됩니다. 관운장은 범 같은 장수니 섣불리 다루었다가 일이 잘못 풀리면 오히려 우리가 해를 입게 됩니다."

순간 손권은 소리를 버럭 질렀다.

"그렇다면 형주는 대체 언제 되찾을 수 있단 말이냐!"

그러더니 노숙에게 영을 내린다.

"자경은 속히 계획대로 실행하오."

이에 노숙은 육구로 가서 여몽과 감녕 등을 불러 관운장을 다룰 일을 의논했다. 곧 육구의 영채 바깥 임강정(臨江亭)에 잔치자리를 마련하는 한편, 말솜씨 좋고 배포 큰 사람을 골라 관운장을 잔치에 청하는 서신을 가지고 강을 건너게 했다.

강을 건넌 노숙의 사자에게 나루터를 지키고 있던 관평은 온 까닭을 물어보고 그를 형주로 데리고 들어갔다. 사자가 관운장을 뵙고 노숙이 잔치에 청한다는 말을 전하며 가지고 온 서신을 바쳤다. 관운장은 노숙이 보낸 서신을 읽고 나서 좋은 얼굴로 말한다.

"자경이 나를 초대했으니 내 내일의 잔치에 참석해야겠다. 그대는 먼저 돌아가 내 뜻을 전하라."

사자가 떠나고 나서 관평이 걱정스럽게 묻는다.

"노숙이 절대 호의로 청한 것이 아닐 텐데, 아버님께서는 어째서 허락하셨습니까?"

관운장이 웃으며 답한다.

"내 어찌 그걸 모르겠느냐. 분명 제갈근이 돌아가서 손권에게 관운장이 세 지방을 내주지 않는다고 고했을 테니, 손권은 노숙을 시켜 육구에 군사를 주둔시키고, 나를 잔치에 초대해 어서 형주를 내놓으라고 독촉할 작정이겠지. 그러니 가지 않으면 나를 비겁하다고 할 게 아니냐. 내일 작은 배에다 호위병 10여명을 데리고 칼 한자루만 들고 잔치에 가서 노숙이 어쩌는지 구경이나 해야겠다."

관평이 간곡하게 간한다.

"아버님께서는 만금같이 귀중한 몸으로 어찌 호랑이굴로 들어가려 하십니까? 큰아버님께서 당부하신 중책을 저버리실까 두렵습니다."

관운장이 웃으며 말한다.

"내가 헤아릴 수 없이 많은 창칼과 빗발치는 돌과 화살 가운데서도 필마(匹馬)로 무인지경 드나들듯하며 적을 무찔렀는데, 하물며 강동의 쥐새끼 같은 것들을 두려워하겠느냐!"

곁에 있던 마량도 간한다.

"비록 노숙이 장자의 풍모를 지녔다 해도 지금처럼 일이 급해지고 보면 딴생각을 품을 수 있으니, 장군께서는 가벼이 움직이셔서는 안됩니다."

"옛날 전국시대에 조(趙)나라의 인상여(藺相如)는 닭모가지를 비틀 만한 힘도 없으면서 민지(澠池)의 잔치에서 진나라 군신(君臣)을 두려움 없이 대했소(진나라 왕이 민지에서 잔치를 열어 조나라 왕을 모욕하려 하자 인상여가 지혜와 용기로 조나라 왕을 보위한 고사). 하물며 나로 말하자면 만인의 적을 상대하는 법을 배우지 않았소? 내 이미 허락했으니 신의를 잃을 수는 없소이다."

"장군께서 꼭 가셔야 한다면 마땅히 준비가 있어야 할 것입니다."

마량의 말에 운장이 답한다.

"관평은 쾌선 10척에 수군 5백명을 선발해 강 위쪽에 숨어 있다가 내일 내가 붉은 깃발을 흔들거든 강을 건너오도록 해라."

관평은 명을 받고 나가서 그대로 준비했다.

한편, 형주에서 돌아온 사자가 노숙에게 아뢰었다.

"관운장이 내일 오겠다고 쾌히 승낙했습니다."

노숙은 여몽과 대책을 의논한다.

"관운장이 온다는데 어찌하면 좋겠소?"

여몽이 대답한다.

"관운장이 군사를 거느리고 오면 제가 감녕과 함께 각각 한무리의 군사를 거느리고 언덕에 숨어 있다가 포소리를 신호삼아 무찌르겠습니다. 만일 운장이 군사를 거느리지 않고 온다면 정원 뒤에 도부수 50명을 숨겨두었다가 잔치가 무르익을 때 기회를 보아 해치워버리면 될 것입니다."

이튿날, 노숙은 사람을 시켜 언덕에서 강어귀를 지키게 했다. 진시(辰時, 오전 8시)가 조금 지나서 강물 위로 배 한척이 다가왔다. 사공은 몇사람 안되고 배 한쪽에 붉은 깃발이 바람에 나부끼는데, 크게 관(關)자가 씌어 있다. 배는 차츰 남쪽 기슭으로 다가왔다. 배 위에는 푸른 두건에 녹색 전포를 입은 관운장이 앉아 있고, 그 옆에는 주창이 청룡도를 들고 서 있었다. 그밖에는 허리에 칼을 찬 8, 9명의 장정들이 있을 뿐이다. 노숙은 놀랍고 의심스러우면서도 강변으로 나아가 관운장을 영접했다. 서로 예를 갖추어 인사를 올린 두 사람은 자리에 앉아 술잔을 기울이기 시작했다. 노숙은 마음속에 딴생각을 품고 있는 까닭에 감히 운장의 얼굴을 정면으로 바라보지 못하는데, 관운장은 태연자약하게 웃으며 이야기를 나누었다.

술잔이 거듭되어 어느덧 분위기가 무르익었다. 노숙이 말한다.

"군후(君侯)께 한가지 드릴 말씀이 있으니 들어주시면 다행이겠소이다. 지난날 형님 되시는 유황숙께서 나를 보증인으로 세워 우리 주공에게서 형주를 빌리실 적에 서천을 취하면 즉시 돌려주겠다고 약속하셨소. 그런데 지금 서천을 얻었는데도 형주를 돌려주지 않고 계시니, 황숙께서 신의를 저버린 게 아니고 무엇이겠습니까?"

관운장은 태연하게 노숙의 말을 받아넘긴다.

"이는 나라의 일이니 술자리에서 논할 바가 아니오."

"우리 주공께서 변변치 못한 강동땅에 계시면서도 형주를 빌려주신 것은 황숙께서 싸움에 패해 의지할 곳 하나 없이 멀리 와 계신 것이 딱해서였소. 이제 황숙께서 익주를 얻었으니 형주를 돌려주시는 것은 당연한 일, 세 지방만 돌려주시겠다는 것도 안될 말이오. 그런데 그마저도 군후는 따르지 않으시니, 참으로 이치에 어긋나는 일이외다."

관운장이 말한다.

"오림의 전투(烏林之役, 적벽대전) 때 좌장군(左將軍, 현덕이 국가로부터 받은 작위)께서는 친히 비오듯 쏟아지는 돌과 화살을 무릅쓰고 힘을 합쳐 적을 격파하셨는데, 어찌 좁은 땅덩이 하나 차지할 수 없단 말이

관운장은 칼을 차고 노숙의 잔치에 참석하다

오? 그대는 동오의 신하로서 고마워해야 마땅한데도 그러기는커녕 그 땅마저 도로 내놓으란 게요?"

"그렇지 않소이다. 지난날 군후가 유황숙과 함께 장판에서 대패하고 오갈 데 없는 신세로 멀리 달아나야 했을 때 우리 주공께서 의탁할 곳 없는 황숙의 처지를 딱하게 여겨 아낌없이 땅을 빌려주신 것은 훗날 공을 세울 기반을 마련해주고자 함이었소. 이제 황숙은 우리의 호의를 입어 서천을 얻고 형주까지 장악하고서 탐욕에 빠져 의리를 배반한 것이니 천하의 비웃음거리가 될까 걱정이오. 모름지기 군후께서는 깊이 살피시오."

"이 모두 형님께서 알아 하실 일, 내가 간섭할 바 아니오."

"듣자하니 군후는 황숙과 도원에서 결의형제를 맺으면서 생사를 함께하기로 맹세했다니 황숙이 곧 군후이거늘, 어째서 이렇게 서로 핑계만 대신단 말이오?"

관운장이 미처 대답할 말이 없어 머뭇거리고 있는데, 갑자기 뜰 아래 서 있던 주창이 사납게 소리친다.

"천하의 땅은 인덕 있는 자가 다스려야 마땅하다. 어째서 너희 동오만 차지하겠단 말이냐!"

순간 관운장은 낯빛이 변하면서 벌떡 일어났다. 그러더니 주창이 들고 서 있던 큰칼을 빼앗아들고 뜰에 서서 주창을 똑바로 바라보며 꾸짖는다.

"이는 나라의 일인데 네 어찌 감히 함부로 입을 놀리느냐. 당장 나가거라!"

주창은 관운장의 뜻을 눈치채고 먼저 강 언덕으로 나가 붉은 깃발을 휘둘렀다. 기다렸다는 듯 강 건너편에서 관평의 쾌선들이 쏜살처럼 강을 건너왔다. 관운장은 한손에 큰칼을 들고 다른 한손으로는 노숙의 손을 끌어당기며 짐짓 취한 체 말한다.

"공이 오늘 나를 잔치에 청하셨으니 형주 일은 더이상 입에 올리지 마시오. 내 이미 취하여 오랜 정이 상할까 두렵소이다. 내 다음에 귀공을 형주로 초청해 잔치를 베풀 터이니 그때 다시 상의합시다."

노숙은 혼이 빠진 듯 관운장에게 끌려 강변으로 나섰다. 여몽과 감녕은 당장에라도 본부 군마를 풀고 싶지만, 운장이 한손에는 칼을 쥐고 또 한손에는 노숙을 잡고 놓지 않으니, 혹시라도 노숙이 다칠까 염려되어 감히 움직이지 못한다. 관운장은 나루터에 이르러 노숙의 손을 놓고, 뱃전에 올라서야 작별인사를 한다. 노숙은 바보처럼 서 있고 관공이 탄 배는 이미 바람을 타고 떠나갔다.

후세 사람이 관공을 찬탄한 시가 있다.

오나라 신하를 어린아이처럼 보고	藐視吳臣若小兒
칼 한 자루로 연회에 나가니 감히 해칠소냐	單刀赴會敢平欺
그 당시 관운장의 영웅스런 기개야	當年一段英雄氣
인상여 민지의 일보다 더 대단해라	尤勝相如在澠池

관운장이 형주로 돌아가니, 노숙은 여몽과 더불어 의논한다.

"이번 계책도 성사되지 않았으니 어쩌면 좋겠소?"

여몽이 말한다.

"어서 주공께 보고드리고 군사를 일으켜 관운장과 결전을 벌일 수밖에 없소이다."

노숙이 손권에게 사람을 보내 일의 전말을 보고하니, 손권은 노발대발하며 온 나라의 군사를 일으켜 형주를 치기로 했다. 문무관료들을 모아 형주 공략을 의논하는 중에 문득 파발꾼이 들어와 알린다.

"조조가 다시 30만 대군을 일으켜 쳐들어온다고 하옵니다."

손권은 크게 놀라 즉시 노숙에게 전교를 내렸다.

"형주를 치려던 군사를 잠깐 멈추고, 우선 합비와 유수(濡須)로 돌려서 먼저 조조를 막도록 하라!"

한편 조조는 남정(南征)을 위해 군사를 일으키려 하고 있었다. 그때 참군(參軍)으로 있던 부간(傅干)은 자가 언재(彦材)로, 조조에게 글을 올려 간했다. 그 내용은 다음과 같다.

제가 듣건대 무(武)를 쓰는 데는 위엄이 앞서야 하고, 문(文)을 쓰는 데는 덕이 앞서야 하며, 위엄과 덕을 아울러 베풀어야 왕업을 이룬다고 하였습니다. 지난날 천하가 크게 어지러워 명공께서는 무를 써서 열에 아홉을 평정하셨사옵니다. 허나 아직도 왕명을 거역하는 자가 있으니, 바로 오와 촉입니다. 오는 장강이 있어 지세가 험하고 촉은 높은 산이 가로막고 있으니, 위엄만으로는 이기기 어렵습니다. 제 어리석은 소견으로는 마땅히 문덕(文德)을 닦으면서 군사를 쉬게 하고 선비를 기르며 적절한 때를 기다렸다가 움직여야 할 줄로 아옵니다. 만약에 지금 수십만 군사를 일으켜 장강에 주둔시켰다가, 적들이 험준한 지세를 이용해 깊숙이 숨어서 우리 군마가 능히 제 힘을 다하지 못하게 하고 기이한 계책으로 우리 권위를 무너뜨린다면, 이는 하늘의 위엄이 꺾이는 일이 될 것입니다. 부디 명공께서는 자세히 살피시기 바라옵니다.

조조가 이 글을 보고 마침내 남정의 뜻을 접었다. 우선 학교를 지어 문사들을 초빙하고 예로써 대우했다. 이무렵 시중(侍中) 왕찬(王粲) · 두습(杜襲) · 위개(衛凱) · 화흡(和洽) 등 네 사람이 조조를 위왕(魏王)으로 모셔야 한다는 공론을 일으켰다. 이에 중서령(中書令) 순유(荀攸)가 단호한 어조로 반대한다.

"안될 말이오. 승상의 벼슬이 이미 위공에 이르렀고 그 영광에 구석(九錫, 천자가 공로가 큰 사람에게 하사하는 아홉 가지 물품)을 더해 지위가 극에 달하였는데, 이제 다시 왕위에까지 오른다면 이치에 어긋나오."

순유의 말을 들은 조조는 무척 노여워했다.

"그놈이 순욱을 본받고 싶다는 게냐!"

순유가 조조의 말을 전해듣고는, 근심과 울화가 병이 되어 앓아눕더니 10여일 만에 세상을 하직했다. 그의 나이 쉰여덟이었다. 조조는 순유의 장례를 후하게 치러주고, 위왕이 되려던 뜻을 접었다.

하루는 조조가 칼을 차고 입궁했다. 헌제와 복황후가 함께 앉아 있었는데, 복황후는 조조가 들어오는 것을 보고 깜짝 놀라 자신도 모르게 자리에서 일어났다. 헌제는 벌벌 떨며 어찌할 바를 몰랐다. 조조가 말한다.

"손권과 유비가 각기 한 지방의 패권을 차지하고 조정을 업신여기니 어찌하면 좋겠소이까?"

황제가 겨우 대답한다.

"모든 일을 위공이 알아서 처리하시오."

조조가 화를 벌컥 낸다.

"폐하의 이런 말을 누가 듣는다면 내가 임금을 기망한다고 하지 않겠소!"

황제가 풀이 죽어 말한다.

"승상이 나를 보좌해준다면 심히 다행스런 일이겠소. 그러나 그렇지 못하겠거든 부디 은혜를 베풀어 퇴위시켜주시오."

조조는 성난 눈으로 황제를 쏘아보며 나가버렸다. 좌우 사람이 황제에게 아뢴다.

"요즈음 소문에 의하면 위공이 스스로 왕이 되려고 한다니, 머지 않아 제위까지 찬탈하려 할 것입니다."

이 말에 헌제와 복황후는 소리내어 울었다. 한참만에 황후가 울음을 그치고 말한다.

"신첩의 아비 복완(伏完)은 언제나 조조 죽일 생각을 하고 계시니, 제가 이제 서신 한통을 써보내 은밀히 아비와 더불어 일을 도모할까 합니다."

황제가 걱정스러운 빛으로 말한다.

"지난날 동승이 일을 도모하다 누설되어 도리어 조조에게 큰 화를 입지 않았소? 이번에 또다시 비밀이 누설된다면 짐과 그대는 정말 마지막이오!"

황후가 말한다.

"밤낮으로 바늘방석에 앉아 있는 듯합니다. 이렇게 사느니 차라리 일찍 죽느니만 못하지 않습니까. 신첩이 보기에 환관들 중에서 목순(穆順)은 충성스런 신하로 일을 맡길 만하오니, 그를 시켜 아버님께 밀서를 보내겠나이다."

헌제와 복황후는 즉시 목순을 병풍 뒤로 불러들이고 좌우 근신들을 모두 내보낸 뒤 울면서 당부한다.

"역적 조조가 위왕이 되려는 마음에 머지않아 제위를 찬탈하려 할 것이다. 짐이 황후의 부친 복완을 시켜 역적을 없애려는데, 좌우가 모두 조조의 심복들이라 맡길 만한 인물이 없구나. 이제 네게 황후의 밀서를 줄 테니 은밀히 복완에게 전해주길 바란다. 너의 충의를 짐작건대, 반드시 짐을 저버리지 않으리라."

목순도 울며 아뢴다.

"신은 폐하의 큰 은혜에 감격하옵니다. 죽기를 각오하고 황은(皇恩)에 보답하겠사오니, 그 일을 맡겨주시옵소서."

복황후는 즉시 밀서를 써서 목순에게 내주었다. 목순은 밀서를 머리 안에 감추고 몰래 궁을 빠져나왔다. 복완의 집에 당도한 목순이 밀서를 바치니, 복황후의 친필을 확인한 복완이 말한다.

"역적 조조의 심복이 너무 많아 갑자기 일을 도모할 수는 없소. 강동의 손권과 서천의 유비가 군사를 일으키면 조조가 반드시 싸우러 나갈 테니, 그 틈을 타서 조정의 충의로운 신하들이 함께 계책을 세워 안팎으로 조조를 협공한다면 가히 뜻을 이룰 수 있을 것이오."

목순이 말한다.

"황장(皇丈, 황제의 장인)께서는 황제와 황후께 답신을 올려 밀조를 받으시고, 오와 촉 두 곳에 몰래 사람을 보내 군사를 일으킬 날짜를 정한 다음 역적 조조를 토벌하여 주군을 구하십시오."

복완은 그 자리에서 답신을 써서 목순에게 건넸다. 목순은 그 답신을 다시 머리 속에 감추고 복완과 헤어져 궁으로 향했다. 그러나 벌써 누군가 목순이 수상쩍다고 보고한 까닭에 조조는 먼저 궁궐 문앞에서 기다리고 있었다. 궁궐 문으로 들어서는 목순에게 조조가 묻는다.

"어딜 갔다 오느냐?"

목순은 태연하게 대답한다.

"황후께서 편찮으셔서 의원을 부르러 갔다오는 길입니다."

"그럼 의원은 어디 있느냐?"

"아직 당도하지 않았습니다."

조조가 좌우에게 호통을 치며 몸수색을 하게 했다. 여러 사람이 달려들어 목순의 몸을 뒤졌으나 이렇다 할 만한 것이 나오지 않았다. 조조가 도리없이 목순을 놓아보내려는데, 홀연 바람이 거세게 불어 목순의 관모를 날려 떨어뜨린다. 조조는 다시 목순을 불러세우고 떨어진 관모를 살펴보았다. 그러나 역시 아무것도 나오지 않았다. 조조는 관모를 되돌려주며 쓰라고 했다. 목순이 얼른 받아 머리에 쓴다는 것이 그만 엉겁결에 돌려쓰고 말았다. 갑자기 의심이 든 조조가 큰소리로 좌우에게 명한다.

"저놈의 머리 속을 뒤져라!"

과연 머리 속에서 복완의 밀서가 나왔다. 조조가 밀서를 훑어보니 유비·손권 등과 결탁해 밖에서 지원하도록 한다는 내용이었다. 노기등등해진 조조가 목순을 밀실에 잡아가두고 심문했지만 목순은 끝내 아무 말도 하지 않았다. 그날밤으로 조조는 무장군사 3천명을 풀어 복완의 집을 에워싸고 남녀노소 가릴 것 없이 모두 잡아들였다. 그리고 온 집안을 뒤져 마침내 복황후의 친필 밀서를 찾아내고는 불같이 화를 내며 복씨 삼족을 모조리 옥에 가두었다. 다음날 이른 아침, 조조는 어림장군(御林將軍) 치려(郗慮)에게 권한을 집행할 절(節, 허가증)을 주고 궐 안에 들어가 먼저 황후의 새수(璽綬, 옥새와 그 인끈)를 거두어들이라 명했다.

그날 외전에 있던 헌제는 갑자기 치려가 무장한 군사 3백명을 거느리고 들어오는 것을 보고 깜짝 놀라 묻는다.

"무슨 일이냐?"

"위공의 명을 받들어 황후의 새수를 거두려 하나이다."

비밀이 누설되었음을 안 순간 헌제는 심장과 간담이 찢어지는 듯했다. 치려가 후궁(后宮)으로 들이닥쳤을 때 복황후는 방금 침소에서 일어난 참이었다. 치려는 새수를 맡아보는 관리를 불러 옥새를 빼앗더니 말 한마디 없이 나가버렸다. 복황후는 일이 탄로났음을 알고 급히 전각 뒤 초방(椒房, 호초를 넣어 벽을 바른 황후의 방)으로 들어가 좁은 벽 사이에 몸을 감추었다. 잠시 후 상서령(尚書令) 화흠(華歆)이 무장군사 5백명을 이끌고 후궁으로 들어와 궁인들에게 다그쳐 묻는다.

"복황후는 어디 있느냐?"

궁인들은 모두 알지 못한다고 답했다. 화흠은 군사들을 이끌고 초방으로 가서 문을 활짝 열어젖히고 찾아보았으나 복황후는 어디에도 없었다. 화흠이 군사들에게 명한다.

"당장 벽을 부수고 샅샅이 뒤져라!"

마침내 복황후를 찾아낸 화흠은 달려들어 머리채를 휘어잡고 끌고 나왔다. 복황후가 애절하게 간청한다.

"부디 목숨만 살려다오!"

화흠이 꾸짖는다.

"네 스스로 위공을 뵙고 청해보아라!"

복황후는 머리가 풀어헤쳐지고 맨발인 채 두 무사에게 떠밀려 밖으로 끌려나왔다.

원래 화흠은 글재주로 이름이 높았는데, 병원(邴原)·관녕(管寧)과 친교가 있어 세상사람들이 이들 세 사람을 '한 마리의 용'이라 불렀다.

화흠이 용의 머리〔龍頭〕이고, 병원은 용의 몸통〔龍腹〕이며, 관녕은 용의 꼬리〔龍尾〕라 칭송한 것이다. 어느날 관녕과 화흠이 채마밭에서 호미질을 하다 우연히 금덩어리를 캐게 되었다. 관녕은 호미질만 계속할 뿐 거들떠보지 않는데, 화흠은 금덩어리를 주워들고 한참을 보다가 내던져버렸다. 또 한번은 관녕과 화흠이 함께 책을 읽고 있는데, 문밖에서 떠들썩하게 소리를 지르며 귀인(貴人)이 수레를 타고 지나갔다. 관녕은 움직이지 않고 단정히 앉아 책을 읽는데, 화흠은 책을 던지고 나가서 행차를 구경했다. 그 일이 있은 후부터 관녕은 화흠의 사람됨이 비루하다 하여 자리를 같이하지 않았고, 벗으로 여기지도 않았다. 그후 관녕은 요동땅으로 가서 항상 흰 관을 쓰고 누각에 기거하면서 땅을 밟지 않았고, 일생 동안 벼슬에 오르지 않았으며, 위나라를 섬기지 않았다. 화흠은 처음에는 손권을 섬기다가 나중에 조조에게 귀순해 마침내는 복황후를 잡아들이는 데 이른 것이다.

후세 사람이 화흠을 두고 한탄한 시가 있다.

이날에 화흠이 부린 흉악한 음모	華歆當日逞兇謀
벽을 부수고 황후를 마구 끌어내라니	破壁生將母后收
역적을 도와 하루아침에 범의 날개 붙였으니	助虐一朝添虎翼
욕된 이름 천년토록 가소롭다, 용두여	罵名千載笑龍頭

또 관녕을 칭찬한 시도 전해진다.

요동땅에 전해오는 관녕루는	遼東傳有管寧樓
사람 가고 누각 비었으되 이름 홀로 남았구나	人去樓空名獨留

우습구나, 부귀를 탐하던 화흠이여 　　　　　　笑殺子魚貪富貴
어찌 환관 쓴 관녕의 풍류에 비하리 　　　　　豈如白帽自風流

　화흠이 복황후를 끌고 외전으로 나오니, 헌제가 전각 아래로 내려
와 황후를 끌어안고 통곡했다. 화흠이 호령한다.

　"위공의 명령이다. 어서 가자!"

　복황후가 울면서 헌제에게 하직을 고한다.

　"다시는 살아서 뵙지 못하겠나이까?"

　"내 목숨도 언제 끝날지 알 수 없소."

　무장한 군사들이 복황후를 밖으로 끌고 나갔다. 헌제가 가슴을 두
드리며 통곡하다가 곁에 서 있는 치려에게 말한다.

　"치공, 천하에 어찌 이런 일이 있소!"

　헌제가 땅바닥에 넘어져 슬피 우니, 치려가 좌우에게 명해 황제를
부축해 궁안으로 모시도록 하였다.

　화흠이 복황후를 끌어오니 조조가 보고 큰소리로 꾸짖는다.

　"내가 너희를 성심으로 대했는데 너희는 오히려 나를 해치려 하느
냐? 내가 너를 죽이지 않으면 반드시 네가 나를 죽이겠구나!"

　조조가 좌우 무사들에게 호령하여 몽둥이로 황후를 마구 때려죽였
다. 그것으로도 성에 차지 않아 복황후의 소생인 두 황자(皇子)에게
독약을 먹여 죽였으며, 그날밤으로 복완·목순의 일족 2백여명을 모
조리 저잣거리로 끌어내어 참형에 처했다. 조정과 재야 사람들은 하
나같이 두려움에 떨었다. 건안 19년(214) 11월의 일이다.

　후세 사람이 이를 탄식한 시가 있다.

조조의 흉악함 세상에 다시 없거니   曹瞞兇殘世所無
복완의 충의로 무슨 일 해보랴   伏完忠義欲何如
애달파라 황제와 황후의 이별이여   可憐帝后分離處
민간의 지어미 지아비만도 못하구나   不及民間婦與夫

헌제는 복황후가 처참하게 죽은 뒤로 며칠 동안이나 음식을 들지 못했다. 조조가 입궐하여 말한다.

"폐하께서는 근심하지 마십시오. 신에게 다른 마음은 없소이다. 신의 딸을 이미 폐하에게 드려 귀인으로 있으니, 어질고 효심이 있어 정궁(正宮)으로 삼을 만합니다."

헌제가 어찌 감히 복종하지 않을 수 있으랴. 건안 20년 정월 초하루, 설을 경하하는 날에 조조의 딸 조귀인을 정궁 황후로 삼으니, 신하들 가운데 누구 하나 감히 말하는 사람이 없었다.

이무렵 조조의 위세는 날로 더해갔다. 하루는 대신들을 모아놓고 촉과 오를 칠 일을 의논하는데 가후가 나서서 말한다.

"하후돈과 조인 두 사람을 불러서 상의하시는 게 좋겠습니다."

조조는 즉시 사자를 보내 두 사람을 불렀다. 하후돈이 도착하기 전에 조인이 먼저 허도에 당도했다. 그날밤으로 곧 부중에 들어가 조조를 뵙자 하니 마침 조조는 술에 취해 누워 있고, 허저가 칼을 짚고 당문을 지키고 있었다. 조인이 안으로 들어가려 하자 허저가 막아섰다. 조인이 크게 화를 내며 말한다.

"나는 조씨 일족인데 네가 어찌 감히 내 앞을 막느냐?"

"아무리 주공과 친족이라 해도 장군은 외관을 지키는 관리요, 이 허저는 비록 친족은 아니나 궁중 안에서 호위하는 직임을 맡았소이다. 지금 주공께서 대취하여 당상에 누워 계시니 누구도 함부로 들여보낼 수 없소."

결국 조인은 들어가지 못했다. 조조가 이 얘기를 듣고 탄복하여 중얼거렸다.

"허저는 참으로 충신이로다!"

그로부터 며칠 후 하후돈이 당도하여 함께 오와 촉을 정벌할 일을 의논했다. 하후돈이 말한다.

"오와 촉을 갑자기 칠 수는 없습니다. 먼저 한중의 장로를 취한 다음 승세를 몰아 촉을 무너뜨린다면 가히 북소리 한번 울려 이들을 평정할 수 있을 것입니다."

"바로 내 뜻과 같도다!"

조조는 드디어 서쪽을 칠 군사를 일으켰다.

바야흐로 흉계를 꾸며 약한 주인을 속이더니   方逞兇謀欺弱主
또 군사를 몰아 변방을 휩쓸려 가는구나   又驅勁卒掃偏邦

뒷일은 어찌 될 것인가.

67 _

三
國
志
一

한중 평정

조조는 한중땅을 평정하고

장요는 소요진에서 위세를 떨치다

조조는 서쪽을 정벌하러 떠나면서 군사를 3대로 나누었다. 전군의
선봉은 하후연과 장합이 맡고, 조조는 몸소 여러 장수들의 호위 속에
중군이 되었으며, 후군의 조인과 하후돈은 군량과 마초의 운송을 맡
았다. 정탐꾼이 일찌감치 이러한 조조군의 움직임을 한중의 장로에게
보고했다. 장로는 곧 아우 장위(張衛)와 더불어 적을 물리칠 계책을
의논했다. 장위가 말한다.

"한중에서 지형이 험하기로는 양평관(陽平關)만한 데가 없습니다.
제가 그곳 좌우 산기슭에 의지하여 10여개 영채를 세우고 조조군을

맞아 싸우겠습니다. 형님께서는 한녕(漢寧)에 계시면서 군량과 마초를 공급해주시면 됩니다."

장로는 아우의 말에 따르기로 하고 대장 양앙(楊昻)·양임(楊任)을 데리고 그날로 출발하게 했다. 장위의 군사는 양평관에 이르러 영채를 구축하고 적을 기다렸다.

조조군의 선봉 하후연과 장합은 적군이 이미 양평관에서 자신들을 기다리고 있다는 소식을 전해듣고, 그곳으로부터 15리 정도 떨어진 곳에 영채를 세웠다. 그날밤, 먼길을 행군해온 조조의 군사들은 피곤한 터라 모두 정신없이 자고 있었다. 갑자기 영채 뒤편에서 불길이 일어나며 양앙과 양임이 두 길로 나뉘어 쳐들어왔다. 하후연과 장합이 급히 말에 뛰어올라 싸웠으나 적은 이미 사방을 포위하고 있었다. 하후연과 장합은 크게 패하여 물러나 조조에게 아뢰었다. 조조가 크게 노해 꾸짖는다.

"너희 두 사람은 여러 해 동안 전쟁터를 누벼왔으면서, 먼길을 행군하여 군사들이 피곤할 때는 반드시 기습에 대비해야 함을 어찌 몰랐더란 말이냐! 왜 아무 방비도 하지 않았느냐!"

조조는 즉시 두 사람의 목을 베어 군법을 밝히고자 했다. 관원들이 나서서 간청한 덕에 두 장수는 겨우 죽음을 면했다.

다음날 조조는 친히 군사를 거느리고 선봉이 되어 진군했다. 그러나 양평관에 이르러 보니, 산세가 험악하고 숲이 울창해 도무지 길을 분간할 수가 없었다. 혹시 복병이 숨어 있지 않을까 두려워 더이상 전진할 수도 없었다. 조조는 즉시 군사를 돌려세웠다. 영채로 돌아온 뒤 허저와 서황 두 장수에게 말한다.

"내 이렇게 험악한 줄 알았더라면 군사를 일으켜 여기까지 오지 않았을 게다."

허저가 위로한다.

"기왕에 여기까지 진군했으니 주공께서는 망설이지 마십시오."

이튿날, 조조는 다시 말에 올라 허저와 서황 두 사람을 데리고 장위의 영채를 살피러 나갔다. 세 필의 말이 산등성이를 돌아 장위의 영채를 바라볼 수 있는 곳에 이르렀다. 조조가 채찍을 들어 가리키며 말한다.

"저렇게 견고하게 세웠으니 급습하기가 어렵겠구나!"

말이 끝나기도 전에 갑자기 뒤에서 함성이 터져오르더니 화살이 빗발치듯 날아들며 양앙과 양임이 두 길로 나뉘어 쳐들어온다. 조조는 깜짝 놀라 어쩔 줄 몰랐다. 허저가 크게 소리친다.

"내가 적을 막을 테니 공명(公明, 서황의 자)은 주공을 잘 모시게!"

허저는 칼을 빼들고 두 적장에게로 달려가 맞서싸우기 시작했다. 양앙과 양임은 허저의 용맹을 당해내지 못하고 말머리를 돌렸다. 다른 사람들은 감히 앞으로 나서지도 못했다.

서황이 조조를 호위해 산등성이를 달려가는데 앞에서 한무리의 군사들이 내달려왔다. 하후연과 장합이었다. 두 장수는 조조 있는 데서 일어나는 함성을 듣고 급히 도우러 달려오는 길이었다. 이들 네 장수는 양앙과 양임의 군사를 물리치고 조조를 호위하여 무사히 영채로 돌아왔다. 조조는 네 장수에게 후하게 상을 내렸다.

그로부터 양쪽 군사는 대치한 채 움직이지 않았다. 그런 상태에서 어느덧 50여일이 지났다. 마침내 조조는 군사들에게 퇴각하라는 영을 내렸다. 가후가 묻는다.

"적이 강한지 약한지도 아직 모르는데 주공께서는 어찌하여 스스로 군사를 물리려 하십니까?"

조조가 말한다.

"내가 살펴보니 적병이 방비를 단단히 하고 있어 급습해서 이기기는 어려울 듯하다. 퇴군한다는 소문을 퍼뜨려 적이 마음을 놓고 방비를 허술히 할 때를 기다렸다가 날쌘 기병으로 엄습한다면 반드시 승산이 있을 것이다."

가후가 탄복한다.

"과연 승상의 귀신 같은 계책은 헤아릴 수가 없나이다."

조조의 지시에 따라 하후연과 장합은 각각 기병 3천명을 거느리고, 두 길로 나뉘어 좁은 길로 해서 양평관 뒤쪽으로 움직였다. 한편 조조는 대군을 거느리고 영채를 거두어 물러나기 시작했다. 양앙은 조조군이 퇴각한다는 보고에 양임을 불러 상의한다.

"우리가 승세를 몰아 물러가는 적을 칩시다."

양임이 말한다.

"조조는 속임수가 많아 아직 진상을 알 수 없소이다. 섣불리 뒤를 쫓으면 안됩니다."

양앙은 단호하게 말한다.

"공이 가지 않겠다면 나 혼자서라도 가겠소!"

양임이 간곡하게 만류해도 듣지 않고, 양앙은 다섯 영채의 군마를 동원해 조조군을 추격하기 위해 진군했다. 영채에 남아 지키는 군사는 얼마 되지 않았다. 그날은 안개가 짙게 끼어 서로 대면해도 얼굴을 알아볼 수 없을 정도였다. 양앙의 군사는 얼마쯤 가다가 안개 때문에 더이상 행군할 수 없어 도중에 영채를 세우고 머물렀다.

한편, 하후연의 군사들은 산등성이 뒤쪽으로 질러가다가, 안개가

자욱한 가운데 사람들의 이야깃소리와 말들이 콧김을 뿜어내는 소리
가 들려오자 복병이 있다고 생각했다. 하후연이 급히 군사들을 재촉
해 빠져나가려 했으나 안개 속에서 길을 잘못 들어 양평관 뒤쪽이 아
니라 양앙이 방금 전에 비우고 떠난 영채 앞쪽으로 나왔다. 영채를 지
키던 양앙의 군사들은 말발굽소리에 자기네 군사가 되돌아오는 줄로
만 알고 문을 열어 맞이했다. 하후연의 군사들은 얼떨결에 적의 영채
로 들어섰다. 영채는 비어 있었다. 조조의 군사들이 불을 지르니 다섯
영채를 지키던 양앙의 몇 안되는 군사들은 모두 달아나버렸다.

안개가 걷히고 양임이 군사를 거느리고 구원하러 달려왔다. 양임이
하후연과 맞서싸운 지 불과 몇합에 등뒤에서 장합이 군사를 거느리고
달려들었다. 다급해진 양임은 겨우 혈로를 뚫고 남정(南鄭)땅을 향해
달아났다.

한편 양앙이 군사를 이끌고 돌아오니 영채는 이미 하후연과 장합에
게 점령당한 뒤였다. 게다가 배후에서는 조조의 대군이 달려든다. 앞
뒤로 협공을 받은 양앙은 포위를 뚫고 나가려 애쓰다가 바로 장합과
맞닥뜨렸다. 두 사람이 어울려 싸운 지 얼마 안되어 양앙은 장합의 칼
아래 죽고 말았다. 패배한 양앙의 군사들은 양평관으로 돌아갔다. 그
러나 장위는 이미 두 장수가 패하여 모든 영채를 잃었음을 알고 양평
관을 버린 채 밤의 어둠을 타서 도망치고 없었다. 이렇게 하여 조조는
양평관과 여러 영채를 점령했다.

장위는 양임과 함께 장로를 만나 지금까지의 사정을 아뢰었다.

"양앙과 양임이 중요한 길목을 잃은 탓에 양평관을 지키기 어려웠
습니다."

장로가 화를 벌컥 내며 즉시 양임을 참하려 했다. 양임이 급하게 말

한다.

"제가 조조군을 뒤쫓아서는 안된다고 거듭 말렸으나, 양앙이 끝내 듣지 않았습니다. 제게 한번만 더 군사를 내주시면 나가서 반드시 조조의 목을 베어오겠습니다. 이기지 못하면 그때는 군령을 달게 받겠습니다."

장로는 양임에게 군령장을 받고 군사를 내주었다. 양임은 말에 올라 2만 군사를 거느리고 나아가 남정에서 조금 떨어진 곳에 영채를 세웠다.

한편 조조는 대군을 거느리고 전진하면서 하후연에게 군사 5천명을 거느리고 앞서가 남정으로 향하는 길을 정탐하도록 했다. 얼마 가지 않아 하후연의 군사들은 양임의 군마와 정면으로 마주쳤다. 즉시 양쪽 진영은 군사를 벌여세우고 대치했다. 양임은 먼저 부장 창기(昌奇)를 내보내 하후연과 싸우게 했다. 창기는 불과 3합도 못 싸우고 하후연의 칼에 목이 달아나고 말았다. 이번에는 양임이 몸소 창을 잡고 말을 달려나가 하후연과 싸웠으나, 30여합이 지나도록 승부가 나지 않았다. 하후연이 짐짓 패한 체하며 달아났다. 양임이 급히 뒤를 쫓았다. 하후연은 달아나다가 갑자기 몸을 돌리면서 칼을 내려치는 타도계(拖刀計)를 써서 양임을 베어 말 아래로 떨어뜨렸다. 장로의 한중군사는 크게 패하여 돌아갔다. 조조는 하후연이 양임의 목을 베었다는 보고를 듣고, 즉시 진군하여 남정에 영채를 세웠다.

장로는 황급히 문무관원들을 불러모아 대책을 상의했다. 염포가 말한다.

"제가 조조의 수하장수들을 당해낼 사람 하나를 천거하겠습니다."

장로가 다급히 묻는다.

"그게 누군가?"

"남안(南安) 사람 방덕(龐德)입니다. 방덕은 마초를 따라 주공께 투항했는데, 뒤에 마초가 서천으로 갈 때 병으로 누워 있어서 따라가지 못했습니다. 지금까지 주공의 은혜를 입었으니, 이 사람을 불러다 쓰는 것이 어떻겠습니까?"

장로가 크게 기뻐하며 곧 방덕을 불러 후하게 상을 내리고 군사 1만 명을 주어 출전하도록 했다. 방덕이 군사를 거느리고 성을 나서서 10여리쯤 가다가 조조군과 마주쳤다. 방덕은 즉시 말을 달려나갔다. 조조는 지난날 위교 싸움으로 방덕이 얼마나 용맹한지 익히 알고 있던 까닭에 여러 장수들에게 당부한다.

"방덕은 서량의 용장으로, 원래 마초 수하에 있다가 지금은 장로에게 의탁해 있지만 그 심중은 알 수 없다. 내 그를 내 사람으로 만들고 싶으니, 그대들은 천천히 싸워서 지치게 만들어 그를 사로잡도록 하라."

먼저 장합이 나가서 방덕과 몇합 싸우다가 물러났다. 이어서 하후연이 나가 몇합 싸우다가 물러나고, 또 서황이 나가 3, 4합 싸우다가는 물러나버렸다. 나중에는 허저가 나가서 50여합을 싸우다 물러났다. 방덕은 이렇게 네 장수들을 차례로 맞아 싸우면서도 두려워하거나 피로한 기색이 없었다. 나가서 싸운 조조의 장수들마다 돌아와 방덕의 무예를 칭찬하니, 조조는 내심 기뻐하며 장수들을 불러들여 다시 상의한다.

"어찌하면 그 사람을 투항시킬 수 있겠느냐?"

가후가 말한다.

"장로 수하에 모사로 있는 양송이란 자를 제가 잘 아는데, 뇌물을 매우 밝히는 자입니다. 그에게 은밀히 금과 비단을 보내 장로에게 방덕을 참소하도록 하면 가히 일을 도모할 수 있을 것입니다."

"어떻게 남정성으로 사람을 들여보낼 수 있겠나?"

"내일 적군과 교전하다가 영채를 버리고 거짓으로 패한 체 달아나면 방덕이 군사를 몰고 와서 영채를 점령할 것입니다. 우리가 다시 한밤중에 군사를 이끌고 습격한다면 방덕은 반드시 군사를 거두어 성으로 물러갈 테지요. 바로 그때를 타서 말 잘하는 군사 한명을 적병으로 위장시켜 방덕의 군사들 틈에 섞여 성으로 들어가게 하면 됩니다."

조조는 그 계책을 따르기로 했다. 즉시 말 잘하는 군사를 뽑아 상을 내린 다음, 금으로 만든 엄심갑(掩心甲, 가슴을 가리는 갑옷)을 주어서 맨살에 걸치도록 하고 겉에는 한중 군사의 옷을 입혀 길가에 숨어서 기다리게 했다.

이튿날, 하후연과 장합은 각기 한무리의 군사들을 거느리고 멀리 나아가 매복한 다음 이어 서황으로 하여금 나가서 싸움을 걸게 했다. 서황이 불과 몇합에 패하여 달아나니, 방덕은 그대로 군사를 휘몰아 쳐들어온다. 조조의 군사들은 뿔뿔이 흩어지며 달아났다. 방덕이 조조의 영채를 점령하고 나서 둘러보니 군량과 마초가 가득하다. 방덕은 크게 기뻐하며 이 소식을 장로에게 전하고, 영채 안에서 축하의 잔치를 벌였다.

그날밤 2경이 지나서였다. 갑자기 세 군데에서 불길이 오르더니, 가운데는 서황과 허저, 왼쪽에 장합, 오른쪽에서는 하후연 등 조조의 군사가 세 길로 나뉘어 일제히 쳐들어왔다. 불시에 일을 당한 방덕은 급히 말에 올라 닥치는 대로 적을 무찌르며 길을 뚫고 성쪽으로 달아났다. 뒤에서는 세 길로 나뉜 조조의 군사가 추격해왔다. 방덕은 소리쳐 성문을 열게 하여 군사들을 거느리고 성안으로 들어갔다. 이때 조조군의 정탐꾼도 함께 휩쓸려 들어갔다. 정탐꾼은 곧바로 양송의 부중을 찾아갔다.

"위공 조승상께서는 오래 전부터 귀공의 성덕을 들으시고, 특별히 저를 시켜 이 황금 갑옷을 신표로 보내셨습니다. 여기 따로이 밀서를 올립니다."

양송은 크게 기뻐하며 밀서를 받아 읽어내려갔다. 다 읽고 나서 정탐꾼에게 말한다.

"그대는 돌아가 위공께 마음 놓으시라고 전하라. 내게 좋은 계책이 있으니 나중에 알려드릴 것이다."

정탐꾼을 돌려보내고 나서 양송은 그날밤 당장 장로를 찾아갔다.

"방덕이 이번 싸움에 패하여 돌아온 것은 조조에게서 뇌물을 받았기 때문입니다."

장로는 순간 크게 노하여 방덕을 불러들여 꾸짖더니 좌우에게 당장 목을 베라고 명했다. 곁에 있던 염포가 애써 만류하여 방덕은 겨우 목숨을 구할 수 있었다. 장로가 방덕에게 말한다.

"내일 출정하여 이기지 못하면 네 반드시 죽을 줄 알아라!"

방덕은 마음속에 장로에 대한 한을 품고 물러났다.

다음날 조조군이 몰려와 공격하니 방덕도 군사를 이끌고 나와 맞섰다. 조조는 먼저 허저를 내보내 방덕과 싸우게 했다. 허저가 싸우다 거짓으로 패한 체하며 달아나니 방덕이 그 뒤를 쫓았다. 조조가 말을 타고 산위에 올라 있다가 방덕을 부른다.

"영명(令明, 방덕의 자)은 어찌하여 빨리 항복하지 않는가!"

방덕은 조조를 올려다보며 생각한다.

'지금 내가 조조를 사로잡으면 1천여 장수들의 윗자리에 오를 수 있겠구나.'

방덕은 나는 듯이 말을 달려 산등성이로 오르기 시작했다. 순간 외마디 함성에 하늘이 갈라지고 땅이 뒤집히는 듯하더니, 말과 사람이 한꺼번에 함정 속으로 떨어져버렸다. 조조의 군사들이 함정 주위로 몰려오더니 쇠갈고리를 던져 방덕을 옭아매어 끌어올렸다. 결국 방덕은 옴짝달싹 못하고 사로잡혀 조조 앞으로 끌려나왔다. 조조는 말에서 내리더니 좌우 군사들을 꾸짖어 물리치며 몸소 결박을 풀어주고는 부드럽게 묻는다.

"그대는 항복할 뜻이 없는가?"

방덕은 장로의 어질지 못함을 생각하고 조조에게 절을 올려 항복했다. 조조가 친히 방덕을 부축해 말에 오르게 하고 말머리를 나란히하여 본채로 돌아오는데, 일부러 천천히 말을 몰아 성위의 장로 군사들이 이 광경을 보게 했다. 과연 이를 지켜본 장로의 군사들은 이 사실을 즉시 보고했다. 장로는 더더욱 양송의 말이 사실이었다고 믿게 되었다.

다음날 조조는 성밖 세 방면에 운제(雲梯, 성벽에 걸쳐놓는 사다리)를 걸쳐놓고 화살과 포를 마구 쏘아댔다. 장로는 이미 형세가 기운 것을 깨닫고 동생 장위와 상의했다.

"어쩌면 좋겠느냐?"

장위가 말한다.

"창고와 부고(府庫)를 모조리 불사르고 남산으로 빠져나가 파중(巴中)을 지킵시다."

곁에 있던 양송이 말한다.

義釋龐德

조조는 마침내 항복한 방덕을 부축해 말에 태우다

"성문을 열고 투항하는 게 나을 것입니다."

장로가 결정을 내리지 못하고 머뭇거리는데, 장위가 재촉한다.

"어서 불사르고 갑시다!"

장로가 말한다.

"내 본시 나라에 충성하고자 했으나 뜻을 이루지 못하였다. 지금 부득이 달아나게 되긴 했으나, 창고와 부고는 나라의 것인데 어찌 태워버릴 수 있겠느냐!"

장로는 창고와 부고를 모두 봉하고 그날밤 2경에 가솔을 거느리고 남문을 열고 달아났다. 조조는 달아나는 장로를 추격하지 않고, 군사를 거느리고 남정에 입성했다. 성안으로 들어간 조조는 장로가 창고와 부고를 단단히 봉하고 떠난 것을 보고 문득 측은한 생각이 들어 곧 파중으로 사람을 보내 장로에게 항복하기를 권했다. 장로는 항복하고 싶었으나, 동생 장위가 말을 듣지 않았다. 이때 양송이 밀서를 써서 조조에게 보내면서 군사를 일으켜 진군하면 안에서 지원하겠다는 뜻을 전했다. 조조는 양송의 밀서를 받고 친히 군사를 일으켜 파중으로 쳐들어갔다. 장로는 아우 장위에게 군사를 이끌고 나가 싸우도록 했다. 그러나 허저와 접전을 벌인 장위는 변변히 싸워보지도 못하고 허저의 칼에 맞아죽고 말았다. 패배한 군사들이 성으로 돌아가 장로에게 사실을 고했다. 장로는 성문을 닫아걸고 굳게 지키려 했다. 이때 양송이 옆에서 부추긴다.

"지금 나가 싸우지 않으면 앉아서 죽음을 기다리는 격입니다. 제가 성을 지킬 터이니, 주공께서는 친히 나가 결사일전하시지요."

장로는 그 말에 따르기로 했다. 염포가 옆에서 만류하는데도 듣지 않고 마침내 군사를 거느리고 싸우러 나갔다. 그러나 미처 싸움이 벌

어지기도 전에 후군이 어지럽게 흩어지며 달아났다. 장로가 급히 후
퇴하는데 뒤에서 조조의 군사들이 달려들었다. 장로가 성 아래까지
이르러 소리쳤으나 양송은 성문을 닫고 열어주지 않았다. 장로는 더
이상 달아날 길이 없었다. 조조가 뒤쫓아오며 큰소리로 외친다.

"어째서 항복하지 않느냐!"

장로가 마침내 말에서 내리더니 몸을 던져 절을 올렸다. 조조는 크
게 기뻐하며 장로가 창고와 부고를 봉한 마음을 갸륵하게 생각하여
예를 갖추어 대우했다. 장로를 진남장군(鎭南將軍)으로 봉하고 염포
를 비롯한 수하 문무관원들도 모두 열후에 봉했다.

이리하여 한중땅은 평정되었다. 조조는 각 군에 영을 내려 태수와
도위를 두고, 사졸(士卒)들에게도 큰 상을 내렸다. 다만 양송은 자기
주인을 팔아 영화를 구한 자이니 즉시 참하라 하고, 저잣거리에 내걸
어 백성들의 본보기로 삼았다.

후세 사람이 탄식한 시가 있다.

어진이 해하고 주인을 팔아 공 세웠으되   妨賢賣主逞奇功
긁어모은 금은보화 모두 허탕이로다   積得金銀總是空
부귀영화 누리기도 전에 제 몸이 먼저 죽임을 당하니   家未榮華身受戮
양송은 천추에 웃음거리 되는구나   令人千載笑楊松

조조가 동천(東川)을 얻자 주부(主簿) 사마의(司馬懿)가 나서서 아
뢴다.

"유비가 속임수를 써서 유장을 몰아낸 까닭에 아직 촉의 민심을 얻
지 못하고 있습니다. 이제 주공께서 한중을 평정하셨으니 익주의 민

심이 술렁거릴 것입니다. 속히 군사를 일으켜 진군하시면 유비의 세력을 무너뜨릴 수 있습니다. 지혜로운 사람은 기회를 귀중하게 여기는 법이니, 부디 때를 놓치지 마십시오."

조조가 탄식하며 말한다.

"인생의 괴로움은 모두 만족을 모르는 데 있느니라. 이미 한중을 얻었는데 또 촉을 바라겠느냐?"

이번에는 유엽(劉曄)이 나서서 말한다.

"중달(仲達, 사마의의 자)의 말이 옳습니다. 만약 우리가 조금이라도 지체한다면, 치국(治國)의 도리에 밝은 제갈량은 재상이 될 것이고, 관우와 장비 등은 그 용맹으로 삼군을 통솔하여 촉의 민심을 안정시키고 요충지를 튼튼히 지킬 것입니다. 그렇게 되면 다시는 그들을 범할 수 없을 것입니다."

조조가 말한다.

"군사들이 원정길에 노고가 많았으니, 마땅히 쉬도록 해야 한다."

조조는 군사들을 쉬게 하며 움직이지 않았다.

한편 서천의 백성들은 조조가 이미 동천을 점령했다는 소문을 듣고 이제 서천을 취하러 올 것이라 생각해 하루에도 몇번씩 놀라고 두려워했다. 현덕이 군사 공명을 청하여 이 일을 상의했다. 공명이 말한다.

"제게 한가지 계책이 있으니, 조조가 스스로 물러가도록 하겠습니다."

"어떤 계책이오?"

"조조가 군사를 나누어 합비에 주둔시킨 것은 손권이 두렵기 때문입니다. 지금 우리가 강하(江夏)·장사(長沙)·계양(桂陽) 세 지방을 동오에 돌려주는 한편, 말 잘하는 선비를 보내 이해를 따져 설득하여, 동오로 하여금 합비의 조조를 치게 해 그 세력을 견제한다면 틀림없이 조조는 남쪽으로 군사를 돌릴 것입니다."

"그러면 누구를 사자로 보내면 좋겠소?"

이적(伊籍)이 나선다.

"제가 가겠습니다."

현덕은 크게 기뻐하며 이적에게 서신과 예물을 갖추어주고, 우선 형주에 들러 관운장에게 이 일을 알린 뒤 동오에 가도록 했다. 이적은 동오의 말릉(秣陵)에 다다라 손권을 만나러 왔다 이르고 성명을 밝혔다. 손권이 그를 들이라 하자 이적은 부중으로 들어가서 손권을 보고 먼저 예를 올렸다. 손권이 묻는다.

"그대는 무슨 일로 왔는가?"

이적이 말한다.

"지난번에 제갈자유(제갈근의 자)께서 장사 등 세 지방을 돌려받으러 왔는데 마침 우리 군사께서 계시지 않아 드리지 못했기에 이제 반환하고자 서신을 가지고 왔습니다. 또한 형주의 남군과 영릉도 돌려드려야 마땅하나, 이번에 조조가 동천을 손에 넣은 탓에 관장군이 몸둘 곳이 없어 머물러 있을 뿐입니다. 지금 합비가 허술하니, 바라옵건대 군후께서 군사를 일으켜 합비를 공격해주시면 조조는 남쪽으로 군사를 이끌고 내려올 것입니다. 우리 주공께서 동천을 얻게 되면 즉시 형주땅도 모두 돌려드릴 생각입니다."

"그대는 역관으로 돌아가 있으라. 내 그 일을 여러 신하들과 상의해 정하겠다."

이적이 물러가자 손권은 모사들을 불러들여 대책을 상의했다. 장소가 말한다.

"이는 조조가 서천을 취할까 두려워 유비가 궁리해낸 계책입니다. 그러나 비록 그렇다 해도 조조가 한중에 머물러 있는 틈을 타서 합비를 취하는 게 상책인 것만은 사실입니다."

손권은 장소의 말을 따르기로 하고 우선 이적에게 수락한다는 뜻을 주어 촉으로 돌려보냈다. 그리고 군사를 일으켜 조조 칠 일을 의논하는 한편, 노숙에게 장사·강하·계양 세 지방을 돌려받아 거두고 육구에 군사를 주둔시키도록 했다. 또한 여몽과 감녕을 불러들이고, 여항에 있는 능통을 돌아오게 했다. 채 하루가 가기 전에 여몽과 감녕이 먼저 도착했다. 여몽이 손권에게 계책을 올린다.

"지금 조조는 여강 태수 주광(朱光)에게 명하여 환성(皖城)에 군사를 주둔시키고 크게 농사를 지어 양곡을 합비로 보내게 하고 있습니다. 그로써 군량을 충당하는 것이니, 먼저 환성을 취한 다음 합비를 공격하는 게 좋겠습니다."

손권이 기뻐하며 말한다.

"그대의 말이 내 생각과 같도다."

드디어 여몽과 감녕을 선봉으로 삼고, 장흠(蔣欽)과 반장(潘璋)을 후군으로, 손권 자신은 주태(周泰)·진무(陳武)·동습(董襲)·서성(徐盛) 등을 거느리고 중군이 되었다. 정보(程普)·황개(黃蓋)·한당(韓當) 등은 각처의 진을 지키고 있어서 이번 환성 정벌에는 함께하지 못했다.

손권의 군사는 강을 건너서 화주(和州)를 점령하고 환성으로 진격했다. 환성 태수 주광은 즉시 사람을 합비로 보내 구원을 청하는 한편, 성을 굳게 지킬 뿐 나와 싸우려 하지 않았다. 손권이 친히 적의 동태를 살피러 나가서 성 아래를 둘러보는데, 갑자기 화살이 빗발치듯 날아와 손권의 비단 일산을 꿰뚫었다. 손권이 영채로 돌아와 휘하 장수들에게 묻는다.

"어떻게 하면 환성을 취할 수 있겠는가?"

동습이 말한다.

"군사를 시켜 토산을 높이 쌓고 공격하면 가능합니다."

서성이 다른 의견을 내놓는다.

"운제(雲梯, 성을 공격할 수 있는 구름사다리)를 이어서 홍교(虹橋, 무지개다리)를 만들고 성안을 굽어보며 공격해야 합니다."

이번에는 여몽이 고개를 저으며 말한다.

"이 모두는 시일이 걸려야 되는 일인데 그러다 합비에서 원군이라도 오는 날에는 만사가 끝입니다. 아군은 이제 막 도착해 사기가 왕성하니 군사들의 예기를 이용해 분발해서 정면으로 성을 치도록 하십시오. 내일 날이 밝자마자 공격하면 오시(午時, 오후 12시)나 미시(未時, 오후 2시)에는 성을 깨뜨릴 수 있을 것입니다."

손권은 여몽의 말에 따르기로 했다. 다음날 5경에 아침식사를 마치고 삼군이 진군했다. 성위에서 화살과 돌이 무수히 날아왔다. 감녕이 쇠방패를 잡고 날아드는 돌과 화살을 무릅쓰고 성벽으로 기어올라가니 주광이 궁노수들을 시켜 일제히 화살을 쏘았다. 빗발치는 화살을 쇠방패로 막으면서 성위로 올라간 감녕은 주광을 후려쳐서 쓰러뜨렸다. 여몽이 친히 북을 울려 군사들을 독려하는 가운데 성벽을 기어올라간 군사들은 주광을 난도질하여 죽였다. 나머지 무리들이 거의 항복하니, 동오군의 환성 점령이 끝난 때는 아직도 이른 진시(辰時, 오전

8시)경이었다. 한편 조조 진영의 장요는 군사를 이끌고 오는 도중 파발꾼으로부터 이미 환성이 함락당했다는 소식을 듣고 합비로 말머리를 돌렸다.

손권이 환성으로 들어가니, 능통 또한 군사를 거느리고 왔다. 손권은 삼군을 위로하고 배부르게 먹였다. 여몽과 감녕 등 여러 장수들에게 후하게 상을 내리고 잔치를 베풀어 공적을 치하했다. 여몽은 감녕에게 자기 윗자리를 내주며 그 공을 칭찬한다. 어느덧 좌중이 거나하게 취해가는데, 능통은 문득 아비를 죽인 원수 감녕이 여몽으로부터 이렇듯 칭찬의 말을 듣는 것을 보고 마음속 가득 노기가 차올랐다. 능통은 눈에 불을 밝히고 한참동안 감녕을 노려보다가 좌우 사람이 차고 있던 칼을 뽑아들고 잔치자리로 나서며 말한다.

"잔치에 여흥이 없으니, 내 칼춤을 한번 보시오!"

그 뜻을 눈치챈 감녕이 상을 밀어내고 일어나 양손에 창을 잡고 성큼성큼 걸어나오며 말한다.

"잔치자리에서 나의 창솜씨를 보시라."

여몽이 두 사람 모두 호의가 아님을 알고는 한손에 방패를, 다른 한손에는 칼을 잡고 능통과 감녕 사이에 끼여들며 말한다.

"두 분의 무예가 능하나, 내 솜씨만은 못할 게요!"

그러고는 칼과 방패를 들고 춤을 추며 감녕과 능통 두 장수를 갈라떼어놓았다. 이 일은 즉시 손권에게 알려졌다. 손권이 황망히 말을 타고 잔치자리로 달려오자 그제야 세 사람은 제각기 무기를 놓았다. 손권이 꾸짖어 말한다.

"내가 항상 두 사람에게 옛 원한을 잊으라 말했는데, 오늘 또 이게 무슨 짓들이오?"

능통이 땅에 엎드려 절하며 울음을 터뜨렸다. 손권은 거듭 위로하여 겨우 그를 진정시켰다. 다음날, 동오의 삼군은 합비를 치러 출정했다.

장요가 환성을 잃고 합비로 돌아와 수심에 잠겨 있는데, 조조가 설제(薛悌) 편에 나무상자 하나를 보내왔다. 위에 조조가 친히 봉인을 찍었는데 '적이 오거든 열어보라[賊來乃發]'고 씌어 있었다. 마침 그날 장요는 손권이 몸소 10만 대군을 거느리고 합비를 향해 오고 있다는 보고를 들었다. 즉시 나무상자를 열어보니, 다음과 같은 글이 나왔다.

만약 손권이 오거든 장요와 이전 두 장군이 출전하고, 악진은 성을 지키도록 하라.

장요가 이전과 악진을 불러 조조의 글을 내보였다. 악진이 장요에게 묻는다.

"장군의 생각은 어떠하시오?"

장요가 대답한다.

"지금 주공께서 원정중이시니 동오는 반드시 우리를 격파하려 할 것이오. 우리도 군사를 이끌고 나가 힘껏 싸워 적들의 예기를 꺾고 군심을 안정시킨 뒤에라야 가히 성을 지킬 수 있겠소."

이전은 평소에 장요와 그다지 사이가 좋지 않았다. 그래서 장요의 말을 듣고도 묵묵히 있을 뿐 대답이 없다. 악진은 아무 말 않는 이전을 염두에 두고 말한다.

"적군은 많고 우리는 적으니 나가서 맞서싸우기는 어렵겠소. 굳게 지키는 게 나을 듯하오."

장요가 말한다.

"공들은 사사로운 감정으로 말할 뿐 공사를 돌보지 않는구려. 나는 당장 군사를 거느리고 적을 맞아 죽음을 각오하고 싸우겠소!"

장요가 좌우에게 명하여 군마를 준비하라 일렀다. 그제야 이전이 벌떡 일어나며 말한다.

"장군의 뜻이 이러한데 내 어찌 사적인 감정으로 공사를 저버릴 수 있겠소? 바라건대 지휘하시오."

장요가 기뻐하며 말한다.

"만성(曼成, 이전의 자)이 기꺼이 나를 도와주시겠다니 고맙소. 내일 한무리의 군사들을 거느리고 소요진(逍遙津) 북쪽에 매복해 있다가 오군이 지나가거든 먼저 소사교(小師橋)를 끊어주시오. 나는 악문겸(樂文謙, 악진)과 더불어 적을 공격하겠소."

이전은 명을 받아 군사들을 이끌고 매복하러 떠났다.

한편 손권은 여몽·감녕을 전군으로 삼고, 자신은 능통과 더불어 중군을 거느리고, 나머지 장수들은 뒤이어 출발하게 하여 합비로 쳐들어갔다.

전군 선봉으로 앞서가던 여몽과 감녕이 조조군의 악진과 정면으로 마주쳤다. 감녕이 말을 달려 악진과 맞붙어 싸우기를 몇합, 갑자기 악진이 패한 체 달아나기 시작했다. 감녕은 여몽을 불러 함께 군사들을 이끌고 조조군을 추격했다. 손권은 중군에 있다가 전군이 이겼다는 보고를 듣고 군사를 재촉해 소요진 북쪽에 이르렀다. 갑자기 좌우에서 연주포(連珠砲)소리가 울리더니 왼쪽에서는 장요가 거느린 군사가, 오른쪽에선 이전의 군사가 짓쳐들어왔다. 손권은 깜짝 놀라 여몽과 감녕에게 원병을 청하려 했다. 그러나 이미 장요의 군사가 코앞에 이른데다 중군의 호위를 맡은 능통의 수하에는 불과 3백여기뿐이라 산이 무너지듯 덮쳐오는 조조군의 위세를 당할 수가 없었다. 능통이 크게 외친다.

"주공께서는 빨리 소사교를 건너십시오!"

말이 채 끝나기도 전에 장요가 2천여 기병을 이끌고 앞을 가로막으며 들이닥쳤다. 능통이 몸을 돌려 사력을 다해 싸우는 사이에 손권은 말을 몰아 다리 위에 들어섰다. 이미 다리 남쪽이 한길 남짓 끊겨 판자 한조각 찾아볼 수 없었다. 손권이 놀라 어찌할 바를 모르는데, 아장(牙將) 곡리(谷利)가 큰소리로 외친다.

"주공은 말을 뒤로 물렸다가 다시 앞으로 내달아 다리를 뛰어넘으십시오!"

손권이 곧 말머리를 돌려 다리에서 세 길이나 물러섰다가 말고삐를 당기며 채찍을 후려치니, 말은 한번에 뛰어 다리 남쪽으로 넘어갔다.

후세 사람의 시가 있다.

옛날 현덕이 적로마 타고 단계 물 건너뛰더니　　　的盧當日跳檀溪
오늘은 보는구나 합비에서 패한 손권　　　又見吳侯敗合淝
말을 잠깐 물렸다가 채찍질하니　　　退後着鞭馳駿騎
소요진 나루 위로 옥룡이 나는 것을　　　逍遙津上玉龍飛

손권이 다리 남쪽으로 건너뛰자 서성과 동습이 배를 몰고 맞이하러 왔다. 한편 능통과 곡리는 장요에 맞서싸우고, 감녕과 여몽은 그들을 구원하러 군사를 이끌고 달려왔다. 그러나 악진이 뒤에서 추격하고 이전이 앞에서 가로막으며 참살하니, 이 싸움에서 동오군의 태반이 죽었다. 능통이 거느린 군사 3백여명은 거의 몰살당했으며, 능통 자신도 수십 군데 창을 맞고 소사교 부근에 이르렀다. 그러나 이미 다리가 끊어진 터라 강물을 따라 달아났다. 손권이 배에서 동습에게 명하여 겨우 강기슭에 배를 대고 능통을 구해오게 했다. 여몽과 감녕도 가까스로 목숨을 구하여 하남으로 돌아갔다. 이 한판 싸움에 강남 사람들은 어찌나 혼이 났던지, 장요라는 이름만 들어도 밤에 울던 아이가 울음을 그칠 정도였다.

여러 장수들이 손권을 호위해 영채로 돌아왔다. 손권은 능통과 곡리에게 크게 상을 내리고 군사를 거두어 유수로 돌아가 배를 정돈했다. 그리고 육지와 강에서 한꺼번에 아울러 진격하기로 상의하는 한편, 사람을 강남으로 보내 다시 군마를 일으켜 싸움을 돕도록 했다.

한편 장요는 손권이 유수에 머물면서 다시 쳐들어올 준비로 바쁘다는 소식을 듣고 합비의 군사가 많지 않아 과연 당해낼 수 있을까 근심했다. 장요는 설제(薛悌)로 하여금 밤을 새워 한중의 조조에게 달려가 정세를 보고하고 지원병을 청했다. 조조가 여러 관원들을 모아놓고 상의한다.

"이번에 우리가 서천을 거둘 수 있겠는가?"

유엽이 말한다.

"이제 촉땅은 평정되어 이미 싸움에 대비하고 있으니 섣불리 공격할 수 없습니다. 군사를 거두어 위급한 합비를 구하고 강남을 치는 게 낫겠습니다."

조조는 하후연에게 한중에 머물며 정군산(定軍山) 요충지를 지키라고 하고, 장합에게 몽두암(蒙頭巖) 요충지를 지키게 했다. 나머지 군사들은 모두 영채를 헐고 유수를 향해 남하하기 시작했다.

철기군이 농우 지방 평정하자   鐵騎甫能平隴右
깃발은 다시 강남으로 향하더라   旌旆又復指江南

이 싸움의 승부는 어떻게 날 것인가?

도사 좌자

감녕은 기병 1백명으로 조조의 영채를 공격하고

좌자는 술잔을 던져 조조를 희롱하다

이무렵 손권은 유수구(濡須口)에서 군마를 수습하고 있었다. 그때 조조가 한중에서 친히 40만 대군을 거느리고 합비를 구하러 온다는 보고가 들어왔다. 손권은 모사들을 불러 대책을 의논하는 한편으로 즉시 동습·서성 두 사람에게 대선 50척을 이끌고 가서 유수구에 매복해 있도록 하고, 진무에게 강기슭을 왕래하며 순찰하게 했다. 장소가 말한다.

"지금 조조의 군사들은 먼길을 와서 피로할 테니 서둘러 적의 예기를 꺾는 게 상책입니다."

손권이 장하의 장수들에게 묻는다.

"조조군이 오고 있소. 누가 먼저 적을 격파해 그 예기를 꺾어놓겠소?"

능통이 나선다.

"제가 가겠습니다."

"군사가 얼마면 되겠는가?"

능통이 말한다.

"3천이면 족합니다."

이때 감녕이 나서며 말한다.

"1백명의 기병이면 깨뜨릴 수 있는데 3천을 다 무엇에 쓰겠소?"

능통은 내내 감녕에게 감정이 있던 터라 더욱 크게 노했다. 손권의 면전에서 두 장수는 싸움이라도 벌일 기세였다. 손권이 두 장수를 타이른다.

"조조군의 위세가 크니 경솔히 대적해서는 안되오. 능통은 3천 군사를 거느리고 유수구로 나아가 정찰하다가 조조군을 만나거든 교전하도록 하시오."

능통이 손권의 명령을 받고 3천 군마를 이끌고 유수구를 떠난 지 얼마 안되어 멀리서 티끌이 자욱하게 일어난다. 벌써 조조의 군사가 들이닥치고 있었다. 능통은 조조 진영의 선봉장 장요와 어울려 싸우기 시작했는데 50합이 되어도 승부가 나지 않았다. 손권은 능통이 실수할까 두려워 여몽에게 능통과 접응하여 본영으로 데려오라고 명했다. 감녕은 능통이 돌아온 뒤 즉시 손권에게 고한다.

"제가 오늘밤 1백기를 거느리고 조조의 영채를 습격하겠습니다. 만일 군마 하나라도 잃는다면 공을 인정하지 마소서."

손권은 감녕의 기개를 장하게 여겨서 정예병 1백명을 뽑아주고 술 50병과 양고기 50근을 상으로 내려 군사들을 배불리 먹고 마시게 했다. 감녕은 영채로 돌아와 군사 1백명을 나란히 앉혀놓고 은주발에 술을 가득 부어 두 잔을 연거푸 마시고 나서 말한다.

"오늘밤 우리는 주공의 명을 받들어 조조군의 영채를 습격할 것이다. 모두 술잔 가득 술을 부어 마시고 온힘을 다해 싸울 것을 당부하노라!"

군사들은 감녕의 말에 서로 얼굴을 마주볼 뿐이다. 군사들이 난감한 기색을 보이자 감녕은 당장 칼을 뽑아들고 꾸짖는다.

"장수인 내가 목숨을 아끼지 않는데 너희는 어찌 이리 망설이느냐!"

모여 있던 군사들은 감녕의 기색이 심상치 않은 것을 보고 모두들 일어나 절하며 말한다.

"죽음을 무릅쓰고 힘껏 싸우겠습니다!"

감녕은 1백명 군사들과 더불어 고기와 술을 배불리 먹고 마시고는 2경에 이르러 출정했다. 군사들은 흰 거위깃털 1백개를 투구에 꽂아 표지로 삼고 갑옷을 갖추어입은 뒤 말에 올라 나는 듯이 조조의 영채로 달려갔다. 적들이 세워둔 녹각(鹿角, 사슴뿔처럼 만든 방어용 울타리)을 단숨에 뽑아버리고 일제히 함성을 지르며 영채 안으로 뛰어들었다.

감녕은 원래 군사들을 휘몰아 곧장 중군으로 쳐들어가 조조를 해치울 작정이었다. 그러나 워낙 중군 주위에 수레를 늘여세워 겹겹이 에워싸고 철통처럼 지키고 있었기 때문에 쉽게 뚫고 들어가지 못했다. 감녕이 기병 1백명을 거느리고 좌충우돌하니, 조조군은 경황없이 당한 일이라 적의 병력이 얼마나 되는지도 알아채지 못한 채 달아나기에 바빠 저희들끼리 치고 밟히고 야단이었다. 감녕의 정예기병 1백명이 적의 영채 안을 종횡무진으로 내달리며 닥치는 대로 무찌르니, 뒤늦게 조조군의 모든 영채에서는 북을 울리고 횃불을 밝혀들며 함성을 올렸다. 감녕이 영채의 남문으로 치고 빠져나오는데 아무도 감히 앞을 막지 못했다. 손권이 주태에게 한무리의 군사를 이끌고 가서 감녕을 돕게 하였다. 감녕이 1백기의 군사를 이끌고 돌아올 때도 조조군은 혹시 복병이 있을까 두려워 감히 추격하지 못했다.

후세 사람들이 이 일을 두고 찬탄한 시가 있다.

북소리 고함소리 천지를 진동하니	鼙鼓聲喧震地來
오나라 군사 이르는 곳에 귀신도 통곡한다	吳師到處鬼神哀
깃털 꽂은 백명의 기병 조조 영채 뚫고 가니	百翎直貫曹家寨
모두들 감녕을 호랑이 같은 장수라 하네	盡說甘寧虎將才

감녕이 기병 1백명을 이끌고 본채로 돌아왔는데, 과연 부상당한 군마가 단 하나도 없었다. 영문에 이르러 모두 북 치고 피리 불며 소리 높여 만세를 부르니 환호성이 천지를 울렸다. 손권이 친히 나와 그들을 영접했다. 감녕이 말에서 내려 엎드려 절하니, 손권은 감녕의 손을 마주 잡아 일으키며 말한다.

"장군이 이번에 늙은 역적 조조를 혼내주었소. 내 즐거이 그대를 위험한 곳에 보낸 것이 아니고 그저 경의 담대함을 보고자 함이었소."

곧 비단 1천필과 칼 1백자루를 하사하니 감녕은 절하여 사례하고, 1백명의 군사들에게 고루 나누어주었다. 손권이 여러 장수들을 돌아보며 말한다.

"조조에게는 장요가 있고 내게는 감흥패(甘興覇, 감녕의 자)가 있으니, 족히 서로 대적할 만하도다!"

다음날, 장요가 군사를 이끌고 와서 싸움을 걸었다. 능통은 감녕이 공을 세운 것을 보았는지라 분연히 일어나 외쳤다.

"제가 장요와 싸워보겠습니다."

손권은 두말없이 허락했다. 능통이 5천 군사를 이끌고 유수를 떠났다. 손권은 친히 감녕과 더불어 관전하러 나갔다.

양쪽 군사가 둥글게 진을 벌이고 맞선 가운데 장요가 말을 몰고 나오니, 그 왼편에는 이전이, 오른편에는 악진이 따랐다. 능통이 말에 올라 칼을 치켜들고 진 앞으로 달려나가자 장요는 악진을 시켜 맞아 싸우게 했다. 두 장수가 어울려 싸우기 50합에 이르렀건만 도무지 승패가 나지 않았다. 조조가 친히 말을 몰고 나와 문기 아래 서서 두 장수가 싸우는 것을 살펴보다가 조휴에게 가만히 명한다.

"숨어 있다가 몰래 적장을 쏘아라."

조휴는 살그머니 장요의 등뒤로 몸을 숨기고 활시위를 당겨 화살 한대를 날렸다. 화살은 그대로 능통의 말을 맞혔고, 놀란 말이 앞발을 번쩍 들고 일어서는 바람에 능통은 그만 땅바닥으로 굴러떨어지고 말았다. 악진은 기다렸다는 듯 창을 치켜들고 능통을 찌르려 달려들었다. 그때 어디선가 활시윗소리가 들리더니 악진이 얼굴에 화살을 맞고 말에서 굴러떨어졌다. 양 진영의 군사들이 일제히 몰려나와 각기 자기편 장수를 구해 본영으로 돌아갔다. 징소리가 울리고 싸움은 중지되었다. 구사일생으로 살아난 능통은 영채로 돌아와 손권에게 절하여 사례를 올렸다. 손권이 능통에게 말한다.

"활을 쏘아 그대를 구한 사람은 감녕 장군이오."

능통이 머리를 조아려 절하며 감녕에게 말한다.

"공이 내게 이러한 은혜를 베푸실 줄 몰랐소이다."

이로부터 능통은 묵은 원한을 잊고 감녕과 더불어 생사를 함께하기로 결의했다.

한편 조조는 감녕의 화살을 맞은 악진을 장중으로 데려가 치료하도록 하고, 다음날 군사를 다섯 길로 나누어 일제히 유수를 향하여 진격했다. 조조는 친히 중로군을 거느렸으며, 왼쪽 1로는 장요가, 2로는 이전이 맡았고, 오른쪽 1로는 서황이, 2로는 방덕이 맡아서 각각 1만 명씩의 군마를 거느리고 일제히 강기슭으로 짓쳐들어갔다.

이때 동습과 서성 두 장수는 배 위에서 조조군이 다섯 길로 나뉘어 일제히 쳐달려오는 것을 보았다. 두 장수가 둘러보니 동오 군사들의 얼굴에는 하나같이 두려운 빛이 역력했다. 서성이 큰소리로 꾸짖는다.

"나라의 녹을 먹었으면 오로지 충성을 다할 뿐이다. 너희들은 무엇을 두려워하느냐!"

서성은 즉시 용맹스러운 군사 수백명을 이끌고 작은 배에 나누어 타고 강기슭으로 나아가 이전의 군사들을 향해 돌진했다. 동습은 배 위에 남아 군사들로 하여금 북을 울리고 함성을 질러 아군의 사기를 북돋게 하였다. 그때 갑자기 강물 위로 사나운 바람이 불어와 물결이 하얗게 하늘로 치솟고 파도가 소용돌이쳤다. 큰 배가 당장이라도 뒤집힐 듯하니, 군사들은 모두 각함(脚艦, 큰 배에 딸린 작은 배)을 내리며 도망하려 한다. 동습이 칼을 뽑아들며 외친다.

"임금의 명을 받들어 도적을 막는데 어찌 배를 버리고 달아나려 하느냐?"

동습은 배에서 내린 군사 10여명을 단칼에 베어버렸다. 강풍은 오히려 더 사납게 불어댔다. 마침내 큰 배가 뒤집혀서 동습은 강물에 빠져죽고, 서성은 이전의 군사들 속으로 쳐들어가 좌충우돌 적을 무찌르고 있었다.

한편 진무는 강기슭에서 전투가 벌어졌다는 소식에 군사들을 이끌고 오다가 방덕과 마주쳤다. 진무와 방덕 양군 사이에 일대 혼전이 벌어졌다. 손권은 유수에 있다가 조조군이 강기슭으로 쳐들어왔다는 보고를 듣고 친히 주태와 함께 군사를 이끌고 싸움을 도우러 달려왔다. 마침 서성이 이전의 군중 속에서 악전고투하고 있었다. 손권은 군사를 지휘하여 서성을 후원하려다가 조조 진영의 장요와 서황이 거느린 두 방면의 군사들에게 포위당해버렸다. 언덕 위에 올라 손권이 포위당한 것을 내려다본 조조는 급히 허저에게 명한다.

"지금 곧 손권의 군사 한복판으로 뛰어들어가 적을 두 패로 끊어서로 구하지 못하게 하라."

한편 동오 진영의 주태는 어지럽게 싸우다가 겨우 강기슭에 다다랐다. 그러나 손권이 보이지 않는다. 주태는 다시 적진 속으로 짓쳐들어가다가 본부 군사들을 만났다.

"주공께서는 어디 계시냐?"

한 군사가 적의 군마가 몰려 있는 곳을 손짓하며 말한다.

"주공께서 포위당해 매우 위급한 지경입니다!"

주태는 몸을 던지듯 잽싸게 적의 포위를 뚫고 들어갔다. 겨우 손권을 찾아내자 다급하게 말한다.

"주공께서는 제 뒤를 따라오십시오!"

주태가 앞장서서 좌충우돌하며 혈로를 뚫고 손권은 그 뒤를 따랐다. 겨우 포위를 헤치고 강기슭으로 나와 뒤를 보니, 또 손권이 보이지 않았다. 주태는 말머리를 돌려 막 뚫고 나온 적의 포위 속으로 다시 쳐들어가서 겨우 손권을 찾아냈다. 손권이 말한다.

　"적이 저렇게 활을 쏘아대 빠져나갈 수가 없으니 어째야겠소?"

　주태가 말한다.

　"이번에는 주공께서 앞장서시고 제가 뒤를 따르겠습니다. 그렇게 하면 포위를 벗어날 수 있을 것입니다."

　손권이 앞서 달려나갔고, 주태는 뒤에서 손권을 좌우로 막고 호위하며 달렸다. 몸의 여러 곳에 화살을 맞고 창에 찔려 갑옷마저 뚫린 채 드디어 손권을 구출하여 강기슭에 이르렀다. 마침 여몽이 한무리의 수군을 거느리고 배를 대어 지원했다. 배에 오른 손권이 말한다.

　"나는 주태가 두번씩이나 포위를 뚫고 들어와 구해주었지만, 서성은 아직도 포위되어 곤경에 처해 있으니 어떻게 빠져나오겠소?"

　주태가 다시 떨치고 일어난다.

　"제가 한번 더 가서 구해오겠습니다!"

　주태는 창을 휘두르며 다시 겹겹의 포위 속으로 뚫고 들어가 마침내 서성을 구출해나왔다. 두 장수 모두 중상을 입고 있었다. 여몽은 배 위에서 군사들에게 두 장수를 추격하는 적을 향해 어지럽게 활을 쏘도록 하고 두 장수를 구하여 배에 태웠다.

　한편 진무는 방덕과 한바탕 전투를 치르고 있는데, 뒤에서 지원하는 원병이 없어 밀리고 있었다. 수목과 덤불이 울창한 산골짜기에 이르러 진무가 다시 싸우려고 몸을 돌리는데 그만 갑옷소매가 나뭇가지에 걸려버렸다. 더 싸우지 못하게 된 진무는 방덕의 칼에 죽고 말았다. 조조는 손권이 겹겹의 포위를 뚫고 달아났다는 보고에 친히 말을 몰고 강기슭으로 달려와 군사들에게 손권이 탄 배를 향해 어지럽게 활을 쏘게 했다. 마주 활을 쏘려던 여몽은 화살이 다 떨어진 것을 알고 당황했다. 바로 그때 강을 따라 한떼의 배들이 다가왔다. 배의 선두에 우뚝 서 있는 장수는 바로 손책의 사위 육손(陸遜)이었다.

육손이 이끌고 온 10만 대군이 일제히 화살을 날려 조조의 군사를 물리치고는 승세를 몰아 강기슭에 상륙하여 적군을 추격하기 시작했다. 손권의 군사들이 뒤쫓으며 닥치는 대로 참살하니, 이때 조조군이 빼앗긴 전마가 수천 필에 이르렀으며, 조조의 군사들 중에 다치고 죽은 자는 헤아릴 수 없었다. 조조는 마침내 대패하여 돌아갔다.

손권은 진무가 죽고 동습 또한 강물에 빠져죽은 것을 알고 몹시 애통해하며 사람들에게 명하여 강물 속에서 동습의 시체를 찾아내 진무와 더불어 후하게 장례를 치러주도록 했다. 그리고 주태가 자신을 구해준 공로를 치하하여 크게 잔치를 베풀었다. 손권은 친히 술잔에 술을 따라 주태에게 건네며 그 등을 어루만지더니 비오듯 눈물을 흘린다.

"경은 두번씩이나 목숨을 아끼지 않고 나를 구해냈소. 온몸이 수십차례나 창에 찔려 마치 살갗에 그림을 그려놓은 듯하니, 내 어찌 경을 골육의 정으로 대하지 않을 수 있으며 모든 병권을 맡기지 않을 수 있겠소. 경은 나의 공신이니 영욕의 기쁨과 근심을 나와 함께 나눌 것이오."

말을 마친 손권이 주태에게 명하여 옷을 벗어 여러 장수들에게 보이게 하니, 살은 칼로 후벼판 것 같고 상처는 나무뿌리가 휘감긴 듯하여 온몸이 성한 데가 없었다. 손권이 손가락으로 상처를 하나하나 가

손권과 조조는 유수구와 합비에서 일진일퇴를 거듭하다

리키며 어찌 된 상처인지 물으니 주태가 일일이 당시 정황을 이야기한다. 손권이 상처 하나마다 술을 한잔씩 권하여 이날 주태는 마침내 크게 취했다. 손권은 주태에게 청라(靑羅)일산을 내리고 자신의 장막을 드나들 때마다 쓰도록 하여 주태의 영예를 더욱 빛내주었다.

그후로 손권은 유수에서 조조군과 한달 이상 대치했지만 이기지 못했다. 장소와 고옹이 함께 와서 아뢴다.

"지금 조조의 군세가 워낙 막강하니 힘으로는 취할 수가 없습니다. 이렇게 오래 싸움을 끌면 군사들만 잃을 것이니, 화평을 청하여 백성을 안정시키는 게 좋겠습니다."

손권은 그 말에 따라 보즐(步騭)로 하여금 조조의 영채에 가서 화평을 청하게 하고, 해마다 공물을 바치겠다고 약속했다. 조조도 빠른 시일 내에 강남을 취하기는 어려우리라 판단하고 동오의 화친을 받아들이기로 했다.

"손권이 먼저 군사를 거두어 돌아간다면 그후에 나도 허도로 회군할 것이다."

보즐이 돌아와 조조의 뜻을 전했다. 손권은 장흠·주태에게 남아서 유수구를 지키라고 하고, 대군을 군선에 태워 일제히 말릉으로 철군했다.

조조는 조인과 장요를 합비에 남아 지키게 하고, 대군을 거느리고 허도로 돌아갔다. 조조가 돌아오니 문무백관들이 모여 조조를 위왕으로 추대하자는 의견을 냈다. 상서(尙書) 벼슬에 있는 최염(崔琰)이 안된다고 강하게 반대하니 관원들이 최염에게 말한다.

"그대는 지난날 순문약(荀文若, 문약은 순욱의 자)이 어찌 되었는지 못 보았소?"

최염이 크게 노하여 말한다.

"또다시 때가 되었단 말인가. 반드시 변고가 일어날 텐데 이렇게 되어가는 대로 두어야 한단 말인가!"

평소 최염과 별로 사이가 좋지 못한 사람이 있어 이 일을 조조에게 고해바쳤다. 크게 노한 조조는 최염을 잡아들여 옥에 가두고 문초하게 했다. 최염은 범 같은 눈을 부릅뜨고 수염을 곤두세우더니 큰소리로 꾸짖으며 욕설을 퍼붓는다.

"조조가 바로 임금을 기망하는 역적이다!"

문초하던 정위(廷尉)가 이 일을 그대로 조조에게 알렸다. 조조가 큰소리로 호령한다.

"그놈을 때려죽여라!"

마침내 최염은 옥중에서 장살당하고 말았다.

후세 사람이 최염의 일을 찬탄한 시가 있다.

청하 사람 최염이여	清河崔琰
천성이 굳세고 강직하니	天性堅剛
용의 수염과 범의 눈	虯髥虎目
철석의 심장이라	鐵石心腸
간사한 무리를 물리치고	奸邪辟易
높은 절개 드날리더니	聲節顯昻
한나라에 바친 충성이여	忠於漢主
그 이름 천고에 드높아라	千古名揚

건안 21년(216) 5월 초여름, 여러 신하들은 헌제에게 표문을 올려 조조의 공덕을 칭송했다.

위공 조조의 공덕이 하늘에 닿고 온땅에 널리 퍼졌으니, 옛날 이 윤(伊尹)과 주공(周公)도 따르지 못할 것이온즉, 위왕으로 봉하심 이 마땅하다고 아뢰옵니다.

표문을 받은 헌제는 즉시 종요(鍾繇)를 불러 조서를 꾸미게 하여 조조를 위왕으로 책립했다. 조조는 체면치레를 하느라 사양하는 글을 세 번이나 올렸다. 사양의 뜻을 허락할 수 없다는 조서를 세 번 받고 서야 마침내 위왕의 자리에 올랐다. 이때부터 조조는 열두 줄의 백옥이 달린 면류관을 쓰고 여섯 필 말이 이끄는 금근거(金根車)를 타는 등 황제가 움직일 때와 같은 의장을 갖추었다. 출입할 때 사람들을 경계하고 금하는 것도 빠지지 않았다. 또한 조조는 업군(鄴郡)에 위(魏) 왕궁을 짓고 세자 책립을 논하기에 이르렀다.

조조에게는 정실인 정(丁)부인 외에 첩실 유씨(劉氏)와 변씨(卞氏)가 있었다. 정부인에게서는 소생이 없고, 첩 유씨에게서는 아들 조앙(曹昻)을 얻었으나 장수(張繡)를 칠 때 완성에서 잃었다. 변씨에게서는 아들이 넷 있었으니 장자의 이름은 비(丕)이고, 둘째는 창(彰), 셋째는 식(植), 막내는 웅(熊)이었다. 조조는 드디어 정부인을 내쫓고 변씨를 위왕비로 삼았다.

조조의 네 아들 중에서 셋째아들 조식은 자가 자건(子建)으로, 몹시 총명한데다 붓만 들었다 하면 미문(美文)이 저절로 흘러나오는 문장가여서 특별히 조조가 아끼는 터라 후사를 잇게 할 작정이었다. 큰아들 조비는 세자자리를 아우에게 빼앗길 듯해 근심이 태산 같았다. 하루는 중대부 가후를 찾아가 계책을 물으니, 가후가 조비에게 계책을 일러주었다. 이로부터 조조가 출정하느라 네 아들이 뒤를 따르며 전송할 때마다 조식은 조조의 공덕을 칭송하는 글을 짓는데, 조비는 그저 구슬프게 눈물을 흘리며 절할 뿐이었다. 그 모습에 좌우 사람들까지 모두들 마음 아파했다. 마침내 조조는 조식이 비록 재주는 있으나 성실한 마음은 맏형 조비를 못 따른다고 생각하게 되었다. 그뿐 아니라 조비는 가까이 있는 사람들을 매수하여 자신이 얼마나 인덕이 높은 사람인지 널리 퍼뜨리게 했다. 조조는 세자로 세울 사람을 정하지 못하고 주저하다가 하루는 가후를 불러 의논한다.

"장차 후사를 세워야겠는데 누가 마땅하겠소?"

가후는 잠자코 있다.

"왜 대답이 없소?"

"한 가지 생각되는 바가 있어 얼른 대답을 못하겠습니다."

"무슨 생각이란 말이오?"

"원본초(원소)와 유경승(유표) 부자의 일을 생각했습니다."

두 사람 모두 장자를 홀대해 나라를 지키지 못하고 자식들끼리 싸워서 망한 집안이다. 조조가 크게 웃고는 마침내 맏아들 조비를 왕세자로 삼았다.

같은 해 10월, 드디어 위 왕궁이 완공되었다. 조조는 사람을 각처에 보내 기이한 화초와 보기 드문 나무들을 모아오게 하여 후원에 심었다. 오나라에도 사자가 찾아가 손권에게 위왕의 명을 전하고 온주(溫州)로 가 특산물인 감귤을 가져갔다. 이때 손권은 위왕을 존중하는 뜻으로 본성에 사람을 보내 큰 감귤만 골라서 40여 짐을 꾸려 밤을 새워 업군으로 보내게 했다. 짐꾼들이 감귤을 지고 가다가 너무 피곤해 산기슭에서 쉬고 있는데, 생김새가 기묘한 한 도인이 나타났다. 그 도인은 애꾸눈에 한쪽 발을 절었는데, 머리에는 백등관(白藤冠)을 쓰고 청라의(靑懶衣)를 걸치고 있었다. 이 기묘한 행색의 도인이 짐꾼들에게 가까이 다가오더니 말한다.

"자네들이 이렇게 무거운 짐을 메고 가느라 참으로 고생스럽겠네. 내가 좀 져다주면 어떻겠나?"

짐꾼들은 모두 기뻐했다. 도인은 각 사람의 짐을 모두 5리씩 운반해주었는데, 그가 옮겨주고 나니 짐이 이상하게도 가벼워져서 짐꾼들은 모두 놀라고 의심스러워했다. 도인이 헤어지기 전에 감귤 운송의 책임을 맡은 관원에게 말한다.

"빈도는 위왕과 한고향 사람으로 성은 좌(左)씨요 이름은 자(慈), 자는 원방(元放)이며 도호는 오각선생(烏角先生)이라 하네. 업군에 도착하면 이 좌자의 인사를 위왕에게 꼭 전해주게나."

그러고는 소매를 떨치고 유유히 가버렸다. 이윽고 짐꾼들이 업군에 도착해 조조에게 감귤을 바쳤다. 조조가 감귤을 하나 집어들어 손수 껍질을 벗기는데, 속이 텅 비어 속살이 전혀 없었다. 조조는 깜짝 놀라 감귤 운송을 책임진 관원을 불러서 어찌 된 일인지 물었다. 관원은 좌자를 만났던 일이며, 좌자가 한 말을 그대로 전했다.

"참으로 믿을 수 없는 일이로다!"

조조가 못내 의심스러워하며 고개를 흔드는데 문득 문지기가 와서 고한다.

"어떤 도사가 자칭 좌자라고 하면서 대왕을 뵙겠다고 청하옵니다."

조조가 불러들이니 옆에 있던 관원이 말한다.

"바로 이분이 도중에 만났던 사람입니다."

조조가 좌자에게 꾸짖어 말한다.

"네 무슨 요술로 과일의 속살을 꺼내갔느냐!"

좌자가 웃으며 말한다.

"그럴 리가 있겠소?"

그러고는 감귤을 하나 집어들고 껍질을 벗기니 속살이 가득하고 그 맛 또한 매우 달았다. 그러나 조조가 쪼갠 감귤은 모두 빈 껍질뿐이었다. 조조는 더욱 놀라 좌자에게 자리를 내주며 어찌 된 일인지 묻자 좌자는 먼저 술과 고기를 달라고 청했다. 조조가 명하여 술과 고기를 내오게 하니, 좌자는 혼자서 술을 다섯 말이나 마셨는데도 전혀 취하지 않고, 혼자서 양 한 마리를 통째로 먹었는데 조금도 배부른 기색이 아니다.

"그대는 대체 무슨 요술로 이렇게 할 수 있는가?"

조조가 묻자 좌자가 답한다.

"빈도는 서천의 가릉(嘉陵) 아미산(峨嵋山)에서 30년 동안 도를 닦았는데, 어느날 돌벽 속에서 내 이름을 부르는 소리가 들렸소. 허나 둘러보아도 아무도 보이지 않았지요. 며칠 동안 이런 일이 계속되더니 하루는 뇌성벽력이 일어나며 돌벽이 깨지고 그 속에서 천서(天書)가 세 권 나왔소. 이름하여 '둔갑천서(遁甲天書)'인데, 상권은 '천둔(天遁)'이요 중권은 '지둔(地遁)'이고 하권은 '인둔(人遁)'이었소. '천둔'에는 능히 구름을 밟고 바람을 타고 허공을 오르내릴 수 있는 술법이 있고, '지둔'에는 산과 돌을 뚫을 수 있는 술법이 있으며, '인둔'에는 능히 사해를 구름처럼 떠돌아다닐 뿐만 아니라 모양을 감추고 변신하며, 칼을 날리고 비수를 던져 사람의 목을 취할 수 있는 비술이 있었소이다. 이제 대왕은 신하로서 지위가 극에 달했는데 어찌 물러나지 않으시오? 빈도를 따라 아미산으로 들어가 수행을 한다면 천서 세 권을 모두 전수하겠소이다."

조조가 말한다.

"나 또한 오래 전부터 물러날 생각이 있었으나 조정에 뒷일을 맡길 만한 사람이 없어 이러고 있소."

좌자가 껄껄 웃으며 달래듯 말한다.

"익주에 있는 유현덕은 한나라 황실의 기둥이 될 만한데 어찌하여 그에게 자리를 넘기지 않는 게요?"

그러더니 갑자기 안색을 고쳐 엄한 목소리로 말을 잇는다.

"내 말에 따르지 않는다면 칼을 날려 네 목을 잘라버릴 테다!"

조조는 화가 치밀어 좌우를 돌아보며 외친다.

"이놈이 바로 유비의 정탐꾼이로구나. 어서 이자를 끌어내라!"

좌자는 큰소리로 웃음을 그치지 않았다. 조조가 10여명의 옥졸을 시켜 좌자를 잡아들이고 죽도록 매질하며 고문했으나 좌자는 편안히 코를 골며 잠만 잘 뿐, 군소리 한마디 없었다. 조조는 더욱 화가 치밀어 좌자의 목에 큰칼을 씌우고 단단히 못을 박은 다음 쇠사슬로 옭아 매어 옥에 가두고 지키게 했다. 그러나 그도 그때뿐 좌자는 칼을 벗고 쇠사슬도 풀어버린 채 땅바닥에 누워 있는데, 조금도 다친 데가 없었다. 뿐만 아니라 옥에 가두어두고 7일이 지나도록 음식을 주지 않았는데도 단정하게 앉아 있는 좌자의 얼굴에는 불그레하게 생기가 감돌았다. 옥졸이 이 사실을 조조에게 보고했다. 조조가 좌자를 끌어내 문초하니, 좌자가 태연히 대답한다.

"나는 수십년을 먹지 않아도 배고프지 않고, 하루에 1천 마리의 양을 먹어도 배부르지 않소이다."

조조는 도무지 좌자를 어찌할 수가 없었다. 하루는 여러 관원들이 왕궁에서 베푼 잔치에 참석해 한창 술과 음식을 즐기고 있는데, 좌자가 나막신을 신고 나타났다. 모든 관리들은 놀라는 한편 괴이하게 여겨 좌자를 지켜보았다. 좌자가 말한다.

"대왕이 오늘 수륙(水陸)의 진미를 모두 갖추어 신하들과 함께 큰 잔치를 열었는데, 천하의 별식이 무척 많구려. 그러나 혹시 부족한 게 있다면 빈도가 갖추어드리겠소."

조조가 말한다.

"나는 용의 간으로 국을 끓여먹고 싶다. 네 능히 용의 간을 가져올 수 있겠느냐?"

"그야 무엇이 어렵겠소?"

좌자는 먹과 붓을 달라고 하여 회분 칠한 벽에다 용 한마리를 그리더니, 소매로 한번 후려쳤다. 순간 그림 속 용의 배가 갈라진다. 좌자가 용의 뱃속에서 선혈이 뚝뚝 듣는 간을 끄집어냈다. 조조가 믿으려하지 않고 꾸짖는다.

"네가 미리 소매 속에 감추어두었구나!"

좌자가 말한다.

"지금 날이 추워 웬만한 초목은 모두 말라죽었소. 대왕께서 좋아하는 꽃을 말씀하신다면 어떤 꽃이든 구해드리겠소."

"나는 모란꽃을 원하노라."

"쉬운 일이오."

좌자가 큰 화분을 가져오게 하여 잔치상 위에 올려놓고 물을 머금어 뿌렸다. 보고 있는 동안에 모란 한 그루가 솟아오르더니 두 송이 꽃이 활짝 피어났다. 모든 관원들이 크게 놀라 좌자에게 합석하기를 청하여 함께 음식을 먹었다. 얼마 후 요리사가 생선회를 내왔다. 좌자가 좌중을 돌아보며 말한다.

"생선회라면 송강(松江)의 농어가 별미 아니겠소?"

조조가 눈살을 찌푸리며 말한다.

"송강이 여기서 천리나 떨어져 있는데 어떻게 구해온단 말이냐."

좌자가 말한다.

"역시 어려운 일이 아니외다."

좌자는 낚싯대를 가져오라 하더니 뜰 아래 연못으로 내려가 고기 낚는 시늉을 했다. 그러자 순식간에 큰 농어 수십 마리가 좌자의 낚싯대에 끌려올라왔다. 농어를 상에 바치는데 조조가 못마땅한 듯 투덜

조조의 잔치에서 좌자는 조조를 마음껏 희롱하다

댄다.

"이건 연못 속에 원래 있던 고기로다."

좌자가 말한다.

"대왕은 왜 속이려 하시오? 천하의 모든 농어가 아가미가 두 개지만 오직 송강의 농어만은 아가미가 넷이니, 이것으로 구분할 수 있소이다."

좌자의 말을 듣고 모여 있던 관원들이 그 고기의 아가미를 보니 과연 넷이었다. 다시 좌자가 말한다.

"송강의 농어를 요리하려면 자아강(紫芽薑, 붉은 싹이 돋는 생강)이 있어야 제맛이 나지요."

"네가 자아강도 구할 수 있단 말이냐!"

"쉬운 일이오."

좌자가 금화분을 가져오라고 하더니, 옷으로 화분을 덮어씌웠다가 벗겨냈다. 자아강이 화분 가득히 돋아나 있었다. 좌자는 화분째 조조에게 바쳤다. 조조가 화분에서 자아강을 집으려 하자 갑자기 화분 속에서 책 한권이 나오는데, 제목이 『맹덕신서(孟德新書)』(조조가 지었다는 병법책)였다. 조조가 그 책을 펼쳐보니 과연 한자 한구도 틀리지 않았다.

'참으로 알다가도 모를 일이로구나……'

조조가 속으로 놀라고 의심하는데, 좌자가 잔치상 위의 옥잔에 술을 넘치도록 가득 부어 조조에게 올린다.

"대왕은 이 술을 드시고 천년 장수하소서."

조조가 말한다.

"그대가 먼저 마셔보아라."

좌자가 머리에 쓰고 있던 관에서 옥비녀를 꺼내 잔 가운데를 그으니 술이 반으로 나뉘었다. 좌자는 그 절반을 마시고 나머지 반을 조조에게 바쳤다. 조조가 크게 꾸짖으며 호통을 친다.

"이런 요망한 놈, 저리 치우지 못할까!"

좌자는 말대꾸도 없이 술잔을 들어 공중에 던져버렸다. 좌자가 내던진 술잔은 공중에서 한 마리 흰 비둘기로 변하여 전각의 추녀를 스치며 날아갔다. 모든 관원들이 고개를 들어 비둘기를 바라보는 동안 좌자는 사라져버렸다. 좌우 시종들이 아뢴다.

"좌자가 이미 궁문 밖으로 나갔습니다."

조조가 소리친다.

"이렇게 요사스런 인물은 없애버려야 마땅하다! 그대로 두었다가는 반드시 해가 될 것이다."

조조는 허저에게 철갑군 3백명을 거느리고 쫓아가서 좌자를 잡아들이라고 명했다. 허저가 군사들을 재촉해 성문 가까이 이르러 보니 저 앞에서 좌자가 나막신을 신고 천천히 걸어가고 있었다. 허저가 급히 말을 몰고 뒤쫓는데 도무지 좌자와의 거리가 좁혀지지 않는 것이었다. 허저가 좌자를 계속 뒤쫓아 산기슭에 이르렀다. 앞을 보니 목동이 양떼를 몰고 오는데 좌자가 슬그머니 양떼 속으로 들어간다. 허저는 좌자를 향해 활을 쏘았다. 좌자는 또다시 어디론가 없어졌다. 화가 난 허저는 양의 목을 모조리 쳐서 몰살시켜버리고는 돌아갔다.

목동이 주저앉아 울고 있는데 어디선가 사람의 음성이 들려왔다.

"애야, 울지 말고 잘린 머리를 모두 양의 몸에 붙여라!"

목동이 놀라 두리번거리니, 땅바닥에 나동그라진 양의 얼굴 하나가 사람의 말을 하는 게 아닌가. 목동이 혼비백산하여 얼굴을 가리고 달아나려는데, 갑자기 등뒤에서 부르는 소리가 들렸다.

"얘야, 달아나지 말아라. 내가 네 양들을 살려주마!"

목동이 돌아보니 좌자가 죽은 양들을 모두 살려내어 몰고 왔다. 목동이 다시 물어보려는데, 좌자는 어느새 소매를 떨치고 나는 듯이 걸어서는 금세 사라져버렸다. 목동이 돌아와 겪은 일을 주인에게 고하니 주인은 감히 감출 수 없는 일이라 생각해 즉시 조조에게 알렸다. 조조는 좌자의 모습을 그려 각처에 뿌리고 좌자를 잡아들이라고 호령했다.

그러고 나서 사흘이 못 되어 성 안팎에서 애꾸눈에 발을 절고 백등관에 청라의를 걸치고 나막신을 신은 똑같은 사람 3,4백명이 일제히 나타나니 저잣거리에는 일대 소동이 벌어졌다. 조조는 장수들에게 명하여 이 수백명의 좌자를 모조리 잡아 돼지와 염소의 피를 뿌리고 성 남쪽에 있는 교련장으로 압송하게 했다. 그러고는 친히 무장군사 5백명을 끌고 가서 수백명 좌자를 모조리 목베어 죽였다. 그런데 목이 떨어져나간 사람마다 목구멍에서 한줄기 푸른 기운이 솟아올라 하늘로 모이더니, 한 사람의 좌자로 변했다. 이윽고 좌자는 하늘을 나는 백학 한 마리를 불러서 올라타고는 손뼉을 치며 크게 웃고 말한다.

"흙쥐〔土鼠〕가 금호〔金虎〕를 따르면 간웅은 하루아침에 끝나리라!"

(오행으로 따져 건안 25년 경자년庚子年 정월에 조조가 죽을 것이란 뜻)

조조는 놀라 여러 장수들에게 일제히 활을 쏘게 했다. 갑자기 회오리바람이 일어 돌과 모래를 날리더니, 목이 없는 수백 구의 시체가 벌떡벌떡 일어나 각기 제 머리를 찾아들고 껑충껑충 연무청으로 뛰어올라 조조에게 덤벼들었다. 문무관원들은 모두 얼굴을 싸쥐고 놀라자빠져 서로 돌아보지도 못했다.

간웅의 권세는 나라를 기울여도　　　　　　　　　奸雄權勢能傾國
도사의 선기에는 어쩔 수 없도다　　　　　　　　道士仙機更異人

조조의 목숨은 이제 어찌 될 것인가?

점쟁이 관로

관로는 주역으로 점쳐서 천기를 알고
다섯 신하는 역적 조조를 치다가 절개 있게 죽다

　그날 조조는 검은 바람 가운데서 시체들이 일어서는 모습에 놀라
기절했다. 잠시 후 바람이 잦아들자 시체들도 어디로 사라졌는지 보
이지 않았다. 좌우에서 조조를 부축해 궁으로 돌아갔다. 조조는 너무
놀란 나머지 병이 되어 자리에 누웠다.
　후세 사람이 좌자를 찬탄한 시가 있다.

나는 걸음으로 구름 밟고 천하를 주유하며　　　　　飛步凌雲遍九州
둔갑술로 몸을 감춰 유유자적하네　　　　　　　　獨憑遁甲自遨游

신선의 도술 한가로이 베풀어   等閑施設神仙術

조조를 깨우치려 했건만 머리 돌리지 못하네   點悟曹瞞不轉頭

조조의 병은 약을 써도 좀체로 낫지 않았다. 마침 태사승(太史丞, 천문·역법 등을 맡아보는 관리) 허지(許芝)가 허도에서 조조를 뵈러 왔다. 조조는 허지에게 주역점을 쳐보게 했다. 허지가 묻는다.

"대왕께서는 귀신 같은 점술가 관로(管輅)에 대한 이야기를 듣지 못하셨습니까?"

"그 이름은 들어 알고 있으나 점술이 어떠한지는 알지 못하니 어디 한번 자세히 말해보라."

허지는 관로에 대해 이야기했다. 관로의 자는 공명(公明)으로, 평원(平原) 사람이었다. 관로는 워낙 추한 몰골인데다 술을 좋아하고 그 언행이 흡사 미친 사람 같았다. 관로의 아버지는 일찍이 낭야(琅琊) 즉구(卽丘)의 현령을 지냈다. 관로가 어려서부터 별을 관찰하는 것을 좋아해 잠잘 생각도 하지 않으니, 부모가 못하게 말려도 듣지 않았다. 관로는 항상 이렇게 말하곤 했다.

"집안의 닭과 들의 고니 따위도 때[時]를 아는데, 하물며 사람으로 세상에 나서 때를 몰라 되겠느냐."

이웃집 아이들과 놀면서도 땅에 그림을 그려 천문이라 하고 일월성신(日月星辰)을 늘어놓았다. 자라면서 주역(周易)을 깊이 터득하고, 바람의 방향으로 길흉을 점치는 풍각(風角)을 했으며, 수학(數學, 고대의 운수를 점치는 분야)에 신통하고 관상도 잘 보았다. 낭야 태수 선자춘(單子春)이 그 명성을 듣고 관로를 불러들였다. 마침 그 자리에는 1백여 명의 손님들이 앉아 있었는데 모두 말깨나 한다는 선비들이었다.

관로가 선자춘에게 말한다.

"제가 아직 어려서 담력이 약하니 우선 술을 석 되 주시면 그걸 마시고 나서 말씀드리겠습니다."

선자춘이 기이하게 여기며 관로에게 술 석 되를 내주니 관로가 술을 다 마시고 나서 물었다.

"제가 상대해야 할 사람이 부군(府君)과 여기 사방에 앉아 계신 선비님들입니까?"

자춘이 대답했다.

"내가 먼저 그대와 더불어 상대하겠네."

그리고 선자춘이 관로와 주역의 이치에 대해 토론하니, 관로는 힘들이지 않고 이야기하는데 말 마디마다 정연하고 심오했다. 자춘이 까다롭고 어려운 대목을 반복해 물어도 관로의 대답은 청산유수였다. 이렇게 하기를 아침부터 저녁까지 음식 먹을 사이도 없이 계속했다. 자춘을 비롯해 모든 손님들이 탄복하지 않는 이가 없었다. 이때부터 세상사람들은 관로를 신동이라 불렀다.

그후 곽은(郭恩)이라는 사람이 그 지방에 살았는데, 그의 삼형제가 모두 앉은뱅이가 되는 병을 앓았다. 그래서 관로를 청하여 점을 치게 하니 관로가 점괘를 보고 말한다.

"점괘에 보니 당신 집안의 묘에 여귀(女鬼)가 있소. 당신들의 백모가 아니면 숙모일 것이오. 지난 흉년에 몇 되의 쌀 때문에 그이를 우물 속에 밀어처넣고 큰 돌로 머리를 눌러놓았으므로, 그 외로운 혼이 고통을 하늘에 호소해 당신 형제들에게 업보를 내린 것이니, 이는 풀수가 없소."

곽은 형제들은 흐느껴 울며 저지른 죄를 자복했다.

안평(安平) 태수 왕기(王基)가 관로의 점괘가 신통하다는 소문을 듣고 그를 집으로 불렀다. 마침 신도(信都) 현령의 아내가 언제나 풍증으로 두통을 앓고 또 그 아들은 가슴앓이를 하여 관로에게 점괘를 봐달라고 청했다. 관로가 말한다.

"이 집의 서쪽 귀퉁이에 시체 두 구가 묻혀 있는데, 한 남자는 창을 가졌고 또 한 남자는 화살을 지녔소. 머리는 벽 안에 묻혀 있고, 다리는 벽 바깥에 나와 있습니다. 창을 지닌 이는 상대의 머리를 찔러 두통이 있고, 화살을 지닌 이는 상대의 가슴과 배를 찔러 가슴이 아픈 것이오."

즉시 땅을 파보았다. 여덟 자쯤 파들어가니 과연 관이 두 개 있었는데 한 관 속에는 창이 들어 있고, 다른 관 속에는 각궁(角弓)과 화살이 들어 있었다. 관은 이미 썩은 상태였다. 관로는 성밖 10리 떨어진 곳에 유골을 안장해주도록 했다. 그러자 현령 아내의 두통과 아들의 가슴앓이가 씻은 듯이 나았다.

또 한번은 관도(館陶)땅의 현령 제갈원(諸葛原)이 신흥(新興) 태수로 부임하여 관로가 축하인사를 하러 갔다. 손님들이 모두 제갈원에게 말한다.

"관로는 감추어놓은 물건을 점괘로 신통하게 알아맞힌답니다. 한번 점을 쳐보십시오."

제갈원은 믿기질 않아서 은밀히 제비알과 벌집과 거미를 각각 다른 합에 넣고 밀봉한 다음 관로에게 맞혀보게 했다. 관로는 점괘에 나타난 대로 합 위에 각기 네 구절의 글을 적었는데, 첫 합 위에는 다음과 같이 적고, '제비알'이라 했다.

기운을 머금었으니 마땅히 변할 것이요　　　　含氣須變

집 처마에 의지하네　　　　　　　　　　　依乎宇堂

암수로 형태를 이룰 것이고　　　　　　　　雌雄以形

깃과 날개가 자라날 것이로다.　　　　　　羽翼舒張

둘째 합에는 다음과 같이 적고, '벌집'이라 했다.

집이 거꾸로 매달렸으매　　　　　　　　　家室倒懸

드나드는 문이 수도 없고　　　　　　　　門戶衆多

정기를 모으고 독을 기르니　　　　　　　藏精育毒

가을이면 변화하리　　　　　　　　　　　得秋乃化

셋째 합에는 다음과 같이 적고, '거미'라고 했다.

긴 다리를 꾸부정　　　　　　　　　　　　觳觫長足

실을 토하여 그물 만드네　　　　　　　　吐絲成羅

그물에서 먹을것을 구하니　　　　　　　尋網求食

이로움 어두운 밤에 있도다　　　　　　　利在昏夜

사람들은 모두 깜짝 놀랐다.

또 한번은 소를 잃어버린 마을의 늙은 아낙네가 점을 쳐서 알아내
달라 했더니, 관로가 말해주었다.

"북쪽 계곡가에 일곱 사람이 소를 훔쳐 삶아먹고 있을 것이오. 급
히 쫓아가면 고기와 가죽은 아직 있을 게요."

늙은 아낙네가 찾아가보니, 과연 일곱 사람이 띠집 뒤에서 소를 삶아먹고 있었는데, 고기와 가죽이 남아 있었다. 아낙네는 그 고을 태수 유빈(劉邠)에게 고소하여 일곱 사람을 잡아들이게 했다. 유빈은 소도둑들을 치죄한 다음 아낙네에게 물었다.

"너는 어떻게 하여 이 사실을 알아냈느냐?"

아낙네가 관로의 점이 신통하다고 말하니, 유빈은 믿기지 않아 관로를 부중으로 불러들였다. 그러고는 몰래 도장주머니와 산닭의 털을 합 속에 넣고 점을 쳐보라 일렀다. 관로가 즉시 점괘를 보고 말한다.

"하나는 속은 모나고 밖은 둥근데 오색 무늬가 있고, 믿음을 지키는 보물을 품으며 나오면 글이 생기니, 이는 바로 도장주머니입니다. 나머지는 바위마다 새가 있으니 비단 몸에 붉은 옷을 입고 날개는 검고 누른데 새벽이면 어김없이 우니, 이는 산닭의 털입니다."

유빈이 크게 놀라 관로를 상빈으로 대우했다.

하루는 관로가 한가롭게 교외에 나가 산책을 하는데, 한 소년이 밭을 갈고 있었다. 관로는 한참동안 밭두덕에 서서 지켜보다가 소년에게 물었다.

"네 성과 이름이 어찌 되느냐?"

소년이 대답한다.

"제 성은 조(趙)요 이름은 안(顔)이며 나이는 열아홉입니다. 감히 여쭙건대 선생은 뉘신지요?"

관로가 말한다.

"나는 관로라는 사람이다. 자네 미간을 보니 사기(死氣)가 있어 사흘 안에 죽을 운이로구나. 외모는 잘생겼다마는 수명이 짧으니, 참으로 안타깝구나!"

조안은 집으로 달려가 아비에게 이 사실을 고했다. 소년의 아비가 급히 관로에게 쫓아와 땅바닥에 엎드려 절하며 통곡했다.

"제발 제 자식을 살려주십시오!"

관로는 머리를 저었다.

"이는 천명(天命)이니 어찌 면할 수 있겠소?"

소년의 아비는 대성통곡하며 간청했다.

"이 늙은이에게 자식이라고는 이놈 하나뿐입니다. 제발 제 자식을 살려주십시오!"

조안 또한 울면서 빌었다. 관로는 그들 부자의 정경이 너무 절절해 조안에게 말한다.

"자네는 맑은 술 한병과 사슴고기포 한덩이를 마련하여 내일 남산 큰나무 밑으로 가거라. 그곳에 가면 반석 위에 두 사람이 바둑을 두고 있을 것이다. 흰 도포를 입은 사람은 남향으로 앉아 있는데, 생김새가 추할 것이고, 붉은 도포를 입은 사람은 북향으로 앉아 있는데 외모가 출중할 것이다. 너는 두 사람이 바둑에 빠져 있는 동안 무릎 꿇고 술과 사슴고기포를 올리되, 그분들이 먹고 마시기를 마친 뒤에 울며 엎드려 절하고 목숨을 빌어라. 그리하면 틀림없이 수명을 늘릴 것이다. 다만 내가 가르쳐주었다는 말은 절대로 하지 마라."

늙은 아비는 관로를 집으로 청해 머물도록 했다. 다음날 조안은 술과 사슴고기포, 술잔과 소반 등을 갖추어 남산으로 갔다. 한 5, 6리쯤 가니 과연 큰 소나무 아래 반석에서 두 사람이 바둑을 두고 있었다. 가까이 갔으나 두 사람은 돌아보지도 않는다. 조안은 꿇어앉아 술과 고기를 올렸다. 두 사람은 바둑에 열중한 나머지 자신도 모르게 술과 고기를 주는 대로 모두 먹었다. 그제야 조안은 엎드려 통곡하며 제 수

명을 빌었다. 두 사람은 깜짝 놀라 고개를 들었다. 붉은 도포를 입은 사람이 말한다.

"이는 필시 관로가 시킨 것이로다. 허나 우리가 이미 사사로이 얻어먹었으니 가련히 여길 수밖에 없겠구나."

흰 도포를 입은 사람이 곁에 두었던 장부를 꺼내 훑어보고는 조안에게 말했다.

"너는 금년 나이 19세이니 마땅히 죽어야 하나, 내가 지금 십(十)자 위에 구(九)를 덧붙여 너를 99세까지 살도록 해주겠다. 너는 돌아가 관로에게 다시는 천기를 누설하지 말라고 전하여라. 그렇지 않으면 반드시 하늘의 책망이 따를 것이니라."

붉은 도포를 입은 사람이 붓을 꺼내 글자 하나를 덧붙여 써넣었다. 이윽고 향기로운 바람이 일더니 두 신선은 학으로 변해 멀리 하늘 위로 날아갔다. 조안이 돌아와 신선들에 대해 관로에게 물으니 답해주었다.

"붉은 도포를 입은 사람은 남두성(南斗星)이요 흰 도포를 입은 사람은 북두성(北斗星)이니라."

"제가 듣기로 북두는 별이 아홉인데 어째서 한 분인지요?"

"흩어져 있으면 아홉으로 보이나, 합치면 하나이다. 북두성은 죽음을 주관하고 남두성은 삶을 주관하느니라. 이제 수명을 늘렸으니 다시 무엇을 근심하겠느냐?"

아비와 아들은 관로에게 절하며 감사했다.

허지가 여기까지 이야기하고 나서 조조에게 말한다.

"이로부터 관로는 또다시 천기를 누설할까 두려워 다시는 사람을 위해 가벼이 점을 치지 않습니다. 그가 지금 평원(平原)에 있는데, 대왕께서 길흉화복을 알고 싶으시면 왜 부르지 않으십니까?"

조조는 매우 기뻐하여 즉시 평원으로 사람을 보내 관로를 불러오게 했다. 관로가 도착해 조조에게 절을 올리자 조조는 반겨 맞으며 관로에게 점을 치도록 일렀다. 관로가 대답한다.

"그것은 그저 환술(幻術, 눈속임)인데 무엇을 근심하십니까?"

그 말에 조조는 마음을 놓았고 병도 차츰 나아갔다. 조조가 다시 천하의 일을 물으니, 관로가 점괘를 보고 말한다.

"삼팔종횡(三八縱橫)에 누런 돼지가 호랑이를 만나고, 정군(定軍)의 남쪽에서 수족 하나를 잃을 것입니다."

"그럼 내 자손들은 언제까지 복을 누릴 수 있겠느냐?"

"사자궁 안에 신위를 모셨으니, 왕도(王道)가 더욱 새로워지며 자손이 지극히 귀한 지위에 오를 것이옵니다."

조조가 자세히 알고 싶어 캐어물었으나, 관로는 웃으며 답한다.

"망망한 하늘의 운수를 어찌 미리 다 알 수 있겠습니까. 세월이 지나면 저절로 알게 됩니다."

조조는 관로를 태사(太史)에 봉하려 했다. 관로가 사양한다.

"저는 명이 짧고 상도 궁하니 그런 직임은 감히 감당할 수 없습니다."

그 까닭을 물으니 관로가 대답한다.

"이몸은 이마에 주골(主骨)이 없고 눈동자가 맑지 못하며, 콧대가 제대로 서지 못했고 다리에 천근(天根)이 없으며, 등에 삼갑(三甲)이 없고 배에 삼임(三壬)이 없으니, 그저 태산에서 귀신이나 다스릴 정도이지 살아 있는 사람을 다스릴 수는 없사옵니다."

"그렇다면 내 관상은 어떠한가?"

"이미 신하로서 더이상 오를 데 없는 자리에 계시온데 관상은 보아 무엇하십니까?"

조조가 재차 물었으나 관로는 그저 웃기만 할 뿐 대답이 없다. 이어 모든 문무관원들의 상을 보이고 물으니 관로가 대답한다.

"모두 세상을 다스릴 만한 신하들입니다."

조조가 다시 길흉을 물었으나 관로는 끝내 더이상 말하지 않았다.

후세 사람이 관로를 찬탄한 시가 있다.

평원의 귀신 같은 점쟁이 관로여	平原神卜管公明
능히 남두와 북두를 점치나니	能算南辰北斗星
팔괘의 미묘한 이치 귀신에 통하고	八卦幽微通鬼竅
육효의 깊은 뜻은 별자리를 헤아리도다	六爻玄奧究天庭
미리 조안의 상을 보아 장수 못할 것 알고	預知相法應無壽
마음의 근원 신령함을 스스로 깨달았네	自覺心源極有靈
아깝구나, 당시의 기이한 술법을	可惜當年奇異術
후인이 물려받아 전하지 못했으니	後人無復授遺經

조조는 다시 동오와 서촉 두 곳에 대한 점을 쳐보라고 했다. 관로는 괘를 짚어보고 말한다.

"동오에서는 대장이 한 사람 죽을 것이고, 서촉은 이미 경계를 침범하고 있습니다."

조조는 그 말을 믿으려 하지 않았는데, 갑자기 합비에서 보고가 들어왔다.

"동오의 육구를 지키던 장수 노숙이 병으로 죽었다고 합니다."

조조는 깜짝 놀라 즉시 한중으로 사람을 보내 그간의 소식을 탐지하게 했다. 며칠이 지나지 않아 또다시 보고가 날아들었다.

"유현덕이 장비와 마초를 보내 하변(下辨)땅에 군사를 주둔시키고 관으로 쳐들어오고 있습니다."

조조가 대로하여 몸소 대군을 거느리고 다시 한중으로 진군하고자, 관로에게 점을 쳐보게 했다. 관로가 말한다.

"대왕께서는 함부로 움직이지 마십시오. 내년 봄에 반드시 허도에 큰불이 날 것입니다."

조조는 여러번 관로의 말이 영험한 것을 본 까닭에 감히 움직이지 못하고 업군에 그냥 머물러 있기로 했다. 대신 조홍에게 5만 군사를 거느리고 가서 하후연과 장합을 도와 함께 동천을 지키게 했다. 하후돈에게는 3만 군사를 주어 허도를 경계하고 순찰하며 만일의 사태에 대비하게 하고 장사(長史) 왕필(王必)에게 어림군(御林軍)을 지휘 감독하게 했다. 주부 사마의가 간한다.

"왕필은 술을 지나치게 좋아하고 성품이 너그러워 그 직책을 감당하지 못할까 걱정입니다."

조조가 말한다.

"왕필은 내가 가시밭길을 헤치며 온갖 고생을 할 때부터 나를 따르던 사람이다. 충성스럽고 부지런하며 마음이 철석(鐵石) 같으니, 가장 적임자로다."

조조는 왕필로 하여금 어림군을 거느리고 허도 동화문(東華門) 밖에 주둔하게 했다.

이때 한 사람이 있었으니, 성은 경(耿)이요 이름은 기(紀), 자는 계행(季行)으로 낙양 출신이었다. 그는 전에 승상부의 요직에 있다가 나중에 소부(少府)의 시중(侍中)으로 자리를 옮겼는데 사직(司直) 위황(韋晃)과 친한 사이였다. 경기는 조조가 왕위에 오른 후 출입하는데 황제와 다름없이 수레를 타고 의장을 갖추는 것을 보고 심중에 불평이 가득하였다. 건안 23년(218) 정월, 경기는 위황과 함께 비밀히 상의했다.

"역적 조조가 날이 갈수록 그 간악함이 심해지니, 장차 반드시 황제의 자리를 빼앗을 것이오. 우리가 한나라의 신하로서 어찌 악과 한패가 되어 놈을 도울 수가 있겠소?"

경기가 이렇게 탄식하자 위황도 속내를 내보인다.

"내게 믿을 만한 사람이 있는데, 성명은 김의(金禕)요 한실 재상 김일제(金日磾)의 후손이오. 평소 역적 조조를 칠 생각이 있는데다 겸하여 왕필과도 친한 사이이니, 그와 함께 도모한다면 대사를 이룰 수 있을 것이오."

"그 사람이 왕필과 친분이 두터운 사이라면 어찌 우리가 함께 일할 수 있겠소?"

"그럴 것 없이 가서 한번 만나 의중이나 떠봅시다."

두 사람은 그 길로 김의의 집으로 찾아갔다. 김의는 두 사람을 후당으로 맞아들여 자리를 잡고 앉았다. 먼저 위황이 말한다.

"덕위(德偉, 김의의 자)께서는 장사 왕필과 매우 친한 사이시라니, 우리 두 사람이 특별히 청을 드리려고 왔소."

김의가 묻는다.

"청이라니 무슨 일이오?"

위황이 말한다.

"내가 듣자니 조만간 위왕이 황제의 자리를 물려받아 장차 보위에 오른다는데, 공도 왕장사와 더불어 반드시 높은 자리에 오를 것이오. 그때 우리 같은 사람을 저버리지 말고 함께 일하게 해주시면 그 은혜 더할 바가 없겠소."

위황의 말을 듣고 있던 김의는 말없이 소매를 떨치며 자리에서 벌떡 일어섰다. 마침 하인이 손님 대접할 차를 들고 들어오는데 갑자기 김의가 찻주전자를 쳐서 모조리 뜰에 쏟아버렸다. 위황이 짐짓 놀란 체하며 묻는다.

"덕위는 오랜 친구를 어찌 이리 박정하게 대하시오?"

김의가 말한다.

"내가 너와 사귄 것은 네가 한나라 재신(宰臣)의 후예이기 때문이었다. 그런데 이제 보니 근본을 생각지 않고 오히려 반역하는 자를 따르려 하니, 내가 어찌 너와 벗하겠는가!"

옆에서 경기가 말한다.

"하늘의 운수가 이러한데 어쩔 도리가 없지 않소?"

김의는 더욱 성을 냈다. 그제야 김의가 얼마나 충성스럽고 의리있는 사람인지 확인한 경기와 위황은 자신들의 본심을 털어놓았다.

"사실 우리들은 역적 조조를 치기 위해 공을 찾아온 것이었소. 지금까지 한 말은 모두 공의 마음을 떠보려던 것이니 괘념치 마시오."

"내 집안 대대로 한나라의 신하였는데 어찌 역적을 따르겠소이까. 공들이 한실을 돕고자 한다니, 그래 무슨 고견이라도 있소?"

위황이 말한다.

"비록 나라에 보답하려는 마음은 간절하나, 아직 역적을 칠 계책을 세우지는 못하였소."

김의가 말한다.

"안팎에서 호응하여 왕필을 죽이고 병권을 빼앗아 황제를 보위하는 한편, 유황숙과 결탁해 밖으로부터 도움을 받는다면 역적 조조를 멸할 수 있으리다."

두 사람이 듣고 손뼉을 치며 찬성하니 김의가 다시 말한다.

"내게 믿을 만한 사람이 둘 있소. 조조가 그들의 아비를 죽인 원수요. 지금 성밖에 살고 있는데 그들이라면 우리를 도와줄 것이오."

경기가 묻는다.

"어떤 사람들이오?"

"태의(太醫) 길평의 아들들이오. 큰아들은 길막(吉邈)으로 자가 문연(文然)이고, 둘째아들은 길목(吉穆)으로 자는 사연(思然)인데, 지난날 조조가 동승의 의대조 일로 아비를 죽이는 바람에 먼 벽지로 도피했었소. 이제 몰래 허도에 들어와 살고 있는데, 우리가 조조를 친다고 도와달라면 우리를 따르지 않을 리 없을 게요."

경기와 위황은 이 말을 듣고 크게 기뻐했다. 김의는 즉시 사람을 보내 길평의 아들들을 은밀히 불러들였다. 얼마 후 두 형제가 도착하여 김의가 모의한 일에 대해 상세히 이야기하자, 두 형제는 분이 끓어올라 눈물을 흘리며 원한이 하늘에 사무쳐 나라의 역적을 죽일 것을 맹세했다. 김의가 말한다.

"정월 보름날 밤에는 성중에 환하게 등불을 밝히고 원소절(元宵節)을 경축할 것이오. 그때 경기와 위황 두 분은 각각 집안의 장정들을 거느리고 왕필의 병영으로 가서 영내에 불길이 오르거든 양쪽에서 협공하여 왕필을 없애버리시오. 그런 다음 나와 함께 궐 안으로 들어가 황제를 청하여 오봉루(五鳳樓)에 오르시게 하고, 문무백관들을 불러들여 조조를 치라고 유시하시도록 합시다. 길씨 두 형제는 성밖에서 처들어와 불을 놓고 그것을 신호로 성안을 돌아다니며 '국적을 쳐죽이자!' 외치면서 백성들을 규합해 성의 구원병을 막으시오. 나는 황제께서 조서를 내려 구원병이 항복하고 사태가 수습되면 군사를 이끌고 업군으로 처들어가 조조를 사로잡겠소. 그런 다음 황제의 조서를 사자에게 주어 유황숙을 부르도록 합시다. 오늘은 이렇게 약정하고 그날 2경에 거사하되, 지난날 동승처럼 스스로 화를 자초하는 일이 없도록 실수가 있어서는 안되오."

다섯 사람은 피를 뽑아 나누어마시며 하늘에 맹세했다. 그러고는 각각 집으로 돌아와 그날부터 군마와 병기를 정비하며 때를 기다렸다. 경기와 위황 두 사람은 저마다 부리는 종자가 3,4백명씩은 되었고 병장기를 미리 준비해두었다. 길막 형제는 3백여명의 장정을 모아 사냥을 간다는 구실로 각각 할 일을 배정해두었다.

드디어 거사할 날이 가까워왔다. 김의가 왕필을 찾아가 말한다.

"이제 세상이 자못 안정되고 위왕의 위엄은 천하를 뒤흔드니, 정월 대보름 원소절에 등불을 밝혀 태평성대의 기상을 드러내는 것이 어떻겠소이까?"

왕필은 그 말을 옳게 여겨 성안 백성들에게 보름날 모두 오색 등불을 밝혀 원소절을 경축하라 일렀다.

정월 대보름날 밤, 하늘은 맑게 개고 별과 달이 빛나는 가운데 육가삼시(六街三市, 도성의 번화한 거리)에 오색 꽃등을 밝히니, 거리마다 휘황찬란했다. 이날 밤만은 밤새도록 거리를 돌아다녀도 누구 하나 책할 사람이 없었다. 왕필은 어림군 장수들과 더불어 영내에서 잔치를 베풀어 술을 마시고 있었다. 2경이 지날 무렵, 갑자기 영내에서 함성이 일더니 사람들이 뛰어들어와 고한다.

"영문 뒤에서 불이 났습니다."

왕필은 황망히 자리를 차고 일어나 장막 밖으로 뛰어나갔다. 사방에 화광이 충천하고 함성은 하늘을 찌를 듯했다. 무슨 변고가 일어난 게 틀림없다고 판단한 왕필은 급히 말에 올랐다. 막 남문을 지나는 참에 경기가 겨눈 화살이 어깨에 꽂혔다. 왕필은 말에서 떨어질 뻔했으나 겨우 몸을 추스려 서문을 향해 달아났다. 뒤에서 군사들이 함성을 지르며 추격해왔다. 왕필은 정신없이 말에서 뛰어내려 우선 김의의 집으로 내달려가 황급히 대문을 두드렸다. 그때 김의는 사람을 시켜 영내에 불을 지른 후, 집안 장정들을 거느리고 어림군과의 싸움을 돕고 있었기 때문에 집에는 부녀자들만 남아 있었다. 집에 있던 사람들은 다급하게 대문을 두드리는 소리를 듣고 김의가 돌아온 줄 알았다.

"그래 왕필을 죽였어요?"

김의의 처가 남편이 돌아온 줄 알고 대문 너머로 물었다. 왕필은 소스라치게 놀랐다. 이 변고가 모두 김의와 경기가 공모한 짓인 줄 깨닫고 다시 허둥지둥 달려 조휴의 집으로 뛰어들었다.

"김의와 경기 등이 모반했소!"

왕필의 말을 듣고 조휴는 급히 말에 올라 1천여명의 군사를 이끌고 성중으로 달려가 적을 막으려 했다. 이미 불길은 사방으로 번져 오봉루까지 태울 기세였다. 헌제는 급히 깊은 궁궐 안으로 몸을 피했다. 조조의 심복들이 죽을 힘을 다해 궁문을 지키고 있는데, 사방에서 백성들의 함성이 들려왔다.

"역적 조조를 죽이고 한실을 바로잡자!"

이때 하후돈은 조조의 명을 받들어 3만 군사를 거느리고 허도를 경계하기 위해 성밖 5리쯤 되는 곳에 주둔해 있었는데, 그날밤 성안에

다섯 신하는 조조를 치려 허도에 불을 지르다

서 치솟는 사나운 불길을 보고 급히 대군을 거느리고 달려와 허도를 포위해버렸다. 그러고는 한무리의 군사를 성안으로 들여보내 조휴를 도와 밤새도록 혼전을 벌였다.

어느새 날이 밝아왔다. 그러나 경기와 위황을 돕는 사람은 아무도 없었다. 더구나 김의와 길씨 형제 모두 죽임을 당했다는 소식까지 들려왔다. 경기와 위황은 있는 힘을 다해 길을 뚫어 성문을 나갔다. 그러나 바로 그때 성을 포위하고 있던 하후돈의 대군을 만나, 두 사람은 사로잡히고 수하의 1백여명은 그 자리에서 모조리 죽었다. 하후돈은 성으로 들어와 아직도 타고 있는 불길을 끄고, 주모자 다섯 사람의 가솔들을 모조리 잡아들였다. 그리고 즉시 사람을 보내 조조에게 보고했다. 조조는 전령을 내려 경기와 위황 두 사람을 비롯해 다섯 집안의 가솔들을 저자에 끌어내 모조리 목을 베고, 조정의 대소 백관들은 모두 업군으로 와서 처분을 기다리도록 했다. 하후돈이 경기와 위황을 저잣거리로 끌어냈다. 경기는 분을 참지 못해 큰소리로 고함을 친다.

"조아만(曹阿瞞)놈아! 내가 살아서 너를 죽이지 못했으나 죽어 귀신이 되어서라도 역적을 치리라!"

집행리가 칼로 경기의 입을 도려냈다. 경기는 땅에 피를 흘리며 죽을 때까지 조조에게 저주를 그치지 않았다. 위황은 머리를 땅바닥에 짓찧으며 한탄했다.

"원통하다, 참으로 원통하구나!"

이렇게 소리치더니 마침내 이를 악물고 죽었다.

후세 사람이 찬탄한 시가 있다.

경기의 충성이요 위황의 현명으로 　　　　　　　　　　耿紀精忠韋晃賢

저마다 맨손 들어 기우는 나라 떠받치네　　　　　各持空手欲扶天

누구라서 한나라 사직이 망할 줄 알았으랴　　　　誰知漢祚相將盡

가슴 가득 한을 품고 저승으로 떠났네　　　　　　恨滿心胸喪九泉

　하후돈은 다섯 주모자 집안의 가솔들을 모조리 죽이고 나서, 문무
백관을 끌고 업군으로 갔다. 조조가 교련장 왼쪽에 홍기를, 오른쪽에
는 백기를 세워놓고 영을 내렸다.

　"경기와 위황 등이 모반해 허도에 불을 놓았을 때 너희들 중에는
불을 끄러 나온 자도 있을 것이고, 문을 닫아걸고 나오지 않은 자도
있을 것이다. 불을 끄려고 나온 자는 홍기 아래 서고, 나오지 않은
자는 백기 아래 서라!"

　문무백관들은 불을 끄러 나왔다고 하면 반드시 죄를 묻지 않을 것
이라고 판단하여 많은 사람이 홍기 아래 가서 섰다. 세 사람 중 한 사
람 정도만 백기 아래로 가서 섰다. 그러자 조조는 홍기 아래 서 있는
사람들을 모조리 결박하라 명했다. 홍기 아래 서 있던 사람들이 놀라
서 죄가 없다고 변명하니 조조가 꾸짖는다.

　"너희들의 그때 마음은 불을 끄려던 게 아니라 사실은 역적을 도우
려던 것이다!"

　그들을 모두 장하(漳河) 기슭으로 끌어내 참하니, 이때 죽은 사람이
3백여 명이나 되었다. 백기 아래 서 있던 사람들에게는 모두 상을 내
리고 허도로 돌려보냈다.

　이때 왕필은 화살에 맞은 상처가 덧나 결국 죽고 말았다. 조조는 왕
필의 장례를 성대하게 치러주게 하고 조휴를 어림군 총독으로, 종요
를 상국(相國)으로, 화흠을 어사대부(御史大夫)로 삼았다. 후작(侯爵)

6등 18급과 관중후작(關中侯爵) 17급을 정하고 그들 모두에게 자줏빛 인끈이 달린 금인(金印)을 내렸다. 또 관내외후(關內外侯) 16급을 두어 은인(銀印)에 거북의 형상을 새긴 검은 인끈을 주고, 다시 5대부 15급을 정해 동인(銅印)에 고리무늬 인끈을 내렸다. 이렇게 작위를 정하고 벼슬을 내리니, 조정의 일반 벼슬자리에까지 인사교체가 일어났다. 조조는 허도에 불이 날 것이라고 예언한 관로의 말을 상기하고 그에게 후한 상을 내렸으나, 관로는 끝내 받지 않았다.

한편, 군사를 거느리고 한중에 다다른 조홍은 장합과 하후연에게 각각 지세가 험준한 곳을 지키게 하고, 친히 군사를 거느리고 적을 막으러 나갔다. 이때 장비는 뇌동과 함께 파서를 지키고 있었다. 마초는 군사를 거느리고 하변(下辨)에 도착해 오란을 선봉장으로 삼아 적을 정탐하도록 했다. 선봉 오란이 군사를 거느리고 나갔다가 마침 조홍의 군사와 마주쳤다. 오란이 후퇴하려고 하는데 아장(牙將) 임기(任夔)가 말한다.

"적군이 처음 나타났는데 지금 적의 예봉을 꺾지 못하면 무슨 면목으로 맹기(孟起, 마초의 자)를 대하겠소!"

창을 거머쥐더니 그대로 말을 몰고 달려나간다. 조홍도 칼을 뽑아들고 나와 두 사람은 서로 어울려 싸우기 시작했다. 불과 3합에 임기는 조홍의 번뜩이는 칼을 맞고 말 아래로 고꾸라지고 말았다. 조홍이 승세를 타고 거센 파도처럼 공격해오니, 오란은 마침내 대패하여 본영으로 돌아왔다. 마초가 꾸짖는다.

"어찌하여 내 명을 듣지 않고 경솔히 적과 겨루어 이렇게 패했단 말이냐!"

오란이 말한다.

"임기가 제 말을 듣지 않고 함부로 나가 싸우다가 패했습니다."

"요충지를 튼튼히 방비하고 함부로 적과 싸우지 말라."

마초는 성도에 보고한 다음 지시를 받아 움직이기로 했다. 조홍은 마초가 나와 싸우지 않으니 무슨 계략이 있음에 틀림없다고 생각하고는 남정으로 돌아가버렸다. 장합이 조홍에게 묻는다.

"장군은 이미 적장까지 죽이고도 어째서 군사를 거두셨소이까?"

조홍이 대답한다.

"마초가 나와 싸우지 않고 방비만 하고 있으니 무슨 계략이 있지 않을까 두려웠고, 또한 내가 업군에 있을 때 점 잘 치는 관로가 말하기를 이곳에서 장수 하나가 죽을 것이라 했소. 그 말이 마음에 걸려 감히 경솔하게 나가 싸울 수가 없었소."

장합이 크게 웃으며 말한다.

"장군은 반평생을 싸움터에서 보냈으면서 그까짓 점쟁이 말에 마음이 흔들리다니 참으로 믿기 어렵소이다. 이 장합이 비록 재주 부족하나 본부 군사를 거느리고 가서 파서를 점령하겠소. 파서를 얻고 나면 촉군을 공격하기가 한결 수월할 것이오."

"파서를 지키는 장비는 용맹한 장수요. 경솔하게 대적해서는 안되오."

조홍이 주의를 주었지만 장합은 막무가내였다.

"사람들이 장비를 두려워하지만 내가 보기에는 어린애에 불과하오. 내 기필코 장비를 사로잡아오겠소."

조홍이 묻는다.

"만일 실수라도 하면 어찌하겠소?"

"군령을 감수하리다."

조홍이 군령장을 받고 허락하니, 장합은 서둘러 군사를 거느리고 떠났다.

예로부터 교만한 군사는 실패가 많은 법	自古驕兵多致敗
언제나 적을 업신여기면 성공하기 어렵더라	從來輕敵少成功

승부는 과연 어떻게 될 것인가?

장비와 황충의 계책

맹장 장비는 지략으로 와구관을 얻고
노장 황충은 계책으로 천탕산을 빼앗다

장합은 군사 3만명을 이끌고 험한 산세를 의지해 세 곳으로 나누어
영채를 세웠다. 한 채는 탕거채(宕渠寨)라 하였고, 다른 하나는 몽두
채(蒙頭寨), 나머지 하나는 탕석채(蕩石寨)라 하였다. 장합은 세 영채
에서 각기 군사를 절반씩 차출해 파서를 치러 떠나면서 군사 절반은
영채에 남겨두었다. 이 소식은 정탐꾼에 의해 즉시 파서에 보고되었
다. 장비는 보고를 받고 급히 뇌동을 불러 의논했다. 뇌동이 먼저 말
한다.

"파서는 지세와 산세가 모두 험준하여 군사를 매복시키기에 아주

좋은 곳입니다. 장군께서 군사를 이끌고 나가 싸우는 동안 내가 군사를 매복해 돕는다면 능히 장합을 사로잡을 수 있습니다."

장비는 정예병 5천명을 뇌동에게 내주고 자신은 친히 군사 1만명을 거느리고 출발했다. 파서에서 30리쯤 진군했을 때 장합의 군사와 마주쳤다. 양군이 포진한 후 장비가 말을 몰고 달려나가 싸움을 걸었다. 이에 맞서 장합이 창을 거머쥐고 달려나왔다. 장비와 장합이 어울려 싸우기를 20여합에 이르렀을 때, 갑자기 장합 진영의 뒤쪽에서 함성이 일어났다. 돌아보니 산등성이 뒤로 촉군의 깃발이 무수히 휘날린다. 장합은 혹시라도 뒤가 끊겨 포위될까 두려워 전의를 상실하고 말머리를 돌려 달아났다. 장비가 뒤쫓으며 마구 공격하고 또 앞쪽에서는 뇌동이 정예병 5천을 이끌고 쳐들어왔다. 장합의 군대는 협공을 당해내지 못해 결국 이 전투에서 대패하고 말았다. 장비와 뇌동이 합세해 밤새 추격하는 가운데 장합은 겨우 탕거채에 이르렀다.

장합은 남아 있던 군사들과 함께 통나무와 포석(炮石)을 쌓아두고 세 곳의 영채를 지키며 방비할 뿐 나와 싸우려 하지 않았다. 장비는 탕거채에서 10여리 떨어진 곳에 영채를 세웠다. 다음날 장비는 군사를 거느리고 나가 장합에게 싸움을 걸었다. 그러나 장합은 산위에 올라 풍악을 울리며 술만 마실 뿐 도무지 움직이려 하지 않았다. 장비는 군사들을 시켜 마구 욕을 퍼붓게 했다. 그래도 장합은 산에서 내려오지 않았다. 장비는 하릴없이 군사를 물려 영채로 돌아오고 말았다. 다음날은 뇌동을 산밑으로 보내 싸움을 걸었다. 이번에도 역시 장합은 싸움에 응하지 않았다. 뇌동이 참다 못해 군사를 이끌고 산 위로 쳐올라갔다. 순간 산위에서 통나무와 큰 돌들이 수없이 쏟아져내려오니 결국 뇌동은 말머리를 돌릴 수밖에 없었다. 이때 탕석채와 몽두채에서 한꺼번에 군사들이 쏟아져나오더니 후퇴하는 뇌동의 군사들을 마구 쳐죽였다. 뇌동은 대패하여 겨우 영채로 돌아왔다.

다음날 장비가 다시 가서 싸움을 걸었지만 역시 장합은 나오지 않았다. 장비가 군사들에게 온갖 더러운 욕설을 퍼붓게 하자 장합도 산위에서 욕설로 대응해왔다. 장비는 이런저런 궁리를 해보았으나 별도리가 없었다. 장비와 장합은 이렇게 서로 싸우지 않고 50여일을 대치하고 있었다.

마침내 장비는 산등성이 아래 가까이 대채를 세우더니 날이면 날마다 술타령을 벌였다. 술이 잔뜩 취하면 산을 바라보고 앉아 장합을 향해 욕설을 퍼부었다. 이때 현덕이 군사들을 위로하려 사자를 보냈다. 사자가 와서 보니 장비는 하루종일 술만 마시고 있는지라 허겁지겁 돌아가 현덕에게 사실대로 고했다. 현덕은 크게 놀라 공명에게 황망히 묻는다.

"아우가 날마다 술타령이라니 어쩌면 좋겠소?"

공명이 웃으며 말한다.

"그럴 줄 알았습니다. 군영에 좋은 술이 없을 텐데 다행히 성도에 좋은 술이 많으니, 술항아리 50독을 가득 채워 수레 세 대에 나누어 실어보내겠습니다. 장장군에게 실컷 드시라고 하지요."

"내 아우는 본래 술을 마셨다 하면 일을 그르치는데 오히려 술을 보내주라니, 군사는 대체 무슨 말씀이오?"

"주공께서는 익덕과 더불어 오랫동안 형제로 지내오시면서도 어찌 그 사람됨을 모르십니까? 익덕은 본래 천성이 강하지만, 지난날 서천을 취할 때는 의로써 엄안을 풀어주지 않았습니까? 이런 일은 용맹함만으로는 할 수 없는 것입니다. 지금 장합과 50여일을 대치하면서 술에 취해 산 앞에 앉아 욕설을 퍼부으며 방약무인하게 행동하는 것은 결코 술을 탐해서가 아닙니다. 모두 장합을 쳐부술 계책이지요."

현덕은 여전히 마음이 놓이지 않는다.

"그렇다 하더라도 함부로 큰일을 맡길 수는 없으니, 위연을 보내 아우를 돕게 합시다."

공명은 위연을 시켜 술을 보내는데, 술을 가득 실은 수레마다 보란 듯이 황색 깃발을 꽂고 큰 글씨로 '군전공용미주(軍前公用美酒)'라 써 붙이게 했다. 위연이 술수레를 거느리고 장비의 영채에 당도하여 전한다.

"주공께서 장군에게 좋은 술을 내리셨소이다."

장비가 절하며 받고 나서 위연과 뇌동에게 말한다.

"그대들은 각각 한무리의 군사들을 거느리고 좌·우익이 되어 숨어 있다가 군중에 홍기가 오르거든 일제히 진군하시오!"

장비는 군사들에게 장막 앞 곳곳에 술항아리를 늘어놓게 한 다음 짐짓 신명이 오른 듯 명한다.

"군사들은 모두 북을 치고 징을 두드리며 마음껏 마시도록 하라!"

장비의 군사들은 모두들 술잔을 돌리며 흥겹게 술을 마셨다.

즉시 정탐꾼이 장합에게 이 사실을 보고했다. 장합이 몸소 산꼭대기로 올라가 보니 장비는 장막 앞에서 한가하게 술을 마시며 두 군사가 씨름하는 것을 구경하고 있었다. 장합은 그만 분통이 터지고 말았다.

"장비놈이 나를 얕잡아보는구나! 오늘밤 내 기필코 산을 내려가 장비의 영채를 기습할 것이니, 몽두채와 탕석채에 있는 군사들도 일제히 나와서 좌우를 후원하라!"

장비는 술마시고 씨름구경을 하며 장합의 화를 돋우다

그날밤 장합은 희미한 달빛을 타고 군사를 움직여 은밀하게 산기슭을 돌아 장비의 영채로 내려갔다. 영채 앞에 이르러 바라보니 장비는 등불을 대낮같이 밝히고 장중에서 여전히 술을 마시는 중이었다. 장합은 크게 함성을 지르며 장비의 영채로 달려들었다. 그와 함께 산위에서는 기세를 돋우기 위해 요란스레 북을 울렸다. 장합이 장막 가운데로 곧장 쳐들어갈 때까지도 장비는 단정히 앉아 있을 뿐 움직이지 않았다. 바람처럼 말을 달려들어간 장합은 창으로 대번에 장비를 찔렀다. 그런데 그것은 짚으로 만든 허수아비였다. 장합이 깜짝 놀라 급히 말을 돌리는데, 장막 뒤에서 연주포 터지는 소리와 함께 한 장수가 나타나 앞을 가로막았다.

"꼼짝 마라!"

고리눈을 부라리고 우레 같은 고함소리를 내지르는 것은 틀림없는 장비였다. 장비는 장팔사모를 틀어쥐고 말을 몰아 바로 장합에게 달려들었다. 두 장수는 불꽃을 튀기며 4, 50합을 싸웠다. 장합은 몽두채와 탕석채에서 구원병이 쏟아져나오기만 초조하게 기다렸다. 하지만 누가 알았으랴. 두 영채의 구원병은 이미 위연과 뇌동 두 장수에게 쫓겨달아났고, 양쪽 영채는 모두 장비군에게 빼앗긴 뒤였다. 장합이 구원병이 오지 않아 속수무책으로 있는데, 이번에는 산위에서 불길이 치솟아오른다. 그제야 장합은 장비의 후군에게 영채를 모두 빼앗긴 것을 깨닫고 와구관(瓦口關)을 향해 급히 달아났다. 장비는 대승을 거두고 성도에 승전보를 알렸다. 현덕은 크게 기뻐하며 익덕이 술타령을 한 것이 과연 장합을 산 아래로 유인하려던 계책이었음을 알았다.

한편 장합은 패퇴하여 와구관을 지키면서 군사를 점검해보니 3만의 군사 중에 거의 2만명이나 잃은 상태였다. 장합은 즉시 조홍에게 사람을 보내 구원병을 요청했다. 조홍은 소식을 듣고 화를 내며 말한다.

"내 말을 듣지 않고 진군하더니, 험난한 요새를 모두 잃고 이제 와서 구원을 청한단 말이냐!"

조홍은 원병을 보내지 않았다. 오히려 장합에게 사자를 보내 어서 출전하라고 독촉만 했다. 장합은 어쩔 줄 모르다가 겨우 계책을 정하고, 우선 군사를 둘로 나누어 와구관 앞에 있는 험한 산기슭 양쪽에 매복하도록 했다.

"내가 이제 거짓으로 패한 체하고 달아나면 필시 장비가 뒤를 쫓을 것이니, 너희들은 그때를 기다려 적이 돌아갈 길을 끊어라."

장합은 군사를 거느리고 전진하다가 곧바로 뇌동을 만났다. 장합이 뇌동과 싸운 지 몇합 되지 않아 패하여 달아나니 뇌동이 장합을 바싹 추격하는데, 갑자기 양쪽 기슭에서 복병이 나타나 돌아갈 길을 끊었다. 순간 달아나던 장합이 말머리를 돌리더니 뇌동을 단창에 찔러죽여버렸다. 패잔병들이 돌아가 장비에게 이 사실을 보고했다. 장비가 직접 말을 달려나가 싸움을 거는데 장합은 맞아싸우다가 이번에도 거짓으로 패한 체하며 달아났다. 그러나 장비는 더이상 쫓지 않았다. 장합은 돌아와 다시 장비에게 싸움을 걸었고, 장비가 맞아 싸우자 몇합이 못되어 또 달아났다. 장비는 장합의 계책을 알아채고 군사를 거두어 영채로 돌아왔다. 그리고는 위연과 상의한다.

"장합이 매복계를 써서 뇌동을 죽이고 또 나까지 속이려 하니, 장계취계(將計就計, 상대의 계책을 역이용하는 계책)를 써야겠소."

위연이 묻는다.

"어떻게 하시자는 거요?"

"내일 내가 먼저 한떼의 군사를 거느리고 나갈 테니, 그대는 정예 군사를 거느리고 뒤따르다가 적의 복병이 나타나거든 군사를 나누어 공격하오. 그리고 수레 10여대에 장작과 건초를 가득 싣고 가서 좁은 길목에 불을 놓으시오. 내 기필코 장합을 사로잡아 뇌동의 원수를 갚 겠소."

위연은 장비의 계책을 받아들였다. 다음날 장비가 군사를 몰고 전 진하니 장합이 군사를 이끌고 나타나 장비와 싸우기 시작했다. 싸운 지 겨우 10합에 장합은 또다시 거짓으로 패한 체하며 달아난다. 장비 는 기병과 보병을 이끌고 장합의 뒤를 추격했다. 장합은 싸우다가는 달아나고 또 싸우다가 달아나면서 골짜기로 장비를 유인했다. 장비는 곧장 추격하며 골짜기로 들어섰다.

그때였다. 달아나던 장합이 돌아서서 후군을 전군으로 삼아 진영을 갖추더니 장비군과 맞서싸우기 시작했다. 그러면서 장합은 숨겨놓은 복병들이 나타나 장비군을 포위하기만 기다렸다. 그러나 적의 복병이 있을 줄 누가 상상이나 했겠는가. 위연의 정예군사들은 산골짜기 어 귀를 수레로 막더니 한꺼번에 불을 놓는다. 순식간에 산골짜기의 풀 과 나무에 불이 붙어 연기가 자욱하게 퍼지니 매복하고 있던 장합의 군사들은 나올 수가 없었다. 장비가 군사들을 이끌고 좌충우돌하며 적을 무찌르니, 장합은 대패했다. 겨우 혈로를 뚫고 와구관으로 달아 나 패군을 수습하더니 굳게 지킬 뿐 감히 나와 싸우지 않았다. 장비와 위연이 힘을 합해 며칠 동안 쉬지 않고 공격했지만 와구관을 함락시 키지 못했다. 장비는 이래서는 안되겠다고 생각하고 군사를 거두어 와구관에서 20리 떨어진 곳에 영채를 세웠다.

어느날 장비는 위연과 더불어 수십기를 거느리고 좁은 산길을 순찰하고 있었다. 문득 등에 봇짐을 진 남녀 몇사람이 등나무와 칡덩굴을 잡고 산비탈을 오르는 게 보였다. 장비는 말위에서 채찍으로 그들을 가리키며 위연에게 말한다.

"와구관을 빼앗는 일은 저 백성들에게 달려 있소!"

그러고는 곧장 군사를 불러 분부한다.

"저 백성들을 절대로 놀라게 하지 말고 내게 데려오너라."

군사들이 급히 달려가 백성들을 데려왔다. 장비는 먼저 좋은 말로 그들을 안심시킨 후 묻는다.

"어디서들 오는 길이오?"

"저희들은 모두 한중에 사는 백성으로 고향으로 돌아가는 길입니다. 마침 대군이 쳐들어와 파서로 가는 관도가 막혔다기에 창계(蒼溪)를 지나 재동산(梓潼山) 회근천(檜釿川)을 거쳐 한중의 집으로 돌아가려는 참입니다."

이 소리에 장비의 귀가 번쩍 뜨였다.

"이 길로 해서 와구관으로 가는 거리가 얼마나 되오?"

"재동산 소로를 따라가면 바로 와구관 뒤가 나옵니다."

장비는 몹시 기뻐하며 백성들을 영채로 데리고 가서 술과 음식을 주게 하고, 위연에게 분부한다.

"그대는 군사를 이끌고 와구관 정면을 공격하오. 나는 친히 날쌘 기병을 이끌고 재동산을 넘어 와구관 뒤를 치겠소."

장비는 기병 5백명을 뽑아 백성들의 길안내를 받으며 좁은 산길로 전진했다.

한편, 장합은 구원병이 오지 않아 울적하게 지내고 있었다. 갑자기 보고가 들어왔다.

"위연이 관 아래까지 와서 공격하고 있습니다."

장합이 말에 올라 산을 내려가려 하는데 다시 급보가 들어왔다.

"관 뒤쪽 네댓 군데에서 불길이 오르는데, 어느 쪽 군사가 오는지 확인하지 못했습니다."

장합은 드디어 원군이 오는 줄 알고 맞이하러 나갔다. 그런데 깃발 사이로 모습을 드러낸 장수는 다름아닌 장비였다. 깜짝 놀란 장합은 급히 좁은 산길로 달아났다. 길이 험해 말이 잘 달리지 못하는데 뒤에서는 장비가 급히 추격해온다. 장합은 말을 버리고 산위로 기어올라 겨우 달아날 길을 찾으니 따르는 자는 겨우 10여명뿐이었다. 장합은 걸어서 남정에 당도했다. 조홍은 장합이 겨우 군사 10여명을 데리고 돌아온 꼴을 보고 화가 머리끝까지 치밀었다.

"내가 그렇게 가지 말라고 했는데도 군령장까지 써놓고 가더니, 오늘 대군을 모두 잃고는 스스로 죽지도 않고 돌아왔단 말이냐!"

심하게 꾸짖으며 좌우에게 명을 내린다.

"이놈을 당장 끌어내 목을 베어라!"

행군사마(行軍司馬) 곽회(郭淮)가 간한다.

"삼군을 얻기는 쉽지만 장수 한명을 얻기란 어려운 일입니다. 장합이 비록 죄가 있다 하나 위왕께서 깊이 아끼는 자이니 죽일 수는 없습니다. 그에게 다시 군사 5천을 내주고 가맹관을 취하게 해서서 여러 곳의 적군을 견제한다면 한중은 저절로 안정될 것입니다. 만일 그마저 성공하지 못하거든 그때 두 가지 죄를 한꺼번에 물으십시오."

조홍은 그 말에 따라 다시 장합에게 군사 5천명을 내주고 가맹관을 점령할 것을 명했다. 장합은 명을 받고 떠났다.

한편, 가맹관을 지키는 장수 맹달과 곽준은 장합군이 온다는 보고에 계책을 의논했다. 곽준은 굳게 지키자 하고 맹달은 나가서 적을 맞아 싸우자고 하여 의견이 엇갈렸다. 맹달이 고집을 세워 군사를 이끌고 관 아래로 내려가 장합과 더불어 싸우더니 크게 패하여 돌아왔다. 곽준이 급히 문서를 써서 성도에 보고하니 현덕은 곽준의 급보를 받고 나서 군사 공명과 상의했다. 공명은 여러 장수들을 당상에 불러모으고 묻는다.

"지금 가맹관이 위급하다 하오. 낭중에 있는 익덕을 불러야 장합을 물리칠 수 있을 듯한데, 그대들의 생각은 어떻소?"

법정이 자리에서 일어나서 말한다.

"지금 장익덕은 와구관에 주둔하고 있고, 낭중땅 역시 긴요한 곳이라 그를 부를 수는 없습니다. 여기 있는 장수들 중에서 한 사람을 뽑아 장합을 물리치게 하시지요."

공명이 웃으며 말한다.

"장합은 위의 명장이라 가볍게 볼 인물이 아니오. 익덕이 아니면 그를 당할 사람이 아무도 없소."

갑자기 한 사람이 소리를 버럭 지르며 나선다.

"군사께서는 어째서 우리를 이리도 멸시하시오! 비록 내가 재주는 없으나 장합의 머리를 베어다 휘하에 바치겠소이다!"

모두가 보니 그는 바로 노장 황충이다. 공명이 말한다.

"비록 한승(漢升, 황충의 자)의 용맹이 뛰어나지만 연로했으니 아무래도 장합을 당해내지 못할까 염려스럽소이다."

황충은 백발의 수염을 곤두세우며 말한다.

"내 비록 늙긴 했으나 아직 두 팔에 삼석(三石)의 활을 당길 힘이 남아 있고 온몸에는 천근을 들어올릴 힘이 있는데, 장합 같은 필부 하나 대적하지 못한다 하시오!"

"황장군의 연세가 벌써 일흔 가까우시니 어찌 늙지 않았다 하겠습니까?"

황충은 자리에서 벌떡 일어나 당하로 내려가더니 선반 위의 대도를 집어들고 나는 듯이 춤을 추고, 벽에 걸린 강궁을 팽팽히 잡아당겨 연달아 두 개를 부러뜨렸다. 공명이 말한다.

"장군이 꼭 가시겠다면 부장은 누가 좋겠소?"

황충이 대답한다.

"노장 엄안과 함께 가겠소. 갔다가 실수하면 이 백두(白頭)를 바치겠소이다!"

유현덕은 기뻐하며 황충과 엄안에게 즉시 가맹관으로 가서 장합과 싸우라 했다. 이때 조자룡이 간한다.

"지금 장합이 직접 가맹관을 침범했는데 군사께서는 어찌 이 일을 어린아이 장난처럼 보십니까. 가맹관을 잃게 되면 당장 익주가 위태로워집니다. 이렇게 어려운 고비를 맞아 무슨 까닭으로 두 노인에게 큰 적을 감당하게 하십니까?"

공명이 말한다.

"그대는 두 장군이 늙어서 못해낼 것처럼 여기는 모양이나, 내 생각으로는 반드시 이 두 분이 한중을 손에 넣을 것이오."

조자룡 등 몇사람은 어이가 없어 웃으며 물러났다.

한편 군사를 이끌고 출발한 황충과 엄안은 가맹관에 도착했다. 맹달과 곽준은 그들이 온 것을 보고 마음속으로 생각했다.

'이런 요충지를 두 늙은 장수에게 맡기다니, 참으로 공명의 실책이로다!'

황충이 엄안에게 말한다.

"장군은 모든 사람들의 동정을 잘 보셨겠지요? 우리 두 사람이 늙었다고 비웃는 모양인데, 이번에 기어이 공을 세워 저들을 승복시켜야겠소이다."

엄안이 말한다.

"장군의 명령에 따르리다!"

두 노장은 상의를 마친 뒤 황충이 군사를 이끌고 관 아래로 내려가 장합과 진을 벌이고 마주섰다. 장합이 말을 타고 나와 황충을 보더니 비웃으며 말한다.

"네 그렇게 나이를 먹고서 부끄러운 줄도 모르고 감히 어디라고 출전했단 말이냐?"

황충이 노하여 소리친다.

"어린놈이 내가 늙었다고 업신여기는 게냐. 내가 가진 보도(寶刀)는 아직 늙지 않았다!"

황충이 말을 박차고 달려나가 장합과 어우러져 20여합을 싸우는데 갑자기 장합의 뒤편에서 함성이 크게 일었다. 엄안이 좁은 샛길을 돌아 장합의 뒤를 친 것이다. 장합은 앞뒤로 협공을 받아 크게 패하여 밤새도록 8, 90리 떨어진 곳까지 달아났다. 황충과 엄안은 군사를 거두어 영채로 돌아와서 군사들을 쉬게 하며 꼼짝도 하지 않았다. 조홍은 장합이 또 대패했다는 보고에 다시 죄를 주려 하는데, 곽회가 만류한다.

"지금 장합이 핍박을 받으면 서촉에 투항할 염려가 있으니, 장수를 보내 그를 돕는 한편 감시하여 딴마음을 품지 못하게 하십시오."

조홍은 그 말에 따라, 즉시 하후돈의 조카 하후상(夏侯尙)과 항복한 장수 가운데 한현(韓玄)의 아우 한호(韓浩)에게 군사 5천명을 거느리고 떠나 장합을 돕도록 했다. 하후상과 한호 두 장수는 즉시 행군하여 장합의 영채에 이르렀다. 두 장수가 정세를 물으니 장합이 말한다.

"노장 황충은 매우 영용한데다 엄안까지 돕고 있어서 가벼이 볼 수 없소이다."

한호가 말한다.

"나는 지난날 장사에 있었기 때문에 이 노적(老賊)이 얼마나 교활한지 잘 알고 있소이다. 그놈은 위연과 결탁해 성을 바치고 우리 형님을 해쳤소. 이제 그를 만났으니 반드시 원수를 갚아야겠소."

한호는 하후상과 더불어 새로 이끌고 온 군사들을 거느리고 영채를 떠나 전진했다. 한편 황충은 날마다 정탐병을 내보내 이미 인근의 지세와 길을 잘 알고 있었다. 엄안이 말한다.

"여기서 가다보면 천탕산(天蕩山)이 있는데, 그 산속에 군량과 마초를 쌓아둔 조조의 보급소가 있소이다. 만약 우리가 그곳을 점령해 적의 보급을 끊는다면 가히 한중을 얻을 수 있을 것입니다."

황충이 기뻐하며 말한다.

"장군의 말이 바로 내 뜻과 같소이다! 우리 이러저러하게 합시다."

엄안은 기꺼이 황충의 계책을 받아들여 몸소 한무리의 군사들을 거느리고 천탕산을 향해 떠났다.

그때 황충은 하후상과 한호가 싸우러 왔다는 보고를 받고는 기다렸다는 듯 군사를 거느리고 싸우러 나갔다. 한호가 진 앞으로 나와 큰소리로 꾸짖는다.

"의리도 없는 늙은 도적놈아!"

그러고는 그대로 말을 박차고 달려나와 황충에게 달려든다. 동시에 하후상도 황충에게 달려들었다. 협공이었다. 황충은 두 장수와 힘을 다해 10여합을 싸운 끝에 패하여 달아났다. 두 장수가 20여리를 추격해 마침내 황충의 영채를 빼앗으니, 황충은 뒤로 물러나 영채를 새로 세웠다.

다음날 하후상과 한호는 다시 싸움을 걸었다. 황충이 나가 싸웠으나 불과 몇합도 안되어 또다시 달아났다. 두 장수는 여세를 몰아 황충의 새로운 영채를 빼앗은 다음, 사람을 보내 장합에게 전날 그들이 빼앗은 후채를 지키게 하고 영채를 옮겼다. 장합은 두 장수가 있는 전채로 와서 간한다.

"황충이 연이어 이틀씩이나 패퇴한 데에는 반드시 어떤 속임수가 있을 것입니다."

하후상이 장합을 꾸짖는다.

"그대가 이렇게 담이 작고 겁이 많으니, 싸울 때마다 패한 이유를 가히 알 만하오. 이제 더이상 여러 소리 말고 우리 두 사람이 어떻게 공을 세우는지 잘 보아두시오."

장합은 얼굴을 붉히며 물러날 수밖에 없었다. 다음날 두 장수는 또다시 황충에게 싸움을 걸었다. 이번에도 황충이 패하여 20여리를 달아나니, 두 장수는 추격을 멈추지 않았다. 그 다음날도 두 장수가 영채를 나와 싸움을 거니, 이제 황충은 두 장수를 바라만 보고도 달아난다. 이렇게 여러번의 싸움에 연패하더니, 황충은 그대로 가맹관으로 물러가버렸다. 하후상과 한호는 가맹관 아래까지 진군해 영채를 세우고 계속 싸움을 걸었다. 그러나 황충은 관문을 달아걸고 굳게 지킬 뿐 나와 싸울 생각을 하지 않았다. 이를 지켜보던 맹달은 몰래 서신을 써서 현덕에게 급히 보고했다.

'황충이 연달아 패하여 지금 가맹관까지 후퇴해 있습니다.'

유현덕이 당황하여 공명에게 물으니, 공명이 느긋하게 대답한다.

"이는 노장의 교병지계(驕兵之計, 적을 교만하게 하는 계책)입니다."

조자룡 등은 공명의 말을 믿지 않았다. 현덕 역시 마음을 놓을 수가 없어서 유봉을 보내 황충을 돕도록 했다. 황충이 유봉에게 묻는다.

"소장군께서 여기 온 것은 무슨 뜻이오?"

"부친께서 장군이 여러 차례 패전했다는 소식을 듣고 저를 보내셨습니다."

황충이 웃으며 말한다.

"이는 이 늙은이의 교병지계요. 오늘밤에 한번 싸워 영채를 모두 되찾고 적들의 말과 군량, 마초를 빼앗을 테니 두고 보시오. 지금까지는 내가 일부러 영채를 내주어 보급품을 쌓아두게 했소. 오늘밤 곽장군은 남아서 관을 지키고, 나는 맹장군과 함께 양초를 운반하고 말을 빼앗아올 테니, 소장군은 내가 적을 무찌르는 것을 구경이나 하시오."

그날밤 2경에 황충은 5천 군사를 이끌고 관문을 열더니 산 아래로 내려갔다.

한편, 하후상과 한호 두 장수가 이끄는 군사들은 날마다 싸움을 거는데도 가맹관에서 싸우러 내려오지 않는지라 모두 기다리다 지쳐서 긴장이 풀린 상태였다. 바로 이러한 때 황충이 갑작스레 영채를 부수며 쳐들어온 것이다. 두 장수의 군사들은 갑옷을 챙겨입을 새도 말에 안장을 올릴 틈도 없었다. 두 장수는 겨우 목숨을 구해 달아나고, 군사들은 먼저 달아나려고 자기들끼리 서로 짓밟아 그 혼란 속에 죽은 자가 부지기수였다. 날이 샐 무렵 빼앗겼던 영채 세 곳을 모두 탈환하니 적이 버리고 간 무기와 말이 헤아릴 수 없이 많았다. 황충은 맹달에게 이것들을 수습해 가맹관으로 운반하도록 하고, 군마를 재촉하여 패군의 뒤를 쫓았다. 유봉이 말한다.

"군사들이 피곤할 테니 잠시 쉬었다 공격하는 게 좋겠습니다."

황충은 듣지 않는다.

"호랑이굴에 들어가지 않고서 어떻게 호랑이새끼를 얻을 수 있겠소!"

황충이 말에 채찍질하며 앞서 진군하니, 군사들도 모두 전력을 다해 나아갔다. 장합의 군사들은 하후상과 한호 두 장수의 패잔병들이 자꾸만 밀려오는 통에 배겨내지 못하고 영채를 버리고 죽기살기로 달아나 한수(漢水)기슭에 이르렀다. 장합이 하후상과 한호를 만나 대책을 상의한다.

"천탕산은 군량과 마초를 쌓아둔 곳이고, 천탕산과 이어져 있는 미창산(米倉山) 역시 양식을 쌓아두는 곳이오. 이 모두 한중 군사의 목숨이 달린 곳이라, 만일 여기를 잃으면 한중땅을 잃는 것이나 진배없으니 마땅히 보전해야만 하오."

하후상이 말한다.

"미창산에는 내 아저씨 하후연 장군이 지키고 있고, 그뒤에 바로 정군산(定軍山)이 접해 있으니 걱정 없소. 천탕산은 나의 형 하후덕이 지키고 있으니, 우리 모두 그곳에 가서 산을 보전하기로 합시다."

장합은 두 장수와 더불어 밤새도록 천탕산으로 달려가서 하후덕에게 지난 경위를 자세히 말했다. 듣고 나서 하후덕이 말한다.

"이곳에는 10만 군사가 주둔해 있으니, 그대들은 군사를 이끌고 가서 빼앗긴 영채를 되찾도록 하오."

장합이 말한다.

"지금은 이곳을 굳게 지켜야지 함부로 움직여서는 안됩니다."

그때였다. 갑자기 산 앞에서 징소리 북소리가 크게 울리더니 황충의 군사가 당도했다는 보고가 날아들었다. 하후덕이 크게 웃으며 말한다.

"늙은 도적이 병법도 모르면서 용기만 믿고 날뛰는구나!"

장합이 말한다.

"황충은 지략이 있소. 용맹만 있는 장수가 아니외다."

하후덕이 말한다.

"서천 군사들이 멀리 와서 피곤할 터인데 함부로 적의 경계 깊이 들어오다니 이야말로 무모하지 않소?"

"그래도 적을 가볍게 보아서는 안되니 굳게 지켜야만 합니다."

옆에 있던 한호가 나선다.

"원컨대 정예병 3천만 빌려주신다면 내가 나가 무찌르겠소이다."

하후덕이 나누어준 군사 3천명을 이끌고 한호가 산을 내려가니, 황충이 군사를 늘여세우고 맞섰다. 유봉이 황충에게 간한다.

"이미 해는 서편에 지고 군사들도 먼길에 피로할 터인즉 잠시 쉬는게 어떻겠습니까?"

황충이 웃으며 말한다.

"그렇지 않소. 이는 하늘이 공을 세우라고 내려준 기회니, 지금 취하지 않는다면 하늘의 뜻을 거스르는 일이오."

황충이 말을 마치고 요란하게 북을 울리며 나아가니 한호가 군사를 이끌고 싸우러 나왔다. 황충이 칼을 휘두르며 맞아싸운 지 단 1합에 한호를 베어 말 아래로 떨어뜨렸다. 촉군이 크게 함성을 지르며 산위로 휩쓸고 올라갔다. 장합과 하후상이 급히 군사를 이끌고 나와 맞서는데, 갑자기 산 뒤쪽에서 함성이 크게 들리며 불길이 치솟아 산 위아래가 붉게 물들었다. 하후덕이 불길을 잡으려고 군사를 이끌고 달려가는데 정면에서 노장 엄안이 나타났다. 엄안은 한칼에 하후덕을 베어 말 아래로 거꾸러뜨렸다. 원래 황충은 먼저 엄안에게 군사를 주어 산속 호젓한 곳에 매복해 있다가, 황충군이 당도하여 공격을 개시하면 그때 땔나무더미에 불을 놓게 했다. 마른 풀더미에 한점 불꽃이 붙으니 사나운 화염이 날아올라 온 산과 골짜기를 훤하게 비췄다. 엄안은 하후덕을 참하고 그대로 산뒤에서부터 쳐들어갔다. 장합과 하후상은 앞뒤로 적군을 맞이하여 더 버틸 힘이 없었다. 두 장수는 천탕산을 버리고 정군산의 하후연에게로 달아났다. 황충과 엄안은 천탕산을 점령한 후 나는 듯이 승전보를 성도에 전했다. 현덕이 보고를 받고 기뻐하며 여러 장수들을 불러모아 경하했다. 법정이 말한다.

"지난날 조조는 장로의 항복을 받고 한중을 평정하고서도 그 승세를 몰아 파촉을 도모하지 않고, 다만 하후연과 장합 두 장수에게 지키게 하고 자신은 대군을 이끌고 북쪽으로 돌아갔으니, 그것은 실책이었습니다. 이제 장합이 패하고 천탕산도 지키지 못했으니, 주공께서 이때를 틈타 친히 대군을 거느리고 정벌에 나선다면 가히 한중을 얻을 것입니다. 한중을 평정한 뒤 다시 군사를 조련하고 군량을 쌓아두었다가 때를 보아 나아간다면 역적을 토벌할 것이고, 물러나도 스스로를 지킬 수 있으니, 이는 하늘이 주신 기회입니다. 잃어서는 안됩니다."

유현덕과 공명은 그 말에 깊이 공감했다. 곧 전령을 보내 조자룡과 장비를 선봉으로 삼고, 현덕은 공명과 함께 친히 10만 대군을 거느리고 한중으로 진군할 날을 정했다. 그리고 각처에 격문을 보내 모든 방비를 엄히 하도록 했다.

때는 건안 23년(218) 7월 길일이었다. 현덕의 대군은 가맹관을 나와 영채를 세우고 황충과 엄안을 불러들였다. 두 장수에게 후하게 상을 내리고 나서 현덕이 말한다.

"사람들이 모두 장군을 늙었다고 얕보았으나 오직 공명 군사만은 장군의 능력을 알아주더니 이번에 과연 놀라운 공을 세웠소. 지금 한중의 정군산은 곧 남정(南鄭)을 지키는 보루로 군량과 마초를 쌓아둔 곳이오. 정군산을 얻게 된다면 양평(陽平)으로 나가는 길은 걱정 없을 것이오. 장군은 감히 정군산을 취할 수 있겠소?"

황충이 흔쾌히 응낙하고 곧 군사를 거느리고 떠나려 했다. 공명이 급히 말린다.

"노장군이 비록 영용하나, 하후연은 장합과는 비할 바가 아니오. 하후연은 육도삼략(六韜三略, 병서)에 깊이 통달하고 전투중의 임기응변이 능하여 일찍이 조조가 그로 하여금 서량을 방비하도록 맡겼소이다. 또한 장안에 주둔시켜 마초를 막아냈으며, 이제 다시 한중을 맡긴 게 아닙니까. 조조가 다른 사람을 쓰지 않고 오직 하후연에게 한중을 맡긴 것은 그가 장수로서 출중한 자질을 가지고 있기 때문이오. 지금 장군께서 비록 장합은 이겼습니다만 하후연을 이기기는 어려울 것이오. 내 생각에는 형주로 사람을 보내 관장군으로 교체해야 하후연의 적수가 될 수 있겠소."

황충은 공명의 말에 분연히 답한다.

"옛적에 염파(廉頗, 전국시대 조나라의 명장)는 나이 여든에 한말 밥을 먹고 열근 고기를 뜯으니 제후가 그 용맹을 두려워하여 감히 조나라 경계를 침범하지 못했는데, 하물며 이 황충은 늙었다고 하지만 아직 일흔도 안되었소. 군사께서 이렇게 나를 늙은이 취급하지만 나는 이제 부장 따위도 필요없고 본부 군사 3천명만 거느리고 가서 하후연의 목을 베어 휘하에 바치겠소이다."

공명은 거듭 말리는데 황충은 굳이 가겠다고 고집을 부렸다. 마침내 공명이 말한다.

"장군이 꼭 가시겠다면 내가 감군(監軍)할 사람을 하나 딸려보낼 생각인데, 어쩌시겠소?"

장수를 부리려면 먼저 격동을 시키는 법　　　請將須行激將法
젊은 사람이 늙은이만 못하구나　　　　　　少年不若老年人

과연 그 사람은 누구일까?

71

三

國

志

담대한 조자룡

황충은 맞은편 산을 점령한 채 적이 피로해지기를 기다리고

조자룡은 한수를 차지하고 적은 군사로 대군에 승리하다

공명이 황충에게 분부한다.

"장군이 꼭 가시겠다면 법정으로 하여금 돕게 하겠소. 모든 일을
그와 의논하여 하시오. 나도 군사를 거느리고 뒤따라가 지원하리다."

황충이 응낙하고, 법정과 함께 본부의 군사를 거느리고 떠나갔다.
공명이 현덕에게 말한다.

"저 노장을 격분시키지 않고는 공을 세우기 어려울 것 같아 한 말
입니다. 황장군이 떠났으니 우리도 뒤따라가서 도와야 합니다."

그러고는 즉시 조자룡을 불러들여 분부한다.

담대한 조자룡 707

"군사를 거느리고 샛길로 가서 접응하되, 만일 황장군이 이기면 굳이 나설 것 없으나 실수가 있거든 즉시 돕도록 하시오."

또 유봉과 맹달을 불러 말한다.

"그대들은 군사 3천명을 이끌고 가서 산속 험준한 곳에 진을 치시오. 깃발을 무수히 꽂아서 우리의 군세가 막강한 것처럼 꾸며놓아 적군을 놀라고 의심하게 만들어야 하오."

세 사람은 각자 군사를 거느리고 떠나갔다. 공명은 또 하변으로 사람을 보내 마초에게 이러저러하게 하라는 계책을 전해주었다. 그리고 엄안을 보내 파서를 지키게 하고, 장비와 위연을 불러들여 함께 한중을 취하기로 했다.

한편, 장합은 하후상과 함께 정군산의 하후연에게 가서 정황을 상세히 고했다.

"이미 천탕산을 빼앗겼고, 하후덕과 한호가 전사했습니다. 이제 듣자니 유비가 친히 군사를 거느리고 한중으로 쳐들어오고 있다 합니다. 어서 위왕에게 보고하여 속히 용맹한 장수와 정예군을 보내달라고 청하십시오."

하후연은 즉시 사람을 보내 급박한 정세를 조홍에게 알렸다. 조홍이 밤을 새워 허도로 달려가서 조조를 뵙고 자세히 아뢰니, 조조는 크게 놀라 황급히 문무백관을 모으고는 군사를 일으켜 한중을 구할 일을 상의했다. 장사 유엽이 나서며 말한다.

"만약 한중을 잃게 되면 중원도 위태로우니, 대왕께서는 노고를 사양치 마시고 친히 정벌에 나서야 할 것입니다."

조조는 스스로 후회하며 말한다.

"그때 내가 경의 말을 듣지 않았다가 일이 이렇게 되었도다."

조조가 급히 전령을 내려 40만 대군을 일으키고 몸소 정벌에 나서니, 때는 건안 23년(218) 7월이었다.

조조의 대군은 세 길로 나뉘어 진군했다. 전군의 선봉은 하후돈이며 조조는 친히 중군을 거느렸고, 조휴는 후군을 맡게 했다. 삼군이 계속 행군하는데, 조조는 금안장을 얹은 백마를 타고 옥대에 비단옷을 입었다. 호위하는 무사들은 손에 대홍라소금산개(大紅羅銷金傘蓋, 붉은 비단에 금줄이 달린 커다란 햇빛가리개)를 들고, 좌우에 황금 갈고리와 은으로 만든 도끼와 등봉(鐙棒, 말채찍), 과모(戈矛)를 잡았다. 또한 일월용봉정기(日月龍鳳旌旗, 해·달·용·봉황이 그려진 깃발)를 들고 삼엄하게 옹위했다. 이렇듯 조조의 수레를 호위하는 용호관군(龍虎官軍)이 2만 5천명이었는데, 이들을 모두 5대로 나누어 각 대마다 5천명씩 청·황·적·백·흑의 다섯 빛깔을 주어 깃발과 갑옷, 말까지도 모두 그 빛깔에 따르게 하니 광휘가 찬란하고 그 기세가 매우 웅장했다.

조조의 군사가 동관(潼關)을 지날 무렵이었다. 조조가 말위에서 멀리 앞을 바라보니 숲이 울창하게 우거진 곳이 보여 좌우 사람에게 물었다.

"저곳이 어디냐?"

"저기는 남전(藍田)이라는 곳입니다. 숲속에 채옹(蔡邕)의 장원이 있는데, 지금은 그곳에 채옹의 딸인 채염(蔡琰)이 남편 동사(董祀)와 살고 있습니다."

본래 조조는 채옹과 각별한 사이였다. 채옹의 딸 채염은 위중도(衛仲道)의 아내였는데, 남편과 함께 북방에 잡혀가 그곳에서 아들 둘을 낳았고, 「호가 18박(胡笳十八拍)」을 지었다. 그 곡이 중원에까지 널리 알려지니, 조조가 가련히 여겨 북방에 사람을 보내 천금을 주고 속량(贖良)을 청했다. 북방의 좌현왕(左賢王)은 조조의 위세를 두려워하여 채염을 한나라로 돌려보냈다. 그뒤 조조가 채염을 동사의 아내로 맺어주었다. 이날 조조는 채옹의 일이 생각나서 군사들을 먼저 가게 하고, 측근 신하 1백여기만 거느리고 장원 문앞에 이르러 말에서 내렸다. 이때 동사는 벼슬길에 올라 외방에 나가 있었고, 채염이 집에 있다가 조조가 왔다는 말을 듣고 황망히 쫓아나와 영접했다. 조조가 당에 올라 좌정하니 채염은 예를 갖추어 조조에게 절을 올린 다음 옆에 시립했다. 조조는 우연히 벽에 비문의 탁본이 걸려 있는 것을 보았다. 몸을 일으켜 자세히 들여다보다가 묻는다.

"이게 무슨 비문인고?"

채염이 아뢴다.

"조아(曹娥)의 비문입니다. 옛날 화제(和帝) 때 상우(上虞)라는 곳에 조우(曹旰)라는 무당이 있었는데, 파사악신(婆娑樂神)의 굿에 능했답니다. 어느해 5월 5일에 술에 취한 조우는 배 안에서 춤을 추다 그만 강물에 빠져죽었다고 하옵니다. 조우에게는 14살 된 딸이 있었는데, 아비의 죽음을 슬퍼하여 강기슭을 오르내리며 칠일 낮 칠일 밤을 통곡하다 강물 속으로 뛰어들었습니다. 헌데 놀랍게도 닷새 만에 조우의 딸이 죽은 채로 아비의 시체를 업고 강물에 떠올랐답니다. 고을 사람들이 부녀의 시체를 잘 거두어 강기슭에 장사를 지내주고, 상우의 현령 도상(度尙)이 조정에 보고하여 효녀의 표창을 받게 했습니다. 그리고 한단순(邯鄲淳)을 시켜 그 일을 글로 지어 비문을 새기게 했습니다. 당시 한단순은 13살에 불과했으나, 붓을 들어 글자 한자 고치는 법 없이 써내리니, 이를 돌에 새겨 무덤 옆에 세웠다 하는데,

모든 사람들이 기이하게 여겼다 하옵니다. 소녀의 아비 채옹이 이 일을 전해듣고 그 비석을 보러 갔을 때에는 이미 날이 저물었더랍니다. 어둠속에서 손으로 비문을 더듬어 겨우 읽고 나서 붓을 가져오라 하여 비석 뒷면에 여덟 글자를 써놓고 왔는데, 그뒤에 사람들이 그대로 새겨넣었다고 합니다."

조조가 탁본을 읽어보니 과연 '황견유부 외손제구(黃絹幼婦 外孫齏臼)'라는 여덟 글자가 씌어 있다. 조조가 채염에게 묻는다.

"너는 이 글의 뜻을 아느냐?"

채염이 대답한다.

"비록 아비의 유필이오나, 소녀는 그 뜻을 알지 못하옵니다."

조조가 여러 모사들을 돌아보며 묻는다.

"그대들 중에 이 글뜻을 해석할 사람이 있느냐?"

아무도 대답을 못하는데, 한 사람이 나서며 말한다.

"제가 그 뜻을 풀이해보겠습니다."

조조가 보니 주부(主簿, 문서와 장부를 맡아보는 관리)로 있는 양수(楊修)였다.

"경은 잠시 말하지 말라. 나도 한번 생각해보겠노라."

조조는 채염과 작별하고 나서 모든 사람들을 거느리고 장원을 나왔다. 말을 타고 3리쯤 갔을 때였다. 조조가 문득 빙그레 웃으며 양수에게 말한다.

"어디 경이 한번 풀어보라."

양수가 말한다.

"그것은 은어(隱語)입니다. '황견(黃絹)'은 바로 누런 빛깔의 실이니, 빛 색(色) 옆에 실 사(絲)를 더하면 끊을 '절(絶)'자가 됩니다. 다음에 '유부(幼婦)'는 젊은[少] 여자[女]니, '女'자 곁에 '少'자를 놓으면 묘할 '묘(妙)'자가 됩니다. '외손(外孫)'은 곧 딸의 아들이니, '女'자 곁에 '子'를 두면 좋을 '호(好)'자가 되지 않겠습니까. 끝으로 '제구(齏臼)'는 오신(五辛, 달고 쓰고 맵고 시고 짠 맛)을 받아들이는 그릇이니, '受'자 곁에다 '辛'자를 더하면 말씀 '사(辭, 辤와 辭는 같은 글자)'가 됩니다. 이 모두를 합쳐보면 바로 '절묘호사(絶妙好辭)', 즉 참으로 좋은 글이라는 뜻입니다."

조조가 크게 놀란다.

"바로 내 생각과 같도다!"

모든 사람들은 양수의 기민한 재주와 식견을 부러워했다.

그날 해가 저물기 전에 조조군은 남정에 당도했다. 조홍이 조조를 영접하고 그동안 장합이 어떻게 연패했는지 상세히 보고했다. 조조는 대수롭지 않게 말한다.

"그건 장합의 죄가 아니다. 이기고 지는 것은 병가지상사(兵家之常事, 군사를 부리는 데 흔히 있는 일)니라."

조홍이 다시 아뢴다.

"지금 유비가 황충을 보내 정군산을 공격하고 있는데, 하후연은 대왕께서 오신 것을 알고 굳게 지킬 뿐 나가서 싸우려 하지 않고 있습니다."

조조가 말한다.

"만약 출전하지 않으면 우리가 적을 겁내고 있음을 보여주는 것이다."

조조는 군령 표지인 절(節)을 지닌 사자를 정군산에 보내 하후연에게 출전하도록 명을 전했다. 이때 유엽이 조조에게 간한다.

"하후연은 천성이 지나치게 강직하여 적의 간계에 빠지지나 않을까 두렵습니다."

조조는 곧 친필 편지를 써주었다. 사자가 절을 가지고 하후연의 영채에 도착하니 하후연이 맞아들였다. 곧 조조의 편지를 열어보니, 그 내용은 다음과 같았다.

무릇 장수 된 자는 마땅히 강함과 부드러움을 겸비해야 하는 법이니, 한갓 용기만을 믿어서는 아니 된다. 만약 용기로만 임한다면 이는 한낱 필부의 적수밖에 안될 터이다. 내가 이제 남정에 대군을 주둔하고 경의 묘재(妙才, 하후연의 자이기도 함)를 보려 하니, 이 두 글자를 욕되게 하지 말지어다.

다 읽고 나서 하후연은 크게 기뻐했다. 급히 사자에게 회신을 써주어 돌려보내고는 장합과 상의한다.

"이제 위왕께서 대군을 거느리고 남정에 주둔하여 유비를 토벌하시려 하오. 나와 그대가 계속 이곳을 지키고만 있다면 언제 공을 세울 수 있겠소? 내일은 내가 출전하여 기필코 황충을 사로잡아오리다."

장합이 말한다.

"황충은 꾀와 용기를 겸비한데다 법정까지 옆에서 돕고 있어서 경솔히 대적할 수 없습니다. 이곳 산길이 험준하니, 굳게 지키느니만 못합니다."

"그러고 있는 동안 다른 사람이 공을 세워버리면 나와 그대는 무슨 면목으로 위왕을 뵙겠소? 그대는 이 산을 지키시오. 나는 나가서 싸우리다."

드디어 하후연은 군령을 내린다.

"누가 감히 나가서 적을 유인하겠느냐?"

하후상이 나선다.

"제가 가겠습니다."

하후연이 하후상에게 당부한다.

"네 이제 출전하여 황충과 싸우게 되면 전력을 다하지 말고 슬그머니 몸을 빼서 달아나도록 하라. 내게 묘책이 있으니, 여차여차하게 하겠다."

하후상은 명을 받고서 군사 3천명을 이끌고 정군산 대채를 떠났다.

한편 황충은 법정과 더불어 정군산 어귀에 주둔하고 계속 싸움을 걸었으나, 하후연은 굳게 지킬 뿐 나오지 않았다. 당장이라도 쳐들어가고 싶었지만 산길이 험준한데다 적의 움직임을 가늠하기가 어려워 황충 역시 지키고만 있었다. 그런데 산위의 조조군이 싸우러 내려온다는 갑작스런 보고가 들어왔다. 황충이 급히 군사를 이끌고 나가려 하니, 아장(牙將) 진식(陳式)이 말한다.

"장군은 여기 계십시오. 제가 나가 싸우겠습니다."

황충은 크게 기뻐하며 진식에게 1천 군사를 거느리고 산어귀에 나가 진을 치도록 했다. 곧 하후상의 군사들이 들이닥친다. 진식이 하후상과 어울려 불과 몇합도 싸우지 않았는데 하후상이 짐짓 패한 체하며 달아나기 시작했다. 진식이 급히 뒤쫓는데 갑자기 양쪽 산등성이에서 통나무와 큰 돌이 어지럽게 굴러떨어져 더 전진할 수가 없었다. 진식이 막 돌아서려는데 등뒤에서 하후연이 군사를 이끌고 돌격해온다. 마침내 진식은 하후연을 당해내지 못하고 사로잡혀 적의 영채로 끌려가니, 많은 부하 군졸들도 항복했다. 겨우 살아 돌아온 패잔병이 황충에게 진식이 하후연에게 사로잡혔음을 보고하니, 황충은 황망히 법정과 상의했다. 법정이 말한다.

"하후연은 사람됨이 경솔하고 조급하여 용기만 믿을 뿐 꾀가 모자랍니다. 우리가 군사들을 격려하여 영채를 옮기며 전진하되, 조금씩 나아갈 때마다 영채를 하나씩 세워 하후연이 싸우러 나오도록 유인한다면 쉽게 사로잡을 수 있습니다. 이것이 바로 손님이 주인 된다는 반객위주지계(反客爲主之計)올시다."

황충은 그 계책을 쓰기로 하고 먼저 진중에 있는 물건을 전부 삼군에게 상으로 나눠주었다. 골짜기가 떠나가도록 환호성이 울려퍼지고, 군사들은 모두 죽기로 싸우겠다고 나섰다. 그날로 황충은 영채를 버리고 전진하며 조금 나아가다가는 영채를 세우고, 며칠 머물다가 다시 나아가기를 거듭했다. 하후연은 이 소식을 듣고 나아가 싸우려 했다. 장합이 간한다.

"이는 바로 반객위주지계이니, 나가 싸우면 안되오. 반드시 실패합니다."

하후연은 듣지 않고 하후상에게 수천명의 군사를 이끌고 나가 싸우도록 명했다. 하후상의 군사는 곧바로 황충의 영채 앞에 당도했다. 황충이 칼을 잡고 말을 달려나와 하후상과 싸운 지 단 1합에 하후상을 사로잡아 영채로 돌아갔다. 나머지 군사들은 모두 달아나 하후연에게 보고했다. 하후연은 즉시 황충의 영채로 사자를 보내 진식과 하후상을 교환하자고 제안했다. 황충은 하후연의 제안을 받아들여 내일 진영 앞에서 두 장수를 서로 교환하기로 약속을 정했다.

다음날, 양군은 산골짜기에서 너른 개활지로 나와 진을 벌여세웠다. 이어 황충과 하후연이 각각 자기 진영의 문기 아래로 말을 타고 나타났다. 황충은 하후상을 데리고 나오고 하후연은 진식을 데리고 나왔는데, 사로잡힌 두 장수는 모두 갑옷과 투구를 벗고 얇은 홑옷만 입은 채였다. 북소리가 울림과 동시에 진식과 하후상은 각자의 본진을 향해 죽을 힘을 다해 달리기 시작한다. 하후상이 겨우 자신의 진문 앞에 이르렀을 때다. 황충이 쏜 화살이 하후상의 등 한복판을 꿰뚫었다. 하후상은 화살이 꽂힌 채 진문으로 달려들며 쓰러져버렸다. 머리 끝까지 화가 치민 하후연은 폭풍같이 말을 몰아 황충에게 달려들었다. 황충이 하후연을 맞아 말을 엇갈리며 싸우기를 20여합, 갑자기 하후연의 진중에서 징소리가 요란하게 울린다. 하후연이 황망히 말머리를 돌려 영채로 돌아가는데, 황충은 승세를 타고 한바탕 하후연의 군사들을 쳐죽였다. 하후연이 회군하여 큰소리로 압진관(押陣官)에게 묻는다.

"무슨 일로 징을 울렸느냐!"

압진관이 대답한다.

"저편 산속에 촉군의 깃발이 보이기에 혹시 복병이 있는 게 아닐까 두려워 급히 징을 울려 장군을 불러들였습니다."

하후연이 압진관의 말을 믿고, 그후로는 굳게 지키기만 하고 싸우러 나가지 않았다. 황충은 정군산 밑까지 추격했다가 사태가 이렇게 되자 법정과 상의했다. 법정이 손가락으로 산을 가리키며 말한다.

"저기 정군산 서쪽에 높은 산봉우리 하나가 솟아 있는데, 사면이 모두 무척 험합니다. 저 산봉우리 위에서는 정군산의 허실을 환히 내려다볼 수 있을 테니, 만일 장군께서 저 산봉우리만 얻는다면 정군산은 손아귀에 넣은 것이나 다름없습니다."

황충이 올려다보니 약간 밋밋한 산마루를 지나 가파른 산줄기가 이

어지는데, 산봉우리 위에는 몇 안되는 인마만 보일 뿐이었다. 그날밤 2경 무렵에 황충은 군사를 거느리고 징과 북을 울리며 산꼭대기를 향해 짓쳐올라갔다. 산을 지키던 하후연의 부장 두습(杜襲)은 겨우 수백명의 군사를 거느리고 있다가 황충의 대부대가 올라오는 것을 보고는 산을 버리고 달아나버렸다. 황충이 산봉우리 정상을 취하고 나니 곧바로 정군산을 맞대면하게 되었다. 법정이 말한다.

"장군은 산중턱을 지키시오. 나는 산꼭대기에 있다가 하후연의 군사가 오면 백기를 흔들어 신호할 테니, 장군은 군사를 움직이지 마시오. 적군이 기다리다가 지쳐서 방비가 없어 보일 때쯤 내가 홍기를 흔들 테니, 그러면 장군은 그대로 산밑으로 내려가 적군을 공격하시오. 편안한 것으로 피로한 것을 친다면 반드시 이길 수 있으리다."

황충은 크게 기뻐하며 법정의 계책에 따르기로 했다.

한편 군사를 이끌고 도망한 두습은 황충에게 맞은편 산을 빼앗긴 사실을 하후연에게 보고했다. 하후연이 크게 성이 나서 말한다.

"황충이 맞은편 산을 점령했으니 내가 나가 싸우지 않을 수가 없겠구나!"

장합이 간한다.

"이것은 분명히 법정의 계책입니다. 장군은 나가 싸우지 말고 다만 굳게 지키소서."

"맞은편 산정을 점령한 적군이 우리 허실을 다 내려다보고 있는데 어찌 나가서 싸우지 않을 수가 있겠소?"

장합이 간곡하게 간했지만 하후연은 듣지 않고 군사를 나누어 맞은편 산을 포위하고는 크게 욕설을 퍼부으며 싸움을 걸었다. 이때 산위에 있던 법정이 백기를 올리니, 그에 따라 황충은 하후연이 갖은 욕설

마침내 황충은 하후연의 목을 베다

을 퍼부어도 못 들은 체하고 출전하지 않았다. 어느덧 오시(午時, 오후 12시)가 지났다. 법정이 내려다보니, 조조군은 지치고 기세가 꺾여 거의가 말에서 내려 땅바닥에 퍼지듯 앉아 쉬고 있다. 이를 보자마자 법정은 홍기를 높이 흔들었다. 순간 북과 뿔피릿소리가 울리고 함성이 크게 일어나며, 황충이 탄 말이 앞장서 산 아래로 치달려내려간다. 마치 하늘이 무너지고 땅이 갈라지는 듯한 기세였다. 어느새 황충이 바로 코앞까지 쳐들어오니 하후연은 미처 손쓸 틈도 없었다. 황충의 천둥 같은 호통소리와 함께 보검이 번뜩인 순간 머리에서 어깨를 가르며 하후연의 몸은 두동강나버렸다.

후세 사람이 시를 지어 황충을 찬탄했다.

노년에 대적을 만났거늘	蒼頭臨大敵
백발 휘날리며 신위를 떨쳤다네	皓首逞神威
뛰어난 힘으로 강궁을 당기고	力趁雕弓發
서릿바람 이는 칼을 휘둘렀네	風迎雪刃揮
웅장한 목소리 범의 울부짖음 같고	雄聲如虎吼
날랜 말은 용이 나는 듯하네	駿馬似龍飛
적의 머리 베어 공훈을 세우고	獻馘功勳重
강토를 넓혀 나라의 터전 닦았도다	開疆展帝畿

황충이 하후연을 베자 조조군은 한꺼번에 무너져내리고 군사들은 제각기 살길을 찾아 달아나기에 바빴다. 황충이 승세를 몰아 정군산을 치러 올라가니 장합이 군사를 거느리고 나와 맞섰다. 황충이 진식과 더불어 협공하여 한바탕 쳐들어가니 결국 장합은 당해내지 못하고

달아나는데, 홀연히 산모퉁이에서 또 한무리의 군사들이 길을 막아섰다. 앞에 선 대장이 소리 높이 외친다.

"상산 조자룡이 여기 있다!"

장합은 깜짝 놀라 패잔병을 이끌고 가까스로 길을 뚫고 정군산을 향해 달아났다. 그때 앞에서 한무리의 군사들이 나타나 맞이하니, 바로 두습이었다.

"정군산은 이미 유봉과 맹달에게 빼앗겼습니다."

크게 놀란 장합은 두습과 함께 패군을 수습하고 방향을 돌려 한수 기슭에 영채를 세웠다. 그리고 사람을 보내 조조에게 그간의 사실을 보고했다. 하후연이 죽었다는 소식에 조조는 목을 놓아 통곡했다. 그러다가 문득 지난날 관로가 한 말을 떠올렸다. '삼팔종횡(三八縱橫)'이라 한 것은 바로 건안 24년을 뜻하고, '황저우호(黃猪遇虎, 누런 돼지가 호랑이를 만나다)'라 한 것은 곧 기해(己亥)년 정월을, '정군지남(定軍之南)'은 정군산 남쪽을 말하며, '상절일고(傷折一股, 한 다리를 잃다)'는 바로 조조와 하후연의 친형제 같은 정리를 말한 것이었기 때문이다. 조조는 사람을 시켜 관로를 찾아보게 했다. 그러나 관로가 어디로 갔는지 아는 사람은 아무도 없었다. 이리하여 황충에게 깊은 원한을 품게 된 조조는 친히 대군을 통솔하여 정군산에 이르러 하후연의 원수를 갚고자 했다. 서황을 선봉으로 삼고 한수에 당도하니 장합과 두습이 나와 조조를 영접하며 아뢴다.

"이제 정군산을 잃었으니 미창산(米倉山)의 군량과 마초를 북산(北山)에 있는 영채로 옮긴 뒤에 진군하시는 게 좋겠습니다."

조조는 그 말대로 하기로 했다.

한편, 황충은 하후연의 수급을 베어들고 가맹관으로 가서 현덕에게 바쳤다. 현덕은 크게 기뻐하며 황충을 정서대장군(征西大將軍)에 봉하고 잔치를 베풀어 경하했다. 그때 아장 장저(張著)가 들어와 보고한다.

"조조가 하후연의 원수를 갚겠다고 몸소 20만 대군을 거느리고 왔습니다. 또한 장합은 미창산에 있는 양초를 한수 북산 아래로 옮기고 있습니다."

공명이 말한다.

"지금 조조가 대군을 이끌고 온 터라 필시 양초가 넉넉지 못할까 두려워 진군하지 못하고 있을 것입니다. 만일 우리 쪽에서 누군가 한 사람이 조조군 경계 깊숙이 짓쳐들어가 그들의 양초를 불사르고 병기를 빼앗아온다면 능히 조조 대군의 예기를 꺾을 수 있을 것입니다."

황충이 일어선다.

"이 늙은이가 그 일 맡기를 원합니다."

공명이 말한다.

"황장군, 조조는 하후연에 비길 인물이 아니오. 절대 가볍게 보아서는 안되오!"

유현덕도 말한다.

"하후연은 비록 총수(總帥, 전군 지휘관)라 해도 한낱 용맹한 대장부에 지나지 않았으니 어찌 장합에게 비하겠소. 만일 장합을 참한다면 하후연을 참한 공로의 열 배는 될 것이오."

황충이 다시 분연히 말한다.

"이몸이 가서 참하겠소이다!"

공명이 말한다.

"장군께선 조자룡과 함께 군사를 거느리고 가되, 모든 일을 서로 상의해서 행하도록 하오. 누가 공을 세우는지 지켜보리다."

황충이 응낙하고 곧 떠나는데, 공명은 장저를 부장으로 삼아 함께 가게 하였다. 가면서 조자룡이 황충에게 묻는다.

"조조가 지금 20만 대군을 이끌고 와서 10군데에 나누어 영채를 세우고 주둔해 있는데, 장군은 주공 앞에서 양초를 불사르겠다고 쉽사리 말씀하셨소. 아무리 생각해도 작은 일이 아닌데, 무슨 마땅한 계책이라도 있으시오?"

황충이 말한다.

"내가 먼저 가서 어찌하는지 구경이나 하오."

조자룡이 말한다.

"내가 먼저 가겠소."

황충이 단호하게 말한다.

"나는 주장이고 그대는 부장인데 어찌 먼저 가겠다 하오?"

조자룡도 지지 않고 말한다.

"장군이나 나나 다같이 주공을 위해서 힘쓰는 터에 주장이고 부장이고 따질 게 뭐 있소? 우리 두 사람이 제비를 뽑아 먼저 가기를 정하는 게 좋겠소."

황충이 응낙하고 같이 제비를 뽑았다. 제비뽑기에서도 역시 황충이 먼저 가게 되었다. 조자룡이 말한다.

"기왕에 장군이 먼저 가시게 되었으니, 나는 뒤에서 돕겠소이다. 시간을 정하여 장군께서 그 시간까지 돌아오시면 내가 움직이지 않겠지만, 만일 그 시간이 지나도 돌아오지 않으면 내가 즉시 군사를 이끌고 나가서 접응하겠습니다."

황충이 고개를 끄덕인다.

"공의 말이 그럴듯하오."

두 사람은 약속시간을 오시(午時, 정오)로 정했다. 조자룡은 본채로 돌아와 부장 장익(張翼)에게 말한다.

"황한승이 내일 오시까지 적진에 침투하여 양초를 불사르기로 했는데, 만일 오시가 되어도 돌아오지 않으면 내가 도우러 갈 것이다. 우리 영채 앞에는 한수가 있고 지세가 험하니, 내가 없는 동안 그대는 조심하여 영채를 지키고 경솔히 움직이지 말라!"

장익은 그렇게 하기로 응낙했다. 한편 황충도 자기 영채로 돌아가 부장 장저에게 말한다.

"내가 하후연을 참했으니 지금 장합은 간담이 서늘할 것이다. 내일 내가 군사를 거느리고 양초를 약탈하러 가는데 영채에는 군사 5백명만 남겨두어 지키게 하겠다. 그대는 나를 도우라. 오늘밤 3경에 군사들을 배불리 먹인 다음 4경에 영채를 떠나 북산 아래로 쳐들어갈 것이다. 먼저 장합을 사로잡은 뒤에 양초를 불사르겠다."

장저도 영에 따르기로 했다. 그날밤, 황충이 군사를 이끌고 앞장서고 장저가 뒤를 따랐다. 그들은 한수를 건너 곧바로 북산 기슭을 향해 소리없이 진군했다. 멀리서 새벽빛이 밝아오는데 보니, 과연 양촛더미가 산같이 쌓여 있었다. 이를 지키던 몇명 안되는 장합의 군사들은 촉군이 습격해온 것을 보고 모두 버리고 달아났다. 황충은 군사들에게 일제히 말에서 내리게 했다. 그리고 양촛더미에 건초와 나뭇가지를 올려놓고 막 불을 지르려는데, 장합의 군사들이 들이닥쳤다. 황충은 장합과 어우러져 일대 혼전을 벌였다. 장합과 황충이 혼전을 벌인다는 보고에 조조는 급히 서황에게 지원하라고 명했다. 서황이 군사를 이끌고 전진하니 황충은 그만 포위되어버렸다. 장저는 군사 3백명을 거느리고 가까스로 포위망을 벗어났다. 황급히 영채로 돌아오는 중에 갑자기 한무리의 군사들이 앞을 가로막으니, 앞장선 대장은 문빙이요, 그 뒤로는 조조의 대군이 몰려오고 있었다.

한편, 영채에서 초조하게 기다리던 조자룡은 오시가 넘도록 황충이 돌아오지 않자 급히 말위에 뛰어올랐다. 지체하지 않고 3천 군사를 거느리고 접응하러 떠나면서 장익에게 명한다.

"그대는 영채를 굳게 지키되, 양쪽 비탈에 활과 쇠뇌를 배치하여 만일의 사태에 대비하고 있으라!"

장익은 쾌히 응낙했다. 조자룡이 창을 들고 곧장 앞으로 짓쳐나가는데 한 장수가 마주 달려나와 길을 막는다. 바로 문빙의 부장 모용렬(慕容烈)이었다. 모용렬이 말을 박차고 칼을 춤추듯 휘두르며 조자룡에게 달려들었다. 순간 조자룡의 창이 한번 번쩍이더니, 모용렬은 그 자리에서 나동그라지며 죽어넘어진다. 그 모습에 혼이 나간 조조군은 어지럽게 달아나기 시작했다. 조자룡이 겹겹이 에워싼 적의 포위망 속으로 곧장 쳐들어가는데 다시 한무리의 군사가 길을 막는다. 앞선 장수는 바로 조조군의 장수 초병(焦炳)이다. 조자룡이 소리친다.

"촉군은 어디 있느냐!"

초병이 답한다.

"벌써 다 죽여버렸다!"

조자룡은 크게 노하여 말을 몰아 달려들더니 한창에 초병을 찔러 죽여버렸다. 이어 나머지 적군을 숨가쁘게 몰아붙이며 무찌르니 조조군은 곧 모두 흩어져버렸다. 그 길로 북산 아래까지 달려가보니 장합과 서황이 황충을 포위하고 있는데, 군사들은 모두 피로한 기색이 역력했다. 조자룡이 크게 호령하며 포위 속으로 돌진하더니 말 달리고 창을 휘두르며 좌충우돌하는데, 마치 무인지경을 달리는 듯하다. 그의 창 휘두르는 모습은 마치 하얀 배꽃이 춤추는 것 같고, 눈발이 분분히 휘날리는 듯하다. 장합과 서황은 간담이 서늘해져 감히 싸울 엄두를 내지 못했다. 조자룡이 황충을 구출해 싸우는 한편 달아나니, 가는 곳마다 감히 그 앞을 막는 자가 없었다. 조조가 높은 곳에 올라 바라보다가 놀라 좌우의 여러 장수들에게 묻는다.

"저 장수가 누구냐?"

그중에 알아보는 자가 있어 대답한다.

"상산 조자룡입니다."

"옛날 당양 장판교의 영웅이 아직도 살아 있구나!"

조조는 즉시 전군에 영을 내려 조자룡이 가는 곳마다 가벼이 대적하지 말라고 지시했다.

조자룡이 황충을 구출해 겹겹이 둘러싼 포위를 뚫고 짓쳐나오는데, 한 군사가 손으로 가리키며 외친다.

"저기 동남쪽에 포위당해 있는 장수가 필시 부장 장저인 것 같습니다!"

조자룡은 본진으로 향하던 말머리를 돌려 동남쪽으로 쳐들어갔다. '상산 조운(常山趙雲)'이라 씌어진 깃발이 이르는 곳마다, 당양 장판교에서 보였던 그의 천하무적의 활약상을 아는 자들은 서로 그때 일을 말하며 쥐새끼처럼 달아나버렸다. 이렇게 하여 조자룡은 장저까지 구해냈다. 조조는 조자룡이 동에 번쩍 서에 번쩍하며 어디를 가든 당해내는 자가 없어 황충을 구해내고 또 장저까지 구출해가는 것을 보고 참을 수 없을 만큼 성이 났다. 앞뒤 가릴 것 없이 조조는 좌우 장수들을 이끌고 친히 조자룡을 뒤쫓기 시작했다.

그때 조자룡은 본채로 돌아왔다. 부장 장익이 조자룡을 맞으러 나와서 보니 뒤쪽에 먼지가 구름처럼 이는 게 조조의 군사들이 추격해오는 게 틀림없었다. 장익이 조자룡에게 다급히 말한다.

"추격병이 가까이 오고 있습니다. 군사들에게 일러 영채의 문을 닫고 성루에 올라 적을 막도록 하십시오."

조자룡이 꾸짖는다.

"영채 문을 닫지 말라! 그대는 내가 지난날 당양 장판교에서 필마단창(匹馬單槍)으로 조조군 83만을 초개처럼 여기며 싸운 것을 모르느냐? 지금은 장수와 군사가 많은데 무엇을 두려워하겠는가!"

조자룡은 영채 밖 참호 속에 궁노수들을 매복시켜두고, 영채 안에서는 깃발과 창을 내리고 북과 징을 울리지 못하게 했다. 그런 다음 필마단창으로 영채 문밖에 나와 섰다.

장합과 서황이 군사를 거느리고 촉군 영채 앞에 이르렀을 때는 이미 해가 기울고 있었다. 영채에는 깃발도 보이지 않고 북소리 하나 들리지 않는데 조자룡만 혼자 말 타고 창 잡은 채로 문앞에 버티고 서 있는 게 아닌가. 영채의 문은 활짝 열려 있었다. 두 장수는 의심스런 마음이 들어 감히 나아가지 못하고 머뭇거리는데, 조조가 당도해서는 빨리 진격하라고 장수와 군사들을 재촉했다. 영을 받고 군사들이 함성을 내지르며 영채 앞으로 쳐들어갔다. 조자룡은 꼼짝도 하지 않는다. 오히려 조조군이 겁을 먹고 몸을 돌려 달아나려는데, 조자룡이 창을 높이 쳐들어 휘둘렀다. 순간 참호 속에 매복해 있던 궁노수들이 일제히 활을 쏘니 화살이 비오듯이 쏟아졌다. 이미 날이 어두워 조조의 군사들은 촉군이 많은지 적은지도 알 수 없었다.

726

조조가 먼저 말머리를 돌려 달아났다. 기다렸다는 듯 등뒤에서 함성이 진동하고 북소리, 피릿소리가 일제히 울리면서 촉군이 물밀듯이 덮쳐들었다. 조조군은 저희끼리 서로 밟고 밟혀 쓰러지며 한수까지 밀려났고, 물에 빠져죽은 자는 이루 헤아릴 수도 없었다. 조자룡·황충·장저가 각각 군사들을 거느리고 급히 추격하기 시작했다. 조조는 정신없이 달아났다. 이무렵 유봉과 맹달은 각기 두 무리의 군사들을 이끌고 미창산으로 쳐들어가 양초에 불을 놓았다. 조조가 북산의 양초를 포기하고 황망히 남정으로 돌아가니 서황과 장합도 더이상 버틸 수가 없어 본채를 버리고 달아났다. 조자룡은 조조의 영채를 모두 점령했고, 황충은 북산의 양초를 모두 빼앗았다. 촉군이 한수에서 얻은 군수품은 헤아릴 수 없이 많았으니, 이 싸움은 그야말로 대첩(大捷)이었다. 그들은 곧 현덕에게 승전보를 알렸다. 현덕은 공명과 함께 한수에 이르러 조자룡의 군사들에게 묻는다.

"자룡이 어떻게 싸우던가?"

군사들은 조자룡이 황충을 구출하던 일과 한수 강변에서의 일을 자세히 아뢰었다. 현덕이 산 앞뒤의 험준한 길을 두루 살펴보더니 기쁜 얼굴로 공명에게 말한다.

"자룡은 담이 큰 장수로다!"

후세 사람이 자룡을 찬탄한 시가 있다.

옛날 장판교에서 떨친 용맹	昔日戰長坂
그 위풍 아직도 줄지 않았네	威風猶未減
적진에 돌격하니 영웅임이 분명하고	突陣顯英雄
포위를 뚫어 용맹을 과시하네	被圍施勇敢

귀신도 곡을 하며 울부짖고   鬼哭與神號

천지가 놀라고 처참했네   天驚幷地慘

상산 조자룡이여   常山趙子龍

일신이 온통 담력으로 뭉쳤구나   一身都是膽

현덕은 조자룡을 호위장군(虎威將軍)으로 삼고, 밤 늦도록 잔치를 베풀어 군사들의 노고를 위로했다. 이때 홀연히 급보가 날아들었다.

"조조가 다시 야곡(斜谷) 샛길로 대군을 보내 한수를 치러 오고 있습니다."

현덕이 웃으며 말한다.

"조조가 이번에 다시 온들 무슨 소득이 있겠는가. 내 반드시 한수를 얻을 것이다."

현덕은 친히 군사를 거느리고 한수 서편으로 나가 진을 치고 조조군을 맞았다. 조조는 서황을 선봉장으로 삼아 나가 싸우게 했다. 이때 장막 앞에서 한 사람이 나서며 말한다.

"제가 이곳 지리를 잘 아니 원컨대 서장군을 도와 촉군을 쳐부수고자 합니다."

조조가 보니, 파서 탕거(宕渠) 사람으로 성은 왕(王)이고 이름은 평(平), 자는 자균(子均)으로, 이때 그는 아문장군(牙門將軍)으로 있었다. 조조는 크게 기뻐하며 왕평을 부선봉으로 삼아 서황을 돕게 하고, 자신은 정군산 북쪽에 주둔했다.

서황과 왕평은 군사를 이끌고 한수기슭에 이르렀다. 서황이 물을 건너서 진을 치라고 명하자 왕평이 말한다.

"군사들이 모두 물을 건넜다가 만일 급히 후퇴하는 사태를 당하게 되면 어쩔 작정이시오?"

서황이 말한다.

"옛날 한신(韓信)은 배수진을 쳤으니, 이른바 '죽을 땅에 들어가야 산다'는 말 아니겠는가."

"그렇지 않습니다. 옛날에 한신은 적의 무모함을 알고 그런 계책을 쓴 것이나 지금 장군께서는 능히 황충과 조자룡의 뜻을 아시겠습니까?"

"그대는 보병을 거느리고 여기서 적을 막으면서 내가 기병을 이끌고 가서 적을 무찌르는 것이나 보도록 하게."

서황은 부교를 세우게 하고 물을 건너 촉군과 싸우려 한다.

위나라 사람 망령되이 한신을 본받지만	魏人妄意宗韓信
촉의 정승이 곧 장자방임을 어찌 몰랐는가	蜀相那知是子房

과연 승부는 어떻게 날 것인가.

72

양수와 계륵

공명은 지략으로 한중을 획득하고

조조는 군사를 야곡으로 후퇴시키다

　서황은 왕평이 간언하며 말리는데도 듣지 않고 군사를 이끌고 한수
를 건너가 영채를 세웠다. 황충과 조자룡이 현덕에게 고한다.

　"저희들이 본부 군사를 거느리고 조조군을 맞아 싸우겠습니다."

　유현덕이 승낙하자 곧 두 사람은 군사를 거느리고 떠났다. 황충이
조자룡에게 말한다.

　"지금 서황은 제 용맹만 믿고 왔소이다. 당장 싸울 것이 아니라 해
가 저물어 적군이 피로해질 때를 기다렸다가 군사를 두 갈래로 나누
어 치는 것이 어떻겠소?"

조자룡은 그렇게 하기로 했다. 두 장수는 각기 약간의 군사들을 거느리고 영채에 머물고 있었다. 서황이 군사를 몰고 진시(辰時, 오전 8시)에 와서 싸움을 돋우기 시작해 어느덧 신시(申時, 오후 4시)에 이르렀지만 촉군은 전혀 움직이지 않았다. 답답해진 서황은 궁노수들에게 명해 촉군 진영을 향해 활을 쏘게 했다. 황충이 조자룡에게 말한다.

"서황이 활을 쏘게 한 데는 반드시 군사를 후퇴시키려는 뜻이 있는 듯싶으니, 이때를 타서 공격합시다."

말이 끝나기도 전에 과연 보고가 들어왔다.

"조조군 후대가 물러가기 시작했습니다."

그 즉시 촉군은 북소리를 크게 울리며 황충은 군사를 거느리고 왼쪽으로 나오고, 조자룡은 군사를 거느리고 오른쪽으로 나와 협공했다. 이 싸움에서 서황의 군사들은 크게 패해서 한수를 건너지 못하고 빠져죽은 이가 헤아릴 수 없이 많았다. 서황은 죽기 살기로 싸워 겨우 영채로 돌아와서는 왕평을 꾸짖는다.

"그대는 아군의 형세가 위기에 처했는데도 어찌하여 구원하러 오지 않았느냐!"

왕평이 말한다.

"내가 장군을 도우러 나섰다면 이 영채도 보전할 수 없었을 게요. 내 그렇게 간했는데도 공은 듣지 않고 출전하더니 이렇게 참패를 당하셨소그려."

서황은 크게 화가 나서 왕평을 죽이려 했다. 그날밤 왕평은 영채에 불을 놓고 본부 군사를 이끌고 빠져나왔다. 때아닌 불길 속에 조조군은 우왕좌왕 혼란에 빠졌고 서황은 당황하여 영채를 버리고 달아났다. 왕평은 그 길로 한수를 건너 조자룡에게 항복했다. 조자룡이 왕평을 데리고 현덕에게로 가니, 왕평은 현덕을 뵙고 그 자리에서 한수의 지리를 그림 그리듯 상세히 이야기했다. 현덕이 크게 기뻐한다.

"내가 오늘 자균(子均, 왕평의 자)을 얻었으니 한중을 취한 것이나 다름없도다!"

현덕은 왕평을 편장군(偏將軍)으로 삼고 향도사(嚮導使)의 임무를 맡겼다.

한편, 서황은 도망쳐 돌아가서 조조에게 보고한다.

"왕평이 배반하여 유비에게 투항했습니다."

조조는 크게 노하여 친히 대군을 거느리고 한수의 영채를 탈환하려 했다. 조자룡은 적은 군사로 대군을 상대하기 어렵겠다고 생각하고 한수 서쪽으로 물러났다. 마침내 양군은 물을 사이에 두고 대치하게 되었다. 현덕은 공명과 함께 한수 부근의 형세를 살폈다. 지형을 살피던 공명은 한수 상류에 1천여 군사를 매복시킬 만한 토산(土山)이 있는 것을 발견했다. 공명은 이내 영채로 돌아와 조자룡을 불러 분부한다.

"그대는 군사 5백명에게 모두 북과 피리를 지니게 하여 토산 아래 가서 매복해 있으시오. 해질 무렵이나 한밤중에 우리 영내에서 포성이 한번 울리거든 한바탕 북과 피리를 요란하게 울리되 절대 나가서 싸우지는 마시오."

조자룡은 공명의 계책을 듣고 떠났다. 공명은 높은 산위에 올라 적의 동태를 살폈다. 이튿날 조조군이 몰려와 싸움을 걸었으나 촉군 진영에서는 한 사람도 나서지 않고, 궁노수마저 꼼짝하지 않았다. 조조군은 할수없이 군사를 거두었다.

그날 밤이 깊었을 때 공명은 조조의 영채를 살폈다. 불빛이 하나둘씩 꺼지고 군사들이 모두 깊은 잠에 빠질 때를 기다렸다가 크게 포성을 울리게 했다. 포소리를 듣고 토산에 매복해 있던 조자룡이 군사들에게 일제히 북과 피리를 울리게 하니, 조조군은 촉군이 영채를 습격한 줄 알고 놀라고 당황하여 일제히 밖으로 뛰쳐나왔다. 그러나 적군이라고는 한 사람도 보이지 않았다. 조조의 군사들이 다시 영채로 들어가 쉬려고 하니, 또다시 포성이 울렸다. 잇달아 북소리와 뿔피릿소리가 요란하고 함성이 천지를 진동하여 산골짜기에 메아리쳤다. 조조군은 불안에 떨며 뜬눈으로 밤을 새웠다. 이러기를 사흘 밤이나 계속하고 보니 놀라는 한편 겁이 나지 않을 수 없었다. 조조는 영채를 버리고 30리를 물러나 개활지에 영채를 마련하고 겨우 쉬었다.

공명이 웃으며 말한다.

"조조가 비록 병법을 아는 듯하지만 계략은 모르는구나!"

공명은 현덕에게 몸소 한수를 건너 배수진을 치고 영채를 세우라고 청했다. 현덕이 계책을 물으니 공명이 귓속말로 설명해주었다.

조조는 유현덕이 배수진을 친 것을 보고 부쩍 의심스러워 사자를 보내 싸우자는 뜻을 서신으로 전했다. 이에 공명은 내일 싸워 결판을 내자는 답서를 보냈다. 이튿날 양군은 중간에서 만나 오계산(五界山) 앞에 각각 진을 쳤다. 조조가 말을 타고 문기 아래 나타나더니 용봉정기(龍鳳旌旗)를 두 줄로 벌여세우고 우렁차게 세 번 북을 친 다음, 현덕과 대화하기를 청했다. 현덕은 유봉과 맹달을 비롯해 서천의 여러 장수들을 거느리고 진두에 나섰다. 조조가 채찍을 들어 유현덕을 가리키며 큰소리로 꾸짖는다.

"유비 너는 은혜를 잊고 의리를 저버리는 자, 조정을 배반한 역적이로다!"

유현덕이 마주 꾸짖는다.

"나는 한실의 종친으로서 황제의 조서를 받들어 역적을 토벌하려한다. 네가 모후(母后)를 시해하고 스스로 왕이 되어 황제의 의장(儀仗)을 함부로 쓰니, 너야말로 역적이 아니고 무엇이냐!"

조조는 화가 치밀어 서황에게 나가 싸우도록 명했다. 서황이 말을 몰고 달려나가니 유봉이 맞아 싸우러 나왔다. 두 장수가 어울려 싸우는 중에 현덕은 먼저 진으로 들어가버렸다. 유봉도 싸우다가 서황의 적수가 되지 못하자 말머리를 돌려 달아난다. 조조가 영을 내린다.

"유비를 사로잡는 자를 서천의 주인으로 삼으리라!"

조조의 대군이 일제히 함성을 지르며 촉군 진지로 쳐들어갔다. 촉군은 마필이며 병기를 모조리 길에 내버린 채 한수를 향해 달아난다. 그런데 이게 웬일인가. 조조의 군사들은 촉군이 버리고 간 물건을 줍느라 싸움은 아예 뒷전이었다. 조조가 급히 징을 울려 군사를 거두었다. 여러 장수들이 돌아와 조조에게 묻는다.

"저희들이 이제 유비를 거의 사로잡을 판인데 대왕께서는 어찌하여 군사를 거두십니까?"

조조가 대답한다.

"내가 보니, 첫째, 촉병이 한수를 등지고 영채를 세운 것이 의심스럽고 마필과 병기를 모두 버리고 달아난 것이 두번째로 의심스럽다. 급히 군사를 물리되 적이 버린 물건을 취하지 못하게 하라!"

조조는 전군에 추상같은 영을 내렸다.

"적의 물건을 한 가지라도 줍는 자는 그 자리에서 목을 베겠다. 모두들 신속하게 퇴군하라!"

조조군이 말머리를 돌리려 할 때였다. 공명이 깃발을 올려 신호하니, 현덕이 거느린 중군이 몰려나왔다. 왼쪽에서는 황충이, 오른쪽에서는 조자룡이 군사를 이끌고 쳐들어왔다. 조조군은 일시에 무너지며 각자 달아나기에 바빴다. 공명이 밤새도록 추격을 계속 하니, 조조는 달아나면서 전령을 내려 모든 군사들에게 남정으로 모이라고 명했다. 그런데 명령을 내리고 보니 남정으로 가는 다섯 갈래 길에서 불길이 오르고 있는 게 아닌가. 위연과 장비가 교체하러 온 엄안에게 낭중(閬中)을 맡기고 군사를 둘로 나누어 쳐들어가서 먼저 남정을 점령해버린 것이다. 크게 겁을 먹고 조조는 양평관(陽平關)을 바라고 달아났다. 현덕은 대군을 거느리고 적을 남정의 포주(褒州)까지 추격했다. 백성들을 위무하고 나자 현덕이 공명에게 묻는다.

"조조가 이번 싸움에서는 어찌 그리도 속히 패한 것이오?"

공명이 답한다.

"조조는 평소 의심이 많은 위인입니다. 비록 용병(用兵)은 잘하나 의심 때문에 패하는 일이 많지요. 제가 이번 싸움에 의병(疑兵)을 써서 이긴 것입니다."

현덕이 다시 묻는다.

"조조가 이제 양평관으로 물러가 틀어박혀 있으니 그 형세가 자못 고단한 처지인데, 군사는 어떤 계책으로 물리칠 작정이오?"

"이미 계교를 정해두었습니다."

공명은 곧 장비와 위연을 불러들였다.

"그대들은 군사를 나누어 거느리고 가서 조조의 군량미를 운반하는 길목을 끊도록 하오."

그러고는 다시 황충과 조자룡을 불러 명한다.

"군사를 나누어 두 길로 가서 산에 불을 놓도록 하시오!"

네 장수는 각기 향도관과 군사를 거느리고 네 방면의 길로 떠났다.

한편 조조는 물러나서 양평관을 지키며 정탐꾼을 내보냈다. 정탐꾼이 돌아와서 조조에게 보고한다.

"지금 촉군이 멀고 가까운 길목을 모두 차단하고 우리가 돌아갈 길에 불을 놓고 있는데, 도무지 군사가 어디 있는지 알 수가 없습니다."

조조가 한참 의심에 빠져 있는데 또다른 보고가 들어왔다.

"장비와 위연이 군사를 나누어 보급로를 끊고 양곡을 약탈하고 있습니다!"

조조가 묻는다.

"누가 가서 장비를 대적하겠느냐?"

허저가 선뜻 나선다.

"제가 가겠습니다!"

조조는 허저에게 정예병 1천명을 내주어 양평관으로 오는 양초를 호송하도록 했다. 허저가 보급로를 지키기 위해 도착하니 양초를 운반하는 일을 맡은 관원이 반겨 영접한다.

"만약에 장군이 오지 않으셨으면 이 군량은 양평관에 도착하지 못할 뻔했습니다."

관원은 수레 위에 실었던 술과 고기를 허저에게 바쳤다. 허저가 계속 술잔을 기울여 맘껏 마시더니 스스로 대취한 것을 깨닫지 못하고 취흥이 오른 김에 수레를 몰아 어서 가자고 재촉했다. 관원이 손을 내저으며 말린다.

"날이 이미 저문데다 앞의 포주까지는 산세가 험해 쉽게 지나갈 수 없습니다."

허저는 큰소리를 친다.

"나는 만명의 장부도 대적할 만한 용맹이 있는데 무엇을 두려워하겠소? 오늘밤은 달빛도 좋으니 수레가 가기에 아주 편하겠소."

허저는 칼을 비껴들고 위풍당당하게 앞장서서 말을 몰면서 군사를 이끌고 나아갔다. 허저의 군사들이 포주로 가는 길목에 들어선 것은 2경이 조금 넘어서였다. 길을 절반쯤 갔을 때 갑자기 깊은 골짜기에서 북소리 피릿소리가 일제히 울리며 천지를 진동했다. 그와 함께 한떼의 군사들이 들이닥쳐 길을 가로막는데, 앞장선 장수는 다름아닌 장비였다. 장비가 장팔사모 비껴들고 말을 달려 바로 허저에게 달려드니 허저도 칼을 춤추듯 휘두르며 장비를 맞았다. 그러나 가뜩이나 술에 취한 터라 도저히 장비의 적수가 되지 못한다. 불과 몇합만에 장비의 창에 어깨를 찔려 말 위에서 떨어지고 말았다. 군사들은 황망히 허저를 일으켜 달아났다. 장비는 양초와 수레를 빼앗아가지고 돌아왔다.

한편 여러 장수들이 허저를 보호하고 돌아가 조조에게 알렸다. 조조는 의사에게 허저의 상처를 치료하게 하고, 친히 군사를 거느리고 촉군과 결전을 벌이러 나갔다. 현덕 역시 군사를 거느리고 나왔다. 양쪽 군사가 둥글게 진을 치고 대치한 가운데, 현덕은 먼저 유봉에게 나가 싸우게 했다. 조조가 욕설을 퍼붓는다.

"신이나 삼아 팔던 촌놈아! 항상 양자를 내보내 싸우게 하니, 내 아들 황수아(黃鬚兒, 노란 수염쟁이. 조조의 둘째아들 조창曹彰의 별명)만 있었다면 네 가짜 아들놈은 어육이 되었을 것이다!"

유봉이 대로하여 창을 비껴들고 곧바로 조조를 향해 달려들었다. 조조는 즉시 서황에게 맞서싸우라고 명했다. 유봉이 서황과 싸운 지 불과 몇합 되지 않아 짐짓 패한 체 달아나니, 조조가 군사를 휘몰고 추격해왔다. 바로 그때 촉군 영채 안에서 포성이 터지고 북소리, 피릿소리가 일제히 울려퍼졌다. 조조가 적의 복병이라도 있을까 두려워 급히 군사를 후퇴시키는 바람에 조조군은 저희들끼리 서로 짓밟혀 죽는 자가 수없이 많았다. 조조가 양평관으로 도망쳐들어와 겨우 한숨 돌리는 참이었다. 촉군이 성 아래까지 쫓아와 동문에 불을 놓고, 서문에서는 함성을 질러대며, 남문에 불을 놓고, 북문에서는 북을 쳐댔다. 조조가 겁이 나서 다시 양평관을 버리고 달아나는데, 촉군은 추격을 늦추지 않았다. 한참 달아나던 조조는 장비가 거느린 군사들과 정면으로 맞닥뜨렸다. 뒤에서는 조자룡이 또 군사들을 거느리고 쫓아온다. 그뿐인가, 포주 쪽에서는 황충이 쳐들어온다. 크게 패한 조조는 장수들의 호위를 받아 겨우 활로를 뚫고 야곡(斜谷) 경계로 접어들었다. 그때 갑자기 앞쪽에 먼지가 일면서 또 한떼의 군사가 나타났다. 조조가 탄식한다.

"만일 저들마저 적의 복병이면 나는 끝장이구나!"

그런데 가까이 오고 있는 군사를 보니 앞장선 장수는 바로 둘째아들 조창이었다.

조창의 자는 자문(子文)으로, 어려서부터 말타기와 활쏘기에 능했으며, 팔힘이 세어서 맨주먹으로 맹수를 때려잡았다. 조조는 항상 그런 아들을 경계하여 이야기하곤 했다.

"너는 책은 읽지 않고 활쏘기와 말타기만 좋아하니 이는 그저 필부의 용맹일 뿐이라. 귀할 게 뭐가 있겠느냐?"

조조의 나무람에 창은 언제나 당당했다.

"대장부라면 마땅히 위청(衛青, 한무제 때의 유명한 장수)과 곽거병(霍去

病, 한무제 때 수차례 흉노와 싸워 공을 세운 장수)을 본받아 사막에서 공을 세우고 수십만 대군을 이끌고 천하를 종횡하며 달릴 일이지, 박식한 선비가 되어 무엇하겠습니까?"

조조가 여러 아들들에게 각자 뜻하는 바를 물은 적이 있었는데, 그때 창은 말했다.

"저는 장수가 되겠습니다."

조조가 거듭 물었다.

"장수가 되면 어떻게 하겠느냐?"

"갑옷을 입고 날선 무기를 들고, 위험 앞에서도 몸을 사리지 않으며, 군사들보다 먼저 나서고, 상 주고 벌 내리는 데 반드시 신의를 지키겠습니다."

조창의 말을 듣고 조조가 크게 웃었다.

건안 23년, 대군(代郡)의 오환(烏桓)이 반란을 일으켰을 때였다. 조조가 조창에게 군사 5만명을 주어 토벌하게 하면서 떠나는 조창에게 훈계했다.

"집에서는 비록 부자지간이나 일단 일을 맡은 뒤에는 임금과 신하 사이가 되느니라. 내 법을 행함에 있어 추호도 인정에 구애받지 않을 것이니, 너는 마땅히 깊이 경계하라."

조창은 대군 북쪽에 도착해 진두에서 싸움을 지휘하고 한달음에 상간(桑干)에까지 이르러 북방을 모두 평정했다. 그럴 즈음에 조조가 양평관에 있다는 소식을 듣고 싸움을 도우러 오는 길이었다. 조조가 조창을 보고 매우 기뻐하며 말한다.

"내 아들 노란 수염쟁이〔黃鬚兒〕가 왔으니 반드시 유비를 격파할 것이로다."

조조는 군사를 되돌려 야곡 경계에 영채를 세웠다. 정탐꾼이 현덕에게 조창이 왔다고 보고하자 현덕이 묻는다.

"누가 나가서 조창과 싸우겠느냐?"

유봉이 나선다.

"제가 가겠습니다."

맹달이 또한 나서며 말한다.

"저도 가겠습니다."

유현덕이 말한다.

"너희 둘이 함께 가거라. 내 누가 공을 세우는지 보리라!"

각각 5천명의 군사를 거느리고, 유봉이 앞서고 맹달이 뒤따라갔다. 조창이 말타고 나와 싸운 지 겨우 3합에 유봉은 크게 패하여 돌아왔다. 뒤이어 맹달이 막 달려나가 싸우려는 참인데, 갑자기 조조 진영이 갈팡질팡하며 어지러워졌다. 마초와 오란이 군사를 거느리고 두 갈래 길로 쳐들어와 조조군이 놀라 큰 혼란을 일으킨 때문이다. 맹달이 군사를 이끌고 협공하기 시작했다. 마초의 군사들은 오랫동안 예기를 길러온 터에, 더구나 무예를 빛내고 용맹을 드날릴 자리에 왔으니 조조군은 그 위세를 당할 수 없었다. 이윽고 조조군이 패하여 달아나는 중에 조창은 오란과 정면으로 맞부딪쳤다. 두 장수가 어울려 싸운 지 몇합이 못되어 조창은 오란을 찔러 말에서 떨어뜨렸다. 삼군은 그뒤로도 한참동안 혼전을 거듭했다. 조조는 군사를 거두어 야곡 경계에 주둔시켰다.

조조가 그곳에 주둔한 지도 며칠이 지났다. 앞으로 전진하고 싶어도 마초가 버티고 있으니 나아갈 수가 없고, 군사를 거두어 돌아가자니 촉군의 비웃음을 면치 못할 것이라 조조는 쉽게 결정을 내리지 못하고 있었다. 어느날 요리를 맡은 관원이 계탕(鷄湯)을 올렸다. 조조가 그릇 속의 계륵(鷄肋, 닭갈비)을 보고 느끼는 바가 있어 곰곰이 생각 중인데 하후돈이 장막 안으로 들어와서 묻는다.

"오늘밤 암호를 무엇으로 하시렵니까?"

조조는 입에서 나오는 대로 중얼거렸다.

"계륵. 계륵이라고 해라."

하후돈은 모든 관원에게 전령을 내려 그날밤 암호를 계륵으로 정했다. 행군주부(行軍主簿) 양수(楊修)는 계륵이라는 암호를 전해듣고 즉시 수행하는 군사들에게 각기 행장을 수습하고 돌아갈 준비를 하라고 명했다. 하후돈이 이 말을 전해듣고 깜짝 놀라 양수를 자기 영채 안으로 불러들였다.

"공은 어찌하여 군사들에게 행장을 수습하라 했소?"

양수가 말한다.

"오늘밤 암호로 보아 위왕께서 곧 퇴군하실 의향이 있음을 짐작한 것이오. 계륵은 닭의 갈비라, 먹자니 먹을 게 없고 버리자니 아까운 것이지요. 지금 우리 군사는 앞으로 나아가자니 이기지 못할 것이고 뒤로 물러서자니 남의 웃음거리가 될 터라. 그러나 더 있어봤자 이익이 없으니 차라리 일찍 돌아가는 것만 못하오. 내일 위왕께서는 반드시 군사를 물릴 것입니다. 그래서 나는 행장을 수습해 갑자기 당황하지 않도록 한 것이오."

하후돈이 말한다.

"공은 참으로 위왕의 폐부를 꿰뚫어 아는구려!"

그러고는 자기 역시 수하에게 행장을 수습하도록 일렀다. 이에 영채 안의 모든 장수들이 저마다 행장을 수습해 돌아갈 준비를 했다. 그날밤 조조는 마음이 산란해 잠을 이루지 못한 채 손에 강부(鋼斧, 강철로 만든 손도끼)를 들고 영채마다 돌아보고 있었다. 하후돈의 영채에 이르러 군사들이 하나같이 행장을 수습하며 떠날 준비를 하고 있는 것을 본 조조는 깜짝 놀라 급히 장막으로 가서 하후돈에게 그 까닭을 물었다. 하후돈이 말한다.

"행군주부 양수가 대왕께 돌아가실 뜻이 있음을 먼저 알고 있었습니다."

조조가 양수를 불러들여 물으니 양수가 계륵의 뜻을 풀어 대답한다. 조조는 크게 노했다.

"네 어찌 감히 없는 말을 지어내서 군심을 어지럽히느냐!"

조조는 즉시 도부수를 불러 양수의 목을 베고 그 수급을 원문 밖에 내다걸게 했다.

원래 양수는 사람됨이 제 재주만 믿고 행동이 경박하여 여러번 조조의 심기를 거스른 적이 있었다. 일찍이 조조가 한곳에 꽃동산을 꾸미게 한 적이 있었다. 꽃동산이 완성된 뒤에 조조가 와서 둘러보더니 좋다 나쁘다 말이 없이 문 위에 살 활(活)자 한 글자만 써놓고 가버렸다. 아무도 그 뜻을 짐작 못하고 있는데, 양수가 오더니 웃으며 말했다.

"문(門) 안에다 활(活)자를 넣으면 바로 넓을 활(闊)자가 되니, 이것은 승상께서 화원의 문이 너무 넓어 못마땅하시다는 뜻이오."

양수의 말에 꽃동산의 공사를 맡은 사람이 담을 다시 쌓고 문을 조금 좁힌 다음 조조를 청해다가 보도록 했다. 조조가 크게 기뻐하며 묻는다.

"누가 내 뜻을 알아차렸느냐?"

조조는 계륵의 뜻을 풀어낸 양수의 목을 베다

좌우 사람이 대답하였다.

"양수입니다."

조조는 겉으로는 양수를 칭찬했으나 마음속으로는 몹시 꺼려했다. 또 하루는 북쪽 변방에서 양젖으로 만든 수(酥, 우유) 한 합(盒)을 보내왔다. 조조는 손수 합 위에 일합수(一合酥)라는 석자를 써서 상 위에 두었는데, 양수가 들어와 보더니 숟가락을 가져다가 여러 사람과 나누어서 다 먹어버렸다. 조조가 양수에게 왜 그랬는지 묻자 양수가 대답했다.

"합 위에 '一人一口酥(합이라는 글자는 사람 人과 한 一, 입 口로 이루어짐)'라 써두셨으니 이는 한 사람이 한 입씩 먹으라는 뜻이라, 어찌 승상의 뜻을 어기겠습니까?"

조조가 겉으로는 웃어넘겼으나 마음속으로는 양수를 미워했다. 한편 조조는 항상 누군가 자기를 암살하려는 자가 있지 않을까 걱정하여 좌우에 분부하곤 했다.

"나는 꿈꾸다가 곧잘 사람을 죽이는 버릇이 있으니, 내가 잠든 뒤에는 너희들은 절대로 내 곁에 오지 마라."

어느날 조조가 장막 안에서 낮잠을 자는데 덮고 있던 이불이 땅에 떨어졌다. 가까이 모시는 신하 한 사람이 황망히 다가와 이불을 덮어주려 했는데, 조조가 벌떡 일어나더니 칼을 빼어 그 신하를 베고는 다시 침상에 올라가 잠이 들었다. 얼마동안 잠을 자고 깨어난 조조는 침상 밑에 죽어 있는 시종을 보고 놀란 척하며 큰소리로 묻는다.

"누가 내 근시(近侍)를 죽였는가!"

여러 사람들이 사실을 아뢰니 조조는 대성통곡을 하며 후하게 장례를 치러주라고 명했다. 그후 사람들은 모두 조조가 정말로 꿈속에서 사람을 죽이는 버릇이 있다고 믿었지만, 양수만은 다른 뜻이 있음을 알았다. 죽은 신하를 묻는 날 양수는 그 관을 가리키며 탄식했다.

"승상이 꿈을 꾸었던 게 아니라 가엾게도 자네가 꿈을 꾸고 있었네 그려!"

조조는 이 말을 전해듣고 양수를 미워하는 마음이 더욱 커졌다. 조조의 셋째아들 조식(曹植)은 양수의 재주를 사랑하여 항상 불러다가 밤이 새도록 담론 나누기를 좋아했다. 조조가 셋째아들 조식을 세자로 삼을 작정으로 모든 관원들을 불러모아 의논한 적이 있었다. 맏아들 조비(曹丕)는 이를 알고 비밀리에 조가현(朝歌縣) 현령 오질(吳質)을 청해 의논하려 했는데, 남의 이목이 두려운 나머지 오질을 큰 채롱 속에 넣고 비단이라 속여 부중으로 들어오게 했다. 이 일을 양수가 미리 알고 조조에게 고하니, 조조는 조비가 부중으로 들어갈 때 엄중히 조사하라고 분부했다. 조비가 당황하여 오질에게 이 사실을 전하니 오질이 말한다.

"염려 마시오. 내일 채롱에 정말 비단을 넣어 들여오십시오."

다음날 조비는 큰 채롱 속에 비단을 가득 담아 사람을 시켜 지고 들어오게 했다. 조조의 명을 받은 문지기가 채롱을 일일이 뒤져보는데, 채롱 속에는 비단만 가득할 뿐 다른 것은 아무것도 없었다. 이 말을 전해들은 조조는 양수가 조비를 모해하려던 것이 아닌가 의심하며 더욱 미워하게 되었다. 하루는 조조가 조비와 조식의 재주를 시험해보기 위해 멀리 업군 성밖으로 심부름을 시킨 다음, 업군성을 지키는 문지기에게 두 아들을 절대로 성문 밖으로 내보내지 말라고 은밀히 영을 내렸다. 먼저 조비가 성문을 나서려 했으나 문지기가 막는 바람에 되돌아올 수밖에 없었다. 이 소식을 들은 조식이 양수에게 어찌하면 좋겠느냐고 묻자 양수가 일러주었다.

"왕명을 받고 나가는 것이니, 만일 앞을 막는 자가 있거든 그 자리에서 참하십시오."

조식은 양수의 말을 그럴듯하게 여겼다. 조식이 업군 성문에 이르니 역시 문지기가 막고 나섰다. 조식은 즉시 문지기를 꾸짖었다.

"내가 왕명을 받들고 나가려는데 누가 감히 막는단 말이냐!"

그러고는 그 자리에서 문지기를 참해버렸다. 이 일로 조조는 조식을 유능한 자식이라고 생각했는데, 뒷날 한사람이 와서 고했다.

"그렇게 하라고 양수가 가르쳐준 것입니다."

조조는 크게 노하여 그로부터 총애하던 셋째아들 조식까지도 좋아하지 않게 되었다. 양수는 또한 조식을 위해 조조의 물음에 대답할 말 10여 조목을 만들어주며, 조조가 묻거든 그 조목에 맞추어 대답하라고 했다. 조조가 군사나 나라의 일을 물을 때마다 조식이 청산유수처럼 대답하니 조조는 마음속으로 매우 의심했다. 나중에 조비가 조식의 좌우 사람들을 매수해 양수가 적어준 10가지 조목의 문답이 적힌 글을 훔쳐다가 조조에게 고하자 조조는 진노했다.

"양수 이 하찮은 놈이 어찌 감히 나를 속인단 말인가!"

이때부터 양수를 죽이기로 작심하고 있었는데, 드디어 이제 군심을 어지럽혔다는 죄목으로 양수를 죽인 것이다. 이때 양수의 나이 서른 넷이었다.

후세 사람이 탄식한 시가 있다.

총명하여라 양덕조여   聰明楊德祖
대대로 명문 자손으로   世代繼簪纓

붓을 들면 용이 나는 듯하고	筆下龍蛇走
가슴속의 재주 비단처럼 화려했네	胸中錦綉成
말을 하면 온 좌중이 놀라고	開談驚四座
응구첩대 뭇 영재 중에 으뜸일세	捷對冠群英
제 몸 죽은 것 재주 잘못 부린 까닭	身死因才誤
퇴병하려던 것과는 무관했다네	非關欲退兵

조조는 양수를 죽이고 나서 짐짓 더욱 노한 체하며 하후돈마저 목을 베려 했다. 모든 관원들이 만류하니, 조조가 못 이긴 체하며 하후돈을 꾸짖어 물러가게 하고 나서 영을 내렸다.

"내일 진군하기로 한다!"

이튿날 조조군은 야곡 경계로 나서자 전면에 한무리의 군사들이 나와 맞서는데 앞장선 장수는 위연이었다. 조조가 위연에게 항복할 것을 권했다. 위연이 오히려 욕설을 퍼부어대니 조조는 방덕에게 나가 싸우라고 명했다. 두 장수가 어우러져 한창 싸우는 중에 갑자기 조조의 영채에서 불길이 치솟아오르더니 군사 하나가 급히 달려와 보고한다.

"마초가 후방의 두 영채를 습격해 탈취했습니다."

조조는 칼을 뽑아들고 외친다.

"누구든 물러서는 자는 참하리라!"

그 기세에 여러 장수들이 힘을 다해 전진했다. 위연이 거짓으로 패한 체하며 달아나니, 조조는 군사를 돌려 마초와 싸우도록 하고 높은 언덕에 올라 말 위에서 양군이 싸우는 광경을 내려다보고 있었다. 갑자기 한떼의 군사가 정면으로 돌진해오며 앞장선 장수가 크게 부르짖는다.

"위연이 여기 있다!"

위연은 활을 당겨 조조를 쏘아맞혔다. 조조는 그대로 말 아래로 굴러떨어졌다. 위연이 활을 버리고 칼을 뽑아들더니 곧장 말을 몰아 산위로 치달려올라가 조조를 죽이려는데, 한 장수가 번개같이 뛰어들며 소리쳤다.

"우리 주공을 해치지 말라!"

그 장수는 방덕이었다. 방덕이 기세를 올려 달려들어 위연을 물리치고 조조를 호위해 앞으로 나아가니, 마초의 군사도 이미 물러가고 없었다. 조조는 상처를 입은 채 영채로 돌아갔다. 위연의 화살에 인중을 맞아 앞니가 두 개나 부러졌던 것이다. 의원을 불러 치료를 받던 조조는 그제야 양수의 말이 생각났다.

"양수의 시체를 거두어 후하게 장사지내주어라."

그러고는 퇴군명령을 내렸다. 방덕에게는 후군이 되어 추격하는 적을 끊으라 지시하고, 자신은 수레에 누워 좌우로 호분군(虎賁軍)의 호위를 받으며 허도로 향했다. 그런데 갑자기 야곡산 위 양쪽에서 불길이 일어나며 복병이 내달아오고 있다는 보고가 들어왔다. 조조의 군사들은 저마다 놀라 어찌할 바를 몰랐다.

어렴풋이 생각난다 지난날 동관의 액운	依稀昔日潼關厄
그당시 적벽에서 당한 위기와 비슷하네	仿佛當年赤壁危

조조의 목숨은 이제 어찌 될 것인가?

73

한중왕 현덕

현덕은 한중왕의 자리에 오르고
관운장은 양양군을 공격하여 빼앗다

조조는 군사를 물려서 야곡(斜谷)에 이르렀다. 공명은 조조가 필시
한중을 버리고 달아나리라 짐작하고 마초를 비롯해 여러 장수들을 10
여길로 나누어 불시에 공격하도록 했다. 이 때문에 조조는 한곳에 오
래 머무를 수 없었고 위연의 화살까지 맞은 터라 서둘러 회군할 수밖
에 없었다. 조조군의 사기는 완전히 땅에 떨어졌다. 이러한 때 전대
(前隊)가 겨우 움직이자마자 양쪽에서 불길이 일어나며 마초의 복병
이 추격해오니 조조의 군사들은 모두 겁을 집어먹고 잔뜩 움츠러들었
다. 조조는 군사들에게 급히 행군할 것을 명하여 밤낮없이 길을 재촉

해 경조(京兆, 허도)에 이르러서야 겨우 마음을 놓았다.

한편 유현덕은 유봉·맹달·왕평 등의 장수들에게 상용(上庸) 일대의 고을들을 점령하라고 명했다. 상용에 있던 신탐(申耽) 등은 조조가 이미 한중을 버리고 달아났다는 말을 듣고 앞다투어 항복해왔다. 현덕은 먼저 백성들을 위로하여 민심을 안정시키고 군사들에게 크게 상을 내렸다. 사람들은 모두 기뻐했다. 여러 장수들은 한결같이 유현덕을 추존(推尊)하여 황제의 자리에 올리고 싶은 마음이었다. 그러나 감히 현덕에게 바로 아뢰지 못하고 군사 제갈공명을 찾아가 고했다. 공명이 여러 장수들에게 말한다.

"나도 이미 생각해둔 바가 있소."

공명은 법정 등을 데리고 들어가 현덕에게 간한다.

"지금 조조가 권력을 마음대로 쥐고 흔들어 백성들에게 주인이 없는 처지입니다. 주공께서는 인의가 천하에 뚜렷하고, 이미 양천(兩川, 서천과 동천)땅을 안정시키셨으니, 이제 하늘의 뜻에 따르고 민심에 순응하여 황제의 위에 오르시고, 옳은 말과 바른 명분으로 나라의 역적을 치도록 하소서. 일을 미루었다가 때를 놓쳐서는 안되니 하루바삐 길일을 택하여 제위에 오르시기를 청하나이다."

공명의 말을 듣고 현덕이 크게 놀란다.

"군사의 말이 옳지 않소이다. 내 비록 한실의 종친이나 신하의 몸이오. 그런데 그런 일을 저지르다니, 그건 바로 한나라에 반역하는 짓이외다."

"그렇지 않습니다. 지금 천하는 갈라져 영웅들이 저마다 한 지방씩 차지하고 패권을 다투고 있습니다. 재주와 덕을 갖춘 천하의 유능한 선비들이 목숨을 돌보지 않고 주인을 섬기는 것은 모두 참주인을 도와 천하를 바로잡고 공명을 세우고자 함입니다. 지금 주공께서 사양하시고 작은 의리만 지키려 하신다면 이는 세상사람들의 기대를 저버리는 일입니다. 원컨대 주공께서는 깊이 생각하십시오."

"내가 참람되이 높은 자리에 오르는 짓은 결코 하지 않을 것이니, 다시 좋은 방책을 상의하도록 하시오."

여러 장수들이 일제히 고한다.

"주공께서 끝내 저희들의 소청을 물리치시면 모든 사람들의 마음이 흩어질 것입니다."

공명이 다시 말한다.

"주공께서는 평생 의리를 근본으로 삼아오신 터라 이렇듯 황제의 존호를 마다하시는데, 정 그러하시면 이제 형주와 양양, 양천(兩川)을 거두셨으니 한중왕(漢中王)에라도 오르시지요."

그래도 현덕은 듣지 않는다.

"그대들이 비록 나를 왕으로 높이려 해도 황제의 조서를 얻지 못했으니 이 또한 참람된 일이오."

공명이 말한다.

"지금은 모름지기 현실에 맞는 권도(權道)를 따라야 할 때이며, 평소의 이치에만 사로잡힐 수는 없습니다!"

공명의 말에 이어, 뒤에 있던 장비가 큰소리로 외친다.

"성이 다른 놈들도 모두 임금이 되겠다고 날뛰는 판에, 하물며 형님은 한실의 종친인데 한중왕은 물론이고 황제가 못 될 건 또 뭐유?"

현덕이 장비를 꾸짖는다.

"너는 여러 소리 말아라!"

공명이 다시 간곡하게 권한다.

"주공께서 형편에 따라 먼저 한중왕에 오르신 후에 황제께 표문을 올려도 늦지 않습니다."

유현덕은 여러 차례 사양했으나 여러 장수들의 간청에 못이겨 마침내 승낙하고 말았다. 건안 24년(219) 7월의 일이었다. 면양(沔陽) 땅에 단을 쌓으니 그 둘레가 9리였고, 단을 중심으로 다섯 방위에 정기와 의장(儀仗)을 세우고, 모든 신하들이 각각 그 직위에 따라 늘어섰다. 허정(許靖)과 법정이 유현덕을 모시고 단에 오르게 하여 면류관과 옥새를 바쳤다. 유현덕이 남쪽을 향해(南面, 임금이 앉는 방향) 자리에 앉으니, 문무관원들은 하례를 올렸다.

마침내 한중왕이 된 현덕은 아들 유선(劉禪)을 왕세자로 삼았다. 이어 허정을 봉하여 태부(太傅)로, 법정을 상서령(尙書令)으로 삼았으며, 제갈량을 군사(軍師)로 삼아 군사(軍事)와 나라의 큰일을 맡도록 했다. 관우·장비·조운·마초·황충을 오호대장(五虎大將)으로 삼고, 위연을 한중 태수에 봉했다. 나머지 사람들에게는 각각 그 공훈에 따라 작위를 내렸다.

유현덕은 한중왕에 오른 즉시 사람을 시켜 허도에 표문을 보냈다. 표문의 내용은 다음과 같다.

비(備)는 구신지재(具臣之才, 능력없는 신하의 부족한 재주)로 상장(上將)의 책임을 맡아 삼군을 총독하고 사령을 받아 외방(外方)에 나왔습니다. 하오나 도적들을 무찔러 왕실을 안정시키지 못하여 아직 폐하의 성교(聖敎)가 이루어지지 못하고, 천하가 태평하지 못하니 그 근심으로 잠을 이룰 수 없고 신열이 올라 열병을 떨치지 못하옵

유현덕은 마침내 한중왕의 자리에 오르다

니다.

지난날 동탁이 대역무도한 난을 일으킨 뒤로 흉한 도적들이 제멋대로 날뛰어 나라를 좀먹었습니다. 하오나 다행히 폐하의 성덕에 기대어 모두 충의로 뭉쳐 역적을 토벌했고, 또한 하늘이 벌을 내려 포악한 역적들을 하나씩 쓰러뜨려 얼음 녹듯 사라졌습니다. 오직 조조를 오랫동안 없애지 못하니, 국권을 침탈하고 방자하게 권력을 휘두르매 세상의 어지러움이 극에 달했습니다. 신은 지난날 거기장군 동승과 함께 조조를 치려고 일을 꾸몄으나 일이 무르익기 전에 그만 계획이 누설되어 동승은 목숨을 빼앗기고, 신은 의지할 곳 없이 떠돌게 되어 충의를 다하지 못하였습니다. 마침내 조조는 극악무도하게 황후를 참살하고 황자(皇子)를 독살하기에 이르렀으니, 신이 동지들을 모아 조조를 치려 하면서도 힘이 없고 용맹스럽지 못하여 여러 해가 지나도록 그 뜻을 이루지 못하였습니다. 신은 조적(操賊)을 없애지 못하고 이대로 죽어 혹여 나라의 은혜를 저버리게 되지 않을까 두려워 자나깨나 깊이 탄식하며 밤낮으로 통탄하고 있사옵니다.

이제 신의 수하 문무 장수들은, 『우서(虞書)』에 전하듯이 '구족(九族, 황실 친척들)의 위계를 바로하니 현인들이 힘써 임금을 도왔다(敦敍九族 庶明勵翼)'는 옛일을 제왕(帝王)들이 서로 전하여 이 도리를 폐하지 않았음과, 주(周)가 2대(은·하殷夏)에 걸쳐 제희(諸姬, 주나라 왕족들)를 나란히 세움은 실로 진(晉)과 정(鄭)의 도움에 힘입었음과, 고조(高祖)가 일어나시어 자제(子弟)들을 왕으로 세워 아홉 나라(九國, 한의 군국제郡國制)를 열고 여씨(呂氏)들을 죽여 황실을 편안케 한 일이 있었음을 생각합니다. 지금 조조는 정직을 미워하고 바른 것을 싫어하는데 그 무리가 많사오며, 나쁜 마음을 품고 왕위를 찬역하려는 뜻이 이미 드러났음에도 종실이 미약하고 황족들은 모두 직위가 없는지라, 옛 법도를 참작하여 형편상 신을 높여 대사마(大司馬) 한중왕(漢中王)을 세웠사옵니다.

신이 엎드려 거듭 생각하니 나라의 두터운 은혜를 입고 한곳의 책임을 맡았으나 아직 뚜렷한 성과를 얻지 못하여 죄가 많사온데, 다시 높은 자리에 올라 거듭 죄를 짓게 되어 몸둘 바를 모르겠습니다. 하오나 수하사람들이 한결같이 의리를 내세워 간청함에 신이 물러서서 다시 생각해보았습니다. 지금 역적을 거세하지 못하고 국난을 바로잡지 못하여 종묘(宗廟)가 위태롭고 장차 사직(社稷)이 무너지게 되어 신은 근심으로 머리가 깨어질 지경이옵니다. 권도에 맞추어 방편을 써서라도 성조(聖朝)를 편안히할 수만 있다면 물불이라도 사양하지 않을 마음으로 여러 사람의 뜻에 따라 인새(印璽)를 받고 나라의 위엄을 높이고자 하옵니다.

하오나 우러러 작호(爵號)를 생각하면 지위는 높고 은총은 두터우며, 굽어 폐하의 크신 은혜에 보답할 일을 생각하면 책임이 막중하여 마치 벼랑 끝에 서 있는 것과 같사옵니다. 그러니 어찌 감히 힘을 다하여 육사(六師, 황제의 군사)를 지휘하지 않으리이까. 여러 의로운 사람들을 모아 하늘의 뜻에 응하고 시국에 따라 반드시 사직을 편안케 하고자 하옵니다. 삼가 절하여 표문을 올리나이다.

표문이 허도에 도착했다. 조조는 업군에 있다가 현덕이 한중왕이 되었다는 소식을 듣고 노발대발했다.

"돗자리나 짜던 촌놈이 감히 이럴 수가 있나. 내 맹세코 그놈을 쳐없애고 말리라!"

그러고는 즉시 전령을 내린다.

"온 나라의 군사를 모두 일으켜라. 서천과 동천으로 쳐들어가서 내 반드시 한중왕과 자웅을 결(決)하리라!"

이때 한사람이 나서서 말한다.

"대왕께서 한때의 노여움 때문에 친히 원정을 떠나셔서는 안됩니다. 신에게 계책이 하나 있으니, 화살 한대 쏘지 않고도 유비가 촉땅에 앉아서 스스로 화를 당하도록 할 수 있습니다. 촉군의 병력이 쇠할 때를 기다리십시오. 그때는 한 장수만 보내도 능히 성공할 것입니다."

조조가 그 사람을 보니 사마의(司馬懿)였다. 조조가 기뻐하며 묻는다.

"그래 중달(仲達, 사마의의 자)에게 무슨 좋은 생각이 있는가?"

사마의가 답한다.

"강동의 손권은 누이를 유비에게 시집보냈다가 그가 없는 틈에 되찾아왔고, 유비는 형주를 점령하고 돌려주지 않아 서로 한을 품고 있습니다. 이제 언변이 좋은 사람에게 서신을 주어 손권으로 하여금 군사를 일으켜 형주를 치게 한다면 유비는 반드시 양천의 군사를 일으켜 형주를 도울 것입니다. 그때 대왕께서 군사를 일으켜 한천(漢川)을 공격하시면 유비는 머리와 꼬리가 서로 도울 수 없게 되어 그 형세가 반드시 위태로워질 것입니다."

조조는 사마의의 계책을 듣고 매우 기뻐했다. 지체하지 않고 서신을 써서 만총(滿寵)을 사신으로 삼아 강동의 손권에게 보냈다. 만총은 밤낮없이 달려 강동에 이르렀다. 손권은 만총이 조조의 사신으로 왔다는 보고에 대책을 상의하기 위해 모사들을 불렀다. 장소(張昭)가 말한다.

"위(魏)와 우리 오(吳)는 본래 원수진 일이 없었는데도 지난날 제갈량의 사설로 말미암아 두 집안이 전쟁을 하게 되어 몇년째 백성들이 도탄에 빠져 있습니다. 이번에 만백녕(滿伯寧, 만총의 자)이 온 데는 필시 강화의 뜻이 있을 테니, 예를 갖추어 대접해야 합니다."

손권은 장소의 말을 옳게 여겨 여러 모사들로 하여금 만총을 성으로 맞아들이게 하고 빈례(賓禮)로써 극진히 대접했다. 만총이 조조의 서신을 올리며 말한다.

"오와 위가 본래 원수지간이 아닌데도 유비가 끼여들어 이렇게 틈이 생겼습니다. 이번에 위왕께서 저를 보내신 것은, 장군께서 형주를 공격하시면 위왕께서는 한천으로 진군해 유비를 협공하여 쳐부순 다음, 점령한 땅을 반씩 나누어 차지하고 앞으로 다시는 서로 침공하지 말자는 뜻을 전하기 위해서입니다."

조조의 서신을 읽고 나서 손권은 성대하게 잔치를 베풀어 만총을 환대하고는 관사에서 쉬게 했다. 그러고 나서 손권은 다시 모사들과 더불어 상의했다. 고옹(顧雍)이 나서서 말한다.

"저들의 말이 비록 우리를 설득하려는 것이긴 해도 일리가 있습니다. 그러니 만총을 돌려보내며 조조와 협공하겠노라 약속하고, 한편으로는 강 건너로 사람을 보내 관운장의 동태를 탐지한 뒤 일을 정해야 할 것입니다."

고옹의 말이 끝나자 제갈근이 말한다.

"듣자니 관운장은 형주로 온 뒤 유비의 권고로 아내를 얻어 슬하에 일남일녀를 두었다고 합니다. 딸이 아직 어려 정혼하지 않았다고 하니, 제가 가서 주공의 세자와 혼인하기를 청해보겠습니다. 만일 운장이 우리 뜻을 받아들인다면 상의하여 즉시 조조를 치도록 하고, 받아들이지 않는다면 조조를 도와 형주를 치는 게 어떻겠습니까?"

손권은 제갈근의 계책을 받아들였다. 먼저 만총을 허도로 돌려보내고 따로 제갈근을 형주로 보냈다. 제갈근은 형주에 도착해 곧 성으로 들어가 관운장을 만났다. 서로 예를 갖추어 인사한 후 운장이 묻는다.

"자유(子瑜, 제갈근의 자)는 무슨 일로 오셨는지요?"

제갈근이 말한다.

"이번에는 특히 두 집안의 우호를 맺기 위해 왔소이다. 우리 주공 오후(吳侯)께 아드님이 한 분 있는데 매우 총명하신 터라, 장군께 따님이 있으시다는 말을 듣고 혼인을 청하러 왔습니다. 두 집안이 좋은 인연을 맺고 힘을 모아 조조를 친다면 이는 참으로 아름다운 일이니, 군후(君侯)께서는 깊이 생각해보시지요."

관운장이 발끈하여 호통을 친다.

"내 어찌 호랑이의 딸을 개의 자식에게 시집보내겠소? 그대 아우의 체면을 생각지 않는다면 당장 목을 베었을 터이니, 다시는 여러 말 마오!"

즉시 좌우를 불러 몰아내니, 제갈근은 머리를 싸쥐고 도망치듯 나와서 동오로 돌아왔다. 제갈근이 감출 수가 없어 손권에게 사실 그대로 고하니 손권은 듣고 대로하여 소리친다.

"그놈이 어찌 그리 무례하단 말이냐!"

손권은 즉시 장소 등 문무 관원을 불러들여 형주를 칠 방책을 상의했다. 보즐(步騭)이 말한다.

"조조가 오래 전부터 한나라에 찬역(篡逆)할 마음이 있으면서도 두

758

려워 감히 꾀하지 못한 것은 유비 때문이었습니다. 이번에 사람을 보내 우리더러 군사를 일으키게 하고 촉을 병탄하려 하는 것은 모든 재앙을 오나라에 떠넘기려는 속셈입니다."

손권이 말한다.

"나 역시 형주를 치려고 벼른 지 오래요."

보즐이 다시 말한다.

"지금 조인(曹仁)이 양양과 번성에 주둔해 있는데, 거기서는 장강의 험지가 없어서 바로 육로로 나가 형주를 칠 수 있습니다. 그런데 어찌하여 저희는 치지 않고 도리어 주공께 군사를 일으키라 했겠습니까? 이것만 보아도 그들의 속내를 알 수 있으니, 주공께서는 먼저 허도로 사람을 보내 조조에게 조인을 시켜 육로로 형주를 공격하라고 권유하십시오. 그러면 관운장은 형주를 막기 위해 번성을 칠 것입니다. 운장이 움직이거든 그때 주공께서 한 장수를 보내 공격한다면 형주를 일거에 되찾을 수 있습니다."

손권은 그 말에 따라 즉시 사자를 강 건너로 보내 조조에게 서신을 전하고 이 일을 설명하도록 했다. 이를 들은 조조는 크게 기뻐하며 사자를 돌려보내고, 즉시 만총을 번성으로 보내 조인의 참모관으로 임명하여 군사 동원을 상의하게 했다. 그러는 한편 동오에 격문을 보내 수로(水路)를 이용하여 형주를 쳐서 조인의 군사와 접응하도록 했다.

이때 한중왕 유현덕은 위연에게 군마를 총지휘하여 동천(東川)을 지키게 하고, 문무백관을 거느리고 성도(成都)로 돌아갔다. 그리고 관원을 파견하여 궁정을 짓고 성도에서 백수(白水)에 이르기까지 4백여 군데에 관사(館舍)와 정우(亭郵, 역참)를 세우는 한편, 군량미와 마초를 저장하고 병장기를 만들어 장차의 중원 공략을 준비했다. 조조가 동오와 결탁해 형주를 치려고 한다는 사실을 정탐꾼이 탐지하여 나는 듯이 촉에 보고했다. 크게 놀란 한중왕이 황망히 공명을 청해 상의하자 공명이 말한다.

"저는 이미 조조가 반드시 이런 꾀를 쓸 줄 알고 있었습니다. 동오에는 모사가 많으니 필시 조조로 하여금 먼저 조인을 시켜 군사를 움직이도록 할 것입니다."

"그렇다면 이 일을 어찌해야 좋겠소?"

"빨리 관운장에게 사람을 보내 먼저 군사를 일으켜 번성을 취하게 하십시오. 적군을 두렵게 하면 자연히 일이 해결될 것입니다."

한중왕은 기뻐하며 즉시 전부사마(前部司馬) 비시(費詩)를 사신으로 삼았다. 비시는 한중왕의 고명(誥命, 관리를 임명하는 칙명)을 받들어 형주로 달려갔다. 성도에서 고명을 받은 사신이 당도했다는 말에 운장은 성밖까지 나가 영접했다. 공청에서 사신을 맞아 예를 올린 다음 관운장이 묻는다.

"한중왕께서 내게 무슨 벼슬을 내리셨소?"

비시가 말한다.

"오호대장의 우두머리로 삼으셨습니다."

"오호대장은 누구누구요?"

"관장군과 장비·조운·마초·황충 다섯 장수입니다."

비시의 대답을 듣고 관운장이 버럭 화를 낸다.

"익덕은 내 아우이고 맹기(孟起, 마초의 자)는 대대로 명문의 집안이며 자룡은 오랫동안 우리 형님을 따랐으니 곧 내 아우나 같은지라, 나와 같은 지위에 있어도 괜찮소. 하지만 황충은 대체 어떤 사람이기에 감히 나와 같은 열에 선단 말인가. 대장부가 그런 노졸(老卒)과 자리를 같이할 수는 없소!"

관운장은 인수를 받으려 하지 않았다. 비시가 웃으면서 말한다.

"장군의 말씀은 잘못입니다. 옛날에 소하(蕭何)와 조참(曹參)은 고조와 더불어 큰일을 이룬 가장 친근한 사이였소. 이에 비해 한신(韓信)은 초나라에서 도망해온 장수인데도 그 지위가 왕에 이르러 소하와 조참 위에 있었으나, 두 사람은 결코 이를 원망한 일이 없었다고 들었습니다. 지금 한중왕께서 장군을 비록 오호대장에 봉했다고는 하지만 장군과는 형제의 의가 있어 한몸이나 마찬가지니, 장군이 곧 한중왕이요 한중왕이 곧 장군인데 어찌 다른 사람과 같이 생각하십니까? 장군께서는 한중왕의 두터운 은혜를 입고 있으니 마땅히 좋은 일과 궂은 일, 화와 복을 함께 누리실 것이요, 관직의 고하를 따질 일이 아닙니다. 원컨대 장군께서는 깊이 생각하십시오."

관운장이 크게 깨닫고 비시에게 두번 절하고 말한다.

"내 어리석은지라, 그대의 가르침이 아니었다면 자칫 대사를 그르칠 뻔하였소."

즉시 엎드려 인수를 받았다. 비시는 그제서야 한중왕의 뜻을 전하고, 군사를 일으켜 번성을 치도록 했다. 관운장은 즉시 군사를 일으킬 채비를 했다. 부사인(傳士仁)과 미방(糜芳) 두 사람을 선봉으로 삼아 형주성 밖에 주둔시키는 한편, 성안에 잔치를 베풀어 비시를 대접했다. 술자리가 무르익어가던 2경(밤 10시) 무렵이었다. 갑자기 수하사람이 들어와 보고한다.

"성밖 영채 안에서 불이 났습니다!"

관운장은 급히 갑옷을 입고 말에 올라 성밖으로 나갔다. 부사인과 미방이 장막 뒤에서 술을 마시다가 실수로 불을 냈는데, 불길이 화포에 옮겨붙었던 것이다. 화포가 터지면서 온 영채가 진동하고 무기며 군량, 마초 등이 불에 타고 있었다. 관운장이 군사를 거느리고 급히 불을 끄기 시작해 4경(새벽 2시)이 지나서야 겨우 불길이 잡혔다. 관운장은 성안으로 들어와 부사인과 미방을 불러 질책한다.

"내 지금 너희 두 사람을 선봉으로 삼았는데 출군도 하기 전에 많은 무기와 군량을 태우고 화포가 터져 숱한 인마가 죽었으니, 이렇게 대사를 그르치는 너희들을 대체 어디에 쓴단 말이냐!"

호되게 꾸짖으며 두 사람을 끌어내 목을 베라 명했다. 비시가 아뢴다.

"출병도 하기 전에 대장부터 참하는 일은 군사에 이롭지 못하니 목을 베는 것은 면해주시지요."

관운장은 노기를 삭이지 못하고 부사인과 미방에게 호통을 친다.

"내가 비사마(費司馬, 비시)의 낯을 보지 않았으면 반드시 너희 두 놈의 머리를 베었을 것이다!"

마침내는 무사를 불러 두 사람에게 각기 40대씩 매를 때리게 하고 선봉장의 인수를 거두었다. 미방에게는 벌로 남군을 지키게 하고, 부사인은 공안을 지키도록 했다. 이어서 관운장은 말한다.

"내가 이기고 돌아오는 날까지 너희들이 조금이라도 실수를 한다면 두 가지 죄를 한꺼번에 물을 테니, 그리 알라!"

미방과 부사인 두 사람은 얼굴 가득히 부끄러운 빛을 띠고 예, 예 하며 그 자리를 물러났다. 관운장은 새로 요화(廖化)를 선봉장으로 삼고 관평(關平)을 부장으로 삼았다. 스스로는 중군을 통솔하고 마량(馬良)과 이적(伊籍)을 참모로 삼아 일제히 출정길에 올랐다. 이보다 앞서 호화(胡華)의 아들 호반(胡班)이 형주로 와서 관운장에게 투항했는데, 관운장은 지난날 호화와 서로 돕던 정리를 생각해 호반을 매우 아꼈다. 마침 비시가 온 김에 호반에게 서천으로 가서 한중왕을 뵙고 벼슬을 받도록 일렀다. 비시는 관운장과 작별하고 호반을 데리고 촉으로 돌아갔다.

출정하는 날 관운장은 수(帥)자 큰 깃발에 제사를 지낸 다음 장막 안에서 잠시 졸고 있었다. 갑자기 크기는 소만하고 온몸이 시커먼 멧돼지 한 마리가 장막 안으로 뛰어들어 관운장의 발을 덥석 문다. 관운장이 대로하여 급히 칼을 뽑아 멧돼지를 베니 비단 찢는 소리를 내며 죽었다. 관운장이 그 소리에 놀라 깨어보니 모두 꿈이었는데, 참으로 괴이하게도 왼쪽 발이 까닭없이 쑤시고 아팠다. 관운장은 몹시 의아해 즉시 관평을 불러 꿈이야기를 해주었다. 듣고 나서 관평이 말한다.

"멧돼지는 용상(龍象)입니다. 용이 발을 물고 하늘 높이 오른다는 뜻이니 언짢게 생각하실 것 없습니다."

관운장이 여러 관리들을 장막 아래로 불러 꿈이야기를 하니, 누구는 상서로운 조짐이라 하고 또 누구는 상서롭지 못한 징조라고 하여 의논들이 구구하다. 관운장이 말한다.

"내가 대장부로 태어나 이제 육순이 가까웠는데 지금 죽은들 무엇이 서운하랴!"

이렇게 말을 나누고 있는데, 문득 촉에서 보낸 사신이 도착해 한중왕의 교지를 전한다.

"관운장을 전장군(前將軍)에 봉하여 이에 절월(節鉞)을 내리니 형양(荊襄) 아홉 고을을 맡아 다스리도록 하라."

관운장이 절하여 왕명을 받드는데 모든 관원들이 치하한다.

"저룡(猪龍)이 발을 문 것은 상서로운 꿈이었습니다."

마침내 관운장은 모든 의심을 버리고 군사를 일으켜 양양(襄陽) 대로를 향해 나아갔다.

조인은 이때 성안에 있다가 급보를 받았다.

"관운장이 몸소 군사를 거느리고 쳐들어오고 있습니다."

조인은 크게 놀라 굳게 지킬 뿐 나가 싸우려 하지 않았다. 부장 적원(翟元)이 말한다.

"위왕께서 장군에게 동오와 합세하여 형주를 치라고 명하셨는데, 이제 저들이 스스로 죽으러 오거늘 무슨 까닭에 피하십니까?"

그 말에 참모 만총이 간한다.

"제가 알기로 운장은 용맹할 뿐만 아니라 지모가 뛰어나 가벼이 대적할 수 없는 장수입니다. 굳게 지키는 것이 상책입니다."

효장(驍將, 사납고 날랜 장수) 하후존(夏侯存)이 말한다.

"그것은 한낱 서생의 말이오. '물이 오면 흙으로 막고 장수가 오면 군사를 보내 막으라[水來土掩 將至兵迎]'는 말도 못 들었소? 이제 우리 군사는 편안하게 앉아 먼길을 와 피로한 적을 기다리게 되었으니 저절로 이길 수 있소이다."

하후존의 말에 따라 조인은 만총에게 번성을 지키게 한 다음 몸소 관운장을 맞으러 군사를 거느리고 나아갔다. 관운장은 조조군이 싸우러 나온다는 말을 듣고, 관평과 요화 두 장수를 불러 계책을 일러주고 먼저 보냈다. 관평과 요화의 군사들이 조조군과 마주하여 둥글게 진을 벌여세웠다. 요화가 말을 달려나가 싸움을 돋우니 조조군 진영에서는 적원이 마주 달려나왔다. 두 장수가 어울려 싸운 지 얼마 안되어 요화가 거짓으로 패하여 말머리를 돌려 달아났다. 적원이 뒤를 쫓으니 형주 군사들은 20리쯤 후퇴했다. 다음날도 형주 군사들이 먼저 싸움을 걸었다. 이번에는 조조군 진영의 하후존과 적원이 한꺼번에 나와 싸웠다. 형주 군사가 또다시 패하여 20리쯤 쫓겨가는데 바로 그때 배후에서 함성이 크게 진동하며 북소리, 피릿소리가 일제히 울린다. 조인이 급히 전군(前軍)에 퇴군을 명하는데 배후에서 관평과 요화가 짓쳐나와 덮치니 조조군은 순식간에 대오가 무너지며 큰 혼란에 빠진다. 그제야 조인은 계략에 빠진 것을 알고 먼저 한무리의 군사를 거느리고 양양을 향해 달아났다. 성에서 몇리 떨어진 곳에 이르렀을 때다. 전면에 수놓은 깃발이 나부끼더니 관운장이 말에 앉아 청룡도를 비껴들고 가는 길을 막아섰다. 조인은 마음이 떨리고 간담이 서늘하여 감히 싸울 생각도 못하고 양양 쪽 지름길로 달아난다. 관운장은 굳이 그 뒤를 쫓지 않았다. 얼마 안 가서 하후존이 군사를 이끌고 오다가 관운장을 보고는 크게 노하여 칼을 빼들고 덤벼든다. 그러나 그가 어찌 관운장의 적수가 되겠는가. 단 1합에 관운장의 칼에 맞아 말에서 떨어져버렸다. 적원은 그 광경에 놀라 그대로 달아나다가 관평을 만나 역시 한칼에 참사당했다. 관평이 승세를 몰아 뒤를 쫓으며 공격하니, 조조군의 태반이 양강(襄江)에 빠져 죽었다. 조인은 번성으로 후퇴해 꼼짝하지 않고 성을 지키고만 있었다.

양양을 점령한 관운장은 전군에 상을 내리고 백성들을 위무했다. 수군사마(隨軍司馬) 왕보(王甫)가 말한다.

"장군께서 북소리 한번에 능히 양양을 얻으셨으니 당연히 조조군의 사기는 땅에 떨어졌을 것입니다. 그렇지만 제 어리석은 소견으로는 지금 동오의 여몽이 육구(陸口)에 주둔하고서 항상 형주를 삼킬 뜻을 가지고 있으니, 만일 그들이 군사를 일으켜 형주를 치려 하면 어쩌시렵니까?"

관운장이 답한다.

"나 역시 그 생각을 하고 있었소. 그대가 이 일을 맡아보도록 하되 강기슭을 연이어 20리 혹은 30리마다 높은 언덕을 골라 봉화대를 세우고, 봉화대마다 군사 50명씩을 두어 지키도록 하시오. 동오군이 강을 건너오거든 밤에는 불을 밝혀 알리고 낮에는 연기를 피워올려 신호하시오. 내가 그 신호를 보고 나가 적을 무찌르겠소."

왕보가 말한다.

"미방과 부사인이 중요한 두 길목을 지키고 있습니다만 혹 그들이 힘을 다하지 않을까 두려우니, 한 사람을 더 보내 형주를 돌보게 하는 게 좋을 듯합니다."

"내 이미 치중(治中) 반준(潘濬)을 보내 지키게 했는데 무엇을 염려하겠소?"

관운장의 말에 왕보가 다시 말한다.

"반준은 워낙 시기심이 많고 이익을 좋아해 큰일을 맡길 수 없습니다. 군전도독양료관(軍前都督糧料官) 조루(趙累)를 대신 보내십시오. 조루는 충성스럽고 청렴하니, 이 사람을 쓴다면 만에 하나라도 실수가 없을 것입니다."

관운장이 말한다.

"나도 평소부터 반준의 됨됨이를 알고 있었소만 이미 보냈으니 바꿀 것까지는 없을 게요. 조루는 지금 군량과 양초를 담당하고 있는데 그 일 또한 중요하니, 그대는 더 근심하지 말고 어서 봉화대를 쌓으러 가도록 하오."

왕보는 마음이 놓이지 않은 채로 절을 올리고 그 자리를 떠났다. 관운장은 관평에게 배를 마련하도록 하고 양강을 건너 번성을 칠 일을 서둘렀다.

한편 조인은 하후존과 적원 두 장수를 잃고 번성으로 물러나 만총에게 말한다.

"공의 말을 듣지 않았다가 군사는 패하고 장수도 죽고 양양마저 잃었으니, 장차 이 일을 어찌하면 좋겠소?"

만총이 답한다.

"운장은 호랑이 같은 장수로 지모와 전술이 뛰어나니 섣불리 싸울 일이 아닙니다. 반드시 굳게 지키셔야 합니다."

이렇게 말이 오가는데 수하사람이 와서 보고한다.

"관운장이 양강을 건너 번성으로 쳐들어오고 있습니다."

조인이 크게 놀라는데 만총은 거듭 간한다.

"그저 굳게 지키셔야 합니다."

부장 여상(呂常)이 분연히 나서며 말한다.

"바라건대 제게 몇천명의 군사를 내주시면 당장 양강 안에서 적을 막아내겠습니다."

만총이 다시 말한다.

"절대 나가서는 안되오!"

여상이 화를 내며 말한다.

"그대 문관들의 말대로 줄곧 지키고만 있으면 어떻게 적을 물리치겠소? 병법에 '군사가 강을 반쯤 건널 때 공격하라〔軍半渡可擊〕'는 말도 못 들어보았소? 이제 관운장의 군사들이 양강을 반쯤 건너오고 있는데 어찌 공격하지 않겠소이까? 만일 적군이 성밑 해자가에 이르면 그때는 급히 막으려 해도 어려울 것이오."

조인은 즉시 여상에게 군사 2천명을 내주며 번성을 나가 적과 맞서

싸우게 했다. 여상이 강기슭에 당도해보니 전면에 수놓은 기가 펄럭이는 가운데 관운장이 칼을 비껴들고 말을 달려나왔다.

여상은 즉시 관운장을 맞아 싸우려 했다. 그런데 그를 따르던 군사들은 관운장의 신 같은 위엄과 늠름한 자태에 기가 죽어 싸우기는커녕 앞다투어 달아나기에 바빴다. 여상이 꾸짖고 제지해도 말을 듣지 않았다. 이 틈을 타 관운장이 비호같이 달려나와 무찌르니 조조군은 대패하여 기병과 보병의 태반을 잃었다. 패잔군은 번성으로 쫓겨왔다. 조인은 급히 장안에 있는 조조에게 사람을 보내 구원을 요청했다. 사자는 밤을 새워 말을 달려 장안에 이르러 조조에게 서신을 올리고 고했다.

"관운장이 이미 양양을 손에 넣고 이제 번성을 포위해 형세가 자못 위급합니다. 당장 장수와 군사를 보내 도와주십시오."

조조가 반열 안의 한 사람을 가리키며 명했다.

"그대가 가서 번성의 포위를 풀어주도록 하라."

그 장수가 크게 대답하고 나오는데 모두 보니 바로 우금이었다. 우금이 말한다.

"제게 한 장수를 허락해주시면 그를 선봉으로 삼아 함께 군사를 거느리고 가겠습니다."

조조가 다시 여러 사람들에게 묻는다.

"누가 감히 선봉이 되겠는가?"

한 사람이 분연히 나선다.

"바라건대 감히 견마지로(犬馬之勞)를 다하여 관운장을 산 채로 잡아다 휘하에 바치겠습니다."

조조가 그를 보고 크게 기뻐했다.

아직 동오가 와서 틈을 엿보기 전에 未見東吳來伺隙
먼저 북의 위가 군사를 더해 공격하누나 先看北魏又添兵

과연 그 사람은 누구일까?

74 _

國

志

_

칠군을 물속에 장사지내다

방덕은 관을 짊어지고 가 결사전을 벌이고
관운장은 강물을 터뜨려 칠군을 수장시키다

조조는 번성을 구원하기 위해 우금을 보내기로 하고 여러 장수에게
묻는다.

"누가 선봉에 나서겠느냐?"

한 사람이 대답하며 선뜻 앞으로 나서는데, 조조가 보니 바로 방덕
(龐德)이었다. 조조가 크게 기뻐하며 말한다.

"관운장이 천하에 위엄을 떨치며 아직까지 적수를 만나지 못했더
니, 이제야 영명(令明, 방덕의 자)을 만나게 되었구나!"

조조는 우금을 정남장군(征南將軍)으로 삼고 방덕을 정서도선봉(征

西都先鋒)으로 삼고는 크게 칠군을 일으켜서 번성으로 떠나도록 했다. 이 칠군으로 말하자면 모두 북방의 용감한 군사들로 영군장교(領軍將校) 두 사람이 지휘하고 있었는데, 동형(董衡)과 동초(董超)가 그들이었다. 출정이 정해진 날 동형이 여러 장교들을 데리고 우금에게 들어가 말한다.

"지금 장군께서 칠군의 많은 군사를 거느리고 번성의 위기를 풀어주러 가시는 것은 반드시 이기기 위함인데, 어찌하여 방덕을 선봉장으로 삼아 대사를 그르치려 하십니까?"

우금이 놀라 그 까닭을 물으니 동형이 말한다.

"방덕은 본래 마초 수하에 있던 부장으로 어쩔 수 없이 우리 위나라에 투항한 사람입니다. 지금 그의 옛주인이 촉나라에서 오호장군에 올라 있을 뿐만 아니라 친형 방유(龐柔) 역시 서천에서 관직에 올라 있는 터에, 이제 그를 선봉장으로 삼는다면 이는 그야말로 기름을 끼얹어 불을 끄려는 것과 같습니다. 장군께서는 어찌하여 위왕께 아뢰어 다른 사람을 보내도록 하지 않으십니까?"

우금은 그날밤으로 부중에 들어가 조조에게 동형의 말을 그대로 아뢰었다. 조조도 그 말에 깨닫는 바가 있어 즉시 뜰 아래 방덕을 불러들여 선봉의 인수를 반납하라고 명했다. 크게 놀란 방덕이 조조에게 묻는다.

"제가 이제서야 대왕을 위해 힘을 다하려는데, 어찌하여 저를 쓰지 않으려 하십니까?"

조조가 말한다.

"나는 본래 아무것도 꺼리는 마음이 없느니라. 허나 지금 마초가 서천에 있고 네 친형인 방유 역시 서천에서 유비를 돕고 있는데, 내 비록 아무런 의심도 하지 않는다지만 여러 사람이 말이 많으니 어찌 하겠는가?"

들고 나서 방덕은 관(冠)을 벗어놓더니 머리를 땅에 짓찧어 온 얼굴에 피를 흘리며 고한다.

"제가 한중에서 대왕께 투항한 이래 참으로 두터운 은혜를 입어 비록 간과 뇌를 땅바닥에 뿌릴지라도 갚을 길이 없다고 생각해온 터인데, 대왕께서는 어찌 이 방덕을 의심하십니까? 제가 고향에서 형님과 함께 살 때 형수가 워낙 어질지 못하여 어느날 술에 취한 김에 그만 죽여버렸습니다. 형님이 그 일로 저에 대한 한이 골수에 맺혀 다시는 만나지 않겠다고 맹세했으니 형제간의 정리는 이미 끊겼습니다. 또한 옛주인 마초로 말할 것 같으면, 용기만 있고 무모하여 싸움에 패하고 땅을 잃은 다음 홀로 서천으로 달아나 지금은 서로 섬기는 주인이 다르니 이미 옛 의리도 끊어졌습니다. 저는 대왕의 은혜와 베푸심에 감동해 죽기로 보답하고자 하니, 어찌 감히 다른 뜻을 품을 수 있겠습니까. 대왕께서는 부디 살피시옵소서."

조조가 방덕을 부축해 일으키더니 위로하여 말한다.

"내 본래부터 그대의 충의를 알고 있었다. 앞서 한 말은 특히 여러 사람들을 안심시키려 한 것이니 그대는 더욱 노력하여 공을 세우라. 그대가 나를 저버리지 않는 한 나 또한 반드시 그대를 저버리지 않을 것이니라."

방덕은 조조에게 감사의 절을 올리고 집으로 돌아와 그 길로 목수를 시켜 관(棺)을 짜도록 했다. 이튿날 방덕이 여러 친구들을 초청해 자리를 마련했는데, 대청 위에 관을 내놓으니 모두 놀라서 묻는다.

"장군이 싸우러 나가는 마당에 이런 상서롭지 못한 물건을 무엇에 쓰려 하오?"

방덕이 술잔을 들며 친구들에게 말한다.

"나는 위왕의 두터운 은혜를 죽음으로써 갚고자 맹세했소. 이번에 번성에 가서 관우와 싸워 내가 그를 죽이지 못하면 반드시 내가 죽을 것이오. 그에게 죽임을 당하지 않더라도 그를 잡지 못한다면 내 마땅히 스스로 목숨을 끊을 터라 이 관을 준비했소. 이는 헛되이 돌아오지 않으려는 내 마음이외다."

여러 친구들이 듣고 모두 놀라며 탄식했다. 방덕은 아내 이씨(李氏)와 아들 방회(龐會)를 나오라고 하여 아내에게 말한다.

"내 이제 선봉이 되어 떠나면 마땅히 싸움터에서 죽어야 할 것이니, 내가 죽거든 그대는 이 아이를 잘 길러주오. 아이의 관상에 남다른 점이 있으니 자라면 반드시 아비의 원수를 갚아줄 것이오!"

아내와 아들은 통곡하며 방덕과 작별했다. 방덕이 관을 가지고 출발하기에 앞서 부하장수들에게 말한다.

"이번에 관우와 죽기로 싸우다가 만일 내가 죽거든 너희들은 내 시체를 이 관에 수습하여라. 내가 관우를 죽이면 나 또한 그 수급을 베어 관 속에 넣어다가 위왕께 바칠 것이다."

부하장수 5백명이 모두 말한다.

"장군께서 이렇듯 충성스럽고 용감하신 터에 우리가 어찌 감히 힘을 다하지 않겠습니까?"

마침내 방덕은 군사를 이끌고 출발했다. 사람들이 방덕의 이러한 일을 보고하니 조조가 기뻐하며 말한다.

"방덕의 충성과 용기가 그만한데 내가 무엇을 근심하랴."

가후가 옆에서 말한다.

"방덕이 혈기와 용맹만 믿고 관우와 죽기로 결판을 내려 한다니, 신은 그것이 오히려 염려스럽습니다."

조조는 가후의 말을 그럴듯하게 여기고 급히 사람을 보내 방덕에게 경계의 말을 전하게 했다.

"관우는 지혜와 용맹을 함께 갖추었으니 절대 가벼이 대적하지 말라. 싸울 만하면 즉시 나가 싸우고, 싸울 수 없을 때는 신중하게 지키도록 하라."

방덕이 명령을 전해받고 주위 장수들에게 말한다.

"대왕께서는 어찌하여 관우를 그렇게 어렵게 보시는가. 내가 이번에 가서 관우의 30년 명성을 대번에 꺾고야 말겠다."

우금이 옆에서 한마디 한다.

"위왕의 말씀에 따라야 하오."

방덕이 분연히 군사를 휘몰아 번성으로 나아가는데 무기를 번쩍이며 징을 치고 북을 울려 위엄을 드높였다.

한편, 관운장이 진영의 장막 가운데 앉아 있는데 갑자기 정탐꾼이 와서 급보를 전한다.

"조조가 우금을 장수로 삼아 칠군의 정예병을 보냈습니다. 선봉장 방덕이 행군 대열 맨앞에 관을 하나 놓고, 불손하게도 장군과 목숨을 걸고 싸우리라 하면서 성에서 30리 떨어진 곳까지 진격해왔습니다."

그 말을 듣고 관운장은 얼굴빛이 변했다. 아름다운 수염이 떨릴 만큼 크게 성을 내며 말한다.

"천하 영웅들이 내 이름만 듣고도 모두 두려워 복종하거늘, 방덕 따위 더벅머리 어린놈이 어찌 감히 나를 얕본단 말이냐!"

이어 옆에 있던 관평에게 명한다.

"너는 나가서 번성을 공격하라. 내 가서 그 하찮은 놈의 목을 베어 이 분을 풀리라!"

관평이 말한다.

"아버님은 태산같이 중하신 몸으로 어찌 하찮은 돌멩이와 고하(高下)를 다투려 하십니까? 이 못난 자식이 원컨대 아버님을 대신하여 방덕과 싸우겠습니다."

관운장이 말한다.

"어디 네가 시험삼아 한번 나가 보아라. 내 곧 뒤따라가서 지원하겠다."

관평이 곧 장막을 나가 칼을 들고 말에 올라서 군사를 거느리고 전진하여 방덕을 맞아 둥글게 진을 벌여세웠다. 위군(魏軍) 영채 앞에는 검은 깃발이 나부끼는데, 흰 글씨로 '남안 방덕(南安 龐德)'이라는 네 글자가 씌어 있다. 방덕은 푸른 전포에 은빛 갑옷을 입고 칼을 치켜든 채 백마를 타고 진 앞에 나와 서 있었다. 그뒤로는 5백 군사가 바싹 따르고, 보졸 몇명이 목관을 어깨에 메고 뒤따라나왔다. 관평이 방덕에게 큰소리로 욕을 한다.

"이 주인을 배반한 역적놈아!"

방덕은 관평을 알아보지 못하고 부하군사에게 묻는다.

"저자가 누구냐?"

곁에 있던 군사가 대답한다.

"관공의 양아들 관평입니다."

방덕이 크게 부르짖는다.

"나는 위왕의 뜻을 받들어 네 아비의 목을 끊으러 왔다. 너 같은 부스럼쟁이 애송이는 죽이지 않을 터이니, 냉큼 네 아비를 내보내라!"

관평이 격분해서 춤추듯 칼을 휘두르며 방덕에게 달려들었다. 방덕
도 칼을 비껴들고 마주 달려나왔다. 두 장수가 어우러져 30여합을 싸
웠으나 도무지 승부가 나질 않았다. 양쪽 진영에서는 징을 울려 싸움
을 중단하고 잠시 휴식을 취했다. 그동안에 한 군사가 이를 관운장에
게 보고했다. 관운장은 불같이 화가 나서 요화에게 번성을 치도록 명
하고, 몸소 방덕을 대적하기 위해 나섰다. 관평이 관운장을 맞아 방덕
과 싸워 승부가 나지 않았다고 고하니 관운장은 칼을 비껴들고 즉시
말을 몰고 달려나가 호통을 친다.

"관운장이 여기 와 있다. 방덕은 어찌하여 빨리 나와 목숨을 바치
지 않느냐!"

마침내 북소리가 요란하게 울리며 방덕이 말을 몰고 나타났다.

"나는 위왕의 명을 받들어 특별히 네 머리를 취하러 왔다. 네가 믿
지 못할까 염려해 관을 준비해왔으니, 만약 죽는 게 두렵거든 속히 말
에서 내려 항복하라."

관운장이 크게 꾸짖는다.

"네까짓 필부 따위가 무엇을 하겠느냐. 쥐새끼 같은 도적놈을 베기
에는 내 청룡도가 아깝다!"

관운장이 청룡도를 춤추듯 휘두르며 말을 달려나오니, 방덕 역시
칼을 치켜들고 달려나와 맞선다. 관운장과 방덕은 1백여합이 넘도록
격렬하게 싸웠다. 두 장수의 투지는 싸울수록 더욱 새로워질 뿐 도무
지 지칠 줄을 몰랐다. 양쪽 군사들은 모두 넋을 잃고 얼빠진 듯이 바
라보고 있었다. 위군 진영에서 방덕이 실수라도 할까 두려웠는지 징
을 울려 군사를 거두었다. 관평 역시 늙은 부친이 염려스러워 징을 울
리니 두 장수는 그제야 싸움을 거두고 각자의 영채로 돌아갔다. 방덕

이 영채로 돌아와 여러 사람에게 말한다.

"사람들이 관공을 영웅이라 하더니 오늘 비로소 그 말을 믿겠네."

이런 말을 하고 있을 때 우금이 왔다. 서로 군례를 드린 후에 우금이 방덕에게 묻는다.

"장군이 관공과 1백여합을 싸웠지만 얻은 게 없다고 들었는데, 군사를 물려 피하는 게 어떻겠소?"

방덕은 분연히 대답한다.

"위왕께서 장군을 대장으로 삼으셨는데, 어찌 그다지도 약한 말씀을 하시오? 내 내일은 관아무개와 사생결단을 하겠소. 결코 이대로 물러나지는 않을 테요."

우금은 감히 더 말리지 못한다.

한편 관운장은 영채로 돌아와 관평에게 말한다.

"방덕의 칼쓰는 법이 능숙하여 참으로 내 적수가 될 만하더구나."

관평이 말한다.

"속담에 '하룻강아지 범 무서운 줄 모른다'고 했습니다. 아버님께서 그자를 벤다 해도 그자는 한낱 서쪽 오랑캐의 작은 졸개에 지나지 않습니다. 만일 작은 실수라도 하여 큰아버님의 당부를 저버리시게 되지나 않을까 걱정입니다."

"내가 이 사람을 죽이지 못하고 어찌 분을 풀겠느냐. 내 뜻은 이미 정해졌으니 다시 여러 말 하지 마라."

이튿날, 관운장이 말에 올라 군사를 이끌고 진을 나서니 방덕 역시 군사를 이끌고 나와 맞선다. 양군이 둥글게 진을 벌여세움과 동시에 두 장수는 말 한마디 하지 않고 달려가 다짜고짜 맞붙어 싸움을 시작한다. 두 장수가 어울려 싸운 지 50여합에 이르렀을 때다. 방덕이 갑자기 말머리를 돌려 달아나기 시작한다. 관운장이 방덕의 뒤를 바싹 추격하니 관평은 혹시 실수라도 있을까 두려워 급히 그 뒤를 따른다. 관운장이 방덕을 뒤쫓으며 큰소리로 꾸짖는다.

"역적 방덕아! 네놈이 타도계(拖刀計)를 쓴다고 내 어찌 두려워할까보냐."

방덕은 짐짓 타도계를 쓰는 척하다가 갑자기 칼을 말안장 고리에 꽂고 잽싸게 몸을 돌려 활시위를 당겼다. 눈이 밝은 관평은 방덕이 활당기는 것을 보고 큰소리로 외친다.

"역적놈아, 그 간특한 활을 멈추어라!"

관운장이 급히 눈을 부릅뜨는데, 이미 시윗소리가 울리며 화살이 날아왔다. 미처 몸을 피하지 못한 관운장은 그만 왼쪽 어깨에 화살을 맞고 말았다. 관평이 급히 부친을 구해 영채로 돌아가려 하는데 방덕이 말머리를 돌려 칼을 휘두르며 쫓아왔다. 그때 갑자기 위군 본영에서 징소리가 크게 울렸다. 방덕은 혹시 후군이 급습당하지 않았나 염려되어 급히 말머리를 돌렸다. 그러나 이는 원래 우금의 시기 때문이었다. 우금은 방덕이 관운장을 쏘아맞히는 순간 재빨리 생각했다.

'방덕이 큰공을 세우면 내 체면은 뭐가 되겠는가.'

그래서 일부러 징을 쳐 군사를 거두었던 것이다. 방덕이 돌아와서 우금에게 묻는다.

"무슨 일로 징을 울렸소?"

우금이 말한다.

"위왕께서 훈계하시기를, 관아무개는 지혜롭고 용맹스러운 장수라 하였소. 제 비록 화살을 맞았으나 다른 속임수가 있을까 두려워 징을 울려 군사를 거둔 것이오."

방덕이 안타까워하며 말한다.

"회군하지만 않았으면 내 이미 관아무개를 베었을 거요!"

우금이 방덕을 위로하는 체하며 말한다.

"무엇이든 서둘러서 좋을 게 없소. 천천히 도모합시다."

방덕은 우금의 속셈을 알아차리지 못하고 기회 놓친 것만 안타까워할 뿐이다.

한편, 관운장은 영채로 돌아와 먼저 어깨에 꽂힌 화살촉을 뽑았다. 다행히 깊이 박히지 않아 금창약을 발라 치료했다. 관운장이 방덕에게 한을 품고 여러 장수들에게 말한다.

"내 맹세코 이 화살 한대의 원수를 갚으리라!"

여러 장수들이 말한다.

"장군께서는 며칠만이라도 편히 쉬소서. 그 다음에 싸우셔도 늦지 않습니다."

다음날, 방덕이 다시 군사를 이끌고 와서 싸움을 돋우었다. 군사에게서 이 사실을 보고받은 관운장은 당장 출정하려고 했으나 여러 장수들이 권하여 나가지 못하게 했다. 방덕은 군사들을 시켜 욕설을 퍼부으며 계속 싸움을 청했으나 관평은 요처를 굳게 지킬 뿐, 장수들에게 지시해 관운장에게 이를 보고하지 못하게 했다. 방덕이 싸움을 돋운 지 열흘이 지났건만 관운장의 영채에서는 사람 하나 나오지 않았다. 방덕은 우금과 더불어 상의한다.

"화살 맞은 상처가 덧나서 관우가 움직이지 못하는 것 같소이다. 이런 좋은 기회를 틈타 한꺼번에 칠군을 일으켜 영채로 짓쳐들어가면 번성의 포위를 구할 수 있겠소."

우금은 자칫 방덕이 큰공을 세울까 두려워하여 위왕의 경계를 핑계

삼아 군사를 움직이려 하지 않았다. 방덕이 여러 차례 군사를 움직이고자 해도 우금은 허락하지 않고 마침내 칠군을 옮겨서 번성에서 북쪽으로 10리 가량 떨어진 산기슭에 영채를 세웠다. 우금은 스스로 군사를 거느리고 큰길을 끊고서 방덕에게는 골짜기에 주둔하라고 명했다. 방덕이 마음대로 진군해 공을 세우지 못하게 하기 위해서였다.

한편 관평은 관운장의 상처가 아물어 매우 기뻐하고 있었는데 그때 우금이 칠군을 번성 북쪽으로 옮겨 영채를 세웠다는 급보가 들어왔다. 아무리 생각해보아도 저들의 모략을 알 수가 없어 즉시 관운장에게 보고했다. 관운장은 말에 올라 기병 몇명만 거느리고 높은 언덕 위로 올라가 보았다. 번성 위에 세워진 깃발은 정연하지 못하고 군사들의 움직임도 어지러워 보이는데, 성 북쪽으로 10리 남짓 떨어진 산골짜기에 군마가 주둔해 있었다. 또 한편을 보니 양강의 물살이 매우 급했다. 한참동안 살펴보고 나서 관운장은 향도관(鄕導官)을 불러 묻는다.

"번성 북쪽 10리에 있는 저 산골짜기 이름이 무엇인가?"

"증구천(罾口川)이라 합니다."

관공이 매우 기뻐하며 말한다.

"우금은 이제 내 손에 잡힌 거나 마찬가지로구나."

좌우에서 묻는다.

"장군께서는 그걸 어찌 아십니까?"

관운장이 말한다.

"고기(고기 '魚'. 우금의 '于'는 중국어로 음이 yú로 같음)가 증구(罾口, 그물아가리)에 들어갔는데 우금이 어찌 오래 버틸 수 있겠느냐?"

그러나 여러 장수들은 그 말을 믿지 않았다. 관운장은 본채로 돌아왔다.

때는 8월 가을철인데 며칠 동안 소나기가 쏟아졌다. 관운장은 사람을 시켜 배와 뗏목을 준비하도록 하는 한편 물에서 필요한 기구들을 수습하게 했다. 관평이 묻는다.

"육지에서 싸우는데 물에서 쓰는 기구는 무엇에 쓰시렵니까?"

관운장이 말한다.

"너는 모르는구나. 우금의 칠군이 넓은 땅에 진을 치지 않고 좁고 험한 증구천에 모여 있지 않더냐. 요사이 가을비가 연이어 내렸으니 필시 양강의 물이 범람할 것이다. 내 이미 사람들을 보내 제방 곳곳의 물구멍을 막아두었으니 물이 넘칠 때를 기다려 우리가 높은 데로 올라 배를 타고 물을 한꺼번에 터버리면 번성과 증구천의 군사들은 모두 물고기와 자라 밥이 될 것이니라."

관평은 그제야 깨닫고 절하며 감복했다.

한편 위군은 증구천에 주둔해 있는데 날마다 큰비가 그치지 않으니 독장(督將) 성하(成何)가 우금에게 찾아와 말한다.

"우리 대군이 증구천 어귀에 주둔해 있는데 지세가 낮은데다 비록 토산이 있긴 해도 영채와는 떨어져 있고 더구나 요즈음 비가 며칠째 내려 군사들의 고생과 어려움이 큽니다. 근래에 촉군이 높은 언덕으로 옮겨가고 있다고 하고, 한수 어귀에 배와 뗏목을 준비하고 있다고도 합니다. 강물이라도 범람하는 날에는 아군이 위태로우니 한시바삐 계책을 세우소서."

우금은 오히려 꾸짖는다.

"네까짓 놈이 어찌 군심을 어지럽히려 드느냐. 두번 다시 그따위 소리를 했다가는 목을 벨 것이다!"

성하는 수모를 당하고 우금 앞에서 물러나왔다. 그 길로 방덕을 찾아가 이 일을 고하니, 방덕이 말한다.

"그대의 생각이 무척 옳소만 우장군이 대군을 움직이려 하지 않으니 어쩔 도리가 없구려. 내일은 나 혼자서라도 군사를 다른 곳으로 옮기겠소."

이렇게 두 사람은 상의하여 계책을 정했다. 그날밤 비바람이 거세게 몰아쳤다. 방덕이 장막 안에 앉아 있는데 갑자기 천군만마가 내닫는 듯한 소리가 들리며 북소리가 천지를 진동한다. 방덕이 크게 놀라 장막을 뛰쳐나온 즉시 말위에 올라 바라보니, 사면팔방에서 큰물이 밀려온다. 칠군은 어지러이 달아나기 시작했다. 일대 소란 속에 물살에 그대로 떠내려가는 자가 이루 헤아릴 수 없었다. 평지에도 물은 한 길이 넘었다. 우금과 방덕은 다른 장수들과 더불어 자그마한 산위에 올라 겨우 물을 피했다.

마침내 날이 밝아왔다. 관운장과 여러 촉장들이 기를 흔들고 북을 치며 큰 배를 타고 함성을 지르며 몰려왔다. 우금이 사방을 둘러보아도 길은 없고 좌우에는 다만 군졸 5, 60명뿐이었다. 이미 달아날 수 없음을 안 우금은 제 입으로 항복하겠다고 소리쳤다. 관운장은 군사들에게 명하여 우금과 그 군사들의 갑옷과 병기를 거두고 나서 결박 지어 배에 태웠다. 그리고 방덕을 사로잡기 위해 뱃머리를 돌렸다.

이때 방덕은 동형·동초·성하 등의 장수와 보병 5백명과 함께 갑옷도 입지 못하고 둑 위에 서 있었다. 관운장이 배를 몰아 다가오는 것을 보고도 방덕은 전혀 두려워하는 기색 없이 분연히 앞으로 나서 싸우려 했다. 관운장은 사면을 배로 포위하더니 군사들로 하여금 일제히 활을 쏘게 했다. 이때 위군은 거의 태반이 형주군의 화살에 맞아죽었다. 동형과 동초는 위급한 형세를 보다 못해 방덕에게 고한다.

"군사들 태반이 죽고 다쳤으며 달아날 길도 없습니다. 차라리 항복하는 것이 낫겠습니다."

방덕은 분노했다.

"내가 위왕의 두터운 은혜를 입고서 어찌 절개를 굽혀 적에게 항복하겠는가!"

말을 끝내기가 무섭게 친히 동형과 동초를 베어버리고 큰소리로 외친다.

"다시 항복하자는 말을 하는 자가 있으면 즉시 이 두 사람처럼 될 것이다!"

이에 모두들 분발하여 적을 막았다. 새벽부터 한낮이 되도록 싸웠는데도 그들의 사기는 더욱 충천했다. 관운장이 군사들을 독려하며 사면에서 급히 공격하니 화살과 돌이 빗발치듯 위군에게 쏟아졌다. 방덕은 군사들에게 단병접전(短兵接戰, 길이가 짧은 무기로 가까이 다가가 싸움)을 하도록 명하면서 성하를 돌아보고 말한다.

"내 들으니 용맹한 장수는 죽음을 겁내 구차하게 살지 않으며, 장사는 절개를 굽혀 삶을 구걸하지 않는다고 하였다. 오늘은 바로 내가 죽는 날이니 그대도 힘을 다해 죽기로써 싸우라!"

성하는 명에 따라 앞으로 나가다가 관운장의 화살에 맞아 물속으로 떨어졌다. 결국 남은 군사들도 모두 항복했는데 방덕 혼자 끝까지 굽히지 않고 싸우고 있었다. 이때 형주군 수십명이 작은 배를 타고 방덕이 있는 둑 가까이 다가왔다. 방덕은 칼을 쥐고 몸을 날려 배로 뛰어오르더니 대번에 형주군 10여명을 베어죽였다. 나머지 군사들은 배를 버리고 물속으로 뛰어들어 달아났다. 방덕은 한손에 칼을 들고 다른 손으로는 노를 저으며 번성으로 달아나려 했다. 이때 상류쪽에서 한 장수가 뗏목을 타고 내려와 부딪치면서 조그만 배를 뒤집어엎었다. 뒤집힌 배와 함께 방덕이 물속에 빠지는 순간, 장수는 그대로 물속으로 뛰어들어 방덕을 사로잡아 배에 올랐다. 여러 사람들이 보니 방덕을 사로잡은 사람은 바로 주창(周倉)이었다. 주창은 본래 물에 익숙하고 또 형주에 있는 몇해 동안 수련을 쌓은데다 힘이 세어서 쉽게 방덕을 사로잡은 것이다. 우금이 거느렸던 칠군은 거의 물에 빠져 죽었으며 물에 익숙한 자들도 달아날 길이 없어 모두 항복했다.

후세 사람이 읊은 시가 있다.

한밤의 북소리 하늘을 진동하더니	夜半征鼙響震天
양양과 번성의 땅 바다로 변했구나	襄樊平地作深淵
관공의 신기묘산 따를 자 누구랴	關公神算誰能及
당시 천하에 떨친 그 이름 만고에 전하도다	華夏威名萬古傳

관운장은 높은 언덕으로 돌아와 장막 안에 좌정했다. 도부수들이 우금을 끌어내자 우금은 땅에 엎드려 절하며 목숨만 살려달라고 애걸한다. 관운장이 큰소리로 꾸짖는다.

"네 어찌 감히 내게 항거했느냐!"

우금이 말한다.

"위의 명에 따라 온 것이라 어찌할 수 없었습니다. 바라건대 군후께서는 불쌍히 여기소서. 살려만 주신다면 맹세코 목숨을 바쳐 보답하겠습니다."

관운장이 수염을 쓰다듬으며 웃고 말한다.

관우는 위의 칠군을 수장시키고 방덕은 주창에게 사로잡히다

"내 너를 죽이는 것이 개돼지를 죽이는 것과 무엇이 다르랴. 헛되이 내 칼만 더럽힐 뿐이로다!"

관운장은 곁에 있는 무사에게 우금을 결박해 형주로 보내 감옥에 가두어두라고 명한다.

"내 돌아가서 따로 처리할 것이다."

우금이 끌려나간 다음 관운장은 영을 내려 방덕을 끌어오게 했다. 방덕은 눈썹을 치켜올리고 눈을 부릅뜬 채 버티고 서서 무릎조차 꿇지 않았다. 관운장이 말한다.

"네 형이 한중에 있고 너의 옛주인 마초 역시 촉땅에 대장으로 있는데 어찌 일찍이 항복하지 않았느냐?"

방덕이 격노하여 말한다.

"내 차라리 칼에 맞아 죽을지언정 어찌 네게 항복하겠느냐!"

그러고는 큰소리로 욕설 퍼붓기를 그치지 않았다. 관운장이 크게 노하여 꾸짖으며 도부수들에게 명해 끌어내 목을 베게 했다. 방덕은 목을 늘여 도부수들의 칼을 받았다.

관운장은 방덕의 죽음을 가엾게 여겨 후하게 장사지내주라고 명하고 다시 전선에 올라 대소 장졸들을 이끌고 아직 빠지지 않은 물길을 타고서 일제히 번성으로 쳐들어갔다.

한편 번성 주위에는 흰 물결이 도도히 밀려와 하늘에 닿을 듯했다. 물은 점점 더 불어나 성벽을 허물어뜨리고 성안까지 밀려들 기세였다. 남녀노소가 모두 동원되어 흙을 나르고 돌을 옮겨 무너진 곳을 메웠지만 무서운 물의 기세를 미처 감당할 수가 없었다. 조조군의 여러 장수들은 낙담하여 황망히 조인에게 고한다.

"오늘의 이 위기는 도무지 사람의 힘으로 구할 길이 없으니 적이 오기 전에 배를 타고 밤새 달아나도록 하시지요. 비록 성은 빼앗기더라도 몸은 온전히 지킬 수 있겠습니다."

조인은 그 말을 좇아 바야흐로 배를 준비해 도망치려 했다. 그때 만총이 간한다.

"성을 버리면 안됩니다. 산골의 물이 밀려들어봤자 얼마나 오래 계속되겠습니까. 열흘도 못 가서 물은 자연히 빠질 것입니다. 관운장이 직접 성을 치지 않고 성 아래 겹하(郟下) 고을에 별장(別將)을 파견하고 쉽게 쳐들어오지 못하는 것은 우리 군사가 뒤를 습격할까 염려해서입니다. 지금 성을 버리면 황하 이남은 적의 손에 떨어질 터이니, 원컨대 장군께서는 번성을 굳게 지키소서."

조인이 두 손을 모으고 머리 숙여 감사한다.

"귀공의 가르침이 아니었다면 나라의 큰일을 그르칠 뻔했소이다."

조인은 백마를 타고 성위에 올라 여러 장수들을 모아놓고 맹세한다.

"나는 위왕의 명을 받아 이 성을 지킬 것이다. 누구든 성을 버리자고 하는 자가 있으면 목을 베겠다!"

여러 장수들이 한결같이 말한다.

"저희들도 죽기로 성을 지키겠습니다."

조인은 크게 기뻐했다. 곧 성위에 궁노수 5백명을 배치하고 군사들로 하여금 밤낮없이 철통같이 지키도록 했다. 그리고 남녀노소 가리지 않고 모든 백성들을 동원해 흙과 돌을 날라 요새와 성벽을 수리하게 했다. 만총의 말대로 열흘이 못 되어 물은 차차 빠지기 시작했다.

한편 관운장이 우금을 비롯한 위나라 장수들을 사로잡으니 그 위엄이 천하에 드높아 놀라지 않는 사람이 없었다. 이때 갑자기 관운장의 둘째아들 관흥(關興)이 부친을 뵈러 영채에 들렀다. 관운장은 여러 장수들의 공적을 기록한 문서를 관흥에게 내주며 말한다.

"너는 이것을 들고 성도로 돌아가 한중왕께 올리고, 이 사람들의 관직을 올려주십사 청하여라."

관흥은 아버지에게 절을 하고 성도를 향해 떠났다. 관흥을 보낸 후 관운장은 군사를 둘로 나누어 절반은 겹하로 보내고, 나머지 절반의 군사를 몸소 거느리고 번성의 사면을 에워싼 채 공격하기 시작했다. 북문에 다다른 관운장은 채찍으로 성루를 가리키며 큰소리로 외친다.

"이 쥐새끼 같은 놈들아, 속히 항복하지 않고 언제까지 버틸 셈이냐!"

바로 이때, 조인은 성루에서 관운장이 엄심갑에 녹색 전포만 걸친 것을 보고는 부리나케 5백 궁노수들을 시켜 일제히 활을 쏘게 했다. 관운장이 급히 말머리를 돌렸으나 화살 한대가 날아와 오른팔에 꽂혔다. 관운장은 그만 몸을 뒤집으며 말에서 떨어지고 말았다.

물속에 칠군을 빠뜨려 넋을 다 빼놓더니	水裡七軍方喪膽
성에서 날아온 화살 한대에 몸이 상하네	城中一箭忽傷身

과연 관운장은 어찌 되었을까?

형주 함락

관운장은 뼈를 긁어 독기를 치료하고
여몽은 흰옷의 장사꾼으로 변장하고 강을 건너다

한편 조인은 관운장이 말에서 떨어지는 것을 보고 즉시 군사를 이끌고 성에서 나가 형주군을 쳐부수려 했다. 그러나 관평이 쫓아나와 한바탕 위군을 무찌르는 바람에 다시 쫓겨들어갔다. 관평은 관운장을 구하여 영채로 돌아왔다. 곧 오른팔에서 화살을 뽑아냈는데, 원래 화살촉에 독약을 묻혀놓았기 때문에 이미 독이 뼛속까지 스며들어 있었다. 상처가 퍼렇게 부어오른 관운장은 오른팔을 조금도 움직이지 못했다. 관평이 황망히 여러 장수들을 불러 상의한다.

"부친께서 팔을 못 쓰게 되신다면 앞으로 어떻게 적과 싸우시겠소?

잠시 형주로 회군하여 조리하시느니만 못할 것이오."

관평이 여러 장수들과 함께 장막으로 들어가자 관운장이 묻는다.

"너희는 무슨 일로 왔느냐?"

"군후께서 오른팔을 다치신 까닭에 적을 대하면 노기로 인해 상처
에 좋지 못하고 적과 싸우시기에도 불편할까 두려워 저희가 의논했습
니다. 잠시 형주로 돌아가 몸을 돌보시는 것이 좋겠습니다."

관운장은 화를 낸다.

"번성을 취할 일이 바로 눈앞에 있지 않느냐. 번성을 점령하면 즉
시 군사를 몰고 허도로 진격해 역적 조조를 섬멸하고 한나라 황실을
편안케 할 것이다. 어찌 조그만 상처 때문에 대사를 그르치겠느냐. 너
희가 감히 우리 군사의 사기를 꺾을 셈이냐!"

관평을 비롯한 여러 장수들은 아무 말도 못하고 물러났다. 장수들
은 관운장이 회군하려 하지 않고 상처는 차도가 없어 각처로 사람을
보내 명의를 수소문했다. 그러던 어느날이었다. 한 사람이 강동에서
작은 배를 타고 와서는 곧바로 영채 앞에 당도했다. 군졸이 그 사람을
관평에게 데리고 갔다. 관평이 보니, 그는 머리에 방갓을 쓰고 소매
넓은 활옷을 입었으며 팔에는 푸른 자루를 걸고 있었다. 그 사람이 스
스로 자기 소개를 한다.

"저는 패국(沛國) 초군(譙郡) 사람으로 성은 화(華)요 이름은 타
(佗), 자는 원화(元化)라는 사람입니다. 천하의 영웅이신 관장군께서
이번에 독화살을 맞았다는 말을 듣고 특별히 치료해드리러 이렇게 왔
습니다."

관평이 말한다.

"그렇다면 지난날 동오의 주태를 고쳤던 그분 아니십니까?"

"그렇소이다."

관평은 크게 기뻐하며 즉시 여러 장수들과 화타를 데리고 장중에 들어가 관운장을 뵈었다. 이때 관운장은 팔의 통증이 심하면서도 내색하면 군심이 흔들릴까 염려하여 파적 삼아 마량과 바둑을 두고 있다가 의원이 당도했다는 보고를 받았다. 관운장은 곧 화타와 인사를 나눈 다음 차를 대접했다. 화타가 차를 마시고 나서 말한다.

"상처를 좀 보여주십시오."

관운장은 웃옷을 벗고 팔을 내밀어 화타에게 상처를 내보였다. 화타가 살피고 나서 말한다.

"화살촉에 묻어 있던 독약 오두(烏頭, 줄기·잎·뿌리에 독이 있는 약용식물)가 그대로 뼛속에 스며들었습니다. 속히 치료하지 않으면 이 팔은 못 쓰게 될 것입니다."

관운장이 묻는다.

"어떻게 치료하면 되겠소?"

"제게 치료법이 있긴 한데, 군후께서 두려워하실까 그것이 걱정입니다."

관운장이 웃으며 말한다.

"내가 죽는 것을 집으로 돌아가듯 여기는 터에 무엇을 두려워하겠소?"

화타가 말한다.

"먼저 조용한 곳에 기둥을 하나 세워 큰 고리를 박은 다음 군후의 팔뚝을 고리 속에 끼워 굵은 밧줄로 단단히 매놓고 얼굴을 가려야 합니다. 그러고 나서 제가 뾰족한 칼로 살을 째고 뼈를 드러내 뼛속에 스며든 독을 긁어내고, 약을 바르고 바늘과 실로 살을 꿰매야만 비로소 무사할 것이옵니다. 일이 이러하니 군후께서 두려워하실까 그것이 걱정입니다."

관운장이 또다시 웃으며 말한다.

"그렇게 쉬운 일에 기둥이니 고리가 무슨 필요가 있겠소?"

운장은 술상을 들여오게 하여 화타를 대접했다. 술을 몇잔 마시더니 마량과 다시 바둑을 두면서 팔을 뻗어 화타에게 맡겼다. 화타가 뾰족한 칼을 손에 쥐고, 군졸 한 사람에게 큰 항아리를 팔 밑에 대고 흘러내리는 피를 받도록 하고는 다시 말한다.

"이제 제가 손을 쓸 터이니 군후는 놀라지 마십시오."

관운장은 바둑을 두면서 말한다.

"그대에게 맡겼으니 마음대로 치료하시오. 내 어찌 세간의 속인들이 아파하고 두려워하는 것처럼 하겠소."

화타가 드디어 칼을 잡고 관운장의 살을 쨌다. 보니 이미 뼈까지 푸르게 독이 퍼져 있었다. 화타가 칼로 뼈를 긁어내기 시작했다. 사각사각 뼈를 긁는 소리에 장막 안에 있던 사람들은 차마 쳐다보지 못하고 겁에 질려 얼굴을 가리고 있었다. 관운장은 계속 술을 마시면서 웃고 이야기 나누며 마량과 바둑을 두었다. 그 얼굴에 전혀 고통스러워하는 기색이 보이지 않았다. 잠깐 사이에 흘러내린 피가 항아리에 그득했다. 마침내 화타는 뼛속의 독을 다 긁어내고 그 위에 약을 바르더니 실로 꿰맸다. 관운장이 크게 웃고 일어나 여러 장수들을 돌아보며 말한다.

"이 팔을 움직이기가 전과 같고 통증도 사라졌소이다. 선생은 참으로 신의(神醫)올시다."

화타가 말한다.

화타는 뼈를 긁어 관운장의 상처를 치료하다

"제가 일생 의원노릇을 했지만 아직까지 이런 일은 겪은 적이 없습니다. 군후께서는 참으로 천신(天神)이십니다."

후세 사람이 지은 시가 있다.

병을 치료함엔 내과 외과로 나뉘지만	治病須分內外科
세상에 신묘한 의술 만나기 어디 쉬우랴	世間妙藝苦無多
신위의 명장으로 관운장 하나 손꼽는데	神威罕及惟關將
신통한 의술로는 오직 화타를 이야기하네	聖手能醫說華佗

관운장은 화살 맞은 상처가 다 낫자 잔치를 베풀어 화타를 대접하며 사례했다. 화타가 말한다.

"군후의 상처는 비록 나았으나 모름지기 몸을 아끼시고 절대로 노기(怒氣)를 내지 마십시오. 그렇게 백일을 지내고 나서야 예전처럼 회복되실 것입니다."

관운장은 황금 1백냥을 내어 화타에게 사례하려 했다. 화타가 거절하며 말한다.

"저는 군후의 높으신 의기를 듣고 특별히 와서 고쳐드린 것이온데 어찌 보수를 받겠습니까?"

화타는 끝내 사양하고 약 한 봉지를 내놓았다.

"이것을 상처에 바르십시오."

그러고는 작별하고 떠나갔다.

이무렵 관운장이 우금을 사로잡고 방덕을 참하니, 그 위엄과 명성이 크게 떨쳐 세상사람들이 모두 놀란 중에 정탐꾼이 이런 사실을 즉시 허도에 보고했다. 조조는 크게 놀라 문무관원들을 불러모아 상의했다.

"내 평소부터 관운장의 지혜와 용맹이 천하를 뒤덮은 줄은 알고 있었으나, 이제 형주와 양양을 모두 손에 넣었으니 마치 호랑이가 날개를 얻은 격이로구나. 우금이 사로잡히고 방덕은 죽임을 당하여 위군의 사기가 꺾일 대로 꺾였으니 만일 군사를 이끌고 곧바로 허도로 쳐들어온다면 어찌하겠느냐. 내 도읍을 옮겨 피하려 하노라."

사마의가 간한다.

"그건 안됩니다. 우금 등은 물에 빠졌을 뿐 싸움에 패한 것이 아니니 국가대계(國家大計)에 손상될 것이 없습니다. 지금 손권과 유비의 사이가 좋지 못하니 이번에 운장이 얻은 성과를 손권은 기뻐하지 않을 것입니다. 대왕께서는 사신을 동오로 보내 이해(利害)를 따져 말하여 손권으로 하여금 암암리에 군사를 일으켜 관운장을 뒤에서 치도록 하고, 평정되는 날에는 강남땅을 떼어주겠다고 하면 번성의 위기는 저절로 풀릴 것입니다."

주부 장제(蔣濟)도 말한다.

"중달의 말이 옳습니다. 지금이라도 즉시 동오로 사람을 보낸다면 도읍을 옮기는 일로 백성을 동요시킬 필요가 전혀 없습니다."

조조는 그 말을 옳게 여겨 천도하지 않기로 하고, 여러 장수들을 돌아보며 탄식하여 말한다.

"우금이 나를 따른 지 30년인데, 어찌 위기를 당하여 오히려 방덕만도 못하단 말인가. 이제 사자에게 서신을 주어 동오에 보내는 한편 반드시 대장 한 사람을 뽑아야만 관운장의 예기를 감당할 것이로다."

조조의 말이 미처 끝나기도 전에 계단 아래에서 한 장수가 나서며 소리친다.

"제가 가기를 원합니다!"

조조가 보니 바로 서황이다. 조조는 크게 기뻐하고 즉시 정예병 5만을 내주어 서황을 대장으로 삼고, 여건(呂建)을 부장으로 삼았다. 그리고 날을 정해 기병하여 먼저 양릉파(陽陵坡)에 주둔했다가 동남쪽의 동정을 보아 진군하도록 했다.

한편 손권은 조조의 서신을 받아보고 흔쾌히 응낙했다. 즉시 회신을 써서 사자에게 주어 돌려보내고 문무관원을 모아 상의했다. 장소가 말한다.

"요새 듣자하니 운장이 우금을 사로잡고 방덕을 참하여 그 위엄이 세상을 진동시킨다 합니다. 조조가 도읍을 옮겨 그 예봉을 피하려다가 당장 번성이 위급하므로 사자를 보내 우리에게 구원을 요청하는 것이니, 일을 평정한 뒤에 번복할까 그것이 걱정입니다."

손권이 미처 대답도 하기 전에 갑자기 급한 보고가 들어온다.

"여몽이 육구에서 작은 배를 타고 당도했는데, 주공께 아뢸 말씀이 있다 합니다."

손권이 불러들여 물으니 여몽이 말한다.

"지금 운장이 군사를 거느리고 번성을 포위하고 있으니 그가 멀리 나간 틈을 타서 형주를 급습해야 합니다."

손권이 말한다.

"나는 북쪽 서주를 취하고 싶은데 그대 생각은 어떠한가?"

여몽이 답한다.

"지금 조조가 멀리 하북에 있어 미처 동쪽을 돌볼 겨를이 없고 서주를 지키는 군사가 많지 않아 쳐들어가면 이기기는 할 것입니다. 그러나 지세가 육전(陸戰)에 이롭고 수전(水戰)에 불리하여 비록 얻는다 해도 지키기는 어려울 것입니다. 먼저 형주를 쳐서 장강을 손에 넣은 뒤에 달리 좋은 계책을 세워 도모하는 것이 어떻겠습니까."

"나도 형주를 취하고 싶소. 먼저 한 말은 경을 시험해보려 한 말이니, 경은 속히 나를 위해 일을 도모하도록 하오. 나도 곧 뒤따라 군사를 일으켜 나가겠소."

여몽은 손권에게 하직하고 곧장 육구로 돌아왔다. 이때 정탐꾼이 와서 고한다.

"강기슭을 따라 20리 혹은 30리마다 높은 언덕 위에 봉화대가 세워졌고, 또한 듣자하니 형주 군마가 정연하게 정비되어 만반의 준비를 갖추고 있다 합니다."

여몽이 크게 놀란다.

"그렇다면 급하게 일을 도모하기는 어렵겠구나. 내 오후의 면전에서 형주를 취하시라 권했는데, 이제 이 일을 어찌한단 말인가?"

여몽은 아무리 생각해도 좋은 계책이 떠오르지 않았다. 마침내 병을 핑계삼아 일절 나가지 않고 사람을 시켜 손권에게 이 일을 전했다. 손권은 여몽이 병이 났다는 소식에 마음이 매우 편치 않았다. 육손(陸遜)이 들어와 말한다.

"자명(子明, 여몽의 자)의 병은 꾀병이지 정말 병이 난 것이 아닙니다."

"거짓이라 생각한다면 백언(伯言, 육손의 자)이 직접 육구에 가서 살펴보도록 하오."

육손은 명령을 받은 즉시 떠나 밤을 새워 육구 영채에 이르렀다. 여몽을 만나보니 과연 얼굴에 병색은 없었다. 육손이 말한다.

"내가 오후의 명을 받고 자명의 문병을 왔소이다."

"천한 몸이 우연히 병을 얻었기로 어찌 수고로이 병문안이시오?"

"오후께서 귀공에게 중임을 맡기셨는데 이 기회에 움직이지 않고 울적해하면서 헛되이 나날을 보내서야 되겠소?"

여몽은 그저 육손을 물끄러미 바라볼 뿐 아무런 대답도 하지 못했다. 육손이 다시 말한다.

"어리석은 내게 작은 처방이 있어 장군의 병을 고쳐드릴까 하는데, 한번 써보시겠소?"

여몽은 그제서야 좌우 사람을 물리치고 묻는다.

"백언의 좋은 처방을 제발 어서 가르쳐주오."

육손이 웃으며 나직하게 말한다.

"자명의 병은 형주의 정돈된 군마와 강기슭에 마련된 봉화대로 인해 생긴 병이오. 내게 한 가지 계책이 있으니, 강기슭을 지키는 적들이 봉화를 올리지 못하게 하고 형주 군사들로 하여금 꼼짝없이 항복하게 만들면 되지 않겠소?"

여몽이 깜짝 놀라며 사례하여 말한다.

"백언의 말이 내 가슴속을 꿰뚫어본 것 같구려. 원컨대 그 좋은 계책을 들려주시오."

"운장이 스스로 영웅이라 믿고 자신을 대적할 자가 없다고 생각하지만, 오직 염려하는 사람은 장군뿐이오. 장군은 이 기회에 병을 핑계로 사직하고, 육구를 관장하는 소임을 다른 사람에게 넘기시오. 그러고는 그 사람으로 하여금 비굴한 말로 관운장을 칭송하게 하면 교만한 마음이 생긴 관운장은 필시 형주 군사를 모두 거두어 번성을 칠 것이오. 이렇게 하여 아무 방비가 없을 때 기묘한 계책을 써서 습격한다면 일려(一旅, 5백명의 군사)의 병력만으로도 형주는 손쉽게 장악할 수 있소이다."

여몽이 크게 기뻐하며 말한다.

"참으로 좋은 계책이오!"

육손의 계책대로 여몽은 병을 핑계대고 일어나지 않더니 이윽고 손권에게 사직서를 올렸다. 육손이 돌아가서 손권에게 모든 사실을 고하니 손권은 즉시 여몽을 불러 건업(建業)으로 돌아와 병을 요양하라 일렀다. 여몽이 들어가 뵈니 손권이 묻는다.

"육구는 중요한 곳이오. 지난날 주유는 노숙을 천거하여 자기를 대신하게 했고, 그후 노숙은 다시 경을 천거하여 대신하게 했소. 이제 경도 역시 재주있고 인망이 높은 사람을 천거하여 경을 대신하게 하오."

여몽이 말한다.

"만일 인망이 두터운 사람을 쓴다면 운장은 반드시 방비를 게을리하지 않을 것입니다. 육손은 생각이 깊은 인물이나 아직 이름이 널리 알려지지 않아 운장이 꺼려하지 않을 터인즉, 신을 대신해 육손을 보낸다면 반드시 이번 일이 잘될 것입니다."

손권은 크게 기뻐하고 그날로 육손을 편장군(偏將軍) 우도독(右都督)으로 삼아 여몽 대신 육구를 지키도록 명했다. 육손이 사양하여 말한다.

"저는 아직 어리고 배운 것이 없어 막중한 임무를 감당하지 못할까 두렵습니다."

손권이 말한다.

"여몽이 그대를 천거했으니 잘못됨이 없을 것이다. 경은 너무 사양하지 말라."

육손은 곧 인수를 받들고 밤새 육구로 가서 마군·보군·수군 삼군을 각각 인계받았다. 그리고 즉시 서신을 쓰고 빼어난 말과 기이한 비단, 좋은 술 등의 예물을 갖추더니 사신에게 주어 번성의 관운장에게 바치도록 했다. 이때 관운장은 화살 맞은 상처가 겨우 아물어가는 중이라 움직이지 않고 있는데, 급보가 들어왔다.

"강동의 육구를 지키던 장수 여몽의 병세가 위중하여 손권이 불러들여 조리하도록 하고, 육손을 장수로 삼아 여몽을 대신해 육구를 지키게 했답니다. 지금 육손이 보낸 사람이 서신과 예물을 가지고 와서 특별히 군후를 뵙고자 청합니다."

관운장이 들여보내라 하더니 사자를 가리키며 말한다.

"중모(仲謀, 손권의 자)가 식견이 모자라서 어린아이 같은 육손을 장수로 삼았구나!"

사자가 땅에 엎드려 고한다.

"육장군이 예를 갖추어 서신을 올린 것은 첫째 군후께 하례드리기 위함이요, 둘째 두 집안의 화평과 우호를 위해서입니다. 부디 웃고 받아주시옵소서."

관운장이 서신을 보니 글의 내용이 매우 겸손했다. 서신을 다 보고 나서 관운장은 얼굴을 쳐들고 크게 웃더니 좌우 사람에게 예물을 받아두라 명하고, 사자를 돌려보냈다. 사자가 돌아와 육손에게 말한다.

"관공이 몹시 기뻐하며 우리 강동에 대해서는 걱정을 않는 듯한 눈치였습니다."

육손은 크게 기뻐하며 은밀히 사람을 보내어 정탐하게 했다. 과연 관운장은 형주의 군사 태반을 거두어 번성으로 옮기고 상처가 완전히 낮기를 기다렸다가 진군한다는 것이었다. 육손은 급히 사람을 보내 이 사실을 손권에게 보고했다. 손권이 여몽을 불러들여 상의한다.

"지금 운장이 과연 형주의 군사를 거두어 번성을 취하러 떠났으니, 우리도 곧 형주를 급습하여 취할 계책을 세워야겠소. 경은 내 아우 손교(孫皎)와 함께 대군을 이끌고 가는 것이 어떻겠소?"

손교의 자는 숙명(叔明)이니 손권의 숙부 손정(孫靜)의 둘째아들이다. 여몽이 말한다.

"주공께서 이 여몽을 쓰시려거든 여몽 하나만 쓰시고, 숙명을 쓰시려거든 숙명 하나만 쓰십시오. 지난날 주유와 정보가 좌우 도독이 되었을 때 모든 일을 주유가 결정했으나, 정보는 항상 동오의 옛 신하로서 주유 아래 있다고 하여 서로 화목하지 못하다가 나중에 주유의 재주를 보고서야 비로소 경복했던 일을 듣지 못하셨습니까? 지금 저의 재주는 주유만 못하고, 숙명은 정보보다도 주공과 가까운 사이이니 반드시 일을 이루지 못할까 두렵습니다."

손권은 크게 깨닫고 여몽을 대도독으로 삼아 강동의 모든 군마를 총괄하게 했다. 손교는 뒤에서 군량과 양초를 관리하며 여몽을 후원하게 했다. 여몽은 손권에게 절을 올려 사례하고 물러나온 즉시 군사 3만명과 쾌선 80여척을 점검했다. 특별히 물에 익숙한 자를 모두 흰 옷을 입혀 장사꾼으로 가장시켜서 배위에서 노를 젓게 하고, 정예군 사들은 배안에 숨겨두었다. 그리고 한당(韓當)·장흠(蔣欽)·주연(朱然)·반장(潘璋)·주태(周泰)·서성(徐盛)·정봉(丁奉) 등 일곱 대장으로 하여금 잇따라 출병하게 하고, 그 나머지는 모두 오후를 따라 뒤에서 후원하게 했다. 또 한편으로 편지를 주어 사자를 조조에게 보내 관운장의 후방을 엄습하게 하고, 또한 육손에게도 사람을 보내 이 사실을 알렸다. 이렇게 조처한 뒤 흰옷으로 변복한 군사들을 태운 쾌속선을 밤낮없이 몰아 심양강을 거슬러올라 마침내 강기슭 북쪽에 닿았다. 강기슭의 봉화대를 지키던 형주 군사들이 검문한다.

"어디로 가는 배냐?"

동오 사람이 답한다.

"우리는 모두 객상(客商)들인데 강에서 풍랑을 만나 잠시 이곳으로 피해왔습니다."

동오 사람들은 재물을 꺼내 봉화대를 지키는 군사들에게 내주었다. 군사들은 그 말을 믿고 강기슭에 정박하도록 내버려두었다. 그날밤 2경 무렵이었다. 배안에 숨어 있던 정예병들이 일제히 쏟아져나와 봉화대를 급습하더니 군사들을 결박해놓고 암호를 외쳤다. 그 암호 한마디에 80여척의 배안에 있던 정예병들이 모두 쏟아져나와 곳곳의 요충지를 지키는 형주군을 모조리 잡아가두고 한 사람도 달아나지 못하게 했다.

그러고 나서 여몽은 유유히 군사를 이끌고 형주를 취하려 나아가는데, 아무도 알아채는 자가 없었다.

마침내 동오군은 형주땅에 이르렀다. 여몽은 봉화대에서 잡아온 형주 군사들에게 많은 상을 주면서 좋은 말로 위로한 다음 성안의 군사를 속여 성문을 열게 하고 불을 질러 신호하도록 했다. 사로잡힌 형주 군사들은 여몽의 제안을 받아들였다. 한밤중에 성밑에 다다른 여몽은 사로잡은 형주 군사들에게 성문을 열라고 외치게 했다. 문 지키는 군사들은 형주 군사임을 확인하고 성문을 활짝 열었다. 순간 문을 열라고 외치던 군사들이 함성을 내지르며 성문 안으로 몰려들어가 불을 질렀다. 이때를 기다리던 동오 군사들이 일제히 급습하여 마침내 형주를 점령했다. 여몽이 군중에 영을 내린다.

"함부로 백성을 해치거나 백성의 물건을 한 가지라도 취하는 자가 있으면 군법으로 다스리겠다!"

형주 관리들에게는 전처럼 일을 맡아보게 하고, 관운장의 식솔들은 따로 저택에 모셔두고 아무도 마음대로 출입하지 못하게 했다. 그리고 손권에게 사람을 보내 이 소식을 보고했다.

하루는 큰비가 세차게 내렸다. 여몽이 기병 몇명만 거느리고 사방의 성문을 순시하는데, 한 군사가 백성들이 쓰는 삿갓을 투구와 갑옷 위에 쓰고 있었다. 여몽이 좌우를 꾸짖어 잡아다가 문초하며 보니, 그 군사는 여몽과 한고향 사람이었다. 여몽이 말한다.

"네 비록 나와 한고향 사람이나 내 이미 명을 내렸는데 어겼으니 마땅히 군법으로 다스릴 것이다!"

군사가 울며 고한다.

"저는 관에서 내린 갑옷이 비에 젖을까 염려되어 삿갓을 빌려 가렸을 뿐 절대로 사사로이 쓰려던 것이 아닙니다. 장군께서는 제발 동향 사람의 정리로 이번만 용서해주십시오."

"나도 네가 관에서 내린 갑옷이 젖을 것을 염려하여 한 일임을 잘 안다. 그러나 백성의 물건을 빼앗지 말라는 군령을 어긴 것 또한 사실이니 어쩔 도리가 없구나!"

여몽은 좌우에게 호령하여 그 군사를 끌어내 목을 베었다. 그 목을 저잣거리에 높이 매달아 사람들에게 보이고 나서 여몽은 그 시체를 수습해 울면서 장사를 지내주었다. 이로부터 삼군이 정연하고 엄숙해졌다.

그뒤 하루가 지나지 않아 손권이 여러 사람들을 거느리고 형주에 당도했다. 여몽은 성밖으로 나가 손권을 영접하여 관아로 모셔들였다. 손권은 여러 장수들을 위로한 다음 반준(潘濬)을 치중(治中)으로 삼아 형주를 다스리게 하고, 옥에 갇혀 있던 우금을 석방해 조조에게 돌려보냈다. 그런 다음 백성들을 안정시키고 군사들에게 상을 내리며 잔치를 베풀어 경하했다. 손권이 여몽에게 말한다.

"이제 형주를 되찾았으나 공안땅의 부사인과 남군의 미방이 남아 있소. 이들 두곳을 어떻게 수복해야 되겠소?"

손권의 말이 끝나기도 전에 한 사람이 나서며 말한다.

"활을 당겨 화살 한대 쏘지 않고도 저의 세치 혀로 공안땅의 부사인을 설득해 항복하도록 만들겠습니다."

모든 사람들이 보니 그는 바로 우번(虞翻)이었다. 손권이 묻는다.

"그대는 무슨 좋은 계책이 있어 부사인을 항복시키겠다 하는가?"

우번이 말한다.

"저는 어려서부터 부사인과 친하게 지냈습니다. 지금 제가 가서 이해로써 설득한다면 부사인은 반드시 항복해올 것입니다."

손권은 그 말을 듣고 매우 기뻐했다. 즉시 우번에게 군사 5백명을 내주어 공안으로 가게 했다.

한편 형주가 함락되었다는 소식을 전해들은 부사인은 급히 영을 내려 성문을 닫아걸고 굳게 지키고 있었다. 우번이 이르러 보니 성문이 굳게 닫혀 있는 터라 생각 끝에 글을 써서 화살에 매달아 성중으로 쏘아보냈다. 성안에 있던 군사가 그 화살을 주워 즉시 부사인에게 바쳤다. 부사인이 종이쪽지를 살펴보니 우번이 항복을 권유하는 내용이었다. 문득 지난번에 관운장이 떠나면서 자기를 심하게 꾸짖던 일을 떠올린 부사인은 이번 기회에 차라리 동오에 항복하는 게 낫겠다고 생각하고, 즉시 영을 내려 성문을 활짝 열게 하고 우번을 성안으로 맞아들였다. 부사인과 우번은 서로 인사를 나눈 다음 옛 우정을 이야기했다. 우번이 오후가 도량이 크고 관대하며 어진 선비를 예로 대접한다고 말하니, 부사인은 크게 기뻐했다. 마침내 부사인은 우번과 더불어 인수를 가지고 형주로 가서 투항했다. 손권은 매우 즐거워하며 부사인에게 돌아가서 종전처럼 계속 공안을 지키라고 명했다. 이때 여몽이 손권에게 넌지시 말한다.

"지금 관운장을 사로잡지 못한 터에 다시 부사인을 공안에 그대로 있게 한다면 머지않아 반드시 변고가 일어날 것입니다. 부사인을 남군으로 보내 미방을 귀순시켜서 데려오도록 하십시오."

손권은 다시 부사인을 불러들여 말한다.

"미방은 그대와 친밀한 사이라 하니, 그대가 가서 달래어 투항시켜 함께 돌아온다면 내 마땅히 후한 상을 내리리라."

부사인은 흔쾌히 응낙하고 즉시 기병 10여명을 이끌고 미방을 귀순시키러 남군을 향해 떠났다.

오늘날 공안을 지킬 뜻이 없는 걸 보니   今日公安無守志
지난날 왕보가 하던 말이 과연 옳았네   從前王甫是良言

과연 부사인은 어찌할 것인가?

76

三
國
志

맥성으로 달아나는 관운장

서황은 면수에서 크게 싸우고
관운장은 패하여 맥성으로 달아나다

한편 미방은 형주가 이미 함락되었다는 소식을 듣고도 어찌해야 좋을지 막연할 뿐이었다. 이때 수하사람이 들어와 아뢴다.

"공안을 지키는 장수 부사인께서 오셨습니다."

미방은 황급히 나가 부사인을 맞아들이고 그간의 일에 대해 물었다. 부사인이 말을 꺼낸다.

"내게 충성심이 없었던 것은 아니외다. 형세가 위급하고 힘이 다하여 더는 버틸 수 없어서 내 동오에 항복한 것이니 장군도 어서 항복하는 게 낫겠소이다."

806

미방이 말한다.

"우리가 한중왕의 두터운 은혜를 입었는데 어찌 차마 배반할 수가 있겠소!"

"관공이 형주를 떠나던 날 우리 두 사람을 얼마나 책망하며 별렀는지 생각해보시오. 이기고 돌아오는 날이면 관공은 우리 두 사람을 가벼이 용서하지 않을 터이니 공은 깊이 살피시오."

"우리 형제(미방은 미축의 아우)는 오랫동안 한중왕을 섬겨왔는데 어찌 내가 하루아침에 배반한단 말이오?"

미방은 마음을 정하지 못하고 망설였다. 이때 갑자기 관운장이 보낸 사자가 도착했다는 보고가 들어왔다. 미방은 곧 사자를 청사로 맞아들였다. 사자가 말한다.

"관공께서는 군량미가 부족하니 남군과 공안 두곳에서 백미 10만 석을 거두라 하셨소. 두 장군께서는 밤낮없이 서두르셔야 합니다. 만일 지체되면 당장 참하겠다 하셨소."

미방이 크게 놀라 부사인을 돌아보며 말한다.

"지금 형주가 이미 동오의 손에 들어갔는데 대체 어디서 군량미를 마련해서 보낸단 말이오?"

부사인이 갑자기 버럭 소리를 질렀다.

"걱정할 필요 없소!"

번개처럼 칼을 뽑아들더니 당상에서 관운장의 사자를 베어버렸다. 미방이 놀라서 말한다.

"공은 이게 무슨 짓이오!"

부사인이 말한다.

"관공의 속셈은 바로 우리 두 사람을 죽이자는 것이오. 우리라고 어찌 속수무책으로 죽음을 받아들이겠소? 귀공도 이제 동오에 투항하지 않으면 반드시 관공에게 죽임을 당할 것이오."

말하는데 한 군사가 다급히 뛰어들어와 보고한다.

"여몽이 군사를 이끌고 성 아래까지 쳐들어왔습니다!"

미방이 크게 놀라 마침내 부사인과 함께 성밖으로 나가 항복했다. 여몽은 몹시 기뻐하며 그들을 손권에게로 데려갔다. 손권은 미방과 부사인에게 후하게 상을 내리고 백성을 안정시키고 큰 잔치를 열어 삼군의 노고를 치하했다.

이무렵 조조는 허도에서 모사들과 형주의 일을 의논하고 있었다.

"동오에서 사자가 서신을 가지고 왔습니다!"

문득 보고가 들어와 조조는 사자를 불러들이게 했다. 조조가 서신을 읽어보니 동오군이 장차 형주를 습격할 터이니 조조군은 협공하되, 절대로 이 말이 밖으로 새나가지 않도록 해야 관운장이 아무런 방비도 하지 못하리라는 내용이었다. 조조는 서신을 두고 모사들과 상의했다. 주부 동소가 말한다.

"지금 번성은 위기에 처하여 구해주기를 목이 빠져라 기다리고 있습니다. 그러니 먼저 화살에 쪽지를 매어 번성 안으로 쏘아보내 군심(軍心)을 안정시키고, 관운장으로 하여금 동오가 형주를 습격하려 한다는 사실을 알게 하십시오. 그러면 운장은 형주를 잃을까 두려워 즉시 퇴군할 터이니, 이때를 기다려 서황이 뒤를 무찌르면 공을 이룰 수 있을 것입니다."

조조는 동소의 계책에 따랐다. 서황에게 사람을 보내 급히 싸우라고 재촉하는 한편 몸소 대군을 통솔하여 낙양의 남쪽인 양릉파로 가서 진을 치고 조인을 구원하기로 했다.

한편 서황은 장중에 앉아 있다가 위왕의 사자가 왔다는 보고를 들었다. 서황이 불러들여 물으니 사자가 말한다.

"지금 위왕께서는 군사를 이끌고 이미 낙양을 지나셨습니다. 장군께서 급히 관운장과 싸워 번성의 포위를 풀어주라는 명령을 전하러 왔습니다."

한참 사자의 전령을 듣고 있는데, 정탐꾼이 와서 보고한다.

"관평은 언성(偃城)에 주둔하고 요화는 사총(四冢)에 주둔해 있는데, 앞뒤로 열두 군데나 영채를 세워놓고 서로 끊임없이 연락하고 있습니다."

서황은 즉시 부장 서상(徐商)과 여건(呂建)에게 명하여 속임수로 '서황'이라고 쓴 자신의 깃발을 앞세우고 언성으로 가서 관평과 교전하도록 하고, 정작 서황 자신은 정예병 5백기를 거느리고 면수(沔水)를 돌아 뒤쪽에서 언성을 공격하러 떠났다.

한편 정탐꾼이 급히 관평에게 보고한다.

"서황이 군사를 이끌고 진격해오고 있습니다!"

관평은 즉시 본부 군사를 거느리고 적을 맞이하러 나갔다. 양군은 서로 마주보며 둥그렇게 진을 벌였다. 먼저 관평이 말을 몰고 나가니 저쪽에서는 서상이 맞서 달려나온다. 관평과 서상이 맞붙어 싸운 지 겨우 3합에 서상이 패한 체 달아난다. 관평이 서상을 뒤쫓는데 이번에는 여건이 달려나와 관평과 맞서더니 역시 5,6합 만에 패하여 달아난다. 관평이 승세를 타고 적을 추격하여 어느덧 20여리 달려갔을 때였다. 갑자기 성안에서 불길이 치솟는다는 보고가 들어왔다. 그제야 속임수에 빠진 것을 깨달은 관평은 언성을 구하기 위해 급히 말머리를 돌린다. 한창 말을 재촉해 달려가는 관평 앞에 한무리의 군사들이 나타나 길을 가로막는다. 서황이 문기 아래 말을 세우고 큰소리로 외친다.

"관평아, 네 곧 죽게 된 것도 모르느냐. 너희 형주땅은 이미 동오에 빼앗겼는데 아직도 여기서 이렇게 날뛰고 있느냐!"

관평이 크게 노하여 칼을 휘두르며 말을 몰아 곧바로 서황에게 달려든다. 겨우 3, 4합을 싸웠을 때 삼군이 일제히 외치는 소리가 천지를 뒤흔들었다.

"언성 안에서 불길이 치솟고 있다!"

더이상 싸울 뜻을 잃은 관평은 큰길로 나가 사총으로 향했다. 사총 영채에 이르니 요화가 마중나와 묻는다.

"사람들이 형주가 여몽에게 습격당해 이미 동오의 수중에 들어갔다고 합디다. 군심이 어지러워졌으니 어쩌면 좋겠소?"

관평이 말한다.

"그건 분명 누군가 지어낸 헛소문이오. 군사들 중에 다시 그런 말을 하는 자가 있으면 목을 베어버리시오."

그때 파발꾼이 달려와 급보를 전한다.

"서황이 군사를 거느리고 와서 북쪽 첫번째 영채를 공격하고 있습니다!"

관평이 요화에게 말한다.

"만약 첫번째 영채를 잃는다면 다른 영채들이 어찌 무사하겠소? 이곳은 다행히 뒤에 면수가 있어서 감히 적군이 범하지 못할 터이니 그대는 나와 함께 첫번째 영채를 구하러 갑시다!"

요화는 부장을 불러 분부한다.

"너희들은 이 영채를 굳게 지키고, 적군이 쳐들어오거든 즉시 불을 올려 신호하도록 하라."

부장이 말한다.

"사총의 영채는 녹각(鹿角, 방어용 울타리)이 열 겹으로 둘러쳐져 있으니 날아다니는 새라도 들어오지 못할 것입니다. 어찌 적군을 염려하겠습니까."

당부를 마친 관평과 요화는 급히 사총 영채의 정예병을 거느리고 첫번째 영채로 달려갔다. 관평이 첫번째 영채에 이르러 주위를 살펴보니 위군은 낮은 산 위에 주둔하고 있었다. 관평이 요화에게 말한다.

"서황이 지형상 이롭지 못한 곳에 주둔하고 있으니 오늘밤에 군사를 몰고 가서 적의 영채를 급습합시다."

요화가 말한다.

"장군은 군사를 나누어 반만 거느리고 가시오. 나는 여기 남아서 본채를 지키겠소."

그날밤 관평은 한무리의 군사를 거느리고 위군의 영채로 짓쳐들어갔다. 그러나 영채는 텅 비어 한 사람도 보이지 않았다. 관평이 적의 계책에 빠졌음을 깨닫고 황급히 군사를 물리려 하는 순간 왼쪽에서는 서상이, 오른쪽에서는 여건이 협공해왔다. 관평은 크게 패하여 첫번째 영채로 달아났다. 위군은 승세를 몰아 추격해와서는 사방을 포위해버렸다. 더이상 버틸 수가 없어진 관평과 요화는 첫번째 영채를 버리고 사총 영채를 향해 달린다. 멀리서 바라보니 사총 영채 안에서 불길이 솟고 있다. 황급히 달려가 영채 앞에 이르렀으나, 보이는 것은 모두 위군의 깃발뿐이다. 관평과 요화는 다시 군사를 물려 번성으로 가는 큰길로 달아났다. 돌연 한떼의 군사가 나타나 길을 가로막는데,

앞장선 대장은 바로 서황이다. 관평과 요화 두 사람은 죽기를 각오하고 힘껏 싸워 가까스로 퇴로를 뚫었다. 허겁지겁 대채로 돌아온 두 사람은 관운장에게 아뢴다.

"지금 서황이 언성 등을 빼앗고, 조조는 직접 대군을 이끌고 세 길로 나뉘어 번성을 구하러 오는 중입니다. 또한 형주가 이미 여몽의 습격을 받아 함락되었다는 소문이 사람들 사이에 파다합니다."

관운장이 꾸짖는다.

"이는 적군이 거짓말을 퍼뜨려 우리의 군심을 어지럽히려는 짓이다. 동오의 여몽은 병이 나서 위독하고 풋내기 육손이 그대신 와 있으니 염려할 것 없느니라."

말을 마치기도 전에 수하사람이 들어와 보고한다.

"서황의 군사가 옵니다!"

관운장은 즉시 말을 준비하라 호령했다. 관평이 간한다.

"아버님, 아직 완쾌되지 않으셨으니 나가 싸우시면 안됩니다."

관운장이 말한다.

"서황은 오래 전부터 나와 친교가 있어 그 능력을 내가 잘 아느니라. 만약 서황이 물러나지 않는다면 내가 먼저 그 목을 베어 위군 장수들을 경계할 것이다!"

마침내 관운장이 칼을 들고 말에 올라 분연히 나아가니 위군이 보고 두려워하지 않는 자가 없었다. 관운장이 말을 멈추고 묻는다.

"공명(公明, 서황의 자)은 어디 있는가!"

그때 위군 진영의 문기가 열리더니 서황이 말을 타고 나와 몸을 숙여 인사한다.

"군후와 작별하고 세월이 유수 같아 어느덧 여러 해가 바뀌었소이다. 그동안 군후를 뵙지 못했더니 벌써 수염과 머리카락이 반백이 되셨구려. 예전 젊은 시절에 군후를 가까이 따르며 많은 가르침을 받은 일을 떠올리니 아직도 감사하는 마음 잊을 수가 없습니다. 이제 군후의 위풍이 천하를 진동하니, 이를 듣고 찬탄과 부러움을 이기지 못하던 중에 다행히 이렇게 뵙게 되어 마음에 큰 위로가 되겠소이다."

관운장이 말한다.

"나와 서공명은 다른 누구보다 친분이 두터웠는데, 그대는 어찌하여 내 아들을 여러 차례 괴롭혔소?"

서황은 그에는 대구하지 않고 갑자기 여러 장수들을 돌아보며 크게 소리친다.

"누구든지 관운장의 목을 베는 자에게는 천금을 내리겠노라!"

관운장은 깜짝 놀랐다.

"공명은 어찌 그리 함부로 말하는가!"

서황이 말한다.

"오늘은 나라의 일이니 어찌 사사로운 정으로 공사를 저버리겠소!"

말을 끝내기가 무섭게 큰도끼를 휘두르며 관운장에게 달려들었다. 관운장도 크게 노하여 칼을 휘두르며 서황을 맞아 싸운다. 두 장수가 싸우기를 80여합에 이르렀으나 승패가 나지 않는다. 관운장의 무예가 아무리 빼어나다 해도 다친 오른쪽 팔 때문에 마음껏 힘을 쓸 수 없으니 어찌하랴. 관평은 혹시 관운장이 실수라도 할까 두려워 급히 징을 울려 싸움을 중단시켰다. 관운장이 말을 돌려 대채로 돌아오는데 갑자기 사방에서 천지를 뒤흔드는 함성이 터져오른다. 번성에 갇혀 있던 조인이 조조의 구원병이 당도했다는 소식에 즉시 군사를 이끌고 성밖으로 달려나와 서황군과 합세하여 협공하는 소리였다. 형주

군사들은 일대 혼란에 빠졌다. 관운장은 여러 장수들을 이끌고 급히 양강 상류를 향해 말을 달렸다. 뒤에서는 위군이 추격해오고 있다. 그대로 양강을 건너 양양 쪽을 바라고 달리는데, 앞에서 파발꾼이 급히 달려와 고한다.

"형주는 이미 여몽의 손에 함락되었고, 장군의 가족들도 적군에 사로잡혀 있다 합니다."

관운장이 깜짝 놀라 감히 양양으로 가지 못하고 군사를 돌려 공안으로 향했다. 이때 앞서 보냈던 정탐꾼이 돌아와 보고한다.

"공안을 지키던 부사인이 동오에 항복했습니다."

관운장이 분노를 참지 못하고 있는데, 이때 또한 군량을 재촉하러 갔던 사람이 돌아와 고한다.

"공안을 지키던 부사인이 장군의 명을 받고 남군에 갔던 사자를 그 자리에서 참하고, 미방에게 권유해 두 사람 모두 동오에 항복했습니다."

그 말을 듣고 노기가 치받친 관운장은 거의 나아가던 상처가 터지면서 쓰러져버렸다. 여러 장수들이 황급히 구완해 겨우 깨어난 관운장은 사마 왕보를 돌아보며 한탄한다.

"내 그대의 말을 듣지 않은 것이 후회막급이네. 오늘날 과연 일이 이렇게 되었으니!"

관운장이 깊이 탄식하고는 묻는다.

"강기슭에서는 어찌하여 봉화를 올리지 않았다더냐?"

정탐꾼이 대답한다.

"여몽이 노젓는 군사들 모두에게 흰옷을 입혀 객상처럼 꾸며 강을 건넌 다음, 배안 깊이 매복시켜둔 정예병들로 하여금 먼저 봉화대를

관운장은 번성에서 계략에 빠져 대패하다

지키는 군사들부터 사로잡게 했기 때문에 봉화를 올릴 수 없었다고
합니다."

이 말을 들은 관운장은 발을 구르며 한탄한다.

"내가 간특한 적들의 꾀에 빠지고 말았구나. 이제 무슨 면목으로
우리 형님을 뵙겠느냐!"

관량도독(管糧都督) 조루(趙累)가 말한다.

"지금 사태가 급하니 한편으로는 성도로 사람을 보내 구원을 청하
고 또 한편으로는 육로를 따라내려가 형주를 공격하는 게 좋겠습니
다."

관운장은 그 말에 따라 마량과 이적에게 세 통의 서신을 써주며 당
부했다.

"밤낮을 가리지 말고 성도로 달려가서 구원병을 청하라."

마량과 이적이 떠난 뒤 관운장은 즉시 군사를 이끌고 형주로 향했다. 관운장이 몸소 선발대를 이끌고 앞장섰으며, 요화와 관평에게는 추격해오는 동오군을 맡게 했다.

한편 조인은 번성의 포위가 풀린 뒤 여러 장수들을 거느리고 나와 조조를 뵙고 엎드려 울면서 죄를 청했다. 조조가 말한다.

"이번 일은 모두 하늘의 운수이지 그대들의 죄가 아니다."

조조는 오히려 큰상을 내려 삼군을 위로하고, 친히 사총 영채에 이르러 주위를 둘러보았다. 조조가 여러 장수들을 돌아보며 말한다.

"형주 군사들이 영채 주위에 녹각을 여러 겹이나 둘렀는데도 서공명은 적진을 뚫고 들어가 드디어 공훈을 세웠구나. 내 용병한 지 30여년에 아직 이렇게 적진 속을 깊이 뚫고 들어간 일이 없었으니, 공명은 참으로 담대하고 식견이 뛰어난 장수로다!"

여러 장수들도 모두 탄복했다. 조조는 군사를 거느리고 마파(摩陂)로 돌아가 영채를 세우고 주둔했다. 서황이 군사를 이끌고 도착하자 조조가 몸소 영채를 나와 맞이했는데, 행군하는 서황의 군사들은 대오가 정연하여 한치의 흐트러짐도 없었다. 조조는 몹시 기뻐했다.

"서장군은 참으로 주아부(周亞夫, 엄한 군법으로 군사를 잘 다스린 서한시대의 명장)의 풍모가 있도다."

조조는 마침내 서황을 평남장군(平南將軍)으로 봉하고 하후상과 함께 양양을 지키며 관운장의 공격에 대비하게 했다. 조조 자신은 아직 형주가 완전히 평정되지 않은 까닭에 마파에 주둔해 있으면서 다음 소식을 기다리기로 했다.

한편 관운장은 형주로 향해 가다가 더 나아갈 수도 물러설 수도 없는 상황에 처하자 조루에게 말한다.

"지금 앞에는 동오군이 막고 있고 뒤에는 위군이 추격해오는데 우리는 그 가운데 있으니, 구원병마저 오지 않으면 장차 이 일을 어찌한단 말이냐!"

조루가 대답한다.

"지난날 여몽은 육구에 있을 때 군후께 서신을 보내 두 집안이 우호를 맺고 함께 조조를 쳐없애자고 권하더니, 이제는 오히려 조조를 도와 우리를 습격하고 있습니다. 이는 분명 맹세를 배신한 것이니, 군후께서는 잠시 군사를 멈추시고 사자를 시켜 서신을 보내 여몽을 책망하십시오. 그런 뒤 저쪽이 어떻게 나오는지 살펴보소서."

관공은 곧 서신을 써서 사자에게 주어 형주로 보냈다.

한편 여몽은 형주에 머물면서 포고령을 내려 형주 여러 군에서 관운장을 좇아 출정한 장정들의 집에 찾아가 동오군이 함부로 소란 피우는 것을 금하였다. 또한 다달이 양식을 나누어주고, 환자가 있으면 의원을 보내 치료해주도록 명했다. 이 때문에 출정한 군졸들의 집에서는 여몽의 은혜에 감복해 전혀 동요하지 않았다. 여몽은 관운장의 사자가 왔다는 보고를 받자 친히 성밖까지 나가 맞아들이고 빈례로써 극진히 대접했다. 사자가 서신을 바치니, 여몽이 읽고 나서 말한다.

"내가 지난날 관장군께 우호를 맺자고 한 것은 사견이었고, 오늘날 관공과 맞서싸운 것은 상부의 명에 따른 일이라 내 맘대로 할 수가 없구려. 수고스럽지만 장군께 돌아가서 부디 내 뜻을 잘 말씀드려주시오."

여몽은 잔치를 베풀어 사자를 환대하고 역관으로 보내 편히 쉬게 했다. 관공을 따라 출정한 군졸들의 식구들이 역관을 찾아와 사자에게 소식을 묻고, 편지를 전해달라 맡기기도 했다. 말을 전해달라고 부탁하는 사람도 많았는데, 대개는 집안이 두루 무고하고 의식도 모자람이 없다는 내용이었다. 사자가 작별을 고하니 여몽은 친히 성밖까지 나와 전송했다. 사자는 돌아가 관운장을 뵙고 여몽의 말 그대로 보고하고 나서 덧붙여 자신이 본 것을 고한다.

"형주 성안에 계신 군후의 가족과 여러 장수, 군사들의 가속들 모두 별탈없고 의식의 공급도 모자람이 없었습니다."

관운장은 불같이 노했다.

"이는 간특한 도적의 계책이다! 내 살아 생전에 죽이지 못하면 죽어서라도 반드시 그놈을 죽여 이 원한을 갚으리라."

관운장은 사자를 꾸짖어 밖으로 내쫓았다. 사자가 영채 밖으로 나오자 기다리던 장수들이 한꺼번에 몰려들어 에워싸며 집안 소식들을 물었다. 사자는 여몽이 보살펴주어 모두 편안하며 풍족하게 지내더라고 이야기하고, 부탁받은 말이며 서신을 일일이 전해주었다. 형주에 두고 온 가족들 걱정이 태산 같았던 장수들은 그만 걱정이 사라지면서 싸울 마음마저 눈녹듯 사라졌다.

관운장은 굳은 결심을 하고 형주를 향해 진군을 명령했다. 그러나 행군이 계속되면서 점점 군사들이 줄어들었으니, 하나둘씩 기회가 날 때마다 형주로 달아나기 때문이었다. 관운장은 노기가 북받치는데다 여몽에 대한 원한이 사무쳐 더욱 행군을 재촉한다.

"속히 진군하라!"

그때 갑자기 함성이 터져오르며 한무리의 군사들이 내달려와 앞을 가로막았다. 선두에 선 대장은 장흠(蔣欽)이었다. 장흠은 말을 세우더니 창을 높이 치켜들고 큰소리로 외친다.

"관운장은 어찌하여 항복하지 않는가!"

관운장이 벼락같이 맞고함을 지른다.

"나는 천하가 다 아는 한나라 장수인데 어찌 도적에게 항복할 수 있겠느냐!"

곧 말을 박차고 달려나가 청룡도를 휘두르며 곧장 장흠을 공격했다. 장흠은 3합을 견디지 못하고 달아났다. 관운장이 청룡도를 높이 들고 20여리를 뒤쫓아가는데, 난데없이 함성이 일더니 왼쪽 산골짜기에서 한당이 군사를 이끌고 쏟아져나온다. 동시에 오른쪽 산골짜기에서는 주태가 군사를 이끌고 쳐나온다. 그때 꼬리가 빠지게 달아나던 장흠도 말머리를 돌려 관운장에게 달려든다. 세 방면에서 일제히 쏟아지는 협공이었다. 막아낼 방법이 없는 관운장은 급히 군사를 거두어 왔던 길을 되짚어 달아나기 시작했다.

그렇게 몇리쯤 달렸을 때였다. 남산 기슭에 사람들이 모여 화톳불을 피우고 있는데, 그 한켠에 큼지막한 백기가 바람에 나부끼고 있었다. 기에는 '형주토인(荊州土人, 형주 본토사람)'이란 넉 자가 뚜렷하다. 화톳불 곁에 모여 있던 사람들이 일제히 고함을 지른다.

"형주 사람은 속히 투항하여 목숨을 보존하라!"

분기탱천한 관운장은 즉시 산 언덕배기를 향해 쳐올라갔다. 순간 양쪽 산기슭에서 함성이 일어나더니 매복해 있던 군사들이 쏟아져나온다. 왼쪽에서는 정봉이, 오른쪽에서는 서성이 군사를 이끌고 나오며 뒤따라오는 장흠의 군사와 합세했다. 세 방면에서 쏟아져나온 적군들로 관운장은 완전히 포위되고 말았다. 적들의 함성이 땅을 뒤흔들고 북소리 피릿소리가 일시에 터져올라 하늘을 진동한다.

형주의 장수와 군사들은 하나둘 항복하여 흩어지고. 어느새 날까지 저물어가고 있었다. 그때까지도 관운장은 동오의 군사들과 싸움을 멈추지 않았다. 한참 적군을 무찌르다가 문득 주위를 둘러보니 산위에 형주에 남겨두었던 군사들이 늘어서 있다. 그들은 모두 관운장과 군사들을 굽어보며 형을 부르고 아우를 찾으며, 아들을 부르고 아버지를 찾으니, 애타는 부르짖음이 그치지 않는다. 그 소리에 군심이 완전히 변하니, 싸워야 할 군사들은 부르는 소리에 응해 산으로 달려갔다. 관운장이 호령해도 아랑곳하지 않았다. 이제 남은 군사들은 3백여명에 불과했다. 죽을 힘을 다한 싸움은 3경(밤 12시)까지 계속되었다. 그때에야 동쪽에서 함성이 울리며 구원병이 당도했다. 후방을 맡았던 관평과 요화가 두 길로 나뉘어 겹겹이 둘러싼 적군을 뚫고 관운장을 구하러 온 것이다. 관평이 관운장에게 말한다.

"군심이 어지러워졌으니 어느 성으로든 가셔서 잠시 주둔하고서 원병이 오기를 기다리소서. 맥성이 비록 작긴 하지만 우선 발붙일 만은 할 것입니다."

관운장은 관평의 말에 따라 남은 군사들을 재촉해 맥성을 향해 달려갔다. 맥성에 도착한 즉시 군사를 나누어 네곳의 성문을 굳게 지키도록 하는 한편 장수들을 불러모아 대책을 의논했다. 조루가 먼저 말한다.

"여기서는 상용(上庸)이 가깝습니다. 더구나 그곳은 지금 유봉과 맹달이 지키고 있으니 속히 사람을 보내 원군을 청하십시오. 구원병이 도착하고 서천에서 대군이 오기를 기다린다면 군심이 다시 안정될 것입니다."

한참 의논중인데 밖에서 수하사람이 달려와 고한다.

사면초가에 빠진 관우는 맥성을 향해 달아나다

"동오군이 맥성을 향해 사방에서 포위해 들어오고 있습니다!"

관운장이 다급히 묻는다.

"누가 이 포위를 뚫고 상용으로 가서 원군을 청해오겠느냐?"

요화가 일어나며 말한다.

"제가 가겠습니다!"

관평이 말한다.

"내가 그대를 호위해 포위를 뚫고 나갈 수 있게 돕겠소."

관운장은 즉시 서신을 써서 요화에게 주었다. 요화가 서신을 받아 넣고 배불리 먹은 다음 말에 올라 성문을 열고 쏜살같이 달려나갔다. 동오의 장수 정봉이 앞을 가로막으며 달려들었다. 뒤따라나온 관평이 칼을 휘두르며 닥치는 대로 적군을 무찌르니, 칼날이 한번 번뜩일 때마다 동오군이 두서너명씩 쓰러진다. 관평의 기세에 눌린 정봉은 당해내지 못하고 물러섰다. 요화는 그 기회를 놓치지 않고 포위를 뚫어 곧장 상용을 향해 달려갔다. 관평은 요화가 무사히 포위를 뚫고 나가는 것을 보고서야 성안으로 들어가 성문을 굳게 닫았다.

한편 유봉과 맹달은 지난날 상용을 공략해 점령했는데 이때 상용태수 신탐(申耽)이 군사를 이끌고 와 항복하니, 그 공적으로 하여 한중왕은 유봉을 부장군에 봉하고 맹달과 더불어 상용을 지키게 한 것이었다. 그날 유봉과 맹달이 관운장이 대패했다는 소식을 듣고 대책을 의논하고 있는데, 수하사람이 와서 고한다.

"요화가 왔습니다."

유봉은 요화를 청해들여 묻는다.

"정세가 어떻소? 연이어 나쁜 소식만 듣고 있었소."

요화가 대답한다.

"관공께서 대패하여 지금 맥성에 계신데 적군이 사방을 포위해 위급한 상황이오. 한중왕께 원군을 청했으나 워낙 거리가 멀어 그것만 믿고 기다릴 수가 없소. 이몸이 특명을 받들어 포위를 뚫고 이곳에 온 것은 가까이 계신 장군들께 도움을 얻으려는 것이니, 바라건대 두 장군께서는 한시바삐 상용의 군사를 일으켜 구원하시오. 조금이라도 지체한다면 관공은 끝내 위기를 벗어나지 못할 게요."

유봉이 신중한 태도로 말한다.

"장군은 우선 역관에서 쉬고 계시오. 잠시 의논해보겠소이다."

요화는 그들이 당장 서두르지 않는 것이 석연치 않았으나 그대로 역관으로 물러나와 쉬면서 출군하기만을 기다렸다. 유봉이 맹달과 상의한다.

"숙부님께서 곤경에 처하셨으니 어찌하면 좋겠소?"

맹달이 대답한다.

"동오는 군사들이 정예하고 장수들이 용맹한데다 형주 아홉 고을을 이미 수중에 넣었고, 우리 진영에 남은 곳은 손바닥만한 맥성 하나뿐이오. 소문에 듣자니 조조가 친히 대군 4, 50만을 거느리고 지금 마파에 주둔해 있다고 하더이다. 상황이 이러한데 우리 상용의 군사들이 어찌 오와 위의 강한 군사들을 당해낼 수 있겠소? 가볍게 움직일 일이 아니라고 생각하오."

"나 역시 그것을 모르는 바 아니지만 관공은 내 숙부님이신데 어떻게 위기에 처해 있는 것을 앉아서 구경만 하겠소이까."

유봉의 말을 듣고 맹달이 코웃음을 친다.

"장군은 관공을 숙부로 끔찍이 생각하는 모양이오만 관공은 그대를 조카로 생각지 않는 듯하오. 들으니, 한중왕이 일찍이 장군을 아들로 삼았을 때 관공은 기뻐하지 않았다 하오. 또한, 한중왕이 왕위에 오른 뒤 후사를 세우기 위해 공명과 상의했소. 공명이 집안일이니 장익덕과 관공에게 묻는 것이 좋다고 하여 한중왕은 형주로 사람을 보내 관공의 의견을 물었소. 그때 관공이 뭐라 대답했는지 아시오? 양자로 후사를 잇게 하는 것은 천만부당한 일이라고, 장군을 멀리 상용산성으로 쫓아내 후환을 없애라고까지 하였다오. 이 일은 나만이 아니라 천하가 다 아는 일인데, 어째서 장군만 모르고 있소이까. 오늘 숙질간의 정리에 사로잡혀 위험을 무릅쓰고 경거망동하는 것은 군사에서 취할 바가 아닐 것이오."

청산유수 같은 맹달의 말에 유봉은 마음이 흔들렸다.

"비록 그렇다 해도 내가 무슨 말로 거절한단 말이오?"

"어려울 게 뭐가 있소? 산성을 지킨 지 얼마 되지 않아 아직 민심이 안정되지 않았으니 갑자기 군사를 일으킬 수 없으며, 섣불리 나섰다가는 지키고 있던 것조차 잃을까 두렵다고 하시오."

결국 유봉은 맹달의 말에 따르기로 마음을 정했다. 이튿날 요화를 청해들여 말한다.

"산성을 다스린 지 오래지 않아 군사를 나누어 관공을 구하러 갈 수 없겠소이다."

유봉의 거절에 크게 놀란 요화는 머리를 땅에 조아리며 간절히 애원한다.

"그렇다면 관공은 끝장이오! 부디 위급한 처지에 몰려 있는 관공을 도우시오."

옆에 있던 맹달이 말한다.

"지금 우리가 간들 뭐가 달라지겠소? 한잔의 물로 어떻게 한 수레의 땔나무에 붙은 불을 끌 수 있겠소? 장군은 속히 맥성으로 돌아가 촉군이 오기를 기다리는 것이 좋겠소."

요화가 통곡하며 애걸했으나, 유봉과 맹달은 소맷부리를 떨치고 일어나더니 그대로 들어가버렸다. 일이 안될 것을 깨달은 요화는 결국 한중왕에게 고하고 구원을 청하고자 나는 듯이 산성을 나섰다. 얼마나 화가 났는지 도저히 참을 수가 없어 홀로 소리높이 외친다.

"유봉, 맹달아! 천하에 의리를 모르는 나쁜 놈들아!"

요화는 급하게 성도를 향해 말을 몰았다.

한편 관운장은 맥성에서 밤낮없이 상용의 원군이 오기만을 기다리고 있었다. 그러나 기다리는 원군은 오지 않고 요화마저 소식이 끊어졌다. 수하에 남은 군사라고 해야 5,6백명에 지나지 않았는데 그나마 태반이 부상을 당한 형편이었다. 그들을 치료할 약도 먹일 양식도 끊어져 말로 다할 수 없는 고초가 계속되었다. 그러던 중에 수하군사가 들어와 고한다.

"어떤 사람이 성 아래 와서 화살을 쏘지 말라고 하며 군후를 뵙고 싶다고 합니다."

관운장이 성문을 열고 안으로 들이라 해서 보니 바로 제갈근이다. 관운장과 제갈근은 서로 예를 갖추어 절하고 함께 차를 마셨다. 제갈근이 말한다.

"오후의 특명을 받고 장군께 드릴 말씀이 있어서 왔습니다. 자고로 '때를 알고 행하는 사람이 준걸이라〔識時務者爲俊傑〕'했소이다. 장군께서 지난날 다스리던 한수(漢水) 일대의 아홉 고을이 모두 남의 손에 넘어간 지 오래고 오로지 이 고성(孤城)만 남았는데, 안으로는 군량과 양초가 없고 밖으로는 도와줄 원병이 없으니 위기가 조석으로 급박해지고 있소. 상황이 이러한데 장군께서는 어찌하여 이 제갈근의 말을 듣지 않으시오? 우리 오후께 귀순하신다면 다시 옛날처럼 형주·양양을 다스리며 가속을 지킬 수 있을 것이오. 원컨대 군후께서는 심사숙고하십시오."

제갈근의 권유에 관운장이 잘라 말한다.

"나는 해량(解良)의 일개 무부(武夫)에 불과하오. 한중왕께서는 그런 나를 손발처럼 대해주셨거늘 어찌 사내 대장부가 의리를 배반하고 적국에 귀순할 수 있겠소? 성이 함락되면 나는 더불어 죽을 것이오. 옥을 깨뜨릴 수는 있어도 그 빛을 바꿀 수는 없으며 대나무는 태워버릴 수 있어도 그 절개만은 빼앗을 수 없소. 비록 내 몸은 썩어 백골마저 없어진다 해도 이름은 죽백(竹帛, 역사의 기록. 사서)에 남을 것이오. 그대는 더이상 여러 소리 말고 속히 이 성을 나가시오. 내 손권과 더불어 죽기로 싸울 것이오!"

관운장의 말이 어찌나 장렬한지 듣는 이로 하여금 옷깃을 여미게 했다. 제갈근이 다시 말한다.

"오후께서는 군후와 진진지의(秦晉之誼, 혼인으로 두 집안이 가까운 정을 맺음)를 맺어 함께 조조를 처부수고 천하를 평정해 한실을 도우려는 것일 뿐 다른 뜻은 없는데 군후께서는 어이하여 이렇게 고집만 부리시오?"

제갈근의 말이 채 끝나기도 전에 관평이 칼을 뽑아들며 썩 나서는데 그 자리에서 제갈근의 목을 벨 기세다. 관운장이 관평을 타이른다.

"저 사람의 아우인 공명이 촉에서 너의 백부를 돕고 있으니 그를 죽인다면 형제의 정을 상하게 하는 일이다."

그러고는 좌우에게 명해 당장 쫓아내게 했다. 제갈근이 말을 타고 성을 나가는데 그 얼굴에는 부끄러운 기색이 역력했다. 제갈근이 돌아가 오후에게 고한다.

"관운장의 마음이 실로 철석같아서 어떤 말로도 설득할 수 없었습니다."

손권이 감탄하여 말한다.

"참으로 만고에 드문 충신이로다. 그렇다면 장차 이 일을 어찌해야 좋겠는가?"

곁에 있던 여범이 말한다.

"제가 한번 앞일을 점쳐보겠습니다."

손권은 즉시 머리를 끄덕였다. 여범이 시초(蓍草)를 헤아려 괘를 얻으니 지수사괘(地水師卦)에 현무(玄武)가 임응(臨應)한 괘라, 이는 적이 멀리 달아난다는 뜻이었다. 손권이 여몽에게 묻는다.

"적이 멀리 달아난다고 나왔는데 그대는 어떤 계책으로 그를 사로잡을 것인가?"

여몽이 웃으며 대답한다.

"여범의 괘가 제가 생각한 계책과 꼭 들어맞습니다. 이제 관공은 하늘을 나는 날개를 가졌다 해도 이 여몽의 그물을 벗어나지 못할 것입니다."

용도 구렁창에서 놀다가는 새우의 놀림을 당하고   龍游溝壑遭蝦戲
봉도 새장에 들어가면 새의 속임수에 걸린다   鳳入牢籠被鳥欺

과연 여몽의 계략은 무엇인가?

77

관운장의 넋

옥천산에 관운장의 혼령이 나타나고

낙양성의 조조는 천신 관공에 감동하다

손권이 여몽에게 어떻게 관운장을 사로잡을 것인지 계책을 묻자 여
몽이 대답한다.

"제 생각에 관운장은 군사가 많지 않으므로 큰길을 피해 맥성 북쪽
의 험한 산길로 달아날 것입니다. 주연에게 정예병 5천을 주어 맥성
에서 북쪽으로 20여리 떨어진 곳에 매복해 있다가, 운장이 오거든 싸
우지 말고 일단 지나가게 한 다음 뒤를 엄습하면 그들은 싸울 생각도
못하고 임저(臨沮)로 달아날 것입니다. 그때 반장으로 하여금 정예병
5백명을 거느리고 임저의 험한 산골짜기 소로에 매복하게 하면 운장

을 사로잡을 수 있습니다. 지금 당장 맥성을 공격하되, 북문을 제외한 나머지 성문들을 일시에 공격하면 필시 북문을 통해 달아날 것이니, 이때를 기다려 사로잡으면 됩니다."

다 듣고 나서 손권은 여범에게 다시 점을 쳐보라고 분부했다. 여범이 점을 쳐 괘가 나오니 말한다.

"적이 서북쪽으로 달아난다는 괘인데, 오늘밤 해시(亥時, 밤 10시)에는 관공을 사로잡을 수 있을 것입니다."

손권은 크게 기뻐하고 곧 주연과 반장에게 각각 정예병을 거느리고 가서 매복하고 있으라 명했다.

한편 관운장은 맥성에서 기병과 보병을 점검해보았다. 남은 군사는 겨우 3백여명에 불과하고 양초마저 떨어진 상태였다. 그날밤 성밖에서 갑자기 커다란 소리로 동오군이 형주 군사들의 이름을 부르며 항복을 권하니, 어둠속에서 성을 넘어 달아나는 자가 많았다. 구원병은 그때까지도 오지 않았다. 관운장은 어떻게도 할 수 없어 답답한 마음으로 왕보에게 탄식한다.

"내 지난날 그대의 말을 듣지 않았다가 지금 이렇게 위급한 지경에 빠졌소그려. 이제 어찌하면 좋겠소?"

왕보가 울면서 아뢴다.

"오늘 닥친 이 일은 비록 자아(子牙, 강태공의 자)가 살아온다 해도 어쩔 도리가 없습니다."

조루가 말한다.

"상용에서 원군이 오지 않는 것은 유봉과 맹달이 군사를 움직이려 하지 않기 때문입니다. 속히 이 외딴 성을 버리고 서천으로 가서 군사를 정비한 다음 다시 와서 회복하도록 하시지요."

"나도 그렇게 하고 싶네."

관운장은 즉시 성위에 올라 사방을 살펴보았다. 성 주위에 두루 적군이 많은데, 의외로 북문 쪽에는 그리 많지 않았다. 관운장이 맥성의 백성을 불러 묻는다.

"이곳에서 북쪽으로 나가면 지세가 어떠하냐?"

백성이 고한다.

"북쪽으로 나가면 험한 산길이 나오는데 그곳이 서천으로 통하는 길이옵니다."

관운장이 말한다.

"오늘밤에 이 길로 빠져나가면 되겠구나."

왕보가 간한다.

"좁은 산길에는 반드시 복병이 있을 것입니다. 차라리 큰길로 가도록 하십시오."

관운장이 말한다.

"적군이 매복해 있다 한들 내가 무엇을 두려워하겠는가?"

그러고는 즉시 기병과 보병을 엄히 점검하고 성을 빠져갈 만반의 준비를 갖추도록 영을 내렸다. 왕보가 울면서 말한다.

"군후께서는 부디 험한 길 조심하셔서 보중하십시오! 저는 군졸 1백여명과 죽기로써 이 성을 지키겠습니다. 비록 성이 함락당할지라도 왕보는 절대 항복하지 않을 터이니, 바라옵건대 군후께서는 속히 돌아오셔서 구해주십시오."

관운장도 역시 울면서 작별했다. 주창을 남겨 왕보와 함께 맥성을 지키도록 하고, 관운장 자신은 관평·조루와 더불어 군사 2백여명을 이끌고 북문을 치고 나가 산길로 접어들었다. 관운장은 청룡도를 비껴들고 앞서 나갔다. 초경(밤 8시)이 넘어 성에서 20여 리 떨어진 곳에 이르렀는데, 갑자기 산기슭에서 징과 북소리가 요란하게 울리며 함성이 일더니 한무리의 군사들이 내달아나온다. 앞선 대장은 주연이다. 주연이 창을 휘두르며 큰소리로 외친다.

"운장은 달아나지 마라! 속히 항복하여 죽음을 면하라!"

관운장이 크게 노하여 말을 박차고 청룡도를 휘두르며 달려들었다. 주연은 싸우지 않고 말머리를 돌려 달아난다. 관운장이 그 뒤를 쫓는데, 다시 북소리가 크게 울리며 사방에서 복병이 일제히 달려나온다. 관운장은 감히 맞서싸울 수가 없어 임저를 바라고 좁은 산길로 내달렸다. 주연이 뒤를 추격하며 무찌르니 관운장을 따르는 군사의 수는 점점 줄어든다. 다시 4, 5리쯤 갔을 때였다. 앞에서 또다시 함성이 터져나오고 불길이 크게 일더니 반장이 칼을 춤추듯 휘두르며 말을 몰고 짓쳐나온다. 관운장이 분기탱천하여 칼을 비껴들어 맞아 싸우니 반장은 3합을 버티지 못하고 패하여 달아난다. 싸움보다 탈출이 급한 관운장은 반장을 추격하지 않고 산길을 따라 달리기 시작했다. 그때 관평이 등뒤에서 쫓아오며 고한다.

"조루가 어지러이 싸우던 중에 죽었습니다!"

관운장은 슬픔을 억누르며 관평에게 명한다.

"너는 뒤를 끊어라. 내 앞길을 열고 나아가겠다."

관운장이 다시 말을 달리며 좌우를 돌아보니 따르는 군사는 겨우 10여 명에 불과했다.

어느덧 결석(決石)에 이르렀다. 길 양쪽에는 험준한 산이 버티고 있으며, 산기슭에는 갈대와 잡초가 무성하고 수목이 빽빽하여 길이 잘 보이지 않았다. 때는 이미 5경(새벽 4시)이 지나고 있었다. 관운장이

관운장은 맥성에서 동오군에게 사로잡히다

계속 말을 달려가는데 산골짜기에서 크게 함성이 일며 양쪽에서 복병이 쏟아져나온다. 그들은 긴 갈고리와 쇠사슬을 던져 관운장이 타고 있던 말다리를 휘감아 쓰러뜨렸다. 관운장은 그대로 땅바닥에 나뒹굴었다. 마침내 관운장은 반장의 부장 마충(馬忠)에게 사로잡히고 말았다. 관평은 부친이 적에게 사로잡힌 것을 알고 황급히 달려와 구하려 했으나 등뒤에서 반장과 주연이 군사를 거느리고 달려들어 포위해버렸다. 혼자서 외롭게 싸우던 관평 역시 끝내 힘이 다해 사로잡히고 말았다.

　날이 밝았다. 손권은 관운장 부자를 사로잡았다는 소식을 듣고 크게 기뻐하며 장수들을 장막으로 불러들였다. 잠시 후 마충이 관운장을 옹위해 들어왔다. 손권이 먼저 말을 건넨다.

"내 오랫동안 장군의 성덕을 사모해 진진지의를 맺고자 하였는데, 어찌하여 내 뜻을 저버리셨소? 공은 평소에 스스로 천하에 대적할 자가 없다고 하더니 오늘은 어떤 연유로 내게 잡혀오신 게요? 장군, 이제도 이 손권에게 항복하지 않으시려오?"

관운장이 벼락치듯 꾸짖는다.

"이 푸른 눈 붉은 수염에 아직 다 자라지도 못한 쥐새끼 같은 놈아! 내 일찍이 유황숙과 도원에서 결의하고 한나라 황실을 일으키기로 맹세했으니, 어찌 너 같은 역적과 더불어 한나라를 배반하겠느냐? 내 이번에 너희들의 간특한 계책에 잘못 빠졌으니 이제 죽음을 기다릴 뿐이다. 더 무슨 말이 필요한가!"

손권이 여러 관리들을 돌아보며 묻는다.

"운장은 당대의 호걸이라 내 그를 깊이 아끼고 있소. 예로써 대접해 항복을 권해보려 하는데, 그대들 생각은 어떠하오?"

주부 좌함(左咸)이 말한다.

"그건 안될 말씀입니다. 지난날 조조는 이 사람을 얻고서 후(侯)에 봉하고, 사흘에 한번은 작은 잔치를 열고 닷새에 한번은 큰 잔치를 열어 환대하며, 말에 오를 때마다 황금을 걸어주고, 말에서 내릴 때마다 은을 걸어주었으나 그만한 은혜와 예의로도 결국 그를 붙들어두지는 못했습니다. 그후 운장이 유황숙에게 돌아갈 때 다섯 관문의 장수들을 참하고 떠났음에도 그를 아껴 뒤쫓지 못하게 했으나, 오늘날 조조는 도리어 그의 칼끝을 피하기 위해 천도할 생각까지 하고 있지 않습니까? 이제 주공께서 그를 사로잡고서도 죽이지 않으시면 후환이 있을까 두렵습니다."

손권은 반나절이나 깊은 번민에 잠겨 있다가 말했다.

"그 말이 옳구나!"

마침내 끌어내 참하라 명하니, 이로써 관운장과 관평 부자는 동오의 손권에게 죽임을 당했다. 때는 건안 24년(219) 10월, 관공의 나이 58세였다.

후세 사람이 시를 지어 탄식했다.

한나라 말세에 그의 재주 당할 자 없어	漢末才無敵
관운장이 무리 중에 홀로 빼어났네	雲長獨出群
신 같은 위엄으로 능히 무용을 떨쳤고	神威能奮武
선비다운 태도 글도 잘하였네	儒雅更知文
하늘에 뜬 해 마음은 거울처럼	天日心如鏡
춘추의 의리는 구름에 닿았네	春秋義薄雲
빛나도다 만고에 전하리니	昭然垂萬古
삼국시절의 으뜸만이 아니라네	不止冠三分

또 이런 시도 있다.

인걸은 오직 옛날 해량땅이라	人傑惟追古解良
사람들 다투어 한나라 관운장을 추모하네	士民爭拜漢雲長
도원에서 하루 아침에 형님 아우 되었더니	桃園一日兄和弟
만세토록 황제와 왕으로 제사 받네	俎豆千秋帝與王
기개는 바람과 우레 같아 당할 자 없고	氣挾風雷無匹敵
곧은 뜻은 해와 달처럼 밝게 비치네	志垂日月有光芒
지금도 모신 사당 천하에 가득하니	至今廟貌盈天下

고목에 앉은 까마귀 몇날 석양을 울었던가   古木寒鴉幾夕陽

관운장이 죽은 후에 그가 타던 적토마는 마충이 끌어다가 손권에게
바쳤다. 손권은 즉시 적토마를 마충에게 내주고 타도록 했으나 적토
마는 며칠 동안 아무것도 먹지 않더니 그대로 굶어죽고 말았다.

한편 맥성을 지키고 있던 왕보는 갑자기 뼈마디가 쑤시고 몸이 떨
려와서 주창에게 묻는다.

"어젯밤 꿈에 주공을 뵈었는데 온몸이 피투성이로 내 앞에 서 계셨
소. 급히 까닭을 물으려다가 그만 놀라서 깨어났는데 이 꿈이 좋은 징
조인지 나쁜 징조인지 알 수가 없구려."

이런 말을 하는 중에 갑자기 수하사람이 들어와 보고한다.

"지금 성밖에 동오의 군사들이 관공 부자의 수급을 모셔와서 항복
을 권유하고 있습니다."

소스라치게 놀란 왕보와 주창이 급히 성위로 올라가 굽어보니, 과
연 관공 부자의 수급이 틀림없었다. 왕보는 가슴이 터질 듯한 외마디
소리를 지르더니 성위에서 몸을 날려 죽었고, 주창은 목을 찔러 자결
했다. 이리하여 맥성은 동오의 소속이 되었다.

이때 관공의 혼령은 흩어지지 않고 유유탕탕(悠悠蕩蕩)히 한곳에
이르렀으니 바로 형문주(荊門州) 당양현(當陽縣)에 우뚝 솟아 있는 옥
천산(玉泉山)이었다. 산위에는 한 노승이 있었는데, 법명은 보정(普
淨)이었다. 보정은 원래 사수관(汜水關) 진국사(鎭國寺)의 장로였는
데, 천하를 구름처럼 떠돌다 마침 이곳에 이르러 산 좋고 물이 맑은
것을 보고 터를 고르고 풀을 엮어 암자를 세웠다. 그러고는 날마다 좌

선하며 도를 닦는데, 곁에는 다만 어린 행자 하나가 있어 아침저녁 공
양을 받들었다.

그날밤은 달이 밝고 바람이 소슬했다. 3경이 지나서 보정이 암자에
앉아 좌선하고 있으려니 문득 공중에서 크게 부르짖는 소리가 들렸
다.

"내 머리를 돌려달라!"

보정이 고개를 들어 바라보니 공중에 한 사람이 적토마를 타고 청
룡도를 들고 서 있다. 그 왼쪽에는 젊은 장수가 있고, 오른쪽에는 살
색이 검고 수염이 곱슬곱슬한 사람이 따르는데, 그들은 일제히 구름
을 밟고 옥천산 산정으로 왔다. 보정은 그가 바로 관운장임을 알아보
았다. 곧 손에 쥐고 있던 불자(拂子, 선가禪家에서 번뇌와 장애를 물리치는 표
지로 쓰는 먼지떨이)로 문을 치며 소리쳤다.

"운장은 지금 어디 계신가!"

관공의 혼령은 즉시 깨닫고 말에서 내려 바람을 타더니 암자 앞에
이르러 두 손을 모으고 묻는다.

"스님은 누구십니까? 법호를 알려주십시오."

"노승은 보정이라 하는데, 지난날 사수관 진국사에서 일찍이 군후
를 만난 적이 있거늘 어찌 벌써 잊으셨소?"

그제야 관공이 말한다.

"지난날 스님께서 구해주신 은혜를 어찌 잊었겠습니까. 지금 이몸
이 화를 당해 목숨을 잃었으니, 원컨대 가르침을 내려 앞길을 밝혀주
시오."

보정이 말한다.

"어제와 오늘의 시시비비를 일절 거론하지 마시오. 인과(因果)는

관운장의 혼령이 옥천산 노승 앞에 나타나다

앞뒤가 서로 어긋나지 않소이다. 지금 장군이 여몽에게 해를 당하고 큰소리로 내 머리를 돌려달라 하오만, 지난날 안량과 문추와 5관의 여섯 장수들은 모두 누구에게 머리를 돌려달라 하겠소?"

이에 관공은 홀연히 깨닫고는 머리를 조아려 절하고 사라져버렸다. 이런 일이 있은 후로 옥천산에는 관공의 혼령이 나타나 백성들을 보호했다. 고을 백성들은 관운장의 높은 덕을 사모하여 산마루에 사당을 세우고 사시사철 제사를 지냈다.

후세 사람이 사당 기둥에 시 한 수를 새겨놓았다.

대춧빛 붉은 얼굴에 붉은 마음으로	赤面秉赤心
적토마 높이 타고 바람 따라	騎赤兎追風
달릴 때도	馳驅時
한나라 황제 잊은 적 없네	無忘赤帝
푸른등 아래서 역사를 읽으며	青燈觀青史
청룡언월도 짚고 있으니	仗青龍偃月
마음 깊은 곳까지	隱微處
청천에 부끄럼 없네	不愧青天

한편 관운장 부자를 죽이고 형주와 양양 일대의 땅을 모두 수중에 넣은 손권은 삼군에 상을 내리는 한편 큰 잔치를 베풀고 모든 모사와 장수들을 불러모아 그 공로를 치하했다. 손권은 여몽을 상석에 앉히고 여러 장수들을 돌아보며 말한다.

"내 오랫동안 형주를 되찾기 위해 고심하다가 오늘날 이렇게 큰 수고 없이 되찾은 것은 모두 자명(子明, 여몽의 자)의 공이로다!"

여몽이 거듭 겸양하는데, 손권이 말을 잇는다.

"지난날 주랑(周郎, 주유)은 계책이 출중해 조조의 대군을 적벽에서 격파했으나 불행히도 일찍 세상을 떠났소. 그뒤 노자경(魯子敬, 노숙)이 그 책임을 대신했는데 자경이 처음 나를 보고서 제왕의 큰 계략을 일러주었으니 이것이 첫번째 쾌사였소. 조조가 우리 동오를 치려 할 때 모든 사람이 두려워하며 항복하기를 권했으나, 오로지 자경만이 공근(公瑾, 주유의 자)을 불러들여 적군을 물리치게 했으니 그것이 두번째 쾌사였소. 그러나 내게 형주땅을 유비에게 빌려주라고 권한 것은 실책이라 하겠소. 이번에 자명이 계책을 세워 대번에 형주를 되찾았으니, 노자경이나 주랑보다 훨씬 큰 공을 세운 것이오."

손권은 손수 잔에 술을 가득 따라서 여몽에게 권했다. 여몽이 황송해하며 두 손으로 잔을 받들어 술을 마시려 하다가, 갑자기 땅바닥에 술잔을 내던지더니 손권의 멱살을 움켜쥐고 욕설을 퍼붓는다.

"이 푸른 눈 붉은 수염에 아직 다 자라지도 못한 쥐새끼 같은 놈아! 내가 누군지 알겠느냐?"

주위에 있던 장수들이 놀라 손권을 구하기 위해 달려들었다. 여몽은 성큼성큼 걸어가서 손권을 밀치고 그 자리를 차지하고 앉더니, 눈썹을 치켜세우고 두 눈을 부릅뜨며 큰소리로 꾸짖는다.

"내가 황건적을 격파한 이래 30년 동안 천하를 누비다가 이번에 네 놈의 간계에 빠져 해를 입었도다. 살아서 네 고기를 씹지 못했으나 죽어서라도 역적 여몽의 넋을 쫓을 것이다. 내가 바로 한수정후(漢壽亭侯) 관운장이다!"

손권은 기절할 듯이 놀랐다. 황급히 여러 장수들과 더불어 섬돌 아래로 내려가 연신 절하며 감히 머리를 들지 못하는데 잠시 후 여몽이 땅에 넘어지더니 일곱 구멍에서 피를 쏟으며 죽고 말았다. 이 광경을 목격하고 두려움에 떨지 않는 자가 없었다. 손권은 예를 갖추어 여몽의 시체를 수습하여 후하게 장례를 치러주고 남군 태수 잔릉후(屛陵侯)에 봉해 그의 아들 여패(呂霸)로 하여금 작위를 이어받게 했다. 이일이 있은 뒤부터 손권은 관운장의 일에 감동하며 놀라는 한편 의아함을 금치 못했다.

이무렵 갑자기 장소(張昭)가 건업에서 손권을 찾아왔다. 손권이 장소를 불러들여 찾아온 까닭을 물으니, 장소가 대답한다.

"주공께서 이번에 관공 부자를 해치셨으니 장차 강동에 화가 닥칠 것입니다. 관공은 유비와 함께 도원결의하면서 생사를 같이하기로 맹세한 사이입니다. 지금 유비는 양천(兩川)의 군사를 모두 얻었을 뿐만 아니라 제갈량의 지혜와 장비·황충·조자룡·마초 등의 용장들까지 수하에 두고 있습니다. 유비가 관운장 부자가 살해된 것을 아는 날이면 반드시 전군을 일으켜 원수를 갚으려 할 터인데, 우리 동오가 그들을 대적하기는 어려울 듯합니다."

손권은 장소의 말을 듣고 발을 구르며 외친다.

"이는 내 실수로다! 장차 이 일을 어찌하면 좋단 말인가!"

"주공은 너무 심려 마십시오. 제게 계책이 있으니, 서촉이 동오를 침범하지 못하게 하여 형주를 반석처럼 편안케 하겠습니다."

"그 계책이 무엇이오?"

"지금 조조는 백만대군을 거느리고 호시탐탐 천하를 손에 넣을 기회를 엿보고 있습니다. 유비가 당장 관운장의 원수를 갚으려면 조조와 손을 잡아야 할 텐데, 양쪽 군사가 연합해 쳐들어온다면 동오는 위태롭습니다. 그러니 먼저 관공의 수급을 수습해 조조에게 보내십시오. 그러면 유비는 이 모든 일이 조조의 사주로 이루어진 것이라 믿고 조조에게 원한을 품어 동오를 치지 않고 반드시 위를 공격할 것입니다. 우리 동오는 그들의 싸움을 지켜보다가 중간에서 이익을 취하는 것이 상책입니다."

손권은 장소의 말에 따랐다. 곧 관운장의 수급을 나무상자에 담아 사자에게 주고는 밤새 달려가 조조에게 전하도록 했다. 이때 조조는 마파에서 낙양으로 돌아와 있었다. 동오의 사자들이 관운장의 수급을 가지고 왔다는 보고가 들어오자 조조가 기뻐하여 말한다.

"관운장이 죽었다니 내 이제야 발 뻗고 편히 잠자리에 들 수 있게 되었구나!"

이때 댓돌 아래서 한 사람이 나서며 말한다.

"이것은 바로 동오가 우리에게 재앙을 떠넘기려는 수작입니다."

조조가 보니 그는 주부 사마의였다. 조조가 그 까닭을 물으니 사마의가 대답한다.

"옛날에 유비·관우·장비는 도원에서 결의하며 생사를 같이하기로 맹세했습니다. 이제 동오의 손권이 관운장을 살해하고서 짐짓 그 수급을 대왕께 바친 것은 장차 복수가 두렵기 때문입니다. 이는 유비의 분노를 대왕께 돌려 동오를 치는 대신 우리 위를 치게 하고, 자기들은 중간에서 이익을 취하려는 속셈입니다."

조조가 머리를 끄덕이더니 묻는다.

"중달의 말이 옳도다! 그렇다면 내 어떤 계책으로 이 일을 해결해야겠소?"

사마의가 말한다.

"이는 아주 쉬운 일입니다. 대왕께서는 관공의 수급을 받으십시오.

그리고 향나무로 관공의 몸을 조각한 다음에 그 수급을 붙여 대신(大臣)의 예로써 성대하게 장례를 치르십시오. 유비는 반드시 이 일을 알게 될 것이고, 그러면 손권에게 원한을 품어 남쪽을 정벌하는 데 힘쓸 것입니다. 우리는 그들의 싸움을 지켜보다가 촉이 이기면 동오를 치고, 동오가 이기면 촉을 치는 것입니다. 둘 중에 한곳만 얻으면 나머지 하나는 오래 버티지 못할 것입니다."

조조는 매우 기뻐하며 사마의의 계책을 따르기로 하고 드디어 동오에서 온 사자를 불러들였다. 사자가 나무상자를 바치니, 조조는 뚜껑을 열어보았다. 관운장의 얼굴은 살아 있을 때나 마찬가지였다. 조조가 웃으며 말한다.

"관공은 그간 별고 없으시오?"

조조의 말이 채 끝나기도 전이었다. 나무상자 속의 관운장의 머리가 입을 딱 벌리더니, 눈동자가 움직이고 머리털과 수염이 꼿꼿이 일어섰다. 소스라치게 놀란 조조는 외마디 비명을 지르며 그대로 혼절하고 말았다. 곁에 있던 관원들이 황급히 부축해 일으키니 조조가 겨우 깨어나 한숨을 몰아쉬며 말한다.

"관장군은 참으로 천신(天神)이로다!"

동오에서 온 사자는 관공의 혼령이 현성(顯聖)하여 여몽의 몸에 내린 일이며, 여몽의 입을 빌려 손권을 꾸짖은 일을 고했다. 이 말을 듣고 더욱 두려워하는 마음이 생긴 조조는 희생 제물을 마련하여 제사를 지냈다. 침향목(沈香木)으로 관공의 몸을 조각해 수급에 맞추고 왕후(王侯)의 예로써 낙양성 남문 밖에 장사를 지내는데, 대소 관원이 모두 참례했다. 조조가 친히 절하여 제사를 지내고 관운장을 형왕(荊王)으로 추증한 다음, 관리를 두어 묘소를 지키게 했다. 이렇듯 성대한 장례절차를 마친 후에야 동오의 사자를 강동으로 돌려보냈다.

한편 한중왕은 동천에서 성도로 돌아와 있었다. 법정이 아뢴다.

"주상의 선부인(先夫人)께서는 세상을 떠나셨고, 손부인은 강남으로 가서서 언제 돌아오실지 기약할 수 없습니다. 인륜의 도리는 폐할 수 없으니 새 왕비를 들이셔서 내정을 보살피게 하소서."

한중왕은 그 말을 따르기로 했다.

법정이 다시 아뢴다.

"오의(吳懿)에게 누이가 한 사람 있는데 매우 아름답고 현숙하여 일찍이 관상을 보는 사람이 뒤에 반드시 크고 귀하게 되리라 했답니다. 이 여인이 일찍이 유언(劉焉)의 아들 유모(劉瑁)에게 출가했는데, 출가한 지 얼마 안되어 유모가 죽은 후로 지금까지 홀로 지내고 있습니다. 주상께서는 이 여인을 들여 왕비로 삼으시는 게 좋을 듯합니다."

한중왕이 말한다.

"유모는 나와 같은 유씨인데, 도리상 그렇게 할 수 있겠소?"

"멀고 가까움을 따지신다면 옛날 진문공(晉文公)이 회영(懷嬴)을 아내로 맞이한 것과 뭐가 다르겠습니까?"(춘추시대 진목공의 딸 회영이 진회공과 결혼했다가 후에 남편의 백부인 진문공에게 개가한 고사)

한중왕은 마침내 허락하고 오(吳)씨를 왕비로 맞아들였다. 그후 오씨가 두 아들을 낳았으니, 맏아들은 유영(劉永)으로 자는 공수(公壽)요, 둘째아들은 유리(劉理)로 자는 봉효(奉孝)였다.

이제 동서 양천(兩川)에서는 백성은 편안하고 나라는 부유하며 해마다 풍년이 들어 근심할 일이 없었다. 그무렵 형주에서 사람이 와서 전했다.

"동오의 손권이 혼인을 청했는데 관공이 거절하셨습니다."

공명이 말한다.

"장차 형주가 위태롭게 되었구나. 사람을 보내 교대시키고 관운장을 돌아오도록 해야겠다."

이렇게 의논하고 있는데, 형주에서 싸움에 이겼다는 보고가 계속 들어왔다. 또 하루가 안되어 관흥이 와서 보고했다.

"조조의 칠군(七軍)을 강물로 휩쓸어버렸습니다."

또 하루는 관운장이 강기슭 요소요소에 봉화대를 설치하고 방비를 철저히하여 만일 동오가 쳐들어와도 두려워할 것이 없다는 보고까지 들어오니 유현덕은 크게 마음을 놓고 있었다. 그러던 어느날이었다. 갑자기 현덕은 까닭없이 온몸이 떨려와 진정할 수가 없고 밤이 깊도록 잠을 이룰 수가 없었다. 내실에 앉아 촛불을 밝히고 글을 읽던 현덕은 책상에 엎드린 채 깜빡 잠이 들었다. 문득 한 줄기 싸늘한 바람이 일더니 촛불이 펄럭이며 까무러지다가 다시 밝아졌다. 현덕이 고개를 들어보니 웬 사람이 눈앞에 서 있었다. 현덕이 의아하여 묻는다.

"그대는 누군데 이 밤중에 나의 내실에 들어왔는가?"

그 사람은 아무 대답이 없다. 현덕은 괴이한 생각이 들어 자리에서 일어나 자세히 살펴보았다. 그는 암만 보아도 틀림없는 관운장인데, 서성거리며 불빛이 희미한 그늘진 곳으로 몸을 피한다. 현덕이 물었다.

"아우는 그동안 별고 없었느냐? 이렇게 한밤중에 나를 찾아온 것을 보니 무슨 큰일이 난 게로구나. 내 너와의 정리가 골육과 다름없는데 어찌하여 몸을 피하느냐?"

그때 관운장이 울면서 고한다.

"원컨대 형님께서는 군사를 일으켜 부디 이 아우의 원한을 씻어주십시오!"

그 말이 끝나면서 다시 싸늘한 바람이 일더니, 관운장의 모습은 간곳이 없었다. 현덕이 깜짝 놀라 눈을 뜨니 한자락 꿈인데, 이때 3경을 알리는 북소리가 울렸다. 현덕이 와락 의심이 일어 급히 전(殿) 앞으로 나서 사람을 보내 공명을 청해오게 했다. 공명이 들어오자 현덕은 꿈속에서 놀란 일을 자세히 말했다. 공명이 대답한다.

"주상께서 항상 관공을 생각하시기 때문에 그런 꿈을 꾸신 것입니다. 마음에 두실 것 없습니다."

공명의 위안하는 말에도 현덕은 자꾸만 의심하고 염려했다. 공명은 거듭 좋은 말로 현덕의 마음을 풀어주고 물러나와 중문을 나서다가, 마침 들어오던 허정(許靖)을 만났다. 허정이 말한다.

"보고할 기밀이 있어 군사의 부중에 들렀다가, 입궁하셨다기에 급히 달려오는 길입니다."

"무슨 기밀인가?"

"밖의 사람이 전하는 말입니다. 동오의 여몽이 이미 형주를 점령하고, 관공은 해를 당하셨답니다. 그래서 급히 군사께 보고하러 달려오는 길입니다."

"내 밤에 천문을 보니 장성(將星) 하나가 형초(荊楚)땅에 떨어지기에 필시 운장이 화를 당했으리라 짐작하고 있었소. 주상께서 근심하실 것을 염려하여 감히 말씀드리지 못했소이다."

두 사람이 이렇게 이야기를 나누고 있을 때, 갑자기 전 안에서 한 사람이 달려나와 공명의 소매를 잡는다.

"이토록 흉한 소식을 공은 어찌하여 내게 전하지 않았소!"

바로 유현덕이었다. 공명과 허정이 아뢴다.

"방금 한 말은 모두 소문이니 믿을 것이 못 됩니다. 주상께서는 마음을 너그러이 잡수시고 심려 마십시오."

현덕이 말한다.

"나와 운장은 생사를 함께하기로 맹세했소. 만일 운장이 잘못되었다면 어찌 나 혼자 살 수 있겠는가!"

공명과 허정이 현덕을 안심시키고 있는데 문득 시중드는 신하가 들어와 고한다.

"마량과 이적이 왔습니다."

현덕이 급히 불러들여 물으니, 두 사람이 들어와 관운장의 표문을 바치고 아뢴다.

"형주는 이미 잃었고, 관공이 패하여 구원병을 청하십니다."

표문을 미처 다 읽기도 전에 또 신하가 들어와 아뢴다.

"형주에서 요화가 왔습니다."

현덕이 급히 불러들이니 요화는 통곡하며 땅에 엎드려 절하고 유봉과 맹달이 구원병을 보내지 않은 일을 자세히 고했다. 유현덕이 크게 놀라서 말한다.

"그렇다면 내 아우는 죽었구나!"

공명이 말한다.

"유봉과 맹달의 이 무례한 죄는 죽어도 용서할 수 없습니다! 주상께서는 마음을 너그러이 가지소서. 이 제갈량이 친히 군사를 거느리고 가서 형양의 위급함을 구하겠습니다."

현덕이 흐느끼면서 말한다.

"운장을 잃고 나 혼자 살 수는 없소! 내가 군사를 이끌고 가서 운장을 구해내겠소."

현덕은 사람을 낭중(閬中)에 보내 장비에게 이 사실을 알리는 한편 군사를 모으고 인마를 정비해 떠날 채비를 했다. 날이 밝기도 전에 또 다른 보고가 들어왔다.

"관공께서 밤에 임저로 달아나다 동오의 장수에게 사로잡혔으나, 의리와 절개를 굽히지 않다가 부자가 모두 세상을 떠나셨습니다."

유현덕은 그만 외마디 비명을 지르며 땅바닥에 쓰러져 혼절하고 말았다.

죽음을 함께 하기로 맹세한 일 생각하면	爲念當年同誓死
오늘 어찌 차마 홀로 살 수 있으리	忍敎今日獨捐生

현덕은 과연 소생할 수 있을 것인가?

78_

간웅 조조의 죽음

신의 화타는 조조의 풍병을 고치려다 죽고
간웅 조조는 유언을 남기고서 명을 다하다

한중왕은 관운장 부자가 살해당했다는 소식에 통곡을 하다가 혼절하여 땅에 쓰러졌다. 모여 있던 여러 문무관원들이 급히 손을 써서 한참만에야 가까스로 깨어났다. 모두들 한중왕을 부축해 내전으로 들어가자 공명이 말한다.

"주상께서는 너무 상심하지 마십시오. 자고로 '죽고 사는 것은 명에 달렸다〔死生有命〕'했습니다. 관운장이 평소 강직하고 자긍심이 높아서 오늘날의 화를 입었으니, 주상께서는 옥체 보중하시어 앞으로원수 갚을 일을 천천히 도모하소서."

현덕이 말한다.

"내 일찍이 운장과 익덕 두 아우와 함께 도원에서 결의할 때 생사를 같이하기로 맹세했거늘, 이제 관운장이 죽고 없는 마당에 어찌 나홀로 부귀를 누릴 수 있겠소?"

현덕이 채 말을 끝맺기도 전에 관흥이 부친의 소식을 듣고 통곡하며 들어왔다. 관흥을 보더니 현덕은 또다시 슬픔이 북받쳐올라 울부짖으며 다시 정신을 잃어버렸다. 관원들의 도움으로 깨어난 현덕은 하루종일 울다가 까무러치기를 네댓 차례나 거듭했다. 그렇게 사흘이 지나도록 물 한모금 마시지 않고 통곡을 하니 옷깃에 눈물 마를 새가 없고, 나중에는 핏물까지 떨어져 얼룩졌다. 공명과 관원들은 한시도 곁을 떠나지 않고 현덕을 위로했다. 현덕이 말한다.

"내 맹세코 동오와 한하늘 아래 살지 않으리라!"

공명이 말한다.

"들리는 바로는, 동오에서 관공의 수급을 조조에게 바쳤더니 조조가 왕후(王侯)의 두터운 예로 장사를 치러주었다고 합니다."

"무슨 뜻으로 그리 했을까?"

"동오는 장차 닥쳐올 재앙을 조조에게 돌리려는 속셈으로 그리했을 것입니다. 조조는 동오의 속마음을 알고 성대하게 관공의 장례를 치름으로써 주상의 원한을 동오에 돌리려 한 것이지요."

"내 즉시 군사를 일으켜 동오의 죄를 묻고 나의 이 맺힌 한을 풀고자 하오!"

공명이 간한다.

"그것은 안됩니다. 지금 동오는 우리로 하여금 위를 치게 하고, 위 또한 우리로 하여금 동오를 치게 하려는 간특한 계책을 품고서 각각 틈을 엿보고 있습니다. 주상께서는 마땅히 군사를 안정시키고 움직이시면 안됩니다. 관공의 초상을 치르시고 오와 위가 서로 불화할 때를 기다렸다가 그 틈에 무찔러야 합니다."

모든 관원들이 거듭 간하고 권했다. 그제서야 현덕은 비로소 음식을 먹고, 전지를 내려 동서 양천의 장수들에게 모두 상복을 입고 조상하도록 했다. 또한 친히 남문으로 나아가 관운장을 초혼(招魂)하고 제를 지내며 온종일 통곡을 그치지 않았다.

한편 낙양의 조조는 관운장의 장례를 치른 뒤부터 밤마다 눈을 감으면 운장의 모습이 보이는 통에 너무도 놀랍고 두려운 나머지 관원들을 불러 사실을 말하고 어찌하면 좋을지 물었다. 관원들이 대답한다.

"낙양 행궁(行宮)의 옛 전각에는 요사스런 일이 많사오니, 새로이 전각을 지어 거처를 옮기십시오."

조조가 말한다.

"내 전각 한 채를 짓고 건시전(建始殿)이라 이름하고 싶으나, 좋은 목수가 없는 것이 한이로다."

가후가 곁에서 아뢴다.

"낙양에 소월(蘇越)이라는 목수가 있는데, 그 솜씨가 뛰어납니다."

조조는 당장 소월을 데려오라 하여 장차 지을 대궐의 설계도를 그려보게 했다. 소월은 즉시 아홉칸 대전과 앞뒤 궁궐과 누각을 앉힌 설계도를 그려 바쳤다. 조조가 설계도를 들여다보고 나서 말한다.

"네 설계도가 내 마음에 꼭 든다마는, 대전에 쓸 만한 기둥과 대들보감이 있을지 걱정이구나."

소월이 엎드려 아뢴다.

"낙양성에서 30리를 가면 약룡담(躍龍潭)이라는 큰 연못이 있고 그 앞에 약룡사라는 사당이 하나 서 있습니다. 그 사당 부근에 오래된 배나무가 한 그루 있는데, 높이가 10여길이 되니 족히 건시전의 대들보가 될 만합니다."

조조가 크게 기뻐하며 즉시 일꾼들을 보내 나무를 베도록 했다. 그런데 이튿날 사람들이 돌아와서 고한다.

"그 나무는 톱질을 해도 베어지지 않고 도끼로 내려찍어도 날이 들어가지를 않아 도저히 벨 수가 없습니다."

조조는 그 말을 믿을 수가 없어 몸소 수백기를 거느리고 약룡사에 이르렀다. 말에서 내려 올려다보니 그 나무는 우뚝 솟은 모습이 마치 일산을 펴놓은 것 같고, 위로는 하늘과 구름에 닿을 듯 험한 마디나 굽은 데 하나 없이 꼿꼿했다. 조조는 지켜서서 일꾼들에게 나무를 베라 명했다. 이때 고을 노인들이 와서 간한다.

"이 나무는 수백년 된 것으로 저 나무 꼭대기에는 신인(神人)이 살고 있다 합니다. 그러니 부디 베지 말아주십시오."

조조가 크게 노해 말한다.

"내 평생에 천하를 종횡으로 누빈 지 40여년이니, 위로는 황제로부터 아래로 백성에 이르기까지 나를 두려워하지 않는 사람이 없거늘, 무슨 요망한 귀신이 있어 감히 내 뜻을 거스른단 말이냐?"

조조는 차고 있던 칼을 빼어 나무를 쳤다. 쩽하는 소리와 함께 나무에서 피가 솟아 조조의 온몸에 튀었다. 조조는 대경실색하여 칼을 내던지고 즉시 말을 타고 궁으로 돌아왔다. 그날밤 2경 무렵이었다. 조조는 왠지 마음이 불안하여 앉아 있다가 책상에 기댄 채 깜박 잠이 들었다. 문득 머리를 산발하고 위아래로 검은옷을 입은 사람이 손에 칼을 짚고 나타나서는 조조를 가리키며 꾸짖는다.

"나는 배나무의 신이다. 네가 건시전을 지으려 함은 황제의 자리를 빼앗으려는 뜻이렷다! 이제 나의 신목(神木)까지 베려 했으나, 내 너의 운수가 다한 것을 알고 특히 너를 죽이러 왔다."

조조가 깜짝 놀라 큰소리로 외쳤다.

"여봐라, 무사들은 어디 있느냐?"

미처 무사들이 오기 전에 그 검은옷을 입은 사람이 칼을 높이 들어 조조를 내려쳤다. 순간 조조는 외마디 비명을 지르며 놀라 깨어났다. 꿈인 것을 알고 안도의 숨을 내쉬는데, 머리가 지끈지끈 쑤시며 아파 참을 수가 없었다. 조조는 급히 영을 내려 용하다는 의원들을 모두 불러다가 치료를 받아보았으나 아픈 증세는 조금도 차도가 없었다. 여러 관원들은 모두 근심에 잠겼다. 이때 화흠이 들어와 아뢴다.

"대왕께서는 신의(神醫) 화타를 아십니까?"

조조가 되묻는다.

"강동에서 주태를 치료한 사람 말이냐?"

"그렇습니다."

"비록 그 이름은 들었다만 의술이 어떤지는 모르겠구나."

"원래 화타의 자는 원화(元化)로 패국 초군 사람이온데, 그 의술의 신묘함은 세상에 드문 바라고 합니다. 환자의 병세에 따라 약을 쓰거나 침을 놓거나 뜸을 뜨기도 하는데, 그가 손만 썼다 하면 즉시 낫는다고 합니다. 오장육부가 상해 약을 쓸 수 없는 환자에게는 다른 방법을 쓰는데, 마폐탕(麻肺湯)을 먹여서 가사상태가 되면 날카로운 칼로 배를 가른 후 탕약으로 장부(臟腑)를 깨끗이 씻어낸다 하고, 그래도 환자는 아픈 줄 모르고 누워 있다 합니다. 치료가 다 끝나서 약실로 다시 배를 꿰매고 고약을 바르면 아무리 지독한 병이라도 20일에서 한달 가량 지나면 완쾌된다고 하니, 그 의술이 얼마나 신묘합니까? 어느날 화타가 길을 가다가 길바닥에 쓰러져 신음하고 있는 사람을 보았는데, 그 신음소리만 듣고도 '음식을 먹어도 속에서 내려가지 않는 병이로구나. 그렇지 않은가' 하고 물었답니다. 환자가 과연 그렇다고 대답하니 화타가 그 사람에게 마늘즙 석되를 먹였는데, 그는 이내 두세 길이나 되는 뱀을 토해내고는 씻은 듯이 병이 나았답니다. 광릉 태수 진등 또한 화타에게 치료받고 병을 고친 사람입니다. 진등은 평소 번열증이 있어 항상 얼굴빛이 붉고 속이 답답해 음식을 잘 먹지 못하는 터라 화타를 청해다가 치료를 받았습니다. 진등은 화타가 지어준 약을 먹고 석되나 되는 벌레를 토해냈는데, 벌레들이 모두 머리가 새빨갛고 머리와 꼬리를 계속 꿈틀거리는 것을 보고 진등이 그 까닭을 물었습니다. 화타는 '물고기를 날것으로 먹어서 생긴 독충으로, 오늘은 비록 다 토해냈지만 3년 후에 재발할 텐데, 그때는 구할 방도가 없다'고 하더랍니다. 아니나 다를까, 진등은 3년 후 그 병이 재발해 죽고 말았답니다. 또 한 사람은 양미간에 커다란 혹이 생겨서 가려움증에 시달리다가 화타를 청했습니다. 화타가 가만 살펴보더니 '혹 속에 날짐승이 들어 있다'고 했답니다. 사람들이 웃으며 하나같이 믿으려 하지 않았는데 화타가 칼로 그 혹을 째보니 정말 노란 참새 한 마리가 튀어나와 날아가고 그 사람은 씻은 듯이 나았답니다. 또 어떤 사람은 개에게 발가락을 물렸는데, 물린 자리에서 살점이 두 군데 솟아올라 한쪽은 가려워서 견딜 수 없고, 다른 한쪽은 아파서 견딜 수가 없어 역시 화타에게 보였습니다. 화타가 보더니 '아픈 살 속에는 바늘이 열개 들어 있고, 가려운 살 속에는 검고 흰 두개의 바둑알이 들어 있다'고 하더랍니다. 이번에도 사람들이 믿으려 하지 않았으나 화타가 칼로 상처를 째어보니, 과연 그의 말대로였다고 합니다. 화타는 참으로 편작(扁鵲, 춘추시대의 명의)과 창공(倉公, 서한시대의 명의)에 견줄 만한 명의입니다. 화타가 지금 금성(金城)땅에 있고 여기서 그리 멀지도 않으니, 대왕께서는 그를 부르시는 게 어떠시겠습니까?"

조조는 즉시 사람을 보내 화타를 불러들였다. 화타가 누워 있는 조조를 진맥하고 병세를 살펴본 후 말한다.

"대왕의 두통은 풍(風) 때문에 생긴 것인데 이미 그 뿌리가 뇌 속에 박혀 탕약으로 다스리기는 어렵습니다. 제게 한 가지 방법이 있는데, 대왕께서 마폐탕을 드신 후 제가 날선 도끼로 두개골을 열어 그 속에 괴어 있는 풍연(風涎, 풍기를 유발하는 즙)을 씻어내야만 병의 뿌리를 제거할 수 있습니다."

이를 들은 조조는 크게 화를 낸다.

"네가 나를 죽이려 드는구나!"

화타가 말한다.

"대왕께서도 들으셨겠지만 지난날 관공이 오른팔에 독화살을 맞아 고생할 때 제가 뼈를 긁어 독을 뽑아낸 적이 있습니다. 관공은 조금도 두려워하는 기색이 없었는데, 이제 대왕께서는 이런 조그만 병으로 어찌 그리 의심이 많으십니까?"

"그까짓 팔쯤이야 아프면 뼈를 깎아낼 수도 있다지만, 어찌 두개골을 쪼갠단 말이냐? 네가 필시 관운장과의 친분 때문에 이 기회에 나를 죽여 원수를 갚을 속셈이로구나!"

격노한 조조는 주위를 둘러보며 호령한다.

"저놈을 당장 잡아다 옥에 가두고 문초하여 자백을 받아내도록 하라!"

가후가 황급히 조조에게 간한다.

"참으십시오. 이런 훌륭한 의원은 세상에 다시 없습니다. 이러시면 안됩니다."

조조는 가후를 크게 꾸짖는다.

"이자는 기회를 틈타 나를 해치려는 것이다. 지난날의 길평(吉平)과 다를 바 없는 놈이야!"

조조는 추상같이 호령하며 화타를 추궁하게 했다. 화타가 갇힌 옥에는 오(吳)씨 성을 가진 옥졸이 있어, 사람들이 모두 오압옥(吳押獄)이라고 불렀다. 오압옥은 날마다 술과 음식을 대접하며 화타를 극진히 보살폈다. 그 은혜에 감동한 화타가 오압옥에게 은근히 말한다.

"나는 이제 죽을 몸이오만 내 의술을 소상히 적어둔 『청낭서(青囊書)』를 세상에 전하지 못하는 것이 한이오. 그대의 고마운 후의에 보답할 것이 없더니, 이제 내가 편지를 써줄 테니 우리 집에 사람을 보내 그 『청낭서』를 가져오도록 하시오. 내 그것을 그대에게 드릴 테니, 그대는 내 의술을 세상에 전하도록 하오."

오압옥은 크게 기뻐했다.

"제가 그 책을 얻게 된다면 이 일을 그만두고 온 세상의 병든 자들을 고쳐 선생의 큰 덕을 전하겠습니다."

화타는 즉시 오압옥에게 편지를 써주었다. 오압옥은 금성에 있는 화타의 집을 찾아가 그의 아내로부터 『청낭서』를 받아와 화타에게 바쳤다. 화타가 한번 훑어본 후에 다시 오압옥에게 건네주니 오압옥은 『청낭서』를 받아들고 집으로 돌아와 소중히 간직했다. 그러고 나서 열흘 후, 화타는 결국 옥중에서 세상을 떠나고 말았다. 오압옥은 즉시 관을 사서 염을 하고 정성껏 화타의 장사를 지낸 다음 옥졸직을 내놓고『청낭서』를 공부하려고 집으로 돌아왔다. 집을 들어서던 오압옥은 깜짝 놀랐다. 그의 아내가 아궁이 앞에서『청낭서』를 태워 불쏘시개로 쓰고 있었던 것이다. 오압옥이 황급히 달려들어『청낭서』를 끄집어냈으나 때는 이미 늦었다. 모두 타버리고 겨우 한두 장만 남았을 뿐이다. 오압옥은 버럭 화를 내며 소리를 질렀다. 그러나 그의 아내는 조금도 거리낄 게 없다는 듯 말대꾸를 했다.

"화타처럼 신묘한 의술을 터득한들 결국 옥에 갇혀 죽기밖에 더하겠어요? 그까짓 것이 무슨 소용 있어요?"

오압옥은 그저 한탄할 뿐이었다. 이리하여『청낭서』의 비법은 세상에 전해지지 못하고, 닭과 돼지 따위를 거세하는 하잘것없는 방법만이 남아 전해온다. 이는 타다 남은 한두 장에 실려 있던 내용이다.

후세 사람이 시를 지어 화타를 찬양했다.

화타의 신묘한 의술 장상*에 견줄 만하니	華佗僊術比長桑
신묘한 진찰 담안 들여다보듯 했네	神識如窺垣一方
아, 슬프다, 사람 죽고 책조차 없어지다니	惆悵人亡書亦絶
후세 사람 다시는 청낭서를 볼 수 없네	後人無復見青囊

　*장상(長桑): 전국시대의 명의인 장상군

화타를 죽인 뒤로 조조의 병세는 더욱 악화되었다. 더구나 오와 촉에 대한 근심까지 겹쳐 하루도 마음 편할 날이 없는 중에 문득 측근 신하가 들어와 아뢴다.

吳押獄重焚書

氣透㵎毫表爭神减魄把方
惆悵今書已化灰萬古癢雲
庚戌年春 房吉曉畵

오압옥의 아내는 화타의 의술을 담은 『청낭서』를 불태우다

"동오에서 사자가 서신을 가지고 왔습니다."

조조가 사신을 불러들여 서신을 받아 읽어보니, 그 내용은 다음과
같았다.

신(臣) 손권은 오래 전부터 천명(天命)이 이미 주상께 돌아간 줄
알고 있습니다. 엎드려 바라옵건대, 어서 대위(大位)에 오르시고
장수를 보내 촉의 유비를 섬멸하여 양천을 평정하십시오. 신은 즉
시 아랫사람들을 거느리고 땅을 바쳐 항복하겠나이다.

조조는 읽고 나서 크게 웃으며 그 서신을 여러 신하들에게 보였다.
"이 아이가 나를 화롯불 위에 앉히려 하는구나."

시중 진군(陳群) 등이 아뢴다.

"한나라 황실은 쇠미한 지 이미 오래이고 전하의 공덕이 드높아 천
하의 백성들이 한결같이 우러르며 대위에 오르시기만 바라고 있사옵
니다. 이제 손권도 신하를 자처하며 항복하겠다고 하니, 이는 하늘의
뜻인 동시에 모든 사람이 한결같이 원하는 바입니다. 그러니 전하께
서는 하늘의 뜻에 응하고 백성의 마음에 따르셔서 어서 황제의 위에
오르소서."

조조는 웃으며 말한다.

"내가 여러해 동안 한실을 섬겨 비록 그간의 공덕이 백성들에게까
지 미쳤다고 하나, 이미 지위가 왕에 이르러 명예와 벼슬이 더할 수
없이 높아졌는데 달리 무엇을 바라겠느냐? 진실로 천명이 내게 있다
면 나는 주(周) 문왕(文王)처럼 될 것이다."

사마의가 말한다.

"손권이 신하를 자청하며 대왕을 따르겠다고 하니, 주상께서는 벼슬을 내리시고 그로 하여금 유비를 치게 하십시오."

조조는 그 말에 따라 황제에게 표문을 올려 손권을 표기장군(驃騎將軍) 남창후(南昌侯)에 봉하고 형주를 다스리게 했다. 그리고 그날로 사신에게 이러한 내용의 칙서를 주어 동오로 보냈다.

그뒤로 조조의 병세는 나날이 악화되어갔다. 어느날 밤 조조는 세 마리의 말이 한 구유에서 먹이를 먹고 있는 꿈을 꾸었다. 날이 밝은 뒤 조조는 가후를 불러 묻는다.

"내 전에 언젠가 세 필의 말이 한 구유에서 먹이를 먹는 꿈을 꾸었는데, 그때는 마등(馬騰) 부자가 변란을 일으키지나 않을까 하고 의심스러워했다. 지금 마등은 이미 죽었는데 어젯밤에 또 세 마리 말이 한 구유에서 먹이를 먹는 꿈을 꾸었으니, 이것이 길몽이겠느냐 아니면 흉몽이겠느냐?"

가후가 대답한다.

"원래 녹마(祿馬)는 길한 징조입니다. 녹마가 조(曹, 말구유 조槽와 조조의 조曹는 음이 같음)로 돌아온 것이니 주상께서는 무엇을 그리 걱정하십니까?"

조조는 가후의 말을 듣고 다시 의심하지 않았다.

이 일을 두고 후세 사람이 시를 읊었다.

세 말이 한 구유에 모였으니 의심할 일이라	三馬同槽事可疑
이때 이미 진나라 터전이 시작된 줄 몰랐구나	不知已植晉根基
조조가 부질없이 간웅의 방략을 가졌으되	曹瞞空有奸雄略
제 어찌 조정 안에 있는 사마씨를 알아보랴	豈識朝中司馬師

그날밤 조조가 침실에 누워 있는데, 3경이 다 되도록 머리가 아프고 눈앞이 캄캄하며 현기증이 심하게 났다. 뒤척이다가 간신히 몸을 일으켜 책상 위에 엎드려 있는데 문득 전각 안에서 비단을 찢는 듯한 날카로운 소리가 들려왔다. 조조가 깜짝 놀라 고개를 드니, 복황후(伏皇后)와 동귀인(董貴人) 그리고 두 황자와 복완(伏完), 동승 등 20여 명이 피투성이로 음산한 구름 속에 서 있는 게 아닌가. 그들은 가냘픈 목소리로 목숨을 돌려달라고 하소연하고 있었다. 조조가 급히 칼을 뽑아 휘두르는데, 갑자기 벼락치는 듯한 소리가 들리며 전각 서남쪽 모서리가 와지끈 무너져내렸다. 놀란 조조는 그만 정신을 잃고 쓰러지고 말았다. 근시들이 급히 조조를 구완해 별궁으로 옮기고 편히 쉬게 했다. 이튿날 밤에도 또다시 대궐 밖에서 남녀의 곡성이 끊이지 않고 들려왔다. 날이 밝자마자 조조는 신하들을 불러들였다.

"나는 전쟁 속에서 30여년을 살아오면서 한번도 괴이한 일을 믿지 않았다. 그런데 오늘에 와서 어찌하여 내 주변에서 이런 일이 일어난단 말이냐?"

여러 신하들이 아뢴다.

"대왕께서는 도사들에게 명하여 제를 올려 부디 화를 물리치도록 하십시오."

조조가 탄식하여 말한다.

"성인이 말하기를 '하늘에 죄를 지으면 빌 곳이 없다〔獲罪於天 無所禱也〕'고 하였다. 이미 나의 천명이 다했으니 구원을 빌어본들 무슨 소용이 있겠느냐?"

그러고는 끝내 신하들의 청을 받아들이지 않았다. 다음날 조조는 기(氣)가 점점 치밀어올라 숨이 막히고 마침내는 아무것도 볼 수 없게 되었다. 급히 상의하려고 하후돈을 불러오게 하여 하후돈이 대궐 문앞에 다다랐을 때였다. 갑자기 복황후와 동귀인, 두 황자와 복완, 동승 등이 음산한 구름 속에 서 있는 것이 보였다. 하후돈은 크게 놀라 정신을 잃고 그 자리에 쓰러져버렸다. 좌우에서 부축해 옮겼으나 하후돈 역시 그 길로 병이 들어 자리에서 일어나지 못했다. 조조는 조홍·진군·가후·사마의 들을 침상 가까이 불러들여 후사를 부탁했다. 조홍 등이 머리를 조아리며 아뢴다.

"대왕께서는 부디 옥체를 보중하소서. 머지않아 반드시 쾌차하실 것입니다."

그러나 조조는 말한다.

"내가 30여년 동안 천하를 종횡하면서 모든 영웅들을 멸하고 이제 남은 것은 다만 강동의 손권과 서촉의 유비뿐이다. 내 이제 병세가 위급하여 경들과 더불어 더이상 천하를 도모하지 못하겠기에, 특별히 집안일을 부탁하려 한다. 큰아들 조앙은 유씨 소생으로 불행히 일찍이 완성에서 죽었고, 변씨 소생으로 네 아들이 있으니 비(丕)와 창(彰)과 식(植)과 웅(熊)이다. 내가 평소 사랑하는 아들은 셋째 식인데, 그 사람됨이 허황하고 성실하지 못하며 술을 좋아하고 방종하여 세자로 세우기 어렵다. 둘째 창은 용맹하긴 하지만 지혜가 부족하고, 넷째 웅은 잔병치레를 많이 하여 건강을 보전하기 어려울 것이다. 오직 장자 비가 독실하고 인정이 두터우며 공손하고 조심성이 있으니, 가히 대업을 이을 만하다. 경들은 마땅히 옆에서 그를 잘 도와주기 바라노라."

조홍 등이 눈물을 흘리며 명을 받고 물러났다. 조조는 근시에게 명해 평소 간직해온 이름난 향을 가져오게 하여 시녀들에게 나누어주며 당부한다.

"내 죽은 후에 너희들은 부지런히 바느질을 익혀 비단신이라도 많이 만들어 팔면 능히 스스로 살아갈 수 있을 것이다."

조조는 이어서 여러 첩들을 불러 유언한다.

"너희들은 모두 동작대에 살면서 날마다 내게 제사를 지내되, 반드시 기녀를 시켜 음악을 연주하고 상식(上食)을 올리도록 하라."

조조의 유언은 계속되었다.

"창덕부(彰德府) 강무성(講武城) 밖에다 의총(疑塚, 가짜무덤) 72개를 만들어 내가 어느 무덤에 묻혀 있는지 모르게 하라. 혹시라도 뒷사람들이 내 무덤을 파낼까 걱정이다."

유언을 마치자 조조는 길게 탄식하고 눈물을 비오듯 흘리다가 마침내는 숨이 끊어졌다. 그의 나이 66세로, 때는 건안 25년(220) 정월이었다.

후세 사람들이 '업중가(鄴中歌)' 한편으로 조조를 탄식했다.

땅은 업성이요 물은 장수로다	鄴則鄴城水漳水
특이한 인물 하나 여기서 일어났네	定有異人從此起
영웅의 지략에다 문장이 걸출하니	雄謀韻事與文心
그 형제 부자요 또 군신이라	君臣兄弟而父子
영웅 가슴 속은 속인과 다르거늘	英雄未有俗胸中
나가고 물러감을 사람들 소견대로 따르랴	出沒豈隨人眼底
공훈의 으뜸 죄악의 수괴 다른 사람 아니요	功首罪魁非兩人
후세에 욕먹고 칭송듣는 것도 본래 한몸	遺臭流芳本一身

문장솜씨 입신의 지경 패기에 넘치거늘	文章有神覇有氣
어찌 구차하게 무리들과 섞이리	豈能苟爾化爲群
강을 질러 쌓은 동작대 태항산 마주보니	橫流築臺距太行
그 기세와 규모 서로 다툴 만했네	氣與理勢相低昂
이 사람 어찌 역적질하지 않았으리요	安有斯人不作逆
적게는 패업, 크게는 제왕	小不爲覇大不王
패왕노릇 할 사람이 아녀자처럼 굴었으니	覇王降作兒女鳴
어찌 마음속에 불평스런 심사 없었으리	無可奈何中不平
제를 드리는 일 소용없는 줄 잘 알았거니	饗帳明知非有益
향 나누어준 일 무정하다 할 수 없네	分香未可謂無情
아아, 옛사람 일할 때 크고 작음 따로 없어	嗚呼古人作事無巨細
적막도 호화도 모두 뜻이 있었네	寂寞豪華皆有意
서생들 가벼이 무덤 속의 사람 시비하지만	書生輕議冢中人
무덤 속에서 너희들 서생의 기개 비웃으리	冢中笑爾書生氣

조조가 죽으니 문무백관들이 모두 통곡을 하며 장례준비를 했다. 사람을 보내 세자 조비·언릉후(鄢陵侯) 조창·임치후(臨淄侯) 조식·소회후(蕭懷侯) 조웅에게 부음을 전하는 한편, 조조의 주검을 염해 금관(金棺) 은곽(銀槨)에 모시고 밤낮을 쉬지 않고 업군으로 향했다. 조비는 부친이 죽었다는 소식을 듣고 대성통곡하며 대소 관원을 거느리고 업성 10리 밖까지 나왔다. 땅에 엎드려 영구를 맞이하고 성으로 들여 편전에 모시고는 모든 관료들과 더불어 상복을 입고 통곡했다. 이때 한 사람이 나서며 큰소리로 외친다.

"청컨대 세자께서는 슬픔을 참으십시오. 우선 대사부터 의논하셔야 합니다."

사람들이 돌아보니 중서자(中庶子) 사마부(司馬孚)였다. 사마부가
말한다.

"위왕께서 승하하시어 천하가 동요하고 있으니 속히 왕위를 계승
해 백성들을 안정시켜야 하거늘, 어찌하여 통곡만 하고 계십니까?"

여러 신하들이 말한다.

"세자께서 마땅히 왕위를 계승하셔야 할 것이나 아직 황제의 명을
받지 못하였으니 어찌 함부로 행동할 수 있겠소?"

이때 병부상서(兵部尚書) 진교(陳矯)가 나선다.

"왕께서 밖에서 승하하셨으니, 그 아드님들이 저마다 왕위에 오르
려고 변을 일으킨다면 사직이 위태로워질 것이오."

그러더니 칼을 뽑아 자신의 도포 소매를 베어 보이며 더욱 소리높
여 말한다.

"오늘 즉시 세자를 청해 왕위에 오르시도록 할 터이니, 만일 딴소
리를 하는 자가 있으면 이 도포처럼 만들어버리겠소!"

문무백관들이 송구해서 어쩔 줄을 모르는데, 허도에 있던 화흠이
말을 달려 당도했다는 소식이 전해졌다. 관원들이 또다시 크게 놀라
술렁거리는 중에 얼마 안 있어 화흠이 급히 들어왔다. 관원들이 저마
다 무슨 일로 왔는지를 묻자 화흠이 답한다.

"위왕께서 승하하시어 천하가 동요하는데, 어찌하여 세자를 청해
왕위를 계승하시도록 서두르지 않소?"

관원들이 답한다.

"아직 황제의 명을 받지 못한지라 왕후 변씨의 분부를 받들어 세자
를 세우려는 중이었소."

화흠이 말한다.

"내 이미 한제(漢帝)께 품하여 여기 조서를 받아왔으니 그 점은 염려할 것 없소이다."

문무백관들이 뛸 듯이 기뻐하며 칭찬했다. 화흠은 품에서 조서를 꺼내 읽기 시작했다. 본래 화흠은 위왕에게 아첨을 일삼던 인물로, 제 스스로 조비를 위왕으로 삼고 승상이자 기주목(冀州牧)에 봉한다는 내용의 조서를 꾸미고는 헌제로 하여금 억지로 승인하게 했던 것이다. 조비는 그날로 왕위에 올라 대소 관원들의 절을 받고 한바탕 축하연이 베풀어졌다. 잔치가 한창 무르익어갈 무렵 언릉후 조창이 장안에서 10만 대군을 거느리고 왔다는 보고가 들어왔다. 조비가 크게 놀라 신하들에게 묻는다.

"노란 수염(조창의 애칭) 내 아우놈은 본래 성정이 거친데다 무예에 능통했는데 이제 군사를 이끌고 멀리서 왔으니, 이는 반드시 나와 왕위를 다투려는 것임에 틀림없소. 이 일을 어찌하면 좋겠소?"

계단 아래에서 문득 한 사람이 나서며 말한다.

"신이 가서 언릉후를 만나보고 말 한마디로 그의 그릇된 생각을 꺾어놓겠습니다."

다른 관원들도 입을 모아 말한다.

"과연 대부(大夫)가 아니면 이 일을 풀어낼 사람이 없을 것입니다."

조씨집 비와 창의 일을 지켜보아라   試看曹氏丕彰事
잘못하단 원씨네 담과 상이 싸운 꼴 되겠네   幾作袁家譚尚爭

이 일을 해결하겠다고 장담하고 나선 사람은 누구일까?

79

三國志

위왕에 오른 조비

형 조비는 아우 조식을 핍박해 시를 짓게 하고
조카로서 삼촌을 해친 유봉은 처형을 당하다

조비는 조창이 군사를 거느리고 왔다는 말을 듣고 놀라 관원들에게
대책을 물었다. 이때 한 사람이 선뜻 앞으로 나섰다. 사람들이 보니
다름아닌 간의대부(諫議大夫) 가규(賈逵)였다. 조비가 몹시 기뻐하며
가규에게 즉시 가서 만나보도록 했다. 가규가 명을 받고 성밖으로 나
가 예로써 조창을 맞으니, 조창이 묻는다.

"선왕의 옥새는 어디 있소?"

가규가 정색을 하고 말한다.

"집안에는 장자가 있고 나라에는 세자가 있는 법이니, 선왕의 옥새

는 군후께서 상관하실 바가 아닙니다."

가규의 말에 조창은 아무런 대꾸도 없었다. 잠자코 가규와 함께 성으로 들어서 궁문 앞에 이르자 가규가 묻는다.

"군후께서는 이번에 분상(奔喪, 먼곳에서 부모의 부음을 듣고 급히 집으로 돌아감) 오셨습니까, 아니면 왕위를 다투려고 오셨습니까?"

"나는 분상 온 것이지 다른 마음은 없소."

"다른 마음이 없다면 군후께선 무슨 까닭으로 군사를 거느리고 오셨습니까?"

조창은 즉시 좌우에 따르던 장수들을 꾸짖어 물리치고 혼자서 입궐해 조비를 만났다. 형제는 서로 끌어안고 대성통곡했다. 이윽고 조창이 거느린 군마들을 모두 바치니 조비는 조창에게 다시 언릉으로 돌아가 지킬 것을 명했다. 조창은 하직인사를 올리고 돌아갔다.

이에 조비는 비로소 안심하고 왕위를 계승하여 건안 25년(220)을 연강(延康) 원년으로 개원했다. 가후를 태위(太尉)로, 화흠을 상국(相國)으로, 왕랑(王朗)을 어사대부(御史大夫)로 삼았으며, 그밖의 대소관원들도 벼슬을 높이거나 상을 내렸다. 그리고 선왕 조조의 시호를 무왕(武王)이라 하고 업군의 고릉(高陵)에 장사지낸 다음, 우금에게 능을 맡아보게 했다. 우금이 명을 받고 고릉으로 가서 능옥(陵屋)에 들어서니, 백분(白紛)을 발라 하얀 벽에 지난날 관운장이 위의 7군을 강물로 휩쓸어 무찌르고 우금을 사로잡은 일이 상세히 그려져 있었다. 관운장은 엄정한 모습으로 상좌에 앉아 있고, 방덕은 분노를 참지 못하며 굴하지 않는 몸짓인데, 우금은 땅에 엎드려 목숨을 구걸하는 형상이었다. 원래 조비는 우금이 싸움에 패해 적군에 사로잡혔을 때 죽음으로써 절개를 지키지 못하고 적에 투항했다가 돌아온 일을 두고 그 사람됨을 비루하게 여겼다. 그래서 미리 화공을 시켜 능옥 벽에다 그림을 그리게 한 뒤, 의도적으로 우금을 보내 제 눈으로 보고 부끄러움을 알게 하려 한 것이었다. 그림을 본 우금은 너무도 부끄럽고 괴로운 마음에 마침내는 수치심이 병이 되어 죽고 말았다.

후세 사람이 시를 지어 우금을 탄식했다.

삼십년 동안의 오랜 사귐으로 말하자면	三十年來說舊交
가련타, 어려움 당하여 조씨에 불충함이	可憐臨難不忠曹
사람을 안다 해도 그 마음 알 수 없으니	知人未嚮心中識
이제 범을 그리려면 뼛속부터 그려야 하리	畫虎今從骨裡描

화흠이 조비에게 아뢴다.

"언릉후는 군마를 내놓고 돌아갔으나 임치후 조식과 소회후 조웅은 끝내 조문하러 오지 않으니 도리상 마땅히 문죄해야 할 것입니다."

그 말에 따라 조비는 즉시 두 곳에 죄를 묻는 사자를 보냈다. 소회후에 갔던 사자가 그날로 돌아와 고한다.

"소회후 조웅이 죄를 두려워한 나머지 스스로 목을 매 자결했사옵니다."

조비는 막내아우 조웅을 후하게 장사지내도록 하고 소회왕으로 추증(追贈)했다. 다시 하루가 지나고 임치후 조식에게 갔던 사자가 돌아와 고한다.

"임치후는 정의(丁儀)·정이(丁廙) 형제와 더불어 대취하여 무례하기 이를 데 없었나이다. 신이 왕명을 받들고 문죄하러 왔다고 하는데도 임치후는 앉은 채 꼼짝도 하지 않았습니다. 정의는 '지난날 선왕께서는 우리 주인을 세자로 삼으려다 간신들의 방해로 뜻을 이루지 못했는데, 이제 선왕께서 세상을 떠나신 지 얼마 되지도 않아 골육간에 죄를 묻다니 될 법이나 한 일이냐?'고 신을 꾸짖었습니다. 또한 정이는 '우리 주공께서 총명하시기로 세상에 따를 자가 없으니 마땅히 왕위를 계승하셔야 하는데도 오늘날 그리 되지 못하셨다. 너희들 묘당의 신하들은 어찌하여 인재를 알아보지 못하느냐?'고 호령했사옵니다. 임치후는 크게 노해 무사들을 시켜 신을 몽둥이질하여 내쫓았습니다."

화가 치밀어오른 조비는 즉시 허저에게 영을 내렸다.

"그대는 당장 호위군 3천명을 이끌고 임치로 가서 식과 그 일당을 모조리 붙잡아오라!"

허저가 호위군을 거느리고 임치성에 이르니, 수문장이 나와 앞을 가로막았다. 허저는 즉시 칼을 뽑아 수문장을 베고 성안으로 들어섰다. 누구도 감히 그 앞을 막아서지 못했다. 허저가 곧장 관부에 이르러 보니 방금까지도 술판을 벌인 듯 조식과 정의, 정이는 대취하여 아무렇게나 쓰러져 있다. 허저는 이들을 결박해 수레에 실은 뒤 그곳의 대소 관리들과 함께 업군으로 연행해와 조비의 처사를 기다리게 했다. 조비는 먼저 정의·정이 형제와 수하관료들을 모조리 참하라 명했다. 정의의 자는 정례(正禮)요 정이의 자는 경례(敬禮)로, 이들 형제는 본래 패군 사람이었다. 당대의 문사로서 유명했던 두 사람의 죽음에 많은 사람들이 애석해했다.

이때 조비의 어머니 변씨는 조웅이 목을 매 자결했다는 소식을 전해듣고 깊이 상심해 비탄에 잠겨 있었다. 그런데 또다시 조식이 붙들려오고 정의 등 그 일당은 이미 죽임을 당했다는 말을 듣자 소스라치게 놀라 급히 정전으로 나와 조비에게 보기를 청했다. 조비는 어머니를 맞아 황망히 일어나며 절을 올렸다. 변씨가 울면서 말한다.

"네 아우 식이 평생 술을 좋아하고 언행이 거친 것은 가슴속에 품은 제 재주를 믿고 방종한 탓이다. 네가 한핏줄로서의 정리를 생각한다면 그 아이의 목숨을 살려다오. 그래야 내 구천에 가더라도 눈을 감을 수 있겠구나."

조비가 말한다.

"저도 아우의 재주를 무척이나 아끼는데 해칠 리가 있겠습니까? 버릇이 없어 가르치려 할 뿐이니 어머님께서는 너무 심려하지 마십시오."

변씨는 눈물을 흘리며 내전으로 들어갔다. 조비가 편전으로 나가 조식을 불러들이려는데, 곁에 있던 화흠이 묻는다.

"태후께서 전하께 자건(子建, 조식의 자)의 목숨을 살려달라 청하러 오신 것이었지요?"

"그렇소."

화흠이 은근하게 말한다.

"자건은 재주가 있고 지혜가 출중해 연못 속의 이무기로 그치지는 않을 인물입니다. 지금 속히 없애버리지 않는다면 반드시 후환이 있을 것입니다."

조비는 걱정스럽게 말한다.

"그렇다고 어머님의 영을 거스를 수는 없지 않겠소?"

화흠이 목소리를 낮추어 계략을 고한다.

"사람들의 말에 따르면 자건은 입만 열면 문장이 나온다는데, 신은 아직 믿지 못하겠습니다. 대왕께서 이번에 불러들여 재주를 시험해보십시오. 만일 능히 문장을 이루지 못하거든 즉시 죽이시고, 과연 잘하거든 폄하하셔서 천하 문인들의 입을 틀어막도록 하십시오."

조비는 화흠의 말에 고개를 끄덕였다. 잠시 후 조식이 두려워 어쩔줄 모르면서 들어오더니 조비 앞에 꿇어엎드려 죄를 청했다. 조비가 조식을 굽어보며 말한다.

"내 너와 정으로 말하면 형제지간이나 의리로 따진다면 군신간인데, 너는 어찌하여 사소한 재주만 믿고 제멋대로 구느냐? 선군께서 살아 계실 때 너는 항상 남들 앞에 문장을 자랑해왔는데, 나는 혹여 그것이 네가 지은 게 아니라 다른 사람이 써준 것이 아닌가 의심해왔다. 이제 명하니, 너는 일곱 걸음을 걷는 동안 시를 한 수 지어 읊어보아라. 네가 능히 해낸다면 죽음을 면하겠지만 만일 그렇지 못하면 무거운 죄로 다스려 추호도 용서치 않을 것이다!"

조식이 말한다.

"바라건대, 시제(詩題)를 주십시오."

이때 정전에는 두 마리 소가 토담 밑에서 싸우다가 한 마리가 우물에 빠져죽는 모습을 그린 수묵화가 한 점 걸려 있었다. 조비는 그 그림을 가리켰다.

"저 그림을 시제로 삼되, 두 마리 소가 담 아래서 싸운다든가 한 마리가 우물에 빠져죽었다든가 하는 문구가 들어가서는 안된다."

드디어 조식은 일곱 걸음을 떼면서 시를 읊기 시작했다.

두 고깃덩이가 나란히 길을 가는데	兩肉齊道行
머리 위에는 요(凹)자 모양이라	頭上帶凹骨

흙더미 아래서 서로 만나니	相遇塊山下
갑자기 부딪쳐 싸움 일어나네	歘起相搪突
두 놈이 모두 강할 수는 없어	二敵不俱剛
한 고깃덩이는 토굴에 자빠지네	一肉臥土窟
힘이 부쳐서 그런 것이 아니라	非是力不如
성한 기운을 다 쏟지 못함이로다	盛氣不洩畢

조비를 비롯한 모든 신하들이 놀랐다. 조비는 다시 트집을 잡는다.

"네가 일곱 걸음에 시를 지었으나 그리 빠른 것 같지 않다. 그러니 내 말이 떨어지기가 무섭게 시 한 수를 지을 수 있겠느냐?"

조식은 거침없이 대답한다.

"어서 시제를 주시지요."

조비가 말한다.

"나와 너는 형제간이니 이를 제목으로 하되, 형제라는 글자가 들어가서는 안된다."

조식은 생각해볼 것도 없는 듯 즉시 시 한 수를 읊는다.

콩을 삶는데 콩깍지로 불을 때니	煮豆燃豆萁
콩은 가마솥 속에서 우는구나	豆在釜中泣
원래는 한뿌리에서 생겨났건만	本是同根生
어찌 이다지도 심히 볶아대는가	相煎何太急

조비는 이를 들으며 자기도 모르게 눈물을 흘렸다. 이때 어머니 변씨가 내전에서 나오며 말한다.

煮豆燃豆萁
豆在釜中泣
本是同根生
相煎何太急

七步詩 癸未歲 日 寫奎章閣

조식은 칠보시로 형의 마음을 움직이다

"형으로서 어찌 이렇듯 동생을 심하게 핍박하느냐!"

조비가 황망히 일어나 자리에서 내려서며 말한다.

"그러나 국법을 폐할 수는 없습니다."

마침내 조비는 조식의 벼슬을 깎아 안향후(安鄕侯)에 봉했다. 조식은 하직하고 떠나갔다.

조비는 왕위를 계승한 뒤로 법령을 새롭게 고치고 아비 조조보다 더욱 심하게 위세를 부리며 한나라 황제를 핍박했다. 이와같은 실정은 정탐꾼에 의해 낱낱이 성도에 보고되었다. 한중왕은 이 소식을 듣고 크게 놀라 문무관원들을 불러 의논한다.

"조조가 죽고 그 아들 조비가 왕위를 계승했는데, 황제를 핍박함이 조조보다 심하고, 동오의 손권은 두 손 모아 위의 신하를 자처한다 하오. 그러니 내 먼저 동오를 쳐서 운장의 원수를 갚고 나서 중원으로 쳐들어가 난적(亂賊)을 소탕하려 하오."

말이 채 끝나지도 않았는데, 요화가 앞으로 나와 땅에 엎드려 울며 고한다.

"관공 부자가 돌아가신 것은 원군을 거절한 유봉과 맹달의 잘못입니다. 먼저 그 두놈부터 잡아죽이소서."

이에 현덕은 즉시 사람을 보내 유봉과 맹달을 잡아들이려 했다. 공명이 나서며 간한다.

"주상께서는 고정하소서. 이 일은 천천히 도모해야지 서두르다가는 변고가 생깁니다. 먼저 그 두 사람을 군수로 승진시켜 서로 떼어놓은 후에 사로잡으소서."

현덕은 그 말에 따라 사자를 보내 유봉의 벼슬을 높여 면죽(綿竹)

을 지키라는 첩지를 전했다. 원래 팽양(彭羕)은 오래 전부터 맹달과 친분이 두터웠다. 현덕과 공명이 하는 소리를 듣고 집으로 돌아와 급히 서신을 써서 심복부하에게 주어 이 일을 맹달에게 알리게 했다. 팽양의 심복은 성을 빠져나가다가 남문 밖을 순찰중이던 마초의 군사들에게 붙잡혔다. 그를 심문하던 끝에 전후 사정을 알게 된 마초는 곧 시치미를 떼고 팽양의 집으로 찾아갔다. 팽양이 마초를 맞이해 술상을 차려내고 마주앉았다. 술이 몇 순배 돌고 나자 마초는 슬그머니 말을 꺼낸다.

"한중왕께서 지난날에는 그대를 후대하시더니, 요즈음 들어서는 어찌 그리 박정하게 대하시는지 모르겠소."

이미 술에 취한 팽양은 원망의 말을 늘어놓는다.

"그 노망한 늙은이, 내 반드시 보복하고야 말겠소!"

마초가 다시 팽양의 본심을 떠본다.

"나 역시 원한을 품은 지 오래였소!"

팽양은 마초의 말을 듣고 신이 나서 떠든다.

"그렇다면 그대가 군사를 일으켜 밖에서 맹달과 합세해 쳐들어오시오. 내가 서천 군사를 이끌고 안에서 접응한다면 쉽게 대사를 도모할 수 있을 것이오."

"좋은 계책이오. 이럴 게 아니라 우리 내일 다시 만나 상의하도록 합시다."

마초는 팽양의 집에서 나오는 길로 입궐해 한중왕을 뵙고 팽양의 밀서를 보이며 자세한 정황을 고했다. 크게 노한 현덕은 곧바로 명을 내려 팽양을 잡아들여 옥에 가두고 추궁하게 했다. 옥중에서 팽양은 땅을 치고 후회했으나 때는 이미 늦었다. 현덕이 공명에게 묻는다.

"팽양이 모반할 뜻을 품었으니 어떻게 다스렸으면 좋겠소?"

공명이 대답한다.

"팽양은 미치광이 선비에 불과하지만 살려두었다가는 반드시 화근이 될 것입니다."

현덕은 마침내 옥에 갇힌 팽양을 죽이도록 명했다. 누군가 팽양이 옥사한 것을 전하니 맹달은 크게 놀라 어찌할 바를 몰랐다. 그 와중에 한중왕의 사신이 도착해 유봉이 명을 받고 면죽을 지키기 위해 떠나니, 맹달은 급히 상용(上庸)과 방릉(房陵)의 도위인 신탐(申耽)·신의(申儀) 형제를 청하여 의논했다.

"나는 법정과 더불어 한중왕을 위해 많은 공을 세웠는데, 법정은 이미 죽고 한중왕은 내 공로를 잊고 나를 해치려 하니 어찌하면 좋겠소?"

신탐이 대답한다.

"내게 한 가지 계책이 있으니 한중왕이 공을 해치지 못하게 하겠소이다."

맹달이 기뻐하며 급히 그 계책을 묻자 신탐이 말한다.

"우리 형제는 위에 투항하고자 결심한 지 오래요. 공이 표문을 써서 한중왕과 작별하고 위왕 조비에게 투항한다면 반드시 공을 중용할 것이오. 우리 형제도 뒤따라 투항하겠소."

신탐의 말에 맹달은 정신이 번쩍 들어 즉시 표문 한 통을 써서 성도에서 온 사자에게 주어 돌려보내고, 그날 저녁으로 수하 50여기를 거느리고 위나라로 떠났다. 성도로 돌아온 사자가 한중왕에게 표문을 바치며 맹달이 이미 위나라로 투항해갔음을 아뢰자 한중왕은 노발대발했다. 급히 맹달의 표문을 읽어내려갔다.

신 맹달이 엎드려 생각건대, 전하께서 이윤(伊尹, 상商의 명재상)과 여상(呂尙, 주周 초기 정치가 강태공)의 업을 세우시고 환공(桓公)·문공(文公, 춘추시대 제齊와 진晉의 군주로 둘 다 춘추오패에 속하며 뛰어난 정치력을 바탕으로 제후들의 맹주가 됨)의 공을 본받고자 천하 대사를 일으키시어 그 형세가 오(吳)·초(楚)에 이르니, 유능한 선비들이 바람에 불려오듯 덕망을 좇아 모여들었사옵니다. 신이 전하께 몸을 의탁한 후 그 허물이 태산 같음을 스스로 알고 있거늘, 하물며 전하의 밝으신 지혜로 어찌 모르실 리 있겠습니까? 이제 왕조에는 영웅과 준재가 물고기처럼 모여 있으나 오직 신만은 안에서 전하를 보좌할 만한 인물이 못 되고, 밖으로는 대군을 거느릴 재주가 없으니, 공신들 반열에 끼여 있기가 진실로 부끄러울 따름이옵니다.

신이 듣기로, 옛날 범려(范蠡)는 때를 알아 오호(五湖)에 배를 띄웠고, 구범(舅犯)은 스스로 허물을 사죄하고 강변에서 물러섰다 하옵니다.(춘추시대 초나라 사람 범려는 월나라 왕을 보좌해 상장군이 되었으나 월왕이 고락을 함께 할 인물이 못 됨을 깨닫고 물러나 오호에 배를 띄웠으며, 춘추시대 진나라 대부 구범은 문공을 보좌해 오랜 망명생활을 했으나 돌아올 즈음 문공이 그 공로를 잊고 실책만 기억할 것이 두려워 사죄하고 황하강변에서 돌아섰다고 함. 맹달은 이 고사를 들어 자신을 변명하는 것임.) 장부들이 구름같이 모여들어 대사를 논해야 할 때 물러감을 청하는 것은 어인 까닭이겠습니까? 이는 물러설 때와 나아갈 때를 분명히하고자 함입니다. 하물며 신은 비루한 몸으로 큰 공도 없이 시간만 보내던 처지라, 옛 어진 인물들의 고사를 흠모하며 장차 닥쳐올 부끄러움을 생각해보게 되었습니다. 옛날에 신생(申生)은 지극한 효자였는데도 부모에게 의심을 받았고, 오자서(伍子胥, 춘추시대 오나라의 공신)는 만고의 충신이었으나 임금에게 죽임을 당했으며, 몽염(蒙恬, 진秦의 대장)은 변방을 개척했으나 큰 형벌을 받았고, 악의(樂毅, 전국시대 연燕나라의 명장)는 제(齊)나라를 쳐서 승리했으나 간신들의 참소를 받았습니다. 신은 그러한 옛글을 읽으며 비분강개하여 매양 눈물을 흘렸는데, 이제 옛사람들이 겪은 것을 몸소 당하고 보니 더욱 슬프지 않을 수 없사옵니다.

형주가 동오의 손에 함락되었을 때 대신들은 절개를 잃어 백에 하나도 돌아온 사람이 없었으나 오로지 신만은 스스로 일을 찾아 방릉과 상용을 지키고 있었으니, 이제 온전히 전하께 바치고 떠나옵니다. 엎드려 바라옵건대 전하께서는 부디 성은을 베푸시어 신을 불쌍히 여기시고 신의 떠남을 가엾게 생각해주소서. 신은 진실로 소인이라, 능히 처음과 끝을 관철하지 못하나이다. 알고서도 이렇게 행하는데, 감히 죄 아니라 하겠사옵니까. 신이 듣기로 '절교할지라도 서로 미워하는 말을 하지 않으며, 신하를 떠나보내되 원망의 말을 하지 않는다〔交絶無惡聲 去臣無怨辭〕'고 했사옵니다. 신은 옛 군자들의 가르침을 그릇되게 받들었으니, 원컨대 군왕께서는 이러한 옛말을 따르도록 힘쓰소서. 참으로 황공한 마음을 이기지 못하겠나이다.

표문을 끝까지 읽고 난 현덕이 불같이 화를 내며 말한다.
"이 하잘것없는 자가 나를 배반하고 떠나면서 어찌 감히 이런 글로 희롱하려 드는가!"
즉시 군사를 일으켜 맹달을 사로잡으려 했다. 공명이 말한다.
"유봉을 보내 두 범이 서로 싸우게 하십시오. 유봉은 이기든 지든 반드시 성도로 돌아올 터이니, 그때 없애면 두 사람을 모두 제거할 수 있습니다."

현덕은 그 말을 받아들이고 즉시 사자를 면죽으로 보내 유봉에게 맹달을 사로잡아오라는 첩지를 내렸다. 유봉은 명을 받들어 맹달을 생포하기 위해 군사를 거느리고 떠났다.

한편 조비는 문무관원들과 함께 국사를 의논하고 있었다. 근시가 들어와 아뢴다.

"촉장 맹달이 투항해왔습니다."

조비는 즉시 맹달을 불러들였다.

"네가 여기 온 것은 거짓항복하려는 게 아니냐?"

맹달이 대답한다.

"신은 지난날 관공이 맥성에서 위기에 처했을 때 구하지 않은 탓에 한중왕으로부터 목숨을 위협받아 투항하려는 것이지, 다른 뜻은 없습니다."

조비가 좀처럼 믿지 못하는데 다시 보고가 들어왔다. 유봉이 5만 대군을 이끌고 양양으로 쳐들어왔는데 다만 맹달을 죽이기 위해서라는 것이다. 조비가 말한다.

"네가 항복한 것이 진심이라면 당장 양양으로 가서 유봉의 목을 베어오너라. 그러면 네 말을 믿겠다."

맹달이 말한다.

"신이 이해득실을 따져 설득하면 구태여 군사를 움직이지 않더라도 유봉을 항복시킬 수 있습니다."

조비는 크게 기뻐하며 맹달을 산기상시(散騎常侍) 건무장군(建武將軍) 평양정후(平陽亭侯)로 삼고 신성(新城) 태수를 겸하게 하여 양양과 번성을 지키도록 했다. 원래 양양에는 하후상과 서황이 이미 주둔하고서 장차 상용의 여러 고을을 취하기 위한 교두보로 삼고 있었다. 맹달은 양양에 도착해 하후상과 서황 두 장수와 인사를 나누었다. 유봉은 성에서 50리 떨어진 곳에 영채를 세워 군사를 주둔하고 있었다. 맹달은 즉시 유봉에게 투항을 권유하는 내용의 서신을 써서 인편으로 보냈다. 서신을 받아본 유봉은 크게 화를 낸다.

"이 역적놈이 내게 숙질간의 의리를 끊게 만들더니, 또다시 부자간의 정리마저 끊게 하여 나를 불충불효한 사람으로 만들 작정이구나!"

즉시 편지를 찢고 사자의 목을 베어버렸다. 다음날 유봉은 군사를 이끌고 나가 싸움을 걸었다. 유봉이 서신을 찢고 사자마저 참했다는 소식을 전해들은 맹달 또한 화가 치밀어 군사를 이끌고 나가 대치했다. 양쪽 군사가 둥글게 진을 벌여세우자 기다렸다는 듯 유봉이 문기 아래 말을 세우고 칼을 치켜들며 꾸짖는다.

"이 나라를 배신한 역적놈아, 어찌 감히 난잡한 글을 보냈느냐!"

맹달이 맞선다.

"죽음이 네 머리 꼭대기에 이르렀는데 아직도 깨닫지 못하는 게냐?"

유봉이 노기충천하여 말을 박차고 나가 맹달에게 달려들었다. 그러나 싸운 지 3합이 못되어 맹달은 달아나기 시작했다. 유봉이 내처 20리 가량 추격해갔을 때였다. 난데없이 함성이 울리더니 좌우에서 복병이 물밀듯 쏟아져나온다. 왼쪽에서는 하후상이, 오른쪽에서는 서황이 군사를 휘몰고 달려나왔다. 순간 지금까지 뒤도 돌아보지 않고 달아나던 맹달이 말머리를 돌려 공격해왔다.

유봉은 세 방면에서 짓쳐들어오는 군사들의 협공을 견뎌내지 못하고 대패했다. 겨우 군사를 수습한 뒤 밤을 새워 상용을 향해 달아나는데, 위군이 일제히 뒤를 추격해왔다. 가까스로 성 아래 당도한 유봉은 다급히 성문을 열라고 소리쳤다. 그러나 성문이 열리는 대신 위에서 어지럽게 화살이 날아오는 것이 아닌가. 유봉이 깜짝 놀라 뒤로 물러서는데, 성루 위에서 신탐이 외친다.

"나는 이미 위나라에 항복한 지 오래다!"

분이 치밀어오른 유봉은 당장 성을 공격하려 했으나 위군이 바싹 뒤쫓고 있는지라 도리없이 공격을 단념하고 방릉을 향해 달아나기 시작했다. 방릉성 가까이 다다른 유봉은 또 한번 놀랐다. 성위에 위나라 깃발이 꽂혀서 휘날리고 있었던 것이다. 성루에서 신의가 깃발을 휘둘러 신호를 보내자 성 뒤에서 한떼의 군사들이 쏟아져나왔다. 나부끼는 깃발에는 '우장군 서황(右將軍徐晃)'이라는 글자가 큼직하게 씌어 있었다. 유봉은 대적할 생각도 못하고 서천으로 말머리를 돌렸다. 서황은 승세를 몰아 끈질기게 추격해왔다. 유봉이 겨우 위기를 벗어나서 보니, 끝까지 남아 뒤를 따르는 군사는 겨우 1백여기에 지나지 않았다. 수많은 군사를 잃고 성도에 도착한 유봉은 한중왕을 뵙고 땅에 엎드려 통곡하며 그간의 자세한 일을 고하였다. 현덕이 버럭 화를 내며 꾸짖는다.

"아비를 욕보인 불효한 자식이 무슨 낯으로 다시 나를 보러 왔단 말이냐?"

유봉이 말한다.

"숙부께서 돌아가신 것은 제가 구하지 않아서가 아니라, 맹달의 모함과 방해 때문이었습니다."

이 말에 현덕은 더욱 격노했다.

"사람이 먹는 음식을 먹고 사람이 입는 옷을 입는다고 네가 사람이라 하겠느냐. 나무로 만든 허수아비가 아니고서야 어찌 역적놈의 말에 넘어간단 말이냐!"

현덕은 좌우를 둘러보며 호령한다.

"저놈을 당장 끌어내 목을 베어라!"

맹달이 회유의 서신을 보내왔을 때 유봉이 그 자리에서 찢어버리고 사자를 참했다는 사실은 그를 처형한 지 며칠 뒤에야 한중왕의 귀에 들어갔다. 한중왕은 유봉을 죽인 것을 못내 후회하며, 또한 관운장의 죽음을 애통해하다가 마침내 병이 들었다. 이로 인해 군사를 움직이지 못했다.

한편 위왕 조비는 스스로 왕위에 오른 뒤 문무백관들을 모두 승급시키고 상을 내렸다. 그리고 무장군사 30만명을 이끌고 남쪽 패국 초현을 순시하고 조상의 묘소를 찾아 제를 올렸다. 이때 고향의 부로(父老)들이 먼지를 날리며 길을 막고 술을 따라 바쳤으니, 옛날 한고조가 자기 고향 패국에 들렀을 때의 일을 본뜬 것이었다. 그런 중에 조비는 갑자기 대장군 하후돈의 병세가 위독해져 앞일을 예측할 수 없다는 보고를 받고 급히 업군으로 돌아갔다. 조비가 당도했을 때 하후돈은 이미 세상을 떠난 뒤였다. 조비는 몸소 상복을 입고 성대히 장사지내주었다.

그해 8월에 석읍현(石邑縣)에 봉황이 나타나고 임치성(臨淄城)에는 기린이 출현했으며, 업군에 황룡이 나타났다는 보고가 들어왔다. 이에 중랑장 이복(李伏)과 태사승 허지(許芝) 등이 모여 상의했다.

"여러가지 상서로운 징조들이 나타난 것은 모두 위(魏)가 한(漢)을

대신해 천하를 다스려야 한다는 뜻이오. 어서 제위선양(帝位禪讓, 황제
자리를 후계자에게 넘김)의 의식을 마련해 한제로 하여금 위왕에게 선위하
도록 해야 할 것이오."

이렇게 뜻을 모으고 나서 화흠을 비롯한 왕랑·신비·가후·유이(劉
廙)·유엽·진교·진군·환계(桓階) 등 일반 문무관원 40여명은 내전
으로 들어가 헌제를 뵙고 주청했다.

"청컨대 위왕 조비에게 선위하소서."

위나라 사직이 이제 창건되니   魏家社稷今將建
한나라 강산은 갑자기 옮겨가리   漢代江山忽已移

헌제는 과연 무슨 말로 답할 것인가?

80

한나라의 대통을 잇다

조비는 헌제를 폐위해 한왕조를 찬탈하고
한중왕 유비는 제위에 올라 한나라 혈통을 계승하다

화흠 등 문무관원들이 헌제를 뵙고 아뢴다.

"엎드려 생각건대, 위왕이 왕위에 오른 뒤로 그 덕이 사방에 퍼지고 그 인자함이 만물에 미치니, 고금을 통틀어 비록 당우(唐虞, 요순堯舜 임금)라 할지라도 이보다 더하지는 못할 것입니다. 군신들이 모여 의논한 끝에 이제 한나라의 운세는 다했다고 결론지었으니, 바라건대 폐하께서는 요순의 도를 본받으셔서 산천과 사직을 위왕에게 물려주소서. 그렇게 하심이 위로는 하늘의 뜻에 응하고 아래로는 백성의 뜻에 따르며 폐하께서 청한(清閑)의 복을 누리시는 길이니, 조종(祖宗,

제왕의 조상)과 백성들에게 이보다 다행한 일이 어디 있겠습니까? 신들
이 의논하여 특별히 주청드리옵나이다."

헌제는 너무나 놀라 한동안 말문을 열지 못하다가 문무백관을 보고
울며 말한다.

"짐이 생각건대 고조께서 삼척검(三尺劍)으로 흰뱀을 베어 의를 세
우고, 진(秦)을 평정하고 초(楚)를 무찔러 창업의 기틀을 세우신 이래
대대로 이어내려온 지 4백년이오. 짐이 비록 재주는 없으나 별다른
허물 또한 없거늘 어찌 조종의 대업을 버릴 수 있겠소? 경들은 다시
잘 생각하여 공정하게 의논해보길 바라오."

화흠이 이복, 허지와 더불어 앞으로 나서더니 다시 아뢴다.

"폐하께서 믿지 못하시겠거든 이 두 사람에게 한번 물어보소서."

이복이 아뢴다.

"위왕께서 즉위하신 이래로 기린이 나타나고 봉황이 날아들며 황
룡이 출현하고 가화(嘉禾, 벼)가 무성하게 자라며 감로(甘露)가 내리
니, 이 모든 하늘의 상서로운 기운은 장차 위가 한을 대신해 천하를
다스릴 것이라는 징표이옵니다."

이어서 허지가 아뢴다.

"신들이 천문의 일을 맡고 있어서 밤에 건상(乾象)을 보니, 타오르
던 한나라의 기운과 운수가 끝나고 폐하의 제성(帝星)도 잘 보이지
않았습니다. 위나라 건상은 천지와 함께하여 무궁하기가 말로 다하기
어렵고, 또한 도참(圖讖)과도 맞아떨어집니다. 도참에 '귀(鬼)가 위
(委)의 곁에 잇닿아 있으니 마땅히 한을 대신할 것이요, 언(言)은 동
쪽에 있고 오(午)는 서쪽에 있어 두 해(日)가 서로 빛을 발하며 위아
래로 옮겨다닌다'고 했으니, 폐하께서는 황제의 위를 물려주심이 옳

습니다. '귀가 위의 곁에 잇닿아 있다' 함은 바로 위(魏)를 뜻하고, '언이 동쪽에, 오는 서쪽에 있다'는 것은 허(許)자를 가리키며, '두 해가 빛을 아울러 아래위로 옮긴다'는 것은 창(昌)을 말합니다. 이는 결국 위가 허창(허도)에서 한나라를 계승한다는 뜻이오니, 원컨대 폐하께서는 깊이 살피소서."

묵묵히 듣고 있던 헌제가 입을 연다.

"경들이 말하는 상서로운 기운이니 도참이니 하는 것은 모두 허망한 것이니, 어찌 그런 것을 믿고 수백년 내려온 조종의 기업을 버릴 수 있겠소?"

이번에는 왕랑이 아뢴다.

"예로부터 흥하면 반드시 폐하고 성하면 반드시 쇠하는 것이 이치라 했으니, 어찌 망하지 않는 나라가 있으며 무너지지 않는 집안이 있겠사옵니까? 한실이 4백여년을 이어오다 이제 폐하의 대에서 운수가 다했으니, 마땅히 물러나 피하셔야 할 것입니다. 공연히 의심하고 주저하시면 변을 초래할 뿐이옵니다."

헌제는 목놓아 울며 후전으로 들어가고 모여 있던 백관들은 빙그레 웃으며 물러갔다.

다음날 백관들은 또다시 대전에 모여서 환관을 시켜 헌제를 모셔오도록 했다. 헌제가 근심과 두려움에 감히 나가지 못하는데, 곁에 있던 황후 조(曹)씨가 묻는다.

"문무백관들이 조회를 열고자 폐하를 청하는데, 어찌하여 나가지 않으시옵니까?"

헌제가 눈물을 흘리며 말한다.

"그대 오라비가 짐을 몰아내고 제위를 빼앗으려고 백관들을 시켜 위협하는지라 선뜻 나가지 못하는 것이오."

조황후가 대로하여 소리친다.

"오라버니가 어찌 감히 이런 역적질을 한단 말입니까!"

황후의 말이 미처 끝나기도 전에 요란한 발소리와 함께 조홍과 조휴가 허리에 칼을 차고 내전으로 들어와서는 헌제에게 대전으로 나갈 것을 강요했다. 조황후가 분을 참지 못해 소리높여 꾸짖는다.

"네놈들이 부귀를 탐해 역모에 공조하는구나! 내 아버님께서는 그 공로가 온세상 가득 미치지 않은 곳이 없고 위엄을 천하에 떨치셨는데도 감히 황제의 자리를 넘보지 않으셨거늘, 이제 오라버니는 왕위에 오른 지 얼마 되지도 않은 터에 한나라를 찬탈하려 하다니, 하늘이 네놈들을 기필코 용서치 않을 것이다!"

조황후가 통곡하며 안으로 들어가니 좌우에 모시고 있던 시종들도 모두 흐느껴 울었다.

조홍과 조휴는 다시 헌제에게 대전으로 나갈 것을 강권했다. 견디다 못한 헌제가 옷을 갈아입고 대전으로 나가자 화흠이 아뢴다.

"폐하께서는 어제 신들이 의논하여 드린 말씀대로 하셔서 부디 큰 화를 면하소서."

헌제가 통곡한다.

"그대들은 모두 한나라 국록을 먹은 지 오래이며, 더구나 그대들 중에는 한조 공신의 자손도 여럿인데, 어찌하여 차마 신하로서 할 수 없는 일을 꾸미는가!"

화흠이 말한다.

"폐하께서 만일 여러 사람들의 뜻을 따르지 않으신다면 하루아침에 대궐 안이 큰 화를 당할 터이니, 이는 신들이 불충한 탓이 아니옵니다!"

헌제는 더 참지 못하고 부르짖는다.

"누가 감히 짐을 시해하려 하느냐?"

화흠이 버럭 역정을 낸다.

"폐하가 임금자리에 있을 만한 복이 없어 사방이 크게 어지러운 것은 천하가 다 아는 일입니다. 만일 위왕이 조정에 없었다면 폐하를 시해하려는 자가 어디 한 사람뿐이었겠습니까? 폐하께서는 은혜를 덕으로 갚으려 하기는커녕 오히려 천하 백성들이 일어나 폐하를 몰아내기를 바라시는 것입니까?"

헌제는 너무나 놀라 소매를 떨치며 일어났다. 순간 왕랑이 얼른 화흠에게 눈짓을 보냈다. 화흠이 헌제 앞으로 성큼 다가서며 용포자락을 움켜잡더니 얼굴빛을 싹 바꾸어 윽박지른다.

"허락할 것인지 말 것인지 빨리 말하시오!"

헌제는 벌벌 떨며 대답을 못한다. 조홍과 조휴가 칼을 뽑아들고 소리친다.

"부보랑(符寶郎, 황제의 옥새를 관리하는 벼슬)은 어디 있느냐?"

조필(祖弼)이 앞으로 나서며 대답한다.

"여기 있소이다."

조홍이 어서 옥새를 찾아오라고 다그쳤다. 그 말에 조필은 눈을 부릅뜨고 꾸짖는다.

"옥새는 황제의 보배인데, 어찌 함부로 내놓으라 하느냐?"

조홍은 무사들에게 호령한다.

"냉큼 저놈을 끌어내 목을 베어라!"

무사들에게 끌려나간 조필은 목이 떨어지는 순간까지 그들 무리를 꾸짖어댔다.

후세 사람이 시를 지어 조필을 칭송했다.

간악한 무리 권세를 휘둘러 한실 망하니 　　　　　　奸先專權漢室亡
선위를 사칭하여 요순을 본받는다네 　　　　　　　詐稱禪位效虞唐
만조백관은 모두 위를 떠받드는데 　　　　　　　　滿朝百辟皆尊魏
충신은 겨우 부보랑 한사람뿐이네 　　　　　　　　僅見忠臣符寶郞

헌제가 두려움에 몸을 떨며 섬돌 아래를 보니 갑옷 입고 창을 든 수
백명의 군사가 모두 위군이다. 헌제는 울면서 신하들에게 말한다.

"짐이 위왕에게 천하를 넘겨줄 테니, 바라건대 요행히 남은 목숨
보존하여 여생이나 마치게 해주오."

가후가 대답한다.

"위왕께서 분명 폐하를 저버리지 않을 것이오니, 폐하께서는 한시
바삐 조서를 내려 백성들을 안심시키소서."

헌제는 진군에게 명하여 천하를 위왕에게 물려준다는 조서를 쓰게
했다. 그리고 마침내 화흠에게 조서와 함께 옥새를 건네주니, 화흠은
곧장 문무백관을 거느리고 위왕에게 가서 이를 바쳤다. 조비는 크게
기뻐하며 조서를 펴 읽게 했다.

짐이 32년 동안 재위하면서 천하가 크게 어지러웠으나, 다행히
조종의 도우심에 힘입어 위급한 난리중에도 보존해올 수 있었다.
그러나 이제 천문을 살피고 민심을 헤아려보건대, 한나라의 운수가
이미 다하고 천운이 조(曹)씨에게 있는지라. 전왕(前王, 조조)이 이

미 신무(神武)의 공적을 쌓았고, 또 금왕(今王, 조비)의 밝은 덕이 더욱 빛을 발해 이제 그 징조에 응하니, 천지의 이치가 분명함을 진실로 알겠도다. 무릇 '대도는 천하를 위해 공정히 행한다〔大道之行天下爲公〕' 하는지라, 옛날 요임금은 사사로이 그 위(位)를 아들에게 전하지 않음으로써 그 이름을 만고에 떨쳤으니, 짐이 오랫동안 사모해온 바이다. 이제 옛날 요임금의 거룩한 법을 좇아 승상 위왕에게 선위하노니, 왕은 이를 사양치 말라.

조비는 다 듣고 나서 즉시 조서를 받으려 했다. 이때 사마의가 간한다.

"안됩니다. 조서와 옥새가 내려지기는 했지만 마땅히 표문을 올려 겸손하게 사양하셔야만 천하 사람들의 비난을 막을 수 있습니다."

조비는 사마의의 간언에 따라 왕랑에게 표문을 짓게 해 헌제에게 올렸다. '신은 덕이 높지 않으니 어진 사람을 구하여 천위(天位)를 잇게 하라'는 내용이었다. 헌제가 표문을 받고 몹시 놀라고 의심스러워 신하들에게 묻는다.

"위왕이 겸양하니 어찌해야겠소?"

화흠이 대답한다.

"지난날 위무왕(武王, 조조)이 왕의 작위를 받을 때도 세번 사양했으나, 이를 허락지 않고 다시 조서를 내리니 그제서야 받았습니다. 하오니 폐하께서 다시 조서를 내리시면 위왕이 비로소 받을 것입니다."

헌제는 환계를 시켜 다시 조서를 쓰게 한 다음, 이번에는 고묘사(高廟使) 장음(張音)에게 조서와 옥새를 주어 위왕에게 보냈다. 조비가 받은 두번째 조서의 내용은 다음과 같다.

아아, 그대 위왕이여, 표문을 올려 겸양하도다. 한나라의 운수가
기운 지 이미 오래였으나 다행히 무왕 조조가 덕이 높고 천운을 입
어 신무한 힘을 떨치더니 흉포한 무리를 무찔러 중원을 평정하고,
지금의 왕 조비가 전왕의 유업을 계승해 지극한 덕을 빛내고 위세
와 가르침이 사해에 퍼져 그 은혜로움이 온나라에 가득하니, 하늘
의 역수(曆數)가 마땅히 그대에게 있음이라. 옛날 순임금은 20여가
지 큰 공을 세워 요임금이 천하를 넘겨주었고, 우(禹)임금은 치산
치수(治山治水)의 공적이 있어 순임금이 제위를 물려주었다. 한나
라도 요임금을 이어 성인의 의(義)를 전함이 옳으니, 신령스러운
복에 따르고 하늘의 밝은 뜻을 받들어 어사대부(御史大夫) 장음에
게 절(節)을 지니고 황제의 옥새를 받들게 하여 보내니, 왕은 이를
받으라.

조비가 조서를 보고 기쁨을 감추지 못하면서도 가후에게 말한다.
"비록 두번이나 조서를 받았으나, 후세 사람들에게 제위를 찬탈했
다는 소리를 들을까 두렵소."
가후가 대답한다.
"그건 지극히 쉬운 일입니다. 다시 장음에게 명해 옥새를 가지고
돌아가게 하소서. 그런 다음 화흠을 통해 황제에게 분부하시되, 대 하
나를 쌓고 수선대(受禪臺)라 이름하게 하십시오. 그리고 길일을 택해
대소 벼슬아치들을 모두 그 아래 모이게 하여 황제가 직접 옥새를 내
리고 제위를 넘겨주도록 한다면, 그 누구도 의심할 수 없을 뿐만 아니
라 여러 무리들의 논의도 막을 수 있습니다."

조비는 흡족해하며 즉시 표문을 써서 옥새와 더불어 헌제에게 돌려보냈다. 장음이 대궐로 와서 옥새와 표문을 헌제에게 바치니, 헌제가 뭇 신하들에게 묻는다.

"위왕이 또 사양하니, 이는 무슨 뜻이오?"

이때 화흠이 아뢴다.

"폐하께서 대 하나를 쌓아 수선대라고 이름짓고, 문무백관과 백성들을 불러모아 그들이 보는 앞에서 분명하게 선위하신다면, 폐하의 자자손손이 반드시 위나라의 은혜를 입을 것입니다."

헌제는 화흠의 말에 따라 태상원(太常院) 관리를 파견하여 번양에 터를 마련하고 3층의 높은 대를 쌓았다. 그리고 10월 경오일(庚午日) 인시(寅時, 새벽 4시)에 제위를 선양하기로 했다.

그날이 되어, 헌제는 위왕 조비를 청하여 수선대 위에 올랐다. 대 아래에는 대소 관원 4백여명과 어림호분금군(御林虎賁禁軍) 30여만명이 모여 있었다. 헌제가 친히 옥새를 받들어 조비에게 내렸고 마침내 조비가 이를 받았다. 수선대 밑에 모인 신하들은 무릎을 꿇고 칙서 읽는 소리에 귀를 기울였다.

아아, 위왕이여! 옛날에 요임금은 순에게 선위하고 순임금 또한 우에게 선위했으니, 천명은 한곳에 머물지 않고 항상 덕 있는 자에게 돌아가도다. 한나라의 도가 점점 쇠미해져 세상이 질서를 잃더니, 급기야 짐의 대에 이르러서는 대란이 일어나고 흉포한 무리들이 벌떼처럼 횡행하여 세상을 전복하려 했도다. 다행히 무왕의 신무한 힘을 입어 사방의 난을 평정하고 종묘를 보전했으니, 이 어찌나 한 사람만의 복이겠는가. 만천하가 다 그 은혜를 입었다 하리라.

금왕(今王)은 선대의 공을 계승해 그 덕을 빛내며 문무의 대업을 회복하고 선조의 공적을 밝히는도다. 이제 하늘은 상서로움을 내리고 사람과 귀신이 그 징조를 알리는지라. 짐이 그 빛남을 헤아려 뜻을 전하려 했으나 모두들 말하기를 '요순의 조화로움을 본받으라' 하는지라. 짐은 옛날 요임금을 좇아 경건히 그대에게 황제의 자리를 선위하노라.

아아, 하늘의 운수가 그대에게 있으니 그대는 삼가 대례(大禮)를 받들어 만국(萬國)을 받고 엄숙히 천명(天命)을 따르라.

칙서 낭독이 끝나자 위왕 조비는 즉시 선위의 대례를 치르고 제위에 올랐다. 이어 가후가 대소 관원들을 거느리고 수선대 아래서 조례(朝禮)를 드렸다. 조비는 연강(延康) 원년(220)을 황초(黃初) 원년으로 고치고, 국호를 대위(大魏)라 했다. 천하에 대사령을 내리고, 제 아비 조조에게 태조(太祖) 무황제(武皇帝)의 시호를 추존했다.

화흠이 아뢴다.

"하늘에는 두 해가 없으며, 백성에게는 두 임금이 없다 했사옵니다. 한제가 천하를 양도했으니 마땅히 번복(藩服, 왕궁과 거리가 5천리 떨어진 땅)으로 물러나야 할 것입니다. 바라건대 폐하께서는 교지를 내리셔서 유(劉)씨를 어디에 안치할지 명하소서."

말을 마친 화흠은 헌제를 수선대 아래로 끌어내리더니 꿇어앉혀 조비의 명령을 듣게 했다. 마침내 조비가 교지를 내려 헌제를 산양공(山陽公)에 봉하고 그날로 떠나게 하니 화흠이 칼을 짚고 서서 헌제를 손가락질하며 큰소리로 외친다.

"한 황제를 세우고 한 황제를 폐함은 예로부터 늘상 있던 일, 금상

(今上)께서 인자하셔서 차마 해치지 않으시고 그대를 산양공으로 봉해 오늘 안으로 떠나라 하시니, 앞으로 황제께서 부르시기 전에는 마음대로 입조하는 것을 불허하노라."

헌제는 눈물을 삼키며 절하여 사례한 뒤 말을 타고 떠났다. 수선대 아래 모여 있던 군사와 백성들이 이를 보고 모두 슬퍼해 마지않았다. 조비가 신하들에게 말한다.

"순임금과 우임금의 일을 짐이 이제 알았노라!"

이에 모든 신하들이 일제히 만세를 외쳤다.

후세 사람이 이 수선대를 보고 한탄한 시가 있다.

서한 동한 지나온 역사 자못 어렵더니	兩漢經營事頗難
하루아침에 옛 강산을 잃고 말았네	一朝失却舊江山
조비는 요순의 선양을 본받으려는데	黃初欲學唐虞事
사마씨가 장래에 하는 꼴 보라	司馬將來作樣看

문무백관들이 조비에게 하늘과 땅에 사례할 것을 청하여 조비가 무릎을 꿇고 절하려는데, 갑자기 수선대 앞에서 괴이한 바람이 일더니 모래를 날리고 돌을 굴려서 이것들이 소나기처럼 쏟아져내렸다. 서로 마주 보아도 얼굴을 알아볼 수 없는 지경인데, 문득 대 위의 촛불들이 일시에 꺼져버렸다. 조비는 너무 놀라 수선대 위에 쓰러졌다. 문무백관들이 급히 구완해 수선대 아래로 내려와서 반식경 만에야 겨우 깨어난 조비는 시신들의 부축을 받고 입궁했으나 며칠 동안이나 병석에 누워 조회조차 열지 못했다.

병세가 다소 호전되고 나서 조비는 비로소 대전에 나와 신하들의 하례를 받았다. 그 자리에서 화흠을 사도(司徒)에 봉하고 왕랑을 사공(司空)으로 삼는 등 대소 관원들 모두에게 일일이 상을 내리고 벼슬을 올려주었다. 조비의 병은 좀처럼 완쾌될 기미를 보이지 않았다. 허도의 대궐에 요괴가 많기 때문이라 생각한 조비는 즉시 허도에서 낙양으로 옮겨서 큰 궁전을 짓기 시작했다.

이 일은 곧 성도에 보고되었다.

"조비가 스스로 대위(大魏)의 황제자리에 오르고 낙양에 새로 대궐을 짓고 있사옵니다."

또다른 보고가 뒤를 이었다.

"산양으로 향하던 헌제께서 도중에 살해되셨다 하옵니다."

한중왕은 이 소식을 듣고 온종일 통곡을 그치지 않았다. 문무백관들에게 상복을 입도록 명한 후, 멀리 허도를 향해 제를 올리고 세상을 떠난 헌제에게 효민황제(孝愍皇帝)라는 시호를 올렸다. 현덕은 이 일로 인해 근심이 깊어져 마침내 자리에 눕고 말았다. 모든 정사는 공명이 맡아보았다. 공명이 태부(太傅) 허정(許靖), 광록대부(光祿大夫) 초주(譙周)와 더불어 상의한다.

"비록 하루라도 천하에 임금이 없어서는 안되니 한중왕을 황제로 모시도록 합시다."

공명의 말에 초주가 답한다.

"근래 상서로운 바람이 불고 경사스런 구름이 일더니, 성도 서북쪽 하늘에는 황기(黃氣)가 수십길이나 치솟고 있습니다. 또한 황제성이 필(畢)·위(胃)·묘(昴, 별자리 이름) 사이에 나타나 마치 달처럼 밝으니, 이는 바로 한중왕이 제위에 올라 한나라 혈통을 계승하실 징조라, 더 무엇을 의심하겠습니까?"

공명은 허정과 함께 대소 관료를 이끌고 들어가 한중왕에게 황제의 위에 오를 것을 간청하는 표문을 올렸다. 한중왕은 표문을 읽더니 크게 놀란다.

"경들은 어찌하여 나를 불충불의한 사람으로 만들려 하오?"

공명이 아뢴다.

"아닙니다. 조비는 스스로 한나라를 찬탈해 제위에 올랐지만, 주상께서는 한실의 후손이시니 마땅히 대통을 이어 한나라 사직을 보존하셔야 합니다."

한중왕은 더욱 낯빛이 굳어진다.

"내 어찌 역적의 무리를 본받을 수 있겠는가!"

말을 끝내기가 무섭게 소매를 떨치고 일어나더니 뒤도 돌아보지 않고 후궁으로 들어가버렸다. 관원들도 말없이 자리를 떴다. 그로부터 사흘이 지나서 공명은 다시 관원들을 이끌고 대전으로 들어가 한중왕 법기를 청했다. 모든 관원들이 한중왕 앞에 꿇어엎드린 가운데 허정이 아뢴다.

"이제 한나라 황제께서 조비에게 시해당하셨으니, 주상께서는 즉시 제위에 오르셔야 합니다. 한의 황제로서 군사를 일으켜 역적을 치지 않으신다면, 이야말로 충의를 저버리는 일입니다. 오늘날 온 천하가 주상을 임금으로 모시고 효민황제의 원한 갚기를 고대하고 있습니다. 주상께서 신들의 간청을 듣지 않으신다면, 이는 천명을 거역하는 일이며 백성의 뜻을 저버리는 것입니다."

한중왕이 대답한다.

"내 비록 경제(景帝)의 후손이지만 백성들에게 덕을 베풀지 못하고 난세를 바로잡지 못했는데, 이제 내가 스스로 제위에 오른다면 찬탈하는 것과 무엇이 다르단 말이오?"

뒤를 이어 공명이 몇번씩이나 간절히 권했으나 한중왕의 고집을 꺾을 수는 없었다. 공명은 궁리끝에 한 가지 계책을 세우고, 여러 관원들을 불러모아 어떻게 할 것인지 지시한 다음 자신은 병을 핑계삼아 두문불출했다.

한중왕은 공명의 병이 깊다는 소리를 듣고 친히 그 부중으로 문병을 갔다. 한중왕이 공명의 병상 옆으로 다가가 묻는다.

"군사는 어디가 그리 편찮으시오?"

공명이 답한다.

"근심으로 인해 가슴이 타는 듯하니 아무래도 오래 살 것 같지가 않습니다."

"도대체 무슨 근심이기에 이렇듯 병이 났단 말이오?"

한중왕이 거듭 물었으나 공명은 병이 위중한 듯 눈을 감고 아무런 대답이 없었다. 한중왕이 답답해하며 거듭 물으니 공명은 그제서야 한숨을 크게 몰아쉬며 탄식하듯 말한다.

"신이 초려에서 나와 대왕을 만나뵌 이래로 오늘날까지 대왕께서는 신의 말이라면 무엇이든 믿고 따라주셨으며, 이제 다행히 양천을 거두었으니 이는 지난날 신이 예언한 바입니다. 오늘날 조비가 제위를 찬탈하고 급기야 한나라 사직을 무너뜨리니, 문무관원들은 한결같이 대왕을 받들어 제위에 모시고, 위를 없애고 유(劉)씨를 다시 일으켜 더불어 공명을 이루기를 간절히 원하고 있습니다. 그런데 대왕께서는 고집을 부리시고 수긍하지 않으시니, 모든 관원들이 원망하는 마음을 품고 탄식하며 머지않아 흩어져버릴 게 분명합니다. 문무백관들이 떠나버리고 나서 오와 위가 결탁해 쳐들어온다면 양천은 보존할 수 없을 것이니 신이 어찌 근심하지 않겠습니까?"

그제서야 한중왕은 속마음을 털어놓는다.

"내가 경들의 청을 거부한 것은 천하 사람들의 뒷공론이 두렵기 때문이오."

"성인이 말씀하시기를 '명분이 바르지 않으면 말에도 이치가 없다〔名不正 則言不順〕'했습니다. 이제 대왕께서는 명분이 바르고 말이 이치에 맞는데 누가 감히 뒷말을 하겠습니까? 자고로 '하늘이 내리신 것을 받지 않으면 오히려 벌을 받는다〔天與弗取 反受其咎〕'고 하였습니다."

공명의 말에 한중왕이 고개를 끄덕이며 말한다.

"이 일은 군사의 병환이 완쾌된 뒤에 행해도 늦지 않을 것이오."

순간 공명은 병상에서 벌떡 일어나더니 병풍을 가볍게 밀쳐 넘어뜨렸다. 병풍이 넘어지자 거기 엎드려 있던 문무백관들이 일제히 입을 모아 말한다.

"주상께서 이미 윤허하셨으니, 길일을 택해 대례를 행하겠습니다."

한중왕이 깜짝 놀라 둘러보니, 태부 허정(許靖)을 비롯해 안한장군(安漢將軍) 미축(麋竺)·청의후(靑衣侯) 향거(嚮擧)·양천후(陽泉侯) 유표(劉豹)·별가(別駕) 조조(趙祚)·치중(治中) 양홍(楊洪)·의조(議曹) 두경(杜瓊)·종사(從事) 장상(張爽)·태상경(太常卿) 뇌공(賴恭)·광록경(光祿卿) 황권(黃權)·좨주(祭酒) 하종(何宗)·학사(學士) 윤묵(尹默)·사업(司業) 초주(譙周)·대사마(大司馬) 은순(殷純)·편장군(偏將軍) 장예(張裔)·소부(少府) 왕모(王謀)·소문박사(昭文博士) 이적(伊籍)·종사랑(從事郎) 진복(秦宓) 등 문무백관들이 가득하다. 한중왕은 놀라며 말한다.

"경들은 어찌하여 나를 불의에 빠뜨리려 하는가?"

공명이 관원들에게 말한다.

"주상께서 이미 윤허하신 일이니, 곧 대를 쌓고 길일을 택해 대례를 행하시오."

즉시 한중왕을 모셔 환궁하게 한 공명은 박사(博士) 허자(許慈)와 간의랑(諫議郎) 맹광(孟光)에게 대례를 주관하게 하고 성도의 무담(武擔) 남쪽에 대를 쌓도록 지시했다. 모든 준비가 갖추어졌다. 관원들은 난가(鑾駕, 임금이 타는 가마)에 한중왕을 모시고 제를 올리기 위해 단에 올랐다. 초주가 단 위에서 큰소리로 제문을 낭독했다.

건안 26년 4월 병오(丙午) 초하루에서 12일 지난 정사(丁巳)에 황제 유비는 감히 황천후토(皇天后土, 하늘과 땅의 신령)께 고하나이다. 한나라는 천하에 국운이 무궁한지라, 옛날 왕망이 찬역했을 때 광무제가 진노하사 벌하시고 사직을 보존했나이다. 이제 조조가 잔인하게 황제와 황후를 시해하여 그 죄악이 하늘에 닿았고, 그 아들 조비는 흉악한 마음을 품고 제위를 찬탈하였습니다. 천하의 모든 장수와 선비들이 한나라의 대통이 끊어짐을 탄식하니, 이 비가 대통을 이어받아 고조와 광무 이조(二祖)의 업적을 힘입어 몸소 천벌을 대신 행할까 하옵니다. 비가 덕이 없어 감히 제위를 잇는 것이 두려워 백성에게 묻고 멀리 군장(君長)에게 의논하니, 한결같이 말하기를 천명을 좇지 않을 수 없으며, 조상의 대업을 오래 비워둘 수 없고, 천하에 주인이 하루라도 없을 수 없다 하여, 사람들의 바라는 바가 오로지 비 한 사람에게로 모아졌나이다. 이에 유비는 천명을 받들고, 고조와 광무의 대업이 땅에 떨어질까 두려운 마음에 감히 길일을 택하여 단에 올라 제를 드려 고하나이다. 유비가 황제의 옥새를 받아 사해 백성을 보살피려 하오니, 천지신명께서는 한나라에 복을 내리시어 평안하게 굽어살피소서.

제문을 읽고 나서 공명이 관원들을 거느리고 공손히 옥새를 올렸다. 한중왕은 이를 받아 단 위에 바치고 거듭 사양했다.

"과인은 재주도 덕도 없으니 바라건대 재주와 덕을 갖춘 사람을 찾아 옥새를 드리도록 하오."

공명이 말한다.

"주상께서는 사해를 평정하셨고 공덕이 천하에 빛나시며 더구나 대한(大漢)의 종친이시니, 마땅히 황제의 위에 오르셔야 합니다. 이미 천신께 제를 올려 고했는데 어찌 사양하십니까?"

한중왕이 뭐라 말하기도 전에 문무백관들이 일제히 소리높여 외친다.

"만세!"

모두들 절을 올리고 춤을 추어 마침내 대례를 마쳤다. 연호를 장무(章武) 원년(221)으로 고치고 오(吳)씨를 황후로 삼았으며, 또한 장자 유선(劉禪)을 태자로 삼고, 둘째아들 유영(劉永)을 노왕(魯王)으로, 셋째아들 유리(劉理)를 양왕(梁王)으로 삼았다. 제갈량을 승상으로, 허정을 사도로 삼고, 대소 관원들의 직급을 일일이 올리고 천하에 대사령을 내리니, 동천과 서천의 백성들이 한결같이 환호성을 올리며 기뻐했다.

이튿날 처음으로 조회가 열렸다. 문무관원들이 절하고 나서 반열을

유비는 한의 대통을 이어 황제의 자리에 오르다

지어 늘어섰다. 선주(先主, 유비)가 조서를 내린다.

"짐이 도원에서 관운장·장익덕과 더불어 결의하면서 생사를 함께 하기로 맹세했으나, 불행히 큰아우 관운장이 동오의 손권에게 해를 입으니 천추에 맺힌 한을 풀 길이 없다. 원수를 갚지 못하면 이는 맹세를 저버리는 일이니, 짐은 이제 군사를 일으켜 동오를 치고 역적을 사로잡아 한을 풀고자 하노라."

이때 반열 가운데서 한 사람이 걸어나와 엎드려 절하며 간한다.

"그것은 안될 말씀입니다."

선주가 보니, 바로 호위장군(虎威將軍) 조운(趙雲)이었다.

임금이 하늘을 대신해 토벌에 나서기 전	君王未及行天討
신하에게서 바른 말 먼저 듣는구나	臣下曾聞進直言

과연 자룡은 어떤 간언을 올리려는 것일까?

삼국지 2
특별합본호

초판 1쇄 발행／2019년 7월 25일
초판 4쇄 발행／2022년 3월 14일

지은이／나관중
옮긴이／황석영
펴낸이／강일우
편집／문학출판부
펴낸곳／(주)창비
등록／1986년 8월 5일 제85호
주소／10881 경기도 파주시 회동길 184
전화／031-955-3333
팩시밀리／영업 031-955-3399 · 편집 031-955-3400
홈페이지／www.changbi.com
전자우편／lit@changbi.com

ⓒ 황석영 2019
ISBN 978-89-364-7717-2 03810
ISBN 978-89-364-7949-7 (전3권)